PORTISCH · RIFF   DIE WIEDERGEBURT UNSERES STAATES

ÖSTERREICH
II

Hugo Portisch

ÖSTERREICH II

Die Wiedergeburt unseres Staates

Vorwort Gerd Bacher

Bilddokumentation Sepp Riff

Kremayr & Scheriau

Dieses Werk basiert auf den Folgen 1–12
der Fernseh-Dokumentation „ÖSTERREICH II"
und wurde in Zusammenarbeit
mit dem ORF erstellt.

4. Auflage
141.–160. Tausend

© 1985 by Verlag Kremayr & Scheriau, Wien
Kartengestaltung: Wilhelm J. Wagner
Lektorat: Helga Zoglmann
Gestaltung: Gerhart Langthaler
Herstellung: Gerhard Kellinger
Satz: Datacon, Wien
Reproduktionen: Schönwälder, Wien
Druck und Bindung: Wiener Verlag, Himberg bei Wien

ISBN 3 218 00422 5

INHALT

ZUM GELEIT

Die Gegenwart leben helfen

Mit größerer Überzeugung und mehr Vergnügen als dieses schreibe ich kein anderes Vorwort. Der Verlag Kremayr & Scheriau bringt nun das Buch zu „Österreich II" heraus; das freut mich für die Autoren Hugo Portisch und Sepp Riff, für den Verlag, für das Publikum, das auf dieses Buch sicher schon lange gewartet hat, und für den ORF, der diese Dokumentation als eine Bereicherung seiner wichtigsten Produktion empfindet.

Hugo Portisch schildert in diesem Buch – sehr anerkennend für mich –, wie es zu „Österreich II" gekommen ist. Seit 1981 arbeiten er und sein kongenialer Film-Partner Sepp Riff an dieser Serie, die zu einem auch von uns in diesem Umfang nicht erwarteten Erfolg geworden ist: Einschaltziffern wie bei einem Krimi.

Ich schätze diese Serie nicht darob so ungemein, weil ich damit endlich Gelegenheit habe anzuzeigen, daß ich eine Idee hatte, sondern weil sie eine der wesentlichsten Aufgaben des Fernsehens erfüllt und den allgemeinen Nutzen des öffentlich-rechtlichen Rundfunks beweist: aus der Kenntnis der Vergangenheit die Gegenwart leben helfen und die Zukunft mit Tatkraft und Optimismus angehen. Die Jungen sehen, wie das einmal war, machen sich eine Vorstellung von mitunter fast Unbegreiflichem, verstehen die Mütter und die Väter besser. Den Älteren und Alten bringt „Österreich II" Erinnerung, bestürzende oft, exhumiert Vergessenes und ist auch die Leistungsbilanz einer unglaublich leistungsfähigen Generation.

„Österreich II" ist das Resultat einer großen Kraftanstrengung vieler Journalisten, Wissenschaftler, Film- und Fotoreporter, erarbeitet nicht nur in Österreich, sondern auch in den Ländern und deren Dokumentationszentren, die den Zweiten Weltkrieg und die Nachkriegszeit mitgemacht und maßgeblich bestimmt hatten. Das Besondere an dieser Dokumentationsserie ist, daß Zeitgeschichte nicht bloß gefilmt, vorhandenes Material nicht bloß aufbereitet und verwertet wurde, sondern daß man Zeitgeschichte recherchierte. In jeder Folge kam somit Neues, bisher überhaupt Unbekanntes oder zumindest einer größeren Öffentlichkeit nicht Bekanntes ans Licht.

Hugo Portisch und Sepp Riff erhielten für „Österreich II" bekanntlich die Goldene Kamera; Portisch ist der einzige, der diese Auszeichnung damit schon zum zweiten Mal verliehen bekam. Ihn, den Weltreisenden und außenpolitischen Chefkommentator des ORF, zu fragen, ob er nicht einmal ein paar Jahre zu Hause bleiben und sein Talent quasi der „politischen Heimatkunde" zur Verfügung stellen möchte, war für mich naheliegend. Mit hohem Sachverstand schwierige Zusammenhänge so zu erklären, daß sie dem einfachen Mann verständlich sind und den Anspruchsvollen nicht langweilen, das ist die Kunst, die Hugo Portisch seit mehr als drei Jahrzehnten als personifiziertes Multimedium ausübt und beherrscht wie kein anderer in diesem Land; „in diesem Land" müßte noch nicht unbedingt ein Kompliment bedeuten: Er ist auch international Spitzenklasse.

Das politische Erzählertalent Portischs entfaltete sich in seinen Zeitungsreportagen, schlug erstmals – im wahrsten Sinn des Wortes – in der „So sah ich . . ."-Reihe zu Buche, deren faszinierendste Folgen für meinen Geschmack „So sah ich China" und „So sah ich Sibirien" waren, weit über den deutschen Sprachraum hinaus in Europa und in Übersee erfolgreich. Nach dem und zum Chefredakteur und Buchautor – man müßte noch ein Dutzend Titel aufzählen – kommt der Fernsehmann und Filmemacher Hugo Portisch. Sternstunden: Portisch auf der Karlsbrücke im Prager Frühling und dessen Ende, der Pariser Mai im Jahr 1968 und dann die großen Fernsehdokumentationen wie etwa der auch in Amerika preisgekrönte Film „Friede durch Angst". Partner dieses vorbildlichen Fernsehjournalisten in allen Erdteilen und zu Hause war und ist Sepp Riff, der als Kameramann und Regisseur Portisch-Qualität hat.

Die Fernsehserie „Österreich II" ist nicht nur ein sogenannter TV-Hit; sie ist im Jahr der Zeitgeschichte (1985) auch zum Unterrichtsmittel an den österreichischen Schulen erklärt worden, sie ist Erwachsenenbildung, und sie wird oft als der Kern einer audiovisuellen Nationalbibliothek bezeichnet. Daß mit dem vorliegenden Buch nun auch die Privatbibliotheken der interessierten Österreicher bedient werden, tut diesem patriotischen Versuch sehr gut.

GERD BACHER

Das Projekt

Wir sprachen immer wieder davon. Seit vielen Jahren. Wir klagten und beklagten uns: Österreich weicht seiner Geschichte aus. Kaum ein anderes Volk zeigt eine derartige Scheu davor, sich zu seinen geschichtlichen Daten und Taten zu bekennen. Wer es versucht, hat es schwer in Österreich, trifft auf Kritik und Widerspruch. Denn fast nichts in der Geschichte Österreichs ist bis heute außer Streit gestellt. Das alte Österreich, die österreichisch-ungarische Monarchie, galt Marxisten und Republikanern als reaktionär-autoritär, und Habsburg war ihr Feindbild – für manche noch in unseren Tagen. Andere verbanden mit dem alten Österreich und dem Haus Habsburg Vorstellungen von einer glücklicheren Zeit, einer wirtschaftlich und politisch sogar fortschrittlichen, weil ihre Orientierung eine europäische gewesen sei. Die einen ließen kein gutes, die anderen kein schlechtes Haar an diesem alten Österreich. Eine objektive Sicht wurde von beiden Seiten kaum zugelassen.

Härter noch sind die Fronten und unnachgiebiger die Standpunkte, was die Zeit nach diesem alten Österreich betrifft, die Erste Republik, die Zwischenkriegszeit. Als 1984, fünfzig Jahre nach dem Februar 1934, einzelne Historiker versuchten, obwohl keineswegs gleichgewichtig, Fehlentscheidungen in beiden politischen Lagern aufzuzeigen, flammte der alte Streit sofort wieder auf, war die Mauer der Kompromißlosigkeit und Intoleranz wieder da.

Immerhin wurde Stellung bezogen, war es möglich, gegensätzliche Positionen einzunehmen. Dergleichen ist kaum mehr denkbar für die Zeit von 1938 bis 1945, wenn es darum geht, die Wurzeln des Nationalsozialismus, die Rolle der Österreicher in der NS-Zeit, ihr Verhalten gegenüber dem und im Dritten Reich zu diskutieren. Die Sicht auf das, was damals geschah, wird mit fortschreitender Zeit nicht objektiver, die Einschätzung nicht differenzierter. Die Schulbücher weichen der Zeit, weichen der Frage nach der Entstehung des Faschismus und des Nationalsozialismus aus. Ursprünglich, weil man fürchtete, den Streit vom Klassenzimmer in die Familie und von dort zurück in das Klassenzimmer zu tragen.

Doch ein Volk, das sich nicht zu allen Daten und Taten seiner Geschichte bekennt, ist auch nicht in der Lage, aus diesen Daten und Taten zu lernen. Ohne diesen Lernprozeß kann es kaum bestimmen, wo sich sein heutiger Standort befindet. Und ohne diesen festen geschichtlichen Boden unter den Füßen wird ihm die Orientierung auf dem Weg in die Zukunft fehlen.

Im Juni 1981 lud uns der Generalintendant des Österreichischen Rundfunks Gerd Bacher zu einem Gespräch ein – Alfred Payrleitner, damals verantwortlich für Politik und Zeitgeschehen im ORF, Sepp Riff und mich. Wir hatten bis dahin in all diesen Fragen ein politisches Problem gesehen, eines der versäumten Erziehung durch die Politiker, durch die Journalisten, durch die Lehrer. Die Historiker hatten ihre Arbeit geleistet oder waren dabei, sie zu leisten. Gerd Bacher schlug nun den großen Bogen: Solange geschichtliche Ereignisse lediglich berichtete Ereignisse bleiben, wird man sie ihres theoretischen Charakters nicht entkleiden können. Kaum ein Medium wäre geeigneter als das Fernsehen, auch das geschichtliche Ereignis greifbar zu machen, es in die Gegenwart zu stellen, und es damit wahrscheinlich auch heute noch nachvollziehen zu können. Und kaum ein anderes Medium wäre in der Lage, so viele Menschen, ja fast die gesamte Bevölkerung anzusprechen und in die Diskussion einzubeziehen.

Bacher lud uns ein, für den ORF die Geschichte der Zweiten Republik zu rekonstruieren. Wahrheitsgetreu nachzuzeichnen in möglichst vielen ihrer Facetten, erstmals für das Fernsehen. Dergleichen, das begriffen wir alle, war nicht nur in Österreich noch nicht da, dergleichen war bis dahin noch nirgendwo in der Welt versucht worden.

Es ist schwer genug, Geschichte in Büchern darzulegen, obwohl deren Umfang dem Inhalt angepaßt werden kann und Bücher auch Fußnoten und Anhänge zulassen. In Büchern lassen sich Sätze wenn notwendig relativieren, läßt sich zur These die Antithese stellen, kann man dem Leser auch noch die eigene Meinung dazu anbieten. Dies alles in Film und Bild umzusetzen – und das ist die erste Voraussetzung für das Fernsehen –, schien ein fast unmögliches Unterfangen. Jedenfalls wenn man gleichzeitig auch die dramaturgischen Grundsätze dieses Mediums zu beachten hat – nämlich einen sich selbst tragenden Ablauf der Ereignisse, ohne zum Hilfsmittel des belehrenden Vortrags zu greifen.

Wir alle erkannten den Umfang und die Schwierigkeit dieses von Bacher im Detail geplanten und nun dargelegten Unterfangens. Für Bacher hatte das Unternehmen schon in dieser Stunde eine besondere Dimension: „Wenn uns das gelingt, dann werden wir eine Furche ziehen."

Die nächsten Tage brachten böse Überraschungen. Die österreichischen Filmbestände, vor allem die Wochenschauen und Filmberichte aus der Zeit zwischen 1945 und 1964, waren mehreren Brandkatastrophen zum Opfer gefallen. Denn die Filme der ersten Nachkriegsjahre bestanden noch aus Nitromaterial, waren leicht entzündbar, neigten zur Selbstentzündung. Und zu jener Zeit waren die Lagerräume noch nicht klimatisiert. Die Großbrände in den zentralen Lagerräumen auf dem Rosenhügel und in Sievering hatten das gespeicherte audiovisuelle Gedächtnis der Nation jedenfalls für die Zeit vom Kriegsende bis 1964 weitgehend ausgelöscht.

Wir nahmen diese Nachricht noch gelassen hin. Hatten wir doch gehört, daß die Wochenschauen jener Zeit in vielen hundert Kopien angefertigt und den damals noch sehr zahlreichen Kinos im ganzen Land zugeteilt worden waren. Es mußte möglich sein, durch gezielte Suchaktionen diese Filme aufzutreiben. Wir waren auch bereit, mit Adreßbüchern früherer Jahre all die Kinos ausfindig zu machen, die es gegeben hatte, und sie abzuklappern, um nach diesen alten Filmberichten zu suchen. Doch schon nach den ersten Versuchen erkannten wir, daß dies vergeblich sein würde. Eine derartige Suchaktion hätte man 15 oder 20 Jahre früher einleiten müssen, jetzt war es zu spät. Denn 1973 gab es den Ölschock, mit ihm kam die Inflation und mit dieser eine gewaltige Gold- und Silberspekulation. Die Gebrüder Hunt in Texas manipulierten damals den Silberpreis in ungeahnte Höhen. Und wie überall in der Welt, so setzten sich auch in Österreich viele kleine Trödler in Bewegung und taten, was wir jetzt tun wollten, sie klapperten mit den Adreßbüchern früherer Jahre alle Kinos ab und boten Höchstpreise für alte Filme. Denn in der Emulsion dieser Filme steckte Silber, das sich herauswaschen ließ. Die Filme allerdings wurden dadurch vernichtet. Was vom audiovisuellen Gedächtnis der Nation bis dahin noch vorhanden gewesen war, das hatte sich dank der Gebrüder Hunt in Texas in Silberbarren verwandelt.

Das Österreichische Fernsehen war erst im Jahr 1955 gegründet worden, hatte mit großen finanziellen Problemen zu kämpfen und legte damals kein Archiv mit Filmstreifen aus vergangenen Jahren an. Gewiß, seither war im ORF eine Reihe von hervorragenden historischen Dokumentationen erstellt worden. Alfred Payrleitner erwarb sich da große Verdienste, Hellmut Andics, Peter Dusek, Claus Gatterer, Kurt Grotter, Horst Friedrich Mayer, Rubina Möhring, Teddy Podgorski, Ernst Trost, Alexander Vodopivec, Hans Zerbs und andere. Sie haben Schlüsselereignisse unserer Geschichte zu wichtigen historischen Dokumentationen gestaltet. Sie waren auch die ersten, die historisches Material für das Medium Fernsehen heranholten, und sie haben mit knappen Mitteln Großartiges daraus gemacht. Mit knappen Mitteln – das hieß, daß sie sich vorwiegend auf die im Lande vorhandenen Materialien stützen mußten und nur wenige andere suchen und ankaufen lassen konnten. So betrug die Laufzeit der beim ORF vorhandenen filmischen Ausgangsmaterialien aus der Zeit zwischen 1945 und 1955 nur wenige Stunden. Das „Österreichische Filmarchiv" und das „Österreichische Filmmuseum" hatten gesammelt, was ihnen mit ihren Mitteln möglich war. Das war vergleichsweise schon ein gewisser Fundus. Sie standen uns auch sofort mit ihrem Rat und ihren Schätzen zur Seite. Desgleichen die „Austria Wochenschau". Aber sie allesamt verfügten nur über wenige Einzelexemplare der damaligen Wochenschauen. „Österreich II", wie die Fernsehserie heißen sollte, war mit den in Österreich aufgefundenen Filmmaterialien nicht herstellbar. Unsere Suchaktion mußte in weltweiten Dimensionen betrieben werden.

Nun war Österreich in den ersten zehn Nachkriegsjahren vierfach besetzt, und die Annahme, die Archive jener vier Besatzungsmächte würden sich als Fundgrube erweisen, war richtig. Der Zugang zu diesen Archiven war jedoch nicht immer leicht. Für jedermann offen, wenn auch mühsam zu durchforsten, sind die National Archives in Washington, ist die Library of Congress und sind die vielen anderen öffentlichen Film-, Bild- und Dokumentensammlungen in den USA. Umfangreich und auch gut indiziert, aber fast unerschwinglich teuer sind die kommerziellen Archive in Amerika. Und so ungefähr steht es auch um die Archive in Großbritannien, in Frankreich, in der Bundesrepublik Deutschland und in Italien. In all diesen Archiven wurden wir fündig, brachten Tausende Filmberichte über Österreich wieder zurück nach Österreich.

Viele der wichtigsten und bis dahin weder in Österreich noch in der übrigen Welt gezeigten Filmdokumente befanden sich im Zentralarchiv der Sowjetunion in Krasnogorsk. In den Ostblockstaaten sind Filme jedoch keine Ware wie jede andere, und Archive sind Tresore, in denen Staatsgeheimnisse gehütet werden. Die von uns kontaktierten sowjetischen Behörden und Institutionen zeigten zwar reges Interesse an unserem Vorhaben, aber wir kamen mit unserem Anliegen nicht weiter.

Bundespräsident Rudolf Kirchschläger bereitete sich in jenen Tagen auf einen Staatsbesuch in der Sowjetunion vor. Es war ein Zufall, daß wir gerade zu dieser Zeit mit anderen „Österreich II" betreffenden Anliegen an den Bundespräsidenten herantraten. Dabei ergab sich auch ein Gespräch über unsere Sorgen. Und eine wesentliche Sorge war die Frage des Zugangs zu den sowjetischen Archiven für unser Projekt; war die Zustimmung Moskaus, die führenden Persönlichkeiten aus der Zeit der sowjetischen Besetzung und der Staatsvertragsverhandlungen kontaktieren und interviewen zu können und dabei mehr über die damaligen sowjetischen Absichten und Ziele gegenüber Österreich zu erfahren.

Bundespräsident Kirchschläger machte unser Anliegen auch zu dem seinen. Er war bereit, „Österreich II" auf die Tagesordnung seiner Unterredung mit dem damaligen sowjetischen Staats- und Parteichef Leonid Breschnjew zu setzen. So kam es, daß „Österreich II" in Moskau auf der höchsten politischen Ebene zur Sprache kam und auf dieser Ebene eine Entscheidung gefällt wurde, die uns die Türen der Film- und Bildarchive der Sowjetunion öffneten: Ohne Auflage, ohne Bedingungen, nur gegen Bezahlung in harter Währung, konnten wir viele der Filme und Bilder erwerben. Unsere Mitarbeiter in der Sowjetunion erhielten Zugang zu wichtigen sowjetischen Augenzeugen, und diese waren bereit, uns ihre Überlegungen und Erfahrungen in ungeprobten Interviews mitzuteilen. Das waren wesentliche Elemente für die umfassende Darstellung der geschichtlichen Ereignisse jener Zeit. Ermöglicht durch einen Bundespräsidenten, für den die Zielvorstellungen von „Österreich II" eine res publica waren.

Es öffneten sich auch die Archive in Budapest und in Sofia, und auch dort fanden wir viele Österreich betreffende Filmdokumente. Die jugoslawischen Archive waren uns von Anfang an zugänglich. Gerd Bacher ließ seiner ersten Initiative eine zweite folgen: Was immer wir in der Welt an Österreich betreffenden Filmen, Bildern und Dokumenten finden würden, sollte in einem neuen, parallel zu „Österreich II" aufzubauenden Historischen Archiv des ORF seine Aufnahme finden. Peter Dusek wurde beauftragt, dieses Historische Archiv für den ORF einzurichten. Es begann die Wiederherstellung des audiovisuellen Gedächtnisses der Zweiten Republik. So ist „Österreich II" zu einem großen Doppelunternehmen des Österreichischen Rundfunks geworden – die größte österreichische Dokumentarserie, die es je gab, und parallel dazu der Aufbau eines Historischen Archivs mit Filmen, Bildern, Dokumenten zum Gebrauch im größten Massenmedium unserer Zeit.

Viele der Filme allerdings, die wir wiedergefunden hatten, waren von schlechter Qualität. Technisch unzulänglich, weil sie aus einer Zeit stammten, in der es an vielem mangelte, und weil sie in den 30 bis 40 Jahren, die seither vergangen waren, bei oft nicht sehr sachgerechter Lagerung noch erheblich gelitten hatten. Das war eine besondere Herausforderung für Sepp Riff, der unter Einsatz modernster Videotechnik diese Filme oft Kader für Kader nicht nur in ihrer ursprünglichen Qualität wiederherstellte, sondern diese sogar noch zu verbessern verstand. Wir haben in „Österreich II" viele Tausende Filmausschnitte verwendet, die meisten davon liefen solcherart in einer Qualität über den Bildschirm, als wären sie erst heute aufgenommen worden.

Das Fehlen fast jeglicher Filmdokumente in Österreich selbst und die zunächst so schlechte Qualität auch vieler von uns im Ausland wiedergefundener Filme waren nicht die einzigen Überraschungen bei der Erstellung von „Österreich II". Überraschungen begleiteten uns von der ersten bis zur letzten Stunde dieses Unternehmens. Zunächst: Das für die Aufarbeitung der Geschichte der Zweiten Republik wichtigste Archiv, das Haus-, Hof- und Staatsarchiv in Wien, sperrt den Zugang zu den dort verwahrten Dokumenten für nicht weniger als 40 Jahre. Die meisten anderen österreichischen Archive halten sich ebenfalls an diese Sperre von 40 Jahren, und manche von ihnen weiten sie sogar auf 50 und auf 70 Jahre aus. Was also im Schoße der Regierung besprochen, was an Überlegungen angestellt, was an Motivationen ins Treffen geführt, welche Ziele angestrebt, welche Sorgen und Befürchtungen den Beschlüssen der österreichischen Politiker zugrunde lagen, was unsere Diplomaten damals erkundeten und was sie erreicht haben, all das oder doch das meiste davon bleibt zumindest über diese Zeitspanne von 40 Jahren unzugänglich und verschlossen. Die Bundesregierung kann über Sonderantrag Ausnahmen von dieser Regel gewähren, und bezüglich einzelner Themen sind solche Ausnahmen auch schon gewährt worden. Jene Wissenschaftler, die solche Zugänge hatten, haben uns ihre Arbeit und ihre Erkenntnisse dankenswerterweise zugänglich gemacht. Das war uns eine wertvolle Hilfe. Die Wissenschaftler stellten uns auch die Ergebnisse ihrer Forschungen in den außerösterreichischen Archiven zur Verfügung, ebenso die Erkenntnisse ihrer Forschungen im Lande selbst, ihrer Gespräche mit den handelnden Personen der damaligen Zeit. Unsere wichtigsten Stützen auf diesem Gebiet waren die Professoren Erika Weinzierl, Gerald Stourzh, Norbert Schausberger, Gerhard Jagschitz, der prominente Militärhistoriker Manfried Rauchensteiner und Herbert Steiner, nicht nur Historiker, sondern auch langjähriger Leiter des Dokumentationsarchivs des österreichischen Widerstandes. Es gab noch viele wichtige Helfer. Wir würdigen sie an besonderer Stelle in diesem Buch.

Essentiell für das Unternehmen erwies sich, daß die Archive in den USA und in Großbritannien nur eine Sperrfrist von maximal 30 Jahren kennen und dort auf Antrag viele Archivstücke auch aus jüngerer Zeit zugänglich gemacht werden, und zwar jedermann, auch dem Ausländer. So fanden wir in Washington und in London ganz wesentliche Zugänge zum österreichischen Denken und Handeln der damaligen Zeit. Dankbar waren wir für jeden Bericht eines amerikanischen oder britischen Diplomaten, der über Österreich, österreichische Belange und die Motivation österreichischer Politiker sein Außenministerium oder seine Regierung informiert hatte. Diese Diplomaten hatten damals gute Kontakte zu den österreichischen Politikern, denn die Österreicher selbst waren daran interessiert, die Besatzungsmächte über ihr eigenes Denken und den Zustand des Landes bestens informiert zu halten. Was also damals die Westalliierten „top secret" nach Hause berichteten, fanden wir in den heute geöffneten Archiven der USA und Großbritanniens wieder. Bei den Franzosen war der Zugang zu den damaligen Dokumenten nicht so einfach, aber immerhin kamen wir mit Hilfe unserer österreichischen Wissenschaftler und Dissertanten auch in Frankreich an viele wichtige Dokumente heran.

Fest verschlossen blieben die sowjetischen Staatsarchive, das Wunder von den geöffneten Bild- und Filmarchiven von Krasnogorsk fand in den diplomatischen und politischen Archiven in Moskau keine Wiederholung. Was die sowjetische Führung damals dachte, plante, anordnete, was ihre Handlungen bestimmte, welche Ziele sie verfolgte, das war – wenn überhaupt – nur aus dem Mund von Augenzeugen zu erfahren. Um so mehr trachteten wir, die Resultate der sowjetischen Handlungsweisen ins Bild zu bringen. Denn diese gab es ja, und sie waren ziemlich handfeste Beweise des Denkens und Wollens der sowjetischen Führung der damaligen Zeit.

In all diesem Streben standen uns, wie gesagt, Spitzenwissenschaftler der Zeitgeschichte und der Geschichte zur Seite. Und doch gab es bei jeder einzelnen Folge von „Österreich II" ein zähes Ringen um die Wahrheit, vor allem um die möglichst volle Wahrheit der geschichtlichen Vorgänge.

Hier machten wir intensiv von dem Gebrauch, was heute unter dem Stichwort „oral history" firmiert, von der Befragung der Menschen, die als handelnde, beobachtende oder erleidende Personen an den geschichtlichen Vorgängen selbst beteiligt waren. Dabei legten wir Wert darauf, daß die Zeitzeugen möglichst nur berichteten, was sie selbst gesehen, getan und erlebt, nicht, was sie von anderen erfahren hatten. Ihre Aussage sollte auch stets relevant sein für das Verständnis des von uns zu schildernden historischen Ereignisses. Daß dabei fast immer Emotion mitschwang, machte die Aussagen besonders wertvoll, denn das mitschwingende Gefühl erst ermöglicht es dem heutigen Betrachter zu verstehen, was in den Menschen von damals vor sich ging, läßt ihn ihre Ängste begreifen, ihre Freude, ihre Erwartungen und Enttäuschungen; läßt ihn die Motivation ihres Handelns verstehen; und somit ihre Reaktion im persönlichen und im politischen Bereich. Erst die emotionale Schilderung läßt uns den Zeitgeist begreifen; kaum das später in kühler Überlegung verfaßte Protokoll.

Die befragten Augenzeugen haben uns auch in anderer Hinsicht sehr geholfen, mehr als dies durch die wiedergegebenen Ausschnitte aus ihren Aussagen vielleicht immer ersichtlich war. Aus den vielen ausführlichen Schilderungen, die uns von jedem einzelnen der Zeugen vorlagen, schöpften wir eine große Zahl von Informationen, die uns halfen, die beschriebenen Ereignisse besser zu verstehen, sie richtiger einzuordnen, mit anderen Ereignissen in Beziehung zu bringen. Das fand in der Gesamtdarstellung seinen Niederschlag. So haben die vielen hundert Augenzeugen „Österreich II" zu einem guten Teil mitgestaltet, und es ist uns ein besonderes Anliegen, ihnen allen für diese Hilfe herzlich zu danken. Und selbstverständlich nicht nur jenen, die wir in der Fernsehdokumentation zitieren konnten, sondern auch all jenen, die uns mit ihren Aussagen entscheidend weiterhalfen und – fast immer aus Kürzungsgründen – in den Sendungen nicht zitiert werden konnten. Ihre Aussagen waren uns ebenso wertvoll. Daß es uns vielleicht gelungen ist, geschichtliche Vorgänge im Medium Fernsehen auf eine neue Art darzustellen, ist in einem hohen Maß auf die Mitwirkung all dieser Augenzeugen zurückzuführen.

Ein anderes Problem, das sich uns stellte, schien zunächst schwer zu lösen: Das Medium Fernsehen hat nebst dem Handicap, alles ins Bild umsetzen zu müssen, auch die Aufgabe, ein großes Publikum an dem Gezeigten interessiert zu halten. Anders ausgedrückt: Bei aller Verpflichtung zur historischen Wahrheit und zur Ernsthaftigkeit der zu schildernden Materie muß das Fernsehen auch dramaturgischen Regeln folgen. Diese Sorge wurde jedoch rasch zu unserer kleinsten: Denn die meisten historischen Abläufe vollzogen sich dramatischer, als sie Dichter hätten schreiben können; in den ernstesten politischen Handlungen fanden wir immer noch ein Körnchen Humor; und die vielen tragischen Momente unserer Geschichte waren voll von Spannung. Da mußten wir weder krampfhaft danach suchen, noch auch im geringsten übertreiben oder gar verzerren, im Gegenteil – wir mußten uns Zügel anlegen, um gerade diese Aspekte, die dramatischen und die komischen, zu unterspielen, sie nur am Rande wirken zu lassen.

Eines lernten wir sehr rasch: Ereignisse, auch wenn sie Jahrzehnte zurückliegen, lassen sich recherchieren. Sie lassen sich rekonstruieren, sie sind erfahrbar. Meist, so fanden wir heraus, sogar genauer und umfassender erfahrbar als Ereignisse, die heute stattfinden. Oft genug erwiesen sich diese Recherchen als ein wahres Abenteuer: Auf der Suche nach den handelnden oder beobachtenden Personen der damaligen Zeit trafen wir auf Augenzeugen, deren Existenz nie vermutet oder längst vergessen worden ist; sie gaben uns Berichte, nach denen sie bis dahin noch nie befragt worden waren. Und fast immer war es uns möglich, diese Berichte durch objektive Indizien zu erhärten. Viele Zusammenhänge und Hintergründe erschlossen sich dadurch.

Zur Recherche gehörte auch, was wir höchst unwissenschaftlich als „Bild-Archäologie" bezeichneten. Zum Beispiel: Ein Foto zeigt einen Lastkraftwagen im New Yorker Hafen; ein Kran hebt eine Kiste auf die Plattform dieses Lkws. In der Kiste befindet sich ein wertvolles Bild aus dem Kunsthistorischen Museum in Wien. Das ist ganz normal: Eine österreichische Kunstausstellung wird im Hafen von New York entladen, um im New Yorker „Metropolitan Museum of Arts" gezeigt zu werden. Ein einziges Detail auf dem Bild macht uns stutzig: Der Lastkraftwagen trägt das Signum der amerikanischen Kriegsmarine USN für „US Navy". Kunstschätze aus Wien und die amerikanische Kriegsmarine – in welchem Zusammenhang stehen sie? Drei Dutzend Recherchen und viele Gespräche später wissen wir es: Die wertvollsten Kulturgüter Österreichs wurden ab 1946 zuerst in die Schweiz und andere westliche Länder Europas und nach Ausbruch des Korea-Krieges 1950 über den Atlantik nach den USA gebracht, um im Falle einer eventuellen Teilung Österreichs nicht in Wien und beim eventuellen Ausbruch eines dritten Weltkriegs nicht in Europa zu sein. Mit einem geheimen Auftrag: Notfalls sollten die Kunstschätze für eine Belehnung zur Verfügung stehen, um eine österreichische Regierung im Exil von finanziellen Zuwendungen fremder Mächte unabhängig zu halten. Nur das auf dem Foto aufscheinende Signum USN hatte uns auf die Spur dieser in so vieler Hinsicht interessanten geschichtlichen Begebenheit gebracht.

Es gab keine einzige Folge von „Österreich II", in der wir nicht Überraschungen ähnlicher Art erlebt hätten. Fast immer ließen sie uns einen Teil der österreichischen Geschichte ein wenig anders sehen oder beurteilen als zuvor. Zu den schönsten Augenblicken des vier Jahre dauernden Unternehmens „Österreich II" – 1982 bis 1985 – zählten für uns die Momente, in denen die Hinweise der Wissenschaftler durch die Recherchen der Journalisten sowie die aufgefundenen Filme, Bilder und Dokumente zu einem einzigen Beweisstück geschmiedet werden konnten.

Die für uns wichtigste Erkenntnis der Arbeiten an „Österreich II" aber war, was wir eigentlich schon hätten wissen müssen und was uns doch erst anhand so vieler Beispiele voll bewußt wurde: Es gibt nicht nur eine Wahrheit, es gibt oft viele Wahrheiten. Oder man könnte auch sagen: Die Wahrheit hat viele Facetten, und es ist nicht leicht, alle Facetten zu erkennen. Wir lernten: Um möglichst viele dieser Facetten aufzufinden, hat man sich in die Zeit zurückzuversetzen, hat den Zeitgeist zu erfassen, hat man das Umfeld des Ereignisses abzutasten, den gesellschaftlichen Boden zu prüfen, auf dem es stattfand. Helmut Qualtinger liest 1985 aus Hitlers „Mein Kampf", und wer ihn hört, kann nicht verstehen, daß die Menschen der dreißiger Jahre diesen Hitler nicht durchschaut und zum Teufel gejagt haben. Doch wenn man die Parolen, besonders die Wahlparolen auch der anderen Parteien, der demokratischen Parteien von damals neben die Parolen Hitlers stellt, merkt man erst, wie schwer es für die Menschen gewesen sein muß, zwischen gewöhnlicher Demagogie und tödlicher Demagogie zu unterscheiden. Fast alle Parteien suchten in jener Zeit wirtschaftlicher und sozialer Not „dunkle Kräfte" für das Unglück der Menschen verantwortlich zu machen. Man nannte sie beim Namen: Das waren bei den einen die „roten Bestien", bei den anderen „menschenverachtende Kapitalisten", das waren „rohe Proleten", „heuchlerische Priester", „wuchernde Bankiers", „landesverräterische Marxisten" – und bei fast allen Parteien immer wieder „die Juden". Denn jeder trachtete danach, die Schuld für das eigene schwere Los anderen anzulasten, vor allem da man sich selbst nicht in der Lage sah, die Dinge aus eigener Kraft zu ändern. Diese Erkenntnis spricht niemanden frei, sie erweitert nur die Schuld; sie bezieht nämlich einen guten Teil der damaligen demokratischen

Kräfte in den Schuldkreis mit ein und entlastet eher jene, die auf diese Weise Opfer dieser Art des Zeitgeistes geworden sind. Ein Beispiel für viele, an denen wir lernen mußten, wie vielschichtig die Wahrheit sein kann.

Wir haben versucht, diese Vielschichtigkeit in „Österreich II" zum Ausdruck zu bringen, so viele Facetten der Wahrheit wie möglich aufzuzeigen und dies hoffentlich, ohne belehrend den Finger zu heben. Wir haben dem Zuschauer das Urteil überlassen. Doch wir haben danach getrachtet, ihm für diese Urteilsbildung alle für uns erreichbaren Entscheidungskriterien an die Hand zu geben. Nach allem, was uns an Reaktionen auf „Österreich II" zur Kenntnis gelangt ist – und das waren viele hundert Briefe, viele hundert Telefonanrufe, viele kritische Stimmen in den Zeitungen, viele Diskussionen, öffentliche und private –, all das läßt uns glauben, daß wir mit dieser Annäherungsweise keinen Fehlgriff getan haben.

Was uns besonders glücklich machte, war das starke Echo, das „Österreich II" bei der Jugend fand. In vielen Familien hat „Österreich II" erstmals das Gespräch zwischen den Generationen ermöglicht, verstanden die Jungen, wie es den Alten ergangen ist, was sie bewegt hat und was sie geleistet haben; vermochten die Alten den Jungen gegenüber auch über ihre Fehleinschätzungen und ihre Irrwege zu reden. Denn die Suche nach der Wahrheit ist etwas anderes als die Frage nach der Schuld. Diese Frage läßt sich überhaupt erst stellen, wenn man die volle Wahrheit kennt.

Sollte man uns dennoch vorhalten, wir selbst hätten durchaus eine eigene Position bezogen, so stimmen wir dem zu: Für uns alle im „Österreich II"-Team gab und gibt es einige unumstößliche Grundsätze. Dazu gehört das vorbehaltlose Bekenntnis zur Freiheit, zu den demokratischen Spielregeln, zur Toleranz und zu den Grundsätzen des römischen Rechts: „audiatur et altera pars" und „in dubio pro reo" – stets auch die andere Seite zu hören und im Zweifel für den Beschuldigten zu sein. Diese Grundsätze schlossen mit ein, auch anzuführen und aufzuzeigen, was gegen unsere eigene Auffassung sprach, und auch dort kein Urteil zu fällen, wo wir es für uns selbst durchaus gefällt haben. Eines sollten die Zuschauer an die Hand bekommen: die Möglichkeit, gegen uns zu denken, und die Unterlagen, die sie dazu befähigten, gegen uns zu argumentieren. So war es uns ein Vergnügen, auch Kritik zu hören, die sich auf das berief, was wir selbst dargeboten hatten.

Es gab Kritik, die uns betroffen machte. Jede der einzelnen Fernsehfolgen dauerte „nur" 90 Minuten und mußte in sich selbst abgeschlossen sein. So manches Wenn und Aber, das der Vollständigkeit halber anzubringen gewesen wäre, mußte aus Zeitgründen wegbleiben. Und einiges auch, weil es nicht illustrierbar und mit den Mitteln des Mediums Fernsehen nicht darstellbar war. Wir glauben, daß es nie etwas Essentielles war, aber hier erkannten auch wir die Grenzen dieses an sich so wirkungsvollen Mediums. Wir hatten einen Trost parat: „Österreich II" wird es eines Tages in Buchform geben, also in Form eines Mediums, das uns Erweiterung und Vertiefung ermöglichen sollte.

Dieses Buch legen wir nun vor, genauer gesagt den ersten Band von zwei Büchern zur Fernsehserie „Österreich II". Wir hoffen, daß die beiden Bände das bieten, was so viele unserer Zuschauer von uns gefordert haben: die Inhalte der Fernsehserie zum Nachlesen, die Erweiterung und Vertiefung dieser Inhalte mit manchem, was über das Medium Fernsehen nicht oder im Rahmen einer 90-Minuten-Sendung nicht zur Gänze darstellbar war, aber auch so manche der Erfahrungen, die wir bei der Erstellung dieser Serie gemacht haben.

16

Als „Bücher zur Fernsehserie" ist der Inhalt der Buchkapitel den einzelnen Folgen der TV-Serie angepaßt, und das heißt, daß wir viele Ereignisse und Begebenheiten, Erlebnisse und Eindrücke wiedergeben, für die in einem nur auf die Darstellung der Geschichte bezogenen Buch nicht genügend Raum wäre, daß wir aber andererseits nicht jedes geschichtliche Datum erwähnen, nicht jedes Ereignis wahrnehmen, auch nicht jeder Persönlichkeit gedenken, die am Aufbau unseres Landes teilgehabt hat. Uns ging es in der Fernsehserie – und daher auch in den Büchern zur Fernsehserie – vor allem darum, die Geschichte dieses Landes und seiner Menschen für den Zuschauer und nun auch für den Leser erlebbar zu machen. Anspruch auf Vollständigkeit, auf Lückenlosigkeit der Daten, auf Beachtung aller Vorgänge in allen Bereichen und auch aller Personen – das muß Aufgabe wissenschaftlicher Werke sein. Was wir im Fernsehen zu vermitteln trachteten und nun in Buchform vorlegen ist der Versuch, Geschichte journalistisch zu erfassen und darzustellen, mit Hilfe der Wissenschaft und unter Anlegung strenger Kriterien bezüglich Wahrheitstreue und Objektivität. Wir sahen uns dabei nie in Konkurrenz mit den Wissenschaftlern, sondern immer als das, was Journalisten zu sein haben: Sucher, Analytiker, Verständlichmacher komplizierter und einem breiten Publikum nicht leicht zugänglicher Entwicklungen; nicht zuletzt, um damit bei Zuschauern und Lesern Interesse zu wecken für das Detail, für das umfassende wissenschaftliche Werk. Mit anderen Worten: Die Scholle grob zu pflügen und damit bisher nicht Erfahrenes und auch Erstaunliches sichtbar zu machen und – so dies angenommen wird – das Feld zu bereiten, auf dem nach uns andere säen mögen. Eine Furche zu ziehen . . .

AM ANFANG WAR DAS ENDE

Wann beginnt die Geschichte der Zweiten Republik? Mit der Befreiung und Besetzung Österreichs durch die alliierten Truppen? Mit der Betrauung Karl Renners mit dem Amt des Staatskanzlers durch die Sowjets? Mit der Unabhängigkeitserklärung durch die Provisorische Staatsregierung am 27. April 1945? Oder am 29. April, als Renner im ehemaligen Reichsratssaal des Parlaments das neue Österreich, die Zweite Republik, proklamierte? Das jedenfalls sind handfeste Daten. Doch als Renner diese Proklamation verlas, saßen sowjetische Offiziere in den Abgeordnetenbänken und hatten mehr Macht als all die Vertreter der soeben wieder konstituierten österreichischen politischen Parteien neben ihnen. Frage: Wie kamen die sowjetischen Offiziere dorthin?

Auf dem Parlamentsgebäude fehlte das Dach. In den Fensterhöhlen fehlten die Fenster samt Rahmen. Inmitten der großen Säulenhalle gähnte ein tiefer Bombentrichter. Frage: Was hatte dieses Parlamentsgebäude zur Ruine gemacht?

Vor dem Parlament auf der Ringstraße drängten sich Tausende Menschen, abgemagert, in abgetragenen Kleidern; sie waren zu Fuß hierhergeeilt, oft auf von Schuttbergen verlegten Straßen; in Wien verkehrten am 29. April nur ganz wenige Straßenbahnlinien. Frage: Weshalb sahen die Menschen so aus, wie sie aussahen? Wieso türmte sich in den Straßen Wiens der Schutt zerbombter Häuser und der Kehricht von Wochen? Wieso fuhr keine Straßenbahn?

Kaum eine dieser Fragen wäre uns in den Sinn gekommen, hätten wir über den Anfang der Zweiten Republik nur zu schreiben gehabt. Doch wir hatten diesen Anfang zu illustrieren – mit Filmaufnahmen, mit Bildern von damals. Ein Blick auf diese Aufnahmen machte klar, daß der jüngere Teil des Fernsehpublikums diese Fragen stellen würde. Wie eine eigene Parlamentsfraktion saßen da die Sowjetoffiziere in den Abgeordnetenbänken, standen sowjetische Soldaten mit Maschinenpistolen auf der Parlamentsrampe Spalier für den österreichischen Staatskanzler, und als Hausherr des Parlaments begrüßte ein sowjetischer General die österreichischen Politiker. Der General war zugleich auch Hausherr von ganz Wien. Auf den Bildern sah man ganz deutlich, daß das Dach auf dem Parlament fehlte – und auch dieser Umstand forderte eine Erklärung. Ebenso wie die gähnenden Fensterhöhlen und die zerbombte Parlamentshalle.

Und wir sagten uns: Das geht nicht, wir können das den Menschen von heute, von denen vielleicht die Hälfte damals noch gar nicht geboren war, nicht vor Augen führen, ohne auf die Fragen einzugehen, die einem diese Bilder aufzwingen. Die Zweite Republik hat an diesem 27. April 1945 ihre Geburtsstunde gehabt. Doch wir haben auch zu erklären, warum sich diese Geburt unter diesen Umständen vollzog und warum es überhaupt erst zu einer Wiedergeburt kommen mußte. „Österreich II" konnte nicht mit dem 27. April 1945 beginnen.

Andererseits war uns ebenso klar, daß wir „Österreich II" auch nicht dort beginnen lassen konnten, wo es eigentlich beginnen sollte, nämlich in der Ersten Republik, etwa im November 1918, oder noch früher, dort wo Österreichs Wurzeln stecken, auch die der Zweiten Republik: in der österreichisch-ungarischen Monar-

Eine der Geburtsstunden der Zweiten Republik: Karl Renner auf der Rampe des Parlaments am 29. April 1945.
Das Parlamentsgebäude selbst war mehrfach von Bomben getroffen. So sieht an jenem 29. April die Säulenhalle aus.

chie, im Ersten Weltkrieg, der ihren Untergang besiegelte und von dem großen Reich die kleine Republik übrigließ, die ungeliebte, die am liebsten weggelegte, die umstrittene, preisgegebene, die vom Dritten Reich annektierte Republik. Österreich war dennoch Österreich geblieben, ungeachtet der Namen, die man ihm gab, ob Ostmark oder Alpen- und Donaureichsgaue, ungeachtet der Stellung, die man ihm zumaß, als eine Provinz von vielen in Hitlers Reich. Österreichs Menschen waren noch immer die Menschen Österreichs. Aber Land wie Menschen waren nun verwoben mit dem Schicksal des Dritten Reichs; die einen begeistert, die anderen bedrückt, so manche verzweifelt, die meisten wohl erwartungsvoll hoffend.

Wir wissen, wie es weiterging, wie sich manche dieser Hoffnungen zunächst sogar zu erfüllen schienen. Über Nacht gab es Arbeit und Brot. Über Nacht verschwanden auch Menschen. Es gab große politische Erfolge, an denen sich viele freuten – das Sudetenland, Böhmen, Mähren. Dann gab es Krieg. Das mochte man schon weniger oder gar nicht. Doch dann gab es auch gleich wieder große Siege: Polen, Dänemark, Norwegen, Holland, Belgien, Frankreich, Jugoslawien, Griechenland, Afrika. Schließlich kam man bis vor die Tore Moskaus, bis Stalingrad. Österreicher waren immer dabei, an der Front und daheim, mit ihrer Begeisterung oder mit ihrer Verzweiflung; als Soldaten, weil sie mußten, aber wahrscheinlich gar nicht so wenige, die auch wollten. Für viele war es doch der Kampf fürs Vaterland. Für jene, für die es das nicht war, war es eine schwere Leidenszeit; wer verfolgt wurde oder Widerstand leistete, büßte meist mit Haft oder Tod oder zumindest mit der bitteren Erkenntnis, daß ein Gutteil seiner Landsleute ihn nicht verstand, ja verachtete, bekämpfte, verriet.

Die Feuerwehrzentrale Am Hof in Wien vor Abzug der Geräte und Mannschaften. Trotz schwerer Zerstörungen kann die Feuerwehr noch nach jedem Fliegerangriff zur Brandbekämpfung ausrücken.
Das Bundeskanzleramt auf dem Ballhausplatz – das Stockwerk mit dem Arbeitszimmer der österreichischen Bundeskanzler hat einen Volltreffer abbekommen. In den Fenstern des Kanzleramts ist keine einzige Scheibe ganz geblieben (rechts oben).
Vor bombenbeschädigten Amtsgebäuden und Museen ziehen zivile Posten mit Gewehr auf, um Plünderer abzuhalten. Dieser Posten bewacht unmittelbar nach einem Bombenangriff ein Amtsgebäude in Steyr (rechts unten).

Dann kam die Wende, kamen die großen militärischen Niederlagen. In Rußland, in Afrika, in Italien, in Frankreich; kam der Bombenkrieg mit seinen Schrecken, mit der ständig nagenden Angst um Verwandte, um Freunde, um Kinder und Eltern. Das Regime warf den propagandistischen Tugendmantel ab, mit dem es seine Härte, seine Unmenschlichkeit, seinen Vernichtungswillen solange gut getarnt hatte. Viele erkannten nun die Täuschung und erschraken. Andere wollten die Wahrheit nicht erkennen, um nicht den Halt zu verlieren. Manche sahen ihre besten Eigenschaften erst recht herausgefordert: Treue, Hingabe, Opferbereitschaft in der Stunde der Not. Andere legten jeden Zweifel ab und schritten zur Tat gegen das Regime.

Für die meisten aber war dies alles ein Lernprozeß. Wie schnell sie lernten, hing davon ab, wieviel Information ihnen zukam oder wieviel sie sich zu verschaffen suchten. Manche wußten vieles, andere fast nichts; die meisten lernten Stück für Stück dazu. Nicht selten waren die Enttäuschung und der Zorn über das Getäuschtwordensein bei jenen größer, die zunächst begeistert gewesen waren. Andere machten in sich selbst die Entwicklung des Regimes mit: Aus kinderliebenden, die Volksgemeinschaft umsorgenden, die hehren Tugenden preisenden Parteigängern wurden von Tag zu Tag härtere, mörderischere Fanatiker.

Doch alles in allem konnte man wohl sagen, daß mit dem letzten Schuß des Krieges und dem Zusammenbruch des Reichs auch die meisten der gehegten Illusionen zusammengebrochen waren, und zwar nicht nur, weil der Krieg verloren, das Reich vernichtet und die Partei untergegangen war, sondern durchaus kraft des eigenen Denk- und Lernprozesses, kraft des eigenen Erlebens, der eigenen Erfahrung.

Hitler selbst hatte durch seine Taten für eine weitgehende Entnazifizierung gesorgt. Hätte man die Menschen damals mit ihrem eigenen Verstand die Gegenwart bewältigen lassen, es wäre ihnen und den nachkommenden Generationen die Bewältigung der Vergangenheit vermutlich weitgehend erspart geblieben.

Doch das war zuviel verlangt – sowohl von den Siegern, die fest davon überzeugt waren, auf dem Gebiet des Dritten Reichs ein völlig vergiftetes Volk vorzufinden, als auch von jenen, die unter dem NS-Regime und vielfach auch unter ihren NS-verblendeten Landsleuten viel Leid zu ertragen gehabt hatten.

Den Österreichern wurde außerdem – und dies zur Überraschung vieler – die Möglichkeit geboten, über Nacht aus der Gemeinschaft mit dem Dritten Reich wieder auszusteigen, in das kleine Österreich zurückzukehren – in das früher so ungeliebte, umstrittene und nun doch erstrebenswerte. Erstrebenswert für manche zunächst nur als Rettungsring, um vom Schiff des untergehenden Reichs wegzukommen. Für andere echt erkannt und geliebt als Heimat, spätestens seit dem Tag, da man am Klang der fremden Kommandotöne erkannte, daß es diese Heimat nicht mehr gab. Jedoch zu sagen, daß im April und Mai 1945 alle Österreicher die Wiedergeburt Österreichs mit großer Freude begrüßt hätten, würde auch nicht stimmen. Da klang bei vielen der Schmerz mit, das verloren zu haben und vernichtet zu sehen, woran sie freudig geglaubt hatten. Wofür sie selbst oder ihre Angehörigen Opfer gebracht hatten. Über 1,2 Millionen Österreicher hatten in den deutschen Streitkräften gedient, fast 250 000 von ihnen waren gefallen oder kehrten aus den Gefangenenlagern nicht mehr zurück.

Andere hatten Angehörige oder Freunde in den Vernichtungslagern des NS-Regimes verloren oder waren selbst ins Gefängnis oder ins Konzentrationslager gekommen – nicht selten unter Mitwirkung österreichischer Landsleute. Für sie war der Untergang des Dritten Reichs uneingeschränkte Befreiung, aber bei manchen von ihnen auch nicht sofort gleichzusetzen mit zweifelsfreier Freude an der Wiedergeburt Österreichs.

Der 29. März 1945

Das waren nur einige Facetten der Wahrheit von 1945. Wer den wirklichen Zustand des Landes und seiner Menschen in der Geburtsstunde der Zweiten Republik beschreiben wollte, hatte diese Wahrheit mit möglichst allen Facetten zu schildern. Daher hätten wir am liebsten bei den Wurzeln angefangen, mit dem Ende des Ersten Weltkriegs, bei der Geburt der Ersten Republik. Hätten schildern wollen, durch welches Labyrinth die österreichischen Menschen zu irren hatten, ehe ihnen im März 1938 ein scheinbarer Ausweg geboten wurde, der sie erst recht in die größte Not ihres Lebens führen sollte. Erst dann, so meinten wir, könnte der Zustand Österreichs und seiner Menschen in der Geburtsstunde der Zweiten Republik verstanden werden.

Ein Rückgriff dieses Ausmaßes aber konnte nicht an den Anfang einer Dokumentation gesetzt werden, deren Ziel die Darlegung der Geschichte der Zweiten Republik war – so sehr die Sache auch danach verlangte. Wir nahmen uns vor, diesen Rückgriff dennoch zu tun, sobald er in der Chronologie der Zweiten Republik zu rechtfertigen war: 1946, als die Zweite Republik versuchte, die NS-Vergangenheit durch eine umfassende Gesetzgebung zu bewältigen.

Und doch mußte zu Beginn dieser Dokumentation „Österreich II" die gesamte Problematik der damaligen Zeit schon mit eingebracht werden. Sonst wären weder die Menschen in ihrem

Die nahende Niederlage läßt sich an der Zusammensetzung dieser Alarmeinheit erkennen: Angehörige verschiedenster Truppenteile, Fronturlauber, halbgenesene Verwundete, einer sogar noch mit Kopfverband,

Alte und Junge treten den Marsch an die Front an – vorbei am Parlamentsgebäude, in jenen Tagen gerade noch Sitz der Wiener Gauleitung und des Reichsverteidigungskommissars Baldur von Schirach.

Denken und ihrem Handeln zu verstehen noch wäre zu erklären gewesen, wieso Josef Stalin zum Geburtshelfer der Zweiten Republik wurde und sich folgerichtig seine Generäle an der Geburtsstätte einfanden, wieso Karl Renner in einem Parlament sprach, dem das Dach und die Fenster fehlten, wieso sich auf der Ringstraße halbverhungerte Gestalten einfanden, die zum Teil unter nicht geringen Gefahren zu Fuß quer durch ein halbzerstörtes Wien gelaufen waren.

Wir entschlossen uns, „Österreich II" nicht mit dem 27. April, sondern mit dem 29. März 1945 beginnen zu lassen: An diesem 29. März überschritt der erste alliierte Soldat die Grenze des früheren Österreichs. Es war ein sowjetischer Soldat. Er setzte seinen Fuß auf burgenländischen Boden, nur wenige hundert Meter entfernt von der kleinen Ortschaft Klostermarienberg. Das sei der Augenblick, so meinten wir, um den Zustand Österreichs und der Menschen im Land in einer Art Momentaufnahme zu erfassen und anhand dieser Aufnahme zu analysieren.

Da war alles drinnen: das Dritte Reich mit seinen letzten Kriegs- und Propagandaanstrengungen, das Denken und Fühlen der Menschen, der letzte Opfergang der Soldaten, aber auch der Zivilbevölkerung, der sich aufbäumende Widerstandswille, der völlige Verlust von Recht und Gesetz – und trotz allem inmitten dieses sich schon anbahnenden Infernos jene Normalität des Alltags, die so viele Menschen das Schreckliche des Geschehens gar nicht voll begreifen ließ. Gleichzeitig aber war doch mit den ersten alliierten Soldaten auch die Stunde der Wahrheit gekommen. Alle hatten nachzudenken, alle sich Rechenschaft zu geben. Der eine etwas früher, der andere etwas später. Aber keinem blieb es erspart.

Um diesen ersten alliierten Soldaten die österreichische Grenze überschreiten zu lassen, hatten wir zu zeigen, woher er kam. Sepp Riff und ich fuhren nach Klostermarienberg. Die ersten Menschen, denen wir begegneten, fragten wir, wo denn die Grenze zu Ungarn verlaufe. Einige hundert Meter hinter dem Dorf. Ob noch jemand wisse, wo 1945 die ersten sowjetischen Soldaten herüberkamen. Das wußten alle ganz genau, auch die Jungen, die es gar nicht miterlebt haben konnten: „Dort drüben im Feld gibt es jetzt noch die Vertiefungen, die die sowjetischen Panzer mit ihren Ketten gegraben haben." Wir fanden die Vertiefungen. Wir fanden auch die Stelle, an der die ersten Rotarmisten nach Österreich gestürmt waren. Den Soldaten war wahrscheinlich nicht bewußt, daß sie hier eine Grenze überschritten, daß ihre Ankunft das Schicksal eines Landes mitbestimmte. Dem sowjetischen Oberkommando war dies durchaus bewußt. Und auch der deutschen Heeresführung.

Im Tagesbefehl an die 3. Ukrainische Front – das war die sowjetische Heeresgruppe, die durch Ungarn auf die österreichische Grenze zurollte – hieß es an jenem Tag: „Je näher Wien, desto näher Berlin! Dem Ende des Krieges und dem Sieg!" Und im Kriegstagebuch der Heeresgruppe Süd der deutschen Wehrmacht wurde vermerkt: „Die sowjetischen Truppen führen mit drei Armeen einen Stoß nach Westen, der sie am 29. März in Besitz des Raumes Steinamanger und Güns bringt und um 11.05 Uhr über die Reichsgrenze bei Klostermarienberg führt."

Da standen wir nun an dieser Stelle und erkannten, daß die Sowjettruppen gar nirgends anders als an dieser Stelle hätten kommen können. Es ist ein langgestrecktes, flaches, aber schmales Tal, das sich da von Ungarn in das Burgenland hereinzieht – bestens geeignet für den Vormarsch der Panzer, während auf den Hügeln zu beiden Seiten wohl noch mit dem Widerstand deutscher Abwehrkräfte zu rechnen war. Das Tal wird heute zerschnitten von

Eine der wichtigsten militärischen Operationen vor Beginn des Kampfs um Wien: Die Sowjets setzen bei Hainburg Panzereinheiten über die Donau, mit dem Ziel, die deutschen Verteidigungslinien im Marchfeld zu durchbrechen und Wien auch vom anderen Donauufer her einzukreisen. Die deutschen Verbände sollen in Wien ähnlich eingekesselt werden, wie dies den Sowjets in Budapest gelungen war. In Wien werden die deutschen Verbände jedoch – trotz des sowjetischen Übersetzmanövers – ihre Stellungen am linken Ufer der Donau so lange halten, bis sich das Gros der Truppen in Wien über die Donaubrücken aus der Stadt abgesetzt hat (links oben).

Hingegen gelingt den Sowjets der Durchbruch südöstlich von Wien aus dem Raum Güns–Klostermarienberg in Richtung Wiener Neustadt. Diese Verbände werden Wien vom Süden und vom Westen her umfassen (links unten).

einem Stacheldrahtzaun, einem Teil des Eisernen Vorhangs, mit dem sich der Ostblock auch hier gegenüber dem Westen verschließt. Etwas weiter im Hintergrund ist einer der Wachttürme zu sehen, die auf Sichtweite entlang der gesamten Grenze Teil dieses Vorhangs sind. Letztlich sind auch sie das Resultat der damaligen militärischen Entwicklung.

Wir wanderten durch die Wälder auf den Scheitel der Hügelkette am Rand des Tals. Wir fanden, was wir erwartet hatten: Hier oben hatten sich die Verteidiger eingegraben, oder sie hatten zumindest vor, von hier aus Widerstand zu leisten. Jahrzehnte liegt das nun schon zurück, und doch sind in diesen Wäldern die Laufgräben noch klar zu erkennen, die damals hier geschanzt worden sind, die Unterstände für die Mannschaften, die Kommandostellen etwas weiter hinten. Man erkennt aber auch, mit welch primitiven Mitteln dieses Befestigungswerk angelegt worden war. Nur da und dort ein Stückchen Beton, dazwischen viel verfaultes Holz, von Regen und Wind zerstörtes Erdreich.

Hier sollte der Volkssturm, bestehend aus 16- und 60jährigen, den Vormarsch der sowjetischen Panzer aufhalten. Wir wissen aus den sowjetischen Aufzeichnungen, daß nicht einmal der Versuch dazu gemacht worden ist. Und wir trafen in Klostermarienberg Männer, die damals dem Volkssturm angehört hatten und die uns dies voll bestätigten: Die einen hatten beim Heranrollen der Sowjetpanzer die Laufgräben einfach verlassen und waren nach Hause gegangen, die anderen hatten sich geduckt, bis die Panzer vorüber waren, und wurden dann von sowjetischen Soldaten barsch aufgefordert, ihre Waffen wegzuwerfen und herauszukommen. Das war für manche von ihnen der Anfang einer langen Odyssee – eine Stunde waren sie im Krieg gewesen und kamen dafür einige Wochen in Gefangenschaft. Sie meinen, daß sie dabei noch gut weggekommen seien. Es hat welche gegeben, die für diese eine Stunde Krieg über fünf Jahre in Gefangenschaft verbringen mußten.

Dann fragen wir, wer die Laufgräben ausgehoben, die Unterstände gebaut hatte. Viele Frauen und Männer aus dem Dorf stehen um uns herum. Langsam, stockend beginnt zuerst der eine, dann der andere zu berichten. Bis sich eine der Frauen ein Herz nimmt und erklärt, wie es wirklich gewesen war. Und dann beginnen sie alle zu erzählen, alle, die es damals miterlebt, mitangesehen, mitangehört hatten. Ein Drama entrollt sich auf diesem kleinen Platz des kleinen Dorfes Klostermarienberg:

Entlang der Grenze des Reichs – und diese war identisch mit der früheren österreichischen Grenze zu Ungarn – wurde ab Herbst 1944 in aller Eile eine Verteidigungsstellung ausgehoben. Die sowjetischen Truppen sollten spätestens hier gestoppt und am weiteren Vordringen in das Reichsgebiet gehindert werden. Es gab fast keine Maschinen, die den Aushub dieser Stellungen hätten besorgen können. So wurden Menschen eingesetzt. Menschen, die man von überall her an diese Grenze gebracht hatte: Bauern aus der Umgebung; Jugendliche aus den Städten; sogenannte Fremdarbeiter aus fast allen Ländern Europas, die von der deutschen Wehrmacht im Lauf des Kriegs besetzt worden waren – Franzosen, Italiener, Belgier, Holländer, Polen, Tschechen, Slowaken, Serben, Griechen, vor allem Ukrainer und auch Russen. Auch Kriegsgefangene, die die deutsche Wehrmacht in allen diesen Ländern gemacht hatte. Zwangsrekrutierte aus den Gebieten, die man 1944 gerade noch besetzt gehalten hat. Und Häftlinge. Häftlinge aus Gefängnissen, andere aus Konzentrationslagern. Und viele tausend ungarische Juden, die man im letzten Moment nicht nach Auschwitz geschickt, sondern zu dieser Grenze in Marsch gesetzt hatte.

Die Einwohner der Dörfer des Burgenlandes und Niederösterreichs sind die ersten, die mit den Soldaten der einmarschierenden Sowjetarmee in Kontakt kommen. Während sich die kämpfende Truppe meist korrekt verhält, kommt es mit den nachfolgenden Einheiten zu Schwierigkeiten und Exzessen.

Insgesamt waren es viele zehntausend, die zwischen Donau und Drau jene Reichsschutzstellung in den Boden gruben, der man den treffenden Namen „Südostwall" gab. Denn viel mehr als ein paar Panzergräben, ein paar Schützengräben, ein paar Unterstände und ein Wall aus dem ausgehobenen Erdreich war es letztendlich nicht. Und doch arbeiteten hier viele zehntausend Menschen in den nassen Herbsttagen des Jahres 1944, in den eisig kalten Wochen des Winters 1944/45. Und wie diese Menschen eingestuft waren, so wurden sie behandelt. Die Fremdarbeiter noch am besten. Sie standen zwar auch unter militärischem Befehl, hatten zu tun, was ihnen angeschafft wurde, durften ihre Quartiere nur mit Sondererlaubnis verlassen; aber sie wurden halbwegs gut verpflegt und halbwegs gut untergebracht, wurden von den zivilen Bauleitern sogar geschätzt und gut behandelt. Schlimm erging es den hierher verschleppten Zwangsarbeitern. Sie wurden schlecht verpflegt, schlecht untergebracht und schlecht behandelt. Am schlimmsten erging es den Juden. Sie waren der Vernichtung preisgegeben, und das wußten jene ganz genau, die sie hier einsetzten. Tagelang gab es für sie gar keine Verpflegung. Und wenn, dann eine völlig unzureichende. In ihren Lagern – zunächst auf freiem Feld, später in ungeheizten Schuppen – brachen Flecktyphus und Ruhr aus, die die geschwächten Menschen dutzendweise dahinrafften, doch es gab weder ärztliche Betreuung noch Medikamente.

In den Gesichtern der Frauen und Männer, die uns in Klostermarienberg all dies berichten, wird das ganze Grauen jener Zeit wieder lebendig. Die einen haben Tränen in den Augen, den anderen versagt mitten in der Erzählung die Stimme. Viele Kinder stehen um uns herum. Die meisten von ihnen hören die Geschichte zum erstenmal. Daheim hatte man nie darüber gesprochen. Da geht mir durch den Kopf, was wir ja schon vermutet hatten: In Klostermarienberg hatte im April 1945 kaum jemand eine Entnazifizierung nötig. Fast alle hatten gelernt. Doch bald kamen die meisten dieser Menschen, wenn nicht alle, zu dem Schluß, das damals Erlebte, das Mitgemachte besser nicht mehr zu erwähnen. Denn man fragte nicht nach dem Lernprozeß, man fragte nach der Mitschuld. Die Frage stoppte den Lernprozeß.

Sepp Riff filmte die Panzergräben von damals, die sich längst schon zu langgestreckten Tümpeln gefüllt haben. Er filmte die eingestürzten Laufgräben in den Wäldern. Und er filmte das Drama von damals in den Gesichtern der Menschen von heute.

Etwas später sprach ich den ersten Kommentar zur Dokumentation „Österreich II". Genau an jener Stelle, an der am 29. März 1945 der erste sowjetische Soldat österreichischen Boden betreten hatte. Und wo heute ein stacheldrahtbewehrter Zaun und Wachtürme eine Grenze besonderer Art markieren. Wir haben diesen Kommentar dann nicht als ersten, sondern als zweiten in der Dokumentation eingesetzt. Denn es erschien uns notwendig, dem Publikum von heute zunächst die Gesamtsituation in jener Schlußphase des Kriegs vor Augen zu führen. Ein Soldat kommt ja schließlich nicht allein. Und er überschreitet auch nicht aus Zufall die österreichische Grenze. So warfen wir zunächst einmal einen Blick auf das, was da im März 1945 auf Österreich zukam. Zu Lande und in der Luft.

Die letzte Offensive

März 1945. Die Winteroffensive der Sowjets entlang der gesamten Ostfront ist im Gange. Deutlich zeichnen sich ihre strategischen Ziele ab: Berlin im Norden und Wien im Süden dieser Front. Die deutschen Truppen haben schon längst Befehl, keinen Schritt mehr zurückzuweichen. Einen Befehl, dem sie immer noch nachzukommen versuchen. Mit einigem Erfolg ruft ihnen die Führung zu, die Ostfront unter allen Umständen zu halten. Ein Einbruch der Roten Armee auf deutsches Reichsgebiet würde Tod und Vernichtung und Leid auch für Frauen und Kinder mit sich bringen. Zum Beweis werden Bilder und Filmstreifen gezeigt, die in Ostpreußen aufgenommen worden sind, wo die sowjetischen Truppen erstmals auf deutsches Reichsgebiet eingedrungen sind; läßt man Augenzeuginnen schildern, was sie gesehen oder sogar selbst erlebt haben. Die Wirkung dieser Berichte erklärt vielleicht die Härte, mit der entlang der Ostfront auf deutscher Seite immer noch gekämpft wird.

In diesen Abwehrkampf hinein befiehlt das deutsche Oberkommando seinen Truppen in Westungarn, noch einmal zur Offensive anzutreten. Es ist die letzte deutsche Offensive in diesem Krieg, noch nach der Ardennen-Offensive an der Westfront. Ziel des deutschen Angriffs in Ungarn: Der Roten Armee ist der Zugang nach Wien zu verwehren.

Es ist bemerkenswert, daß die deutsche Führung ihre letzten Reserven nicht zur Verteidigung der Reichshauptstadt Berlin, sondern zur Verteidigung Westungarns und Wiens einsetzt. Zum Teil sind es sogar die gleichen Kräfte, die wenige Wochen zuvor den Durchbruch in den Ardennen hätten erzielen sollen. Unter ihnen der bayerische Oberstgruppenführer der Waffen-SS, Sepp Dietrich, mit seiner 6. Panzerarmee. Der Einsatz ist verständlich: In diesem Raum, in Westungarn und in Ostösterreich, liegen die letzten

Die deutsche Führung setzt ihre letzten Reserven nicht zur Verteidigung der Reichshauptstadt Berlin, sondern Westungarns und Wiens ein: In diesem Raum liegen die letzten Erdölfelder unter deutscher Kontrolle, und hinter dieser Front befindet sich der größte Teil der noch intakten deutschen Rüstungsindustrie. So treten die Soldaten, unter ihnen viele Österreicher, im sechsten Kriegsjahr noch einmal zur Offensive an. Der Krieg hat ihre Gesichter gezeichnet.

Erdölfelder unter deutscher Kontrolle. Ohne dieses Erdöl muß die deutsche Kriegsmaschine in kurzer Zeit zum Erliegen kommen. Und auf österreichischem Boden hinter dieser Front befindet sich auch der größte Teil der noch intakten deutschen Rüstungsindustrie. Ohne ihre Produktion könnte der Krieg nicht mehr lange weitergeführt werden.

Dabei fehlt es schon jetzt auf deutscher Seite an allem: an Menschen, an schweren Waffen, an Munition und auch an Treibstoff. Die Soldaten an dieser Front haben mehr als fünf Jahre Krieg hinter sich. Die meisten von ihnen einen zermürbenden Rückzug von Stalingrad bis Budapest, den vierten Kriegswinter an der Ostfront. Und doch treten sie noch einmal an, erheben sich befehlsgemäß, kämpfen, marschieren, kämpfen, bis sie im Feuerhagel der sowjetischen Geschütze und Fliegerangriffe liegenbleiben. Zwischen Donau und Plattensee sollten sie noch einmal bis Budapest vorstoßen, jenem Budapest, das nach wochenlanger Belagerung von den Sowjets soeben erobert worden war.

Man hat dieser deutschen Offensive den Decknamen „Frühlingserwachen" gegeben. Der Frühling erwacht jedoch zu früh für die deutsche Kriegführung. Zuerst Tauwetter, dann Regengüsse verwandeln den flachen ungarischen Boden in einen Sumpf. Der deutsche Vorstoß bleibt im Schlamm des aufgetauten Geländes stecken. Die Sowjets, schon darauf gefaßt, sich notfalls bis über die Donau zurückziehen zu müssen, treten sozusagen aus dem Stand des Abwehrkampfs zur Gegenoffensive an. Im Gegensatz zu den Deutschen sind die sowjetischen Truppen gut ausgerüstet: 1 500 Kampfflugzeuge unterstützen die Bodentruppen, auf jeden Kilometer der sowjetischen Front kommen zwölf Panzer und 180 Artilleriegeschütze. Die Sowjets brechen durch.

Joseph Goebbels macht am 28. März 1945, einen Tag bevor die Sowjets die österreichische Grenze erreichen, folgende Eintragung in sein Tagebuch: „Auch im ungarischen Raum ist die Lage sehr kritisch geworden, wir laufen hier eventuell Gefahr, unser wichtiges Ölgebiet zu verlieren. Unsere SS-Verbände haben sich hier miserabel gehalten. Auch die Leibstandarte [1. SS-Panzerdivision „Leibstandarte Adolf Hitler"] ist ja nicht mehr die Leibstandarte, denn ihr Führermaterial und ihre Mannschaft ist gefallen. Die Leibstandarte trägt nur mehr dem Namen nach ihren Ehrentitel. Trotzdem hat der Führer entschieden, daß den SS-Verbänden gegenüber ein Exempel statuiert werden soll. Himmler ist in seinem Auftrag nach Ungarn geflogen, um diesen Verbänden die Ärmelstreifen zu nehmen. Das wird natürlich für Sepp Dietrich die schlimmste Schmach sein, die man sich überhaupt nur denken kann. Die Generäle des Heeres freuen sich diebisch, daß nun die Konkurrenz von einem derartigen Schlag betroffen wird."

Gespenstisch, daß dies die Sorgen des obersten Befehlshabers der Wehrmacht, Adolf Hitler, und seines engsten Vertrauten Joseph Goebbels sind – am 28. März 1945. Die angesprochenen „Ärmelstreifen" trugen die Bezeichnung der einzelnen Divisionen der Waffen-SS, in diesem Fall der „SS-Leibstandarte Adolf Hitler", und galten als Ausdruck besonderer Auszeichnung.

In den Meldungen der zurückgehenden Stäbe an das deutsche Oberkommando aber heißt es, der eklatante Mangel an Munition und an Treibstoff und wohl auch das schwindende Vertrauen in die Führung seien es gewesen, die zur Demoralisierung der Soldaten geführt hätten. Auch wissen die Soldaten aus Erfahrung, daß das von ihnen geforderte Festhalten um jeden Preis immer wieder dazu führt, daß große Truppenverbände von den Sowjets eingeschlossen und aufgerieben werden – denn die Führung ist fast nie bereit, den Soldaten den Ausbruch aus dem Kessel und damit den Rückzug zu bewilligen. Da nützen auch die salopp aufmunternden Reden Sepp Dietrichs nichts mehr, mit denen er seine Truppen selbst an der Front noch zum Durchhalten zu bewegen versucht. Auch weiß Sepp Dietrich um den verheerenden Mangel an Ausrüstung besser Bescheid als alle anderen. Dem Reichsstatthalter und Gauleiter von Wien, Baldur von Schirach, erklärt er sarkastisch, seine Armee heiße 6. Panzerarmee, weil sie nur noch aus sechs Panzern bestünde. Mit dem, was er zur Verfügung habe, werde er Wien nicht verteidigen können.

Der Wert einer Hauptstadt

Das Ziel der deutschen Führung, die Sowjets in Ungarn bis zur Donau zurückzudrängen, wird nicht erreicht. Im Gegenstoß bricht die Rote Armee nun in die deutsche Front ein, um zwischen Plattensee und Donau rasch bis an die österreichische Grenze vorzustoßen und Wien zu erobern. Die sowjetische Offensive wird von Marschall Fedor Iwanowitsch Tolbuchin befehligt. Tolbuchin weiß, daß hinter dem Befehl, so rasch wie möglich nach Wien vorzustoßen, eine wichtige politische Überlegung der Sowjetführung steht. Nicht nur Berlin, auch Wien soll von sowjetischen Truppen besetzt werden, ehe noch die westlichen Alliierten heran-

Die deutsche Offensive zwischen Donau und Plattensee bleibt im Morast stecken und zerbricht am sowjetischen Widerstand. Die Sowjets treten zum Gegenstoß an. Stalin hat befohlen, Wien, die zweite Hauptstadt des deutschen Reichs, so rasch wie möglich zu erobern. Hinter der militärischen Offensive steht auch ein politisches Ziel – die Absicherung der sowjetischen Interessen im Donauraum.

rücken. In Moskau kennt man die Bedeutung einer Hauptstadt. Denn in Europa war das immer noch so: Wessen Hauptstadt fällt, der hat verloren. Wer die Hauptstadt eines Landes erobert, der hat gewonnen und bestimmt von nun an auch – zumindest weitgehend – die Geschicke dieses Landes. Dabei ist es nicht wichtig, ob diese Hauptstadt auch tatsächlich von strategisch-militärischer Bedeutung ist, schon allein die politische Wirkung ist enorm.

Die Sowjets wissen das, um so mehr als sie im Spätherbst 1941 fürchten mußten, ihre eigene Hauptstadt Moskau an die vorrückende deutsche Armee zu verlieren. Und mit Erleichterung stellten sie 1942 fest, daß Hitler das Ziel seiner letzten großen Ostoffensive gewechselt hatte: nicht Moskau, sondern Stalingrad sollte erobert werden. Der Vorstoß zu den Erdölfeldern am Kaukasus hatte für die deutsche Führung Vorrang vor der politischen Bedeutung der Eroberung der Hauptstadt.

Diese Überlegungen sind nun mitbestimmend für den Wunsch der Sowjets, „beide Hauptstädte" des Hitler-Reichs als erste zu erobern: Berlin und Wien. In Moskau weiß man darüber hinaus auch die geopolitische Rolle Österreichs im Donau- und Alpenraum genau einzuschätzen. Wer sein Gewicht in Prag und Budapest zum Tragen bringen will, muß auch in Wien das Sagen haben. Wenigstens bis die Positionen in Böhmen und Ungarn gefestigt sind.

Auf westalliierter Seite ist es nur Winston Churchill, der dies genauso sieht. Sein Denken entspricht spiegelverkehrt dem strategisch-politischen Denken Stalins: Wer Prag, Wien und den adriatischen Raum abschirmen will, der hat als erster in Budapest zu sein und in Belgrad. Daher hatte Churchill den amerikanischen Präsidenten Roosevelt gedrängt, vom Mittelmeer her nicht Südfrankreich, sondern die deutschen Truppen in Jugoslawien anzugreifen und in den Donauraum durchzustoßen. Vergeblich. Während der Politiker Roosevelt mit einem Vorstoß über den Balkan den Verbündeten Josef Stalin nicht reizen will, sehen die amerikanischen Generäle in einer derartigen Operation überhaupt keinen Sinn: Städte, auch Hauptstädte, sind in ihren Augen Prestigeziele, die nichts mit der militärischen Lage zu tun haben. Der Feind sei dort anzugreifen, wo man seine Armeen schlagen könne. Und für die Westalliierten stehen die anzugreifenden deutschen Armeen in Frankreich und in Italien.

So ist es die Sowjetarmee, die am 29. März 1945 als erste die österreichische Grenze erreicht.

An der Stelle, an der die Sowjets die österreichische Grenze überschritten, sprach ich vor der Kamera Sepp Riffs den ersten Kommentar für „Österreich II": „Wir befinden uns an der österreichisch-ungarischen Grenze. Diesen Stacheldrahtzaun gab es am 29. März 1945 hier nicht. Dafür gab es Laufgräben, Panzersperren und Bunker. Hier befand sich der sogenannte Ostwall, gerichtet gegen die sowjetischen Armeen, die sich auf das Dritte Reich zuschoben. Und genau an dieser Stelle betrat der erste alliierte Soldat österreichischen Boden. Es war ein Soldat der 9. Gardearmee der Roten Armee, also ein russischer Soldat. Durch dieses Tal kamen die sowjetischen Panzerspitzen, hier grub sich der erste Panzer ein, feuerte einen Schuß gegen die burgenländische Ortschaft Klostermarienberg, um herauszufinden, ob es von dort Widerstand gäbe. Es gab keinen. Die Rote Armee marschierte noch am gleichen Tag in diese Ortschaft ein. Es war die erste österreichische Ortschaft, die von alliierten Soldaten erobert worden ist. Damit begann für viele die erhoffte Befreiung. Für manche brach eine Welt zusammen. Die meisten aber wußten einfach nicht, was nun geschehen würde – mit ihnen und mit diesem Land."

Der Zufall wollte es, daß gerade dort, wo sich die sowjetischen Panzer 1945 in das Feld eines burgenländischen Bauern eingegraben hatten, auch unser Produktionswagen steckenblieb. So marschierten wir nach Klostermarienberg und klopften an das Tor des ersten Hauses. Johann Plemenschitz öffnete uns und war bereit, uns mit seinem Traktor flottzumachen. Er fragte uns, was wir da überhaupt zu suchen hätten. Wir sagten es ihm. Und schon brach auch aus Johann Plemenschitz ein Stück erlebter Geschichte hervor:

„Ich lag damals in Stalingrad im Lazarett in der Kriegsgefangenschaft. Da sagte mir die Schwester, daß die russischen Truppen die österreichisch-ungarische Grenze bei Klostermarienberg überschritten haben. Mir kamen die Tränen damals, als Ortsansässiger, denn ich wußte sofort, jetzt sind die russischen Truppen in meiner Heimat. Meine erste Frage an die Russen war selbstverständlich: Und wann werde ich meine Heimat wiedersehen? Die Antwort war: In spätestens drei Monaten seid ihr zu Hause. Aus den drei Monaten sind dann noch zweieinhalb Jahre geworden, zu meiner bereits einjährigen Gefangenschaft dazu."

Johann Plemenschitz: Jetzt sind die russischen Truppen in meiner Heimat.

Anna Haimgartner:
Um 11 Uhr kam der Panzer.

Der Kommandeur der „SS-Leibstandarte Adolf Hitler", Sepp Dietrich, soll mit seiner 6. Panzerarmee den sowjetischen Vorstoß nach Wien abwehren. Die beiden Aufnahmen (oben) zeigen Sepp Dietrich bei seinen Truppen in Westungarn. Nach dem Zusammenbruch der Offensive „Frühlingserwachen" sagt Dietrich dem Wiener Gauleiter von Schirach sarkastisch, seine 6. Armee heiße so, weil sie nur noch „über sechs Panzer verfüge".

Und in der Tat: Der sowjetische Heeresbericht erwähnt Datum und Ort der Überschreitung der österreichischen Grenze ganz genau. Die Schwester im Kriegsgefangenenlazarett hatte ihn gelesen. Plemenschitz erinnert sich weiter: „Dann hat man uns gerufen und gefragt, ob wir als Österreicher gegen den deutschen Faschismus kämpfen würden. Wenn wir unterschreiben, da könnten wir früher nach Hause kommen. Das war noch während des Krieges. Wie wir gehört haben, wir könnten früher nach Hause, haben viele unterschrieben. Es ist aber selbstverständlich nichts daraus geworden. Es war wohl nur ein Versuch herauszufinden, wie die Menschen denken. Jede Woche gab es eine Stunde Politunterricht für uns Österreicher. Wir wurden von den Deutschen getrennt. Nach dem Ende des Kriegs wurden wir auch gefragt, wie wir stimmen würden, wenn wir nach Hause kommen. Ich habe ja damals nichts verstanden, ich hab den Hitler gekannt, die Diktatur, aber keine Demokratie. Und dann fragten sie uns: Was sind Sie von Beruf? Und ich sagte: Landwirt. Dann werden Sie wahrscheinlich ÖVP stimmen, sagten sie. Da hab ich das zum erstenmal gehört: ÖVP und auch SPÖ. Früher hab ich das nicht gekannt. Und jetzt sollten wir ihnen sagen, wofür wir stimmen würden. Und dann kamen die Wahlen in Österreich, und die sind ja für die Kommunisten sehr ungünstig ausgegangen. Und dann hat sich das Leben für uns Kriegsgefangene schlagartig verschlechtert."

So berichtete Johann Plemenschitz bei Klostermarienberg, dort wo sich die ersten sowjetischen Panzer auf österreichischem Boden eingegraben hatten, wie sich das Erscheinen dieser Sowjettruppen auf österreichischem Boden auch auf das Leben jener Österreicher auswirkte, die sich fern der Heimat befanden.

Zunächst war es nur Angst

Klostermarienberg ist die erste österreichische Ortschaft, über die nun die Front hinwegrollt. Und ihre Bewohner sind die ersten Österreicher, die sowjetischen Soldaten gegenüberstehen. Wir fragten sie danach, was sie an diesem Tag bewegte. Übereinstimmend erklärten sie, daß sie zunächst nur Angst empfunden hatten. Der Krieg war auch für sie total geworden. Daß mit den Panzern und den Soldaten in der Folge auch Befreiung kommen könnte, kam hier, wenn überhaupt, damals nur wenigen in den Sinn. An jenem Tag ging es ihnen ums nackte Überleben. Auch befanden sich fast nur Frauen, Kinder und alte Männer im Dorf. Anna Haimgartner war im März 1945 fast noch ein Kind. Sie berichtet: „In der Früh ist ein Meldereiter herübergekommen. Der ist an der Grenze hin und her geritten auf seinem Pferd. Er sagte: Die Russen sind schon ganz nahe bei uns. Da haben wir uns zusammengepackt und sind in den oberen Ort zu der Marie-Tante in den Keller. Den Großvater haben wir daheim allein gelassen, der hat uns auf das Haus aufgepaßt, und wir drei, die Schwestern und ich, sind gegangen. Es waren sehr viele in diesem Keller. Und so vor elf Uhr ist der Panzer gekommen und hat in die Luft geschossen."

Maria Schlegl, damals auch sehr jung, setzt fort: „Auf einmal hat es geheißen: Die Russen kommen schon unten bei der Ortseinfahrt. Da sind wir alle hinaus und haben uns einen Stecken genommen, haben eine alte Kombinesch [Unterkleid] draufgehängt und sind mit dieser weißen Fahne zu den Russen gegangen. Da sind schon die großen Panzer gekommen. Hier ist einer g'standen, und dort ist einer g'standen. Bei unserem Haus rundherum die großen Panzer. Na ja, jetzt sind wir besetzt, und die bringen uns ch alle um und schießen alles zusammen. Weil es hat ja eh ausg'schaut, als ob Krieg g'wes'n wär. Die Fenster waren alle hin von den Panzerschüssen."

Weshalb man das geglaubt hat? „Na ja, das hat man g'hört, schon von unten herauf, von Ungarn, überall von den Ortschaften. Die Russen kommen, und die werden uns alle erschießen und vergewaltigen. Und da haben wir uns halt sehr gefürchtet. Doch wie s' dann gekommen sind die ersten, die waren human, die haben den Frauen nix gemacht. Erst die halt dann, die danach gekommen sind, das waren die Argen."

Anna Haimgartner ergänzt: „So sind wir dann hinaus, und die Marie-Tant hat gleich einen Wein genommen und ist zu den Russen, hat ihnen den Wein gegeben, und sie haben uns höflich empfangen, und es war eigentlich alles schön und gut. Jetzt gehen wir nach Haus, haben wir gesagt, es ist alles gut vorübergegangen."

Maria Schlegl: „In der Nacht sind sie dann gekommen. Und meine Mutter war ihnen nicht zu alt, obwohl die war schon ziemlich alt, aber das hat ihnen nichts ausgemacht. Die haben sie herumgetrieben und natürlich . . . Und ich war mit etlichen Freundinnen beisammen, die Eltern haben uns in den Keller gesperrt. Na ja, natürlich haben die Russen das gemacht, was eh jeder gefürchtet hat. Mit mir war ein junges Mädel, ich glaube, die war 15 Jahre oder so, und es war fürchterlich, was die mitgemacht hat. Jeder ist ins Zimmer gegangen mit uns, einer vorn ins Zimmer, der andere hinten ins Zimmer, und das war furchtbar. Wie die herausgekommen ist, hat die ausgeschaut, daß man geglaubt hat, die kommt überhaupt nicht davon. So arg war das. Und nachher hat man ja immer müssen von einem Haus ins andere. Es war fürchterlich, was die Frauen mitgemacht haben. Nicht ich allein, andere auch."

So spontan, wie uns die Menschen von Klostermarienberg berichteten, wie unmenschlich die deutschen und die österreichischen Wachmannschaften mit den Zwangsverschleppten am Südostwall umgegangen waren, so spontan erzählen sie nun von ihren ersten Erlebnissen mit den sowjetischen Truppen.

Einige Wochen nach unserem Besuch in Klostermarienberg sind wir in Moskau. Wir nehmen die Berichte der Frauen von Klostermarienberg zum Anlaß, um an einen der hohen verantwort-

Die Truppen der 3. Ukrainischen Front überschreiten als erste Österreichs Grenzen. Viele der Soldaten haben den Weg von der Wolga bis zur Donau marschierend und kämpfend zurückgelegt. Ihr Eintreffen auf

bisherigem deutschem Reichsgebiet wird von den sowjetischen Kriegsberichterstattern in Film und Foto festgehalten. Einige Bilder wurden zu diesem Zweck eigens komponiert, wie dieses hier.

lichen Offiziere der damaligen Zeit die Frage zu richten, ob das sowjetische Oberkommando von diesen Exzessen gewußt und wie es reagiert habe. Generaloberst Alexej Scheltow war der höchste Politoffizier im Hauptquartier Marschall Tolbuchins, war also für alle politischen Fragen an jener 3. Ukrainischen Front zuständig, die sich bei Klostermarienberg über Österreichs Grenzen schob. General Scheltow war übrigens noch viele Jahre in Österreich, war der politische Berater mehrerer sowjetischer Hochkommissare in Wien. Er zeigte sich weder von der Frage überrascht, noch wich er ihr aus: Ja, es habe Exzesse gegeben. Man müsse dies verstehen. Gerade die Soldaten der 3. Ukrainischen Front hätten den langen Weg von Stalingrad bis Wien kämpfend durchgemacht und dabei die eigenen zerstörten Städte und Dörfer, die eigenen erschlagenen Frauen und Kinder gesehen. Sie seien „voll des Hasses gegenüber dem Feind auf österreichischen Boden gelangt". Die Führung habe zwar Weisung gegeben, Österreich gemäß der Moskauer Deklaration zu behandeln, also als ein zu befreiendes Land. Es sei aber dennoch zu Exzessen gekommen. Das Oberkommando habe alles mögliche dagegen unternommen.

Es überrascht nicht, daß die Gegenmaßnahmen des Oberkommandos auf unterer Ebene zunächst einmal wenig bewirkt hatten. Überraschend dagegen ist, daß ein sowjetischer General dies heute zugeben darf, mit welchen Einschränkungen auch immer. Das Thema war über Jahrzehnte für die Sowjets tabu, und wer es anschnitt, galt von vornherein als sowjetfeindlich. Wir wissen von Aussagen anderer Frauen und Männer in Niederösterreich und in Wien, daß es nach einer gewissen Zeit tatsächlich exemplarische Strafen für sowjetische Soldaten gab. Im übrigen stand das Verhalten dieser Soldaten, wie General Scheltow betont, im Gegensatz zu den politischen Weisungen, die das sowjetische Oberkommando aus Moskau erhielt und auch an seine Truppenführer weitergab: Österreich sei, so hieß es in den Weisungen, als zu befreiendes Land zu behandeln, und die Sowjetsoldaten sollten sich gegenüber der Bevölkerung dementsprechend verhalten. Die Kampftruppen der Sowjets, besser geschult und straffer geführt, hielten sich im großen und ganzen auch an diese Weisungen. Der erste Eindruck der Frauen von Klostermarienberg stimmte: Die ersten Soldaten waren freundlich, trotz des harten Kampfs, den sie soeben zu bestehen gehabt hatten. Es war der nachfolgende Troß, offenbar nicht geschult und auch nicht straff geführt, aus dem die Exzesse kamen. Das hat das Verhältnis zwischen der Sowjetarmee und der österreichischen Bevölkerung noch auf viele Jahre belastet. Und das hat nicht zuletzt auch der als Verbündete der Sowjets geltenden Kommunistischen Partei im Land geschadet. Doch davon später.

Der Krieg in der Heimat

Maria Schlegl hatte in ihrem Augenzeugenbericht vom Einmarsch der ersten Sowjetsoldaten in der ersten österreichischen Ortschaft gemeint: „Es sah aus, als ob Krieg gewesen wär." Eine interessante Feststellung. Denn bis dahin hatte man den Krieg in Österreich, dort wo keine Bomben vom Himmel fielen, nur indirekt zu spüren bekommen. Nun war er da. Natürlich befand sich dieses Land als Teil des Dritten Reichs 1945 schon fast sechs Jahre lang im Krieg. Wir sagten es schon: Mehr als 1,2 Millionen Österreicher waren in diesem Krieg eingerückt, kämpften an fast allen Fronten in Europa, und eine Viertelmillion von ihnen ist nicht heimgekehrt. Hunderttausend andere Österreicher landeten in Konzentrationslagern und in Gefängnissen. Rund 35 000 von ihnen starben oder wurden umgebracht. Mehr als 65 000 österreichische Juden wurden depor-

Marschall Fedor Tolbuchin, der Befehlshaber der 3. Ukrainischen Front, wendet sich bei Überschreiten der Grenze mit einem Aufruf an die österreichische Bevölkerung; dieser enthält bereits alle Elemente der künftigen sowjetischen Politik gegenüber Österreich. Das Land werde zwar als befreit erachtet, würde aber für seine Mitwirkung am Hitler-Krieg verantwortlich gemacht werden.

Maria Schlegl:
Es sah aus, als ob Krieg gewesen wäre.

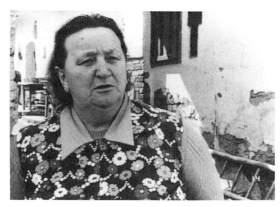

An die Bevölkerung Österreichs

Die Rote Armee verfolgt die deutsch-faschistischen Truppen und ist in Österreich einmarschiert. Die Rote Armee hat den Boden Österreichs betreten, nicht um österreichisches Gebiet zu erobern. Ihr Ziel ist ausschliesslich die Zerschlagung der feindlichen deutsch-faschistischen Truppen und die Befreiung Österreichs von deutscher Abhängigkeit.

Die Rote Armee steht auf dem Boden der Moskauer Deklaration der verbündeten Mächte vom Oktober 1943 über die Unabhängigkeit Österreichs. Die Rote Armee wird dazu beitragen, dass in Österreich die Zustände wiederhergestellt werden, die bis zum Jahre 1938 in Österreich bestanden hatten.

Die Moskauer Deklaration der Regierungen der Sowjetunion, Grossbritanniens und der USA erklärte, dass sie ihrem Wunsch Ausdruck geben, „ein freies und unabhängiges Österreich wiederhergestellt zu sehen und dadurch dem österreichischen Volk selbst... die Möglichkeit zu geben, diejenige politische und wirtschaftliche Sicherheit zu finden, die die einzige Grundlage eines dauerhaften Friedens ist." Zu gleicher Zeit heisst es in dieser Deklaration: „Österreich wird jedoch darauf aufmerksam gemacht, dass es für die Beteiligung am Kriege auf seiten Hitlerdeutschlands die Verantwortung trägt, der es nicht entgehen kann, und dass bei der endgültigen Regelung unvermeidlich sein eigener Beitrag zu seiner Befreiung berücksichtigt werden wird."

Entsprechend dem Wortlaut dieser Deklaration kämpft die Rote Armee gegen die deutschen Okkupanten, aber nicht gegen die Bevölkerung Österreichs.

Die Rote Armee kam nach Österreich nicht als Eroberungsarmee, sondern als Befreiungsarmee.

Bürger und Bürgerinnen Österreichs!

Unterstützt auf jede mögliche Weise die Truppen der Roten Armee, die auf österreichischem Boden operieren!

Bleibt an Euren Arbeits- und Wohnstätten! Setzt Eure friedliche Arbeit fort! Unterstützt die Rote Armee bei der Aufrechterhaltung der Ordnung und der Sicherung der normalen Arbeit der Industrie-, Handels- und Kommunalbetriebe sowie sonstiger Unternehmungen!

Beobachtet gewissenhaft die vom Oberkommando der Roten Armee festgelegte militärische Ordnung! Vollführt alle Befehle und Anordnungen des Oberkommandos der Roten Armee, hervorgerufen durch die Notwendigkeit, Österreich möglich bald von den deutsch-faschistischen Truppen vollständig und restlos zu säubern, ebenso von allen Behörden, Einrichtungen und Agenten des Hitlerregimes.

Unterstützt die Rote Armee bei der Dingfestmachung von Hitleragenten, Provokateuren, Spionen, Schädlingen und aller der Elemente, die die rascheste Säuberung Österreichs von den Deutschen verhindern und den Massnahmen der Roten Armee entgegenarbeiten.

Den Hitlerkreaturen und ihren Agenten ist kein Wort zu glauben!

Alle persönlichen Rechte und Eigentumsrechte österreichischer Staatsbürger, privater Gesellschaften und Vereine und das ihnen zugehörige Privateigentum bleiben unangetastet.

Bis zur Errichtung österreichischer Behörden auf demokratischem Wege durch das österreichische Volk selbst üben die Funktionen der zivilen Gewalt die von den Ortskommandanten der Roten Armee ernannten provisorischen Bürgermeister. Die provisorischen Bürgermeister werden der lokalen Bevölkerung entnommen.

Alle Industrie-, Handels-, Kommunal- und sonstigen Unternehmungen haben ihre normale Arbeit fortzusetzen.

Die nationalsozialistische Partei (NSDAP) wird aufgelöst. Die einfachen Mitglieder der nationalsozialistischen Partei werden nicht verfolgt, wenn sie sich den Sowjettruppen gegenüber loyal verhalten.

Die friedliche Bevölkerung Österreichs hat nichts zu fürchten!

Arbeiter und Gewerbetreibende! Geht an Eure Werkbänke in den Fabriken und in Eure Werkstätten!

Bauern und Bäuerinnen! Setzt fort Eure Frühjahrsaussaat und Eure landwirtschaftlichen Arbeiten!

Händler und Unternehmer! Angehörige der freien Berufe! Geht ruhig wieder Eurer normalen Arbeit nach!

Angestellte der Handels-, Industrie- und Kommunalbetriebe! Sichert die normale Weiterarbeit Eurer Betriebe!

Geistliche und Gläubige! Ihr könnt ungestört Eure religiösen Riten und Gebräuche ausüben!

Österreicher!

Hitlerdeutschland hat den Krieg verloren und nichts kann es vor der völligen Zerschlagung retten. Die Stunde der Befreiung Österreichs vom deutschen Joch ist da.

Unterstützt, wo und wie Ihr nur könnt, die Rote Armee bei der Zerschlagung und Vernichtung der Hitlertruppen. Tragt durch eigene Leistung bei zur Befreiung Österreichs. Ihr werdet dadurch die volle Befreiung Österreichs beschleunigen, die Wiederherstellung seiner Freiheit und Unabhängigkeit.

Der Befehlshaber der Truppen der 3. Ukrainischen Front, Marschall der Sowjetunion

F. TOLBUCHIN.

tiert und ermordet. Es gab also kaum eine österreichische Familie, die vom Krieg nicht unmittelbar betroffen war. Und doch gab es selbst noch in den letzten Märztagen des Jahres 1945 so etwas wie ein normales Leben, wenn es auch eng verbunden war mit den Kriegsanstrengungen des Dritten Reichs.

Die Heimat hinter der Front heißt „Heimatfront" und ist aufgefordert, für die Front zu arbeiten und Opfer zu bringen. Die wahren Opfer werden gebracht durch die Angst um die Angehörigen im Feld oder daheim, durch den Schmerz über den Tod und die Verwundungen, durch die Trennung der Familien, der Frauen von den Männern und der Kinder von den Eltern, durch das Leid, das die Verfolgungen, die Denunziation, der Haß auslösen.

Aber es gibt auch materielle Opfer, die in organisierter Form den Bürgern abverlangt werden: Spenden für das Kriegs-Winterhilfswerk, Metall- und Spinnstoffsammlungen und als letzte dieser Großaktionen das „Volksopfer 1945". Erneut ist jeder aufgefordert, alles abzugeben, was der Kriegswirtschaft nützlich sein könnte: jede Art von Gegenstand aus Metall, jede Art von Stoff, Anzüge, Kleider, Schuhe, Handschuhe, Decken, Mäntel, Socken für die Soldaten; die Pelze und die Skier hat man schon im Kriegswinter 1941/42 abzugeben gehabt. Und für die Soldaten ist man auch bereit, noch zu geben, was in diesen Tagen des Mangels bereits bedeutend mehr wert ist als Geld: sozusagen das letzte Gewand.

Kleider und Lebensmittel sind den ganzen Krieg über streng rationiert. Und gegen Kriegsende gibt es von allem immer weniger, auch auf Marken. Die Kleider werden nach Punkten, die Lebensmittel nach Gramm zugeteilt. So müssen etwa für ein Paar Strümpfe vier Punkte, für einen Büstenhalter drei Punkte und für ein

In den österreichischen Städten kommt man mit den Aufräumungsarbeiten nach den schweren, meist amerikanischen Bombenangriffen nicht mehr nach. Bombenkrater klaffen in den Straßen, Gas-, Wasser- und Elektrizitätsleitungen sind hundertfach unterbrochen, der Straßenbahnverkehr zum Erliegen gekommen.

Da viele Geschäftslokale durch den Bombenkrieg in Mitleidenschaft gezogen sind, werden auf Straßen und Plätzen sogenannte „Einsatzwagen der Wirtschaftsgruppe Einzelhandel" aufgestellt, die den ausgebombten Kaufleuten als Ersatzläden dienen. Dieser Kaufmann hat den Einsatzwagen direkt vor sein bombenzerstörtes Geschäft gestellt.

Zu kaufen gibt es kaum noch etwas. Wer rare Gebrauchsgüter benötigt, muß ebenso rare Güter zum Tausch anbieten.

Koffer, Linoleum. Wien, XV., Marinhilferstraße 162/11.
Herren-Fahrrad, RM. 120,—, nur geg 4-Röhren-Super-Radio. Wechselstrom Nur schriftlich. Finni Daschl, III. Schredtgasse 9, »Hausbesorger.
Zwei Leintücher ges. Biete dunkel blauen Regenmantel mit Kapuze un dunkelblaue mod. Holzschuhe. Gr. 38 RM. 70,—. Polacek, Wien, XVI. Kopp straße 51/I/5, ab 19 Uhr.
Bergschuhe Nr. 43 (RM. 50,—) ge Nr. 39. Samstag v. 15—17. Hofman XII. Grünbergstr. 31, Hochpart.

Taschentuch ein Punkt abgegeben werden. Ein Wollkleid verschlingt gleich 35 Punkte. Und damit ist die Punktekarte auf lange Zeit erschöpft. Brot, Fett und Fleisch erhält man grammweise auf Marken. Auf den Speisekarten der noch geöffneten Gaststätten ist bei jedem Gericht genau vermerkt, was man dafür an Marken abzugeben hat. Der Preis für das Gericht spielt vergleichsweise keine Rolle. Auf alles, was ein wenig nach Luxus aussieht, wird eine besondere Kriegssteuer eingehoben. Selbst auf Bier, obwohl dieses nur noch einen ganz geringen Alkoholgehalt aufweist – drei Pfennig Kriegssteuer für das Seidel, fünf Pfennig für das Krügel.

Mangel gibt es auch an Transportmitteln. Die meisten Lastkraftwagen sind zur Wehrmacht eingezogen. Für die wenigen, die für den zivilen Einsatz zugelassen sind, fehlt Anfang 1945 weitgehend der Treibstoff. Gütertransporte werden mit der Straßenbahn besorgt, Brautpaare mit der Straßenbahn zur Hochzeit gefahren, selbst die Toten mit der Straßenbahn zum Friedhof gebracht. Schließlich werden auch noch die treibstofflosen Lastkraftwagen von der Straßenbahn an fester Achse als Anhänger mitgezogen. Die wenigen, die noch ein Auto haben und es fahren dürfen, müssen den Treibstoff selbst herstellen – mit einem am Heck des Autos befestigten Holzkohleofen, der Gas erzeugt. Da bereits viele Geschäftslokale ausgebombt sind, stellt der Lebensmittelhandel in den österreichischen Städten sogenannte Einsatzwagen auf, die als mobile Verkaufsstellen dienen. Mit Appellen, Plakataktionen und harten Strafen versuchen die Behörden, den Schwarzhandel zu bekämpfen, doch ist er schon lange nicht mehr zu unterbinden. Die Standardwährung auf dem schwarzen Markt sind Zigaretten. Ende März 1945 werden fünf Zigaretten für einen Laib Brot getauscht.

39

Es gibt auch offizielle Eintauschstellen, hauptsächlich für Schuhe, manche auch für Kleider. Sie funktionieren vorwiegend für Kinder, die aus ihren Sachen herausgewachsen sind. Erwachsene tauschen Kleidung gegen Lebensmittel oder andere wichtige Gebrauchsgegenstände und suchen die Tauschpartner oft über ein Zeitungsinserat. Diese Inserate sagen mehr aus, als es umfangreiche Berichte könnten. Etwa: „Zwei Leintücher gesucht, geben dafür einen Regenmantel und ein Paar Damenschuhe." Da hat eine Bombe eingeschlagen, hat den Hausrat vernichtet, hat den Menschen im Luftschutzkeller nur ihr Fluchtgepäck gelassen. In dem befanden sich offenbar der Regenmantel und das Paar Damenschuhe . . . Eine Bleibe haben die Ausgebombten gefunden, nun suchen sie Leintücher.

Zur Bekämpfung des Lebensmittelmangels wird angeordnet, daß jedes Fleckchen Erde der Nahrungsmittelerzeugung nutzbar gemacht werden müsse. Selbst die Parkanlagen in den Städten werden gepflügt und in Felder verwandelt, auf denen Erdäpfel oder Ölsaaten gepflanzt werden.

In den Städten trifft man auf merkwürdige Gebilde: gewaltige Ziegelbauten, mit denen man wertvolle Denkmäler vor der Explosion der Fliegerbomben zu schützen trachtet. Und – selbst die höchsten Gebäude der Stadt überragend – sogenannte Flaktürme. Das sind vielstöckige Betonbauten, mächtig und ohne Fenster, in denen Hunderte Menschen vor den Fliegerbomben Schutz finden können. Auf den Plattformen oben stehen Fliegerabwehrkanonen und Radargeräte. Bis zum heutigen Tag sind diese Flaktürme erhalten geblieben, können weder durch Sprengungen noch durch andere Abtragungsmethoden beseitigt werden. Das für den Bau dieser Türme verwendete Material wird von Jahr zu Jahr sogar noch härter. Heute sind sie fast schon Museumsstücke, Zeugen der damaligen Zeit aus Beton.

Die Menschen dürfen nur noch kriegswichtige Arbeiten durchführen. Anordnung im Zuge des sogenannten totalen Kriegs. Fast alle Theater sind gesperrt, aber auch die Frisiersalons, die Schneiderwerkstätten. Frauen sind in großem Umfang in die Wirtschaft und in die Rüstung einbezogen, um möglichst viele Männer für den Fronteinsatz freizubekommen. Da nun die meisten Männer an der Front stehen, gibt es einen großen Frauenüberschuß. In Wien etwa beträgt der Bevölkerungsanteil der Frauen Anfang 1945 mehr als 60 Prozent. Frauen werden zur Rüstungsarbeit einberufen wie Männer zum Militär. In einem hohen Maß werden auch freiwillig oder zwangsweise rekrutierte Arbeitskräfte aus den von der deutschen Wehrmacht besetzten Gebieten herbeigeholt. Dabei wird zwischen Ost und West in vielerlei Hinsicht unterschieden. Sogenannte Fremdarbeiter aus dem Osten, aus der Ukraine und aus anderen Teilen der Sowjetunion, müssen auf ihrer Kleidung ein Schild mit der Bezeichnung „Ost" tragen. Ein strenges Fraternisierungsverbot soll die Zivilbevölkerung und die Fremdarbeiter auf Distanz halten, teils um den Soldaten an der Front die Beruhigung zu geben, daß der Staat über die Moral ihrer Frauen wacht, teils aber auch der rassischen Grundsätze wegen, die das Regime vertritt. Auch sieht man in den Fremdarbeitern potentielle Saboteure und Spione.

„Wiener Mädeln" bis zum Schluß

Obwohl ein Großteil der Unterhaltungsindustrie gesperrt ist, wird Massenunterhaltung für Rüstungsarbeiter und auch zur Aufrechterhaltung des Durchhaltewillens der Bevölkerung von Amts wegen gepflegt. Eisrevue darf es noch geben, und Kinofilme werden selbst in ärgsten Luftkriegszeiten hergestellt und bis in das letzte Kino in

Noch einmal wird zu einem „Volksopfer" aufgerufen: Die Bevölkerung soll an Kleidern, Schuhen und metallenen Gegenständen abliefern, was sie noch entbehren kann. Und viele tun es, in der Hoffnung, den Soldaten an der Front damit zu helfen. Die Bilder oben und unten wurden bei einer derartigen Sammelaktion aufgenommen.

Rechte Seite: Die vertrauten Plätze bieten einen ungewöhnlichen Anblick: Die Denkmäler wurden mit Mauern zum Schutz vor Bomben umgeben, so auch das Erzherzog-Karl-Denkmal auf dem Wiener Heldenplatz. In den Parkanlagen. – wie hier am Heldenplatz – wurden Ölsaaten und Kartoffeln gepflanzt, als Zubußen zur Lebensmittelversorgung der Bevölkerung.

unmittelbarer Frontnähe gebracht. Nicht zuletzt weil die national-sozialistische Bewegung es verstand, als erste das Massenmedium Radio für sich nutzbar zu machen, war sie in Deutschland und auch in Österreich so rasch so groß geworden. Und nicht zuletzt durch den geschickten Einsatz der Wochenschau und auch der Spielfilme war es der Führung gelungen, die Bevölkerung in der Heimat zu immer neuen Anstrengungen anzuspornen, sie an den Sieg des Dritten Reichs glauben zu lassen und sich den Wünschen und Befehlen der Führung zu fügen. Das Kino trug auch wesentlich dazu bei, den Schrecken des Alltags zu entfliehen, sich, wenn auch nur für Stunden, in eine Welt der Illusion zu flüchten, die schon die Welt des Morgen sein würde, wenn, ja wenn der Krieg einmal gewonnen wäre.

Man spielte nicht nur Filme bis zur letzten Stunde des Kriegs, man produzierte sie auch. Den aufwendigsten davon in Wien. Er sollte „Wiener Mädeln" heißen und wurde von Willi Forst insze-niert. Die Dreharbeiten an diesem Film wurden bis in die Tage fortgesetzt, als in den Vororten Wiens bereits die ersten Sowjetsol-daten standen. Vieles an diesem Film war unwirklich, zunächst einmal schon sein Inhalt: Auf der Weltausstellung in Chikago kommt es zu einer musikalischen Konkurrenz zwischen dem öster-reichischen Komponisten Carl Michael Ziehrer und dem amerikani-schen Komponisten John Philip Sousa. Bei einem Wettstreit der beiden Kapellen soll der Sieger ermittelt werden. Willi Forst spielt den Ziehrer, Fred Liewehr den Amerikaner Sousa.

Man kann kaum glauben, daß dieser Inhalt vom Reichsmini-sterium für Propaganda und Volksaufklärung genehmigt worden war, und zwar vom Minister Joseph Goebbels persönlich. Ein Amerikaner gleichberechtigt mit einem Deutschen, denn als solcher wird Carl Michael Ziehrer vom Dritten Reich ja reklamiert. Da sich dies alles jedoch lange vor dem Dritten Reich und noch zu Zeiten der österreichisch-ungarischen Monarchie begeben haben soll, muß man diesen Carl Michael Ziehrer durchaus als Österreicher in Szene setzen. Gleich zwei Unmöglichkeiten im Sinne offizieller propagan-distischer Lesart.

Aber es ging noch weiter: Um den Film möglichst glaubhaft und auch eindrucksvoll zu gestalten, werden in den Parkanlagen des Schlosses Schönbrunn beim Palmenhaus die entsprechenden Kulissen aufgestellt: Chikagoer Wolkenkratzer und das Gelände der Weltausstellung am Michigan-See. Eine Kapelle der deutschen Luftwaffe wird vom Kriegsdienst befreit, in amerikanische Unifor-men jener Zeit gesteckt und beauftragt, die schmissigen Märsche von John Philip Sousa möglichst mitreißend zu spielen, mit dem gesamten amerikanischen Instrumentarium.

Die für Carl Michael Ziehrer alias Willi Forst tätige Kapelle ist leichter zusammenzustellen: Die Wiener Philharmoniker waren während des gesamten Kriegs vom Wehrdienst befreit. Das tut man zunächst, um der eigenen Bevölkerung und dem übrigen – zum Großteil von Deutschland besetzten oder neutralen – Europa hoch-wertige kulturelle Leistungen bieten zu können. Dann werden diese Leistungen auch noch zum Stolz und zur Ambition des Gauleiters von Wien, Baldur von Schirach. Als schließlich aber auch schon jeder, ob Kind oder Greis, zum Volkssturm muß, um als letztes Aufgebot die Grenzen des Reichs zu verteidigen, werden die Wiener Philharmoniker, dank der Umsicht ihrer damaligen Lei-tung, geschlossen als Volkssturmeinheit deklariert, die nun zwar auch Übungen an den Waffen absolvieren soll, aber durchaus ihre Proben und auch Orchesterkonzerte fortführen darf.

Für diesen Film werden auch alle anderen Probleme überwun-den. Da sich damals bei der Weltausstellung in Chikago an die 100

Erstaunliches geschieht noch bis in die letz-ten Tage des Kriegs: In den Parkanlagen von Schönbrunn dreht Willi Forst den Film „Wiener Mädeln". Dazu werden hinter dem Palmenhaus Kulissen aufgestellt, die die Stadt Chikago zur Zeit der Weltausstellung zeigen. Davor eine Kapelle der deutschen Luftwaffe, verkleidet in amerikanische Uni-formen, dirigiert von Fred Liewehr (rechts unten). In den weiteren Hauptrollen: Dora Komar und Willi Forst (rechts oben), Judith Holzmeister und Curd Jürgens sowie der unverwüstliche Hans Moser (oben).

Fred Adlmüller: 1 750 Kostüme.

Wiener Mädeln
Czerny-Film

Paare im Walzertakt wiegten, werden auch diese jungen Herren aus dem Wehrdienst gezogen und die jungen Damen von der Rüstungsarbeit befreit, um Willi Forst wochenlang als tanzendes Publikum zur Verfügung zu stehen.

Willi Forst spart mit nichts, schon gar nicht mit der Ausstattung für diesen Film. 35 Punkte muß man für ein Wollkleid abgeben und damit für lange Zeit auf jeden anderen Textilienbezug verzichten. Doch für den Film ist alles da. Fred Adlmüller, schon damals hochgeschätzter Couturier Wiens, erhält von Willi Forst den Auftrag, die Kostüme für den Film herzustellen. Adlmüller dazu: „Das waren immerhin 1 750 Kostüme, die für diesen Film gemacht wurden. Und die Hauptschwierigkeit bestand natürlich in der Materialbeschaffung." Eine Schwierigkeit, aber sie wird gemeistert. Aus allen Teilen des Reichs werden die kostbaren Stoffe und Seiden nach Wien gebracht.

Fred Liewehr, der in diesem Film den John Philip Sousa darzustellen hatte, gab uns eine fast ebenso unfaßbare Beschreibung von den damaligen Dreharbeiten. Wir filmten diese Aussage an jener Stelle hinter dem Palmenhaus von Schönbrunn, wo man die Dekorationen für „Wiener Mädeln" aufgebaut hatte. Fred Liewehr berichtete: „Das Unbeschreibliche war ja, daß es hier die Fassaden gab, wie das so ist beim Film, die Wolkenkratzer und die Masten, an denen das Sternenbanner hochging, und eine Luftwaffenkapelle, als Amerikaner verkleidet, spielte, dahinter die Indianer. Und wenn dann so ein Marsch wie ‚Washington Post' oder ‚Stars and Stripes' von der Kapelle sehr gut gespielt wurde, da hörte man durch das Megaphon von Willi Forst die Anweisung: ‚Jubel! Jubel!' Und dann jubelten die Leute und warfen ihre Hüte in die Luft, und am Zaun nebenan stand ein Publikum, Spaziergänger, die dem allen völlig fassungslos zusahen und dann fragten: ‚Ist es schon soweit? Sind die Amis schon hier?' Und ein paar Minuten später kam dann der Fliegeralarm, kamen die [amerikanischen] Flugzeuge, und wir rannten in den Luftschutzstollen."

Fred Adlmüller erinnert sich, daß Judith Holzmeister für die Rolle in „Wiener Mädeln" zunächst einmal „sehr viel abnehmen mußte, denn sie war ein bißchen mollig, wenn man so sagen kann. Sie hat aber dann mit eiserner Energie zwölf Kilo heruntergehungert. Wir hatten Aufnahmen auch in der Freudenau, und eines Morgens habe ich Curd Jürgens, der in diesem Film einen Botschafter darstellte, der Judith vorgestellt. Und es hat, würde ich sagen, sofort geschnackelt; sie wurde dann seine zweite Frau."

Wir nahmen diese Aussage des so liebenswürdig wienerischen Fred Adlmüller in die erste Folge von „Österreich II" auf, weil sie uns als bemerkenswerter Kontrast zu der Not und dem Leid erschien, die zu dieser Zeit ringsum herrschten. Weder den handelnden Personen noch dem Augenzeugen sollte dies zum Vorwurf gemacht werden. Wir waren ihnen für die Demonstration dieses Kontrasts dankbar. Der Bericht beweist, daß trotz Krieg, Bombenangriffen und sich nähernder Front es nicht nur auf der Leinwand eine Traumwelt gab.

Die Flugzeuge kommen jeden Tag

Die Kriegswirklichkeit sah anders aus: Statt der Geigen spielten die Sirenen auf. Und gegen Kriegsende lag auch Österreich fast täglich unter dem Bombenhagel alliierter, vorwiegend amerikanischer Luftangriffe. Einer der schwersten wurde am 12. März 1945 gegen Wien geflogen. Es war der Angriff, bei dem so viele Repräsentativbauten im Zentrum Wiens getroffen und vernichtet wurden. Der markanteste davon die Staatsoper. Ihre Decke stürzte ein, Zuschau-

Ganz oben und rechts: Am 12. März wird die Wiener Staatsoper bei einem der größten amerikanischen Luftangriffe zerstört.
Auch der Heinrichhof vis-à-vis der Oper brennt aus. Etwas von der Habe der Menschen wird ins Freie gerettet (oben).

Fred Liewehr: Und dann kamen die Bomber.

Elvira Neustädtl:
Ein Stückchen Kindheit war weg.

erraum und Bühne brannten aus. Gleich hinter der Oper, im Philipphof, schlugen mehrere Bomben ein, und im Schutt des in sich zusammenstürzenden Gebäudes wurden Hunderte Menschen, die sich im Luftschutzkeller befanden, begraben. Es gelang auch nach Tagen nicht, sie zu bergen. Schließlich gab man die Rettungsversuche auf. 1947 wurden die noch als Ruine stehenden Außenmauern des Philipphofs gesprengt, wurde der Platz eingeebnet. Die Toten von damals liegen noch heute dort.

Elvira Neustädtl befand sich im Luftschutzkeller der Staatsoper, als die ersten Bomben in das Gebäude einschlugen. Sie berichtet: „Ich war damals Ballettelevin an der Staatsoper, und wir haben wie jeden Tag Unterricht gehabt, vormittags, und der Unterricht war vorbei und die meisten sind schon weggegangen, als Fliegeralarm kam. Meine Freundin und ich, wir waren die letzten. Wir sind hinuntergegangen in den Keller, der ist zirka drei Stock tief unter dem Zuschauerraum gewesen. Und da waren schon einige Leute drin vom Haus, einige Damen und Herren, darunter auch Sänger, die ja auch Luftschutzdienst machen mußten. Wir sind eine Weile gesessen, es war ganz ruhig, und wir haben gar nichts gehört. Und plötzlich gab es einen irrsinnigen Luftdruck, den man in den Ohren stark gespürt hat. Und ein Orkan, ein Wind, der uns umgeworfen hat und der auch laut war. Es war ganz

45

vehement und laut, aber keine Detonation, sondern nur dieser starke Wind und Luftdruck."

Elvira Neustädtl und ihre Freundin verlassen den Keller fluchtartig: „Oben kommt uns ein Mann entgegengewankt, und der war ganz weiß, ganz weiß im Gesicht, weiße Haare und das Gewand vollkommen weiß. Und der hat immer nur gesagt: ,Helft, helft doch, die sind alle verschüttet. Helft, helft.' Und in dem Moment sind wieder die Flieger gekommen, haben wir die Flugzeuggeräusche gehört, und wir sind gelaufen, die Kärntner Straße hinunter. Wir haben immer das Sausen der Bomben gehört. Und dann hinunter in den Keller. Einmal waren wir beim Gerstner, dann sind wir wieder hinauf. Wir hatten das Gefühl, wir müssen weg, weg. Es war wie ein Bombenteppich hinter uns. Vom Gerstner hinüber zum Bally, wieder hinunter in den Keller und wieder herauf. Und so sind wir wie die kleinen Haserln zickzack gelaufen bis hinunter zum Donaukanal. Und da war die Brücke weg, es hat alles gebrannt, und der Luftangriff war zu Ende. Ja, und unsere Oper war auch weg. Gerade der Teil, wo wir daheim waren, ein Stückchen Daheim, ein Stückchen Kindheit – war weg."

Die Flugzeuge kommen fast jeden Tag. Ihre Hauptangriffsziele sind die Rüstungsfabriken, die Ölraffinerien, die Bahnanlagen. Doch viele Bomben fallen daneben, manchmal werden ganze Bombenteppiche auf Wohngebiete abgeladen. Das ist entweder auf einen Irrtum in der Navigation oder auf den Ausfall der Zielgeräte der Lotsenflugzeuge zurückzuführen, meist aber sind es Bombenabwürfe, die irgendeinen kleinen Rüstungsbetrieb treffen sollen, der sich in irgendeinem der Häuser in irgendeinem der normalen Wohnbezirke befindet. Die von uns aufgefundenen Dokumente zeigen, daß selbst kleine Zulieferfirmen ausgekundschaftet, die Information an die Alliierten gefunkt und den Planungsstäben der Fliegertruppen weitergegeben wurden. Flächenbombardements und Feuerstürme, wie sie von alliierten Bomberverbänden in deutschen Städten, etwa in Köln oder in Dresden, verursacht wurden und die das Ziel hatten, den Durchhaltewillen der Bevölkerung zu brechen, gehörten nicht zur alliierten Bombardierungstaktik gegenüber österreichischen Städten. Obwohl manche österreichische Städte so viele und so überdimensionierte Luftangriffe über sich ergehen lassen mußten, daß dies einer absoluten Zerstörungstaktik fast gleichkam.

Solange die alliierten Bomberverbände nur von England aus operierten, blieb Österreich weitgehend verschont. Das Land lag am Rande des Flugradius der britischen und der amerikanischen Bomber. Aber sobald die alliierten Armeen in Süditalien Fuß gefaßt hatten und alliierte Bombergeschwader nun auch vom Süden in das Reichsgebiet einfliegen konnten, blieb bald keine größere österreichische Stadt vom Luftkrieg verschont.

Der erste alliierte Angriff gegen ein österreichisches Ziel wurde am 13. August 1943 geflogen. Das Ziel waren die Flugzeugwerke in Wiener Neustadt. In den Werken wurde ein guter Teil der deutschen Jagdflugzeuge Messerschmitt 109, der Kampfbomber Ju 88 sowie eine Reihe von Heinkel-Typen erzeugt. So standen die Wiener Neustädter Flugzeugwerke auf der Liste der alliierten Bombenflieger stets an erster Stelle. Und im März 1945 war Wiener Neustadt bereits die meistzerstörte Stadt Österreichs. Von 4 000 Gebäuden der Stadt waren nur noch 18 unbeschädigt, 88 Prozent des gesamten Gebäudebestands von Wiener Neustadt galten als zerstört. In der Stadt lebten weniger als 800 Menschen. Hohe Zerstörungsquoten, und zwar über 50 Prozent, gab es auch in Innsbruck mit 60 Prozent, in Klagenfurt mit 69 Prozent und in Villach mit 85 Prozent. In Wien, Graz, Linz und Salzburg lag der

Die Wiener Neustädter Flugzeugwerke, schon vor dem Krieg Flugzeughersteller von Weltruf, übernahmen die Massenproduktion von Jagdflugzeugen der Type Messerschmitt 109 sowie der Kampfbomber Junkers 88. Oben die Fertigungshallen der Flugzeugwerke. Rechts unten der Abtransport fertiggestellter Me-109-Jäger. Die alliierten Bomberverbände richteten schwerste Angriffe gegen Wiener Neustadt. Von 4 000 Gebäuden der Stadt waren bei Kriegsende nur noch 18 unbeschädigt (links unten).

Zerstörungsgrad bei rund 30 Prozent. Der Luftkrieg forderte in den kleinen Städten prozentual höhere Menschenopfer als in den großen Städten, wo offenbar die hohen Gebäude über den Luftschutzkellern besseren Schutz gewährten. So gab es in Wien pro 1 000 Einwohner nur 5 Bombenopfer, in Graz waren es schon 10, in Linz 14, in Wiener Neustadt 25 und in Attnang-Puchheim 203. Insgesamt wird die Zahl der Bombentoten in Österreich auf rund 26 000 geschätzt, dazu kamen rund 40 000 durch Bomben Verwundete. Aber erfaßt wurden von dieser Statistik nur Reichsbürger, die Verluste unter den Flüchtlingen, unter den Fremdarbeitern, den Kriegsgefangenen, den Zwangsverschleppten wurden statistisch nicht aufgenommen.

Die Führungsstäbe verfügen in der Regel über erstklassige Luftschutzkeller. Für Baldur von Schirach wird bei der Jubiläumswarte auf dem Gallitzinberg in Ottakring ein eigener, absolut bombensicherer Luftschutzbunker gebaut. Am Fuß der Aussichtswarte sind noch heute die Reste kleiner Wachbunker zu sehen. Hier hielten die Wachmannschaften die Bergkuppe streng abgeriegelt und durften auch während der Luftangriffe ihre Posten nicht verlassen. Denn 30 Meter unter dem Boden dieser bewaldeten Kuppe befindet sich eben dieser Schirach-Bunker, einer der größten Befehlsbunker des Dritten Reichs, der sogenannte Gaubefehlsstand von Wien. Eingang und Notausgang dieses Bunkers waren im Wald verborgen, aber auch dort durch dicke Betonwände geschützt. Heute sind die Zugänge gesprengt.

In diesem Bunkersystem sind nicht weniger als 26 Sende- und Empfangsgeräte untergebracht, über die mit allen wichtigen Reichsstellen Funkverbindung gehalten wird. Über eine der Anlagen ist man in ständigem Sprechkontakt mit dem Führerhauptquartier. Neben dieser Funkzentrale gibt es das sogenannte Gauleiterzimmer, den Aufenthalts- und Arbeitsraum Baldur von Schirachs. Daneben die Organisations- und Befehlsräume. Während der Luftangriffe werden von hier aus die Luftwarnungen durchgegeben. Der normale Rundfunk stellt seinen Sendebetrieb ein. Statt dessen erklingt aus den Lautsprechern auf der Welle des Reichssenders Wien ein sich immer wiederholender Kuckucksruf. Dazwischen: „Achtung, Achtung! Der Reichssender Wien schaltet nunmehr wegen Annäherung feindlicher Flugzeuge ab. Wir bitten unsere Hörer, ihr Empfangsgerät auf den Drahtfunk oder auf die Welle 1 312 kHz einzustellen." Das ist notwendig, um den anfliegenden Bomberverbänden keine Möglichkeit zu geben, sich mit Hilfe der Radiosignale an das Ziel Wien heranzupeilen. Obwohl beim Stand der damaligen Navigationstechnik eine solche Hilfe nicht mehr notwendig ist – die Bomberverbände finden ihr großes Ziel immer, während sie ihre eigentlichen Ziele, nämlich die Bahnhöfe, Industrieanlagen, Tanklager usw., oft genug verfehlen.

Aus dem Gaubefehlsstand kommen dann über den Drahtfunk bzw. auf Sonderwelle die Anweisungen für den Luftschutzdienst, für die Flakbatterien, für die Feuerwehren und Notdienste. Aus dem Lautsprecher ertönt eine ruhige, sympathische Frauenstimme. Wer diese Frau ist, wissen damals nur wenige. Im Volksmund nennt man sie einfach und wienerisch humorig „die Frau vom Kuckuck". „Die Frau vom Kuckuck" heißt Traudl Lessing. Sie berichtet uns, wie sie damals über Drahtfunk aus dem Bunker die Luftlagemeldungen durchsagte:

„Im Prinzip war immer eine Mädchengruppe im Bunker und hatte Dienst. Es waren 66 Mittelschülerinnen der 7. Klasse, die da zu einer Art Kriegseinsatz verdonnert worden sind. Sie waren in Arbeitsgruppen zu 14 oder 15 eingeteilt und hatten je acht Stunden Dienst im Bunker. Aufgeteilt als Telefonvermittlerinnen, Funkerinnen und – für mich am wichtigsten – Glaskartenzeichnerinnen. Diese Glaskarte befand sich als Trennwand zwischen dem Zeichenraum und dem sogenannten Befehlsraum, der ein langer Gang war, in dem sich auch mein Glaskastl befunden hat, die Kabine, aus der ich gesprochen habe. Die Glaskartenzeichnerinnen hatten auf dieser großen Milchglaswand eine vollständige Karte von Ostösterreich, vom Süden bis zu den Industriegebieten im Norden; mit einer Art von dicken Filzstiften zeichneten sie sozusagen in Hinterglasmalerei die Anflüge ein. Ich habe in der Sprechkabine gehört, daß der Kuckuck eingeschaltet war, das heißt, daß das normale Radio auf Drahtfunk geschaltet war. In dem Moment, in dem der Kuckuck aus war, habe ich also mit einer möglichst tiefen, beruhigenden Stimme gesagt: ‚Achtung, Achtung! Hier Luftschutzsender Wien. Wir bringen in Abständen Luftlagemeldungen.' Und dann ist es losgegangen . . ."

Der Bunker birgt eines der kleineren, aber nicht uninteressanten Geheimnisse der damaligen Zeit. Wir sind ihm im Zuge unserer

Umgeben von Wachbunkern und versehen mit betongeschützten Eingängen hatte man auf dem Gallitzinberg den „Gaubefehlsstand" Baldur von Schirachs errichtet (oben). Das ausgedehnte Bunkersystem lag 30 Meter unter der Erde. Rechts ein Teil der Baupläne: Neben dem Reichsleiterzimmer und den Stabsräumen waren 26 Sende- und Empfangsanlagen untergebracht. Von hier aus wurden auch die Luftwarnmeldungen an die Bevölkerung durchgegeben. Der Anflug der Bomberverbände wurde mit einem Kukkucksruf angekündigt. Rechts unten eine Zeichnung des Sitzungsraumes, in dem die Stabsbesprechungen stattfanden.

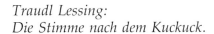

Traudl Lessing:
Die Stimme nach dem Kuckuck.

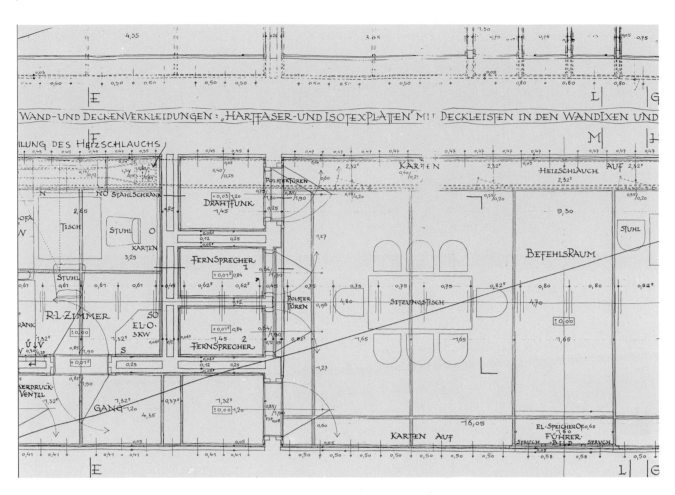

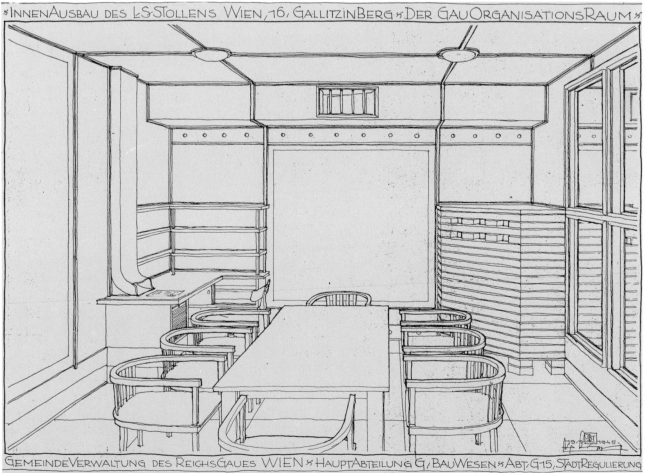

Recherchen zu „Österreich II" auf die Spur gekommen. Der Leiter
der Funkzentrale im Schirach-Bunker, Karl Zischka, wird routine-
mäßig verständigt, wenn irgendeines der von der Fliegerabwehr
abgeschossenen amerikanischen Bombenflugzeuge noch halbwegs
intakt zu Boden kommt. Es ist wichtig, die Kommunikations-
systeme der Flugzeuge zu untersuchen. Bei einem dieser abgeschossenen Flugzeuge macht Zischka eine für ihn unfaßbare Entdeckung: An Bord des Flugzeugwracks befinden sich völlig intakt
eine Decodiermaschine und, ebenso intakt, die dazugehörigen
Codekarten. Zischka läßt die Maschine ausbauen, bringt sie in den
Bunker auf den Gallitzinberg. Beim nächsten Anflug amerikanischer Bombenflugzeuge hört er den Funkverkehr mit, decodiert ihn
auf der amerikanischen Maschine. Und es funktioniert: Die Bomberverbände befinden sich erst im Anflug über Kärnten, da weiß
Zischka in Wien schon, welche Ziele sie anfliegen werden. Doch
nun heißt es, alle Vorsorge zu treffen, um die Amerikaner nicht
merken zu lassen, daß ihr Code geknackt ist. Immer wieder müssen
andere glaubhafte Vorwände gefunden werden, weshalb bestimmte Gebiete oder Stadtviertel knapp vor einem Fliegerangriff
evakuiert werden.

Eine fliegende Wand aus Stahl

Die großen Luftstützpunkte der Amerikaner befinden sich damals
rund um Foggia in Italien. Mehr als 2 000 Flugzeuge sind dort auf
mehreren Flugplätzen stationiert. Die Bombermannschaften werden auf großen Wandkarten über die anzugreifenden Ziele instru-

Eine deutsche (links oben) und eine amerikanische (rechts oben) Aufnahme von Salzburg während eines Luftangriffs. Auf beiden Aufnahmen sind die dichten Schwaden künstlichen Nebels zu sehen, mit denen die deutsche Abwehr versuchte, den amerikanischen Bomberpiloten die Sicht auf die Stadt zu verwehren. Mit den Bomben sollten die Bahnanlagen und die auch in Salzburg vorhandenen Rüstungsbetriebe getroffen werden. Wie so oft deckten die Bombenteppiche auch weite Teile der Wohngebiete zu. Die Aufnahme unten zeigt die Explosionswolken eines solchen Bombenteppichs in der Stadt Salzburg.

iert, diese Karten zeigen den norditalienischen und den österreichischen Raum – in allen Einzelheiten.

Es dauert bis zu drei Stunden, ehe sich alle Bomber, die zu einem Angriff eingesetzt sind, auch in der Luft befinden. Denn selbst bei absolut reibungsloser Organisation braucht es seine Zeit, 800 oder 1 000 viermotorige Flugzeuge mit schwerer Bombenlast starten zu lassen. In der Luft werden dann die Kampfformationen gebildet, die aus einem Bomberverband eine auch für feindliche Jagdflugzeuge unangreifbare Streitmacht machen sollen. Jeder der Bomber verfügt über 13 oder 14 schwere Maschinengewehre. Bei einem Pulk von 800 Bombern sind das über 10 000 Maschinengewehre. Wenn sie feuern, bilden ihre Geschoße eine Wand aus Stahl, die kaum noch von einem Jagdflieger durchstoßen werden kann. In solchen Formationen kommen die amerikanischen Bomberverbände über die Alpen. Sie fliegen meist nur bei schönem Wetter. Die Gefahr, in Wolken mit den Nachbarmaschinen zusammenzustoßen, ist größer als die, sich bei klarer Sicht dem Feind zu zeigen.

Trifft man dennoch auf Wolken und schlechte Flugverhältnisse oder erweist sich die Fliegerabwehr als zu stark, so fliegen die Bomberverbände Ersatzziele an, etwa Wiener Neustadt anstelle von Wien, Klagenfurt anstelle von Graz, Innsbruck anstelle von München, Amstetten anstelle von Linz. Und so entladet sich oft eine für ein großflächiges Ziel vorgesehene riesige Bombenlast auf bedeutend kleinere Ziele in kleineren Städten. Die Zerstörungen sind dementsprechend groß.

Die Fliegerabwehr – das sind die wenigen noch einsatzfähigen Jagdflieger, und das ist eine zunehmend größere Konzentration von

Fliegerabwehrkanonen. Je kleiner das zu verteidigende deutsche Gebiet wird, desto enger werden auch die Flakbatterien zusammengezogen. Die Flak hat nicht in erster Linie die Aufgabe, die feindlichen Flugzeuge zu treffen und herunterzuholen. Das lernten wir von zwei Herren, die damals knapp 17 Jahre alt waren und wie viele 17jährige als Flakhelfer einberufen und der Fliegerabwehr zugeteilt worden waren. Die Flakgeschütze wurden von je zwei Soldaten und vier solchen Flakhelfern bedient. Unsere beiden Augenzeugen hatten die damaligen Hermann-Göring-Werke in Linz, die späteren Vereinigten Österreichischen Eisen- und Stahlwerke, heute VOEST-Alpine AG, zu verteidigen. Hubert Greinekker erklärt uns:

„Die Flak ist dazu da, die fremden Flugzeuge am gezielten Bombenwurf zu hindern. Man hat also nicht das Bombenwerfen verhindern können, wohl aber, daß die Bombe auch in das Ziel gegangen ist."

Friedrich Schwarz ergänzt: „Vor allem durch das Sperrfeuerschießen waren die Bomberverbände einfach nicht in der Lage, ihre Flugstrecke genau einzuhalten, und haben dann eben ziemlich wahllos auf großer Fläche ihre Last abgeworfen. Wir haben das recht gut beobachten können, vor allem wenn sie Bomben mit Zeitzündern warfen, weil man dann gesehen hat, in welch weitem Umkreis um die eigentlichen Ziele die Bomben lagen. Das Hauptangriffsziel dürfte ja immer die Industrie im Linzer Raum gewesen sein. Die Bombenteppiche sind aber weitab gelegen, zum Teil in der Stadt oder im Auwaldgürtel oder in der Donau selbst, so daß man doch sagen muß, daß ein gewisser Effekt durch die Flak zweifellos erzielt wurde. Leidtragend war die Zivilbevölkerung. Aber die Industrie wurde verhältnismäßig wenig getroffen, dank der Flak."

Die damals 17jährigen sehen darin auch einen Erfolg ihrer Leistung: „Wir waren sehr jung und waren, wie man heute sagen würde, mit beinahe sportlicher Ambition mit dabei."

Die Flakhelfer unten an den Geschützen sind 17 Jahre alt. Die Besatzungen oben in den Flugzeugen ungefähr 20. Unter ihnen befand sich damals auch George McGovern, später ein prominenter amerikanischer Politiker, Senator und Kandidat der Demokratischen Partei für die US-Präsidentschaft 1972. McGovern flog viele Einsätze über Österreich. Und so sah der Luftkrieg aus seiner Sicht aus. McGovern berichtete uns vor der Kamera:

„Linz war außerordentlich stark verteidigt. Besonders gegen Kriegsende waren sehr viele Luftabwehrgeschütze rund um Linz postiert. Mein Einsatz gegen Linz war der schlimmste meiner ganzen Dienstzeit. Er war mein letzter im Krieg, aber er hätte leicht auch meine letzte Stunde bringen können. Mein Flugzeug wurde von 110 Flaksplittern getroffen. Zwei Motoren fielen aus, die gesamte Hydraulik war zerschossen, wir mußten ohne Bremsen landen. Unsere Flügel sahen aus wie ein Sieb. Es war ein Wunder, daß wir diesen Flug überlebt haben. Bei einem früheren Einsatz sollten wir die Ölraffinerien in der Nähe von Wien anfliegen. Es herrschte schlechtes Wetter, und so griffen wir statt dessen Wiener Neustadt an. Wir haben diese kleine Stadt sehr arg getroffen. Auf dem Heimflug bemerkten wir, daß eine der Bomben in unserem Abwurfschacht steckengeblieben war. Das war sehr gefährlich, denn wir mußten die Bombe lösen. Es gelang uns auch. Als wir nun den Flug dieser Bombe verfolgten, sahen wir, daß sie in ein einzeln stehendes Haus einschlug. Wir hatten soeben Tausende Bomben auf eine Stadt abgeworfen, aber zu sehen, wie eine einzelne Bombe ein kleines Haus zerstörte und dort wahrscheinlich alle Menschen tötete, das hat mich sehr betroffen gemacht. Als wir landeten, wartete ein Telegramm aus den USA auf mich. Meine Frau hatte

Keine größere Stadt in Österreich bleibt von den Bomben verschont. Das Bild rechts oben zeigt den Verschiebebahnhof von Linz unmittelbar nach einem Fliegerangriff. Rechts unten Bombentreffer in einer Straße von Amstetten. Unter den abgeworfenen Bomben befinden sich auch viele Blindgänger und Zeitbomben. Sie werden entschärft und außerhalb der Städte auf Halden gesammelt (oben).

Hubert Greinecker und Friedrich Schwarz: Leidtragend war die Zivilbevölkerung.

soeben ein kleines Mädchen zur Welt gebracht, unser erstes Kind. Und es ging mir durch den Kopf: Hier ist ein sehr wertvolles kleines Kind auf die Welt gekommen, und wie viele Menschen hatten wir gerade getötet, vielleicht auch jemandes kleines Mädchen."

McGovern erklärte, daß er unter diesem Erlebnis noch immer leide. Als „Österreich II" im Jahr 1985 vom ORF nochmals ausgestrahlt wurde, erhielten wir den Anruf einer Frau Viktoria Fischer. Sie hatte soeben den Bericht McGoverns gehört: „Können Sie diesen Amerikaner erreichen? Ich möchte ihn beruhigen. Das Haus, das seine Bombe traf, war unseres. Alles stimmt genau, die Amerikaner kamen von Wiener Neustadt. Der Angriff war schon zu Ende, als noch diese eine Bombe geflogen kam. Sie traf unser Haus und zerstörte es vollkommen. Aber niemand von uns war daheim, wir waren damals in Wien, da mein Vater im Spital lag. Hier hörten wir die Hiobsbotschaft. Als wir dann vor dem total zerstörten Haus standen, war es ein großer Schock für uns. Mein Vater versuchte das Haus nach dem Krieg wieder aufzubauen, aber die Mittel reichten nicht. Und vielleicht war es gut so. Wir konnten das Grundstück später günstig verkaufen." Wir haben den Bericht von Frau Fischer an George McGovern weitergeleitet.

Die Menschen im Luftkrieg

Obwohl die deutsche Fliegerabwehr schon über Radargeräte verfügte, konnten diese gestört werden: Vorausflugzeuge der amerikanischen Bomberverbände, sogenannte „Pfadfinder", warfen Tausende feine Stanniolstreifen ab, die auf den deutschen Radarschirmen so aufschienen, als wären sie Flugzeuge. Es war daher für die deutsche Abwehr schwer, die noch fliegenden Maschinen zu treffen, und den Jagdflugzeugen fehlte es an Treibstoff. Auch war ein Jagdangriff gegen die schwerbewaffneten Bomber das reinste Himmelfahrtskommando. Die Auswirkungen der Fliegerangriffe waren oft verheerend, vor allem in den kleineren Städten. Meist reichten die Kräfte nicht mehr aus, um nach einem massiven Angriff die Brände unter Kontrolle zu bringen und die verschütteten Menschen zu bergen. Die Bevölkerung mußte selbst kräftig zupacken. Zehntausende verloren ihre Heimstätten. Für Ausgebombte, wie der Fachausdruck hieß, waren Auffangstellen eingerichtet. Dort gab es zunächst eine heiße Suppe und ein Notquartier für die ersten Tage. Danach wurden die Obdachlosen bei Familien in noch nicht zerstörten Wohnungen eingewiesen – meist nicht zur Freude der Quartiergeber.

Eines der angestrebten Ziele des Luftkriegs war die Lahmlegung der industriellen Produktion. Das geschah nicht nur durch direkte Treffer, die die Industriestätten zerstörten. Jeder einzelne Luftalarm trieb die Menschen von den Arbeitsstätten weg in die Luftschutzräume. Österreich wurde in den zentralen Reichsstellen in Berlin schon 1942 als „Luftschutzkeller des Reichs" bezeichnet. Denn damals lag Österreich ja noch außerhalb der Angriffsdistanz der alliierten Bomberverbände. Und so wurde ein Rüstungsbetrieb nach dem anderen aus dem luftangriffsbedrohten Ruhrgebiet in die „Alpen- und Donaureichsgaue" verlegt. Obwohl ab 1943 selbst schon Angriffsziel, boten die österreichischen Berge und Wälder noch immer einen guten Schutz gegen die Bombenangriffe, und die bis dahin noch fast unzerstörten Städte waren für deutsche Behörden und Rüstungsbetriebe das reinste Paradies im Vergleich zu den bereits schwer mitgenommenen Städten des Reichs. Gerade aber weil es diese Verlagerung von Rüstungswerken und Zentralstellen nach Österreich gab, wurde Österreich 1944 und bis zum Ende des Kriegs nun auch Ziel massiver Bombenangriffe.

Für die vielen Opfer der Luftangriffe stehen keine Särge mehr zur Verfügung. In Papier gehüllt und auf primitive Bretter gelegt, werden die Leichen in Massengräbern beigesetzt.

Wer auf ein Einzelgrab Wert legt, muß sich
den Sarg beschaffen, für den Transport sorgen und das Grab schaufeln. Zwei Frauen
ließen einen Sarg von einem Kistentischler
anfertigen.

Der Luftkrieg erweist sich jedoch auch in Österreich, gemessen an den Zielen, die er verfolgt, als weitgehend unwirksam. Die Industriebetriebe, die zerstört werden sollen, sind sehr oft in wenigen Tagen wieder instand gesetzt und produktionsbereit oder die Produktionsstätten waren ohnedies schon unter die Erde bzw. in Stollen verlegt, die man in die Berge getrieben hatte. Die immer wieder bombardierten Gleisanlagen der Bahn sind in der Regel innerhalb von zwölf Stunden wieder befahrbar. Die Häuser jedoch, die links und rechts der Bahn stehen oder die durch Fehlabwürfe in Ruinen verwandelt werden, die wird man erst nach dem Krieg in langen Jahren zäher und kostspieliger Aufbauarbeit wiederherstellen können. Der Luftkrieg der Alliierten richtet sich gegen das Dritte Reich. Aber die durch den Luftkrieg verursachten Schäden werden das wiedererstandene Österreich noch ein Jahrzehnt lang vor schwere Wiederaufbauprobleme stellen.

Die schwersten alliierten Luftangriffe werden noch im März und April 1945 gegen Wien, Graz, Linz, Salzburg, Innsbruck, Klagenfurt und viele kleinere österreichische Städte geflogen. Einer der Bombenteppiche geht in Wien auf dem Zentralfriedhof nieder. Der Beerdigungsbetrieb muß eingestellt werden, gerade in einem Augenblick, als in der Stadt so viele Menschen von den Bomben und von den Trümmern der zusammenstürzenden Häuser erschlagen werden. Die Transportmittel reichen nicht aus, um die Leichen auf die Friedhöfe zu schaffen. So werden sie in den Straßenbahnremisen gesammelt und in der Nacht, im total verdunkelten Wien, mit der Straßenbahn zu den Friedhöfen gebracht. Die Straßenbahn verfügte damals über sogenannte Sargwagen, speziell konstruierte Waggons, die wie große Schließfachabteilungen einer Bank aussahen. Jedes Fach war einzeln zu öffnen, und in jedem Fach war Platz für einen Sarg. Wir fanden Augenzeugen, die uns diese Sargwagen genau beschreiben konnten. Die Sargwagen wurden damals vor der Bevölkerung versteckt. Sie verließen die Remisen immer erst spät in der Nacht bei totaler Verdunkelung. Die Menschen sollten den regen Verkehr dieser Wagen nicht bemerken.

Johann Küssenpfennig war damals Totengräber auf dem Zentralfriedhof. Er berichtet uns: „Nach den Bombenangriffen wurden die Toten gesammelt und mit den Sargwagen der Straßenbahn zum Zentralfriedhof gebracht und hier in Massengräbern beigesetzt. Da es aber sowenig Personal gab, sind viele Leichen liegengeblieben, die erst nach dem Krieg, nach dem Ende der Kampfhandlungen begraben werden konnten. Denn das Friedhofspersonal waren nur alte Leute und Gefangene. So sind die Leichen eben liegengeblieben. Zuletzt hatten wir ungefähr 5 000 bei der Kirche liegen, 5 000 Tote. Die sind nicht mehr beigesetzt worden, weil sich die Front Wien schon genähert hat." Einzelbegräbnisse gab es schon vorher nicht mehr, wie Küssenpfennig berichtet: „Herausgekommen sind sie meist mit der Straßenbahn, zum Teil noch mit Fahrzeugen der Bestattung, auch Roßfuhrwerke haben sie gebracht. Die Toten waren in Papier eingewickelt und sind auf Holzbretter gebunden worden. Und so haben wir sie auch beerdigt. Särge hat es ja damals nicht gegeben. Die Angehörigen sind meist erst später gekommen, denn die Straßenbahn ist nicht gefahren, Fahrzeuge hat damals niemand gehabt. Die Leute sind erst nachmittags zu Fuß beim Friedhof angekommen. Und dann haben sie sich den Zettel geholt, damit sie wissen, wo das Grab ist."

Johann Küssenpfennig: 5 000 Tote.

Manche allerdings greifen auch da zur Selbsthilfe, besorgen sich einen Sarg im Schleichhandel oder zimmern ihn selbst, schultern eine Schaufel und ziehen so auf den Friedhof. Dort heben sie selbst ein Einzelgrab aus, um ihre Toten nicht im Massengrab bestatten zu lassen.

Der dramatische Ablauf eines Luftangriffs. Bildreihe links: Flugzeuge eines amerikanischen Bomberverbandes beim Überqueren der Alpen. Darunter das Wrack eines abgeschossenen US-Bombers auf dem Gelände der heutigen VOEST-Alpine in Linz, bewacht von einem jungen Flakhelfer. Hinter dem Wrack erkennt man in der Ferne die Hochöfen der Linzer Eisen- und Stahlwerke. Die Fliegerabwehr (unten) schoß selten ein Flugzeug ab; ihr Sperrfeuer sollte die Flieger daran hindern, ihre eigentlichen Ziele zu treffen. Das überwand man mit Bombenteppichen, die auch viele Wohnviertel vernichteten (oben): Zerstörte Straße in Graz.

Unter den Toten, die noch von den Sargwagen des Nachts zum Friedhof gebracht werden, befinden sich fast täglich auch Leichen von Menschen, die im Landesgericht hingerichtet worden sind. Mit dem Fallbeil. Die vom Leib getrennten Köpfe liegen separat. Die Totengräber haben Befehl, diese Leichen sofort zu bestatten, und zwar so, daß ihre Grabstätten nur von eingeweihten Justizbeamten identifizierbar sind. Noch heute erinnern sich die Totengräber von damals mit sichtbarem Grauen daran, daß es immer mehr Leichen dieser Art gab, je mehr sich der Krieg seinem Ende näherte. Wer verdächtig war, die Kampfmoral zu schwächen, wer sich gegen die Fortführung des Kriegs stellte, und erst recht wer Widerstand leistete, kam damals schnell unter das Fallbeil. Wir fanden die entsprechenden Aufzeichnungen im heutigen Landesgericht Wien. Aber es ist nicht notwendig, Zahlen zu studieren. Das Gespräch mit den Totengräbern von damals übertrifft die Aussagekraft aller Zahlen.

Auf dem Wiener Zentralfriedhof, und nicht nur dort, wurden auch die Leichen alliierter Bomberbesatzungen beigesetzt. Sie fanden den Tod, wenn ihre Flugzeuge abstürzten oder sich ihr Fallschirm nicht öffnete, wenn sie absprangen. Einige fanden auch den Tod, obwohl sie zunächst heil zu Boden gekommen waren. Die Flieger hatten nämlich Weisung, im Fall des Abgeschossenwerdens und doch Heil-zu-Boden-Kommens der Zivilbevölkerung möglichst auszuweichen und sich rasch der Polizei oder Organen der Wehrmacht zu ergeben. Unmittelbar nach einem Bombenangriff gab es immer wieder Leute, die in Anbetracht der angerichteten Schäden und der erschlagenen Menschen, unter ihnen oft auch Kinder, empört und gegenüber abgeschossenen Fliegern zur Lynchjustiz bereit waren. Dies um so mehr, als die offizielle Propaganda die Flieger stets nur als „Luftpiraten", „Mörder", „Terrorflieger" und „Gangster" bezeichnete und den Zorn der Bevölkerung, der sich unter Umständen gegen die eigene Führung hätte wenden können, verstärkt auf den Feind lenkte.

Die Wunderwaffen

Neben der aus dem Reichsgebiet nach Österreich verlagerten Rüstungsindustrie wurden auch alle Industriezweige in Österreich selbst in den Dienst der Rüstung gestellt und dabei zum Teil wesentlich ausgebaut. Das zog zwar in den letzten Kriegsjahren viele Bombenangriffe an und brachte den Arbeitern dieser Werke wie der Zivilbevölkerung Tod und Verzweiflung. Nach dem Krieg jedoch befand sich in Österreich solcherart eine bedeutend breitere industrielle Basis, als sie das Land vor dem Krieg hatte. Das war übrigens einer der Gründe, weshalb Österreich nach dem Zweiten Weltkrieg wirtschaftlich lebensfähiger war als nach dem Ersten. Da aber nun alle diese Betriebe immer häufiger bombardiert wurden, begann man sie ab 1943 in viele kleine Orte zu dezentralisieren und verlegte einige von ihnen sogar in die Stollen früherer Bergwerke. Nebst der sogenannten normalen Rüstung, der Erzeugung von Gewehren, Geschützen und Panzern, waren die Betriebe in Österreich auf den Flugzeugbau spezialisiert und zuletzt auch auf die Entwicklung der neuen Raketenwaffen. Und im letzten Kriegsjahr war Österreich sogar das Erprobungsfeld und die Erzeugungsstätte für die meisten der sogenannten „Wunderwaffen" des Dritten Reichs. Zu diesen Wunderwaffen zählten verschiedene Raketentypen, neuartige Abfangjäger und insbesondere die letzte Entwicklung im Flugzeugbau – das Düsenflugzeug. Wir haben die Erprobungsstände, die Reste der Werkstätten und vor allem einige Konstrukteure dieser Wunderwaffen aufgespürt und manches von

Eduard Gwozdz: Den See ausgepumpt.

Teile der Rüstungsindustrie wurden in Bergwerke verlagert, um die Produktion ungestört von Fliegerangriffen fortsetzen zu können. In der Seegrotte in der Hinterbrühl richteten die Heinkel-Flugzeugwerke eine Fertigungsstelle für Flugzeuge ein, die zu den sogenannten Wunderwaffen des Dritten Reichs zählten, die „Volksjäger". Den Flugzeugen diente ein Düsenstrahlwerk als Antrieb, und sie erreichten dadurch eine bis dahin nicht gekannte Geschwindigkeit. Obwohl diese Flugzeuge noch in größerer Stückzahl hergestellt wurden, kamen nur wenige zum Einsatz. Das Flugzeug war nicht ausgereift und kam meist schon bei der ersten Landung zu Bruch. Unsere Bilder zeigen oben einen Teil der Produktionsstätte in der leergepumpten Seegrotte, darunter einige Flugzeugrümpfe des „Volksjägers". Rechts oben der „Volksjäger" mit dem Düsenstrahlwerk im „Huckepack".

dem, was sie erzeugt und was sie gesagt haben, in „Österreich II" zeigen können.

Später, als diese Sequenzen schon gelaufen waren, fanden wir noch viel mehr Spuren der sogenannten Wunderwaffen und ihrer Ingenieure. Wir berichten darüber ausführlicher im Kapitel 4 dieses Buches. Die Erzeugungsstätte der ersten Wunderwaffe, der wir nachgingen, fanden wir in der Seegrotte in der Hinterbrühl bei Wien. Die Seegrotte ist ein ehemaliges ausgedehntes Gipsbergwerk, in dessen abgesoffenen Stollen sich der größte unterirdische See Europas gebildet hat. Die Seegrotte ist daher heute eine ganz außergewöhnliche Touristenattraktion. In den letzten Kriegsmonaten aber wurden im verzweigten Stollensystem dieser Grotte Düsenjäger erzeugt, eine damals völlig neuartige Waffe. Wenn man heute in einem der Touristenboote über den unterirdischen See fährt und einen Scheinwerfer auf den Seegrund richtet, kann man dort noch Schienen und Fundamente der Fabriksanlagen von damals erkennen. Bei Kriegsende wurde der unterirdische Betrieb von den Deutschen selbst gesprengt, mit sieben großen Fliegerbomben, die man in das Bergwerk gebracht hatte. Unter den Trümmern fand man später eine Reihe fast fertiggestellter Flugkörper, Armaturen und andere Ausrüstungsgegenstände. Teile davon sind heute in der Grotte ausgestellt. Das damals hier erzeugte Flugzeug trug die Bezeichnung „Heinkel He 162", kurz „Volksjäger" genannt. Das Flugzeug war von eigenartigem Aussehen, und Flugzeuge solcher Art wurden später nie wieder gebaut: Das Düsentriebwerk war fast so groß wie der Flugzeugrumpf selbst und wurde von diesem huckepack getragen.

Der damalige und heutige Besitzer der Seegrotte, Eduard Gwozdz, berichtet: „Erst im Jahr 1944 erhielt ich von der Rüstungsinspektion den schriftlichen Befehl, in dem es hieß, das Bergwerk sei zugunsten der Heinkel-Werke beschlagnahmt worden. Ich wurde verhalten, eine Tafel an der Kassa anzubringen, daß die Seegrotte als Sehenswürdigkeit wegen dringender Renovierungsarbeiten geschlossen ist. Dann wurde der See ausgepumpt, was ungefähr drei Wochen dauerte. Es waren ja rund 20 Millionen Liter Wasser zu entfernen. Der gesamte Boden des Bergwerks wurde von Schlamm und Geröll gesäubert, nivelliert, kanalisiert und dann betoniert, um in den einzelnen Stollen ebene Flächen zu bekommen. Und schon zirka im Oktober ist ein Teil der Produktion angelaufen. Das waren Flugzeugrümpfe, die aber schon mit Empfangsanlage, mit Bordkanonen und mit Schleudersitz versehen, also völlig fertig adjustiert waren, als sie aus dem Bergwerk herauskamen. Auf einer Rampe wurden sie auf Tieflader verladen und kamen nach Haidfeld, wo man ihnen dann die Tragflügel und die Schwanzflosse aufsetzte. Es waren hier ungefähr 2 000 Arbeiter beschäftigt, in drei Schichten."

Und nun berichtet Eduard Gwozdz, welcher Art die Arbeiter waren, die hier Tag und Nacht die Flugzeugrümpfe bauten: „Die Arbeiter waren zum größten Teil Häftlinge aus dem Konzentrationslager. Das Konzentrationslager war auf der Johannesstraße errichtet worden. Die Leute wurden teilweise über die Straße zum Bergwerk gebracht, meist über den Förderturm in das Bergwerk geführt. Das Werkmeisterpersonal war unser Personal, waren Deutsche – Österreicher und Deutsche –, die also hier als Meister tätig waren und so und so viele dieser KZ-Häftlinge unter sich gehabt haben. Und unter diesen KZ-Häftlingen gab es wieder die sogenannten Kapos, die die Aufgabe gehabt haben, für Ordnung und Disziplin in den eigenen Reihen zu sorgen. Da hat es manches Mal doch gehapert, denn ich weiß, daß zum Beispiel in den schmalen Vorderstollen, durch die die Flugzeugrümpfe hinausgeschoben wurden, die KZler, die wahrscheinlich die Lebensfreude verloren hatten, nicht rasch genug in die Mannlöcher in den Wänden ausgewichen sind. Da hat es Tote gegeben, sie wurden zerquetscht. Das ist auch vorgekommen."

Mauthausen und 46 Nebenlager

Vom Einsatz von Häftlingen in der Seegrotte in der Hinterbrühl wußten wir nichts, als wir dorthin fuhren, um für „Österreich II" der Verlagerung eines Rüstungsbetriebs unter die Erde nachzugehen. Erst durch die Aussage von Augenzeugen hörten wir, daß bis auf das Meisterpersonal alle Arbeiter in der Seegrotte Häftlinge waren. Doch der Einsatz von Häftlingen aus den Konzentrationslagern war in der Rüstungsindustrie weit verbreitet.

Bald darauf lag uns ein Film vor, der unmittelbar nach einem schweren Bombenangriff in den Steyr-Werken gedreht worden war. Auf diesem Film erkannten wir nun auch, daß ein Gutteil der zu den Aufräumungsarbeiten eingesetzten Arbeitskräfte KZ-Häftlinge in ihren gestreiften Gewändern waren. Und als wir der Erzeugung insbesondere der Wunderwaffen nachgingen, wurde uns von den damaligen Ingenieuren wie auch von der in der Umgebung wohnenden Bevölkerung berichtet, daß gerade für diese geheimsten Projekte des Reichs weitgehend Häftlinge eingesetzt worden waren, offenbar nicht zuletzt aus der Überlegung, daß die Geheimhaltung besser gewährleistet sei, wenn die Arbeitskräfte von vornherein in keinerlei Kontakt mit der Außenwelt treten konnten. Und gemessen an der Todesrate unter diesen Häftlingen scheint auch der Gedanke nicht abwegig, daß man damals damit rechnete, die meisten dieser unfreiwilligen Geheimnisträger würden eine bestimmte Spanne Zeit nicht überleben.

Wie in allen Gebieten des Deutschen Reichs gab es während des Kriegs auch in Österreich ein weites Netz von Konzentrationslagern. Das Hauptlager befand sich in Mauthausen. Von Mauthau-

Häftlinge aus dem Konzentrationslager Mauthausen wurden in insgesamt 46 verschiedenen Außenstellen zur Arbeit eingesetzt. Unsere Bilder zeigen rechts oben Mauthausener KZ-Insassen in ihren gestreiften Gewändern bei Aufräumungsarbeiten in den frisch bombardierten Steyr-Werken; sie stehen im Fabriksgelände bei Schichtwechsel am Wegrand. Die beiden Bilder darunter zeigen Häftlinge bei den Aufräumungsarbeiten in der Stadt Steyr. Links ein Wachposten, rechts eine Frau, die an der Häftlingsgruppe vorübergeht.

Franz Käsznar: Ein jeder hat angeschafft.

sen aus wurden 46 Nebenlager mit Häftlingen beliefert. In diesen insgesamt 47 Lagern wurden im Laufe des Kriegs rund 196 000 Menschen aus allen Teilen Europas eingeliefert, von denen rund 86 000 die Haft nicht überlebt haben.

Der letzte große Einsatz von Zwangsarbeitern auf österreichischem Boden erfolgte wie schon erwähnt bei den Schanzarbeiten zur Errichtung der Reichsverteidigungsstellung, des Südostwalls, entlang der Grenze zu Ungarn im Burgenland und in der Steiermark. Franz Käsznar, Bauer aus Klostermarienberg, berichtet darüber: „Da waren Tausende Menschen. Leute vom Arbeitsdienst, Sträflinge, Juden. Die haben den ganzen Winter über gearbeitet. Sie sind sogar von Deutschland gekommen mit Pferden, bayerische Bauern mit Wägen, die die Erde für die Laufgräben zugeführt haben. Und die Menschen haben da gehaust, auf den Böden, in den Scheunen und überall, wo halt noch irgendein Loch war. Und einer war halt der Oberführer – ein sehr grober Mensch, den hat man überhaupt fürchten müssen, da mußte man parieren. Das war der Stellungsleiter, der die Tausenden Menschen geführt hat. Und da waren die Bewachungsmänner. Ein jeder hat halt angeschafft und hat geglaubt, er ist schon wer. Und man hat einem jeden untertänig sein müssen." Auf die Frage, wie die Menschen behandelt wurden, meint Käsznar: „Gut nicht, wenn ich ehrlich sein soll. Ich kann das gar nicht so richtig sagen: Irgendein kleinster Fehler, gar nicht beabsichtigt, und das Malheur war schon passiert mit dem Menschen. Entweder hat er Schläge gekriegt oder sonst was. Wenn man so etwas gesehen hat, hat man sich umwenden müssen und fortgehen, weil man hat gar nicht zuschauen können, wie die

Janos Hajnal: Nur wenige kamen zurück.

61

geschlagen worden sind." Käsznar erzählt uns das auf einem kleinen Platz in Klostermarienberg. Die umstehenden älteren Leute stimmen zu. Sie haben es erlebt.

An einem anderen Abschnitt des Südostwalls waren zwangsverpflichtete tschechische Arbeiter eingesetzt. Wir fanden einen von ihnen. Seine Arbeitspartie unterstand einem Baumeister aus Wien. Und dieser bewies, daß es auch anders gehen konnte. Er sorgte für regelmäßige Verpflegung und erträgliche Unterkünfte, und er verschaffte seinen Arbeitern auch immer wieder – meist illegale – Sonderurlaube. Dafür brachten sie aus ihren böhmischen Heimatdörfern immer wieder etwas zum Essen mit. Für diesen Augenzeugen – er lebt heute in Böhmen und wollte seinen Namen nicht genannt haben – ist der Baumeister aus Wien bis zum heutigen Tag unvergessen als vorbildlicher Mensch.

Im Lagerraum der damals stillgelegten Zuckerfabrik bei Siegendorf waren im Winter 1944/45 an die 1 000 ungarische Juden untergebracht. Auch sie wurden zum Schanzen am Südostwall eingesetzt. Einen von ihnen fanden wir in Budapest: Janos Hajnal, heute ein Oberster Richter in Ungarn. Wir ersuchten ihn, mit uns nach Siegendorf zu kommen, um an Ort und Stelle seine Erlebnisse von damals zu beschreiben. Er zeigte eine andere Facette dieses Masseneinsatzes auf: „Die Wache bestand aus Männern der ,Organisation Todt' [das waren Bautrupps, meist zuständig für Rüstungsbauten], aus Leuten vom Volkssturm und aus einem einzigen SS-

Südostwall wurden die Schützengräben und Panzersperren genannt, die entlang der österreichischen Grenze errichtet wurden, um die herannahende Sowjetarmee aufzuhalten. Zehntausende Fremdarbeiter, Häftlinge, Frauen und Jugendliche wurden im Herbst und Winter 1944/45 eingesetzt, um diese Schanzarbeiten zu vollbringen. Das Bild links Mitte zeigt einen der primitiven Holzunterstände in diesem Grabensystem, das Bild darunter Fremdarbeiter beim Schanzen.

Mann. Diese Menschen haben niemanden totgeschlagen und niemanden totgeschossen, aber es gab sehr wenig zu essen, und der Flecktyphus brach aus. Es waren zwar Ärzte unter uns, aber sie konnten niemanden retten, denn es gab überhaupt keine Medikamente. Rund 400 meiner Kameraden sind in der Lagerhalle zugrunde gegangen. Am 28. März 1945 kam der Befehl zum Abmarsch. Das war, wie wir später erfuhren, einen Tag bevor die Sowjetarmee die burgenländische Grenze überschritt. Wir sollten nach Mauthausen marschieren, aber die meisten von uns waren so geschwächt oder krank, daß sie sich kaum erheben konnten. Wer nicht gehfähig war, wurde zurückgelassen. Erstaunlicherweise ohne Bewachung und ohne daß man uns etwas tat. Ungefähr 200 sind zurückgeblieben, rund 400 haben sich schleppend auf den Marsch gemacht. Zwei Tage später waren die sowjetischen Soldaten da. Von jenen, die nach Mauthausen abmarschiert waren, sind nur sehr wenige zurückgekehrt."

Über 30 000 ungarische Juden wurden in jenen Tagen noch vom Südostwall in Richtung Mauthausen in Marsch gesetzt. Es waren Todesmärsche. Viele brachen zusammen, starben oder wurden von den Wachen erschossen. Entlang der Straßen, auf denen sie dahingetrieben wurden, befinden sich heute Dutzende Massengräber der dort Umgekommenen. Vor den Volksgerichten der Zweiten Republik hatten sich in mehreren Prozessen die Begleitmannschaften wegen Totschlags und Mords zu verantworten.

Die große Rückzugstraße

Was sich im März und April 1945 auf den Straßen Österreichs tut, ist kaum zu beschreiben, und kaum jemand hat damals fotografiert oder gar gefilmt. Aber wer es gesehen hat, dem bleiben die Bilder unvergeßlich. Vom Osten her, dort wo sich die sowjetische Front auf Österreichs Grenze zuschiebt, sind Zehntausende Menschen unterwegs nach Westen. Kriegsgefangenenlager werden evakuiert, die Gefangenen zu Fuß in Marsch gesetzt. Die ungarische Armee wird zum Großteil von den Deutschen entwaffnet, und die entwaffneten Soldaten marschieren in endlosen Kolonnen ebenfalls über Österreichs Grenze nach dem Westen. Dazwischen immer wieder Häftlingszüge. Dann Kolonnen mit verwundeten deutschen Soldaten, meist nicht mehr motorisiert, da es an Benzin fehlt. Die Verwundeten liegen auf Strohsäcken auf Leiterwagen, die von Pferden gezogen werden. Die Rotkreuzschwestern marschieren zu

Endlose Kolonnen von Pferde- und Ochsenwagen rollen über Österreichs Grenzen: Frauen, Kinder und alte Bauern aus den deutschsprachigen Siedlungsgebieten Rumäniens, Ungarns, Jugoslawiens und selbst aus dem Baltikum. Ehe die deutschen Truppen diese Landstriche räumten, wurde vielerorts die Evakuierung der Bevölkerung angeordnet. Sie alle glauben, in das Dritte Reich zu kommen, wenige Wochen später werden sie sich als heimatlose Flüchtlinge in Österreich befinden.

Fuß neben den Wagen. Taucht aber irgendwo ein motorisierter deutscher Verband auf – meist sind es Stäbe, die nach hinten fluten –, dann muß alles andere für die motorisierte Kolonne Platz machen. Zwischendurch gibt es immer wieder Fliegeralarm: Zuerst amerikanische, dann sowjetische Tiefflieger bestreichen die Kolonnen mit Bordwaffen. Da heißt es, alles liegen und stehen lassen und Deckung suchen im Straßengraben oder hinter irgendeinem Baum. Ohne Unterlaß, Tag und Nacht, ziehen die Kolonnen über Österreichs Straßen – stets Richtung Westen.

Doch dann kommen Züge anderer Art: Endlos scheinende Wagenkolonnen, manche von Ochsen, die meisten von Pferden gezogen. Auf den Kutschböcken junge Frauen und greise Männer, auf den hochbepackten Wagen Mütter mit Kindern, Töchter mit alten Eltern. Das sind die Frauen und Kinder und Eltern der deutschsprachigen Bauern aus Siebenbürgen, aus der Batschka, aus Ungarn, das sind Bewohner der sogenannten deutschen Sprachinseln in Rumänien, Ungarn, Jugoslawien und der Slowakei, alle auf der Flucht. Es ist eine befohlene Flucht. Man weiß aus Erfahrung, daß die Bewohner solcher deutscher Sprachinseln, wenn sie zurückbleiben, von ihren bisherigen Gastvölkern für alles verantwortlich gemacht werden, wofür diese das Dritte Reich anklagen. Daß sich die Menschen in diesen Sprachinseln zu ihrem Deutschtum bekannt haben, auch als dieses nationalsozialistisch wurde, wird ihnen nun zum Vorwurf gemacht. Der Prozentsatz von Nationalsozialisten unter ihnen ist kaum höher oder niedriger als überall sonst in deutschprachigen Landen. Im Gegensatz zu den Deutschen im Reich hatten sie auch keine andere Wahl, ihr Bekenntnis zum Deutschtum an sich wurde schon gleichgesetzt mit einem Bekenntnis zum Reich – und damit auch zu dessen Regime. Sie gelten samt und sonders als mitgegangen – mitgehangen – mitgefangen. Die Kinder ebenso wie die Greise, die Mädchen, die Frauen. Wer sich dennoch nicht auf die Flucht begibt, wird – mit wenigen Ausnahmen – nach dem Krieg oft nach Mißhandlung und Gefangenschaft zwangsweise ausgesiedelt. Die meisten aber, die da im Winter 1944/45 und bis in die letzten Kriegstage mit ihren Fuhrwerken vor der ihnen stets auf den Fersen befindlichen Front nach Westen fliehen, begreifen überhaupt nicht, was über sie hereingebrochen ist. Antreten zur Flucht, hat es eines Morgens geheißen, schnell einen Wagen packen, irgend etwas von der Habe noch mitnehmen, was man für später zu brauchen glaubt, und ab geht es im Treck. Als sie Österreichs Grenze erreichen, sind diese Menschen oft schon wochenlang unterwegs, sind viele der alten Leute an Schwäche und Kälte gestorben. Die Mütter haben die Windeln ihrer Säuglinge um den eigenen Körper gewickelt, um sie so zu trocknen, denn es gibt keine Pause auf dieser Flucht. Sie alle vermeinen, in das Deutsche Reich zu kommen, als sie die Grenze überschreiten. Aber wenige Wochen später werden sie sich in Österreich befinden: Zehntausende, Hunderttausende. Gemeinsam mit anderen Hunderttausenden – Kriegsgefangenen, Zwangsverschleppten, Fremdarbeitern, deutschen Soldaten. Alle zusammen schätzt man Mitte 1945 auf über drei Millionen. Das entspricht der Hälfte der österreichischen Bevölkerung. Im März 1945 aber sind nicht weniger als weitere eineinhalb Millionen alliierte Soldaten im Marsch auf die österreichischen Grenzen – Sowjets, Amerikaner, Briten, Franzosen, Jugoslawen, Bulgaren, sogar Ungarn. Und in Österreich selbst? Auch in Österreich sind viele tausend Menschen unterwegs: Tausende Kinder, die man aus den bombengefährdeten Städten auf das Land gebracht hat, im Rahmen der sogenannten Kinderlandverschickung. Tausende Frauen mit Kleinkindern, die ebenfalls dem Bombenhagel oder der sich nähernden

Ein Treck aus Nord-Siebenbürgen. Die Menschen sind wochenlang unterwegs, oft viele Tage ohne Ruhepause. Auf den Wagen wird neben geringen Lebensmittelvorräten Heu für die Pferde und Brennmaterial zum Kochen mitgeführt. Der Hausrat blieb zurück. Wenn die Zeit nicht ausreicht, ein Lagerfeuer zu entzünden, trocknen die Frauen die Windeln für ihre Säuglinge an ihren eigenen Körpern.

Front entkommen wollen. Nun müssen sie sich inmitten dieser alles überschwemmenden Menschenlawine selbst Quartiere suchen. Und immer wieder sind es auch deutsche Soldaten. Auch sie im Rückzug von der Front oder im Marsch auf die Front. Diese Fronten machen das Reich immer kleiner und drücken immer mehr Verbände in die noch unbesetzten Gebiete, darunter vor allem nach Österreich. Im März 1945 schätzt man die Zahl der deutschen Soldaten auf österreichischem Boden auf fast eine Million. Sie wird in den Tagen des Kriegsendes auf weit über eine Million anschwellen.

Die Festung, die es nicht gab

Zuerst ist es ein Gerücht, dann wird es sogar offiziell bestätigt: Im Westen Österreichs soll im letzten Moment noch ein großes Befestigungssystem ausgebaut werden – die sogenannte Alpenfestung. Hierher – in die, wie es heißt, nicht so leicht zugänglichen, dafür aber leichter zu verteidigenden Berge – sollen sich die Führung des Reichs und die Reste der deutschen Streitkräfte zurückziehen, um den alliierten Armeen einen letzten hinhaltenden Kampf zu liefern. Ja es heißt, es würde in dieser Alpenfestung sogar auch noch an Wunderwaffen gearbeitet, und wenn es nur gelänge, noch einige Wochen durchzuhalten, würde von dort aus sogar noch der Sieg erzwungen werden können. Die Alpenfestung soll von Klagenfurt bis Salzburg, vom Gardasee bis Füssen reichen. Herr und Gebieter über diese Festung soll der Gauleiter von Tirol, Franz Hofer, sein. Als Reichsverteidigungskommissar für Tirol und Vorarlberg (damals in einem Reichsgau vereinigt) ordnet er auch noch den Ausbau von Festungsanlagen sowohl in Südtirol als auch entlang der Tiroler Nordgrenze an. Aber wo immer solche Bauvorhaben überhaupt noch in Angriff genommen werden, kommen sie über das Planungsstadium nicht hinaus. Auf geduldigen Landkarten werden die Positionen eingezeichnet, an denen man Widerstand leisten will. Es wird jedoch genug Aktivität entwickelt, um die Geheimdienste aller Seiten zu alarmieren und zu veranlassen, sich intensiv mit der Alpenfestung zu befassen. Ja, die deutsche Propaganda versucht ausdrücklich mit dem Hinweis, in der Alpenfestung werde noch viele Monate blutiger Widerstand geleistet werden, die Westalliierten zu Sonderverhandlungen zu veranlassen.

Der Oberbefehlshaber aller SS- und Polizeiverbände in Italien, SS-General Karl Wolff, ist bereits seit längerem mit dem alliierten Hauptquartier in Caserta in geheimer Verbindung. Er will im geeigneten Moment die Kapitulation der gesamten deutschen Front in Italien durchführen. Noch hält er diesen Moment nicht für gekommen, noch haben er und viele andere Angst, für eine derartige Handlung im letzten Moment gefangen, an die Wand gestellt und umgebracht zu werden. Aber die Verbindung mit den Alliierten ist aufgenommen. Im Hauptquartier von General Wolff befindet sich bereits ein Funker der Alliierten, um diese mit verläßlichen Nachrichten zu versorgen. Und Wolff selbst wird ab und zu mit einem alliierten Flugzeug aus Südtirol abgeholt, ins alliierte Hauptquartier gebracht und wieder zurückgeflogen. Wolff versucht Gauleiter Hofer für sein Vorhaben zu gewinnen. Die Zusammenkünfte finden auf dem Bauernhof des Gauleiters, dem Lachhof bei Innsbruck, statt. Dort geht es immer wieder drunter und drüber. Das eine Mal ist Hofer bereit mitzuspielen, dann wieder droht er allen, die die Kapitulation anbieten wollen, mit dem sofortigen Erschießen. Er überlegt, ob er den Alliierten anbieten soll, in der Alpenfestung keinen Widerstand mehr zu leisten, unter der Bedingung, daß die Alliierten der Errichtung eines deutschen Südreichs zustimmen, das der Regierungsgewalt Hofers unterstellt werden müßte. Dem Südreich sollten Tirol und Vorarlberg, Bayern und Südtirol angehören, aber auch die deutschsprachigen Enklaven in der Provinz Trient. Ohne diese würde er es nicht machen. Landsleute läßt man nicht im Stich. Wie fast alle hohen NS-Führer der damaligen Zeit leidet auch Hofer unter einem weitgehenden Realitätsverlust. Er glaubt tatsächlich, noch etwas in der Hand zu haben, was er den Alliierten zum Tausch anbieten könnte.

Aber Hofer ist zerrissen. Immer wieder packt ihn auch die Treue zum Führer. Schon im Herbst 1944 hatte er in einem Memorandum an Adolf Hitler den Ausbau der Alpenfestung vorgeschlagen. Erst Anfang April 1945 wird Hofers Plan Hitler auch vorgelegt. Bis dahin gab es aus dem Führerhauptquartier keine Anordnung, die Alpenfestung zu bauen. Und nun kommt es zu einer der letzten grotesken Szenen in dieser Zeit des totalen Chaos und Zusammenbruchs. Auf seinem Lachhof bei Innsbruck erhält Gauleiter Hofer den Befehl Hitlers, nach Berlin zu kommen, um mit ihm über die Alpenfestung zu beraten. Man glaubt es kaum: Am 11. April – die Sowjets stehen bereits in Wien – verläßt Hofer den Lachhof und fährt gemeinsam mit seinem Leiter für Agrarpolitik, Heinrich Mandlez, nach München. Dort besteigen die beiden – auch das ist kaum zu glauben – die normale Verkehrsmaschine nach Berlin, eine Ju 52, und fliegen mit ihr über bereits von den Amerikanern besetztes deutsches Gebiet in die Reichshauptstadt zu Hitler. Hofer hat sich entschlossen, Hitler den Lachhof und dessen Kleinbunker als Fluchtort anzubieten. Er hält es für möglich, daß Hitler mit ihm gemeinsam Berlin verlassen und nach Tirol kommen

Der oberste Befehlshaber der Westalliierten, General Eisenhower (oben), glaubte an die Existenz einer Alpenfestung und befahl seinen Truppen den raschen Vormarsch nach Tirol. In Österreich selbst formierten sich um diese Zeit mehrere Widerstandsgruppen unter einer gemeinsamen Dachorganisation, die sich als O5 bezeichnete. Das Zeichen O5 tauchte auf vielen Hausmauern auf, auch auf dem Stephansdom (rechts unten), wo es noch heute zu sehen ist.

Gauleiter Hofer fliegt zu Hitler nach Berlin, um diesen zu überreden, auf dem Lachhof bei Innsbruck, Hofers Landsitz (unten), sein Hauptquartier aufzuschlagen.

Heinrich Mandlez: Zu Hitler geflogen.

Fritz Molden: 17mal durch die Fronten.

würde. Heinrich Mandlez hat Hofer auf diesem Flug begleitet und begibt sich mit ihm an jenem 11. April 1945 in den Bunker der Reichskanzlei, wo sie auf ihre Vorsprache bei Hitler warten.

Wir fanden Heinrich Mandlez in Tirol. Er führte uns zum Lachhof, zeigte uns das Zimmer, das Gauleiter Hofer damals für Hitler vorbereitet hatte – ein nicht allzu großes Schlafzimmer, eingerichtet noch wie damals mit Tiroler Bauernmöbeln. Der Lachhof ist heute ein Schulungsheim für Jugendliche. Im Garten des Hofs aber befindet sich noch immer jener kleine Bunker, den Hofer Hitler anstelle des Bunkers der Reichskanzlei anbieten wollte. Von außen sieht er aus wie ein in den Berg getriebener einfacher Weinkeller – und solchem Zweck dürfte er heute dienen.

Heinrich Mandlez aber schildert uns vor diesem Keller, wie er und Gauleiter Hofer an jenem 11. April 1945 in Berlin im Führerbunker unter der Reichskanzlei auf Adolf Hitler warteten: „Ich sitze dort zirka eine Viertelstunde, da geht die Türe auf, Hitler kommt selber heraus und sagt: ‚Parteigenosse Hofer' – er hat nicht gesagt Gauleiter, sondern nur so: ‚Parteigenosse Hofer'. Der Hofer steht auf und nimmt mich beim Arm und sagt: ‚Jetzt gehst mit.' Ich bin mit hineingegangen in den Raum, und Hitler hat uns gleich Tee und Kekse servieren lassen, was bei ihm anscheinend üblich war, was anderes hat man dort nicht bekommen. Ich konnte ja wenig dazu tun, konnte nur mithorchen. In erster Linie ist es darum gegangen, daß der Gauleiter den Hitler einfach mitnehmen wollte, hierher nach Tirol in seine Alpenfestung. Hier wäre schon ein Zimmer vorgesehen gewesen, und der Bunker wäre ja auch dagewesen für alle Fälle. Und alles andere wäre noch gerichtet worden, was notwendig gewesen wäre, wenn er ihn mitgebracht hätte. Aber der Hitler ist nicht darauf eingegangen, obwohl Hofer x-mal den Anlauf gemacht hat. Der Hitler hat überhaupt nicht geantwortet, zuerst überhaupt nicht. Dann zum Schluß hat er ihm gratuliert zu der Alpenfestung, und er wünscht ihm alles Gute, aber er geht nicht mit. Er hat ihm dann die Hand auf die Schulter gelegt, ich kann mich noch gut erinnern, diese ganz mageren Finger, die Hand werde ich nie vergessen. Da sind sie dort so gestanden – der Hofer, der 108 Kilogramm schwere Mann, daneben der schon sehr gebrochene Hitler, und er hat dezidiert gesagt, er geht nicht mit nach Tirol, aber er wünscht ihm alles Gute. Nach meiner Meinung hat die Alpenfestung überhaupt nicht existiert. Es ist auch nirgends mehr gekämpft worden, mit Ausnahme einer Zeitlang noch im Süden, aber auch das nur weiter unten. In Südtirol ist kein Schuß mehr gefallen. Die Alpenfestung hat weder existiert, noch hätte sie je funktioniert."

Heute weiß man, daß es so war. Damals wußten es viele nicht. Auch nicht die Hauptquartiere der Alliierten. General Dwight D. Eisenhower, der Oberbefehlshaber der westalliierten Streitkräfte in Europa, hält die Alpenfestung für so real und auch noch für so gefährlich, daß er seine Truppen neu gruppiert und nach Süden einschwenken läßt, anstatt nach Berlin zu marschieren. Doch davon später.

Kontakt mit der O5

So ist es nicht zu verwundern, daß die Alliierten alles daransetzen, um herauszufinden, was an dieser Alpenfestung stimmt, wie stark die sich in die Alpen zurückziehenden deutschen Verbände sind und auch ob mit einem Widerstand von seiten der österreichischen Bevölkerung gegen die deutsche Führung zu rechnen ist. Amerikaner und Briten setzen frühere Österreicher und gut Deutsch sprechende eigene Offiziere mit Fallschirmen über den Alpen ab. Zum

Teil geraten diese bald in Gefangenschaft, zum Teil entgehen sie dieser Gefangenschaft nur, indem sie sich verstecken. Viel haben auch sie nicht zu melden. Zwei Österreicher durchqueren zu dieser Zeit, ebenfalls in deutschen Uniformen, Österreich mehrere Male, kommen bis Wien und wieder zurück nach Tirol, schlagen sich über Südtirol und Mailand bis zur schweizerischen Grenze durch, werden dort von Angehörigen der amerikanischen Abwehr empfangen, die damals den Namen „Office of Strategic Services", OSS, trägt. Ihr Chef ist Allen Dulles, der spätere Chef der CIA und Bruder des späteren amerikanischen Außenministers John Foster Dulles. Mit diesem Allen Dulles stehen die beiden Österreicher in enger Verbindung. Sie heißen Fritz Molden und Ernst Lemberger. Lemberger, nach dem Anschluß Österreichs nach Frankreich geflüchtet, ist während des Kriegs im französischen Untergrund tätig, wird Offizier der französischen Armee und stellt sich der alliierten Abwehr zur Verfügung. Fritz Molden, Sohn des Wiener Journalisten und Verlegers Ernst Molden, leistet schon in jüngsten Jahren Widerstand im Rahmen einer bündischen Jugendgruppe, wird gefaßt, verurteilt, einer Strafkompanie zugeteilt, kommt von dieser wieder los, nimmt in Italien Verbindung mit dem italienischen Untergrund auf und gelangt auf abenteuerlichen Wegen in die Schweiz zu Allen Dulles. Von dort wird er mehrfach nach Österreich geschickt, immer unter anderen Namen, immer in anderen Uniformen. Er wird der Verbindungsmann der Westalliierten zu österreichischen Widerstandsgruppen, vor allem zum sogenannten POEN, dem Provisorischen Österreichischen Nationalkomitee in Wien. Das ist ein Ausschuß von sieben Männern, die ihrerseits wieder Verbindungen mit verschiedenen Widerstandskräften halten oder ihnen vorstehen. Einer von ihnen ist Moldens Vater. Die Hauptgruppe aber ist die O5. O5 steht für die Initialen O und E: E der fünfte Buchstabe im Alphabet, also OE für Österreich. Die O5 versucht ein Sammelbecken von Widerstandskräften jeglicher Art zu sein – von früheren Christlichsozialen, Sozialdemokraten, Legitimisten, Kommunisten, Liberalen. Und sie hat auch Verbindung mit Widerstandsgruppen innerhalb der deutschen Wehrmacht, im Wehrkreiskommando XVII, dessen Sitz sich im früheren österreichischen Kriegsministerium auf dem Stubenring befindet. Kopf der militärischen Widerstandsgruppe ist Major Carl Szokoll. Von ihm und der O5 wird noch ausführlicher zu berichten sein. Molden und Lemberger nehmen aber auch Verbindung auf mit Widerstandskräften außerhalb des POEN und der O5. Einer ihrer prominenten Kontaktleute ist Adolf Schärf, der spätere Vorsitzende der SPÖ, Vizekanzler und Bundespräsident. Fritz Molden und Ernst Lemberger versuchen, diese verschiedenen Widerstandsgruppen miteinander in Verbindung zu bringen, in der Hoffnung, sie würden zur gegebenen Stunde koordiniert in Aktion treten können. Ebenso wichtig erscheint es ihnen, die Alliierten vom Vorhandensein dieser Widerstandsgruppen zu überzeugen. Wichtig deshalb, denn ob es diesen Widerstand gibt, davon wollen die Alliierten die spätere Behandlung Österreichs abhängig machen. Fritz Molden berichtet uns über seine damaligen gewagten Reisen kreuz und quer durch die Fronten:

„Ich bin 17mal zwischen den Alliierten und Österreich hin und her gefahren, ich war auch zweimal in Berlin. Dazu mußte ich ununterbrochen meine eigene Identität ändern, das heißt, ich mußte jedesmal meine eigene Lebensgeschichte neu auswendiglernen. Das mußte so weit gehen, daß, wenn man in der Nacht aufgeweckt wurde, man den neuen Namen gesagt hat. Denn wenn einen einer weckt, dann sagt man nämlich Molden, wenn man Molden heißt, und nicht Steinhauser. Das wurde also nächtelang

Bilder, die die Not der Bevölkerung in jenen Tagen erkennen lassen: Mühsame Bergung von Hausrat aus bombardierten und unbewohnbar gewordenen Häusern. Rechts unten: Ein Zug von Flüchtlingen biegt beim Hotel Imperial von der Wiener Ringstraße auf den Schwarzenbergplatz ein.

Zwei erschütternde Dokumente aus den letzten Kriegstagen. Links die Vereidigung des Volkssturms auf dem Wiener Rathausplatz. Männer, die bisher zu alt oder aus anderen Gründen nicht kriegstauglich waren, Hitlerjungen im Alter von 15, 16 Jahren haben bei dieser Kundgebung den Eid abzulegen, dem Führer und Reichskanzler unbedingten Gehorsam zu leisten und ihr Leben zur Verteidigung des Reichs einzusetzen (links). Das Plakat oben gibt die Anordnung des Reichsverteidigungskommissars von Schirach wieder, für den „Reichsverteidigungsbezirk Wien" ab sofort das Standrecht einzuführen.

geübt, da wurde ich -zigmal in der Nacht aufgeweckt, von irgendeinem Freund, bis ich dann immer Steinhauser gesagt habe." Molden macht eine Erfahrung: Am ehesten noch kommt man in der Uniform eines deutschen Feldwebels durch die Kontrollen. Die Kontrollen selbst werden nämlich von Feldwebeln durchgeführt. Die sehen sich die Offiziere ganz genau an und die Mannschaften auch. Aber mit Kollegen geht man kameradschaftlich um. Die Anwesenheit von „Feindagenten in deutscher Uniform" bleibt nicht unbemerkt. Die „Tiroler Tageszeitung" von damals warnt die Bevölkerung vor solchen Agenten. Molden und Lemberger bleiben auch nicht immer unentdeckt. Dazu Molden: „Im Dezember 1944 war es schließlich so weit, daß wir quasi auf Bundesebene das Provisorische Österreichische Nationalkomitee, also eine zentrale Führungsgruppe des Widerstands, schaffen konnten. Dem ging ein entscheidendes Gespräch voraus, das Lemberger und ich im Justizpalast, wo damals der Volksgerichtshof der Nazis amtierte, mit Dr. Adolf Schärf führen konnten, der dort als Verteidiger von Angeklagten fungierte. Es war eine Verhandlungspause, und wir trafen uns unten in der Halle. Lemberger und ich haben es dann so weit gebracht, daß Schärf zugestimmt hat, mit den Sozialdemokraten voll in dieses Provisorische Österreichische Nationalkomitee hineinzugehen. Am selben Abend wurde dann im Haus der Familie des Bundeswirtschaftsrates Heinrich Otto Spitz, der 14 Tage später erschossen wurde, das Provisorische Österreichische Nationalkomitee formell gebildet. Wegen Gefahr mußten wir dann dort weg, haben am nächsten Abend die letzten Besprechungen in der Wohnung des Majors Alfons Stillfried am Saarplatz gemacht. Dort wurden wir dann von der Gestapo überfallen, konnten aber noch rechtzeitig flüchten, weil die O5, die militärischen Leute, einen Schutzring um das Haus aufgebaut hatten. Unter dem Schutz dieser dünnen Reihe von O5-Leuten, durchwegs Soldaten der Wehrmacht, die uns verteidigt und die Gestapo abgelenkt haben, konnten wir uns absetzen. Die Herren des Nationalkomitees haben sich in allen Winkeln Wiens versteckt. Lemberger und ich sind mit einem Urlauberzug nach dem Westen und von dort zu den Alliierten. Nicht zuletzt mit allen Plänen des Nationalkomitees. Denn wir mußten ja den Alliierten beweisen, daß in Österreich etwas geschieht. Mehr als raunzen, mehr als in der Nacht unter der Tuchent Feindsender hören."

Das letzte Aufgebot

Der Endkampf um Österreich steht noch bevor. Wie überall im Dritten Reich, so ist auch auf österreichischem Boden der sogenannte „Deutsche Volkssturm" mobilisiert worden. Wer eine Waffe tragen kann, soll noch in die Schlacht geworfen werden. Zum Dienst im Volkssturm wird jeder vom 16. bis zum 60. Lebensjahr herangezogen, so er nicht schon in einer anderen kriegswichtigen Formation Dienst tut. Um noch einmal an den Widerstandswillen zu appellieren, werden die Vereidigungen der Volkssturmmänner auf öffentlichen Plätzen in Form von Großkundgebungen vorgenommen. In Wien auf dem Rathausplatz. Die bisher Kriegsuntauglichen, die Alten und die ganz Jungen sollen durch Blitzausbildung fronttauglich gemacht werden und die Verteidigungsstellungen besetzen.

Derartige Vereidigungen von Volkssturmmännern wurden auch noch für die Deutsche Wochenschau gefilmt. Offenbar aber nirgendwo in Österreich, jedenfalls haben wir vergeblich nach einem Filmdokument dieser Art gesucht. Aber wir fanden eine fotografische Aufnahme von der Vereidigung auf dem Wiener

Rathausplatz. Und sie erwies sich als ein fotografisches Juwel: In jedem einzelnen Gesicht der hier zur Vereidigung angetretenen Männer ist fast wie in einem Buch zu lesen, was diese Männer denken.

Von diesen Volkssturmmännern wird nun der totale Kriegseinsatz verlangt. In der letzten Deutschen Wochenschau, die in den Kinos noch gezeigt wird, versucht Reichspropagandaminister Joseph Goebbels die Menschen mit allen Mitteln zum fanatischen Widerstand zu bewegen. Es ist eine vielzitierte Rede, schon weil es die letzte auf Film gebannte Ansprache von Joseph Goebbels war. Aber man muß sie auch zitieren, weil in ihr alles zum Ausdruck kommt, was im Inferno des zusammenbrechenden Reichs noch an propagandistischer Aufputschung geleistet wurde. Wie oft ist nach dem Krieg gefragt worden, weshalb so viele Soldaten noch weitergekämpft hätten, weshalb sich noch ein Teil der Zivilbevölkerung hinter diesen Kampf gestellt habe. Die Propaganda von damals erscheint heute durchschaubar und abschreckend. Im Heulen der Sirenen, ständiger Luftangriffe, im unmittelbaren Frontbereich, in der Angst vor allem, was nun geschehen würde, klang das damals anders. Joseph Goebbels: „. . . daß unsere Soldaten, wenn sie jetzt an diesem oder jenem Teil der Ostfront zur Offensive antreten, keinen Pardon mehr kennen und keinen Pardon mehr geben werden! Jene Divisionen, die schon zu Kleinoffensiven angetreten sind und in den nächsten Wochen und Monaten zu Großoffensiven antreten werden, werden in diesen Kampf hineingehen wie in einen Gottesdienst! Und wenn sie ihre Gewehre schultern und ihre Panzerfahrzeuge besteigen, dann haben sie nur ihre erschlagenen Kinder und geschändeten Frauen vor Augen! Und ein Schrei der Rache wird aus ihren Kehlen hinaussteigen, vor dem der Feind erblassen wird!"

Dazu Goebbels in seinem Tagebuch, das nach dem Krieg aufgefunden worden ist: „Abends um 7 Uhr wird meine Rede über den Rundfunk übertragen. Ich höre mir sie selbst noch einmal an. Vortrag und Stil sind ausgezeichnet, und ich verspreche mir davon wenigstens einige Wirkung, wenn ich natürlich auch nicht in der Lage war, mit positiven Erfolgen als besten Argumenten aufzuwarten. Aber das Volk ist ja schon zufrieden, wenn man ihm heute wenigstens eine Stunde lang einmal gut zuspricht."

Aussicht auf irgendeinen erfolgreichen Kampf besteht schon lange nicht mehr. Die Panzerfahrzeuge, die die Soldaten laut Goebbels besteigen werden, gibt es nicht mehr. Die Gewehre, die der Volkssturm erhält, sind Beutewaffen aus aller Herren Ländern und oft uralt. Für die meisten Volkssturmleute gibt es auch keine Uniform mehr, nur noch eine Armbinde, die sie als Soldaten ausweisen soll. Panzerfaust und Panzerschreck (das sind kleine panzerbrechende Raketen) sind die einzigen modernen Waffen, aber ihre Anwendung würde im Nahkampf erprobte Soldaten erfordern. Geboten wird statt dessen nur eine mangelhafte Blitzausbildung. Auf den Plakatwänden erscheinen Parolen, die zum letzten Widerstand aufrufen: „Sieg um jeden Preis!" Doch unter diesen Voraussetzungen wird es keinen Sieg mehr geben können. Der Preis kann nur das Leben der unausgebildeten Jugendlichen und der alten Männer sein.

Hitlerjungen, zu Gehorsam und auch zu Treue und Opfergang erzogen, eilen jedoch oft genug noch an die Front, von der erfahrene Soldaten längst den Rückzug angetreten haben. Dieser Einsatz der Hitlerjugend wird von den noch im Reich erscheinenden Zeitungen als Vorbild hingestellt. So meldet das „Vorarlberger Tagblatt" unter dem Titel „Baby-Divisionen – Zuerst vom Feind verspottet und jetzt gefürchtet" vom Kampf dieser 15- bis 16jähri-

Letzte Verteidigungsvorbereitungen in Wien: Der eine hält noch an seinem Urlaubskoffer fest, der andere zieht mit der Panzerfaust in den Einsatz.

Rechts oben eine der rasch zusammengestellten Alarmeinheiten auf dem Marsch durch die Straßen der Stadt. Auf dem Bild rechts unten ist links vom Panzerspähwagen eine Barrikade zu erkennen, die aus Parkbänken zusammengestellt worden ist: Vorbereitungen zum Straßenkampf.

gen. Die Wiener Ausgabe des „Völkischen Beobachters" erscheint zum letzten Mal. In dieser letzten Nummer wird eine „Gebrauchsanweisung für die Bedienung der Panzerfaust durch jedermann" angeboten . . .

Es ist das letzte Aufgebot. Dazu Durchhalteappelle, Gerüchte von Wunderwaffen, die den deutschen Sieg in letzter Minute noch herbeiführen würden. Die Alliierten glaubten diese Gerüchte nicht, sie kannten die wahre Kapazität Deutschlands zu dieser Zeit. Und doch fürchteten sie einen letzten militärischen Widerstand. Vor allem einen möglichen Widerstand im Alpenbereich, in der Alpenfestung, die die alliierten Geheimdienste, vom deutschen Geheimdienst irregeführt, falsch einschätzten. General Eisenhower meinte, er müßte alles daransetzen, um Deutschland möglichst schnell militärisch in die Knie zu zwingen, ehe sich neuer Widerstand formieren könnte. Vom britischen Oberbefehlshaber Bernard Montgomery aufgefordert, die westalliierten Truppen doch in einem raschen Vorstoß nach Berlin marschieren zu lassen und die Reichshauptstadt vor den Sowjets einzunehmen, lehnt Eisenhower ab: Berlin sei militärisch unwichtig. Wichtig sei es, die deutsche Front in zwei Teile zu zerbrechen, und dazu dürfe man nicht nach Berlin, sondern müsse dorthin marschieren, wo man möglichst bald auf die vom Osten heranrückende Rote Armee treffen würde – also nach Thüringen. Es war die gleiche rein militärische Denkungsart, die Eisenhower und Roosevelt dazu bewogen hatte, dem Rat Winston Churchills nicht zu folgen, über den Balkan möglichst rasch ins Donaubecken vorzustoßen, um vor den Sowjets in Budapest und Wien zu sein.

Und die gleiche Denkungsart bewegt Eisenhower im April 1945, nun auch einen Teil seiner Armeen nach Süden einschwenken zu lassen, um das zweite, für ihn ebenso wichtige militärische Ziel zu erreichen: in die Alpenfestung einzudringen, ehe sich dort Widerstand formiert. In Eilmärschen bewegen sich Eisenhowers Truppen auf die österreichische Grenze zu. Kaum aber sind die Amerikaner auf dem Weg nach Österreich, wird Österreich auch das begehrenswerte Ziel für alle anderen Alliierten. Es gilt, die letzten militärischen Lorbeeren in diesem Krieg zu ernten. Es gilt aber auch, Positionen zu besetzen, die sich für die Politik der ersten Nachkriegszeit als wertvolle Faustpfänder erweisen könnten. Die Franzosen setzen ihre Truppen schneller in Richtung Vorarlberg und Tirol in Marsch. Auch sie wollen hier als gleichberechtigte Siegermacht einen letzten militärischen Sieg erringen. Die Engländer setzen ihre Truppen in Italien, die 8. Armee, in Richtung Kärnten und Steiermark in Gang. Sie wissen schon, daß sie nicht mehr bis Wien kommen können, aber zumindest in diesen südlichen Teil Österreichs wollen sie rasch gelangen. Für Großbritannien geht es dabei auch um die militärische Abriegelung der Adria, einen möglichen Zugang der Sowjets zum Mittelmeer. In Konkurrenz mit den Briten dringen nun auch jugoslawische Truppen, Titos Partisanen, so rasch wie möglich an die Grenzen Kärntens und der Steiermark vor. Ihr Ziel ist es, dort früher einzutreffen als die Briten, damit sie nach dem Krieg in diesem Raum Gebietsabtretungen beanspruchen und sie mit eigenen Truppen auch de facto vollziehen können.

Als erste hatten die Sowjets bereits am 29. März 1945 die österreichische Grenze erreicht. Bei Klostermarienberg im Burgenland. Zu dem Zeitpunkt, da nun auch alle anderen alliierten Truppen in den Wettlauf um Österreich eintreten, erreichen die ersten sowjetischen Panzerspitzen bereits die Vororte Wiens.

DIE SCHLACHT UM WIEN

Der Kampf um Wien, die Eroberung der Stadt durch die Rote Armee in den ersten Apriltagen des Jahres 1945, ist vielfach beschrieben worden: Die militärischen Führer der damaligen Zeit berichteten darüber in ihren Memoiren, Historiker verglichen die Truppenbewegungen der einen mit denen der anderen Seite, überprüften die Befehle und deren Durchführung, beschrieben die Wirkung der militärischen Aktionen, den Zustand der Stadt, die Haltung der Bevölkerung. Augenzeugen berichteten in Interviews, Fotografen und Filmberichter legten ihre damals oft unter Einsatz ihres Lebens gemachten Aufnahmen vor. Es gibt einen sowjetischen Standardfilm, der unter dem Titel „Der Kampf um Wien" die Quintessenz jener Filmaufnahmen wiedergibt, die die sowjetischen Frontberichterstatter beim Kampf um Wien oder kurz danach gedreht haben. Alle diese Quellen standen uns für „Österreich II" zur Verfügung. Ohne sie hätten wir jenen Kampf um Wien nicht oder nur lückenhaft rekonstruieren können. Und Dank sei allen, die mit großem Einsatz und viel Mühe die Quellen von damals gesichert hatten. Diese Quellen haben wir genau studiert, und auch dabei machten wir die gleiche Erfahrung wie beim Studium der Quellen über die Ausrufung der Zweiten Republik: Sobald man die Geschichte in Bildern darzustellen hat, sei es mit Fotografien oder mit Filmberichten, ist man gezwungen, zusätzliche Fragen zu stellen und Antworten auf diese Fragen zu finden. Ein Beispiel: Sowjetische Panzerspitzen nähern sich vom Westen her durch das Wiental der Stadt. Wir sehen das im Bild. Sie erreichen Ottakring um Tage früher als etwa den Heldenplatz. In Ottakring auf dem Gallitzinberg aber befindet sich der Gaubefehlsstand des Gauleiters von Wien, Baldur von Schirach. Schirach ist gleichzeitig auch Reichsverteidigungskommissar für Wien, also der oberste Führer in dieser Situation. Was tut er nun, da der erste Panzer den Gallitzinberg hinauffährt?

Major Carl Szokoll, Führer der militärischen Widerstandsbewegung im Wehrkreiskommando XVII, entsendet Feldwebel Ferdinand Käs zu den Sowjets, um ihnen Pläne für eine koordinierte Aktion mit der Widerstandsbewegung in Wien zu überbringen. Der Mann stand damals vor einer Aufgabe, die mehr als Mut erforderte: An die deutsche Front zu fahren, dort sozusagen als Verräter durch die eigenen Reihen zu gehen, drüben bei den Sowjets anzukommen und diese davon zu überzeugen, daß man weder ein Feind noch ein Überläufer ist, sondern dringend mit einem General zu sprechen wünscht. Wie bringt man solches Schritt für Schritt zustande?

Was geht überhaupt in einer Millionenstadt vor, wenn sich ihr die Front nähert? Wenn in den nächsten Stunden die Granaten der Geschütze in die Häuser einschlagen werden? Wenn Verteidiger und Angreifer Haus um Haus umkämpfen werden? Was tun die Menschen da? Die meisten suchen wohl in den Kellern Schutz, aber doch nicht alle. Nicht so wenige haben da so ihre Ideen: Die einen, was sie tun könnten, um die Verteidigung wirksamer zu gestalten oder um dem Feind möglichst nur einen Trümmerhaufen in die Hände fallen zu lassen. Die anderen, wie man diesen Kampf verkürzen könnte, um die Stadt nicht in einen Trümmerhaufen verwandeln zu lassen.

Der Kampf um Wien beginnt.

Beide Bestrebungen nehmen unterschiedlichste Formen an. Und jedesmal geht es dabei auch um Menschenleben. Um Menschen, die bereit sind, ihr eigenes Leben zu geben; um Menschen, die bereit sind, das Leben anderer zu fordern. Es gibt Menschen, in denen in diesem Moment eine ungeheure Verantwortung wächst, die wissen, daß sie und sie allein jetzt ein Elektrizitätswerk, ein Gaswerk, eine Brücke, ein Magazin mit Lebensmittelvorräten, eine Brotfabrik, einen pharmazeutischen Betrieb retten können. Und andere, die meinen, gerade sie hätten die Verantwortung, dies alles nicht unzerstört zurückzulassen.

Während in die Dächer der Stadt die ersten Granaten einschlagen, liefert der Wille des einen dem Willen des anderen einen Zweikampf, von dem all die anderen Menschen nichts wissen, nichts bemerken. Das mag mit der Zerstörung oder Nichtzerstörung des Objekts enden, das endet in vielen Fällen mit dem Tod der Menschen, des einen oder des anderen. Es gibt Menschen, die in dieser Stunde daran denken, noch einmal Rache üben zu können, und andere, die solche Aktionen befürchten und alles in Bewegung setzen, um Menschen gerade davor zu retten. Es gibt jene, die ihre Haustore verschlossen halten, obwohl Verzweifelte stürmisch Einlaß begehren, und solche, die ihr Leben einsetzen, um einen Verwundeten im Hagel der Geschoße von der Straße zu holen. Es gibt andere, die behalten vom Anfang bis zum Ende ihren kühlen Kopf, organisieren selbst im Kampfgetümmel und im Chaos, geben Befehle, die quer durch die Fronten im Straßenkampf schneiden, und es gibt andere, die diese Befehle geben sollten, aber in Panik versuchen, der Front zu entkommen.

Wie ist das, wenn sich einer Millionenstadt die Front nähert? Wenn in wenigen Stunden die Granaten in die Dächer der Häuser schlagen werden? Bei der Darstellung des Kampfes um Wien in der zweiten Folge von „Österreich II" haben wir versucht, auf diese Fragen Antworten zu finden.

Verteidigungsbereich Wien

Am 30. März 1945 erläßt „Der Reichsverteidigungs-Kommissar für den Reichsverteidigungsbezirk Wien", Baldur von Schirach, eine Anordnung, mit der „die Standgerichtsbarkeit mit sofortiger Wirksamkeit im Reichsgau Wien eingeführt wird". Wörtlich heißt es dann weiter: „Die Härte des Ringens um den Bestand des Reiches erfordert von jedem Deutschen Kampfentschlossenheit und Hingabe bis zum Äußersten. Wer versucht, sich seiner Pflichten gegen die Allgemeinheit zu entziehen, insbesondere, wer dies aus Feigheit oder Eigennutz tut, muß sofort mit der notwendigen Härte zur Rechenschaft gezogen werden, damit nicht aus dem Versagen eines Einzelnen dem Reich Schaden erwächst. Ich gebe mich der Erwartung hin, daß auch ohne solche Strafandrohung jeder Volksgenosse die Pflichten erfüllt, die die Schwere der Lage des Vaterlandes ihm auferlegt."

Damit gilt für Wien, was bereits überall im Reich in unmittelbarer Frontnähe praktiziert wird: Schwächung der Kampfmoral in jedweder Form, was immer darunter verstanden wird, oder gar offener Widerstand werden nach raschem standgerichtlichen Urteil mit Tod durch Erschießen oder durch Erhängen bestraft.

Der „Völkische Beobachter" meldet erstmals: „Kämpfe im Vorfeld des Gaues Wien". Und unter dem Titel „Sirensignal Feindalarm" heißt es: „In frontnahen Gebieten muß mit dem Auftreten von . . . Panzerspitzen gerechnet werden. Zur Alarmierung der Truppen, Eingreifreserven des Volkssturms und sonstiger Abwehrkräfte werden auch die Luftschutzsirenen eingesetzt wer-

Die allerletzte Ausgabe des „Völkischen Beobachters" enthält eine Gebrauchsanweisung für den Umgang mit der Panzerfaust.

Eine der letzten Ausgaben des „Völkischen Beobachters" meldet: „Harte Kämpfe im Vorfeld unseres Gaues". In Leitartikeln und Kriegsberichten wird der Widerstandswille der Bevölkerung beschworen (rechts).

Tagebucheintragungen des Hans Steinkellner, damals 15 Jahre alt.

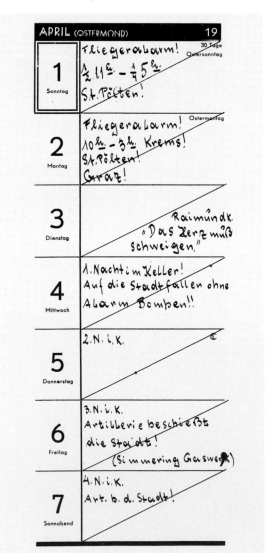

Wiener Ausgabe   80. Ausg. 58. Jahrg. Einzelpreis: 15 Pf.   „Freiheit und Brot!"   Wien, Mittwoch, 4. April 1945   Wiener Ausgabe

VÖLKISCHER BEOBACHTER

Kampfblatt der nationalsozialistischen Bewegung Großdeutschlands

Heiliger Volkskrieg

Harte Kämpfe im Vorfeld unseres Gaues

Oderfront beweist weiter ihre starke Abwehrkraft

Auf allen Schultern

---

45   (OSTERMOND) APRIL
30 Tage

8 Sonntag
5. N. u. K. Strom aus.
Russen dringen in Wien ein
u. bes. d. Gebiet ob. d. Bahn.
Parteihaus geplündert!
3 Russen gesehen!

9 Montag
6. N. u. K. Russen besetzen
unseren Bezirk!
Plünderungen!
(Zimler, Wächter)
1940 Besetzung Dänemarks und Norwegens usw.

10 Dienstag
Plünderungen!

11 Mittwoch
Schon etwas mehr Ruhe!
Besuch bei Lutz!

12 Donnerstag
Besuch bei Ata!

13 Freitag
Schutt wegräumen!

14 Sonnabend

---

den. Hiezu wird das Signal ‚Feindalarm' gegeben werden, das sich von allen anderen Sirenensignalen durch besonders lange Dauer unterscheidet."

Über Wien erscheinen Flieger der Sowjetluftwaffe. Sie werfen Flugblätter ab: „Die Stunde der Befreiung Österreichs vom deutschfaschistischen Joch ist da! Unterstützt mit allen Mitteln die Truppen der Roten Armee, die auf österreichischem Boden operieren! Vollführt alle Befehle und Anordnungen des Oberkommandos der Roten Armee, hervorgerufen durch die Notwendigkeit, Österreich möglichst bald von den deutschfaschistischen Truppen vollständig und restlos zu säubern!"

Am 2. April, drei Tage nach Verhängung des Standrechts, wird auf allen Litfaßsäulen der Stadt ein Plakat mit wenigen Worten affichiert: „Wien ist zum Verteidigungsbereich erklärt worden. Frauen und Kindern wird empfohlen, die Stadt zu verlassen. Der Reichsverteidigungs-Kommissar." Der Westbahnhof wird von Hunderten, bald von Tausenden Menschen umlagert – Frauen mit ihren Kindern, die versuchen, der Empfehlung Folge zu leisten. An den Sperren zu den Bahnsteigen gibt es scharfe und genaue Kontrollen, durchgelassen werden nur Frauen mit Kindern, Einzelpersonen nur, wenn sie ganz besondere Marschbefehle haben. Wer solche Befehle nicht vorweisen kann und dennoch an die Sperre kommt, wird sofort festgenommen. Männer, die im Verdacht stehen, sich dem Einsatz im Volkssturm oder gar dem Militärdienst entziehen zu wollen, werden unverzüglich dem Standgericht zugeführt. Die wenigen Züge, die den Bahnhof noch verlassen, sind über und über besetzt. Nicht nur auf den Plattformen, auch auf den Dächern drängen sich die Menschen, stehen auf den Puffern zwischen den Waggons. Dabei ist es immer eine Fahrt ins Ungewisse, denn Tiefflieger sind fast zu jeder Stunde des Tags unterwegs, greifen die Züge an, um das Transportsystem des Reichs lahmzulegen.

Margarethe Hauptmann versuchte damals auch, mit ihren Kindern nach Westen zu gelangen: „Es hat geheißen, die Mütter mit Kindern sollen Richtung Oberösterreich, Salzburg gebracht werden. Wir sind dann von Sitzenberg zu Fuß nach Säusenstein. Meine Mutter war bei mir. Sie hat meinen Sohn, der damals drei Jahre alt war, betreut, und die Tochter, zehn Monate alt, die habe ich getragen oder mit dem Kinderwagerl geführt. Wir sind nur mit dem notwendigsten Handgepäck losgezogen. In Säusenstein war ein aufgelassenes Arbeitsdienstlager, eine Baracke. Dort haben wir zwei Nächte übernachtet, und von dort sind wir mit Pferd und Wagen nach Maria Taferl gebracht worden. Dort waren wir in einem Hotel einquartiert, mehrere Mütter mit ihren Kindern. Nur sind dann schon die Tiefflieger gekommen. Und auf einmal hat es geheißen, es ist für die Mütter auch hier nicht mehr tragbar. Wir sollen schauen, daß wir in Richtung Oberösterreich, Salzburg weiterkommen. Es war zwischen zehn und zwölf Uhr abends, da sind wir zu Fuß hinunter zur Schiffsstation Marbach. Dort ist ein Schiff gelegen, es war ein rumänisches Schiff. Es waren Wlassow-Soldaten [russische Soldaten in deutschen Diensten] darauf, die haben uns mitgenommen. Es hat geheißen, nur bis Linz. Bei Tag sind wir mit diesem Schiff meist in den Donauauen gestanden. Das Schiff war abgedeckt mit Bäumen, mit Sträuchern getarnt. Nachts sind wir dann wieder gefahren. So sind wir nach etlichen Tagen – ich kann es nicht mehr sagen, waren es drei oder fünf oder sechs Tage – nach Linz gekommen. Dort hat es geheißen, die Mütter mit den Kindern müssen vom Schiff hinunter. Beim Ausladen gab es Fliegeralarm, so daß wir auf der Straße gestanden sind und nicht gewußt haben: Wo sollen wir hin?"

Nach dem Alarm versuchen die Mütter mit den Kindern mit der Eisenbahn weiterzukommen, sie warten am Bahnhof: „Am nächsten Tag um vier Uhr früh konnten wir dann einsteigen in einen Viehwaggon, doch der Zug ging nur bis Seekirchen. In Seekirchen mußten wir wieder aussteigen und sind dann in einen Turnsaal gekommen. Dort haben wir zweimal übernachtet, sind dann wieder zum Bahnhof, haben wieder gewartet. Endlich gab's einen Zug in Richtung Salzburg."

Nach langer Odyssee, immer wieder weitergeleitet, immer wieder angegriffen von Tieffliegern, findet sich Margarethe Hauptmann mit ihren zwei kleinen Kindern schließlich verzweifelt am Paß Lueg. Überall Soldaten, überall Flüchtlinge, nirgendwo mehr eine Unterkunft: „So sind wir unter freiem Himmel gesessen. Dann wurde es Nachmittag und dann Abend. Da kam eine Frau vorbei. Die hat gesagt: ,Was machen Sie denn mit den Kindern hier?' – ,Wir haben kein Quartier.' Und sie hat mich aufgenommen mit den beiden Kindern. Die hatte nur einen kleinen Raum in einer Dachschräge, aber sie hat gesagt: ,Wenn wir alle zusammenrücken und uns zusammendrücken, dann wird es schon gehen.' Seit damals weiß ich, was es bedeutet, wenn es in der Mitternachtsmette heißt: Sie suchten eine Herberge, und niemand nahm sie auf."

Die Front rollt heran

Inzwischen macht man sich in Wien auf den Kampf gefaßt. Aber auch das hat viele Facetten. Alfred Borth erhält den Befehl, eine Gruppe von Hitlerjungen in den Einsatz zu führen.

Er berichtet: „Was das Alter betrifft, waren die Buben durchwegs Geburtsjahrgang 1929, also 16jährige, außer zwei Leuten, die so wie ich Geburtsjahrgang 1928 waren, also 17jährig. Der Jüngste, der von uns gefallen ist, war 13 Jahre alt, das war Am Hof in der Innenstadt. Die Ausrüstung war meines Erachtens nach zunächst

Margarethe Hauptmann: Sie suchten eine Herberge und niemand nahm sie auf.

Alfred Borth: Der Jüngste, der von uns gefallen ist, war 13 Jahre alt.

Während die Sowjettruppen bereits die Bad-
ner Bahn erreicht haben und zur Umfassung
von Wien antreten, werden in den frontna-
hen Gebieten noch Durchhalteplakate affi-
chiert (links oben).

mangelhaft, wenn nicht gar verbrecherisch. Denn unsere Kompa-
nie war ausgerüstet mit Uniformen der Hitlerjugend, dunkelblauen
Uniformen, keine Tarnanzüge, keine Stahlhelme. Wir hatten
Schuhe, die hatten keine Leder-, sondern eine Holzsohle; das
Koppelzeug war aus Papiermaché. Ein bezeichnendes Detail: Als
wir am 6. April 1945 in den ersten Einsatz gingen, standen der
Kompanie zunächst nur 3 000 Schuß scharfe Munition plus 5 000
Schuß Platzpatronen zur Verfügung, und man erklärte uns damals:
‚Das spielt keine Rolle, ladet zwei Schuß scharfe Munition und den
Rest mit Platzpatronen, es knallt, der Russe wird's nicht be-
merken.' "

So beginnt diese Gruppe mit einem Überfall auf ein Wehr-
machtsmagazin. Dort gibt es noch Munition und Waffen in Hülle
und Fülle. Die Hitlerjungen bewaffnen sich, um besser kämpfen zu
können. Die einen wollen kämpfen, die anderen werden zum
Kampf gezwungen: Greifkommandos holen Fronturlauber von den
Straßen und kaum Genesene aus den Lazaretten, um sie in rasch
zusammengestellten Alarmeinheiten an die Front zu werfen. Überall in der Stadt kontrollieren Heeresstreifen die Passanten. Männer,
die nicht über besondere Papiere verfügen, werden aufgegriffen
und können von Glück sagen, wenn sie nur in eine Marschkompa-
nie eingegliedert werden.

Die großen Donaubrücken werden von Einheiten der Waffen-
SS bewacht. Sollte Wien umzingelt werden, bilden die Brücken die
einzigen Zugänge zur Stadt – und auch die einzigen Fluchtmöglich-
keiten aus der Stadt. Noch einmal wendet sich Baldur von Schirach

an die Wiener Bevölkerung: „Wiener und Wienerinnen! Die Zeit der Bewährung ist gekommen. Der Russe, schon der traditionelle Feind des alten Österreich [zum erstenmal seit sieben Jahren wird in diesem Aufruf wieder das Wort Österreich gebraucht], nähert sich unserer Stadt. Jeder von uns wird seine Pflicht bis zum Äußersten tun. Heute habe ich die Ehre, meinen alten Freund, den Oberstgruppenführer Generaloberst der Waffen-SS Sepp Dietrich, bei Ihnen einzuführen, dessen kampferprobte SS-Männer bei uns eingesetzt werden. Er ist Ihnen und allen deutschen Volksgenossen als Führer der ‚SS-Leibstandarte Adolf Hitler' seit langem ein klarer Begriff."

So erwartet Wien den Ansturm der Roten Armee. Aber es wäre nicht Wien, würde es nicht auch noch in solcher Stunde eigene, seinen Traditionen verhaftete Wege gehen. Das Programm für das Karfreitags-Konzert im Musikvereinssaal ist zwar nur noch mit Schreibmaschine geschrieben, aber das Konzert findet statt. Und es ist treffend gewählt: „Ein Deutsches Requiem" von Johannes Brahms nach den Worten der Heiligen Schrift. Solistin: Irmgard Seefried. Für Irmgard Seefried ist dieses Konzert auch heute noch eine ganz starke Erinnerung: „Bei diesem Karfreitags-Konzert waren die Russen schon über der Grenze. Und die Stadt wurde von Tieffliegern angegriffen. Wenn man sich so vorstellt: Was kann man Deutlicheres sagen als wie gerade im Brahms-Requiem: ‚Ihr habt nun Traurigkeit', und zwischendurch bombt's da nur so in der Gegend herum, und alles ist zusammengezuckt im Saal. Daß man dann sagt: ‚Ihr habt nun Traurigkeit, und ich werde euch wiedersehen, ich werde euch wiedersehen, wiedersehen, wiedersehen . . .' Und in dem Moment, das war das Unheimliche, waren das Publikum, das Orchester, alle so wie wir waren, eine einzige Familie, die wußte, daß es ein Ende ist, und nicht wußte, was für eine Zukunft dasteht. Und dieses Gefühl, dieses absolute Gefühl der Hingebung, des Seins, der Kraft, des Hungers, der Angst – das sind Momente, die man, glaube ich, nie mehr, nie mehr so erleben kann. Ich habe noch viele Male das Brahms-Requiem gesungen. Aber dieses Gefühl habe ich nie mehr so herausgekriegt."

Und es wäre nicht Wien, würde nicht auch in solchen Zeiten noch eine Zeitungskritik erscheinen. Der Kritiker, der die Stunde erkennt, zitiert in seinem Artikel aus dem Requiem: „Tod, wo ist dein Stachel? Hölle, wo ist dein Sieg?" Da die Zeitung nur noch aus einem Blatt besteht, erscheint gleich neben der Konzertkritik der Fußballbericht. Hier drückt sich der bevorstehende Untergang deutlich im Resultat des letzten, eben noch durchgeführten Fußballspiels aus: „WAC schlägt Austria 6 : 0." Otto Fodrek war dabei: „Am Ostersonntag des Jahres 1945 fand am WAC-Platz das letzte Pflichtspiel, das letzte Meisterschaftsspiel, WAC gegen Austria, statt. Das Spiel endete damals 6 : 0. Nur unter schwierigsten Voraussetzungen ist es überhaupt möglich gewesen, hier zu spielen, weil es Schwierigkeiten gab: Fliegeralarm, fast kein Straßenbahnverkehr mehr – und die Leute kamen trotzdem. Es gab Zuschauer, Applaus, Begeisterung. Und wir waren mit Herz und Seele bei diesem Spiel. Obwohl das innerliche Gefühl bei jedem einzelnen war – es wurde nicht gesprochen darüber, aber jeder hat es gefühlt: es ist wahrscheinlich das letzte Zusammensein, weil jetzt ändert sich die Situation."

Doch wie konnte man am 1. April 1945 überhaupt noch zwei Mannschaften mit je elf männlichen Spielern zustande bringen? Im Sport scheint immer alles möglich, sogar unter den damaligen Umständen. Dazu Otto Fodrek: „Es waren Leute, die die deutsche Staatsbürgerschaft nicht gehabt haben, Staatenlose oder wo die Staatsbürgerschaft nicht geklärt war. Der konnte hier noch mitspie-

Am Ostersonntag 1945 fand auf dem WAC-Platz das letzte Fußballspiel in der Frühjahrsmeisterschaft statt. Die nahende Katastrophe drückte sich im Resultat aus: WAC schlug Austria 6:0. Die 22 Spieler setzten sich aus Fronturlaubern, genesenden Verwundeten und staatenlosen Fremdarbeitern zusammen. Auch aktive Soldaten bekamen einige Stunden Urlaub, um mitspielen zu dürfen; auf ihren Dressen mußten sie das Abzeichen ihres Wehrmachtsteiles tragen.

Otto Fodrek: Im Sport ist alles möglich.

len. In zweiter Linie waren es Spieler, die Kurzurlaube gehabt haben und die dann hier auf längere Zeit abgestellt wurden, manchmal auch wieder einberufen und dann erneut beurlaubt. Eine große Hilfe aber waren für uns die Spitäler. Denn Wien war ein großes Zentrum für Verwundete. Und in den Spitälern konnten wir richtig wüten, in dem Sinn, daß wir auf Spieler zurückgreifen konnten, die die Genesungszeit hier verbrachten und uns dadurch zur Verfügung standen. Aber noch eins hat der WAC gehabt, und das hat sich ja fast bis zu den letzten Tagen gut ausgewirkt: Wir haben in unserem Vorstand einige Leute gehabt, die politisch in Wien sehr viel zu plaudern hatten. Und die haben es ermöglicht, daß so mancher einen Fliegerabwehr-Lehrgang oder einen Panzer-Lehrgang noch hat mitmachen dürfen und dadurch länger in Wien verweilen konnte. Und auch mit diesen Leuten wurde unsere Mannschaft aufgefüllt. Das ist die Erklärung, wieso es möglich war, eine geregelte Meisterschaft durchzuführen und immer wieder Spieler zur Verfügung zu haben."

Die ARLZ-Befehle

Wien ist zu diesem Zeitpunkt trotz der vielen Bombenschäden noch immer intakt. Im Stab Schirach, im Bürgermeisteramt, bei den führenden Industriellen und Gewerbevertretern weiß man aber ganz genau, daß der Kampf um diese Stadt nicht nur unmittelbar bevorsteht, sondern daß er auch mit einem Sieg der Sowjetarmee enden wird. Das nämlich ist die illusionslose Einschätzung der militärischen Lage durch die deutsche Generalität. Im übrigen besteht diese Erkenntnis schon lange. Bereits im Oktober 1944 hatte sich eine Abordnung österreichischer Industrieller zu Baldur von Schirach begeben und von ihm gefordert, Wien zur offenen Stadt zu erklären, sobald sich die sowjetische Front nähere. Man hatte dabei das Schicksal der Stadt Aachen vor Augen. Der Reichsverteidigungskommissar für Aachen hatte sich geweigert, die Stadt den heranrückenden amerikanischen Truppen zu übergeben. Daraufhin wurde Aachen von amerikanischen Bomberverbänden fast dem Erdboden gleichgemacht. Die Sowjets verfügen zwar nicht über eine derartige Luftmacht, aber niemand weiß, ob die Amerikaner nicht bereit wären, eine solche Strafexpedition auch für die Sowjets durchzuführen. An der Unterredung mit Schirach nehmen hohe Offiziere und der Wiener Bürgermeister Hanns Blaschke teil. Es sind gerade die Offiziere und das Bürgermeisteramt, die sich für eine kampflose Übergabe Wiens aussprechen. Schirach trifft auf eine derart geschlossene Front damals einflußreicher Bürger der Stadt, daß er verspricht, das Anliegen Adolf Hitler persönlich vorzutragen. Schirach fliegt auch in das Führerhauptquartier, kehrt am 20. Oktober 1944 zurück und teilt seinen Gesprächspartnern nur noch lakonisch mit, „es sei der unumstößliche Befehl des Führers, Wien bis zum letzten Stein zu verteidigen". Wer „immer auch nur den Wunsch ausspreche, Wien zur offenen Stadt zu erklären, werde künftig als Verräter am Großdeutschen Reich behandelt".

So soll, als die sowjetischen Truppen den Stadtrand von Wien erreichen, vom Reichsverteidigungskommissar für Wien das Stichwort „ARLZ" ausgegeben werden. Die vier Buchstaben stehen für „Auflockerungs-, Räumungs-, Lähmungs- und Zerstörungsmaßnahmen". Das Wehrkreiskommando XVII, die Wiener Stadtwerke, die Feuerwehr, die großen Industriebetriebe und vor allem die dafür vorgesehenen Sprengkommandos wissen, was sie bei Ausgabe dieses Stichworts zu tun haben: Sämtliche Industriebetriebe sind durch Entfernen wichtiger Bestandteile aus den Maschinen zu lähmen. Diese Bestandteile sollen aus der Stadt evakuiert und bei

Irmgard Seefried: Ihr habt nun Traurigkeit.

einer eventuellen Wiedereroberung Wiens zurückgebracht werden, um die Betriebe relativ rasch wieder in Gang setzen zu können. Wo eine Lähmung dieser Art nicht möglich ist, soll eine Sprengung erfolgen. Dem Feind soll nichts in die Hand fallen, was dieser später für seine eigenen Kriegsanstrengungen einsetzen könnte. Im Wehrkreiskommando XVII am Wiener Stubenring liegen die ARLZ-Befehle im Tresor des Major Carl Szokoll. Der noch nicht 30jährige Major hat als Chef der Organisationsabteilung des stellvertretenden Generalkommandos die Durchführungsbefehle ausgearbeitet und soll sie auf das Stichwort „Gneisenau Wien" ausgeben und damit die Zerstörung Wiens auslösen. Jetzt, im April 1945, ist Szokoll zugleich einer der leitenden Offiziere im neugegründeten Generalstab des „Festungsbereiches Wien", untersteht dem Festungskommandanten General Rudolf von Bünau und dieser seinerseits dem Reichsverteidigungskommissar Schirach.

Carl Szokoll ist ein Musterbeispiel für den Schicksalsweg, den ein österreichischer Offizier im Dienst des Dritten Reichs von 1938 bis 1945 durchmachen konnte. Von der Theresianischen Militärakademie in Wiener Neustadt in die deutsche Wehrmacht übernommen, ist auch Carl Szokoll, wie viele andere österreichische Offiziere, zunächst vom Anschluß und vom Aufgehen in der deutschen Wehrmacht nicht besonders angetan. Doch sie erkennen bald, daß diese Wehrmacht einem Berufsoffizier bisher ungeahnte Möglichkeiten eröffnet. Als die Wehrmacht 1939 in die Rest-Tschechoslowakei, nach Böhmen und Mähren, einmarschiert, befehligt Carl Szokoll eine Kradschützenabteilung der 2. Panzerdivision. Er fährt auf einem Panzer der Truppe voraus, die den Auftrag hat, die mährische Hauptstadt Brünn einzunehmen. Er ist einer der ersten, der dort kampflos einfährt. Dafür wird er wenig später Adolf Hitler persönlich vorgestellt.

Die Panzerspitzen der 3. Ukrainischen Front auf dem Weg nach Wien (oben links und rechts). Der Angriff auf die Stadt beginnt erst, nachdem die Sowjetverbände durch den Wienerwald bis in das Wiental und nach Klosterneuburg vorgestoßen sind. Damit sind die deutschen Truppen umzingelt, stehen mit dem Rücken zur Donau.

Vier Jahre später ist Carl Szokoll im militärischen Widerstand gegen Hitler zu finden, und am 20. Juli 1944 ist er im Wehrkreiskommando XVII in Wien eine Schlüsselfigur dieses Widerstands. Er hat direkte Verbindung mit Claus Graf Schenk von Stauffenberg, dem Kopf der deutschen Offiziersverschwörung. Die Österreicher in dieser Verschwörung sorgen zunächst besser als ihre deutschen Kollegen für die Durchführung der militärischen Maßnahmen zur Ausschaltung des nationalsozialistischen Regimes. In Wien klappt vieles, was am 20. Juli in Berlin nicht geklappt hat. In Wien werden die Spitzenführer der NSDAP vom Militär verhaftet, wird die gesamte Gestapo-Führung eingesperrt, gehen auch die hohen SS-Führer in den Hausarrest. Als die Offiziere in Berlin auffliegen und auch in Wien nach Verschwörern gefahndet wird, werden viele gefaßt und hingerichtet. Szokoll bleibt durch Zufall unentdeckt. Und er gibt den Widerstand nicht auf. Im Gegenteil, er beginnt nun ohne Berlin eine Widerstandsgruppe um sich zu scharen.

Die Tätigkeit dieser Gruppe trägt bald Früchte: Österreichische Soldaten, die als Verwundete oder als Urlauber nach Hause kommen, werden vom Wehrkreiskommando XVII angefordert und bleiben in Österreich. Aus diesen Österreichern zieht Szokoll einen Stab verläßlicher Leute zusammen, die bereit sind, den Widerstand auch mit der Waffe in der Hand zu leisten. Szokoll nimmt Verbindung mit Kommandeuren einzelner Truppenteile auf, und auch sie erklären sich bereit, in entscheidender Stunde dafür zu sorgen, daß der Kampf in Wien eingestellt oder zumindest abgekürzt wird.

Einer von Szokolls Verbündeten ist der Kommandant der Heeresstreife Groß-Wien, Major Karl Biedermann. Diese Heeresstreife kann selbst hohe Offiziere verhaften, kann Truppenkolonnen stoppen oder umleiten und wäre damit mehr als andere in der Lage, eine Verwüstung der Stadt zu verhindern.

Carl Szokoll weiß seit Wochen, was es bedeuten wird, wenn das Stichwort „ARLZ" ausgegeben wird. Carl Szokoll, mit dem wir sein damaliges Dienstzimmer im Wehrkreiskommando, im heutigen Handelsministerium am Wiener Stubenring, aufsuchten, erinnerte sich dort an Ort und Stelle: „Die Pläne für die totale Vernichtung lagen hier in meinem Tresor. Es waren die sogenannten ARLZ-Maßnahmen. Aufgegliedert auf etwa 20 Seiten gab es neben rein militärischen und rein versorgungsorganisatorischen Befehlen auch jene zur totalen Zerstörung, und zwar nicht nur der Brücken und der militärischen Anlagen, sondern einfach aller, auch der wichtigsten und einfachsten Lebensvoraussetzungen für die Zivilbevölkerung. Die Ankerbrot-Fabrik sollte ebenso zerstört werden wie das gesamte Versorgungsnetz, das Verkehrsnetz, die Gas- und Elektrizitätsversorgung, die Wasserversorgung. Und das in einer Stadt mit eineinhalb Millionen Einwohnern." Dem Stichwort „ARLZ" hatte Szokoll ein anderes Losungswort entgegengesetzt. Es hieß „Radetzky". Sobald das Losungswort „Radetzky" ausgegeben wurde, sollten sich bestimmte Truppenverbände in Marsch setzen, strategische Positionen in der Stadt besetzen, die ARLZ-Maßnahmen verhindern und damit das Überleben der Zivilbevölkerung nach dem Fall der Stadt sicherstellen. Mit dem Stichwort „Radetzky" sollte auch alles für eine möglichst kampflose Übergabe der Stadt unternommen werden. Dazu Szokoll: „Ich habe versucht, mit den Möglichkeiten, die mir zur Verfügung standen, zu retten, was noch zu retten war. Aufbauend auf der Struktur der Radetzky-Maßnahmen innerhalb der Wehrmacht habe ich Verbindung mit kleinen und kleinsten zivilen Widerstandsgruppen gesucht. Ich wußte jedoch, daß alle Maßnahmen nur dann zum Ziele führen könnten, wenn wir rechtzeitig Verbindung mit einer anrückenden alliierten Armee aufnehmen könnten. Und das war Ende März 1945 die sowjetische Armee. Ich mußte also versuchen, Verbindung mit dem russischen Armeekommando aufzunehmen, um dort einen Vorschlag zu unterbreiten, wie man die Kampfhandlungen in Wien möglichst abkürzen könnte."

In Wien weiß man nicht, wo sich dieses sowjetische Oberkommando befindet. Szokoll kann nur eines tun: Einen mutigen, verläßlichen Mann durch die deutschen und die sowjetischen Linien schicken, damit er sich dann zum sowjetischen Oberkommando durchschlägt. Dieser Mann, der sich freiwillig für dieses gewagte Unternehmen meldet, ist der Oberfeldwebel Ferdinand Käs. Gemeinsam mit dem Fahrer Johann Reif fährt er im Dienstwagen Szokolls los in Richtung Semmering, wissend, daß die sowjetischen Truppen zwischen Wien und dem Semmering zum Durchbruch angetreten sind. Käs kommt an die Front, schlägt sich durch die deutsche Hauptkampflinie und kommt auch heil auf der sowjetischen Seite an. Die ersten Sowjetsoldaten, die ihn als gewöhnlichen Gefangenen behandeln wollen, fordert er energisch auf, ihn in das nächste Hauptquartier weiterzuleiten. Käs wird ernst genommen und von Kommandostelle zu Kommandostelle weitergeleitet. Noch am Abend desselben Tags, an dem Käs der Frontübertritt geglückt ist – es ist der 2. April –, kommt er in der niederösterreichischen Ortschaft Hochwolkersdorf an und wird dort in ein kleines Bauernhaus geführt.

Gemeinsam mit Ferdinand Käs, er ist inzwischen als Sektionschef pensioniert, haben wir dieses Haus aufgesucht. Es befindet sich heute wieder in Privatbesitz. In der guten Stube des Hauses berichtet uns Ferdinand Käs: „Wir stiegen aus dem Auto [mit dem die Sowjets Käs letztlich nach Hochwolkersdorf brachten] aus und wurden in dieses Haus in diesen Raum geführt. Hier war ein russischer Offiziersstab anwesend, unter der Führung eines Gene-

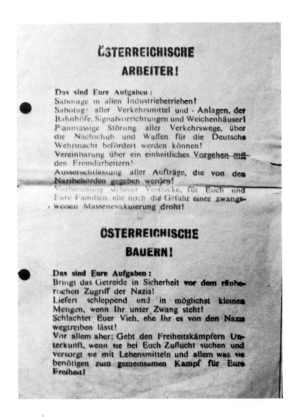

Sowjets, Amerikaner und Briten werfen über österreichischem Gebiet viele tausend Flugblätter ab, auf denen die einzelnen Bevölkerungsteile aufgefordert werden, sich den Kriegsanstrengungen des Dritten Reichs entgegenzustellen. Mit dem Eintreffen der alliierten Armeen an den Grenzen Österreichs hoffen die Alliierten auf einen zunehmenden Widerstand der Bevölkerung hinter der deutschen Front.

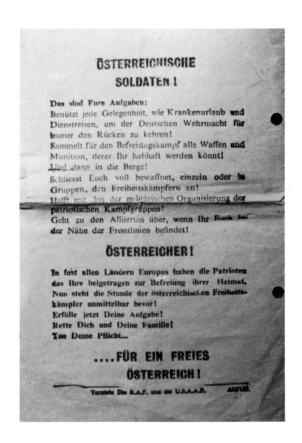

ralobersten. Es waren ein Generalleutnant dabei, ein Generalmajor, einige Obersten, ein, zwei Oberstleutnante und zwei Oberleutnante, die als Dometscher fungierten." Käs betont die Anwesenheit so vieler hoher sowjetischer Offiziere, denn dies erst läßt verstehen, wieso man im sowjetischen Hauptquartier auf die Vorschläge Käs' so rasch eingehen konnte – es war eben ein hochrangiger Stab. Käs überbringt den Sowjets die ihm von Szokoll mitgegebenen Lagepläne von Wien, die Aufstellung der deutschen Truppenverbände und die Vorschläge, mit welchen Maßnahmen Szokoll eine Verkürzung der Kampfhandlungen und eine möglichst kampflose Übergabe der Stadt herbeiführen will. Szokoll und Käs glauben, mit diesen Plänen und Vorschlägen nicht nur die Wiener vor weiterer Vernichtung und weiterem Sterben zu bewahren, sie bieten den Sowjets auch die Zusammenarbeit mit dem österreichischen Widerstand an.

Dafür glauben sie von den Sowjets auch einiges verlangen zu können. Käs tut dies im sowjetischen Hauptquartier von Hochwolkersdorf: „Ich trug den Russen die Bitte vor, dafür zu sorgen, daß die schweren Bombenangriffe auf Wien sofort eingestellt werden. Ich bat die Russen um die Instandhaltung der Hochquellenwasserleitungen im Kampfgebiet, damit die Wasserversorgung Wiens auch in den Tagen des Kampfes und danach sichergestellt wäre. Ich bat weiters um eine Sonderbehandlung jener Österreicher, die den Sowjets als Kriegsgefangene im Kampf um Wien in die Hände fallen werden."

Die Sowjets reagieren nach dem Eindruck von Käs positiv auf alle drei Forderungen. Vor Käs wird sogar ein Telefongespräch geführt, in dem der Wunsch nach Einstellung der Luftangriffe auf Wien weitergegeben wird. Später bleiben auch die Hochquellenwasserleitungen intakt. Die österreichischen Kriegsgefangenen erfahren jedoch keine Sonderbehandlung. Zumindest damals noch nicht.

Der Plan Szokolls ist es, die sowjetischen Armeen vom Westen her in die Stadt hereinzuführen und gleichzeitig den Zuzug von deutschen Reserven aus dem Raum Böhmen und Mähren nördlich der Donau abzuschneiden.

Ob die Sowjets diesen Vorschlägen gefolgt sind oder schon in ihren eigenen Planungen die Umgehung der Stadt und ihre Abriegelung nach Norden vorgesehen hatten, ist bis heute nicht geklärt. Tatsache ist, daß die Sowjetarmee diese militärischen Operationen durchgeführt hat.

Am nächsten Tag schon tritt Käs den Rückweg durch die Fronten nach Wien an. Die Sowjets lassen ihm dabei jede Hilfe zuteil werden. Er wird von den sowjetischen Soldaten durch die eigene Front gebracht. Niemand in Österreich ahnt zu jener Zeit, daß in jener kleinen niederösterreichischen Ortschaft Hochwolkersdorf nicht nur Gespräche über das Schicksal Wiens, sondern auch über das Schicksal des gesamten Landes geführt werden. Käs verläßt Hochwolkersdorf am 3. April. Am 4. April zieht in das Bauernhaus, in dem Käs übernachtet hatte, ein anderer österreichischer Gast ein: Karl Renner, der erste Kanzler der Ersten Republik, der Leiter der österreichischen Friedensdelegation in Saint-Germain und der letzte Präsident des letzten frei gewählten Nationalrates der Zwischenkriegszeit.

Renners Eintreffen in Hochwolkersdorf wird unverzüglich der Stavka, dem sowjetischen obersten Hauptquartier, gemeldet, und diese Meldung wird Josef Stalin unterbreitet. Dieser gibt Weisung, Karl Renner bei seinen politischen Bestrebungen zur Wiederherstellung Österreichs zu unterstützen.

Doch zurück zur Mission Käs.

Ferdinand Käs: Hier war ein russischer Offiziersstab anwesend.

Carl Szokoll: Zu retten, was zu retten war.

„Radetzky" bricht zusammen

Im Stab von Major Szokoll herrscht Hochstimmung, als Käs zurückkommt und die Zustimmung der Sowjets zu den Vorschlägen Szokolls überbringt. Jetzt läßt Szokoll zum ersten Mal die Verschwörer zu einer Befehlsausgabe in seinem eigenen Büro zusammenkommen. Zum ersten Mal sehen sie einander von Angesicht zu Angesicht. Szokoll läßt „Radetzky" anlaufen. Carl Szokoll sagt darüber: „Trotz aller Bemühungen, die Fehler zu vermeiden, die ich in der seinerzeitigen Planung Stauffenbergs erkannt hatte, mußte ich nun doch einen größeren Kreis mit den Plänen vertraut machen. Aus meinem Kopf, in dem das Geheimnis absolut gehütet war, hatte ich zur Realisierung dieser Pläne etwa 14 Unterführer des zivilen und militärischen Widerstands in die Gesamtplanung einzuweihen."

Diese Gesamtplanung sieht vor: Sobald die Sowjets die Stadtgrenze erreichen, würden die Kampfgruppen der Widerständler gemeinsam mit den „österreichischen" Wehrmachtseinheiten die öffentlichen Gebäude, Post, Telefon, Bahn usw., besetzen, die Zerstörung und Sprengung der Lebensnerven der Stadt, vor allem der Brücken, verhindern, über Radio Wien die Wiedergeburt Österreichs ausrufen, den Festungskommandanten gefangennehmen und ihn zur Übergabe der Stadt zwingen.

Als am 5. April tatsächlich sowjetische Flieger über der Stadt kreisen und vereinbarungsgemäß rote Leuchtkugeln abschießen, ruft Szokoll „Radetzky" aus, die Stunde X ist die Mitternacht zum 6. April; die Widerstandsgruppen marschieren in die Bereitstellungsräume. Eine dieser Gruppen soll den Radiosender am Bisamberg in Besitz nehmen. Sie wird von Major Biedermann aus Angehörigen der Wehrmachtsstreife gebildet. Bis dahin läuft alles planmäßig.

Das Unglück beginnt, als ein Telefongespräch des Major Biedermann von einem eifrigen, noch immer regimebegeisterten Leutnant mitgehört wird. Biedermann ist, wie berichtet, nicht nur Mitglied der Verschwörung, sondern als Chef der Heeresstreife eine entscheidende Schlüsselfigur in den Plänen Carl Szokolls. Der Leutnant erstattet Anzeige. Der vorgesetzte General kann einfach nicht glauben, daß bei Biedermann „irgend etwas nicht in Ordnung wäre". Doch er befiehlt den Major zur Lageerstattung in die Wehrmachtskommandatur. Obwohl Biedermann ahnt, warum er vorgeladen ist, folgt er dem Befehl. Als er vor dem General und den Vernehmungsoffizieren erscheint, ist er offenbar schon überzeugt davon, daß Leugnen nicht mehr helfen würde, auch ist Leugnen, wie er meint, unter seiner Offizierswürde. So fällt ihm nicht auf, daß ihn seine Vorgesetzten offenbar zu schützen versuchen und ihm Möglichkeiten zur Ausrede anbieten. Biedermann verfängt sich in Widersprüchen, wird festgenommen und nun einem intensiven Verhör durch entsprechende Untersuchungsorgane unterzogen.

In der Stadtkommandatur, wo Biedermann nun verhört wird, sitzt ein Vertrauensmann Szokolls. Die Festnahme Biedermanns wird dem Stab Szokoll gemeldet und dieser über den Fortgang des Verhörs auf dem laufenden gehalten. Otto Scholik, selbst Offizier, gehörte damals zum Stab Szokoll. Über die dramatischen Stunden, in denen man wußte, daß Biedermann verhaftet ist und verhört wird, berichtet er heute: „Noch am gleichen Abend, etwa gegen 10 Uhr, bekamen wir einen Anruf von unserem Verbindungsmann. Major Biedermann werde dort intensiv verhört, und nach dem Stand der Dinge müsse man damit rechnen, daß er sprechen würde. Kurze Zeit später kam der zweite Anruf: Biedermann hat gesprochen. Daraufhin trat das in Kraft, was für einen solchen Fall

Major Karl Biedermann (oben), Oberleutnant Rudolf Raschke und Leutnant Alfred Huth werden von einem Standgericht zum Tod verurteilt und in Floridsdorf Am Spitz an Hinweistafeln der Straßenbahn aufgehängt (links und rechts unten). Biedermann war Kommandant der Heeresstreife Groß-Wien und hatte sich den geplanten Widerstandsaktionen Carl Szokolls angeschlossen. Raschke und Huth gehörten zum Stab Szokoll. Die Gruppe wollte den Kampf um Wien verkürzen, wurde jedoch im letzten Moment verraten.

Otto Scholik: Das Schicksal des Soldaten.

Heinrich Pavlik:
Auf jedem Mast ein Mensch.

vorgesehen war: Es wurde ein Kommando, bestehend aus zwei Offizieren, dem Oberleutnant Rudolf Raschke und dem Leutnant Adolf Huth, als Meldekopf zurückgelassen. Alle anderen gingen zunächst einmal auf Tauchstation."

Für den Fall des Mißlingens war vorgesehen, daß die Widerständler der Wehrmacht in den Untergrund zu gehen und sich den zivilen Gruppen anzuschließen hätten. Nun geht es darum, ob das ganze Ausmaß der Verschwörung aufgedeckt wird, ob alle Pläne für eine Verkürzung der Kampfhandlungen in Wien preisgegeben werden, ob die mit der Widerstandsbewegung zusammenarbeitenden Offiziere nun ebenfalls verhaftet und vor ein Standgericht gebracht werden. Alles hängt davon ab, ob es den beiden zurückgelassenen Offizieren Raschke und Huth gelingt, alle Mitglieder der Widerstandsgruppe zu warnen. Dazu Otto Scholik: „Sehen Sie, es mußte jemand zurückbleiben, um Anrufe, die noch kamen, um Melder, die noch kamen, um Truppenteile, die man in der Schnelligkeit nicht erreicht hatte, noch zu verständigen. Es mußte jemand zurückbleiben, um alle diese Aufgaben auszuführen. Und das ist – das klingt sehr hart und auch sehr zynisch –, aber das ist das Schicksal des Soldaten, daß er, wenn es notwendig ist, auch sein Leben opfert."

Huth und Raschke harren bis zur letzten Minute aus, warnen noch alle, die sie erreichen können, übernehmen jeden Telefonanruf, schicken Melder um Melder ab – bis die Streife in der Türe steht. Huth und Raschke werden überwältigt und abgeführt. Biedermann, Huth und Raschke werden vor ein Standgericht gestellt und im Schnellverfahren zum Tod verurteilt. Da es um diese Zeit in der Stadt selbst bereits zu Kampfhandlungen kommt, bringt man sie über die Donau nach Floridsdorf, wo sie in einem Schulgebäude eingesperrt werden. Das Militärgericht, bestehend aus hohen Offizieren, hat offenbar gezögert, die drei Offizierskameraden, wie es damals üblich war, sofort nach dem Verfahren töten zu lassen. Das besorgt nun ein Sonderkommando der SS. Biedermann, Huth und Raschke werden auf dem Höhepunkt des Kampfs um Wien in Floridsdorf Am Spitz öffentlich gehängt. Einer Abteilung des im gleichen Schulgebäude untergebrachten Volkssturms wird befohlen, der Hinrichtung beizuwohnen. Der größere Teil dieser Abteilung besteht aus 15- und 16jährigen Buben. Heinrich Pavlik, damals noch jünger, war von seinem Onkel ausgeschickt worden, um im nahegelegenen Gasthaus Wein zu holen. Als er von der Brünner Straße in Richtung Hauptstraße in Floridsdorf Am Spitz geht, bemerkt er, daß es dort einen großen Auflauf gibt: „Es waren viele Soldaten da, es war viel Verkehr, sowohl auf der Prager Straße als auch auf der Brünner Straße. Und dann habe ich gesehen, wie man einen Mann in die Höhe gehoben und aufgehängt hat. Genau an der Straßenbahnschleife. Und links und rechts stand je ein Mast mit der Aufschrift: ,Durchgang verboten', und vorne stand auch ein Laternenmast oder so etwas Ähnliches. Beim Zurückgehen habe ich gesehen, daß auf jedem dieser drei Maste ein Mensch hing."

Nun geht es um Wien

Inzwischen hat die Rote Armee Wiener Neustadt erobert, ist über die Badner Bahn, ist in Mödling einmarschiert und setzt nun zu ihrem Umgehungsmanöver an, um die Stadt vom Westen her zu umzingeln und durch den Wienerwald in die westlichen Bezirke Wiens einzudringen. Im Gaubefehlsstand auf dem Gallitzinberg in Ottakring macht sich der Stab Schirach zur Flucht bereit. Doch die Luftwarnzentrale, die ebenfalls in diesem Bunker untergebracht ist, funktioniert bis zur letzten Minute. Traudl Lessing, die die Luftlagemeldungen über den Luftschutzsender durchzusagen hatte, schildert die letzten Stunden des Bunkers am Gallitzinberg: „Dann sind die Fliegerangriffe so dicht geworden, auch schon gemischt mit russischen Tieffliegerangriffen, daß es nicht mehr genügt hat, im Bunker zu warten, bis die Meldung da ist, bis sie auf der Glaskarte eingezeichnet ist und ich sie von dort ablesen kann. So sind wir in den letzten Tagen – ich weiß nicht mehr, ob es zwei oder drei Tage waren – auf dem Aussichtsturm gestanden und haben direkt von dort gesendet. Auf dieser damals noch hölzernen Aussichtswarte am Gallitzinberg habe ich also eine Karte von Wien vor mir gehabt und jemanden neben mir, der mir gesagt hat, jetzt fallen die Bomben dort, und dann mußte ich sagen: ‚Bombenangriff über dem 13. Bezirk, dort brennt es, da geschieht folgendes . . .‘ Das haben wir also dann direkt gemacht. Es war für mich viel eindrucksvoller und viel beängstigender als das Ablesen von der Glaskarte. Und eines Tages – ich weiß nicht, was der Mann neben mir war, ob das jemand von einer Fliegereinheit war –, jedenfalls dreht er sich plötzlich um und sagt: ‚Schau, was da heraufkommt.‘ Ich dreh mich um, und durch den Wienerwald, durch die Lichtungen, sehe ich in der Ferne kleine, graue Dinger herankriechen. Und plötzlich wußte ich, was das waren: russische Panzer. Na ja, da haben wir halt ‚Rosenkavalier‘, letzter Akt, gespielt: ‚Leopold, wir gehn.‘ Und sind sehr schnell diese Stiege hinunter und in die bereitstehenden Wagen. Alle anderen Mädchen, die auch Einsatz machten, waren schon nach Hause geschickt worden. Nur ich als Sprecherin hatte noch dazubleiben. Es war eine Kriegsdienstverpflichtung, und ich konnte sozusagen nicht stiftengehen. Und da sind wir, wer immer noch in dem Befehlsstand war, die Techniker und ich, sehr schnell stadteinwärts gefahren. Was mich besonders beeindruckt hat, war die Thaliastraße. Die war völlig leer. Wir sind in einem Volkswagen-Schwimmwagen in höchstem Tempo durch die Thaliastraße gesaust, und da kam ein Tieffliegerangriff. Wir haben den Wagen an der Straßenseite geparkt und haben uns bäuchlings in das nächste Haustor geworfen, bis der Beschuß vorbei war. Dann sind wir weiter in die Hofburg gefahren."

In der Hofburg war in den tiefen Kellern ein Lazarett eingerichtet. Und neben diesen Lazaträumen waren ein paar Räume für den Stab Schirach vorbereitet. „Es waren Stockbetten drin, es war also nicht elegant. Aber es gab eine Art Götterdämmerungsstimmung. Es gab Konservendosen und Kaviar, und der Champagner ist geflossen. Alles, was wir unendlich lang nicht mehr gesehen haben, das also war der Weltuntergang – jetzt ist alles vorbei."

Karl Zischka, der den gesamten Sendebetrieb vom Bunker am Gallitzinberg betreute, hatte Befehl, die wichtigsten Funkgeräte aus dem Bunker ebenfalls in die Hofburg zu bringen. Er führte den Stab der Techniker an, die ebenfalls in die Hofburg fuhren. Darüber berichtet Karl Zischka: „Zu diesem Zweck hatte man mir einen Schnellpanzer geschickt. Das ist ein Panzer auf Ketten und Rädern. Der konnte auf Rädern bis zu 90 Stundenkilometer fahren, mit zwei Soldaten und einem Panzerfahrer. Diesen Panzer sollte ich einrich-

Karl Zischka:
Einen Schnellpanzer geschickt.

Wiene

Gemeinschaftsausgabe der Wiene

Preis 10 Pf.   Sonnta

Nun geht es um

Die Gegenmaßnahmen lau

Der Krieg in seiner ganzen Härte ist seit einigen Tagen in unsere Stadt getragen worden. Der Feind ist verschiedentlich mit

Es ist nur zu leicht begreiflich, daß die tätigkeit der Frauen und Männer in de des Bangens um das Leben und vor der

90

Während die Sowjettruppen bereits in die Vorstädte Wiens eindringen, erscheint am 8. April eine „Gemeinschaftsausgabe der Wiener Zeitungen mit amtlichen Nachrichten" unter dem Titel „Wiener Presse". Dies ist die einzige und letzte Ausgabe dieses pressegeschichtlich einzigartigen Blattes.

ten als Funkpanzer. Ich habe meine Funkgeräte da hineingebracht, soviel ich brauchen konnte. Wir mußten ja täglich um vier Uhr nachmittags mit dem Führerhauptquartier in Verbindung treten. Also mußte ich die Funkgeräte mitnehmen, und die Order war – in die Hofburg runter. In der Hofburg habe ich mich dann mit meinem Funkgerät installiert, zwei Stockwerke unter der Erde. Dort waren auch alle Herren, die sonst oben im Bunker waren: der Reichsleiter Baldur von Schirach mit dem Sepp Dietrich, der Gauleiter Scharitzer usw."

In Wien herrscht nun Alarmstufe 1. Die Wiener Zeitungen stellen ihr Erscheinen ein. Am 8. April gibt es noch einmal ein Blatt mit dem Titel „Wiener Presse" und dem Untertitel „Gemeinschaftsausgabe der Wiener Zeitungen mit amtlichen Nachrichten". Die Schlagzeile lautet: „Nun geht es um unser geliebtes Wien". In der Unterzeile die übliche Versicherung zur Hebung der Kampfmoral: „Die Gegenmaßnahmen laufen bereits an".

Auch ein Leitartikel erscheint, unter dem Titel: „Das tapfere Herz". Wörtlich heißt es: „Es gibt keinen Wiener, der nicht die Geschichte seiner Stadt in vielen Einzelheiten kennt und der nicht immer wieder mit freudigem Stolz davon erzählen würde. Er weiß, daß der Feind rund dreißigmal vor unseren Toren stand, daß immer wieder der Versuch gemacht worden ist, die herrliche Stadt zu erobern und damit den Schlüssel zu gewinnen für den Zugang ins Reich." Und weiter im Text: „Wo ihr einen seht, der zaghaft ist, dort stützt ihn; wo ihr einen seht, der seine Pflicht nicht erfüllt, dort mahnt ihn; wo ihr einen seht, der Schaden und Unruhe stiftet, dort stoßt ihn aus der Gemeinschaft. Es geht jetzt nicht darum, daß irgendeiner seinen Posten rettet, es geht nicht um die Partei, es geht auch nicht um unser Leben; es geht um unsere Ehre, es geht um die Würde des Wienertums. Es geht darum, daß diese Stadt, die soviel Leid und soviel Freude gesehen hat, ihren Schild rein und fleckenlos erhält."

In einer Reportage wird geschildert, was der zu dieser Zeit noch intakte Stephansturm, der Steffl, erblickt: „Durch die Rotenturmstraße marschiert ein Zug der Waffen-SS . . . pfeifend kommen die Granaten geflogen und bersten in den Häusern . . . da sagt ein Oberleutnant: ,Kameraden, es ist soweit.'"

Es ist soweit, der ARLZ-Befehl ergeht in dieser Stunde an viele Dienststellen, er erreicht auch den amtierenden Leiter des 1. Chemischen Instituts der Universität Wien, Jörn Lange. In dem Institut steht ein für die damalige Zeit einmaliges Produkt technischer Meisterleistung – ein Elektronenmikroskop. Mit diesem von Siemens entwickelten Spezialmikroskop sind erstmals 40 000fache Vergrößerungen möglich, und mit dem Instrument ist es auch gelungen, die kleinsten und gefährlichsten Lebewesen, die Viren, sichtbar zu machen – ein medizinisch-technischer Durchbruch.

Nun erhält auch Jörn Lange die Weisung aus dem ARLZ-Befehl: Das Mikroskop ist zu zerstören. Eine Gruppe junger Wissenschaftler am Institut ist jedoch entschlossen, die Zerstörung zu verhindern. Daraufhin kommt es in dem Institut zu einer dramatischen Auseinandersetzung. Der heutige Professor Otto Hoffmann-Ostenhof gehörte zu jener Gruppe und schildert, was damals geschah: „Wir wollten, um die Arbeit später, nach dem Einmarsch der Russen, fortsetzen zu können, die Instrumente und insbesondere dieses Instrument vor der Zerstörung bewahren. Wir hatten erfahren, daß Lange den Auftrag hatte, das Instrument zu zerstören. Kurt Horeischy [einer der jungen Wissenschaftler], der ein sehr nervöser Mensch war, wollte nun Lange mit einer Pistole zwingen, von der Absicht, das Instrument zu zerstören, abzustehen. Während Horeischy mit Lange verhandelte, gelang es Lange, in eine Lade zu greifen, eine eigene Pistole an sich zu nehmen und auf Horeischy zu schießen. Dieser fiel schwerverletzt um und starb innerhalb von wenigen Minuten. In der Zwischenzeit hatte sich Vollmar [Hans Vollmar, ein weiterer junger Wissenschaftler] auf Lange gestürzt, hatte ihn beschimpft und irgendwie versucht – nein, er hatte auch die Nerven verloren, wollen wir es so sagen. Worauf Lange auch auf ihn schoß und auch ihn tötete. Kurz darauf erschien die Polizei, nahm Lange mit, aber nach Aufklärung, daß er nur einem Befehl gehorchte, wurde er wieder ausgelassen und konnte nun ungehindert die Zerstörung des Instruments vollbringen, indem er verschiedene wichtige Teile entnahm." Jörn Lange ist nach dem Krieg vor einem Wiener Volksgerichtshof des Doppelmordes angeklagt worden. Noch vor der Urteilsverkündung beging er im Gefängnis Selbstmord.

Im Wiener Allgemeinen Krankenhaus scheint sich zur gleichen Zeit eine noch größere Tragödie anzubahnen. Hier liegen nicht nur rund 4 000 Patienten, darunter viele verwundete Soldaten, hier haben auch noch Hunderte Frauen und Kinder und nicht wenige politisch gefährdete Menschen Unterschlupf gefunden. Das Allgemeine Krankenhaus ist ein ausgedehnter Bau mit vielen Gebäudeteilen, mehreren Höfen, vielen Kellerräumen. Nun erhalten Einheiten der Waffen-SS Befehl, alle großen Gebäude der Stadt in Festungen zu verwandeln. Der Gebäudekomplex des Allgemeinen Krankenhauses scheint der Waffen-SS besonders gute Stellungen abzugeben. In langen Kolonnen beginnt sie, in das Spitalsgelände einzurücken.

Franz Krejca war dabei, als die Besetzung des Allgemeinen Krankenhauses begann: „Die sind von der Garnisongasse gekom-

Im Chemischen Institut der Universität Wien befindet sich ein Elektronenmikroskop, damals ein Wunder der Technik (rechts). Ehe es in die Hand der Sowjets fällt, soll es zerstört werden. Eine Gruppe junger Wissenschaftler will diese Zerstörung verhindern. Zwei von ihnen bezahlen diesen Versuch mit dem Leben, Kurt Horeischy (oben) und Hans Vollmar.

Otto Hoffmann-Ostenhof: Drei Menschenleben für ein Elektronenmikroskop.

men, im 9. Hof haben sie schon geparkt und haben unerhört viel Munition und Material ausgeladen – schwere Maschinengewehre, leichte Maschinengewehre und Panzerfäuste. Uns hat sofort frappiert, daß das lauter Rotkreuzautos waren. Als Soldaten haben wir gewußt, daß in einem Rotkreuzauto keine Munition, keine Waffe geführt werden darf. Jetzt sind wir gelaufen mit einer Schnelligkeit, als ginge es um unser Leben – in die Kanzlei zum Chef, haben die Tür aufgerissen, und der Chef ist dort gesessen und hat gerade geschrieben." Der Chef, das ist Professor Leopold Schönbauer, ein angesehener Chirurg und als Mediziner auch mit einem militärischen Rang ausgestattet: Schönbauer ist Oberstarzt der Wehrmacht. Franz Krejca berichtet weiter: „Wir haben gesagt: ‚Entschuldigen, Herr Professor, daß wir so reinstürzen, aber die SS ist im Haus, die hat das Krankenhaus besetzt und ladet Munition und Waffen aus.' Sagt der Chef: ‚Waffen laden sie aus?' Sag ich: ‚Außerdem, Herr Professor, sind das lauter SANKA-Wägen [Sanitätskraftwagen], also Rotkreuzautos.' Sagt er: ‚Das können die doch bei mir nicht machen. Wir sind ja ein Spital, wir sind keine Festung.' Hat er sofort zu seiner Sekretärin gesagt: ‚Alle Ärzte, Dozenten sofort herkommen, wir gehen in den 7. und 8. Hof.' Die Ärzte waren in fünf Minuten versammelt, und die, die nicht operiert haben, kamen in die Kanzlei. Und da sind gekommen. Kraus, Zimmer Willy, Oppolzer, Huber, Weiß, Dozent Wild, also die Kapazunder vom Lazarett [Kapazunder = Kapazitäten]. Alle in den weißen Mänteln, im Laufschritt hierher. Und da hab ich nämlich gesehen, daß der Chef auch laufen hat können, wenn natürlich schwer, weil er war ziemlich beleibt und fest. Er hat sofort mit den Offizieren von der SS begonnen: ‚Das können Sie hier nicht machen, das ist ein Spital, da sind zirka 3 000 Kranke, Schwestern, Ärzte, außerdem 800 verwundete Wehrmachtsangehörige und 300 schwerstverwundete SS. Bedenken Sie, Sie können da kein Blutbad machen, das ist ein Spital.' Die Kontroverse hat mindestens 30 Minuten gedauert. Dann hat der Schönbauer sich auf den Justamentstandpunkt gestellt und hat gesagt: ‚Jetzt sag ich Ihnen was: Laut Führerbefehl ist es verboten, in Rotkreuzautos Waffen und Munition zu führen. Und jetzt befehle ich Ihnen: Verlassen Sie das Spital!'" Schönbauer pocht nun auf seinen Oberstrang – und er kommt damit durch. Die Waffen-SS räumt das Spital.

So bleibt das Allgemeine Krankenhaus vom Krieg verschont und mit ihm seine Patienten und Schutzbefohlenen. Unter ihnen auch ein Mann, der bereits wenige Tage später in das politische Geschick des Landes eingreifen wird: Adolf Schärf, der künftige Vorsitzende der Sozialistischen Partei Österreichs.

Der Abzug der Feuerwehr

„ARLZ" – das „R" steht für Räumung. Und den Befehl zur Räumung erhalten nun zwei große Formationen: die Wiener Polizei und die Wiener Feuerschutzpolizei. Sie sollen die Stadt unverzüglich verlassen, und zwar unter Mitnahme all ihrer Geräte. Noch während sich die Polizeieinheiten zum Abzug sammeln, beginnt bereits die Plünderung der ersten Geschäfte, werden die nun unbewachten Vorratslager gestürmt. Das sind zunächst Elemente, die nur auf diesen Augenblick gewartet hatten, Plünderer, die sich bereichern wollen. Aber als die übrige Bevölkerung sieht, daß es in den Vorratslagern noch eine Menge Lebensmittel gibt, daß in vielen Geschäften, in denen es seit Jahresfrist hieß, es sei nichts mehr zu haben, relativ große Warenmengen lagern, da ist so mancher versucht, sich für die zu erwartenden harten und versorgungslosen Tage einzudecken.

Franz Krejca: Das können Sie bei mir nicht machen, verlassen Sie das Spital.

Ein Evakuierungsbefehl vor dem Fall der Stadt ergeht an die Wiener Feuerwehr. 3 750 Feuerwehrleute mit 450 modernen Löschfahrzeugen ziehen sich über die Donau in Richtung Oberösterreich zurück. Später wird man einen Teil der Löschfahrzeuge im Steinbruch von Mauthausen wiederfinden.

Leopold Schönbauer (links, in der Uniform eines Stabsarztes) verhindert im letzten Moment die Umwandlung des Wiener Allgemeinen Krankenhauses in eine Festung. Er nützt seinen hohen Offiziersrang, um einem Verband der Waffen-SS den Abzug aus dem Krankenhaus zu befehlen.

Adolf Wamser befindet sich unter den letzten Polizisten, die Wien über die noch intakten Donaubrücken verlassen. Er sieht, was in der Stadt geschieht: „Während der Fahrt von der Universitätsstraße über die Taborstraße und dann in der Nordbahnstraße, Dresdner Straße, da haben wir schon gesehen, wie die Lager geplündert wurden. Besonders jene, die auf dem Nordwestbahnhofgelände untergebracht waren. Doch was heißt geplündert – der Wiener hat eine gute Nase und einen gesunden Überlebensdrang. Wollen wir es so sagen: Es hat sich halt damals so mancher ein Lager für sich selbst requiriert. Und da wurden Lebensmittel transportiert, ja sogar lebende Säue wurden getrieben und von den Leuten in die Häuser gebracht. Die wollten sich versorgen. Wir hatten da keinen Anlaß mehr einzuschreiten. Auch waren wir interessiert, unsere Einheit zu erreichen, zu der wir gehörten."

Gertrude Hacker, ein junges Mädchen, erlebt den Zustand Wiens aus der Sicht jener, die in der Stadt bleiben: „Meine Mutter kam nach Hause und sagte, es war ein Tieffliegerangriff, wir müssen in den Keller übersiedeln. Bei dem Tieffliegerangriff, so hat sich herausgestellt, wurde das Hauptzollamt bombardiert. Dort waren Weinvorräte, und da haben die Leute Kinder und Alte hingeschickt, Wein zu holen. Gerade da erfolgte der Angriff, und das war fürchterlich. Die Opfer wurden dann begraben bei der Kolonitz-Kirche, auch im 3. Bezirk, die wurden dort eingescharrt. Wir sind in den Keller übersiedelt mit Betten und was wir halt mitgenommen haben, unsere Dokumente, alles was uns wichtig erschien. Und dann hat man schon gehört: Das Geschütz am Flakturm vom Arenbergpark hat nicht mehr hinaufgeschossen, sondern hat als Artilleriefeuer gedient, hat Richtung Schwechat geschossen. Da haben wir gewußt, es kann sich nur mehr um Stunden handeln. Zuerst war alles noch ganz ruhig, und dann gab es eine seltsame Hektik: Man hat zu Hause noch gesucht, ob man Gegenstände findet, die gefährlich werden könnten. Mein Vater zum Beispiel mußte einen Umschulungskurs beim Militär machen als Erster-Weltkrieg-Offizier. Er ist dann nicht mehr eingerückt, aber er hatte noch eine Offizierskappe, natürlich mit dem Hakenkreuzemblem, und einen Dolch. Die haben wir in den Donaukanal geschmissen. Dann sind wir ganz schnell am Abend noch einmal zum Kanal; ich war ja ein ‚dankbarer Jahrgang‘ und hatte Bücher ‚BDM-Mädel ahoi‘ oder so irgend etwas. Das haben wir alles zusammengetan, sind auf die Brücke und haben es von dort hineingeschmissen, haben alles versenkt, damit man ja nicht etwas in den Wohnungen findet.“

Hans Steinkellner, damals noch ein Bub, schildert ähnliches so: „Da waren Zeitungen, Bücher, Fotos, Alben. Ich kann mich erinnern, da ist wöchentlich ein Heft erschienen von Kriegsberichterstattern, ‚Die Erlebnisse unserer Soldaten‘, von U-Booten, Flugzeugen und Infanteristen. Ich hab das gesammelt, vom ersten Heft weg, das war so ein Stoß. Und das ist natürlich von der Mutter alles verbrannt worden, das ist alles in den Küchenherd hineingegangen; und auch Kleidungsstücke, Uniformstücke vom deutschen Jungvolk, eine Schnürlsamthose oder ein Braunhemd und solche Sachen. Jeder hat alles verbrannt, weil er gefürchtet hat, daß es Schwierigkeiten gibt, wenn es von den Russen gefunden wird. Und natürlich wurden in jedem Haus, in jedem Rauchfang Tonnen von Papier verbrannt; da ist ein Papieraschenregen niedergegangen, und in dem Hof, wo wir gewohnt haben, hat es gerochen wie in einer Selchkammer.“

Um diese Zeit brechen in Wien zahlreiche Brände aus. Teils verursacht durch Bombenabwürfe der Tiefflieger, teils legen Plünderer Feuer in den Geschäften und Warenhäusern, um ihre Spuren zu verwischen, aber auch in so mancher Wohnung sind die Öfen der hastig in sie hineingestopften NS-Literatur nicht gewachsen. Bald brennt es an allen Ecken und Enden der Stadt. Doch auch die Feuerwehr, die nach deutschem Reglement Feuerschutzpolizei heißt, hat Befehl, sich aus der Stadt abzusetzen, mit allen ihren Geräten. Die Feuerwehrzentrale Am Hof war zuvor schon von amerikanischen Fliegerbomben schwer getroffen worden. Aber immer noch konnten bisher nach jedem Angriff die Feuerwehren zum Einsatz gebracht werden. Jetzt, da Wien zu brennen anfängt, wird den 3 750 Feuerwehrleuten befohlen, mit ihren 450 modernen Löschfahrzeugen über die Donau zunächst nach Korneuburg und dann weiter in Richtung Linz abzuziehen. In der Feuerwehrzentrale bleiben nur drei Geräte zurück. Alle drei sind bereits Museumsstücke, dazu ein Handwagen mit Schläuchen.

Und zurück bleiben einige wenige beherzte Männer, die den Abzugsbefehl verweigern. Franz Güttler war einer von ihnen und erinnert sich an den Abzug seiner Kameraden: „Da war zunächst ein fürchterlicher Lärm und ein Durcheinander. Gerufe, Motorlärm, aber wie dann alles abgefahren war, da gab es eine unheimliche Stille, wie soll ich sagen, eine Stille, wie man sie in Kriegszeiten wahrscheinlich wenig erlebt hat. Wir sind in der Nachrichtenzentrale gewesen. Die Nachrichtenzentrale der Feuerwehr ist ja durch Bomben zerstört worden, und wir haben eine provisorische Nachrichtenzentrale am Tiefen Graben gehabt, in einem ehemaligen Banksafe. In diesem Safe sind wir halt gesessen und haben gewartet, was jetzt kommt. Dann ist ein Anruf gekommen von der Rettung. Der Kollege von der Rettung hat gesagt: ‚Soweit ich sehen

Kampfbilder aus den Straßen von Wien. Die
Sowjets setzen auch viele Panzer amerikanischer Herkunft ein. Hinter zwei Sher-
man-Panzern ein sowjetischer Jagdpanzer
SU-100 in Favoriten. Die weißen Pfeile auf
den holzverschalten Schaufenstern des Wa-
renhauses markieren Notausgänge der Luftschutzräume im Keller des Gebäudes – im
Fall eines Einsturzes sollen sie Suchtrupps
den Weg weisen. Links unten: Sowjetische
Artillerie geht in Stellung.

kann, werden alle Brücken gesprengt.' Nun haben wir weiter gewartet. Dann sind einzelne Leute gekommen, schon in Zivil, die haben das bereits vorbereitet gehabt. Die haben irgendwo in einem Winkel die Uniform ausgezogen und sind gekommen. Im Nu waren wir elf Leute, am nächsten Tag waren wir schon 18 – so viele sind wieder zurückgekommen." 18 Leute, das war für die, die zurückgeblieben waren, schon viel.

Damals wie heute gilt der Abzug der Feuerwehr in der Stunde äußerster Not als unverantwortlicher Anschlag der Führung gegen die Stadt und ihre Bewohner. Und das war er im Moment sicherlich auch. Als wir den Abzug der Feuerwehr aus Wien recherchierten, kamen auch wir im „Österreich II"-Team zu diesem Schluß. Ein wenig später untersuchten wir die Vorgänge rund um die Besetzung der Stadt Graz durch die Sowjetarmee am 9. Mai 1945. In Graz brach unmittelbar nach der Besetzung ein Großfeuer aus. Die Feuerwehr war da, sie war in der Stadt geblieben. Aber sie stand machtlos vor den Flammen – sämtliche Geräte der Grazer Feuerwehr waren unmittelbar nach dem Einmarsch der Sowjettruppen von diesen requiriert und weggeführt worden. Diese Geräte sind nie wieder aufgetaucht. Sie wurden auch in keiner Form Österreich gutgeschrieben. Die Geräte, mit denen die Wiener Feuerwehr abgezogen war, wurden zum größten Teil später in Oberösterreich sichergestellt und von den Amerikanern an den neuen Branddirektor von Wien, Josef Holaubek, übergeben, der sie am 17. August mit amerikanischer militärischer Begleitung quer durch die sowjetische Zone nach Wien zurückbrachte. Natürlich läßt sich nicht sagen, ob die Geräte der Wiener Feuerwehr beim Einmarsch der Sowjetarmee das gleiche Schicksal erlitten hätten wie die Geräte der Grazer Feuerwehr. Doch ist dies fast anzunehmen, denn die Wiener Rettung büßte alle ihre Krankenwagen ein, sie wurden von den Sowjets beschlagnahmt. Und ebenso verschwanden Krankenwagen, die in jenen ersten Monaten von ausländischen Hilfsorganisationen gespendet wurden, jeweils nach einigen Tagen.

Der Kampf beginnt

Im Wienerwald sammeln sich nun die Sowjettruppen zum Großangriff auf die Stadt. Im Unterstützungsfeuer der Artillerie und der Sturmgeschütze stoßen die ersten sowjetischen Panzer in die Wiener Vororte vor. Alfred Borth ist mit seiner Gruppe Hitlerjungen beim Volkssturm. Nun bekommen sie erste Gefechtsberührung: „Am Abend wurden wir herauf auf die Knödelhütte gezogen. In der Nacht hat es vereinzelte Feuergefechte gegeben, und in den frühen Morgenstunden hat der Russe mit Panzern angegriffen. Und dieser Panzerangriff ist von einem russischen Frauenbataillon unterstützt worden. Die Panzer sind dann Richtung Wolfersberg durchgebrochen. Da hat einer der Kameraden, Kameradschaftsführer Hampeis, seinen ersten Panzer abgeschossen. Vielleicht 100, 200 Meter vom Ausbildungslager entfernt war eine Straßensperre. Einer meiner Leute lag vielleicht 50 Meter vor mir mit einem Maschinengewehr und hat wie wahnsinnig auf den Panzer drauflosgeknallt, was völlig sinnlos war. Und der Panzer hat ihn dann in seinem eigenen Deckungsloch überwalzt und zermerschert [zerdrückt]. Ich hatte in diesem Augenblick irrsinnige Angst, und zitternd habe ich den Entsicherungsdraht der Panzerfaust lockergemacht und hab dann anvisiert und abgedrückt. Es hat eine Riesendetonation gegeben, der Panzer ist von der Seite getroffen worden, die Kette hat's zerrissen, und einige Minuten später – vielleicht waren es auch nur Sekunden, das kann ich nicht mehr sagen – ist Treibstoff ausgeflossen, und ich habe zusätzlich noch eine Hand-

Adolf Wamser: Die wollten sich versorgen.

Gertrude Hacker: In den Keller übersiedelt.

Hans Steinkellner:
Wie in einer Selchkammer.

Franz Güttler: Im Safe gesessen.

Szene am Wiener Donaukanal.

granate geschmissen, weil die Turmluke aufging. In dem Moment ist der ganze Panzer in Flammen gestanden und ist ausgekohlt." Alfred Borth und seine Gruppe, 13- bis 16jährige, ziehen sich kämpfend bis in die Innenstadt zurück. Auf diesem Weg schießt Borth noch weitere drei Panzer ab. Die Gruppe findet keinen Anschluß mehr an die deutsche Front und steigt in das Wiener Kanalsystem hinunter. Durch die Kanäle arbeitet sich die Gruppe nach Neuwaldegg zurück und von dort weiter bis hinter die russische Front in die Nähe von Klosterneuburg.

Der Widerstand, auf den die sowjetischen Truppen treffen, ist unterschiedlich stark. Stellenweise wird tatsächlich um jedes Haus gekämpft. Sowjetische Panzer und Artillerie nehmen Barrikaden und Widerstandsnester direkt unter Feuer. Unter dem Druck des Sowjetangriffs ziehen sich die deutschen Verbände aus den Vororten auf die zweite Verteidigungslinie entlang des Wiener Gürtels zurück.

Zu diesem Zeitpunkt werden in Wien mehrere Widerstandsgruppen aktiv: Kommunisten, Sozialisten, Katholiken. Helli Neuhaus gehörte damals zu einer Gruppe, die in Wien-Ottakring versuchte, die Volkssturmleute zu überreden, doch nach Hause zu gehen. Die Mädchen stellen sich auf der Straße auf, halten alle vorbeikommenden Soldaten an und reden ihnen zu, ihre Waffen wegzuwerfen. Darüber berichtet uns Helli Neuhaus: „Die meisten Soldaten sind über die Sandleitengasse hereingekommen, über Neuwaldegg, Dornbach, Hernals. Vis-à-vis vom Sandleiten-Kino war das Lokal einer großen Spinnstoffsammlung. Da haben wir Kleider herausgeholt. Es war ja alles verlassen, es waren keine Leute mehr da, die das beaufsichtigt hätten. Wir haben den Soldaten gesagt: Da habts a G'wand, gebt's das Gewehr her und verschwindet, der Krieg ist aus. Das größte Risiko gab es sicherlich bei den ersten Soldaten, denn wenn die nein gesagt hätten . . . wir haben ja nichts in der Hand gehabt, wir hätten uns ja nicht verteidigen können, es hätte uns ja jeder erschießen können. Zum Glück also nicht. Ich glaube auch, daß die Soldaten vom Krieg schon genug gehabt haben, sie haben gewußt, der Krieg ist verloren, wozu noch Blutvergießen? Wir haben also den ersten die Waffen abgenommen, und bei den weiteren war es dann mehr oder weniger schon eine leichte Sache, wie sie die Gewehre da alle haben liegen sehen. Es hat wohl einzelne Soldaten gegeben, vor allem die aus Deutschland, die etwas gezögert haben, natürlich, denn die haben ja noch einen weiten Weg nach Hause gehabt. Die Österreicher hatten es da leichter. Viele haben mit Freuden das Gewehr weggeworfen und sich die alte Hose angezogen und sind verschwunden."

Die Sowjettruppen erreichen den Wiener Gürtel. Kurzfristig kommt die Front hier zum Stehen. Doch die deutschen Truppen können auch diese Linie nicht lange halten. Unter heftigen Kämpfen ziehen sie sich auf den Ring zurück.

Es lohnt sich, in diesem Moment einen Blick auf das deutsche Oberkommando zu werfen. Offenbar in der Annahme, ein österreichischer General würde sich in einem besonderen Maß für die Verteidigung Wiens einsetzen, überträgt Adolf Hitler am 8. April dem Österreicher und Generaloberst Lothar Rendulic den Befehl über die in und um Wien operierenden deutschen Verbände. Hellmut Andics, der in seinem Buch „50 Jahre unseres Lebens" den damaligen Kampf um Wien schildert, hatte Rendulic schriftlich danach gefragt, wie er die Lage sah und wie er sich in dieser Lage verhalten hatte. Rendulic antwortete Andics in einem Brief: „Obwohl ein Führerbefehl anordnete, Wien bis zum Äußersten zu verteidigen, war mein erster Entschluß, den Kampf um Wien,

soweit es nur möglich war, abzukürzen. Eine Armee, die im Kampf steht, kann aber nicht einfach kehrtmachen und abmarschieren. Vom Standpunkt der Heeresgruppe mußte bei der Absicht, Wien raschest zu räumen, überdies auf die anschließende Armee Rücksicht genommen werden. Und hiefür kam im vorliegenden Fall die 8. Armee in Betracht, die im Marchfeld noch erheblich ostwärts von Wien kämpfte. Bei sofortiger Räumung Wiens wäre ihr der Russe in den Rücken gekommen. Deshalb mußte diese Armee zunächst wenigstens auf die Höhe von Wien zurückgenommen werden. Auch dies erforderte naturgemäß einige Tage. Eine große Erschwernis für die Durchführung meiner Absicht war es, daß Hitler die voll kampffähige ‚Führergrenadierdivision' am 6. April (also zwei Tage vor meiner Ankunft) nach Wien zur Verstärkung der dortigen Truppen entsandte. Diese Division durchbrach spielend den südlichen Einschließungsring der Russen, die am 7. den Gürtel erreicht hatten, und stieß bis Hetzendorf durch . . .“

In dieser Zeit, da die Bezirke zwischen Gürtel und Ringstraße teils Hauptkampflinie, teils Niemandsland waren, sitzt die Bevölkerung in den Kellern und weiß nicht, wie ihr geschieht. Helma Eckl wohnt mit ihren Eltern in der Mollardgasse in Wien-Mariahilf. Von jenen Stunden berichtet sie uns: „In diesen Tagen haben wir alle im Keller geschlafen. Wir haben uns in der Gemeinschaft irgendwie wohler gefühlt als in den einzelnen Wohnungen. Wir wollten alle beisammen sein, wenn irgend etwas geschieht. Am 8. April hat es plötzlich in der Nacht fürchterlich am Haustor geklopft. Was ist das?! Die Hausbesorgerin ist rauf und wir alle hinter ihr. Wir haben

Sowjetsoldaten auf dem Weg vom Michaelerplatz zum Ballhausplatz, rechts die Hofburg. Auf dem Gehsteig erst vor kurzem im Straßenkampf gefallene Soldaten (links oben). Während am Donaukanal noch heftig gekämpft wird, massiert sich in den Straßen Wiens bereits der sowjetische Nachschub.

Helli Neuhaus: Da habt's a G'wand, gebt's das Gewehr her, der Krieg ist aus.

Helma Eckl: Wir wollten alle beisammen sein, wenn etwas geschieht.

Soldaten gehört, zwei Männer: ‚Wir sind Heimkehrer, wir wollen nur unterschlüpfen, es ist schon spät, bitte lassen Sie uns rein.‘ Wir haben die zwei Soldaten hereingelassen, natürlich nur gegen Handschlag, daß sie in der Früh wieder weg sind. Wie wir dann in der Früh aufgestanden sind, ich hab damals auf einen Liegestuhl geschlafen, geschlafen ist gut gesagt, da waren sie schon weg. Und am 9. April abends wieder dasselbe. Wieder Geklopfe. Und da haben wir gesagt, jetzt ist es schon brenzlig, jetzt werden die Russen gleich da sein. Wenn man bei uns Soldaten findet, die glauben vielleicht, das sind Partisanen, wir verstecken irgendwelche Militärs. Aber da hat diese Stimme gerufen: ‚Mutter, ich bin es, dein Sohn. Ich bitte dich doch, mach auf, Mutter, ich bin es!‘ Die Hausbesorgerin hatte einen Sohn, der eingerückt war, Franzl hat er geheißen. ‚Ich bin es, dein Franzl!‘ Um Gottes willen, der Sohn ist da. Haustor aufgesperrt, natürlich Freudentränen. Aber wir haben gesagt, die Uniform muß weg. Wenn die irgendwo gefunden wird – die muß weg! Er hat die Uniform ausgezogen und Zivilkleider angezogen. Wir haben noch gewartet, bis alles ganz ruhig ist, haben die Uniform in ein Packpapier gegeben, die Mutter hat das Haustor wieder aufgesperrt, und er ist gelaufen, die Turmburggasse entlang, und hat das Paket in den Wienfluß geworfen. Wieder zurück, Haustor gleich zugesperrt und Schluß. Und dann haben wir Gewehrschüsse gehört, Maschinengewehr. Es war alles unheimlich. Meine Eltern haben gesagt, geh ja nicht zum Fenster. Natürlich bin ich sofort hinter dem Vorhang gewesen und hab rausgeschaut. Und vis-à-vis war eine niedere Mauer. Und plötzlich sehe ich da einen russischen Soldaten sich darüberschwingen und eine Tellermine, so ein rundes Ding in die Gasse hineinwerfen. Na, ich war weg vom Fenster, Glassplitter und die ganzen Fenster kaputt. Nichts als in den Keller!"

Über die Mariahilfer Straße dringen die Sowjets bis zur Ringstraße vor, nehmen von der Babenbergerstraße die Hofburg unter Beschuß. Jene Hofburg, in deren Kellern sich ein Lazarett, aber auch der gesamte Stab des Reichsverteidigungs-Kommissars von Schirach befindet. Karl Zischka, der über seine Funkgeräte die Verbindung mit dem Führerhauptquartier aufrechterhalten mußte, war mit dabei: „Ich kann nur eines sagen, die Stimmung in der Hofburg war bestens. Ich will nicht sagen, daß es Gelage gab, aber man hat sich mehr oder weniger gut unterhalten. Und jeder hat an den Sieg geglaubt. Jeder hat an die Wunderwaffe geglaubt, die irgendwie noch eingesetzt werden sollte. Die Funkverbindungen haben wir bis zum Schluß aufrechterhalten, bis es plötzlich geheißen hat, die Herren setzen sich ab, Richtung Nord, also Richtung Bisamberg, in eine kleine Ortschaft in der Nähe vom Bisamberg." So fliehen jene, die allen anderen das Durchhalten bis zum Letzten befohlen hatten.

Erwin Racek:
Die Kurtine war eine glühende Fläche.

Das Ende des Burgtheaters

Nun liegt auch das Burgtheater im Feuerbereich der sowjetischen Artillerie. Es war zunächst von einer Einheit der Waffen-SS besetzt worden, die vom Burgtheater aus Widerstand leisten wollte. Aber als der gesamte Stab Schirach in schnellstem Tempo über die Ringstraße der Floridsdorfer Brücke zustrebt, räumt die SS-Mannschaft auch das Burgtheater. Bald darauf bricht im Theater ein Feuer aus. In der Ruine der Feuerwehrzentrale Am Hof sitzt ein Dutzend Feuerwehrleute. Unter ihnen Erwin Racek. Er schildert: „Gegen Abend, es war ungefähr dreiviertel sechs, kommt der Kollege Hautz mit einigen Philharmonikern zu mir. Und die ersuchen um die Hilfe der Feuerwehr bei der Sicherung ihrer Instrumente, die im Burgtheater eingelagert sind. Das Burgtheater brennt. Nun habe ich gesagt, wenn die Instrumente im Keller lagern, dann sollen sie sie dort lassen, da kann durch den Brand nichts geschehn. Jetzt haben die gesagt, Plünderer sind am Werk, und die Instrumente sind schließlich ihr Brot. Jetzt sind wir hingefahren, mit den beiden Fahrzeugen. Die Philharmoniker waren auf den Standbrücken [das alte Feuerwehrauto hatte noch Standbrücken, das sind Trittbretter an den beiden Seitenwänden des Fahrzeuges, und Haltegriffe, an denen sich die mitfahrenden Feuerwehrleute festhalten konnten]. Wir sind beim Burgtheater angekommen, und vom Bühnenraum hat man am Dach oben Flammen aufsteigen gesehen. Ich bin in den Zuschauerraum hinein, und da irgendwo in einer Loge hab ich mich hingesetzt und hab halt geschaut. Es war alles hell erleuchtet, hellrot erleuchtet. Die Kurtine [der eiserne Vorhang] war eine glühende Fläche. Die Sicht im Theater war so wie im Herbst im Hochgebirge – eine Fernsicht, alles war so scharf geprägt, vermutlich durch das rote Licht. Und vom Orchesterraum sind so Schlieren aufgestiegen, ob schon brennbare Gase dabei waren, weiß ich nicht, jedenfalls so, wie man es im Hochsommer sieht, wenn die Luft flimmert. Oben war die Kurtine etwas eingebogen, da haben Flammen rausgeschlagen. Und da begann die Brüstung bei den obersten Galerien zu brennen. Da hab ich mir gedacht: Jetzt ist das Ende vom Zuschauerraum da und für mich Zeit, daß ich wieder geh. Ich hab ein bißl Herzklopfen gekriegt, ob ich noch herauskann." Denn das Feuer im Zuschauerraum saugt die Luft an, und der Luftsog hätte die Türen im Zuschauerraum so fest zudrücken können, daß sie Racek nicht mehr hätte öffnen können. „Na, ich bin

Die einrückenden Sowjetsoldaten werden von Fremdarbeitern und befreiten Zwangsverschleppten begrüßt. Viele von ihnen geben sich mit roten Armbinden als Kommunisten zu erkennen.

noch rausgekommen, und praktisch war damit alles vorüber. Die Kollegen haben draußen schon gewartet, die sind schon [mit der Bergung der Instrumente der Philharmoniker] fertig gewesen. Wir sind eingerückt, unser Einsatz war zu Ende." Denn zum Löschen fehlten die Geräte. Das Burgtheater brannte aus.

In diesem hart umkämpften Wien begibt sich in jenen Stunden höchst Widersprüchliches. Aus dem Gebäude des Landesgerichts wird ein Teil der Häftlinge zu Fuß und in Ketten im Eiltempo aus der Stadt geführt. Zum Teil müssen die Häftlinge auch noch die Habe der mit ihnen flüchtenden Beamten schleppen. Der Fußmarsch führt sie in die Strafanstalt Stein an der Donau. Die Anstalt ist völlig leer. Denn nur wenige Tage zuvor, am 6. April, sind in Stein in einem grauenhaften Massaker 368 Häftlinge erschossen worden. Der Anstaltsleiter, Regierungsrat Franz Kodré, und der Justizsekretär Johann Lang hatten sich entschlossen, in Anbetracht der sich nähernden sowjetischen Front die fast durchwegs politischen Häftlinge der Strafanstalt freizulassen. Diese Anordnung wird von zwei Gefängniswärtern den Parteistellen in Krems telefonisch gemeldet. Die Kreisleitung schickt daraufhin eine bewaffnete Einheit zur Haftanstalt. Dort sei, so wird erklärt, ein Aufstand der Häftlinge im Gange, der sofort und rücksichtslos mit Waffengewalt niederzuschlagen sei. Als die Soldaten eintreffen, ist für sie klar ersichtlich, daß es sich um keinen Aufstand handelt. Die Häftlinge sind gerade dabei, unter den Augen der meisten ihrer früheren Wärter, ihre Häftlingsgewänder abzustreifen und sich ihre aus den Lagerräumen geholten Zivilkleider anzuziehen. Dennoch wird der Feuerbefehl gegeben, und es wird so lange geschossen, bis sich keiner der Häftlinge mehr rührt. 368 Tote werden gezählt. Regierungsrat Kodré, Justizsekretär Lang und die Oberwachtmeister

Johann Bölz, Heinrich Lhasky und Johann Kwis werden vor ein
Standgericht gestellt und zum Tod verurteilt. Das Urteil wird
sogleich vollstreckt. 1946 werden die Verantwortlichen für dieses
Massaker vor das österreichische Volksgericht gestellt: Fünf Ange-
klagte werden zum Tod verurteilt und hingerichtet. Fünf weitere
erhalten lebenslange Kerkerstrafen.

Viktor Hautz: Ein unvergeßliches Bild.

In diese leere Strafanstalt Stein kommen nun die Häftlinge aus
dem Landesgericht Wien. Etwa 50 von ihnen sind wegen politischer
Delikte zum Tod verurteilt, 20 zu langjährigen Kerkerstrafen. Am
15. April wird im Auftrag des Wiener Generalstaatsanwalts, der mit
nach Stein geflüchtet war, das Todesurteil an rund 50 Häftlingen
vollstreckt.

Doch im gleichen Wiener Landesgericht, von dem aus dieser
Todesmarsch eines Teils der Häftlinge begonnen hat, in diesem
Landesgericht gibt es auch Gefängnisleiter, die so handeln, wie ihr
Kollege Kodré zuvor in Stein gehandelt hat. Die ihnen unterstehen-
den Häftlinge werden freigelassen, darunter auch eine ganze
Anzahl von Häftlingen, die ebenfalls zum Tod verurteilt worden
waren und auf die Vollstreckung dieses Urteils warteten. In ihren
Todeszellen glaubten sie nicht mehr, mit dem Leben davonzukom-
men, glaubten, zur Hinrichtung geführt zu werden, als ihre Zellen-
türen geöffnet werden. Doch anstatt durch die Türe mit dem Kreuz
zur Richtstätte auf das Schafott zu gehen, dürfen die Häftlinge das
Gefängnis durch das Hauptportal verlassen, mit Entlassungs-
schein. Das Register, das die Namen der damals dort Inhaftierten
enthält, liegt noch heute im Landesgericht auf, es ist in stark
abgegriffenes rotes Kunstleder gebunden. Unter denen, die im
letzten Moment dem ihnen zugedachten Schicksal entgehen, befindet sich auch der Bauernführer Leopold Figl, der drei Wochen
später bereits Vizekanzler des neuen Österreichs ist und noch im
gleichen Jahr dessen Bundeskanzler wird; der Rechtsanwalt Felix
Hurdes, der zwei Wochen später bereits Generalsekretär der neugegründeten Volkspartei ist; und auch der populäre Schauspieler Paul
Hörbiger. Er hatte zur Unterstützung von Angehörigen politisch
Verurteilter höhere Geldbeträge gespendet und mit der Widerstandsgruppe, die diese Beträge sammelte, sympathisiert. Dafür
wurde er ungeachtet seiner Popularität zum Tod verurteilt. Auch er
geht nun frei. Außer den 70 Häftlingen, die man nach Stein
getrieben hat, werden alle anderen politischen Häftlinge in den
Landesgerichten I und II in Wien auf freien Fuß gesetzt.

Während die einen davonkommen, trifft andere, die glauben,
das Schlimmste bereits überstanden zu haben, noch in letzter
Minute die volle Härte des Regimes. In der Förstergasse 2 im
zweiten Wiener Gemeindebezirk haben nichtjüdische Frauen ihre
jüdischen Ehemänner mit unendlich viel Angst und in größter Not
durch den Krieg gebracht. Es sind neun Männer. Sie befinden sich
hier nicht illegal, sie haben im Gegensatz zu vielen anderen in
gleichen Verhältnissen immer wieder die Ausnahme vom Abtransport bekommen. Sie besitzen die entsprechenden Papiere. Wenige
Stunden ehe die Front über dieses Haus hinwegrollt, holt ein
Nachbar noch die Häscher, irgendein Jagdkommando der SS. Und
die kümmern sich nicht mehr um Papiere. Eine der Frauen, die ihre
Männer bis zu diesem Tag durch den Krieg gebracht hatten,
schildert, welche Tragödie sich damals in der Förstergasse Nummer 2 abgespielt hat: „Wir waren 13 Tage im Keller [entlang des
Donaukanals beim 2. Bezirk wurde besonders heftig und lange
gekämpft]. Die SS-Männer sind so plötzlich heruntergekommen,
wir haben hier früher keine SS-Männer gesehen. Es war ja auch
Verrat. Wenn wir das gewußt hätten, so hätten wir unsere Männer
versteckt. Nun mußten die Männer hinauf zur Ausweisleistung,

und sie mußten lange warten, bis der Scharführer gekommen ist. Wir waren in Angst, was jetzt passiert, und es hat nur immer geheißen, sie werden nach hinten geschafft zur Ausweisleistung. Wir haben das zuerst geglaubt, aber dann in der Früh bin ich um halb fünf Uhr aufgestanden und wollte beim Tor hinaus, aber da waren schon die Russen hier beim Haustor. Da war ein großer Offizier, und der sagt zu mir: ‚Was wollen Sie?' Sag ich: ‚Meinen Mann suchen.' Sagt er: ‚Frau zurück, nicht gut.' Da hat er gemeint, ich soll nicht allein auf der Straße herumgehen. Dann erst um halb sieben, wie es lichter geworden ist, bin ich raus und zum Bombentrichter. Da sind die Leute herumgestanden und haben geschaut. Da waren die Leichen drinnen. Ich habe dann meinen Mann gesehen, an der Hose hab ich ihn erkannt, bin in den Trichter hineingesprungen, war in der Meinung, er lebt. Doch dann hab ich gesehen, ein Herzschuß und ein Genickschuß. Er war der letzte, der hinausgeführt worden ist. Ich habe damals einen Nervenzusammenbruch bekommen. Die Leichen waren neun Tage lang im Hausflur aufgebahrt. Sie konnten nicht weggeführt werden. Ich bin neun Tage täglich hinuntergegangen und habe meinen Mann angeschaut. Ich konnte es nicht fassen. Die Leute haben geglaubt, ich werde verrückt."

Der Brand des Stephansdoms

Der Endkampf um Wien hat begonnen. In den Straßen der Stadt kommt es zu Panzer- und Artillerieduellen. Die deutschen Truppen ziehen sich von der Ringstraße an den Donaukanal zurück. Entlang des Kanals wird nun besonders hart gekämpft. Die Innenstadt ist in sowjetischer Hand. Sowjetische Granatwerfer auf dem Heldenplatz und sowjetische Artillerie vor dem Schloß Belvedere nehmen die deutschen Truppen am Donaukanal unter Feuer. Diese schießen heftig zurück. Einige der Granaten schlagen auch in das Dach des Stephansdoms ein.

Unter den Sowjettruppen, die die Wiener Innenstadt besetzen, befinden sich auch einige sowjetische Kriegsberichterstatter. Unter ihnen Fotografen und zumindest ein Filmberichterstatter; es ist Hauptmann Semen Stojanowski. Von ihm wissen wir, daß er mit seiner Kamera durch die Kärntner Straße ging, in der links und rechts viele Häuser lichterloh brannten. Wir wissen, daß er über den Stephansplatz in die Rotenturmstraße gelangte und ziemlich nahe an den hartumkämpften Donaukanal. Auch in der Rotenturmstraße brannten viele Häuser. Wir wissen das alles, weil die Filme aus seiner Kamera intakt geblieben sind. Wir haben sie im Zentralen Filmarchiv der Sowjetunion in Krasnogorsk gefunden. Stojanowski muß dann zum Stephansplatz zurückgekehrt sein. Hier richtet er seine Kamera zunächst auf die Häuser gegenüber vom Dom, darunter auch auf das Haas-Haus. Alle diese Häuser stehen zu diesem Augenblick in Flammen. Das Feuer schlägt aus den Fensterhöhlen heraus. Stojanowski filmt es. Dann muß Stojanowski ein Stück in den Graben hineingelaufen sein. Denn von dort richtet er seine Kamera auf den Stephansdom. Und das ist eine besonders bemerkenswerte Aufnahme: Das Dach des Doms brennt noch nicht. Aber auf dem Dach sind deutlich die Einschläge von Granaten oder Bomben zu erkennen. Wir haben auch Bilder sowjetischer Fotografen gefunden, die zu dieser Zeit ebenfalls auf dem Stephansplatz und auf dem Graben gewesen sind. Ihre Fotos ergänzen die Aufnahmen Stojanowskis. Aus dem Film und aus den Bildern läßt sich, wie wir meinen, ableiten, wie es zum Brand im Dachgestühl des Stephansdoms und schließlich zur völligen Vernichtung dieses Dachs gekommen ist.

Das Dachgestühl des Stephansdoms steht in Flammen. Heute gilt es als erwiesen, daß das Dach des Doms zwar mehrere Bomben- und Granattreffer erhielt, aber erst durch den Funkenflug der von Plünderern angezündeten Warenhäuser auf dem Stephansplatz Feuer fing. Diese Bilderfolge stammt aus der Kamera des sowjetischen Kriegsberichterstatters Stojanowski, der während der Aufnahmen tödlich verwundet wurde.

Die Häuser rings um den Dom brannten lichterloh. Sie waren, wie einige Augenzeugen berichteten, nicht durch Granaten oder Bomben in Brand gesetzt worden, sondern durch Plünderer. Diese hatten die dort befindlichen Geschäfte weitgehend ausgeräumt und dann, wie es fast immer die Art von Großplünderern ist, den Rest angezündet, um glauben zu machen, die Lager seien samt und sonders ausgebrannt. Dem Dom werden nun die Granateinschläge im Dach zum Verhängnis, denn durch diese Löcher entsteht starker Luftzug. Der Luftzug saugt den Funkenflug von den Häusern an, die rund um den Dom in Flammen stehen. Das Dachgestühl des Doms besteht durchwegs aus Lärchenholz, das 500 Jahre alt und leicht entzündbar ist. Wir sehen auf den Bildern der sowjetischen Kameraleute, wie zuerst an einer Stelle des Dachs Rauch und Feuer aus dem Gesims schlägt und wie sich dann dieses Feuer über das Dach weiterfrißt.

Die Theorie, daß der Brand des Doms so entstanden ist, haben nicht wir aufgestellt. Darüber war sich schon vor vielen Jahren eine Reihe von Experten einig. Wir glauben nur, daß die von uns aufgefundenen Filmberichte diese Theorie wesentlich erhärten. Der Hauptmann Stojanowski, der dazu wahrscheinlich viel hätte sagen können, ist unmittelbar nachdem er diese Aufnahmen gemacht hatte, auf dem Graben schwer verwundet worden. Einige Tage später starb er in einem Feldlazarett.

Wir fanden Augenzeugen, die noch im Dom waren, als das Dach schon brannte. Einer von ihnen ist der schon erwähnte Feuerwehrmann Viktor Hautz. Er befindet sich in der Feuerwehrzentrale Am Hof, als dort die Nachricht eintrifft – der Steffl brennt. Zu diesem Zeitpunkt gibt es in der Feuerwehrzentrale nur noch den Handwagen mit den Schläuchen. Die paar Feuerwehrleute spannen sich vor den Wagen und traben im Laufschritt über den Graben dem Dom zu. Schon vom Graben aus sehen sie, daß sie mit ihren wenigen Schläuchen und ohne Pumpen nichts anfangen werden. Hautz begibt sich in den Dom. Dort sieht er, wie einige alte Domherren und einige Frauen mit Kübeln die Glutnester zu löschen versuchen, die vom Dach herunterfallen. Hautz berichtet: „Ich kann nur das eine sagen: Ich bin dort gestanden, wie der Dom in seiner ganzen Größe brannte. Das Krachen der Dachziegel durch Zerspringen in der Hitze, der Einsturz des Glockenturms, die verzweifelt hin und her laufenden Pfarrherren, die noch versuchten, mit Löscheimern die brennenden Betstühle zu löschen, die durch Glutnester in Brand geraten waren, und die dann schließlich auch den Versuch aufgeben mußten, es war ein furchtbares, ein unvergeßliches Bild."

Es gibt noch einen anderen Hinweis darauf, daß der Dom weder von den Deutschen noch von den Sowjets mit Absicht beschossen oder gar in Brand geschossen wurde. Was die Sowjets betrifft, so sind die von ihnen gemachten Fotos und Filmaufnahmen ein entsprechender Beweis, daß sie es nicht gewesen sein konnten. Denn zum Zeitpunkt, da diese Aufnahmen gemacht wurden, ist die Innenstadt bereits eindeutig in sowjetischer Hand und das Dach des Doms noch völlig intakt. Was aber die Deutschen betrifft, so fanden wir auch einen Kronzeugen auf ihrer Seite, den damaligen Kommandeur der deutschen Flakbatterien auf dem Bisamberg, Hauptmann Gerhard Klinkicht. Beim deutschen Oberkommando läuft die Meldung ein, auf dem Stephansturm sei eine weiße Fahne gehißt worden. Der Kommandeur der Flakbatterien, Gerhard Klinkicht, erhält daraufhin Befehl, den Dom zu beschießen. Wir haben Gerhard Klinkicht gefunden, er lebt heute am Chiemsee in Bayern.

Klinkicht schildert uns, wie sich das damals abgespielt hat:

Kameramann Stojanowski ist auf dem Graben beim Filmen des brennenden Stephansdoms durch eine Mine schwer verletzt worden. Kurz darauf erliegt er seinen Verwundungen. Während an der Reichsbrücke noch gekämpft wird, trägt man Stojanowski in feierlichem Zug über die Ringstraße zu Grabe: Er wird im Volksgarten beigesetzt. Der Salut wird mit Maschinenpistolen geschossen (Bildfolge unten).

Sowjetische Granatwerferstellung bei den Eislauf- und Tennisplätzen Gußhaus.

Gerhard Klinkicht:
Der Befehl wird verweigert.

„Folgender Inhalt des Befehls: ‚Als Vergeltung für das Hissen der weißen Fahne auf dem Stephansdom ist der Dom zunächst mit 100 Granaten in Schutt und Asche zu legen. Sollte das nicht ausreichen, ist bis zu seiner völligen Zerstörung weiterzuschießen!' Ich habe den Befehl zunächst vor allen Anwesenden vorgelesen. Dann habe ich den Befehl zerrissen und habe erklärt: ‚Das mache ich nicht, den Befehl führe ich nicht durch. Das ist ein Verbrechen. Was wir an unseren Feinden kritisieren, daß sie unsere Kulturdenkmäler in Schutt und Asche werfen und zerbomben, siehe Dresden, das werde ich nicht tun.' Ich habe es abgelehnt, habe den Melder zurückgeschickt, mit der Antwort: Der Befehl wird verweigert, er wird nicht durchgeführt."

Klinkicht riskiert, wegen Befehlsverweigerung vor ein Standgericht gestellt und hingerichtet zu werden. Aber alle Offiziere, Unteroffiziere und Mannschaften seiner Flakbatterie stimmen ihm ausnahmslos zu. War es die geschlossene Haltung dieser Truppe, kam der Melder nicht mehr durch, oder ging die Befehlsverweigerung im allgemeinen Chaos unter – jedenfalls geschah nichts. Klinkicht, der für diese seine Haltung viele Zeugen hatte, wurde viele Jahre später von der Stadt Wien mit einem kleinen Orden bedacht.

Der Kampf um den Donaukanal

Die deutschen Truppen haben sich nun zur Gänze über den Donaukanal zurückgezogen, verschanzen sich in den Häuserreihen entlang des Ufers und versuchen eine neue Verteidigungslinie aufzubauen. Auf dieser Seite des Kanals die Sowjets, drüben die Deutschen. Die Häuserfronten entlang des Donaukanals versinken in Schutt und Asche. Eine, die als unmittelbar Betroffene von dieser Schlacht berichten kann, stammt aus der Kaufhausdynastie Herzmansky, die damals am Donaukanal ihr Zuhause hatte. Mia Herzmansky berichtet: „Ich bin damals mit meinem Sohn gelaufen, um ein Brot zu kriegen. Dann sind wir wieder zurück, aber wir haben nicht geglaubt, daß wir lebend zurückkommen. Und dann waren wir glücklich, wie wir im Keller waren. Es wurde immer brenzliger, und jetzt kam auf einmal die SS in den Keller. Die machte uns darauf aufmerksam, daß die Russen kommen und daß sie die Brücken sprengen; sie [die SS] werden hinübergehen und werden dann die Brücken sprengen, und wir sollen uns deswegen nicht fürchten. Wir haben sie noch gelabt, und dann sind sie abgezogen. Und auf einmal ging es los. Eine Brücke nach der anderen, immer gefährlicher, wir haben unten auf den Knien gelegen und haben gebetet zum Herrgott: Lieber Gott beschütze uns! Es war gräßlich, es war ein Rattern, und wir haben jeden Moment geglaubt, jetzt wird das Haus einstürzen, je näher das kam. Am schlimmsten war's, wie die Salztorbrücke und die Marienbrücke gesprengt worden sind."

Oskar Halter aus Hamburg hatte sich freiwillig zur Waffen-SS gemeldet, kriegsbegeistert wollte er, wie er meinte, in einer der Eliteeinheiten dienen. Damals war er 17 Jahre alt. Noch nicht 18jährig kämpfte er am Wiener Donaukanal. Wir haben Oskar Halter gefunden und standen mit ihm zwischen der Salztor- und der Marienbrücke am Wiener Donaukanal: „Wir haben hier zwischen diesen Brücken gelegen. Eine dieser Brücken war nicht richtig gesprengt, es ragten noch große Eisenbögen aus dem Wasser heraus, über die Infanteristen herüberkommen konnten. Wir sind nachts hier angekommen. Das erschütterndste Bild bei der Fahrt durch die Straßen waren die aufgehängten Soldaten und Zivilisten an den Laternenpfählen, die Pappschilder um den Hals hatten: ‚So sterben Vaterlandsverräter' und ‚So sterben Feiglinge'. Wir bezogen dann die Stellungen hier, haben tagsüber in den Häusern gelegen. Es hat laufend Schießereien mit den Russen gegeben, mit Panzerabwehrkanonen und Panzerfäusten. In der folgenden Nacht hatten wir den Auftrag, diese Brückenreste zu sprengen, daß die Russen nicht mehr durchsickern konnten. Zur Unterstützung kam ein Tigerpanzer aus einer dieser Seitengassen rausgefahren und sollte uns Feuerschutz geben. Die Russen hatten auf der anderen Seite zwei Panzerabwehrkanonen stehen. Als sie den Panzer sahen, haben sie natürlich sofort das Feuer eröffnet. Der Panzerkommandant zog es dann vor, den Rückwärtsgang einzuschalten, um sich wieder in Sicherheit zu bringen. Uns verließ natürlich auch der Heldenmut, wir sind nicht mehr auf die Brücke gegangen, um sie zu sprengen. Wir haben dann die Nacht und auch den nächsten Tag hier noch weiter am Kanal gelegen, unter ständigen Schießereien. Die Zivilbevölkerung sagte uns, in welchen Häusern bereits die Russen sitzen und in welcher Etage, sie waren zum Teil in den oberen Stockwerken, zum Teil im Keller."

Auf der anderen Seite des Donaukanals sitzt Mia Herzmansky mit ihrem Mann und ihrem Sohn auch im Keller: „Jetzt war es so: Auf einmal kamen die Russen, und wir hatten uns so gefürchtet. Nun kamen sie herein, waren sehr freundlich. Meinem Sohn haben

Mia Herzmansky: Lieber Gott beschütze uns.

Oskar Halter: Von Pfeiler zu Pfeiler.

Verlassene Straßenbahn-Barrikade in der Nähe des Schwedenplatzes.

sie sogar eine Schokolade gegeben, und der eine hat ihm sogar sein Gewehr erklärt. Einer war Volksschullehrer. Der Lehrer konnte ein bißchen Deutsch, er hat zu meinem Mann gesagt: ‚Papa, du mit Frau verschwinden und Kind, verschwinde, morgen kommen ‚die‘ und nicht gut für Frau.‘ Als er ‚die‘ gesagt hat, hatte der Soldat mit den Fingern seine Augen flach gezogen, hat Schlitzaugen imitiert. Wir sind dann in Begleitung von dem Russen zu einem Freund von uns in den Keller gegangen. Die Russen haben uns bis dorthin geführt.“

Auf der anderen Seite des Kanals Oskar Halter: „In der nächsten Nacht haben wir dann den Rückzug angetreten und haben uns über das Gelände des Nordbahnhofs auf die Reichsbrücke zu bewegt. Ständig unter Beschuß der russischen Stalinorgeln, die drüben in der Stadt installiert waren. Als wir an die Reichsbrücke rankamen, wurden wir auch mit Maschinengewehren beschossen, und zwar aus dem Riesenrad im Prater. Die Russen waren schon durch den Prater bis kurz vor die Reichsbrücke gekommen. Wir haben dann fast eine Nacht gebraucht, um über die Reichsbrücke die Nordseite der Donau zu erreichen. Man sprang von Pfeiler zu Pfeiler, und jedesmal hat man überlegt: Lohnt es sich überhaupt noch weiterzuspringen oder bleibst du besser hier liegen? Das Bild, das ich nie vergessen werde: Im Morgengrauen auf der anderen Seite war eine große kahle Hauswand mit Riesenbuchstaben beschrieben: ‚Berlin bleibt deutsch, Wien wird wieder deutsch.‘“

Die letzten Bilder von den letzten Stunden des Kampfs um Wien: Auf einer Bank in einem zerschossenen Park im Brückenkopf Floridsdorfer Brücke sitzt einsam der Kampfkommandant von Wien, General von Bünau. Im Vordergrund sein Adjutant mit geschultertem Karabiner (links oben).
General von Bünau trägt eine Handgranate im Koppel.

Die Floridsdorfer Brücke ist noch intakt. Wenige Stunden später wird sie gesprengt (links).

Gedeckt vom Trommelfeuer ihrer Artillerie, erzwingen die Sowjets den Übergang über den Donaukanal. Nach harten Gefechten von Haus zu Haus fällt nun auch das andere Kanalufer zur Gänze in sowjetische Hand. Die deutschen Verbände ziehen sich auf die verbleibenden Brückenköpfe an der Floridsdorfer Brücke und an der Reichsbrücke zurück. Die Stellungen werden so lange gehalten, bis sich das Gros der deutschen Kampfverbände auf das andere Donauufer abgesetzt hat. Während all dieser Zeit liegen die Donaubrücken unter Dauerbeschuß der Sowjet-Artillerie. Und die Schützengräben am Rand der Brückenköpfe werden von den Rotarmisten bereits berannt. Die Schlacht um Wien geht zu Ende.

Im Brückenkopf an der Floridsdorfer Brücke hat ein deutscher Soldat noch fotografiert. Die Bilder liegen uns heute vor. Die ganze Hoffnungslosigkeit der Lage für die deutschen Truppen kommt in einem dieser Bilder besonders deutlich zum Ausdruck: Im zerschossenen Gelände sitzt auf einer Parkbank der Kampfkommandant von Wien, General von Bünau. In seinem Gürtel steckt eine Handgranate. Er trägt sie offenbar stets mit sich, um notfalls sofort

Sowjetische Verbände dringen über den Donaukanal in die Leopoldstadt und in die Brigittenau ein und stoßen zur Donau vor (oben).
Nach Abzug der Nachhuten werden die Donaubrücken von den Deutschen gesprengt (unten). Nur die Reichsbrücke bleibt intakt.

Selbstmord begehen zu können. Im Abstand hinter der Bank steht sein Adjutant. Sein Offiziersmantel ist deutlich sichtbar aus feinem Tuch. Über seinen Schultern hat er einen Karabiner gehängt, das Gewehr, das er wahrscheinlich viele Jahre nicht mehr in die Hand genommen hatte.

Nachdem die letzten deutschen Truppen das nördliche Donauufer erreicht haben, wird in der Nacht zum 13. April vom letzten deutschen Sprengkommando das Mittelstück der Floridsdorfer Brücke in die Luft gejagt. So wie schon vorher auch die anderen Brücken gesprengt worden sind – bis auf die Reichsbrücke. Sie überlebte damals alle Vernichtungsbefehle (32 Jahre später wird sie von selbst einstürzen). Damals reklamierten viele das Verdienst für sich, die Reichsbrücke gerettet zu haben. Und das vielleicht zu Recht: Die einen hatten die Zündkabel zu den Sprengkammern in der Brücke nicht angeschlossen, die anderen hatten die offenbar mittlerweile doch angeschlossenen Zündkabel wieder entfernt, die dritten hatten dem Sprengbefehl nicht Folge geleistet. Übrigens gibt es ebenso viele Retter der Reichsbrücke auf der sowjetischen Seite: Auch dort hatten die einen im Nahkampf den deutschen Brückenkopf überwunden und so die Sprengung der Reichsbrücke in letzter Sekunde verhindert, die anderen hatten in der Nacht von der Donau her Truppen an Land gesetzt mit dem gleichen Ziel, und schließlich war auch noch die sowjetische Donauflottille aufgekreuzt, die mit ihren leichten Geschützen und Maschinengewehren die deutschen Sprengkommandos vertrieben haben will: Wie auch immer es gewesen sein mag – die Reichsbrücke stand.

Salut aus 324 Kanonen

Am 13. April 1945 wird in Moskau aus 324 Kanonen Salut geschossen. Dieser Salut verkündet der Bevölkerung der Stadt, daß die Rote Armee eine weitere wichtige Hauptstadt erobert hat – Wien. Für die sowjetische Führung war das ein ganz besonderer militärisch-politischer Triumph. Denn für sie hatte das Dritte Reich eben nicht eine Hauptstadt, sondern deren zwei: Berlin und Wien. Auch war es für die Sowjetführung keineswegs selbstverständlich, daß ihre Armeen als erste in Wien sein würden. Es gab zwar Vereinbarungen zwischen den Westalliierten und der Sowjetunion über die Aufteilung Deutschlands in Besatzungszonen, Demarkationslinien, die man bereits im Herbst 1944 festgelegt hatte. Aber es gab noch keinerlei Vereinbarung über die Aufteilung Österreichs. Wie die Zonengrenzen in Österreich verlaufen sollten, dies auszuarbeiten war der sogenannten European Advisory Commission übertragen, die in London tagte und in der Vertreter der USA, der Sowjetunion, Großbritanniens und Frankreichs saßen.

In dieser EAC hatte man sich über Österreich noch nicht einigen können. Das lag vor allem daran, daß die USA zunächst keine Besatzungszone in Österreich übernehmen wollten und Frankreich keine Zone in Österreich bekommen sollte. Demgemäß wäre das Land nur zwischen Briten und Sowjets aufzuteilen gewesen. Das wollten interessanterweise weder die Briten noch die Sowjets. Doch darüber wird noch später ausführlicher zu berichten sein. Jedenfalls waren die Verhältnisse, wie sie nach Ankunft der Alliierten in Österreich aussehen sollten, noch völlig ungeklärt. Und, wie gesagt, es war auch nicht sicher, welche der alliierten Armeen tatsächlich als erste nach Wien gelangen würde. Denn auf dem langen Marsch der Sowjetarmeen nach dem Westen lagen zunächst Rumänien und Ungarn und in den Flanken Bulgarien, Jugoslawien und die Tschechoslowakei. Außerdem waren doch auch noch die deutschen Truppen in Ungarn im März zu einer Großoffensive zur Verteidigung Wiens angetreten, während zum gleichen Zeitpunkt in Italien von deutscher Seite bereits mit den Westalliierten über die Kapitulation verhandelt wurde. Wäre diese damals zustande gekommen, so wären wohl britische oder amerikanische Truppen als erste in Wien gewesen. Vielleicht weil er dies tatsächlich befürchtete, befahl Josef Stalin damals seinen Truppen in diesem Raum: Setzt alles daran, um Wien zu erobern. Die Regimenter, die damals zur Schlacht um Wien antraten, tragen auch heute noch in der Sowjetunion den Titel „die Wiener". Der Oberste Sowjet stiftete eine Medaille für alle Teilnehmer an der Schlacht um Wien, und die Überlebenden dieser Schlacht tragen sie noch heute.

Am Jahrestag des Kriegsendes in Europa gibt es in Moskau jedes Jahr ein großes Veteranentreffen. Mit Ehrengarde und Kränzen gedenkt man jener, die von den Schlachtfeldern des Zweiten Weltkriegs nicht zurückgekehrt sind. Danach versammeln sich die Überlebenden am Ufer der Moskwa, und es sind meist viele Tausende, die hier zusammenkommen. Sie tun, was nur Siegern so uneingeschränkt möglich ist: Sie stellen alle ihre Orden zur Schau, tragen sie oft in dichten Reihen an der Brust, tauschen Erinnerungen aus und feiern ihre Heldentaten von damals. Damit sie einander finden, werden Schilder aufgestellt, auf denen die einzelnen Militäreinheiten von damals angeschrieben sind. Auf einem dieser Schilder steht „4. Gardearmee".

Die 4. Gardearmee trug 1945 die Hauptlast im Kampf um Wien. Die Männer und auch einige Frauen, die sich um dieses Schild versammeln, tragen durchwegs jene spezielle Medaille, die

Alexej Blagodatow: Hausherr dieser Stadt.

Auf dem Dach der Hofburg posiert ein Trupp Sowjetsoldaten für das Siegesbild. In Moskau wird die Einnahme Wiens mit einem Salut aus 324 Kanonen verkündet: Die Rote Armee hat eine weitere wichtige Hauptstadt erobert.

sie als Teilnehmer an der Schlacht um Wien auszeichnet. Ein Kampf, der den damaligen Leutnants und späteren Generälen (und heutigen Pensionisten) noch lebendig in Erinnerung ist.

Anatol Koloschin, der als junger Bursch den Krieg auf sowjetischer Seite mitmachte, war später jahrelang Chefkameramann der Sowjettruppen in Österreich. Als solcher hatte er viel in Österreich gefilmt und einige bemerkenswerte Dokumentarfilme über Österreich hergestellt. Er hat der Sowjetunion und auch ihren propagandistischen Anliegen immer treu gedient, aber er hat in der Zeit, in der er in Österreich war, auch dieses Land und seine Menschen schätzengelernt. Sepp Riff, zu dieser Zeit als Kameramann selbst bei allen großen Ereignissen mit dabei, kannte Anatol Koloschin als Kollegen. Als wir „Österreich II" starteten und dringend auch Mitarbeiter in der Sowjetunion benötigten, fanden wir Anatol Koloschin wieder. Er war mittlerweile Professor an der Akademie für Dokumentarfilm in Moskau geworden und hatte einen großen Namen als sowjetischer Dokumentarfilmer. Er war sofort bereit, uns bei „Österreich II" zu helfen. Wir haben ihm viel zu verdanken. Und Anatol Koloschin war es auch, der gemeinsam mit unserem Kollegen und Korrespondenten des ORF in der Sowjetunion, Otto Hörmann, bei einem dieser Veteranentreffen am Ufer der Moskwa mit einer Reihe von Soldaten Interviews aufnahm, die seinerzeit in Wien gekämpft hatten. Hier eine Auswahl aus deren Aussagen:

Der spätere General Juri Lombach: „Unser Regiment erreichte Wien am 7. April. Schon in der Vorstadt kam es zu schweren Kämpfen. Über die Mariahilfer Straße sind wir dann gegen das Zentrum der Stadt vorgestoßen."

Der spätere General Hassan Charasija ergänzt: „Wir mußten um jedes Stockwerk kämpfen, um jeden Häuserblock, um jede Straße. Oft konnten unsere Stoßtruppen zunächst nur das Parterre eines Hauses vom Feind räumen und stießen gleich weiter vor. Die oberen Stockwerke wurden erst später erobert. Tja, das war ein schwerer Kampf." Offenbar schilderte er den Kampf entlang des Donaukanals.

Der damalige Oberst Viktor Pankratow meint, es wäre für ihn als Artillerist sehr schwer gewesen, die Befehle des Oberkommandos auszuführen: „Denn wir von der Artillerie hatten Befehl, die Bevölkerung zu schonen und Zerstörungen zu vermeiden. Wir durften kein Trommelfeuer eröffnen, sondern nur einzelne Objekte auf Sicht unter Beschuß nehmen. So setzten wir uns selbst dem Feuer des Feindes aus."

Der damalige Leutnant Fedor Kulakow berichtet von einer erstaunlichen Szene: „Zirka um 13 Uhr haben wir die Donau erreicht. Wir hatten Befehl, als Beweis dafür eine Flasche Donauwasser an den Stab abzuliefern. Ich beauftragte den Scharfschützen Kostin, das Wasser aus der Donau zu holen. Er kroch ans Ufer und füllte die Flasche mit Donauwasser. Wir schickten sie dann schnellstens an den Stab."

General Hassan Charasija bestätigt dies temperamentvoll: „Der hat uns die Flasche mit Donauwasser gebracht. Und ich habe selbst davon getrunken! Dann trank General Glagolew, und danach haben alle anderen einen Schluck davon genommen."

Mit Hilfe Anatol Koloschins fanden wir in einem der großen Gemeindebauten in einer Moskauer Vorstadt auch noch den ersten sowjetischen Stadtkommandanten von Wien, den General Alexej Blagodatow. Wir hatten uns telefonisch angemeldet. Als wir seine Wohnung betraten, hatte der greise General seine Uniform von damals angelegt mit allen Orden. Koloschin, immer darauf bedacht, gute Seiten der Sowjetunion zu unterstreichen, machte mich darauf aufmerksam: „Also so privilegiert ist unser Militär . . ." und er

Nun rollt der sowjetische Nachschub über die Wiener Ringstraße, vorbei am Parlamentsgebäude, das trotz seiner schweren Bomben- und Brandschäden 14 Tage später bereits Geburtsstätte der Zweiten Republik sein wird.

verwies auf die kleine Zweizimmerwohnung, die der General bewohnte, und auf den Jungen, einen Enkel des Generals, der den Alten betreute. Vor fast 40 Jahren aber war Blagodatow der oberste Herr von Wien. Wie er das geworden ist, darüber berichtete er uns: „Im Frontstab in Szombathely hat mir Marschall Tolbuchin mitgeteilt, daß ich zum Kommandanten der Stadt Wien ernannt worden bin. Er sagte mir damals: ‚Sie haben das Amt sozusagen des Hausherrn dieser Stadt anzutreten.' Und so kam ich nach Wien. Und als ich da war, sah ich die Leichen der Menschen und die Kadaver der Pferde auf den Straßen. Heftige Brände tobten in der Stadt. Die Zerstörungen waren bedeutend. Da wußte ich, welche Aufgaben auf den Hausherrn warteten. Die Brände mußten bekämpft werden, aber es gab keine Feuerwehr, wir mußten mit eigenen Kräften eingreifen. Die Toten waren zu bestatten, die Kadaver zu beseitigen. Wir stellten die Ordnung von Bezirk zu Bezirk wieder her." Blagodatow erläßt seinen Befehl Nr. 1: „Zwecks Aufrechterhaltung des normalen Lebens im Weichbild der Stadt." Zunächst stellt er seine eigene Autorität her: „Alle Gewalt ist in meiner Person konzentriert", heißt es in diesem Befehl.

Blagodatow schlägt sein Hauptquartier im Gebäude des Wiener Stadtschulrates auf der Ringstraße zwischen der Bellaria und dem Parlament auf. Der erste Weg der sowjetischen Generalität führt in dieses Parlament. Noch vor Tagen befand sich hier der Amtssitz des Gauleiters von Wien, Baldur von Schirach. Das Parlamentsgebäude, das in den Zeiten der österreichisch-ungarischen Monarchie Sitz des Reichsrats war, wurde in der nationalsozialistischen Zeit das „Gauhaus" genannt. Und weil dies sozusagen der Sitz der nationalsozialistischen Macht über Wien war, wird das Parlament von den Sowjets auch sehr bewußt in Besitz genommen, von Marschall Tolbuchin und General Blagodatow gemeinsam. 14 Tage später wird Blagodatow das Parlamantsgebäude bereits der ersten Regierung der Zweiten Republik übergeben.

Das sowjetische Siegesbild aber wird nicht im Parlament, sondern auf dem Dach der Wiener Hofburg aufgenommen. Dort hat man eine Riege Soldaten mit erhobenen Maschinenpistolen postiert, während die rote Fahne der Sowjetunion gehißt wird. Zur gleichen Zeit wird in Moskau die Einnahme Wiens mit dem Salut von 21 Schüssen aus 324 Kanonen und anschließend mit einem großen Feuerwerk gefeiert.

In Wien kommen nun die Menschen aus den Kellern und Verstecken, kehren die ersten Evakuierten aus den Randgemeinden heim. Die bisherigen alliierten Kriegsgefangenen und die Fremdarbeiter, die man aus ganz Europa hierhergebracht hatte, aber verlassen ihre Gefängnisse und Lager und feiern mit den Siegern ihre Befreiung. Hunger treibt die Bevölkerung auf die Straßen. Pferdekadaver sind ein vielbegehrter Nahrungszuschuß. Sie werden rasch tranchiert, und bald liegen nur noch ihre Knochen auf den Straßen. Es gibt keinerlei geordnete Lebensmittelversorgung.

Die Sowjets verkünden ihre Weisungen mit affichierten Befehlen oder werfen Flugblätter ab. Die Verdunkelungsvorschriften sind weiterhin genau zu beachten. Ab acht Uhr abends herrscht Ausgehverbot. Denn der Krieg ist noch nicht zu Ende. Die sowjetische Front steht vor St. Pölten und vor Graz, dahinter aber ist noch immer Drittes Reich. Und die Westalliierten sind noch weit.

AUFBRUCH AUS DEM CHAOS

Wollte man heute fragen, wie lange es dauert, drei politische Parteien zu organisieren, einen Gewerkschaftsbund zu gründen, eine Stadtverwaltung für Wien einzusetzen und eine Regierung für Österreich zu bilden, die Antwort müßte lauten: unter den günstigsten Umständen viele Monate. Im Jahr 1945 nahm dies alles nur 14 Tage in Anspruch, und zwar keineswegs unter den besten, sondern unter den schwierigsten Umständen. Und das in einem Wien, über das soeben erst die Front hinweggerollt war, das teilweise noch brannte und weitgehend in Trümmern lag.

Am 13. April hatte der letzte deutsche Soldat die Stadt verlassen, und so gilt der 13. April als der Befreiungstag Wiens. Am 27. April wurde bereits die erste Provisorische Staatsregierung für Österreich eingesetzt. Dazwischen lagen jene 14 Tage, in denen sich die drei politischen Parteien – die Volkspartei, die Sozialistische Partei und die Kommunistische Partei – formierten, in denen der Österreichische Gewerkschaftsbund gegründet wurde und Wien eine neue Stadtverwaltung erhielt. 14 Tage, in denen die Zweite Republik errichtet worden ist. Und mit ihr entstanden schon fast alle ihre Institutionen – so wie sie bis zum heutigen Tag wirksam sind.

Bevor wir uns aber diesem politischen Geschehen zuwenden, haben wir noch eine Bestandsaufnahme zu machen.

Denn in welchem Zustand entläßt der Krieg dieses Wien, das nun wieder die Hauptstadt eines neuen, unabhängigen Österreichs werden soll? Fast zwei Jahre Luftkrieg und acht Tage Straßenkämpfe haben der Stadt tiefe Wunden geschlagen. Das kommt am stärksten zum Ausdruck im Schicksal ihrer bekanntesten Wahrzeichen: Der Stephansdom ist ausgebrannt, sein Dach eingestürzt. In den Dom haben auch Fliegerbomben und Granaten eingeschlagen, seine schönen Glasfenster sind fast ausnahmslos zerborsten. Selbst ein Teil seiner Mauern ist zerschossen und eingestürzt. Schwer beschädigt ist auch der Turm. Und wer ihn sieht, hat Zweifel, ob dieser Schaden je repariert werden kann.

Die Staatsoper – auch sie ausgebrannt und eine Ruine. Das Burgtheater – ebenso. Das Rathaus macht zunächst den Eindruck, als wäre es auch eine Ruine. Ihm fehlt das Dach in ganzer Länge, die Fenster sind ohne Scheiben, die äußeren Mauern schwer beschädigt. Und in den Höfen des Rathauses türmt sich der Schutt der durch Bombeneinschläge zerstörten Mauern. Eine dieser Bomben traf die Rathausbibliothek. Im Schutt liegen viele hundert Bücher. So liegen sie nun schon lange, und was der Bombentreffer nicht zerstört hat, das haben Regen und Schnee besorgt. Die Universität macht von außen den Eindruck, als wäre sie intakt. Aber die Stiegen zur Philosophischen und zur Juridischen Fakultät sind unpassierbar. Mehrere Bombentreffer haben das Gebäude just über den Stiegen einstürzen lassen.

Wer von irgendeinem höhergelegenen Punkt der Stadt seinen Blick auf den Prater richtet, sieht dort nur noch das Skelett jenes Riesenrades, das so sehr zum Wahrzeichen Wiens geworden war. Die Gondeln auf dem Riesenrad sind bis auf eine einzige ausgebrannt; und auch diese letzte bleibt nicht mehr lange an dem Gestänge hängen. Im Prater selbst steht so gut wie gar nichts mehr.

Nach der Schlacht: Blick aus dem ausgebrannten Burgtheater auf ein Rathaus ohne Dach und ohne Fensterscheiben (rechts).

Auf dem Friedrich-Schmidt-Platz hinter dem Rathaus die Reste einer Straßenbahn.

Die Vergnügungsstätten sind eingeäschert, mit ihnen die berühmten Gasthöfe „Eisvogel" und „Schweizergarten". Auch den Calafati gibt es nicht mehr. Und so wie auf allen Bahnstrecken Österreichs von Tieffliegern zerfetzte Lokomotiven und kaputte Waggons herumstehen, so sind auch die Lokomotiven und Waggons der Liliputbahn im Prater von Bomben und vom Nahkampf im Pratergelände schwer in Mitleidenschaft gezogen.

Auf der anderen Seite der Stadt das Schloß Schönbrunn, auch sein Dach von mehreren Bomben getroffen, die berühmte Wagenburg ein Trümmerhaufen, die Gloriette zu einem Drittel zerstört. Nicht viel besser steht es um das Schloß Belvedere. Das Palais Schwarzenberg haben Bomben in eine nicht mehr erkennbare Ruine verwandelt.

Eine später gemachte Bestandsaufnahme ergibt, daß in Wien jedes dritte Haus zerstört oder schwer beschädigt ist. Die Stadt hat damit mehr als ein Drittel ihres Wohnraums verloren. In den meisten Häusern hat der Luftdruck der explodierenden Bomben die Fensterscheiben zerschlagen. Mit Papier, Pappe und wenn's hoch kommt mit Holz, versucht man, die Fenster zu verschalen, denn Glas gibt es nicht. Viele Monate schon hat man den Schutt der eingestürzten Häuser nicht mehr abtransportieren können. Seit vielen Wochen gibt es auch keine Mistabfuhr mehr. Auf den Fahrbahnen der Straßen türmen sich Schutt und Abfälle meterhoch.

Die Wasserversorgung der Stadt ist unterbrochen. Das Wasser aus den Löschteichen und aus den wenigen funktionierenden Hydranten muß abgekocht werden. Da auch die Gaswerke zerstört sind, machen die Menschen Jagd auf jedes Stückchen Papier und auf jeden Span Holz. Die Schutthalden werden nach solchen Kostbarkeiten abgesucht.

Viele Teile der Stadt sind ohne Wasserversorgung. Die Wasserrohre sind an tausend Stellen unterbrochen. Das gleiche gilt für die Gasversorgung; die Gaswerke selbst sind zerstört und dort, wo man einen provisorischen Betrieb wieder aufnehmen könnte, fehlt es an Kohle. So machen die Menschen auch Jagd auf jedes Stückchen Papier und auf jeden Span Holz. Die Schutthalden werden immer wieder nach solchen Kostbarkeiten abgesucht.

Zunächst gibt es auch keinen Straßenbahn- oder gar Autobusverkehr. Die Straßenbahn hat zwei Drittel ihrer Bestände an Triebwagen und Beiwagen eingebüßt. Genau zwei Drittel auch aller elektrischen Oberleitungen sind abgerissen. Was an Autobussen nach den Kampfhandlungen noch fahrbereit ist, wird innerhalb der ersten Tage von der Besatzungsmacht beschlagnahmt. Die Sowjets haben auch alle in der Stadt verbliebenen Sanitätswagen konfisziert. Solche Konfiskationen gehen nicht immer von der Stadtkommandantur oder irgendeinem übergeordneten Hauptquartier aus. Die Sowjets haben militärisch eine völlig dezentralisierte Verwaltung eingeführt: In jedem einzelnen Bezirk gibt es einen sowjetischen Bezirkskommandanten. Dieser schlägt sich so schlecht und recht durch.

Durchziehende Truppeneinheiten – und es gibt solche, die sich noch an die Front begeben, denn der Krieg wird ja erst am 8. Mai enden – motorisieren sich, wie und so gut sie können. Bis auf eine einzige sind alle Brücken über den Donaukanal zerstört, und über die Donau ist nur die Reichsbrücke intakt geblieben. Auch die meisten kaum beachteten Brücken über den Wienfluß sind im letzten Moment noch gesprengt worden. Alles in allem werden in Wien 97 Brücken wieder aufzubauen sein.

Im Zentralen Filmarchiv der UdSSR in Krasnogorsk fanden wir einen Film, den ein sowjetischer Kameramann offenbar unmittelbar nach der Besetzung Wiens von einem kleinen tieffliegenden Flugzeug aus aufgenommen hat. Als wir diese Aufnahmen das erstemal vor uns abrollen ließen, konnten wir kaum glauben, daß das Wien war, was wir da sahen. Wir haben Teile dieses Films am Beginn der Folge 3 von „Österreich II" wiedergegeben: Der ausgebrannte Stephansdom von oben, wobei man deutlich erkennt, daß von dem Dom nur noch die Außenmauern stehen. Rund um den Platz vor dem Dom befinden sich überhaupt nur noch Ruinen, und das gilt auch für einen guten Teil des Grabens und der Kärntner Straße. Die Gegend um den Donaukanal und der dahinterliegende Prater gleichen einer Mondlandschaft.

Wo die Schäden an den Häusern nicht so groß sind, merkt man, wie ausgestorben die Stadt ist: Auf den Gürtelstraßen links und rechts der Stadtbahn sind während des gesamten Fluges von Heiligenstadt bis Schönbrunn nur wenige Menschen zu sehen und kein einziges Auto. Das gleiche gilt für den Karlsplatz. Nur auf der Ringstraße ziehen einige sowjetische Militärkolonnen ihren Weg, die meisten von ihnen mit Pferdewagen. Ein anderer Kameramann hat diese Ruinen vom Boden her gefilmt. Die eindrucksvollsten Aufnahmen aber gelangen ihm am Donaukanal. Um diese Zeit gibt es über die gesprengten Brücken noch keine Notstege. Aber ein kleines Fährboot ist intakt geblieben, und auf beiden Seiten des Kanals stellen sich die Menschen in Schlangen an, um mit diesem kleinen Fährboot das andere Ufer zu erreichen. Eine Nonne im vollen Ornat versucht über gesprengte Brückenteile an das andere Ufer zu klettern. Dann schwenkt die Kamera auf die Urania. Das Gebäude liegt versteckt hinter Schutthalden und ist selbst, so scheint es, eine Ruine. Schräg vis-à-vis das Dianabad – ausgebrannt, obwohl, wie sich später herausstellt, das Bassin selbst fast unbeschädigt geblieben ist.

Eine zweite Welle Plünderungen

In dieser Stadt schlagen nun die sowjetischen Armeestäbe ihre Quartiere auf. Immer noch ziehen Fronttruppen durch Wien, denn drüben in Stockerau und im Westen, bei Tulln und bei St. Pölten, wird im April noch gekämpft. So dominieren die sowjetischen Soldaten das Stadtbild. Diese Soldaten sind meist auf der Suche nach Unterkunft und nach Trophäen, wie sie es nennen, nach Kriegsbeute. Kriegsbeute im kleinen und Kriegsbeute im großen. Kleine Kriegsbeute, das sind vor allem Uhren, die den Passanten abgenommen werden, die diese unvorsichtigerweise tragen, das sind aber auch Schmuck, Schreibmaschinen, Telefone und was sich sonst leicht mitnehmen läßt auch aus Wohnungen, die immer wieder von Soldaten durchsucht werden – offiziell, um nach eventuell versteckten Soldaten Ausschau zu halten. Daß es dabei immer wieder zu Belästigungen von Frauen kommt und wo jemand sein Gut oder sich selbst nicht hergeben will, auch zu manchem Totschlag, ist nicht zuletzt das Resultat einer Maßnahme Josef Stalins: Er ordnet an, daß die Offiziere und Soldaten der Sowjetarmee die Möglichkeit erhalten, Pakete nach Haus zu schicken, fünf Kilo der einfache Soldat, zehn Kilo der Offizier – und das ziemlich regelmäßig. Was hätten sie denn nach Hause schicken sollen, als was sie sich von der Zivilbevölkerung holten?

Waren mit Beginn der Kampfhandlungen in Wien die Plünderungen durch die Zivilbevölkerung schlagartig weniger geworden, so setzt nun eine neue Plünderungswelle ein. Zwar formiert sich schon unmittelbar nach Beendigung der Kampfhandlungen eine Art Hilfspolizei der Besatzungsmacht, aber sie ist nicht sehr wirksam: desorganisiert, ohne Fahrzeuge, meist ohne Waffen, versieht sie ihren Dienst in Zivil mit roter, rotweißroter oder weißer Arm-

Nach dem Ende der Kampfhandlungen wagen sich die Menschen wieder aus den Kellern. Viele der Wohnungen sind zerschossen oder von Soldaten besetzt. Mit einem Bündel Bettwäsche macht man sich auf Quartiersuche bei Verwandten oder Freunden. Zwischen zerschossenem Kriegsmaterial liegen Pferdekadaver auf den Straßen.

binde. In ihren Reihen befinden sich auch nicht wenige, die ihre neue Position dazu benützen, Beschlagnahmen für sich selbst durchzuführen. Völlig machtlos ist diese Truppe dort, wo die Plünderungen oder Beschlagnahmen von Soldaten durchgeführt werden.

Und gar so schwer war es auch nicht, den einen oder anderen Soldaten zu bewegen, da voranzugehen. Hans Steinkellner gibt uns ein eindrucksvolles Stimmungsbild: „Da sind Zivilisten gekommen, die sich irgendwie eine Funktion zugelegt haben, mit roten Armschleifen und in Begleitung russischer Soldaten und haben die Rollbalken aufgebrochen beim Schuhhaus Cimler. Die Rollbalken haben sie hinaufgedreht wie bei einer Sardinenbüchse, sind in das Geschäft hinein und haben dann die Leute animiert, sie sollen sich herausholen, was sie wollen. Das war ja noch relativ zivilisiert, wenn man das so sagen kann. Aber auf der Mariahilfer Straße war ein großes Lebensmittelgeschäft, Gabler hat es geheißen, und da ist es furchtbar zugegangen. Denn da wollte jeder jedem das wegnehmen, was der andere gerade gehabt hat. Ich kann mich erinnern, da ist auf einer Leiter ein Herr gestanden, der hat die Hand in Gips gehabt, wollte so eine Schachtel aus dem Regal herausnehmen, und der andere wollte sie ihm wegnehmen. So haben sie hin und her gezogen, da hat der mit der Gipshand draufgeklopft, daß der ausläßt, aber selbst hat er die Schachtel auch nicht halten können, die ist hinuntergefallen. Es war irgendein Puddingpulver drinnen. Wie die da ausg'schaut haben! Jeder hat um alles gerauft, ob es jetzt Mehl oder Reis war, die Sackerln sind zerrissen, die Schachteln sind aufgegangen; die Leute haben aus dem Geschäft nicht ein Zehntel herausholen können, was ursprünglich drinnen war.

Die sind dann knöcheltief in dem Mischmasch herumgewatet."

Entlang des Donaukanals ist tagelang erbittert gekämpft worden. Die Häuser zu beiden Seiten sind zu Ruinen zerschossen. Fast alle Brücken über den Kanal sind gesprengt.

Ein noch halbwegs intaktes Dach über dem Kopf ist die erste Sorge der Menschen. Die zweite gilt der Nahrungssuche. Zur gleichen Zeit, da die Pferdekadaver in den Straßen der Stadt von den hungrigen Menschen bis auf die Knochen abgesäbelt werden, gehen in den Koppeln von St. Marx Hunderte Schlachttiere an Hunger zugrunde.

Walter Fritsch: Knöcheltief im Mehl.

Georg Straub: Dann kamen die Fliegen.

In den Schlachthöfen von St. Marx gibt es bei Ende der Kampfhandlungen noch viele Rinder. Doch es ist niemand mehr da, sie zu füttern. Die Tiere brüllen vor Hunger und Durst. Georg Straub war einer der ganz wenigen Angestellten des Kühlhauses St. Marx, der sich an seinem Arbeitsplatz einfindet und Augenzeuge dieser doppelten Tragödie wird: In der Stadt hungern die Menschen, und in den Schlachthöfen von St. Marx gehen die Tiere zugrunde. Straub berichtet: „Es sind wohl auch Leute gekommen und haben einige Tiere weggetrieben, haben sie geschlachtet und aufgeteilt, so wie es halt damals war, so gut es gegangen ist. Und sogar verendete Tiere, die noch gut ausgesehen haben oder eventuell noch ein Lebenszeichen gegeben haben, die sind geschlachtet worden, und die Leute haben sich das nach Hause getragen. Aber nach einigen Tagen sind die Tiere dann verendet, sind verhungert und verdurstet. Und das hat fürchterlich ausgeschaut. Außerdem sind auch Menschen da herumgelegen, tote. Und nach einigen Tagen ist dann, weil es recht heiße Tage waren, eine Fliegenplage dazugekommen, und die Russen haben Angst gehabt, daß eine Seuche ausbricht von den vielen Fliegen. Und dann sind die Russen mit den Flammenwerfern gekommen und haben ganz St. Marx von allen Seiten ausgebrannt. Nicht was aus Holz war, aber sonst alles, die ganze Umgebung, was zum Abbrennen war, haben sie niedergebrannt."

Straub berichtet aber auch, daß sich in den Kühlhäusern von St. Marx viel Fleisch befunden hat: „Sehr viel Fleisch. Wir haben, bevor die Russen gekommen sind, Tag und Nacht eingefroren. Wir haben eine Tiefgefrieranlage gehabt, wo die Ware hineingehängt worden und nach 24 Stunden in Stapelräume gekommen ist. Jedes Stockwerk ist angefüllt worden, jeder Raum, von oben bis an die Rohrsysteme, wo die Kälte durchgegangen ist. Das waren meiner Schätzung nach ca. 600 bis 800 Waggons, Rindfleisch, Schweinernes, ganze Schweindln überhaupt, auch Rinder. Und im Keller war noch Wehrmachtsware drin, von der deutschen Wehrmacht, und auch die Marine hat einen Raum gehabt, der war noch gesteckt voll mit lauter guten Sachen. Das ist halt alles den Russen in die Hand gefallen. Der Magazineur, ein gewisser Martinek, hat das ganze Kühlhaus den Russen in Ordnung übergeben. Ihn selber hat ein Granatsplitter getroffen, sie haben ihn dann weggeschleppt."

Nun gibt es wirklich Hunger in der Stadt, quälenden Hunger. Da die Lebensmittel schon vor dem Kampf um Wien seit Jahren streng rationiert waren und die Rationen gegen Kriegsende immer kleiner wurden, hat kaum jemand Vorräte daheim. Die acht bis zehn Kampftage haben das wenige, das die Leute eventuell noch hatten, aufzehren lassen. Und nach dem Kampf gibt es überhaupt keine geordnete Lebensmittelzuteilung mehr. Da und dort sperrt einmal ein Bäcker auf und gibt her, was er an Brot aus den noch vorhandenen Vorräten gebacken hat, wenn es hoch kommt, einen Laib pro Familie, solange der Vorrat reicht, aber er reicht oft nur für Minuten.

Die Ankerbrot-Fabrik wird damit zu einem besonders verlockenden Ziel. Hier liegen noch große Vorräte an Mehl, Fett und Zucker. Walter Fritsch war damals Angestellter in der Fabrik. Er war dabei, wie die Fabrik regelrecht erobert wurde: „Die Leute haben das Tor 4 gestürmt, sie haben den Portier überrumpelt, und alle Leute sind da rein. Wir haben gesehen, wie sie mit Kinderwagen, mit Fahrrädern, mit Leiterwagerln alles mögliche abtransportierten: Mehl und Zucker. Frauen und Kinder, die die größeren Säcke nicht tragen konnten, haben sie aufgeschnitten und alles in Taschen umgefüllt. Und so ist das weggetragen worden. Wir selbst haben dann fluchtartig das Firmengelände verlassen."

Insgesamt werden in der Ankerbrot-Fabrik fast zwei Millionen Kilogramm Mehl geplündert; weggeschleppt kann man nicht sagen, denn auch hier bleibt ein guter Teil des Mehls auf den Stiegen und Gängen, in den Höfen liegen, wo die Leute bis zu den Knöcheln in Mehl waten. Gestohlen werden bei dem Unternehmen auch die Treibriemen des Mühlenbetriebs, und es ist interessant, daß nicht die Polizei, sondern Vertrauensleute der politischen Parteien die Diebe ausfindig machen und die Treibriemen zurückbringen. Sie wären lange nicht ersetzbar gewesen, und ohne die Riemen hätte die Ankerbrot-Fabrik ihren Betrieb nicht aufnehmen können. Später inserieren die Bäcker in der Zeitung, daß sie Mehl zum Backen von Brot übernehmen – ein Aufruf an die Plünderer der Ankerbrot-Fabrik und der Versuch, wenigstens auf diese Weise wieder zu Arbeit zu kommen.

Nicht nur Lebensmittel werden geplündert, auch Wohnungen. In halbzerbombten Häusern findet sich noch mancher Hausrat. Viele Tausende Wohnungen stehen leer, ihre Eigentümer sind geflüchtet, sei es vor den Bomben, sei es vor der Sowjetarmee, sei es, daß sie mehr oder weniger prominente Mitglieder der NSDAP waren. Jetzt werden so gut wie alle leerstehenden Wohnungen als „Naziwohnungen" bezeichnet und nicht selten von den Nachbarn und auch von selbsternannten Ordnungsorganen ausgeräumt oder besetzt. Da und dort treten bisherige Widerstandsgruppen als Ordnungskräfte auf. Die sowjetischen Bezirkskommandanten, die der Lage natürlich nicht Herr werden können, holen sich Österreicher, die in ihrem Namen die Ordnung wiederherstellen und das Leben in normale Bahnen lenken sollen. Der Bezirkskommandant setzt einen österreichischen Bezirksbürgermeister neben sich und meist auch einen Bezirkspolizeichef. Einige von ihnen sind beherzte Männer, die selbst viel riskieren, um die Ordnung herzustellen. Manche sind verkappte Kriminelle. Die Behörden selbst dürfen requirieren. Und sie tun es auch. Um Teil der Behörde zu werden, muß man nur den sowjetischen Bezirkskommandanten davon überzeugen, daß man der richtige Mann sei. Dabei hilft es, wenn man sich bei den Sowjets als Kommunist ausgibt. So tragen viele auf einmal Hammer und Sichel, und es fehlt nicht an roten Fahnen (meist aus dem Rot der früheren Hakenkreuzfahnen geschnitten).

Gräber vor der Haustür

Karl Mark, Revolutionärer Sozialist, war in jenen Tagen zunächst nur Augenzeuge und Leidtragender dieser Situation. Er berichtet: „Es gab ja nichts, es gab keinerlei Verwaltung, keine Polizei, keine Feuerwehr, kein Telefon, kein Radio, kein Wasser, es gab in den Geschäften keine Waren – es war also ein absolutes Nichts. Alle haben von mir verlangt – ich muß das jetzt im Dialekt sagen: ‚Geh auffi zum Kommandanten, geh auffi zum Major und sog eahm, daß des net so weitergeht.' Also bin ich ‚auffi' zum Kommandanten in dessen Kanzlei gegangen und hab' ihm dort gesagt, die Bevölkerung wird diese Unruhe nicht aushalten und es sei notwendig, daß irgend etwas geschieht. Es müsse dafür gesorgt werden, daß ein bißchen Beruhigung eintreten kann. Nach einigen Fragen, die er an mich stellte, hat er mir auf die Schulter geklopft und gesagt: ‚Burgomister.' Die Dolmetscherin habe ich gefragt, was das heißen soll. Da hat sie gesagt: ‚Das heißt, Sie sind Bürgermeister von Döbling.' Und ich hab' gesagt: ‚Das ist doch ein Blödsinn.' Hat sie gesagt: ‚Nein, das ist ein Befehl.' Und auf diese Weise war ich wahrscheinlich einer der allerersten öffentlichen Funktionäre in Österreich und in Wien. Das erste, was mir notwendig erschien, war, daß ich eine Gruppe von Menschen habe, eine Art Polizei, die

Polizeikommissariat
Wien, 2. Kleine Sperlgasse 1

Menschliche Leichen und Kadaver sind sofort dem Gesundheitsamt, Wien, II., Kleine Sperlgasse 2b, anzuzeigen.
Weiters sind alle Infektionskrankheiten (Fleckfieber, Scharlach, Diphtherie usw.) dem gleichen Amte sofort zu melden.

Der P...zeichef des II. Bezirkes

Während und auch unmittelbar nach den Kämpfen konnten Leichen weder zu den Friedhöfen befördert noch dort bestattet werden. So begrub man die Toten in den Parkanlagen der Stadt, oft auch in einem Fleckchen Erde vor der Haustür. Die Sowjets bezifferten die Zahl ihrer Opfer in der Schlacht um Wien mit 18 000 Toten. Aus den provisorischen Gräbern hat man später 9 000 deutsche Soldaten exhumiert. Und die Zahl der während der Kampfhandlungen gestorbenen und getöteten Zivilisten in Wien wurde auf etwa 5 000 geschätzt. All diese Toten wurden zunächst in den Parkanlagen verscharrt.

Otto Schenk:
Die Großmutter im Stadtpark begraben.

Karl Mark: Bürgermeister von Döbling.

124

imstande ist, Weisungen auszuführen. Das war sehr schwer, und ich wollte nicht in eine Situation kommen, wie sie in einem anderen Bezirk vorgekommen ist, wo man wahllos Leute in die Polizei eingestellt hat; im 2. Bezirk hat der Chef der Prater-Platte [Kriminelle] die ganzen Plattenbrüder vom Prater organisiert – als Polizei. Und was dort geschehen ist, brauche ich nicht erklären. Ich habe dann die Verwaltung in Ressorts eingeteilt, wie zum Beispiel Straßenreinigung, denn die Straßen waren voll von Trümmern und voll von Leichen, Leichen von Pferden, Leichen von Menschen."

In den Wiener Parkanlagen wird Grab neben Grab geschaufelt. In den Kämpfen um Wien sind viele tausend Menschen gefallen, deutsche Soldaten, sowjetische Soldaten. Die Sowjets werden ihre Verluste im Kampf um Wien später mit 18 000 Toten angeben. Im Lauf der nächsten Monate und Jahre wird man in Wien und Umgebung die Leichen von rund 9 000 deutschen Soldaten exhumieren, die damals oft neben sowjetischen Soldaten in den Parkanlagen der Stadt oder in Schrebergärten verscharrt wurden.

Doch auch wer in diesen Tagen eines normalen Todes stirbt, kann nur vor der Haustür bestattet werden. Otto Schenk erlebt als Bub den Tod seiner Großmutter in jenen Tagen: „Plötzlich hieß es, auf dem Stephansturm sei eine weiße Fahne zu sehen. Und das konnte ich gerade noch meiner Großmutter sagen. Ich bin zu ihr und habe gesagt: ‚Es ist ein weiße Fahne am Stephansturm, ich glaube, es ist aus.‘ Und sie hat angefangen zu beten, sie war unerhört fromm, und hat gesagt, sie hoffe, daß es wahr ist. Und in dieser Nacht ist sie gestorben. Und dann kamen die Russen; die ersten Russen waren unerhört freundlich. Da kam eine ganz elegante Abteilung von Offizieren, mit Kamera ausgerüstet, und wir haben sie freudig begrüßt. Und dann kamen die kämpfenden Truppen, die indifferent waren. Und dann kam eine fürchterliche – ‚Horde‘ will ich nicht sagen –, aber es ging dann halt furchtbar zu.

Es wurde geraubt, geplündert, wir selber wurden auch ausgeplündert. Und meine Großmutter lag dort, tot. Wir mußten sie begraben. Es gab natürlich kein Bestattungsinstitut. Jetzt haben wir einen Tischler gesucht, der aus Latten, die bei der Bodenentrümpelung weggefallen sind, einen Sarg gemacht hat. In den haben wir sie dann hineingelegt. Schön angezogen. Sie war die erste Tote meines Lebens. Es war ein fürchterlicher Eindruck für mich. Es war auch das Ende meiner Kindheit. So abrupt war plötzlich niemand mehr da, vor dem man noch kindisch hätte sein können. Es war auch so gar keine Zeit zum Weinen. Ich bin dann aufs Klo gegangen weinen. Die Mutter und ich haben sie dann hineingelegt, und auf einem Leiterwagerl haben wir sie in den Stadtpark geführt. Ich höre noch das Pumpern, es ging über das Katzenkopfpflaster. Unter den Bäumen im Stadtpark haben wir mit ausgeborgtem Handwerkszeug ein Grab geschaufelt und sie hineingelegt. Da waren viele Gräber im Stadtpark, sogar ein Massengrab. Alles, was man gefunden hat an herumliegenden Toten, hat man im Stadtpark bestattet. Oben in der Weihburggasse war eine halb ausgeplünderte, halb zerstörte Samenhandlung. Dort habe ich so Sackerln gefunden mit unendlich vielen Blumensamen. Die habe ich dann ins Grab getan, ganz wirr und wahllos. Und tatsächlich: Innerhalb von drei Wochen ging ein unfaßbares Blumenmeer auf diesem Grab auf. Ich war dann ganz stolz und habe das der Wunderkraft meiner Großmutter zugeschrieben. Sie war Analphabetin, aber für mich hatte sie immer magische Kräfte."

Das Palais Auersperg war Sitz der Widerstandsbewegung O5 und wurde nach den Kampfhandlungen zum Begegnungsort der Politiker aller Parteien.

Das Palais Auersperg

Ein Land ohne Regierung, eine Stadt ohne Verwaltung. Dabei gibt es Leute, die sich darauf vorbereitet hatten, nach dem Ende der Kampfhandlungen sofort Funktionen zu übernehmen. Es sind die Frauen und Männer der „O5", der Dachorganisation mehrerer Widerstandsgruppen. Noch bevor es zum Endkampf von Wien kommt, schlägt die O5 im Palais Auersperg ihr Hauptquartier auf. Man versteht sich als politischer Widerstand, der ergänzend neben dem militärischen steht. Der militärische Widerstand wird von Carl Szokoll geleitet. Als die Pläne des militärischen Widerstands jedoch verraten werden, als Biedermann, Huth und Raschke festgenommen und hingerichtet werden, lassen sich die weitreichenden Maßnahmen, die Szokoll zur Verkürzung der Kampfhandlungen in Wien durchführen wollte, nicht mehr durchsetzen. Ein Teil des Stabes Szokoll zieht sich in das Palais Auersperg zurück. Szokoll selbst versucht, den Sowjets in Richtung Hütteldorf entgegenzugehen, sieht aber bald ein, daß er inmitten des Kampfs in Wien für die Sowjets kaum ein glaubhafter Parlamentär sein kann. So stößt auch Szokoll zum zivilen Widerstand im Palais Auersperg.

Als die Kampfhandlungen vorüber sind, beginnt im Palais Auersperg ein lebhaftes Kommen und Gehen. Obwohl es zunächst keine Zeitung gibt und auch kein Radio – die Wiener Radiosender sind durchwegs gesprengt –, spricht es sich in der Stadt schnell herum, daß im Palais Auersperg bereits eine Art österreichische politische Vertretung sitzt. Geführt wird die O5 vom schon erwähnten Provisorischen Österreichischen Nationalkomitee, bestehend aus einem Siebenerausschuß. An der Spitze des Ausschusses steht Raoul Bumballa, vom NS-Regime verfolgt, längere Zeit in Dachau und in Buchenwald eingesperrt. Es ist ihm geglückt, noch während des Krieges über Funk Verbindung mit den Westalliierten aufzunehmen. Er benützt dazu sehr mutig eine Sendeanlage der deutschen Stadtkommandantur von Wien. Die übrigen Mitglieder: Viktor Müllner und Franz Sobek, schon vor dem Krieg führende

Maidi Alwen:
Wir konnten einander vertrauen.

Einige wenige Bäcker verfügen noch über geringe Mehlvorräte. Da das Versorgungssystem zusammengebrochen ist, geben sie einen Laib Brot pro Familie ab, solange der Vorrat reicht

Hausfrauen!

Um die Brotversorgung zu erleichtern

übernehmen wir Mehl zum Brotbacken

Für ¾ kg Mehl und 2 dkg Salz erhalten Sie

beim Bäcker gegen Bezahlung von 15 Rp

einen Laib Brot zu 1 kg

Die Wiener Bäckerinnung

Die Wiener Bäckerinnung gibt Inserate in der Zeitung auf: Mehl wird zum Brotbacken übernommen – die Innung weiß, daß in der Ankerbrot-Fabrik viele tausend Kilo Mehl geplündert worden sind.

Mitglieder der Christlichsozialen Partei bzw. der Vaterländischen Front, auch sie kamen aus den Konzentrationslagern. Gustav Fraser und Eduard Seitz gehören als Sozialisten dem Siebenerausschuß an, Mathilde Hrdlicka tritt als Vertreterin der Kommunistischen Partei auf. Emil Oswald fühlt sich als Repräsentant des liberalen Bürgertums. Dieser Siebenerausschuß ist entschlossen, sofort nach Ende der Kampfhandlungen zunächst für Wien, aber wenn möglich auch bald für ganz Österreich eine Verwaltung zu organisieren.

Die O5 verfügt auch über einige energische junge Aktivisten, die entschlossen sind, dem neuen Österreich eine, wie sie meinen, völlig neue innenpolitische Struktur zu geben. Ihrer Meinung nach sollten die alten Parteien nicht wieder zum Leben erweckt werden, um den Streit der Ersten Republik zu vermeiden: nicht wieder Schwarz gegen Rot, Rot gegen Schwarz. Etwas Neues müßte es geben, nur Österreichisches, das sozusagen über allen Parteiideologien steht. Es sind Idealisten, zu ihnen gehören Georg Zimmer-Lehmann, Nikolaus Maasburg, Wilhelm Thurn und Taxis, Wilfried Gredler, Herbert Braunsteiner.

Und zu diesem Kreis junger Idealisten gehört auch Maidi Alwen. Sie schildert, wie gefährlich es war, diese Widerstandsgruppe während des Krieges unter dem NS-Regime zu organisieren: „Wer nie in einem Polizeistaat gelebt hat, kann sich überhaupt nicht vorstellen, wie schwierig das ist. Man kann ja niemandem trauen. Viele konnten nicht einmal ihren eigenen Familien trauen. Ich konnte meiner Familie trauen und meine Freunde wahrscheinlich auch, aber schon den Nachbarn nicht mehr und den Schulkollegen nicht mehr. Das war der Grund, weshalb wir unsere Widerstandsbewegung wie einen Privatverein gestaltet haben. Wir haben uns alle untereinander gekannt und wußten genau, daß wir einander trauen konnten. Die anderen, die auch dabei hätten sein können, die waren entweder im Krieg oder in Gefangenschaft. Wer verwundet daheim war, war ohnedies schon hier oder zum Wehrkreiskommando Wien abgestellt, beim Szokoll. Wir waren uns völlig darüber im klaren, daß wir es nach dem Krieg schwer haben würden, wenn wir nicht beweisen könnten, daß diese Widerstandsbewegung wirklich etwas geleistet hat. Denn natürlich hatten wir schwarzgehört, natürlich wußten wir, was in Jalta und in Teheran gesagt worden war, zumindest teilweise. Wir hatten Angst, daß man Österreich nicht als eigenen Staat wird erstehen lassen, wenn wir nicht beweisen können, daß wir – obwohl im Jahr 1938 zum Großteil mit Ja gestimmt worden ist – eigenständig etwas gegen dieses Regime unternommen haben. Nur dann, so glaubten wir, würden wir wieder ein eigener Staat werden können."

Alle, die hier versammelt waren im Palais Auersperg, hatten allein durch die Tatsache, daß sie sich organisierten und daß sie bereit waren, auch bewaffneten Widerstand zu leisten, viel riskiert. Nun waren die Sowjets da. Noch glaubte man im Auersperg, man könnte anstelle einer österreichischen Regierung als O5 mit den Sowjets verhandeln. Raoul Bumballa nahm die Verbindung mit den Sowjets auf und wurde von den Sowjets auch interessiert empfangen. Man sagte ihm nicht, daß um diese Zeit bereits Befehle aus Moskau vorlagen, die die politische Entwicklung in Österreich in eine andere Richtung steuern mußten. Denn um diese Zeit hatten die Sowjets schon Verbindung mit Karl Renner. Innerhalb des Siebenerausschusses war man sich auch nicht einig, ob man nun schon mit den Sowjets Vereinbarungen treffen oder ob man nicht abwarten sollte, bis der Krieg zu Ende wäre und auch die Westalliierten über das Schicksal Österreichs mitentscheiden würden.

Da das Auersperg aber doch die einzige Stelle war, von der man hörte, daß dort bereits eine österreichische Organisation am Werk sei, meldeten sich die wenigen schon aus den Gefängnissen und Konzentrationslagern heimgekehrten Politiker und auch jene, die nun in die Politik gehen wollten, im Auersperg. Unter ihnen auch der spätere SPÖ-Vorsitzende Adolf Schärf, der spätere Generalsekretär der ÖVP, Felix Hurdes, auch Leopold Figl kam vorbei, und Viktor Müllner trat im Auersperg eine Zeitlang als Vertreter der früheren und unmittelbar vor ihrer Wiedererrichtung stehenden Christlichsozialen Partei auf.

Sie alle kamen rasch zu dem Schluß, daß man im Auersperg zwar große Ideale hatte, aber nur wenig organisatorisches Talent und so gut wie gar keine Erfahrung, wie Politik zu strukturieren ist und zum Tragen gebracht werden kann. Fast alle, die vor dem Krieg bereits in der Politik tätig waren, sei es bei den Christlichsozialen oder vor 1934 bei den Sozialdemokraten und danach im Untergrund bei den Revolutionären Sozialisten, kamen zu dem Entschluß, daß das neue Österreich die alten Parteien benötigen würde, wenn auch mit neuen politischen Zielen und ohne die Feindschaft von gestern. Sie machten sich aus dem Palais Auersperg auf, um an einem anderen Ort ihre früheren Parteifreunde zu sammeln.

Vom Auersperg ging jedoch die Initiative aus, so rasch wie möglich einen Bürgermeister für Wien zu stellen. So beschließt man, aus dem Auersperg in das Rathaus zu übersiedeln. Maidi Alwen war dabei: „Wir sind alle zusammen ins Rathaus gezogen mit unseren Rucksäcken. Im großen Sitzungssaal haben wir uns für die Nacht hergerichtet. Ich habe mich dann auf die Suche nach einer Decke oder einer Matratze begeben oder irgend etwas ähnlichem. Und so bin ich durch dieses Rathaus gegangen. Das Rathaus ist riesig, wenn es leer ist. Und es war völlig leer. Es waren ein paar russische Soldaten da, die sind um uns herumgesessen und haben uns bewacht. Sie haben mich offenbar nicht weggehen sehen. Und so bin ich durch dieses Rathaus gewandert. Alle Türen waren offen, alle Laden in den Schreibtischen waren offen, alle Kästen. Es waren Tausende Papierln am Boden, und ich habe mir gedacht: Das ist das Ende, jetzt kann es eigentlich nur noch besser werden, schlechter nicht mehr. Man muß sich das vorstellen. Ich war 21 Jahre alt. Wir dachten, jetzt fängt das Leben an, jetzt sind wir befreit, jetzt brauchen wir nicht mehr über die Schulter zu schauen, wenn wir auf die Straße gehen, jetzt müssen wir nicht mehr aufpassen, was wir sagen. Jetzt fängt Österreich an."

Ein amtierender Bürgermeister

Im Rathaus allerdings fängt der Betrieb etwas merkwürdig an. Im Zimmer des Bürgermeisters taucht ein Mann auf, der sich darauf beruft, von der O5 zum amtierenden Bürgermeister von Wien bestellt worden zu sein. Er heißt Rudolf Prikryl. Er erklärt, Kommunist zu sein. Prikryl hatte schon in den dreißiger Jahren, in denen er teils arbeitslos war, teils als Elektriker und Installateur einen winzigen Laden besaß, der illegalen Kommunistischen Partei Dienste geleistet: In seinem Laden plus Wohnung gab es eine Falltüre und im Keller darunter eine kleine Presse, auf der Prikryl für die KP Propagandaschriften druckte. Jene, die ihn gekannt haben, schildern ihn als einen Abenteurertyp.

Wie auch immer, Prikryl war sicher tatenfreudig. Denn er zieht in dieses Rathaus am 12. April ein – an einem Tag, an dem in der Stadt noch gekämpft wird. Und er übt das Amt des Bürgermeisters unangefochten bis zum 18. April aus. Später will ihn niemand eingesetzt haben. Niemand hat Prikryl porträtiert und, wie es im Rathaus üblich ist, in die Ahnengalerie der Wiener Bürgermeister eingereiht. Aber es gibt nicht wenige Dokumente aus der Zeit seiner Bürgermeisterschaft. Sie sind mit Schreibmaschine geschrieben und mit selbstgefertigten Stampiglien versehen. Durch diese Dokumente gab es immer wieder einmal einen Hinweis darauf, daß es diesen Rudolf Prikryl gegeben haben muß, und zwar wirklich als amtierenden Bürgermeister.

Das „Österreich II"-Team ging der Sache nach. Und wir fanden zwei Nachkommen des Rudolf Prikryl. Einer davon ist seine Stieftochter Elisabeth Albinger. Doch sie war nicht nur seine Stieftochter, sie war im April 1945 auch Prikryls Sekretärin und saß mit ihm im Bürgermeisteramt. Wer Prikryl zum Bürgermeister gemacht hat, das wußte sie damals nicht, und das weiß sie auch heute noch nicht. Aber Elisabeth Albinger gibt ein sehr lebendiges Bild von der Art, wie Prikryl sein Amt führte: „Wenn man reingekommen ist, war das Zimmer schon einmal sehr voll. Alle Leute, egal ob Schauspieler oder Politiker oder was es halt so gegeben hat, waren dort. Und jeder hat schon einmal ein riesiges Buckerl gemacht, wenn der Herr Bürgermeister gekommen ist. Und der hat sich dann an seinen Tisch gesetzt und hat dort amtsgehandelt. Und wenn wer gekommen ist und gesagt hat: ‚Herr Bürgermeister, ich hätte gern zum Beispiel das Flotten-Kino', hat er gesagt: ‚Ich hab gar nichts dagegen. Bitte nehmen Sie's.' Und ich hab halt schreiben müssen, der Herr Sowieso ist berechtigt – ich glaub, das hat damals geheißen ‚öffentlicher Verwalter' oder so ähnlich –, also als solcher berechtigt, das Kino zu übernehmen und zu führen. Und wenn ich zu ihm gesagt hab: ‚Du, du kennst die Leut' doch gar nicht, glaubst du denn, daß er fähig ist?' Hat er gesagt: ‚Wenn er net fähig ist, muß er es eh aufgeben.' Ob das nun ein Geschäft war oder egal was das war, wer gekommen ist, hat halt gekriegt, was er wollen hat. Er war absolut nicht sehr bedenklich diesbezüglich."

Rudolf Prikryl. Er tauchte aus dem Nichts auf, setzte sich in das Zimmer des Bürgermeisters im Wiener Rathaus und amtierte als Bürgermeister – etwa eine Woche lang. Mit zwei offenbar selbst verfertigten Stempeln setzte er „öffentliche Verwalter" ein für verlassene Industriebetriebe, Warenhäuser, Geschäfte und Kinos. Wer zu Prikryl kam, erhielt, was er wollte, kostenlos. Auch Prikryl arbeitete ohne Gehalt. Er verschwand so spurlos, wie er gekommen war.

Elisabeth Albinger: Bitte nehmen Sie's.

Prikryl hob für diese Vollmachten keinerlei Gebühren ein, und er hat sie freimütigst hergegeben. So mancher seiner Scheine begründete damals ein Privatvermögen.

Wir fragten Frau Albinger, ob Prikryl von irgend jemandem für seine Tätigkeit bezahlt wurde. Frau Albinger: „Überhaupt nicht, niemand hat was gekriegt. Er nicht, ich nicht. Nur gelegentlich sind einmal Russen gekommen und haben einen Sack Konserven ausgeleert. Und deren Inhalt haben wir halt gemeinsam verspeist. Und da ist der Körner dort gesessen, und da ist der Schärf dort gesessen, und alle haben miteinander Gulasch gegessen oder was halt jeweils in den Konserven drinnen war. Das hat man halt auf irgendeine Art gewärmt. Und das haben wir dann alle zusammen ganz primitiv gegessen."

Seine umfassende Amtstätigkeit übt Prikryl, wie gesagt, mit zwei Stampiglien aus. Die eine enthält die rätselhaften Buchstaben „KOB-SAR" samt Hammer und Sichel. Niemand weiß mehr, was „KOB-SAR" bedeutet haben könnte. Die andere Stampiglie trägt die simple Inschrift „Proletarier aller Länder vereinigt euch", das allerdings auf Russisch und in Cyrillisch und macht zu jener Zeit großen Eindruck. Jedenfalls genügten die Stampiglien, um Betriebe zu vergeben und Verwaltungsbereiche zuzuteilen.

Am 18. April muß Prikryl das Zimmer des Bürgermeisters räumen: Theodor Körner ist von den Sowjets als Bürgermeister von Wien eingesetzt worden. Doch wir wollen nicht vorgreifen. Denn es gibt jemanden, der sich seine erste Amtseinsetzung ebenfalls von Rudolf Prikryl geholt hat – Viktor Matejka. Als die Kampfhandlungen in Wien zu Ende gehen, macht sich Viktor Matejka quer durch Wien zu Fuß auf den Weg ins Rathaus. Denn, so vermutet er richtig, wenn diese Stadt irgendwo wieder zu leben anfängt, dann müßte das wohl im Rathaus sein. Matejka gehörte zu den ersten, die 1938 von der Gestapo verhaftet und in das Konzentrationslager Dachau gebracht worden waren. Dort wurde er jahrelang festgehalten. Aber bei Kriegsende ist er frei und in Wien. Und nun will er für das zu erwartende neue Österreich tätig werden. Er schlägt sich bis in das Rathaus durch.

Wie es dort weiterging, darüber berichtet Matejka: „Ich bin ins Rathaus hinein, und da stehen zwei Leute. Ich hab die dann später kennengelernt – der eine war der Schärf, der Sozialist, und der andere war der Altmann, der Kommunist. Ich hab sie irgend etwas gefragt, und das war ganz unzulänglich, was sie mir darauf geantwortet haben. Dann geh ich weiter nach oben, wo der Rote Salon ist. Dort sitzt einer mit Lederjacke, daneben eine Dame an der Schreibmaschine. Sag ich: ‚Ich heiße Sowieso, und wer sind Sie?' Sagt er: ‚Ich bin der Vizebürgermeister, was wollen Sie?' Hab ich gesagt: ‚Haben Sie schon einen, der sich um das alles kümmert, was Kultur heißt?' Der hat mir eine Vollmacht ausgestellt: ‚Ist verantwortlich für die ganze Kultur in Österreich.' Hab ich heute noch. Der Prikryl war Spengler oder so etwas. Wahrscheinlich eingesetzt von irgendeinem sowjetischen Kommandanten, ich weiß es nicht. Hab ich gesagt: ‚Danke schön, Herr Prikryl' und bin gegangen. Das hab ich dann dem Schärf und dem Altmann gezeigt. Fragen die: ‚Wer sind Sie?' – ‚Ich heiße Matejka.'"

Viktor Matejka wird bald darauf als Kandidat der KPÖ erster Kulturstadtrat von Wien und erwirbt sich große Verdienste um den kulturellen Aufbau der Stadt. Matejka hat Prikryl in guter Erinnerung: „Der Prikryl hat Vollmachten ausgestellt, damit die Betriebe wieder geöffnet werden. Es war alles zugesperrt, es war ja Krieg. Es ist auch niemand in die Arbeit gegangen oder in eine Fabrik. Es hat niemand etwas erzeugt, aber der Prikryl hat Vollmachten ausgestellt und hat gesagt: ‚Ich bevollmächtige Sie, den Betrieb Sowieso

Der erste Notsteg über eine der gesprengten Brücken am Wiener Donaukanal. Bevor er errichtet wurde, konnte man den Kanal nur mit einem kleinen intaktgebliebenen Fährboot überqueren.

Viktor Matejka: Für alles, was da Kultur ist.

aufzusperren. Ganz egal, wer da gekommen ist. Und das ist ja dann auch geschehen. Das war Initiative, eine wichtige Initiative. Er hat auch mir eine Vollmacht gegeben. Ich hab' ja gar nicht gewußt, wen es da überhaupt gibt, mit wem man verhandelt. Und der Prikryl, der war da."

Die Sozialisten im Roten Salon

Aber Prikryl bleibt nicht lange allein im Rathaus. Adolf Schärf ist einer der ersten Sozialdemokraten, die im Rathaus erscheinen, um den Führungsanspruch der Sozialdemokraten anzumelden. Denn die Widerstandsbewegung O5 schlägt nun vor, den früheren Stadtrat Anton Weber zum Bürgermeister der Stadt zu machen, mit Prikryl als Vizebürgermeister. Weber war zwar Sozialdemokrat, aber Schärf ist gar nicht sicher, ob eine wiedergegründete Sozialdemokratische Partei jemanden akzeptieren würde, der nicht von den gewählten Gremien der Partei nominiert wird. Schärf trommelt nun alles zusammen, was an alter Führungsgarnitur der Partei gefunden werden kann. Von seinem Aufenthalt im Allgemeinen Krankenhaus weiß Schärf, daß dort der frühere sozialdemokratische Politiker und Stadtrat Paul Speiser krank als Patient liegt. Er sucht ihn auf und bewegt ihn, mit ihm zu kommen. Speiser, sehr geschwächt, wird von Schärf mehr getragen, als er selber gehen kann, und so erreichen die beiden das Rathaus. Andere Sozialdemokraten stoßen zu ihnen.

Im Zimmer des Bürgermeisters amtiert Prikryl. So besetzen die Sozialdemokraten den Roten Salon – ein imposanter Name, aber tatsächlich handelt es sich nur um das Wartezimmer zu den Amtsräumen des Bürgermeisters. Am 13. April versammelt sich in diesem Roten Salon jenes Häuflein Sozialdemokraten und beschließt, hier nicht mehr wegzugehen. Dieser Entschluß ist bereits ein Anspruch, ein Anspruch auf das Rathaus, zumindest auf das Mitregieren. Denn gemütlich ist es in diesem Roten Salon nicht. Es gibt keine Scheiben in den Fenstern, nahe Bombentreffer haben sie zertrümmert, es gibt keine Heizung, obwohl die Tage und besonders die Nächte noch kühl sind, und es gibt auch kein Licht. Am Abend sitzt man da bei Kerzenlicht. Unten in den Rathaushöfen haben sich die Sowjets einquartiert, mit vielen Pferden und Panjewagen. Wer immer das Rathaus betreten will, muß jedesmal erst durch eine sowjetische Postenkette. Gemütlich ist es nicht, aber eines wissen die Sozialdemokraten: In diesen Tagen, in diesen ersten Stunden geht es bereits um die Macht. Und sie wollen auf jeden Fall verhindern, daß diese Macht von Leuten usurpiert wird, die sie unter Umständen nachher nicht mehr hergeben, und damit meinen sie die Kommunisten.

Dabei wußten sie selbst noch gar nicht, wie stark eine wiedergegründete Sozialdemokratische Partei sein würde. Man hatte noch keine Verbindung mit den Leuten in den Bezirken, man wußte noch nicht, wie eine eigene Parteiorganisation aussehen würde. 1934 verboten und zerschlagen, gab es die Sozialdemokratische Partei nicht mehr.

Es dauerte keine 48 Stunden, da hatte es sich in Wien herumgesprochen: Die Sozialdemokraten sitzen im Rathaus. Wer mit ihnen Verbindung aufnehmen will, muß ins Rathaus gehen. Wie man in jenen Tagen untereinander Kontakt aufnahm, schildert uns der spätere Wiener Stadtrat Kurt Heller: „Ich habe damals in Mariahilf bei meinem Großvater gewohnt. Nachdem die Rote Armee in Mariahilf eingezogen war, habe ich mich sofort auf den Weg gemacht in meine ehemalige politische Heimat. Ich war als Kind bei den Roten Falken in Ottakring und habe nun versucht,

Kurt Heller: Parteigründer im Roten Salon.

In Wien formieren sich bereits die politischen Parteien, wird der Gewerkschaftsbund gegründet – doch der Krieg auf österreichischem Boden ist noch nicht zu Ende. Die Front steht bei Korneuburg, bei St. Pölten, am Semmering, in der Oststeiermark. Über den deutschen Linien werfen sowjetische Flugzeuge Flugblätter ab, mit denen die Österreicher aufgefordert werden, sich gefangenzugeben. Die Flugblätter gelten, wie in deutscher und in russischer Sprache versichert wird, als Passierschein in die Gefangenschaft (oben).

Der prominente sozialdemokratische Politiker Paul Speiser gehört mit Adolf Schärf zu den ersten, die sich im Wiener Rathaus einfinden und bereits am 14. April die Sozialistische Partei Österreichs gründen (rechts).

dort meinen ehemaligen Kinderfreunde-Erzieher zu finden. Man hat mir gesagt, er sei im Mautner-Schlössel in der Ottakringer Straße. So hab' ich mich auf den Weg gemacht, es war nicht einfach, weil man unterwegs immer wieder von Besatzungssoldaten angehalten wurde, die einen zu irgendeiner Arbeit mitnehmen wollten. Und man wußte nie, wann und ob man da zurückkommt. So mußte man sich verstecken oder laufen. Im Mautner-Schlössel haben mich zwei bewaffnete Torwächter empfangen. Als ich gesagt habe, ich möchte zum Allinger-Maxi, so hat der Mann geheißen, haben sie mich gleich bevorzugt behandelt, was mich in Erstaunen versetzt hat. Ich wurde in den ersten Stock in einen wunderschönen großen Raum geführt, und dort saß mein Freund Maxi Allinger hinter einem Riesenschreibtisch, hat mich umarmt und gesagt, er freut sich, daß ich wieder da bin. Und hat mir als erstes sofort eine Pistole angeboten. Worauf ich gesagt hab': ,Lieber Freund, geschossen ist eigentlich genug worden, ich möcht' lieber ein bißl mittun beim Aufbau.' Hat er gesagt: ,Das kannst du auch, bei uns. Ich bin der Chef der Kommunistischen Partei in diesem Gebiet.' Und das war für mich das Signal, daß ich gesagt hab': ,Da möcht ich eigentlich nicht mittun. Ich möchte die ehemaligen Sozialdemokraten in Ottakring wiederfinden.' Da hat er mir gesagt, er sei informiert: Gerade jetzt finde eine Zusammenkunft ehemaliger Sozialdemokraten in der Klausgasse statt. Darauf habe ich mich sofort wieder auf den Weg gemacht und habe dort in einem kleinen Kammerl einige alte Freunde angetroffen, den späteren Nationalrat Karl Kisela, die bekannte Hilde Krones, den Dr. Rudolf Müller und einige andere. Die haben mich erfreut aufgenommen und haben gesagt: ,Du, wir machen uns gleich auf ins Rathaus. Es gibt dort eine erste Aussprache über die Gründung der Sozialdemokratischen Partei und über die Konstituierung einer neuen Stadtverwaltung.' So haben wir uns auf den Weg gemacht, sind durch die Thaliastraße und die Lerchenfelder Straße mit einigen Schwierigkeiten bis hin zum Rathaus marschiert. Da hat es natürlich Posten gegeben, aber wir sind dann doch eingelassen worden und kamen in den Roten Salon. Hier war bereits reges Treiben, im Ecksalon ist der damalige provisorische Bürgermeister Prikryl gesessen, der hat uns nicht empfangen. Wir haben auch nicht die Absicht gehabt, mit ihm zu reden. An dem runden Tisch in der Ecke saßen Körner, Speiser, Weber und Schärf, und uns wurde ein Platz an einem Nebentisch angewiesen. Dort ist der spätere Bürgermeister Felix Slavik gesessen, der Beppo Afritsch, die wir aus der illegalen Zeit gekannt haben. Dann ist der

Franz Pfeffer dagewesen, der Franz Probst, der Bruder vom Otto, und es hat sofort bei diesem Tisch der Jungen, wenn ich das so nennen darf, eine rege Diskussion begonnen: Gründen wir wieder die Partei? Wie soll sie heißen? Wir haben uns dann, obwohl wir keinerlei Recht dazu hatten, darauf geeinigt, wir würden darauf bestehen, daß sie wohl Sozialistische Partei heißt, aber es muß ein Untertitel dazukommen: ,Sozialdemokraten und Revolutionäre Sozialisten'. Das wurde dann später ja auch so beschlossen. Und als Verbindungsmann zwischen dem Tisch der Alten, der ehemaligen Funktionäre, und dem der Jungen hat Adolf Schärf fungiert, der einen etwas zerschlissenen Steireranzug anhatte. Ich sehe ihn noch wie heute vor mir. Er ist immer zwischen uns hin und her gewandert, hat uns mitgeteilt, was die Alten meinen, und wir haben ihm gesagt, was wir meinen."

Denn so selbstverständlich war es zunächst nicht, daß die hier mehr oder weniger zufällig anwesenden Sozialdemokraten von früher und die Jüngeren, die in der Dollfuß-Schuschnigg-Zeit und danach in der NS-Zeit in den Widerstand gegangen waren, ein und dieselbe und noch dazu die alte Partei wiedergründen sollten. War doch zu vermuten, daß die sogenannten „Alten" dort anknüpfen würden, wo die Partei 1933/34 aufgehört hatte, während die „Jungen" den alten Funktionären von früher gerade wegen deren vermeintlichen oder tatsächlichen Führungsfehler in den Jahren 1933/34 Vorwürfe machten und sich für die Zukunft eine zum Teil radikal anders aussehende Partei vorstellten. Aber im April 1945 wurden auch derart tiefgehende Meinungsverschiedenheiten innerhalb von Stunden überwunden. Man konnte sich Meinungsstreit und Ideologieauseinandersetzung einfach nicht leisten – die sowjetischen Posten vor der Tür waren eine dauernde Mahnung, daß Eile not tat. Und jeder Gang durch die Stadt war, als hörte man einen Verzweiflungsschrei.

So ging alles sehr rasch: Am 13. April kamen die ersten Sozialdemokraten in den Roten Salon, am 14. April wurde die Sozialistische Partei Österreichs gegründet oder wiedergegründet, mit dem Untertitel „Sozialdemokraten und Revolutionäre Sozialisten". Was genaugenommen heißen sollte „Alte" und „Junge". Und das waren in der Tat damals noch zwei Fraktionen. Dazu Kurt Heller: „Nach längerer Diskussion kommt wieder der Schärf zu uns und sagt: ,Also Freunde, es ist jetzt beschlossen worden, der

Die Sowjets setzen in jedem Wiener Bezirk eigene Militärkommandanten ein, und diese bestellen Bezirksbürgermeister und Bezirkspolizeichefs. Wer sich als Kommunist ausgibt, wird bevorzugt. Die rote Fahne mit Sichel und Hammer wird als Ergebenheits- und Schutzzeichen verwendet (rechts).

General Blagodatow, der erste Militärkommandant von Wien, erläßt seinen Befehl Nr. 1: „Zwecks Aufrechterhaltung des normalen Lebens und der Ordnung im Weichbild der Stadt Wien" (unten).

Sowjetische Nachschubkolonnen beherrschen das Straßenbild von Wien. Sie ziehen an die Front oder kommen von dort. Die Kämpfe werden erst am 8. Mai zu Ende sein (links unten).

Körner wird Bürgermeister, und der Stadtsenat wird soundso viele Mitglieder haben. Und ihr kriegts zwei Stadtsenatsmandate. Darauf bei uns große Freude. Und wir haben gesagt: Also wer nimmt's? Wer nimmt's? Wir haben uns dann auf Slavik und Afritsch geeinigt. Die werden also Mitglieder des Stadtsenats und haben auch gleich die Funktionen aufgeteilt, der Slavik ‚Allgemeine Verwaltung‘, Afritsch ‚Wohnungswesen‘. Afritsch, der schon damals ein vifer Bursch war, hat nach einigen Minuten gesagt: ‚Na, paß auf, Felix, mach ma's lieber anders, nimm du das Wohnungswesen und ich die Allgemeine Verwaltung.‘ Und er hat, wie sich später herausgestellt hat, gut getan, denn Slavik hatte einige Zores [= Sorgen, Schwierigkeiten] zu Beginn seiner Tätigkeit als Provisorischer Stadtrat.“

Die Kommunisten kommen

Doch all das scheint zunächst eine Rechnung zu sein, die ohne den Wirt gemacht wird. Der Wirt sitzt in Moskau und heißt Josef Stalin. Seine Armee steht in Wien. Und österreichische Kommunisten hatten sich in Moskau lange Jahre in der von Dimitroff geführten und erst später im Krieg aufgelösten Komintern auf die Rückkehr in ihre Heimat vorbereitet. Komintern, das war die Kommunistische Internationale, die Dachorganisation für die legalen und die illegalen kommunistischen Parteien der ganzen Welt mit Sitz in Moskau. Der Bulgare Georgi Dimitroff steht an der Spitze der Komintern, eine legendäre Figur, denn es war Dimitroff, der beim Prozeß um den Reichstagsbrand in Berlin als Angeklagter zum Ankläger wurde und in einem Rededuell mit Hermann Göring moralisch obsiegte. Dennoch: Die kommunistischen Parteien bekämpften nicht nur Faschisten und Nationalsozialisten, ihre Diktatur des Proletariats sollte natürlich auch die parlamentarischen Demokratien ersetzen, und zwar mit revolutionären Mitteln. Als die Sowjetunion nun 1941 unter Bruch des Hitler-Stalin-Pakts von Hitler-Deutschland angegriffen wird, wird sie automatisch ein Verbündeter der westlichen Demokratien, vor allem Großbritanniens und nach dem Kriegseintritt Amerikas auch der USA. Die Sowjetunion benötigt dringend die Hilfe der verbündeten Demokratien, besonders der USA, die im Rahmen einer umfassenden Pacht- und Leihhilfe Rüstungsmaterialien aller Art, Lebensmittel und Güter für den Zivilbedarf schicken. Die Komintern wird ein Störfaktor, denn ihre revolutionären Ziele würden sich, bliebe es dabei, auch gegen die helfenden Demokratien richten.

So löst Stalin die Komintern 1943 auf. Aber all die kommunistischen Führer, die die Komintern repräsentiert haben, bleiben weiterhin in Moskau – mit einer Ausnahme: Josip Broz Tito baut in Jugoslawien seine eigene Partisanenarmee auf. All die anderen, die nach dem Krieg an die Spitzen der kommunistischen Parteien in ihren Heimatländern treten werden, sind im Krieg in Moskau: Maurice Thorez, der Franzose; Palmiro Togliatti, der Italiener; Klement Gottwald, der Tscheche; Mátyás Rákosi, der Ungar; Anna Pauker, die Rumänin; Boleslaw Bierut, der Pole; Wilhelm Pieck und Walter Ulbricht, die Deutschen. Und auch die österreichischen Kommunisten befinden sich in Moskau in jenem Hotel Lux, in dem alle Funktionäre oder Schützlinge der Komintern untergebracht sind. Hilde Koplenig wohnte damals mit ihrem Mann, dem Vorsitzenden der KPÖ, Johann Koplenig, auch im Hotel Lux. Im Herbst 1943 wird Johann Koplenig zu einer Sitzung der Komintern gerufen. Hilde Koplenig berichtet: „Das war im Oktober oder November 1943. Da kommt mein Mann von der Sitzung und sagt: ,Die Komintern ist aufgelöst.' Da hat er mir erzählt, daß Dimitroff den Führern der Partei, den Mitgliedern des Führungsstabs der Komintern gesagt hat, der Krieg wird zu Ende gehen, und nach diesem Krieg wird man Regierungen bilden, in denen auch die Kommunisten eine Rolle spielen werden, und es geht nicht an, daß in diesen Regierungen Leute sitzen, die von einer Außenmacht gelenkt werden, sonst werden sie nicht akzeptiert von den Völkern. Wir haben das auch geglaubt, und ich glaube auch heute noch, daß Dimitroff es so aufgefaßt hat und so geglaubt hat, daß die Komintern aufgelöst worden ist, damit die kommunistischen Parteien aus Eigeninitiative und selbständig und autonom handeln können. Damit in den Völkern, in deren Regierung sie sind, nicht das Gefühl aufkommt, sie würden von außen gelenkt. Daß sich das dann nicht bewahrheitet hat, das haben wir erst später erkannt. Damals haben wir noch daran geglaubt."

Denn die heimkehrenden und heimgekehrten Kommunisten machen doch bald die Erfahrung, daß sie von den sowjetischen Genossen Weisungen erhalten, die zu befolgen sind. Dazu Hilde Koplenig: „Schon vorher hatten wir gewisse Verdachtsmomente oder irgendwie unangenehme Gefühle, denn statt der Komintern hat man dann ein Institut gegründet, das dem Zentralkomitee der Kommunistischen Partei der Sowjetunion angegliedert war und das Weisungen ausgegeben hat. Es war ein unangenehmes Gefühl, aber nicht mehr. Dann sind die Russen nach Wien gekommen, und eines Abends hat es in Moskau geheißen, Ernst Fischer und mein Mann fliegen nach Österreich. Ich glaube, das war am 12. oder 15. April."

Johann Koplenig wird nach der Rückkehr nach Wien der KPÖ als Vorsitzender vorstehen und nicht immer einer Meinung sein mit dem Ersten Sekretär der Partei, Friedl Fürnberg, der das besondere Vertrauen der Sowjets genießt. Ernst Fischer aber ist der intellektuelle Kopf der Partei und wird später auch ihr prominentester Rebell

Die Polizeichefs in den einzelnen Bezirken verwalten ihr Amt manchmal gut und manchmal zum eigenen Vorteil. Die offiziellen Führer der KPÖ kommen aus Moskau oder auf dem Umweg über das kommunistische Jugoslawien zurück nach Österreich. Es dauert eine Weile, bevor sie ihre Autorität auch über die vielen selbsternannten KP-Funktionäre ausdehnen können (links oben).

Franz Honner, noch in der Uniform des österreichischen Freiheitsbataillons in der Tito-Armee, mit Sowjetstern auf der Kappe. Honner wird Staatssekretär für das Innere im Renner-Kabinett, also der erste Innenminister der Zweiten Republik (links Mitte).

Ernst Fischer, der intellektuelle Kopf der KPÖ und ihr wortgewaltigster Redner. Er wird Staatssekretär für Unterricht und Volksaufklärung, also der erste Unterrichtsminister der Zweiten Republik (links unten).

Hilde Koplenig: Wir haben daran geglaubt.

Leo Hölzl: Sie wollten eine Rolle spielen.

werden. Nun fliegen Koplenig und Fischer nach Wien. Es ist noch Krieg, und sie werden von einer sowjetischen Militärmaschine mitgenommen, in der auch sowjetische Diplomaten reisen – nach Budapest und nach Wien. Fischer wird später bitter darüber berichten, daß sie von diesen sowjetischen Diplomaten offenbar nicht gleichberechtigt behandelt wurden und daß sich schon in diesem Flugzeug eine deutliche Kluft zwischen den Vertretern der Siegernation und Politikern einer besetzten Nation abzeichnete, auch wenn sie Kommunisten waren.

In Anbetracht dessen, was zu gleicher Zeit auf anderer Ebene geschieht, ist man sogar versucht zu sagen, daß sie von den Sowjets nicht so gut behandelt wurden, gerade weil sie Kommunisten waren. Denn die sowjetische Führung hat für Österreich zunächst oder überhaupt anderes im Sinn – sie sucht nach einem Politiker, von dem sie annimmt, daß ihm die Sympathien breiter Volksschichten in Österreich zukommen würden. Ihr Mann ist der Sozialdemokrat Karl Renner. Doch davon später.

Zunächst glauben die österreichischen Kommunisten in Moskau und auch jene kommunistischen Politiker, die 1944 von Moskau nach Jugoslawien gebracht worden sind und dort österreichische Freiheitsbataillone aufgestellt haben, daß ihnen bei der künftigen Führung in Österreich eine Schlüsselrolle zukommen werde. Leo Hölzl war während des Krieges in einer der sogenannten Antifa-Schulen tätig, das waren Lehrgänge, in denen österreichische und deutsche Kriegsgefangene auf antifaschistisch umgezogen wurden und in denen vorwiegend Kommunisten als Lehrer tätig waren. Leo Hölzl berichtet: „Es war von Anfang an klar, daß die Lehrer, die wir auf den Schulen hatten – Honner, Fischer, Koplenig, Fürnberg –, daß diese Leute damals schon ganz offen gesagt haben, wenn ein freies, demokratisches Österreich wieder aufgebaut wird, daß dies nicht ohne Kommunisten sein kann, sondern daß eben die Führungsspitzen der kommunistischen Partei in dieser Regierung, die nach der Niederwerfung des deutschen Faschismus entsteht, eine entscheidende Rolle spielen wollen. Das ist vollkommen klargewesen, aber das ist auch eine ganz natürliche Aussage, denn ich glaube, es wäre unnatürlich gewesen, wenn sie das geleugnet hätten."

Ein Teil der kommunistischen Politiker aus Österreich befindet sich zu dieser Zeit wie gesagt in Jugoslawien. Die österreichischen Kommunisten waren in Moskau während des Krieges mehrmals vorstellig geworden mit dem Ersuchen, Stalin möge erlauben, im Rahmen der Roten Armee österreichische Bataillone aufzustellen, die gegen Hitler und für die Befreiung Österreichs kämpfen sollten. Den Polen und den Tschechoslowaken wurde erlaubt, solche militärische Einheiten unter kommunistischer Führung auf sowjetischer Seite aufzustellen. Den Österreichern und den Deutschen nicht. Aber Tito erklärte sich bereit, im Rahmen seiner Partisanenarmee in Jugoslawien österreichische Bataillone unter kommunistischer Führung errichten zu lassen. So flogen einige österreichische Kommunisten von Moskau nach Jugoslawien und wurden dort im Partisanengebiet mit Fallschirm abgesetzt. Unter ihnen befand sich der schon erwähnte spätere Erste Sekretär der KPÖ, Friedl Fürnberg, der spätere Staatssekretär für Inneres, Franz Honner, und der spätere Unterstaatssekretär Franz David. Und auch Leo Hölzl. Über die österreichischen Freiheitsbataillone in Jugoslawien wird noch ausführlicher zu berichten sein. Schon jetzt sei vorweggenommen, daß sich in den Bataillonen nicht nur Kommunisten befanden. Und auch in der politischen Führung akzeptierte man einzelne Nichtkommunisten, unter ihnen Erwin Scharf, damals noch ein Revolutionärer Sozialist, der sich auf der Flucht vor der Gestapo von

Kärnten aus zu den jugoslawischen Partisanen durchgeschlagen hatte.

Nach dem Fall von Wien heißt es auch in Jugoslawien, daß die führenden Köpfe der Freiheitsbataillone so rasch wie möglich nach Wien gebracht werden sollen. Ein sowjetisches Militärflugzeug holt sie ab und bringt sie auf dem Umweg über Ungarn nach Wien. Franz David, Arzt und später Primarius in Wien, erinnert sich, wie er mit dieser kleinen Gruppe in Wien eingetroffen ist: „Wir sind in der Nacht angekommen. Das war für mich ein furchtbarer Schock. Es war alles finster, es gab doch keine Beleuchtung. Wir sind über die Wieden herein, alles hin. Es hat ausgeschaut, als wäre überhaupt alles kaputt. Es war einfach grauenhaft. Und wir kommen zur Oper, die Oper hin, der Heinrichhof kaputt, da geht nur noch so ein Wegerl über die Trümmer hinweg. Und da marschiert gerade eine Wachkompanie Russen, und die singen: ‚Moskwa moja, ty somaja ljubimaja, ty somaja krassiwaja‘, das heißt ‚Moskau, du meine liebste, du meine schönste Stadt‘, ehrlich gesagt, ich hab’ zu heulen angefangen. Ich konnt’s nimmer aushalten. Das hat mir so weh getan, Moskau ist schön, und wir kommen in eine völlig zerstörte Stadt. So hat es ausgeschaut, das war der erste Eindruck. Die erste Nacht haben wir in der Wohnung von der Maria Eis geschlafen [Maria Eis, Schauspielerin am Burgtheater, engagierte Kommunistin], und dort waren russische Offiziere. Damit ihr ja nix passiert, haben sie auf sie aufgepaßt.“

Damit war die Führungsgarnitur der KPÖ vollzählig in Wien eingetroffen: Johann Koplenig, Ernst Fischer, Franz Honner, Friedl Fürnberg, Franz David. Dazu David: „Der Koplenig und der Fischer, die waren schon vor uns da und haben uns empfangen. Und da war schon fix, daß wir in die Regierung kommen. Das heißt, daß auch der Honner und ich in die Regierung kommen.“

Die Gründung der ÖVP

Inzwischen formiert sich auch das bürgerliche Lager; suchen und finden einander frühere Funktionäre der Christlichsozialen Partei und einige jüngere aus der Widerstandsbewegung O5. Sie entschließen sich, bei einer bürgerlichen Parteigründung mitzumachen. Unter ihnen Wilfried Gredler, Johannes Eidlitz, Herbert Braunsteiner, Hans Pernter, Viktor Müllner und der Spitzenführer der O5, Raoul Bumballa.

Während die Sozialdemokraten im Roten Salon des Rathauses zusammenkommen, sind die bürgerlichen Politiker noch auf der Suche nach einer geeigneten Unterkunft. Leopold Figl war inzwischen von den Sowjets schon damit betraut worden, die Bauern in Niederösterreich zu kontaktieren und soweit wie möglich zu organisieren. Für Leopold Figl ist daher das frühere Niederösterreichische Landhaus in der Herrengasse das natürliche Zentrum zunächst einer beginnenden Verwaltung und auch einer entstehenden bürgerlichen Partei. Johannes Eidlitz war von der O5 im Palais Auersperg in das Landhaus übersiedelt und berichtet: „Das Wesentliche war doch, daß sich im Niederösterreichischen Landhaus der Kern einer Verwaltung konstituiert hat, der, wenn man will, den Anspruch erheben konnte, so etwas wie ein Vorläufer einer provisorischen Regierung zu sein. Da geschah plötzlich etwas sehr Merkwürdiges. Es erschien ein Trupp von in Lederröcke gekleideten und mit Maschinenpistolen bewaffneten Zivilisten, die behauptet haben, sie wären die Polizei, ein Stoßtrupp der Kommunisten, und die haben dieses Rudiment einer Verwaltung beseitigt. Sie haben das Landhaus besetzt und haben alle darin Befindlichen, darunter auch mich, höchst rüde hinausgeschmissen. Wir haben

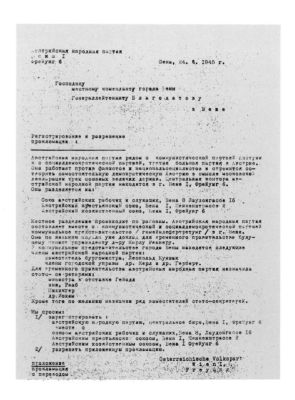

Unten das in russischer Sprache gehaltene Ansuchen der ÖVP beim sowjetischen Stadtkommandanten General Blagodatow um Zulassung als politische Partei.

Der erste Vorstand der Österreichischen Volkspartei: Leopold Figl, Geschäftsführender Obmann, rechts von ihm Raoul Bumballa, Spitzenführer der O5, daneben Julius Raab, Ferdinand Graf sowie der spätere ÖVP-Bundesrat Franz Latzka. Links von Figl Lois Weinberger, Felix Hurdes, Hans Pernter, Edmund Weber. Die Volkspartei wurde in der Prälatur des Wiener Schottenstifts gegründet.

Franz David: Ich hab zu heulen angefangen.

uns noch zuletzt revanchiert, indem wir alle Telefonleitungen abgeschnitten haben. Aber das war auch nur eine recht schwache Widerstandsgeste. Am Tag danach ist den Führern der späteren Volkspartei offensichtlich klargeworden, daß sie so schnell wie möglich handeln mußten, um nicht ins Hintertreffen zu geraten."

Die aus dem Niederösterreichischen Landhaus Vertriebenen finden in der Prälatur des Wiener Schottenstifts auf der Freyung eine geschützte Aufnahme. Man schreibt den 17. April. Die Kampfhandlungen sind erst vier Tage vorüber, jenseits der Donau wird noch geschossen, da treten in der Prälatur des Schottenstifts die genannten Männer der früheren Christlichsozialen Partei und der Widerstandsbewegung O5 zusammen. Die Wahl des Orts würde vermuten lassen, daß sie an die Traditionen der Christlichsozialen Partei anzuschließen gedachten. Und einige von ihnen wollen der Partei, die sie nun gründen oder wiedergründen werden, auch den alten Namen geben – Christlichsoziale Partei. Doch nun vollzieht sich im Schottenstift ein sehr ähnlicher Prozeß wie drei Tage zuvor im Roten Salon im Rathaus. Die jüngeren Leute sind dagegen, daß man die Partei „christlichsozial" nennt und sozusagen schon mit dem Namen an jene Christlichsoziale Partei anschließt, aus deren Reihen unter anderen auch Engelbert Dollfuß und Kurt Schuschnigg kamen, die dem Ständestaat vorgestanden sind. Fast alle im Schottenstift Versammelten kommen aus den Gefängnissen oder den Konzentrationslagern des Dritten Reichs oder waren beim Widerstand. Für sie ist es keine Frage mehr, daß das neue Österreich eine freiheitliche, demokratische Staatsform haben muß. So setzen sich jene durch, die der Partei nicht nur einen neuen Namen, sondern auch eine neue Zielsetzung geben wollen. Kein Ständestaat mehr, kein autoritäres Regime – das Bekenntnis zu Demokratie und Freiheit und auch zur Toleranz soll die Basis dieser neuen bürgerlichen Partei sein. Das war wichtig, denn man darf nicht vergessen: Elf Jahre zuvor erst, 1934, gab es den Bürgerkrieg, danach ein autoritäres Regime, das im Namen christlicher Grundsätze Sozialisten und Kommunisten ebenso wie Nationalsozialisten einsperrte. Erst 1938, mit dem Einmarsch der Hitler-Truppen, begann auch für die Christlichsozialen der gleiche Leidensweg wie für Sozialisten und Kommunisten; da sie Träger des Ständestaates und dessen führende Politiker waren, richteten sich die ersten großen Verhaftungswellen sogar im besonderen gegen sie. In den Konzentrationslagern aber begegnen sie einander alle im Lauf der Zeit, die Gegner von früher, Christlichsoziale, Sozialdemokraten, Kommunisten, Monarchisten, und nehmen sich vor, sollten sie je wieder frei sein, die Fehler von früher zu vermeiden.

So entschließen sich die bürgerlichen Politiker in der Prälatur des Schottenstifts doch, eine neue Partei zu gründen. Und sie nennen sie Österreichische Volkspartei. Eine Partei, die zur Zusammenarbeit mit allen anderen Parteien bereit sein soll. Mit den Sozialdemokraten und auch mit den Kommunisten; das übrigens schien am 17. April 1945 in Anbetracht der sowjetischen Besetzung in Wien eine unausweichliche Notwendigkeit.

Unter den Gründungsmitgliedern der ÖVP befindet sich damals auch der junge Ferdinand Habl. Und die Jungen befürchten, daß sich letzten Endes nicht nur die alte Führungsgarnitur der Christlichsozialen, sondern eventuell auch der alte Geist in der Partei wieder durchsetzen könnte. So nehmen die Jungen nun die Organisation der Partei in die Hand, und das sehr zielbewußt. Ferdinand Habl berichtet: „In der Sorge, daß sich vielleicht doch die Älteren durchsetzen könnten mit ihren Ideen, haben wir Jungen dann zu einem Mittel gegriffen, das heute zweifellos als richtig angesehen würde, aber damals nicht von allen geschätzt wurde. Sobald wir einen kanzleimäßigen Parteibetrieb einrichten konnten, mit den damals zur Verfügung stehenden primitiven Mitteln, haben wir Beitrittserklärungen hektographiert. Die ersten Mitgliedsbestätigungen, und zwar gleich unter dem Namen Österreichische Volkspartei. Bald danach haben wir auch die ersten Drucksorten aufgelegt, wieder unter dem Namen Österreichische Volkspartei. Wenn dann die Rede davon war, was ist denn mit dem und jenem, dann haben wir gesagt: Der gehört schon zu uns, und die anderen haben das so geschehen lassen. Die Aktion mußte schon mit einer gewissen Rückendeckung gemacht werden. Der frühere Unterrichtsminister Dr. Hans Pernter wurde zum geschäftsführenden Bundesobmann der Partei bestellt, Hauptmann Oswald zum Landesobmann von Wien. Wir haben damals bewußt diese Drucksorten aufgelegt, um vollendete Tatsachen zu schaffen, und es ist von da an gar nicht mehr debattiert worden, ob wir anders heißen könnten. Wir haben auch nicht über die Grenzen geschielt, denn da waren auch ganz andere Verhältnisse, etwa die sogenannte Bruderpartei in Ungarn, die ‚Kleine Landwirtepartei‘ geheißen hat, ohne daß deshalb dort nur Bauern Mitglieder gewesen wären. Es schien uns viel logischer, Österreichische Volkspartei zu sagen, da uns das Bekenntnis zu Österreich als das Wichtigste erschienen ist, und es sollte eine Partei für das ganze Volk werden.“

An sich wollten die Gründer der Volkspartei damals, daß Felix Hurdes an die Spitze der Partei treten sollte. Aber Hurdes hatte einen Bruder, der in der deutschen Wehrmacht diente, wußte nicht, wo sich dieser befand, und befürchtete, der Bruder könnte ein Opfer der Sippenhaftung werden. Es war ja noch Krieg, und hinter der Front bestand noch das Dritte Reich. So wird Leopold Kun-

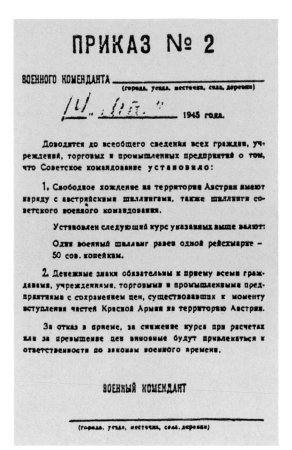

Josef Battisti:
Eine einheitliche Gewerkschaft.

Ferdinand Habl: Für eine neue Partei.

140

BEFEHL Nr. 2

DES MILITÄRKOMMANDANTEN VON

[handschriftlich]

(Stadt, Bezirk, Ortschaft, Dorf)

[handschriftlich] 1945

Allen Bürgern, Behörden, Handels- und Industrieunternehmungen wird folgende Verfügung des Sowjetkommandos bekanntgegeben:

1. Auf österreichischem Gebiet zirkuliert ebenso der österreichische Schilling wie auch der vom Sow.etkommando herausgegebene Schilling.
Folgender Kurs wird für die oben angegebenen Geldscheine festgesetzt:

1 Kriegsschilling = 1 Reichsmark = 50 Sowjetkopeken.

2. Alle Bürger, Behörden, Handels- und Industrieunternehmungen sind verpflichtet, diese Geldscheine in Zahlung zu nehmen unter Beibehaltung der Preise, die zum Zeitpunkt des Einmarsches der Roten Armee auf österreichischem Gebiet Geltung hatten.

Im Falle einer Verweigerung der Annahme, oder Herabsetzung des Kurses bei Verrechnungen sowie für Erhöhung der Preise werden die Schuldigen nach den Gesetzen der Kriegszeit zur Verantwortung gezogen.

DER MILITÄRKOMMANDANT VON

(Stadt, Bezirk, Ortschaft, Dorf)

Mit den Sowjetsoldaten kommt das erste alliierte Geld nach Österreich – der Militärschilling. In allen von den Sowjets besetzten Ortschaften wird die Einführung des neuen Geldes im Befehl Nr. 2 des jeweiligen Militärkommandanten kundgemacht.

schak, der frühere christlichsoziale Arbeiterführer, Ehrenpräsident der Partei und Pernter geschäftsführender Obmann. Es ist diese Konstellation, die für den Bauernführer Leopold Figl den Weg offenhält, der endgültige Obmann der Partei und der erste gewählte Bundeskanzler der Zweiten Republik zu werden.

„Pepi, laß die Leute hier"

Noch früher als die politischen Parteien aber wird in Wien bereits an der Gründung des Gewerkschaftsbundes gearbeitet. Schon am 11. April, noch während der Kampfhandlungen, kamen in der Wiener Kenyongasse frühere Gewerkschafter zusammen, in der kleinen Wohnung ihres Kollegen Josef Battisti. Battisti berichtet: „Es wurde also festgelegt, wir mögen einige Gewerkschaftsfunktionäre aus der Zeit vor 1934 herholen und mit ihnen die Gründung eines Gewerkschaftsbundes besprechen. Soweit die Kollegen erreichbar waren, kamen sie am nächsten Tag. Der Kollege [Karl] Maisel konnte nicht kommen, denn an diesem Tag wurde in seinem Bezirk, das war der 3. Bezirk, am Donaukanal noch gekämpft. Die Kollegen waren alle damit einverstanden, daß ein einheitlicher Gewerkschaftsbund gegründet werden soll. Es waren bei der Besprechung auch schon Kollegen von der christlichen Gewerkschaft dabei sowie einige Kommunisten, die gar nicht eingeladen waren, aber auf Umwegen davon erfahren hatten. Und ich sage dem Kollegen [Johann] Böhm, nachdem schon 17, 18 Personen in der Wohnung waren: ‚Die Wohnung wird zu klein, expedieren wir die, die nicht eingeladen waren, hinaus.' Worauf der Kollege Böhm mir sagt: ‚Pepi, laß die Leute hier. Ich werde versuchen, alle unter einen Hut zu bringen. Es soll in Zukunft weder eine gelbe [verräterische] noch eine christlichsoziale Gewerkschaft geben, die hat zwar bis 1934 auch nichts bedeutet, aber wenn irgend möglich gründen wir einen einheitlichen Gewerkschaftsbund.' Der anwesende Vertreter der Christlichsozialen, das war [Lois] Weinberger, erklärte sich mit der Mitarbeit einverstanden für seine Fraktion, das gleiche machte ein Vertreter der Kommunisten."

Der Sozialist Johann Böhm, der Christlichsoziale Lois Weinberger und der Kommunist Gottlieb Fiala werden diesem einheitlichen Gewerkschaftsbund vorstehen. Das ist für Österreich etwas Neues. Denn bis 1934 gab es Richtungsgewerkschaften, die den einzelnen Parteien nahestanden oder von diesen dominiert wurden. Mit den wachsenden Spannungen in der Innenpolitik standen bald auch die Gewerkschaften gegeneinander. Im Ständestaat gab es dann nur noch eine Einheitsgewerkschaft, auch wenn sich innerhalb dieser da und dort Fraktionen anderer politischer Überzeugung bildeten. Die sozialdemokratischen und die kommunistischen Gewerkschafter operierten im Untergrund oder waren eingesperrt. Jetzt sollte anstelle der parteipolitisch ausgerichteten Einzelgewerkschaften ein einheitlicher Gewerkschaftsbund entstehen, mit parteipolitischen Fraktionen, die aber doch verpflichtet sein sollten, dem übergeordneten Gewerkschaftsgedanken zu dienen.

Das war ein außerordentlich wichtiger Brückenschlag gerade innerhalb der Arbeiterschaft, für die das Jahr 1934 zu einem Trauma geworden war. Aber damit ist der Gewerkschaftsbund auch zu einer gewichtigen Institution im Lande geworden. Dieses Gewicht sollte er später in die Sozialpartnerschaft einbringen. Somit war in der Wiener Kenyongasse ein wesentlicher Grundstein zur Herstellung und späteren Erhaltung des sozialen Friedens im neuen Österreich gelegt worden.

Was die Österreicher beschließen, hat jedoch noch keine Gültigkeit. Dazu bedarf es erst der Zustimmung der sowjetischen

Besatzungsmacht. So muß der Österreichische Gewerkschaftsbund und müssen auch die politischen Parteien beim sowjetischen Stadtkommandanten um ihre Zulassung ansuchen. Sie tun dies mit einem in Deutsch gehaltenen Bewerbungsschreiben und einer russischen Übersetzung in Cyrillisch. Das cyrillische Ansuchen des Österreichischen Gewerkschaftsbundes ist handgeschrieben; die Gewerkschafter fanden zwar jemanden, der Russisch konnte, aber sie fanden keine Schreibmaschine mit cyrillischen Buchstaben. Die russische Stadtkommandantur tat sich auch nicht sehr viel an mit einer Antwort: Am Rande des Ansuchens des ÖGB vermerkt der zuständige sowjetische Offizier, ebenfalls handschriftlich, daß die Kommandantur die Zulassung des ÖGB gewähre.

Die sowjetische Kommandantur ist, wie berichtet, im Gebäude des Wiener Stadtschulrats auf der Bellaria einquartiert. Große Bilder von Stalin und Lenin und ein mächtiger Sowjetstern kennzeichnen die Kommandantur ebenso wie die sowjetischen Doppelposten, die vor dem Tor Wache stehen. Das wird zehn Jahre lang so bleiben. Das allerdings wissen die Wiener in jenen Apriltagen 1945 noch nicht. Damals betreten sie die Kommandantur vorwiegend noch mit ihren Tagesanliegen. Und dazu gehört eben auch das Ersuchen der politischen Parteien um Zulassung und Registrierung.

Das Ansuchen der ÖVP ist erhalten geblieben. Es stammt vom 24. April 1945 und ist ebenfalls in Deutsch und in Russisch abgefaßt, doch hat die ÖVP eine Schreibmaschine mit cyrillischen Lettern aufzutreiben vermocht. Es ist ein langes Schreiben: Die Volkspartei versucht minuziös zu erklären, daß sie mit dem Heimwehr-Faschismus vor dem Krieg nichts zu tun habe. Sie legt auch ein Bekenntnis dazu ab, daß sie sowohl den Nationalsozialismus als auch den Faschismus bekämpfen wolle. Das Selbstbewußtsein der Gründungsväter der ÖVP aber dürfte in jenen Apriltagen noch nicht sehr groß gewesen sein. Denn im Zulassungsansuchen der Österreichischen Volkspartei an den Sowjetkommandanten heißt es wörtlich: „Die Volkspartei ist neben der Kommunistischen Partei und der Sozialdemokratischen Partei die drittgrößte Partei in Österreich."

Johannes Eidlitz bringt dieses Ansuchen der ÖVP in die sowjetische Kommandantur. Eidlitz berichtet: „Ich hab mir zur Vorsicht einen Dolmetscher mitgenommen, den Herrn Schuh, ein

„An den Militärkommandanten von Wien.
Betrifft: Erteilung der Bewilligung für die Registrierung des Allgemeinen Gewerkschaftsbundes Österreichs.

Das Aktionskomitee, das für die Neuerrichtung des ‚Österreichischen Allgemeinen Gewerkschaftsbundes' in Wien I, Ebendorferstraße 7, arbeitet, bittet um Ihre Bewilligung für die Registrierung des Bundes.

Wien, am 27. April 1945.

Johann Böhm, Gottlieb Fiala, Lois Weinberger, Karl Krisch, Johann Smeykal

Der Gewerkschaftsbund ist registriert.

30. April 1945.   (Unterschrift unleserlich)."

Schon am 11. April, noch während der Kampfhandlungen, kamen in der Wiener Kenyongasse frühere Gewerkschafter zusammen und beschlossen, einen einheitlichen Gewerkschaftsbund zu gründen. Johann Böhm wird der erste Präsident, Lois Weinberger und Gottlieb Fiala sind seine Stellvertreter. In russischer Sprache, jedoch handschriftlich, sucht das „Aktionskomitee für die Neuerrichtung des Österreichischen Allgemeinen Gewerkschaftsbundes" beim sowjetischen Militärkommandanten um Registrierung an. Irgendein Offizier setzte auf das Papier den Vermerk: „Der Gewerkschaftsbund ist registriert." Damit war der ÖGB gegründet (links unten).

Johannes Eidlitz:
Der Dolmetscher erbleichte.

Georg Zimmer-Lehmann: Auch ein Paradies bedarf der Organisation.

Wilfried Gredler: Von hier ging alles aus.

langer, dünner Mann. Und in der Stadtkommandantur saß schon der Friedl Fürnberg [von der KPÖ] und, wenn ich mich recht erinnere, der Erwin Scharf von den Sozialdemokraten." Scharf war nach seiner Rückkehr aus Jugoslawien zu den Sozialisten im Roten Salon des Rathauses gestoßen und hatte dort als Revolutionärer Sozialist am Tisch der Jungen Platz genommen. Scharf, politisch geschult, wird zum ersten Zentralsekretär der SPÖ bestellt. Es war eine Blitzkarriere.

Eidlitz weiter: „Zuerst wurde der Scharf drangenommen. Der kam dann heraus und sagte: ‚Es ist nicht sehr aufregend. Du mußt nur erklären, welche Organisationsformen ihr habt und was ihr wollt und das Programm usw.' Dann kam der Fürnberg, und dann kam ich. Und es war auch so, ich mußte die Organisation der Partei erklären, ihr Programm. Und neben mir war der Dolmetscher, und ich habe gesehen, wie der seufzt und immer blasser und blasser wird. Doch das Verhör durch den General und durch die um ihn herumsitzenden grünbemützten Politkommissare ist ganz normal verlaufen, es war weiter nicht schlimm. Ich bin nach etwa einer halben Stunde ganz vergnügt wieder weggegangen. Wie wir bei der Tür draußen sind, sage ich zu meinem völlig kalkweißen Herrn Schuh: ‚Herr Schuh, was haben Sie denn? Ist Ihnen schlecht?' Sagt er: ‚Wenn Sie wüßten, was der Oberst immer zu dem General gesagt hat!' Sag ich: ‚No was hat er denn gesagt?' – ‚Bei jedem Satz, den Sie gesagt haben, hat er gesagt: Burshoj faschist, burshoj faschist (bourgeoiser Faschist).' Über den Weg haben sie uns offenbar nicht getraut."

Die Ausschaltung der O5

Stadtkommandant General Blagodatow genehmigt also drei politische Parteien: die ÖVP, die SPÖ und die KPÖ; und er genehmigt den Gewerkschaftsbund. Dann ist Schluß. Wir wissen nicht, ob die Sowjets von vornherein nur die Zulassung der drei Parteien geplant hatten oder ob sie auf den Rat ihrer kommunistischen Freunde und vielleicht sogar auch auf den Rat der mit ihnen verhandelnden sozialdemokratischen und christlichsozialen Politiker gehandelt haben. Denn etwas an dem Vorgehen der Sowjets ist erstaunlich: Die erste antifaschistische Organisation, auf die die Sowjets in Wien stoßen, ist die Widerstandsbewegung O5 im Palais Auersperg. Noch während der Kampfhandlungen in der Inneren Stadt ist die Verbindung zwischen der O5 und den Sowjets hergestellt, besuchen sowjetische Offiziere die O5 im Auersperg. Auch die prominenten Führer der späteren ÖVP und SPÖ begeben sich ja zuerst in das Auersperg und schließen sich dort der O5 an, ehe sie ausfächern und ihre eigenen Parteien wieder gründen.

Die führenden Leute der O5 sind dementsprechend fest davon überzeugt, daß sie als aktive Widerstandskämpfer an der nun aufzubauenden Verwaltung führend beteiligt sein werden, ja, daß ihr Siebenerausschuß in diesen ersten Apriltagen schon einer rudimentären österreichischen Regierung gleichkomme. Doch nun wird die O5 von den Sowjets links liegengelassen.

Auch die Kommunisten, nachdem sie aus Moskau in Wien eingetroffen waren, nahmen Kontakt mit der O5 im Auersperg auf. Ernst Fischer äußerte sich sehr negativ über das, was er dort vorfand. Es schien ihm alles verwirrend desorganisiert, und für ihn, den straff disziplinierten Kommunisten, waren die O5-Leute einfach Dilettanten. Jedenfalls dürften die Gründer der politischen Parteien allesamt keine Konkurrenz von seiten der Widerstandsbewegung gewünscht haben, die sich darauf berufen konnte, aus dem Untergrundkampf gegen Hitler hervorgegangen zu sein.

Die O5 war für sie weder politisch noch organisatorisch erfaßbar. Georg Zimmer-Lehmann, der damals im Palais Auersperg saß und dem militärischen Widerstand schon seit dem Juli 1944 angehörte, schildert die Gefühle und Ziele, die die O5-Leute damals hatten, so: „Wir hatten in unseren Jahren Demokratie nie wirklich bewußt mitgemacht und stellten uns unter Demokratie das Paradies vor. Wir waren dann sehr überrascht, daß auch ein Paradies einer Organisation bedarf. Und für diese Organisation waren wir, trotz unserer sicher sehr hochstrebenden politischen Gedanken – ich weiß noch, was wir alles mit Österreich tun wollten – doch real nicht geeignet. Wir waren nicht imstande, eine Partei zu gründen, und wir waren auch nicht imstande, genau die Wünsche zu artikulieren, die man für die verschiedenen Schichten der Bevölkerung vorbringen muß. Wir kamen aus dem Krieg und hatten das Gefühl, daß nun alle das gleiche wollen müssen. Aber so ein Gefühl hält nur ganz kurze Zeit, dann splittern sich die Ansichten, und jede einzelne Sektion bringt ihre Wünsche vor. Davon hatten wir keine Ahnung. Wir hatten doch immer wieder darüber gesprochen, die Leute, die von der Front kamen, und die Leute in führender Position der Widerstandsbewegung, und wir waren alle entschlossen, die engstirnige Parteipolitik zu überwinden. Das ist uns nicht gelungen. Es sind aus der Widerstandsbewegung entscheidende Anstöße für die Reorganisation aller Parteien gekommen; ich lasse jetzt einmal die Kommunistische Partei aus. Wir haben permanente Strukturänderungen in der Politik in die Wege geleitet. Aber wir haben uns nicht durchgesetzt, wir sind auf der Strecke geblieben. Als Widerstandsbewegung, nicht als einzelne. Weil wir unerfahren waren, weil wir nicht das Organisationstalent hatten, weil wir nicht wußten, wie man so etwas spielt. Und weil die alten erfahrenen Politiker, die zurückgekommen sind, einfach wieder an das angeschlossen haben, nämlich administrativ, was sie vorher schon gemacht hatten. Sie wußten, wie man ein Ministerium aufbaut, sie wußten, wie man eine Partei führt. Wir waren da wirklich noch zu jung."

Und Wilfried Gredler, einige Jahre später prominentes Mitglied des Verbandes der Unabhängigen, des Vorläufers der Freiheitlichen Partei, ergänzt: „Was also war unsere Tätigkeit? Wir hatten hier im Auersperg die Armbinden unter den Teppichen versteckt, wir hatten Waffen versteckt, wir hatten Verschiedenes hier vorgesorgt und konnten eine rudimentäre Verwaltung für Wien schaffen. Wir haben Ausweise vorbereitet, das war zum Teil meine Arbeit. Ich hatte die Schreibmaschine gebracht und den Dolmetscher aufgetrieben. Ich hatte dafür zu sorgen, daß eine verwaltungsmäßige Tätigkeit beginnen kann. Das war, würde ich sagen, doch sehr wichtig. Denn von hier aus ist die SPÖ im Roten Salon des Rathauses entstanden, ist im Schottenstift in meiner Anwesenheit und vieler von uns die ÖVP konstituiert worden. Aber doch nur, weil sich im Auersperg alle Leute treffen konnten. Wir haben im Auersperg den Rendezvousplatz für die Politiker der früheren Zeit geschaffen. Nicht immer zu meinem Vergnügen, weil ich selbst zum Beispiel, ich wollte etwas Neues, ich wollte keine Anknüpfung bei den Politikern, die im Jahr 1934 abgewirtschaftet hatten, ob sie nun aus dieser oder jener Richtung kamen. Ganz egal, ob autoritär oder Sozialdemokraten oder Nationalsozialisten. Aber das waren so Träume der Jugend."

Am 21. April wird der Befehl Nr. 4 des sowjetischen Stadtkommandanten General Blagodatow angeschlagen. Sein Wortlaut:

„In letzter Zeit sind in Wien verschiedene Organisationen aufgetaucht, die, ohne bei der Ortskommandantur registriert zu sein, eine politische und öffentliche Tätigkeit zu entfalten versu-

СПРАВКА

Госп. Вильгельм Гильбер

работает в „Савой"-кино кино-оператор

и не подлежит мобилизации на другие работы.

Военный Комендант города Вены

Генерал-Лейтенант

Благодатов

Nr. 4 **BEFEHL**
des Ortskommandanten
der Stadt WIEN

21. April 1945

In letzter Zeit sind in Wien verschiedene Organisationen aufgetaucht, die, ohne bei der Ortskommandantur registriert zu sein, eine politische und öffentliche Tätigkeit zu entfalten versuchen. Einige von diesen Organisationen veröffentlichen ohne Genehmigung der Kommandantur Aufrufe und Verfügungen aller Art und stellen verschiedene Mandate und Bescheinigungen aus.

Derartige eigenmächtige Handlungen sind schädlich und können nicht geduldet werden.

Es wird hiermit bekanntgegeben, dass die Existenz und Tätigkeit öffentlicher und politischer Organisationen erst nach Registrierung in den zuständigen Ortskommandanturen zulässig ist. Die Herausgabe von Druckmaterialien ist ebenfalls nur mit Genehmigung der Militärzensur gestattet.

Das Ankleben und Aushängen von Druckmaterialien erlaube ich an hierfür besonders zugewiesenen Stellen.

DER ORTSKOMMANDANT DER STADT WIEN
GENERALLEUTNANT
BLAGODATOW.

144

AUSWEIS

Herr *Hilbert Wilhelm*
~~Frau~~

ist beschäftigt *Vorführer im*
Savoy-Kino Wien XVI.

nd darf nicht zu anderer Arbeit
herangezogen werden.

Der Militärkommandant
der Stadt Wien
Generalleutnant Blagodatow

Im ersten Befehl des sowjetischen Stadtkommandanten hieß es: „Alle Macht ist in meiner Person vereinigt." Und so ist es. Wer auch nur seiner Beschäftigung unbehelligt nachgehen will, benötigt einen vom Stadtkommandanten unterzeichneten Ausweis.

Mit dem Befehl Nr. 4 verfügt General Blagodatow praktisch die Auflösung sämtlicher politischer Gruppierungen außerhalb der drei zugelassenen Parteien ÖVP, SPÖ, KPÖ und des Gewerkschaftsbundes. Dieser Befehl besiegelt das Schicksal der Widerstandsbewegung O5. Der General schaltet sie zugunsten der politischen Parteien aus.

Schon am 17. April, vier Tage nach Beendigung der Kämpfe in Wien, wird Theodor Körner von General Blagodatow zum Bürgermeister bestellt, Leopold Kunschak und Karl Steinhardt werden seine Stellvertreter.

chen. Einige von diesen Organisationen veröffentlichen ohne Genehmigung der Kommandantur Aufrufe und Verfügungen aller Art und stellen verschiedene Mandate und Bescheinigungen aus.

Derartige eigenmächtige Handlungen sind schädlich und können nicht geduldet werden.

Der Ortskommandant der Stadt Wien Generalleutnant Blagodatow."

Ab sofort dürfe es kein „eigenmächtiges politisches Handeln" mehr geben. Die Sowjets sind entschlossen, nur die drei Parteien als politische Kräfte zuzulassen. Die Widerstandsbewegung O5 ist ausgeschaltet. Als ihre Mitglieder noch versuchen, gesellschaftlich zusammenzukommen, gibt es einen Befehl der österreichischen „Hilfspolizei der Stadtkommandantur", der sogar verbietet, Tanzveranstaltungen oder andere Vergnügungen abzuhalten, unter deren Mantel sich politische Betätigung verstecken könnte. Auch derartige Veranstaltungen dürften ab sofort nur von den drei Parteien KPÖ, SPÖ und ÖVP durchgeführt werden, heißt es in dem Befehl.

Die politischen Parteien – das sind Strukturen, die die Sowjets kennen. Und sie wissen auch, daß die Parteien organisatorisch durchziehen können, was eine Besatzung in dieser Zeit dringend braucht: den raschen Aufbau einer Verwaltung, die für Ruhe und Ordnung unter der Zivilbevölkerung sorgt, die die öffentlichen Dienste wiederherstellt, die die Versorgung in Gang bringt und an die sich die Besatzungsmacht mit allen ihren Wünschen wenden und die sie verpflichten kann, diese Wünsche zu erfüllen. Der „wilde Haufen" der Widerstandsbewegung erscheint ihnen diese Voraussetzungen nicht zu erfüllen.

Ein General wird Bürgermeister

Die Macht liegt also bei General Blagodatow. Doch für die Verwaltung der Stadt und als Verantwortlichen gegenüber der Besatzungsmacht sucht der General einen Bürgermeister. Die Spitzen der drei Parteien einigen sich, den früheren k. u. k. General und angesehenen Sozialdemokraten der Ersten Republik Theodor Körner für dieses Amt vorzuschlagen.

In seiner Moskauer Vorstadtwohnung erzählt uns Alexej Blagodatow, wie sich die Betrauung Theodor Körners aus seiner Sicht vollzog: „Mir war klar, daß wir eventuelle Schildbürgerstreiche unserer eigenen Leute in allen möglichen kommunalen Angelegenheiten verhindern mußten. Sie wußten doch nichts von dieser

Stadt. Diese Arbeiten mußte möglichst schnell ein Bürgermeister übernehmen. Und so lud ich, als ich die Parteien befragte, Johann Koplenig ein [den Vorsitzenden der KPÖ]. Koplenig sagte mir: ‚Wir haben da einen guten Kandidaten, den ehemaligen österreichischen Armeegeneral Körner. Er ist zwar ein Sozialdemokrat, aber ein rechtschaffener, anständiger Mensch und hat auch eine gewisse Erfahrung in der öffentlichen Verwaltung.‘ So lud ich Körner zu mir ein und schlug ihm vor, der Bürgermeister zu werden. Körner dachte ein wenig nach, dann sagte er auf russisch, daß er einverstanden sei. Da dankte ich ihm und meinte, daß wir, da wir doch beide Soldaten seien, wohl auch eine gemeinsame Sprache finden würden."

Theodor Körner sprach recht gut Russisch, er hatte es gelernt, als ahnte er, daß er es bei Ende des Krieges dringend brauchen würde. Die Sprachkenntnisse Körners haben, wie uns von mehreren sowjetischen Militärs der damaligen Zeit bestätigt wurde, sehr dazu beigetragen, daß die Sowjets weite Teile der Verwaltung dem Bürgermeisteramt überließen und auch vielen österreichischen Wünschen in dieser ersten Zeit entgegenkamen. Körner, der auch gut Englisch und Französisch sprach, war später dieser Sprachkenntnisse wegen auch bei den Westalliierten recht beliebt.

Bereits mit dem Befehl Nr. 3 setzt General Blagodatow Körner als Bürgermeister von Wien ein. Der bisherige amtierende kommunistische Bürgermeister Prikryl wird fallengelassen, auch als Vizebürgermeister. Denn zu Vizebürgermeistern der Stadt ernennt Blagodatow den Christlichsozialen Leopold Kunschak und den Altkommunisten Karl Steinhardt. Zusammen bilden sie bereits den Dreierproporz, den die Sowjets wenige Tage später auch in der von ihr eingesetzten ersten österreichischen Regierung verankern.

Doch mit Körner als Bürgermeister haben die Sowjets den Mehrheitsanspruch der Sozialdemokraten in Wien anerkannt. Sie haben im übrigen auch der ÖVP mehr zuerkannt, als diese in ihrer damaligen Bescheidenheit zu fordern wagte. Denn in der O5 im Auersperg kommt man – noch vor der Auflösung – auch zu dem Schluß, daß man Körner als Bürgermeister vorschlagen sollte, allerdings Prikryl als Vizebürgermeister. Der Vorschlag sollte den Sowjets unterbreitet werden. Adolf Schärf zitiert ihn in seinem Buch „Österreichs Erneuerung" und nennt als Datum der Entstehung dieses Dokuments den 15. April. In der Eingabe der O5 wird die Einsetzung eines Stadtsenats vorgeschlagen, bestehend aus elf Stadtbeiräten – für Personal, Finanzen, Gesundheits- und Wohlfahrtswesen, Wohnungs- und Siedlungswesen, technische Angelegenheiten, Wirtschaftsangelegenheiten, allgemeine Angelegenheiten, Unternehmen, Schul- und Erziehungswesen, Ernährung und Gewerbe, Polizei- und Sicherheitswesen.

Der Vorschlag enthält drei erstaunliche Fakten: das Polizei- und Sicherheitswesen wird in diesem Vorschlag automatisch dem Vizebürgermeister zugeordnet, und für diese Funktion sieht der Vorschlag den Kommunisten Prikryl vor. Desgleichen sollen die Kommunisten die Stadtbeiräte für die Ressorts Personal, Schul- und Erziehungswesen, Gesundheits- und Wohlfahrtswesen, Ernährung und Gewerbe stellen. Zusammen mit der Polizei sollten nach der Vorstellung der O5 die Kommunisten also fünf der Ressorts besetzen. Als „zweitgenannte Partei" scheint die SPÖ auf, der auch fünf Ressorts zugeteilt werden – Finanzen, technische Angelegenheiten, Wirtschaftsangelegenheiten, allgemeine Angelegenheiten und Unternehmen. Hingegen wird der „bürgerlichen Freiheitsbewegung" nur ein einziges Ressort zuerkannt: das Wohnungs- und Siedlungswesen, damals wohl das schwierigste Ressort. Unterzeichnet aber ist dieser Vorschlag von Viktor Müllner für die

Die O5 war nicht die einzige Widerstandsgruppe, die Mitwirkung am politischen Leben Österreichs beanspruchte. In einzelnen Bezirken formierte sich die „Österreichische Freiheitsfront", meist unter kommunistischer Führung. Von den Sowjets zwar länger geduldet als die O5, mußte auch die „Freiheitsfront" ihre Tätigkeit letztlich einstellen (rechts).

Befehl Nr. 3: Wien hat einen Bürgermeister.

BEFEHL Nr. 3

Ich mache kund, daß zum provisorischen Bürgermeister der Stadt Wien

General i. R.

Theodor Körner

und zu provisorischen stellvertretenden Bürgermeistern die Herren

Leopold Kunschak
und
Karl Steinhardt

bestellt sind.

Der Militärkommandant der Stadt Wien
Generalmajor BLAGODATOW

Wien, 18. April 1945.

Protokoll über die Besprechung beim russischen Ortskommandanten für den 14. und 15. Bezirk

Anwesend: Ortskommandant für den 14. u. 15. Bezirk und sein Vertreter - Komitee der Oesterr. Freiheitsfront.

Gegenstand der Besprechung: Befehl des Ortskommandanten für den 14. und 15. Bezirk vom 11. April 1945 (siehe Beilage).

Zu Punkt 2)

Der Kommandant fordert das Komitee auf, Vorschläge für die Ernennung der Bezirksvorsteher für den 14. und 15. Bezirk zu machen. Das Komitee erklärt sich einverstanden.

Zu Punkt 3)

Vorschlag des Komitees:

a) Wahl von provisorischen Betriebsräteausschüssen unter deren Führung die Belegschaften sofort alle notwendigen Arbeiten zur Vorbereitung der Wiederaufnahme der Produktion beginnen.

b) Wiedergründung der freien Gewerkschaften.

Beide Vorschläge vom Ortskommandanten genehmigt.

Der Ortskommandant legt besonderen Wert auf die Erhaltung und Wiederinstandsetzung der Wasserleitungsanlagen, Elektrizitätswerke und des Telefons.

Er fordert außerdem, daß mit sofortiger Wirkung sämtliche Geschäfte zu öffnen sind, auch solche Geschäfte, deren Besitzer geflüchtet sind. In diesen Fällen ist die Freiheitsfront ermächtigt, provisorische Geschäftsleiter einzusetzen, die für die Weiterführung verantwortlich sind.

In der Wiederaufnahme des normalen Geschäftslebens sieht der Kommandant u. a. eine Gewähr für die Verhinderung von Plünderungen.

Weiters fordert der Ortskommandant die gesamte Bevölkerung auf, sofort auch mit den Aufräumungsarbeiten in Häusern und Straßen zu beginnen.

Zu Punkt 4)

Hierauf wird von den Ortskommandanten besonderer Wert gelegt. Er gibt noch die besondere Anweisung, daß diese Anstalten einschließlich der Apotheken ab morgen mindestens halbtägig den Betrieb aufnehmen müssen.

Da die Lebensmittelvorräte in Krankenanstalten etc. sehr knapp sind, ergibt sich die Notwendigkeit für Sicherstellung zu sorgen. Das Komitee schlägt vor, den lebensnotwendigen Bedarf der Krankenhäuser an Lebensmitteln und Brennmaterial aus den im Bezirk vorhandenen Vorräten zu decken. Hiezu ist unbedingt Einsatz von Autos notwendig.

... Vorschlag. Das Komitee ist ... deren

Zu Punkt 5)

Das Komitee macht darauf aufmerksam, daß die Lebensmittelvorräte äußerst knapp sind und schlägt vor, sie deshalb vorläufig weiterhin rationiert zu halten. Dieser Vorschlag wurde provisorisch genehmigt; weitere Weisungen sind abzuwarten.

Laut Weisung des Kommandaten ist die Öffnung der Gaststätten sofort zu veranlassen; diese Betriebe sind in die Versorgung der Bevölkerung unverzüglich einzugliedern. Mit dem Vorschlag des Komitees, die Verabreichung von Wein und Schnaps zu untersagen, erklärt sich der Kommandant einverstanden.

Zu Punkt 8.

Zur Unterstützung der Aufrechterhaltung von Ruhe und Ordnung schlägt das Komitee die Aufstellung eines bewaffneten Selbstschutzes (Volksmiliz) aus bewährten antifaschistischen Elementen vor, unter dessen Führung auch die nichtnazistischen alten Polizeikräfte stehen. In dieser Truppe sieht die Delegation den Grundstock einer künftigen Ordnungsmacht für die zu konstituierende freie demokratische Republik Oesterreich. Für den Selbstschutz wird die Ausstellung von Ausweisen der Freiheitsfront, die vom Ortskommandanten gegengezeichnet sind, vorgeschlagen.

Der Kommandant genehmigt die Aufstellung des Selbstschutzes mit dem vorgeschlagenen Aufgabenbereich zunächst ohne Waffen. Er behält sich die Entscheidung über die Bewaffnung und Legitimierung vor.

Im Aufgabenbereich des Selbstschutzes liegt gegenwärtig auch die Sicherung des normalen Ablaufes des Lebensmittelverkaufes, die Verhinderung von Plünderungen von Geschäften und Fabriken.

Der Kommandant fordert die Delegation auf, ihm Uebergriffe von Fremdarbeitern und Angehörigen der Roten Armee unverzüglich zu melden und sichert sofortige Abhilfe zu.

Das Komitee bittet den Kommandanten um seine Ansicht über die im Gebiet vorhandenen bewaffneten Organisationen der Fremdarbeiter. Der Kommandant teilt mit, daß selbstverständlich auch alle Fremdarbeiter auf Grund von Punkt 8 seines heutigen Befehles die Waffen abliefern müssen.

Der Kommandant fordert das Komitee auf, alle bekannten Waffenvorräte unverzüglich zu melden.

Die Delegation stellt die Frage über den Besitz der Radio-Empfangsgeräte und ersucht, sich mit der Meldung des Standortes von Empfangsgeräten zu begnügen und von einer Einziehung abzusehen. Der Kommandant verfügt die Ablieferung der Apparate in der Kommandatur mit einem Besitzerverzeichnis. Die Wiederaushändigung der Empfangsgeräte kann erst nach Bildung der neuen österreichischen demokratischen Regierung erfolgen.

Zu Punkt 9)

Die Delegation macht darauf aufmerksam, daß zur Zeit in Oesterreich noch die „deutsche Sommerzeit", die mit der „mitteleuropäischen Zeit", von der im Befehl des Ortskommandanten die Rede ist, nicht übereinstimmt, und bittet diese Frage zu regeln. Der Kommandant sagt Regelung zu. Der Kommandant empfiehlt, bei Eintreten der Dunkelheit die Wohnungen aufzusuchen.

Ueber den vorliegenden Befehl hinaus weist der Kommandant darauf hin, daß ...

Christlichsoziale Partei, von Mathilde Hrdlicka für die Kommunistische Partei und von Eduard Seitz (nicht zu verwechseln mit dem früheren sozialdemokratischen Wiener Bürgermeister Karl Seitz) für die Sozialdemokratische Partei.

Schärf schreibt dazu in seinem Buch, daß er daraufhin Kunschak und Hurdes angesprochen und ihnen erklärt habe, daß es zwar nicht seine Aufgabe sein könne, für ihre Partei eine stärkere Vertretung zu fordern, wenn ihr eigener Parteifreund mit dem wenigen zufrieden sei, doch wäre seiner Auffassung nach das bürgerliche Element in der Bevölkerung viel stärker als bloß ein Elftel oder ein Zwölftel. Er würde es für gerechtfertigt halten, wenn die Christlichsoziale Partei eine bessere Vertretung auf Kosten der Kommunisten verlange.

Mit der Einsetzung Leopold Kunschaks als gleichberechtigten Vizebürgermeister neben dem Kommunisten Steinhardt zeigt General Blagodatow jedenfalls mehr Sinn für die Realitäten. Auch kommt es zur Bildung eines Stadtrats, in dem die Sozialisten die Hälfte der Mitglieder stellen, während der Volkspartei und der KPÖ je ein Viertel der Stadträte zugeteilt wird. Wir haben Viktor Müllner auf das Dokument der O5 angesprochen, das nur einen bürgerlichen Stadtbeirat vorsah. Er konnte sich an das Zustandekommen dieses Vorschlags nicht mehr erinnern. Doch am 15. April stand man wahrscheinlich auch im Palais Auersperg noch ganz unter dem Eindruck der sowjetischen Besetzung Wiens und zerbrach sich vermutlich nur den Kopf darüber, wie man den Sowjets die Einsetzung einer österreichischen Verwaltung überhaupt schmackhaft machen könnte.

Welches Regime bringen die Sowjets?

Die Sowjets geben schon unmittelbar nach den Kampfhandlungen eine Zeitung in deutscher Sprache heraus und nennen sie „Österreichische Zeitung". Nach ihrem Untertitel ist sie ein Frontblatt der Roten Armee. Sie veröffentlicht zunächst die sowjetischen Aufrufe an die Bevölkerung. Auch diese sind bemerkenswert. Einer der ersten dieser Aufrufe hat folgenden Wortlaut: „Bürger und Bürgerinnen Österreichs! Nicht als Eroberin, sondern als Befreierin ist die Rote Armee nach Österreich gekommen. Erweist den Truppen der Roten Armee, die auf österreichischem Boden kämpfen, jedmöglichste Hilfe! Bleibt auf euren Plätzen, geht weiterhin eurer friedlichen Arbeit nach und helft der Roten Armee bei der Aufrechterhaltung der Ordnung und der Gewährleistung normaler Arbeit der Industrie und Handelsunternehmungen, der Kommunalverwaltungen und der anderen Betriebe! Befolgt streng die vom Kommando der Roten Armee eingeführte Kriegsordnung! . . . Alle persönlichen und Vermögensrechte österreichischer Bürger, privater Gesellschaften sowie die Eigentumsrechte bleiben unangetastet. Bis zur vom österreichischen Volk auf demokratischer Grundlage selbst herbeigeführten Bildung einer österreichischen Staatsgewalt werden die Funktionen in der Zivilverwaltung von provisorischen Bürgermeistern und Ortsältesten aus der örtlichen österreichischen Bevölkerung, die vom Militärkommandanten der Roten Armee bestimmt werden, wahrgenommen. Alle Industrie- und Handelsunternehmungen sowie alle anderen Betriebe sollen ihre Arbeit fortsetzen. Die nationalsozialistische Partei wird aufgelöst. Einfache Mitglieder der Nationalsozialistischen Partei bleiben unbehelligt, wenn sie sich gegen die Sowjettruppen loyal verhalten. Der friedlichen Bevölkerung Österreichs droht nichts.

Arbeiter und Handwerker! Geht an eure Werkbänke in den Werkstätten und Fabriken! Bauern und Bäuerinnen! Setzt die Aussaat und die übrigen landwirtschaftlichen Frühlingsarbeiten fort! Kaufleute und Unternehmer, Männer der freien Berufe! Beschäftigt euch weiterhin mit euren Angelegenheiten! Angestellte in Handels-, Industrie-, Kommunal- und Staatsbetrieben! Setzt die normale Arbeit eures Betriebes weiter fort! Geistliche und Gläubige können ungehindert ihren religiösen Glaubensverrichtungen nachgehen."

In dem Aufruf ist schon von einer „vom österreichischen Volk auf demokratischer Grundlage selbst herbeigeführten Bildung einer österreichischen Staatsgewalt" die Rede. In einem anderen Aufruf verkünden die Sowjettruppen, daß sie daran denken, die österreichische Verfassung, „so wie sie vor dem Jahr 1938 bestanden hat", wiederherzustellen. Dieser Hinweis auf die Verfassung vor dem Jahr 1938 löst übrigens bei den Sozialdemokraten höchsten Alarm aus. Sie könnten sich das vorstellen: die autoritär-faschistische Verfassung des Ständestaates – aber nun gehandhabt von den Kommunisten! Es dürfte sich nur um den Fehler eines nicht allzu gut Informierten gehandelt haben, der wahrscheinlich damit ausdrücken wollte, daß die Sowjetunion Österreich im Zustand wie vor dem Anschluß an Hitler-Deutschland wiederherstellen wolle. Doch einige Tage lang sind die erst um ihre Anerkennung ringenden

österreichischen Politiker da gar nicht so sicher. Um diese Zeit ist jedoch eine der großen Entscheidungen der Sowjets für Österreichs Nachkriegsgeschick bereits gefallen. Wir sprachen schon davon – es geht um Karl Renner.

Karl Renner bietet sich an

Karl Renner – hier nochmals seine Funktionen in der Ersten Republik: sozialdemokratischer Spitzenpolitiker, erster Kanzler der Ersten Republik, Leiter der österreichischen Friedensdelegation in Saint-Germain, letzter frei gewählter Präsident des letzten frei gewählten Nationalrats 1933. Dennoch: Dieser Karl Renner empfahl 1938 nach dem Einmarsch der deutschen Truppen den Sozialdemokraten Österreichs, für den Anschluß an das nationalsozialistische Deutschland zu stimmen. Es hat nach dem Krieg Versuche gegeben, diese Haltung Renners zu erklären. Er habe damit seinen Freund und prominenten SP-Führer Robert Danneberg aus dem deutschen KZ retten wollen; er sei grundsätzlich der gleichen Ansicht gewesen wie Otto Bauer, der Führer der sozialdemokratischen Bewegung der Ersten Republik, der ein selbständiges Österreich für einen „reaktionären Gedanken" hielt und sogar noch im britischen Exil die Beibehaltung des Anschlusses forderte, denn nur „eine gesamtdeutsche sozialistische Revolution" sei die Lösung des österreichischen Problems. Auch Renner wäre 1938 von dem Standpunkt ausgegangen, ein faschistisches Regime komme und werde wieder gehen, der viel wichtigere Anschluß an Deutschland werde bleiben. Daß Renner auch nicht dem Verdacht entging, er habe mit dem Bekenntnis zum Anschluß seine eigene politische Tätigkeit, wie immer beschränkt sie sein möge, sicherstellen wollen, lag auf der Hand. In einem unveröffentlichten, aber für eine Buchausgabe vorbereiteten Manuskript, das Renner nach dem Oktober 1938 verfaßte, begrüßte er auch den Anschluß des Sudetenlandes an das Dritte Reich. Das ist nun auch nicht unverständlich: Bei den Friedensverhandlungen in Saint-Germain 1919 kämpfte Karl Renner darum, daß die Sudetengebiete, Südtirol und das Kanaltal von Österreich nicht losgetrennt werden mögen. So konnte sich für Renner 1938 unabhängig vom nationalsozialistischen Regime der Anschluß des Sudetenlandes doch als späte Erreichung seines eigenen Ziels von 1919 darstellen.

Renners Schwiegersohn ist Jude und emigriert nach dem Anschluß mit seinen Kindern nach England und später nach Kanada. Renner selbst zieht sich mit Frau und Tochter bald nach dem Anschluß in das niederösterreichische Gloggnitz zurück, wo die Familie ein Haus besitzt. Dort leben die Renners zurückgezogen bis zum Kriegsende. Und doch fährt Renner alle ein oder zwei Wochen mit der Bahn nach Wien, um in einem Kaffeehaus Tarock zu spielen. Seine Partner sind frühere sozialdemokratische Politiker, unter ihnen auch der spätere Innenminister der Zweiten Republik Oskar Helmer. Über sie hält Renner Kontakt mit der untergetauchten oder angepaßten Sozialdemokratie.

Die Sowjets kommen schon um den 1. April nach Gloggnitz, erobern die kleine Stadt und machen eine Ortskommandantur auf. Auch hier gibt es Plünderungen, auch hier wird den Frauen nachgestellt, auch hier herrscht Hunger. Renner fühlt sich als früherer Politiker in diesen Stunden voll verantwortlich für das Schicksal der Bevölkerung. Bei erster Gelegenheit will er beim sowjetischen Ortskommandanten intervenieren. Aber Renner brennt auch schon darauf, für ein neues Österreich wieder aktiv zu werden, selbst wieder eine große politische Rolle zu spielen. Ob dieser Wunsch Renners bei seiner ersten Vorsprache in der sowjeti-

Der aus dem Moskauer Exil heimgekehrte Vorsitzende der KPÖ Johann Koplenig wird vom Stadtkommandanten Blagodatow zu Rate gezogen, als der General nach einem fähigen Bürgermeister für Wien sucht. Aber Josef Stalin übergeht Koplenig und die übrige Führung der KPÖ, als er sich entschließt, Karl Renner als ersten Staatskanzler des neuen Österreichs einzusetzen. Die österreichischen Kommunisten werden nicht gefragt. Doch auf sowjetischen Wunsch offeriert Karl Renner der KPÖ ein Drittel aller Kabinettsposten und Schlüsselpositionen im Innen- und im Unterrichtsministerium. Unser Bild zeigt Johann Koplenig im Gespräch mit KP-Funktionären.

schen Ortskommandantur in Gloggnitz bereits vorhanden war oder gar vorherrschte, schien lange Zeit nicht geklärt. Als wir bei „Österreich II" dieses Kapitel der österreichischen Geschichte zu rekonstruieren versuchten, fuhr ich nach Gloggnitz, um mir das Haus Renner, das sich in diesem Haus befindende hochinteressante Renner-Museum und die Umgebung anzusehen. Dr. Siegfried Nasko hat das Renner-Museum in mühseliger Kleinarbeit und mit großem Können und viel Einfühlungsvermögen eingerichtet. Mit Dr. Nasko und einigen Ortsansässigen diskutierten wir die Umstände der damaligen ersten Intervention Renners bei den Sowjets. Plötzlich sagte einer aus der Runde: „Der Zampach-Toni lebt ja noch." Wer war der Toni Zampach? „Der Toni war ein tschechischer Fremdarbeiter. Der war schon damals da in Gloggnitz. Und den hat sich der Renner geholt, damit er für ihn dolmetscht bei den Russen." War's möglich? Da lebte ein unmittelbarer Augenzeuge dieser ersten Unterredung Renners mit dem sowjetischen Ortskommandanten? Es war möglich. 20 Minuten später sprachen wir mit Anton Zampach. Und er kann sich an diesen Tag und auch an den Abend vor diesem Tag, wie er sagt, ganz genau erinnern.

Denn die Situation war für Zampach gar nicht einfach. Karl Renner ließ ihn holen, weil man annahm, der tschechische Fremdarbeiter wäre in der Lage, sich den Russen gegenüber verständlich zu machen. Nun konnte Zampach zwar einige Brocken Russisch, aber Tschechisch und Russisch sind wenn auch ähnliche, so doch verschiedene Sprachen. Und damit der Anton Zampach am nächsten Tag bei den Sowjets schon möglichst alles so sagt, daß die ihn verstehen, läßt sich Zampach am Abend vorher von Karl Renner genau auseinandersetzen, was dieser von den Russen wünscht. Zampach schwitzt Blut, um dies alles zu behalten und es am nächsten Morgen auch richtig zu sagen. Und daher weiß er das alles auch heute noch so gut. Anton Zampach berichtet uns: „Ich habe ja selber gefragt: ‚Herr Doktor, weshalb gehen wir eigentlich hin? Was ist der Grund dazu?' Sagt er: ‚Ja wissen Sie, ich bin der und der Mann [Renner erklärte ihm diese drei Funktionen: Kanzler der Ersten Republik, Leiter der Friedensdelegation und Nationalratspräsident], und ich will unsere Heimat wieder so herstellen, wie sie früher war.' – ‚Ja was wollen Sie da herstellen?'" fragte Zampach und berichtet uns weiter: „Ich hatte ja seinerzeit gar keine Ahnung gehabt."

Wie auch? Zampach ist damals ein ganz junger Mann, vom Österreich vor dem Zweiten Weltkrieg hat er keine Ahnung, und Renners Name sagt ihm auch nichts. Aber Renner antwortet ihm, wie Zampach berichtet: „Sagt er: ‚Ja wissen Sie, ich möchte die Republik wieder aufbauen, und dazu brauche ich die Russen, das ist der Grund. Ohne die Russen kann ich ja nichts machen. Ich komme ja nicht einmal nach Neunkirchen.'" Und nun legt Renner dem Anton Zampach Dokumente vor, die er ihm erklärt. Es sind Dokumente, die beweisen, daß Renner alle die Funktionen innegehabt hat, die Zampach den Sowjets ganz genau aufzählen soll.

Am nächsten Morgen begeben sich Renner und Anton Zampach zu dem Haus, in dem die Sowjets die Ortskommandantur aufgeschlagen haben. Sie sind zeitig aufgebrochen, es ist gegen 8 Uhr früh, als sie in der Kommandantur erscheinen. Ein Posten verwehrt ihnen den Eintritt: Der Kommandant schlafe noch. So gehen Renner und sein Begleiter eine Weile vor dem Haus auf und ab. Als sie es zum zweitenmal versuchen, heißt es, der Kommandant befinde sich noch beim Frühstück. Anton Zampach berichtet: „Charascho, tschass, wir sollen uns ein bißchen Zeit lassen, bis er mit seinem Frühstück fertig ist. Dann hat er alle Dokumente

Herr und Frau Renner im Garten ihres Hauses in Gloggnitz. Von hier tritt Renner bereits am 2. April 1945 den Weg an, der ihn innerhalb von drei Wochen in das Kanzleramt auf dem Ballhausplatz bringen wird.

angeschaut, hat uns angehört, weshalb wir hier sind. Ich hab dann ausdrücklich gesagt, er soll das auch nicht liegenlassen, er soll das sofort weiterbefördern. Unser Anliegen ist die provisorische Herstellung der österreichischen Republik. Dann kamen wir zum zweiten Punkt: die Gloggnitzer Bevölkerung ist am Verhungern, wir brauchen unbedingt etwas zum Essen. Das waren die zwei Punkte, die wir dem Kommandanten vorgetragen haben. Der hat mich gefragt, ob es richtig sei, was der Dr. Renner gesagt hat. Hab ich gesagt: ‚Ja selbstverständlich.' Und der Kommandant hat dann gesagt, er wird schauen, ob sich da was machen läßt. Er ist nicht maßgebend. Wir werden zu einer höheren Stelle befördert, und dann werden wir sehen, was da geschieht." Für einen kleinen Ortskommandanten eine umsichtige Entscheidung.

Der Kommandant gibt Renner und Anton Zampach vier Soldaten als Begleitschutz mit und schickt sie zur nächstgelegenen höheren Kommandantur, die sich in Köttlach befindet. Den Weg müssen sie zu Fuß gehen. Renner wird bei dieser Wanderung höchst ungeduldig, denn die begleitenden Sowjetsoldaten sind offenbar an einem langen dienstfreien Tag interessiert, wollen ständig rasten und schlafen. Endlich erreicht die Gruppe die Sowjetkommandantur in Köttlach. Auch dort ein junger Offizier, der jedoch über eine Telefonleitung zum sowjetischen Hauptquartier in Hochwolkersdorf verfügt.

Nach diesem Gespräch läßt er einen Lastwagen vorfahren und schickt Renner, noch immer in Begleitung Zampachs, mit diesem Wagen nach Hochwolkersdorf. Die Fahrt ist ungemütlich und entspricht offensichtlich nicht ganz dem, was sich Renner von einem Empfang durch die Sowjets vorgestellt hat. Er ist niedergeschlagen, als er in Hochwolkersdorf ankommt. Aber seine Geister leben auf, als er erkennt, daß er hier hohen sowjetischen Offizieren gegenübersitzt. Der Name Karl Renner ist ihnen nicht unbekannt.

„Lebt der alte Fuchs noch?"

Der sowjetische General Sergej Matwejewitsch Schtemenko schrieb später, Josef Stalin habe, als die Rote Armee Österreichs Grenze überschritt, den Befehl gegeben, festzustellen, ob Karl Renner noch lebe, und ihn wenn möglich zu finden. Dies würde beweisen, daß Stalin mit Renner schon seine Pläne gehabt hatte und die Initiative zur Einsetzung Renners als erstem Staatskanzler der Zweiten Republik von Stalin ausgegangen war. Es gibt aber auch eine Aussage des späteren Stalin-Nachfolgers Nikita Chruschtschow, derzufolge Stalin zum erstenmal wieder auf Renner aufmerksam wird, als die Nachricht aus Hochwolkersdorf eintrifft, Renner habe sich dort bei den Sowjets gemeldet. Daraufhin soll Stalin mit den Worten reagiert haben: „Lebt der alte Fuchs auch noch?" Doch habe Stalin dann Weisung gegeben, Renner für eine eventuelle politische Aufgabe sicherzustellen. Wenn das so war, hätte sich Renner durch seine Initiative selbst ins Spiel gebracht und durch diesen schnellen mutigen Schritt die rasche Bildung einer ersten provisorischen Regierung für Österreich, vor allem aber seine eigene Kanzlerschaft sichergestellt. Wie es wirklich war, kann man wohl nur erfahren, wenn einmal die sowjetischen Archive geöffnet würden.

Renner verhandelt jedenfalls bereits am Abend des 3. April in Hochwolkersdorf mit den hohen sowjetischen Offizieren und macht sich erbötig, bei der Wiederherstellung Österreichs eine führende Rolle zu spielen. Es dauert nicht lange, bis die Offiziere auf dieses Angebot reagieren. Aus Moskau kommt grünes Licht. Nun übernimmt der höchstrangige Politoffizier der 3. Ukrainischen Front, General Alexej Scheltow, die Verhandlungen mit Renner.

General Alexej Scheltow ist heute Präsident des Allunionsverbandes sowjetischer Veteranen, der in Moskau über ein eindrucksvolles Hauptquartier verfügt. Mit Hilfe Anatol Koloschins konnten wir auch mit General Scheltow einige Gespräche führen. Es war interessant zu hören, wie General Scheltow diese erste Begegnung mit Karl Renner in Erinnerung hat. Scheltow ist sich ganz sicher, daß Renner im Feldhauptquartier der Sowjets in Hochwolkersdorf in Cut und Zylinder erschienen wäre. Das war aber sicher nicht der Fall; Renner hatte einen dunklen Anzug an und trat mit seiner stattlichen Erscheinung den sowjetischen Generälen offenbar mit betonter Würde gegenüber. Es war vermutlich die Haltung Renners und nicht dessen Habitus, die in Scheltows Erinnerung den Mann in Cut und Zylinder eingeprägt hat.

Scheltow erwähnte uns gegenüber mit keinem Wort, daß Renner von den Sowjets bereits gesucht worden wäre. Er erinnert sich jedoch an das Angebot Renners, den Sowjets bei der Wiederherstellung normaler Verhältnisse in Österreich zu helfen. Wörtlich erklärt uns Scheltow: „Das sowjetische Oberkommando mußte damals sofort eine Entscheidung treffen, in welcher Form die Verwaltung in der sowjetischen Zone in die Hände österreichischer Politiker gelegt werden könnte, denn es gab ja große Probleme. Man mußte eine zerstörte Wirtschaft aufbauen und die staatlichen Behörden wieder einsetzen. Herr Renner trat mit unseren Truppen in Kontakt. Zwischen Renner und uns entwickelte sich eine praktische Zusammenarbeit. Und in der Folge wurde Renner aufgrund einer Vereinbarung mit der Sozialistischen Partei, der Volkspartei und der Kommunistischen Partei das Oberhaupt der Provisorischen Regierung Österreichs."

Scheltow, der sich auf diese gefilmte Passage seines Interviews genau vorbereitet hatte, gibt einen längeren Prozeß verkürzt wieder. In Hochwolkersdorf haben die Sowjets zunächst nur den Auftrag Stalins, Renner für eine politische Aufgabe sicherzustellen. Dieser solle seine eigenen Ideen zu Papier bringen, also den Sowjets einen Vorschlag machen. Renner, der ansonsten mit Lob und auch Lobhudelei gegenüber den Sowjets nicht spart, lehnt dieses Ersuchen ab. Hier zeigt sich der erfahrene Praktiker: Ein solches Papier in sowjetischer Hand könnte Renner später als jemanden ausweisen, der bereits im Auftrag der Sowjets handelt. Renner ist jedoch bereit, Aufrufe an das österreichische Volk zu verfassen und diese den Sowjets vorher zu Begutachtung vorzulegen.

Zunächst wird Renner von den Sowjets nach Gloggnitz zurückgebracht. Vor seinem Haus wird ein sowjetischer Wachtposten stationiert, und von dem Moment an gilt das Haus Renner als die sicherste Zufluchtsstätte des Orts. Zahlreiche Frauen versammeln sich um Frau und Tochter Renner. Schließlich wird Renner von den Sowjets eingeladen, sein Quartier zu wechseln. Am 9. April wird er mit Frau und Tochter von den Sowjets abgeholt, die ihm das Schloß Eichbüchl am Fuße des Rosaliengebirges als Quartier zuweisen. Tochter Leopoldine Deutsch-Renner beschreibt den Umzug nach Eichbüchl: „Es ging in einem eindrucksvollen Konvoi dahin, vorne waren die russischen Soldaten, dann in einem Auto wir, dann kam ein kleines Lastauto für Gepäck und schließlich hinten noch eine Kanone mit Soldaten." Den Österreichern in Eichbüchl wird von den Sowjets der Einzug „eines hohen Herrn" angekündigt und im Schloß selbst eine sowjetische Wachtruppe stationiert.

Von Schloß Eichbüchl aus versucht Renner, Verbindung mit Parteifreunden aufzunehmen. Der Wiener Neustädter Bürgermeister Rudolf Wehrl trifft als einer der ersten auf Renner und bringt

Anton Zampach: Unser Anliegen ist die Herstellung der österreichischen Republik.

Alexej Scheltow: Herr Renner trat mit unseren Truppen in Kontakt.

ihm später in einem Rucksack eine Schreibmaschine, auf der Renner seine Aufrufe an das österreichische Volk zunächst selbst tippt. Später stößt seine in Neunkirchen wohnende frühere Sekretärin Thilde Pollak zu ihm. Renner zerbricht sich bereits den Kopf, wie die erste Gesetzgebung aussehen müßte und auch, wen er in eine österreichische Regierung berufen würde. Er schreibt an den früheren christlichsozialen Finanzminister, den Bürgermeister von Baden, Josef Kollmann, und lädt ihn ein, an der Wiedererrichtung Österreichs mitzuwirken. Kollmann möge auch „andere Demokraten aus dem christlichsozialen Lager wie Kunschak und Buchinger" zu einer solchen Mitarbeit auffordern. Die „engere Dollfuß-Clique und Führer der ehemaligen Heimwehren aber müßten in der Versenkung verschwinden".

Mit Staatsgründung vertraut

Den Sowjets gegenüber äußert Renner die Idee, er würde in seiner Eigenschaft als letzter Präsident des österreichischen Nationalrats alle noch lebenden und demokratischen Mitglieder dieses Nationalrats auffordern, ein provisorisches Parlament zu bilden; dieses möge ihn dann mit der Bildung einer österreichischen Regierung betrauen. Renner ist darauf bedacht, daß ihm dieses Mandat von gewählten Vertretern des Volks ausgestellt werde und daß er es nicht von einer Besatzungsmacht erhalte. Dennoch weiß Renner genau, daß er nur mit Zustimmung dieser Besatzungsmacht eine Regierung bilden kann. Und so schreibt Renner am 15. April einen Brief an Josef Stalin. Es ist ein umfangreicher Brief, aus dem wir hier nur die bemerkenswertesten Stellen zitieren:

Die Sowjets übernehmen zunächst nicht nur die Verwaltung, sie stellen notdürftig auch die ersten Telefon- und Lichtleitungen wieder her.

„An Marschall Stalin, Moskau.

Sehr geehrter Genosse!

In der Frühzeit der Bewegung habe ich mit vielen russischen Vorkämpfern enge persönliche Beziehungen verknüpft, es war mir jedoch nicht vergönnt, Sie, werter Genosse, persönlich kennenzulernen. Mit Lenin traf ich auf der Stockholmer sozialistischen Friedenskonferenz 1917 zusammen, mit Trotzki verkehrte ich durch die Jahre seines Wiener Aufenthaltes ständig, mit Rjasanow arbeitete ich gemeinsam in der Wiener ‚Arbeiter-Zeitung‘; viele vor dem Zarismus flüchtende Genossen wohnten oder nächtigten wenigstens in meiner Wohnung auf der Durchreise in die Schweiz, manche von mir mit einem Paß ausgerüstet. Nun fügt es das wechselvolle Spiel der Geschichte, daß ich in einem Alter, wo ich mit einer öffentlichen Tätigkeit abgeschlossen zu haben glaubte, auf so ungewöhnliche und bedeutungsvolle Weise zu Ihnen in persönliche Berührung gerate: Die Rote Armee hat mich und meine Familie bei ihrem Einmarsch in meinen Wohnort Gloggnitz (nächst Wiener Neustadt) angetroffen, wo ich mit den Parteigenossen vertrauensvoll die Besetzung abwartete. Die zuständigen Kommandanten haben mich sogleich auf das Achtungsvollste in Schutz genommen und mir die volle Handlungsfreiheit wiedergegeben, die ich seit 1934 während der Herrschaft des Dollfuß- und Hitler-Faschismus schmerzlich entbehren mußte. Dafür danke ich der Roten Armee und Ihnen, deren ruhmbedeckten Obersten Befehlshaber, im persönlichen wie im Namen der Arbeiterklasse Österreichs aufrichtigst und ergebenst . . .“

Nun beruft sich Renner erneut auf seine früheren Funktionen in der Ersten Republik und schreibt: „Ein weiterer Vorteil ist, daß ich als erster Kanzler der Republik Österreich mit den Modalitäten einer Staatsgründung wie mit der Einrichtung einer öffentlichen Verwaltung vertraut bin und daher mir zutrauen kann, das Werk der Wiedererweckung Österreichs aufzugreifen und anzubahnen. Ich habe es darum als absolute Pflicht betrachtet, meine Person voll und ganz in den Dienst dieser Sache zu stellen.“

Renner dankt dann für die Hilfe, die ihm von der Armeegruppe Tolbuchin zuteil geworden ist: „Dafür bleibe nicht nur ich, dafür bleibt die künftige ‚Zweite Republik Österreich‘ und ihre Arbeiterklasse Ihnen, Herr Marschall, und Ihrer siegreichen Armee für alle Zukunft zum Danke verpflichtet.“ Renner dann über Hungersnot und Seuchen, auch schon über einen drohenden Gebietsverlust durch Auseinandersetzungen mit den Nachbarn, dabei offenbar die jugoslawischen Gebietsansprüche im Sinn habend: „In unseren steinigen Alpen haben wir schon jetzt zu wenig Ackerland, uns nur kümmerlich das tägliche Brot zu schaffen – verlieren wir noch weiter Gebiet, so werden wir nicht leben können! Es kann nicht in der Absicht der Sieger liegen, uns hilflos verkommen zu lassen. Der Westen aber kennt, wie 1919 gezeigt, unsere Verhältnisse zu wenig und bringt uns nicht genug Interesse entgegen, um uns die Voraussetzungen der Selbständigkeit zu sichern. Doch will ich Sie, verehrter Genosse, nicht vorzeitig mit späteren Fragen behelligen; nur soviel bitte ich Sie schon jetzt zur Kenntnis zu nehmen: Dank Rußlands erstaunlicher Machtentfaltung hat unser ganzes Volk die Verlogenheit zwanzigjähriger nationalsozialistischer Propaganda völlig durchschaut und ist voll Bewunderung für die gewaltige Leistung der Sowjets.“

Und nun kommt der Abschlußsatz, der den Biographen Renners manches Kopfzerbrechen bereitet hat: „Das Vertrauen der österreichischen Arbeiterklasse insbesondere in die Sowjetrepublik ist grenzenlos geworden. Die österreichischen Sozialdemokraten werden sich mit der KP brüderlich auseinandersetzen und bei der

Jakow Startschewski: Renner gesucht.

Die Rote Armee

marschierte in Oesterreich ein nicht als Eroberungsarmee, sondern als Befreiungsarmee. Ihr Ziel ist ausschließlich die Zerschlagung der feindlichen deutschfaschistischen Truppen und die Befreiung Oesterreichs von deutscher Abhängigkeit.

OESTERREICHER!

Unterstützt die Rote Armee bei der Zerschlagung und Vernichtung der Hitlertruppen!

Sowjetisches Flugblatt: Der Krieg ging bis zum 8. Mai weiter.

Oberstleutnant Jakow Startschewski damals (unten) und heute (links unten): Er wurde beauftragt, Karl Renner zu suchen, als dieser dem Blickfeld des sowjetischen Oberkommandos entschwunden war. Mit Hilfe Leo Hölzls machte Startschewski Renner ausfindig und brachte ihn zu Marschall Tolbuchin nach Wien. Noch am gleichen Tag wurde Renner beauftragt, eine provisorische österreichische Regierung zu bilden.

Neugründung der Republik auf gleichem Fuß zusammenarbeiten. Daß die Zukunft des Landes dem Sozialismus gehört, ist unfraglich und bedarf keiner Betonung. Ihr ergebener Dr. Karl Renner."

Die meisten Geschichtswissenschafter neigen zu der Ansicht, daß Renner all dies aus wohlüberlegtem Opportunismus schrieb. In dieser Stunde – es ist der 15. April, der Krieg noch nicht zu Ende, die Sowjetarmee gerade erst in Wien eingerückt – kann nur Stalin eine Betrauung Renners anordnen. Und diese Betrauung will Renner so rasch wie möglich herbeiführen. Das gelingt ihm auch, und wahrscheinlich nicht zuletzt aufgrund dieses Briefes.

Es muß der 20. April gewesen sein, da erhält der Oberbefehlshaber der 3. Ukrainischen Front, Marschall Tolbuchin, den Befehl aus Moskau, Karl Renner mit einer Regierungsbildung zu beauftragen. Tolbuchin hat sein provisorisches Hauptquartier in einer Villa im 19. Wiener Gemeindebezirk aufgeschlagen. Wo sich Renner zur Zeit befindet, weiß er nicht. So beauftragt er den Oberstleutnant Jakow Startschewski, Renner zu suchen und herbeizuschaffen. Startschewski wendet sich an die österreichischen Kommunisten. Diese geben ihm Leo Hölzl an die Hand. Hölzl war von den Sowjets nach Jugoslawien gebracht worden und mit den anderen österreichischen Kommunisten dort an der Gründung des ersten österreichischen Freiheitsbataillons beteiligt. Nun zieht er mit Startschewski los, um Renner zu suchen. In Ternitz treffen sie auf österreichische Arbeiter, die wissen, daß Renner inzwischen wieder in seinem Haus in Gloggnitz wohnt. Sie stellen die Verbindung her.

Wir fanden Oberstleutnant Startschewski beim Veteranentreffen am Ufer der Moskwa in Moskau wieder. Er erinnerte sich noch genau an den Tag, an dem er mit Renner und Hölzl von Gloggnitz kommend zum Hauptquartier Tolbuchins in Wien fuhr. Renner, der Wien seit langer Zeit zum erstenmal wieder sah, war über die schweren Zerstörungen in der Stadt entsetzt. Nach Startschewski habe Renner mit den Händen das Gesicht verhüllt und geweint: „Schauen Sie, was aus Wien geworden ist."

Startschewski sprach nicht Deutsch und verstand daher nicht, und Hölzl hat nicht alles übersetzt. Das war auch nicht gut möglich, wie uns Hölzl berichtet: „Renner war auf der ganzen Fahrt sehr gesprächig und hat in sehr lebhafter Weise erzählt. Daß er ein besonderer Freund von Trotzki gewesen ist, aber zu dieser Zeit wurde Trotzki in der Sowjetunion und bei den Kommunisten als Feind betrachtet. Doch ich glaube, das ist Renner gar nicht aufgefallen." Gewiß nicht, denn er erwähnt seine Bekanntschaft mit Trotzki auch in seinem Brief an Stalin, der Trotzkis Todfeind war. Hölzl weiter: „Renner erzählte auch, daß er Lenin persönlich gekannt und daß er Streitschriften gegen Stalin verfaßt habe über die nationale Frage, in der er anderer Meinung war als Stalin. Aber auch daß es da gar nicht so viele Unterschiede gäbe. Mit Stalin selbst habe er eben zu wenige persönliche Kontakte gehabt. Ich kann mir vorstellen, daß er alle diese Dinge betont hat, damit sie an die sowjetische Adresse kommen. Vor allem daß man aus den Fehlern der Vergangenheit lernen sollte und daß man jetzt gemeinsam mit den kommunistischen Brüdern darangehen müsse, das neue Österreich zu errichten. Aber ich war weder im Politbüro noch im Zentralkomitee. Für Startschewski wie für mich war es dennoch eine sehr ehrenvolle Aufgabe, den ersten Mann der Zweiten Republik einzuholen. Ich war sehr stolz darauf, bei dieser Aufgabe dabeigewesen zu sein."

Nicht alle Kommunisten sind über die bevorstehende Betrauung Renners erfreut. So berichtet Viktor Matejka: „Also da heißt es, daß der Renner irgendwie aufgetaucht ist, irgendeiner sagt mir das auf der Straße, so vor dem 20. April. Sag ich: ‚Das gibt's net.' Sagt

er: ‚Ja, du wirst lachen, die Russen haben ihn eingesetzt.' Sag ich:
‚Das gibt's net.' Da bekomm ich eine Verständigung vom Ernst
Fischer oder vom Fürnberg, das war so um den 18. April, in eine
Villa in die Lannerstraße zu kommen. Hat einem Juden gehört, ist
dann arisiert worden, war ein großer SS-Mann drinnen, der ist auf
und davon, und die KP-Führung hat die Villa beschlagnahmt. Dort
waren der Koplenig, der Fischer und ein großes Essen, ein Suppen-
topf, da waren Hendln drin. Also ein großes Essen. Und bei der
Gelegenheit wird auch über Renner gesprochen. – Ich hör mir das
alles an, und dann sag ich: ‚Wieso Renner?' Darauf sagt mir der
Ernst Fischer: ‚Es ist bereits alles in Moskau beschlossen.' Sag ich:
‚Wer hat das beschlossen?' – ‚Das ist beschlossen, da kannst du gar
nichts mehr machen.'" Matejka und so manche andere tragen
Renner nach, daß er sich 1938 für den Anschluß ausgesprochen
hatte.

Regierung im Drittelproporz

Die Betrauung Karl Renners mit der Regierungsbildung kommt für
alle in Wien überraschend. Selbst seine Parteifreunde in der SPÖ
ahnten nicht, daß die Sowjets bereits die Einsetzung einer neuen
österreichischen Regierung planen. Vor allem weiß niemand, wie
das funktionieren soll. Nur einer ist seiner selbst ganz sicher: Karl
Renner. Er wird nun von Marschall Tolbuchin empfangen, der ihn
ermächtigt, eine österreichische Regierung zu bilden. Welcher Art
diese Regierung sein, welche Zusammensetzung sie haben sollte,
das dürfte alles schon bei der ersten Aussprache Tolbuchins mit
Renner festgelegt worden sein. Aber es ist klar: Renner muß den
Eindruck vermeiden, als würde er im Auftrag der Sowjets handeln.
Die Sowjets haben das gleiche Interesse, Renner muß ein selbständig handelnder österreichischer Politiker sein.

Die Sowjets bringen Renner zunächst in der Kantgasse im
1. Wiener Gemeindebezirk unter, kurz darauf in einer Villa in der
Wenzgasse in Hietzing. Dort finden nun auch die ersten Zusammenkünfte Renners mit den Vertretern der neugegründeten politischen Parteien statt – mit den Spitzen der eigenen SPÖ, mit den
Führern der KPÖ und vor allem mit Leopold Kunschak, den Renner
aus früheren Zeiten gut kennt und schätzt. Kunschak macht Renner
mit den neuen Männern in der ÖVP bekannt. Renner schlägt vor,
eine große Koalitionsregierung zu bilden, in der alle drei Parteien
vertreten sind. Welche Lippenbekenntnisse Renner gegenüber Stalin und den Sowjets auch abgegeben hat, so ist er doch in allen
seinen realen Schritten sehr darauf bedacht, einen dominierenden
Einfluß der Kommunisten auf die Regierung abzuwenden.

Doch die Kommunisten bestehen auf Zuteilung einiger
wesentlicher Schlüsselposten: Renner soll Staatskanzler werden
(der Name Bundeskanzler wird sowohl von Renner als auch von
den Sozialisten und Kommunisten zunächst abgelehnt, weil sie den
neuen österreichischen Staat zentralistischer gestalten wollen als
die Erste Republik). Diesem Staatskanzler sollen drei Staatssekretäre beigegeben sein, die gemeinsam das Amt des Vizekanzlers
ausüben und gemeinsam mit dem Staatskanzler das innere politische Kabinett der Regierung bilden. Man einigt sich, Adolf Schärf
für die SPÖ, Johann Koplenig für die KPÖ und Leopold Figl für die
ÖVP mit diesen Ämtern zu betrauen.

Als nächstes geht es um die Ministerien. Die Minister sollen
Staatssekretäre heißen, ihre Stellvertreter Unterstaatssekretäre. Der
wichtigste Posten in dieser Zeit wird von den Kommunisten beansprucht: das Staatssekretariat für Inneres mit seiner Oberhoheit
über alle Zweige der Polizei. Franz Honner, der noch immer die

*In den Straßen von Wien: Sowjetische Mili-
tärpolizistin als Verkehrsposten auf der
Opernkreuzung – grünes Fähnchen freie
Fahrt, rotes Fähnchen Halt.*

Uniform eines jugoslawischen Partisanenführers trägt und auf der Uniformmütze den Sowjetstern mit Hammer und Sichel, wird der erste österreichische Innenminister. Die Kommunisten beanspruchen auch das Unterrichtsministerium. Und schon der Titel, der diesem Ministerium gegeben wird, besagt, welche Funktionen es ausüben soll: „Staatssekretariat für Volksaufklärung, für Unterricht und Erziehung und für Kultusangelegenheiten." Volksaufklärung an erster Stelle, also Propaganda. Der Kommunist Ernst Fischer, wortgewaltig, intellektuell, feurig, ist zweifellos der geeignetste Mann der KPÖ für diese Aufgabe.

Die anderen Ministerien gehen an die SPÖ und an die ÖVP. Renner besteht darauf, daß in einem Staatskanzleramt bereits ein Unterstaatssekretär für das Heerwesen tätig wird, zunächst mit der Aufgabe, die Hinterlassenschaft der Wehrmacht, ihre Gebäude, ihre Administration, ihre Kommunikationsmittel und ihre Lager soweit möglich noch für Österreich sicherzustellen, aber auch schon mit der Planung einer österreichischen Armee zu beginnen. Mit dieser Aufgabe wird der Sozialist Franz Winterer betraut. Vorweggenommen sei, daß die Sowjets der Errichtung eines solchen Unterstaatssekretariats für das Heerwesen zustimmen, während die westlichen Alliierten später wegen der Gefahr einer Remilitarisierung Österreichs auf dessen Auflösung bestehen.

Rechts oben: Grab eines gefallenen deutschen Soldaten in einer Parkanlage unter den Viadukten der Wiener Stadtbahn.

157

Mit Hilfe sowjetischer Pioniere hat man einen Notsteg gezimmert. Die Überquerung der Donau wird zur gewagten Klettertour.

Die SPÖ erhält die Staatssekretariate für Volksernährung – an seine Spitze tritt Andreas Korp – und für soziale Verwaltung, das zunächst Johann Böhm als Staatssekretär übernimmt. Die ÖVP stellt mit Julius Raab den Staatssekretär für öffentliche Bauten, Übergangswirtschaft und Wiederaufbau, mit Eduard Heinl den Staatssekretär für Industrie, Gewerbe, Handel und Verkehr und mit Rudolf Buchinger den Staatssekretär für Ackerbau und Forstwirtschaft. Es gibt auch zwei parteilose Staatssekretäre: Josef Gerö für Justiz und Georg Zimmermann für Finanzen.

Doch in jedem einzelnen Ministerium (Staatssekretariat) wird der totale Porporz hergestellt. Jedem Staatssekretär einer Partei wird je ein Unterstaatssekretär der beiden anderen Parteien zugesellt. Alle wichtigen Beschlüsse sollen jeweils im Konsens dieser drei Politiker gefällt werden. In den Staatssekretariaten, an deren Spitze Parteilose stehen, stellen die Parteien gleich drei Unterstaatssekretäre, jede Partei einen. Es ist ein Riesenkabinett mit schließlich

Die Wiener Verkehrsbetriebe stellen aus den Wracks mehrerer zerschossener Straßenbahnen wieder brauchbare Fahrzeuge zusammen (rechts).

insgesamt 30 Mitgliedern. Die größte Regierung, die Österreich je hatte. Dafür ist das Territorium, für das sie zuständig ist, zunächst das kleinste, das je einer österreichischen Regierung unterstand. Der Wirkungsbereich der Renner-Regierung ist der Raum von Wien und später Niederösterreich und das Burgenland sowie der sowjetisch besetzte Teil der Steiermark. An den Zonengrenzen zwischen Sowjets und Westalliierten wird der Einfluß der Renner-Regierung aufhören. Diese Zonengrenzen wird die Renner-Regierung auch nach Kriegsschluß noch eine geraume Weile nicht überwinden können.

In der Zusammensetzung der Regierung ist noch bemerkenswert, daß dem Kommunisten Honner im Innenministerium von der SPÖ und von der ÖVP zwei umsichtige Aufpasser beigegeben werden: der Sozialist Oskar Helmer und der Führer der Widerstandsbewegung O5, Raoul Bumballa, der über direkte Verbindungen mit den Westalliierten verfügt und sich zunächst einmal der ÖVP angeschlossen hat.

Mit Karl Lugmayer, ÖVP, und Josef Enslein, SPÖ, versuchen die beiden Parteien auch Ernst Fischer einzugrenzen. Aber auch ÖVP und SPÖ passen aufeinander auf: Dem starken Julius Raab wird der geeichte Sozialdemokrat Heinrich Schneidmadl zur Seite gestellt, und dem Handelsminister Eduard Heinl der starke Karl Waldbrunner, während die ÖVP dem Andreas Korp ihren Josef Kraus zur Seite stellt und dem Johann Böhm den wahrscheinlich tatkräftigsten Wiener ÖVP-Politiker, Lois Weinberger.

Farbige und einfallsreiche Gestalten auf kommunistischer Seite sind die Unterstaatssekretäre Franz David (soziale Verwaltung) und Helene Postranecky (Volksernährung). Postranecky ist damit die erste und einzige Frau in der neuen österreichischen Regierung. Sie wird später den kommunistischen Unterstaatssekretär für Justiz, Karl Altmann, heiraten, der nach den ersten Wahlen im November 1945 als einziger kommunistischer Minister in der österreichischen Regierung verbleibt.

Die Kommunisten leiden unter Personalmangel. Gleich drei Posten für Unterstaatssekretäre können sie fürs erste nicht besetzen und sind eifrig dabei, gute Sozialdemokraten zu überreden, sich in Kommunisten zu verwandeln und in die Regierung einzutreten. Das übrigens ist ein allgemeines Erscheinungsbild in der sowjetisch besetzten Zone. In jeder Ortschaft suchen die sowjetischen Ortskommandaten nach Kommunisten, die sie als Bürgermeister einsetzen können, doch in vielen Orten finden sie keine. Da aber die Bevölkerung sehr daran interessiert ist, bald einen eigenen Bürgermeister zu bekommen, der möglichst auch mit den Sowjets umgehen kann, werden Nichtkommunisten bewogen, sich den Sowjetkommandanten als Kommunisten vorzustellen. Damals macht der Spruch die Runde: „Von welcher Partei?" – „Derzeit Kommunist."

In der großen Koalitionsregierung Karl Renners sind also die Dinge so eingerichtet, daß jeder jeden kontrollieren kann. Das soll dazu führen, daß keiner dem anderen mißtraut. An sich eine Patentlösung für ein Österreich, das noch unter dem schweren Trauma des Bürgerkriegs und des permanenten Streits der Ersten Republik leidet. Dennoch gibt es Mißtrauen und Sorge wegen des zielgenauen Vorgehens der Kommunisten bei der Besetzung jener Posten, von denen die wahre Macht im Staate demnächst schon ausgehen könnte. Aber ein Veto der anderen Parteien gegen diese Regierungsliste hätte höchstwahrscheinlich dazu geführt, daß die Sowjets die Renner-Regierung nicht so schnell eingesetzt hätten. Und Eile, davon sind alle überzeugt, tut not. Nicht nur, weil die österreichischen Angelegenheiten so schnell wie möglich in österreichische Hände genommen werden sollten – weiß Gott, ob sich

die Sowjets das nicht sehr bald wieder überlegen würden –, sondern auch weil man mit dem baldigen Kriegsende rechnet und die Bevölkerung aus dem Chaos geführt werden muß.

Österreich ist wiedererstanden

Bereits am 27. April, vier Tage nachdem Renner mit den Parteienverhandlungen begonnen hat, stellt er die Mitglieder seiner geplanten Regierung dem sowjetischen Marschall Tolbuchin vor. Dieser bestätigt Renner und seine Regierung im Amt und ladet die österreichischen Politiker zu einem üppigen Mittagessen ein, das von 13 bis 17 Uhr dauert und für jeden der halbverhungerten Österreicher zu einem unvergeßlichen Erlebnis wird. Was da auf dem Tisch des Marschalls aufgetragen wird, das kennt man kaum aus Vorkriegszeiten. Von Kaviar und Wodka angefangen, über mehrere Fisch- und Fleischspeisen bis zu Süßigkeiten und Obst. Am eifrigsten aber bedienen sich die Österreicher bei den gereichten Zigaretten und Zigarren. Da wird auch Karl Renner schwach, und beim Aufbrechen wirft er seinen Blick auf eine Schachtel Zigarren, deren Aufdruck verrät, daß sie aus der Wiener Tabakregie stammen. Listig zitiert Renner Karl Marx: „Die Expropriateure müssen expropriiert werden", und steckt das Kistchen Zigarren kurzerhand ein. Die Sowjets sind verblüfft. Das Marx-Zitat hat präzise getroffen. So endet die Feier anläßlich der Einsetzung der ersten österreichischen Nachkriegsregierung am Mittagstisch des Marschalls Tolbuchin.

Wir haben übrigens im sowjetischen Zentralarchiv in Krasnogorsk einen Film vom Beginn dieser Zusammenkunft entdeckt. Einen Filmstreifen, der noch völlig unberührt war und den höchstwahrscheinlich noch nie jemand angesehen hatte. Er ist eines genaueren Studiums wert. Auf dem Streifen ist zu sehen, wie Karl Renner in Begleitung des sowjetischen Verbindungsoffiziers Oberst Piterski eine Straße in einem Villenviertel heraufkommt. Da tritt ihm der Stadtkommandat von Wien, General Blagodatow, entgegen, nimmt Haltung an, salutiert, meldet und begrüßt den präsumtiven österreichischen Staatskanzler. Man sieht Renner förmlich an, wie es ihn überrascht, daß ein sowjetischer General und Kommandant von Wien vor ihm Habtachtstellung annimmt. General Blagodatow begleitet nun Renner sozusagen als Ehrenoffizier zu Marschall Tolbuchin. Um Tolbuchin sind die Spitzen der sowjetischen Militärverwaltung versammelt, gleich neben Tolbuchin der Politgeneral Scheltow. Alle Offiziere nehmen Haltung an und begrüßen Karl Renner mit ausgesuchter Höflichkeit.

Das ist bemerkenswert: In der Haltung dieser hohen Sowjetoffiziere kommt die politische Absicht der Sowjetunion zum Ausdruck, Österreich als befreites Land zu behandeln, es schnell mit einer funktionierenden Staatsverwaltung auszustatten und diese Verwaltung der Sowjetunion gewogen zu erhalten. Welch ein Gegensatz zu dem, was die Bevölkerung in Niederösterreich, im Burgenland, in der Steiermark und auch in Wien vom Troß der Roten Armee zu erdulden hat und wie sehr dies den politischen Bemühungen der sowjetischen Führung die Wirksamkeit nehmen wird. Auch wären diese sowjetischen Bemühungen positiver aufgenommen worden, hätten die Ostösterreicher gewußt, mit welchem Mißtrauen und in welcher Siegerpose die Amerikaner und die Briten zunächst einmal in Westösterreich einmarschieren werden. Dies alles sollte sich dann schon sehr bald wandeln, aber so hat es zunächst begonnen.

Die Renner-Regierung verfaßt als erste Amtshandlung eine Unabhängigkeitserklärung des neuen Österreichs. Mit ihr wird die

Aus einem der Filme, die wir im sowjetischen Zentralarchiv in Krasnogorsk gefunden haben: Der Empfang Karl Renners, Theodor Körners und einiger Mitglieder der Renner-Regierung durch das sowjetische Oberkommando. Die sowjetischen Generäle kommen Renner auf der Straße entgegen (oben). Der höchste Politoffizier der Sowjets in Österreich, Generaloberst Alexej Scheltow, im Gespräch mit Bürgermeister Körner (Mitte). Oberst Piterski, der Verbindungsoffizier der Sowjets zu den Österreichern, geleitet Renner zu Marschall Tolbuchin (unten).

Rechts: Die Titelseite der ersten Nummer der von der Roten Armee in deutscher Sprache herausgegebenen „Frontzeitung für die Bevölkerung Österreichs", die die Sowjets „Österreichische Zeitung" nennen.

Österreichische Zeitung

No. 1 — FRONTZEITUNG FÜR DIE BEVÖLKERUNG ÖSTERREICHS — 15. April 1945

Erklärung der Sowjetregierung über Österreich

Die Rote Armee schlägt die deutsch-faschistischen Truppen und ist bei ihrer Verfolgung in Österreich einmarschiert. Wien, die Hauptstadt Österreichs, ist belagert.

Im Gegensatz zu den Deutschen in Deutschland widersetzt sich die Bevölkerung Österreichs der von den Deutschen durchgeführten Evakuierung. Sie bleibt an ihren Plätzen und begrüsst die Rote Armee herzlich als Befreierin Österreichs vom Joch der Hitlerfaschisten.

Die Sowjetregierung hat nicht das Ziel, sich irgend einen Teil des österreichischen Territoriums anzueignen oder die gesellschaftliche Ordnung Österreichs zu ändern. Die Sowjetregierung steht auf dem Boden der Moskauer Deklaration der Verbündeten Mächte über die Unabhängigkeit Österreichs. Sie wird diese Deklaration in die Wirklichkeit umsetzen. Sie wird die Liquidierung des Regimes der deutsch-faschistischen Okkupanten und die Wiederherstellung demokratischer Zustände und Einrichtungen in Österreich unterstützen.

Das Oberkommando der Roten Armee gab den Sowjettruppen den Befehl, der Bevölkerung Österreichs in diesem Werk beizustehen.

An die Bevölkerung Österreichs

Die Rote Armee verfolgt die deutsch-faschistischen Truppen und ist in Österreich einmarschiert. Die Rote Armee hat den Boden Österreichs betreten, nicht um österreichisches Gebiet zu erobern. Ihr Ziel ist ausschliesslich die Zerschlagung der feindlichen deutsch-faschistischen Truppen und die Befreiung Österreichs von deutscher Abhängigkeit.

Die Rote Armee steht auf dem Boden der Moskauer Deklaration der Verbündeten Mächte vom Oktober 1943 über die Unabhängigkeit Österreichs. Die Rote Armee wird dazu beitragen, dass in Österreich die Zustände wiederhergestellt werden, die bis zum Jahre 1938 in Österreich bestanden haben.

Die Moskauer Deklaration der Regierungen der Sowjetunion, Grossbritanniens und der USA erklärte, dass sie ihrem Wunsch Ausdruck geben, „ein freies und unabhängiges Österreich wiederhergestellt zu sehen und dadurch dem österreichischen Volk selbst die Möglichkeit zu geben, diejenige politische und wirtschaftliche Sicherheit zu finden, die die einzige Grundlage eines dauerhaften Friedens ist." Zu gleicher Zeit heisst es in dieser Deklaration: „Österreich wird jedoch darauf aufmerksam gemacht, dass es für die Beteiligung am Kriege auf seiten Hitlerdeutschlands die Verantwortung trägt, der es nicht entgehen kann, und dass bei der endgültigen Regelung unvermeidlich sein eigener Beitrag zu seiner Befreiung berücksichtigt werden wird."

Entsprechend dem Wortlaut dieser Deklaration kämpft die Rote Armee gegen die deutschen Okkupanten, aber nicht gegen die Bevölkerung Österreichs.

Die Rote Armee kam nach Österreich nicht als Eroberungsarmee, sondern als Befreiungsarmee.

BÜRGER UND BÜRGERINNEN ÖSTERREICHS!

Unterstützt auf jede mögliche Weise die Truppen der Roten Armee, die auf österreichischem Boden operieren!

Bleibt an Euren Arbeits- und Wohnstätten! Setzt Eure friedliche Arbeit fort! Unterstützt die Rote Armee bei der Aufrechterhaltung der Ordnung und der Sicherung der normalen Arbeit der Industrie-, Handels- und Kommunalbetriebe, sowie sonstiger Unternehmungen!

Beobachtet gewissenhaft die vom Oberkommando der Roten Armee festgelegte militärische Ordnung! Vollführt alle Befehle und Anordnungen des Oberkommandos der Roten Armee, hervorgerufen durch die Notwendigkeit, Österreich möglichst bald von den deutsch-faschistischen Truppen vollständig und restlos zu säubern, ebenso von allen Behörden, Einrichtungen und Agenten des Hitlerregimes.

Unterstützt die Rote Armee bei der Dingfestmachung von Hitleragenten, Provokateuren, Spionen, Schädlingen und aller der Elemente, die die rascheste Säuberung Österreichs von den Deutschen verhindern und den Massnahmen der Roten Armee entgegenarbeiten.

Den Hitlerkreaturen und ihren Agenten ist kein Wort zu glauben!

Alle persönlichen Rechte und Eigentumsrechte österreichischer Staatsbürger, privater Gesellschaften und Vereine und das ihnen zugehörige Privateigentum bleiben unangetastet.

Bis zur Errichtung österreichischer Behörden auf demokratischem Wege durch das österreichische Volk selbst üben die Funktionen der zivilen Gewalt die von den Ortskommandanten der Roten Armee ernannten provisorischen Bürgermeister aus. Die provisorischen Bürgermeister werden der lokalen Bevölkerung entnommen.

Alle Industrie-, Handels-, Kommunal- und sonstigen Unternehmungen haben ihre normale Arbeit fortzusetzen.

Die nationalsozialistische Partei (NSDAP) wird aufgelöst. Die einfachen Mitglieder der nationalsozialistischen Partei werden nicht verfolgt, wenn sie sich den Sowjettruppen gegenüber loyal verhalten.

Die friedliche Bevölkerung Österreichs hat nichts zu fürchten!

Arbeiter und Gewerbetreibende! Geht an Eure Werkbänke in den Fabriken und in Eure Werkstätten!

Bauern und Bäuerinnen! Setzt fort Eure Frühjahrsaussaat und Eure landwirtschaftlichen Arbeiten!

Händler und Unternehmer! Angehörige der freien Berufe! Geht ruhig wieder Eurer normalen Arbeit nach!

Angestellte der Handels-, Industrie- und Kommunalbetriebe! Sichert die normale Weiterarbeit Eurer Betriebe!

Geistliche und Gläubige! Ihr könnt ungestört Eure religiösen Riten und Gebräuche ausüben!

ÖSTERREICHER!

Hitlerdeutschland hat den Krieg verloren und nichts kann es vor der völligen Zerschlagung retten. Die Stunde der Befreiung Österreichs vom deutschen Joch ist da.

Unterstützt, wo und wie Ihr nur könnt, die Rote Armee bei der Zerschlagung und Vernichtung der Hitlertruppen. Tragt durch eigene Leistung bei zur Befreiung Österreichs. Ihr werdet dadurch die volle Befreiung Österreichs beschleunigen, die Wiederherstellung seiner Freiheit und Unabhängigkeit.

Der Befehlshaber der Truppen der 3. Ukrainischen Front,
Marschall der Sowjetunion

F. TOLBUCHIN.

Wieder frei!

Die Regierungen Grossbritanniens, der Sowjetunion und der USA geben ihrem Wunsch Ausdruck, ein freies und unabhängiges Österreich wiederhergestellt zu sehen

(Aus der Moskauer Deklaration der drei Mächte über Österreich vom Oktober 1943)

demokratische Republik Österreich wiederhergestellt und ist „im Geiste der Verfassung von 1920 einzurichten". Schon das ist eine wichtige Weichenstellung, denn die Kommunisten werden sehr schnell eine ganz neue Verfassung fordern, aber gegen diese schon als Punkt 1 in der Unabhängigkeitserklärung festgelegte Rückkehr zur Verfassung von 1920 nicht mehr ankönnen. Weiters wird in dem Dokument der Anschluß aus dem Jahr 1938 für null und nichtig erklärt, wird die Provisorische Staatsregierung eingesetzt und „vorbehaltlich der Rechte der besetzenden Mächte mit der vollen Gesetzgebungs- und Vollzugsgewalt betraut".

Einer der nur fünf Artikel der Unabhängigkeitserklärung ist der Entbindung der Österreicher von allen „militärischen, dienstlichen und persönlichen Gelöbnissen" gewidmet. Das verdient bei der Beurteilung der Haltung und der Mentalität der Menschen jener Zeit beachtet zu werden. Die Politiker von damals wissen offenbar, in welchem Ausmaß sich die Menschen durch die geleisteten Eide und Gelöbnisse dem Dritten Reich und seinem Führer verpflichtet gefühlt haben. Viele Menschen waren dazu erzogen, daß ein Eid für sie eine nicht aufhebbare Verpflichtung war, auch dann, wenn man die Taten der Führung, auf die man den Eid geschworen hatte, längst schon in Zweifel zog oder ablehnte. Die neue Regierung weiß, warum sie die Enthebung von solchen Gelöbnissen in ihre Unabhängigkeitserklärung setzt, und zwar gleichbedeutend mit der Verkündung der Wiedererrichtung der Republik und der Einsetzung einer neuen Regierung. Und folgerichtig heißt es dann auch im letzten und fünften Artikel der Erklärung: „Von diesem Tag an stehen alle Österreicher wieder im staatsbürgerlichen Pflicht- und Treueverhältnis zur Republik Österreich."

Man hat von sowjetischer Seite die österreichischen Politiker wohl auch darauf hingewiesen, daß man Österreich von einer Mitverantwortung am Hitler-Krieg nicht freisprechen werde. Es ist hochinteressant, daß die neue Regierung diesem Umstand in ihrer Unabhängigkeitserklärung verhältnismäßig breiten Raum einräumt oder einräumen mußte: „In pflichtgemäßer Erwähnung des Nachsatzes der Moskauer Konferenz, der lautet: ‚Jedoch wird Österreich darauf aufmerksam gemacht, daß es für die Beteiligung am Krieg auf seiten Hitler-Deutschlands Verantwortung trägt, der es nicht entgehen kann. Und daß bei der endgültigen Regelung unvermeidlich sein eigener Beitrag zu seiner Befreiung berücksichtigt werden wird', wird die einzusetzende Staatsregierung ohne Verzug die Maßregeln ergreifen, um jeden ihr möglichen Beitrag zu seiner Befreiung zu leisten, sieht sich jedoch genötigt festzustellen, daß dieser Beitrag angesichts der Entkräftung unseres Volkes und Entgüterung unseres Landes zu ihrem Bedauern nur bescheiden sein kann."

Dieser Text nimmt fast die Hälfte der gesamten Unabhängigkeitserklärung ein. Und er enthält bereits das Kernproblem der nun folgenden zehn Jahre alliierter Besetzung in Österreich: Diese reklamierte Mitverantwortung Österreichs begründet die Hartnäckigkeit der Sowjetunion, das sogenannte Deutsche Eigentum in Österreich für sich als Wiedergutmachung für die durch die Hitler-Truppen in der Sowjetunion angerichteten Schäden zu beanspruchen. Und an dieser Frage wird der Abschluß eines Staatsvertrags für Österreich jahrelang hängen. Doch das ist an jenem 27. April 1945 noch keinem einzigen Österreicher bewußt – nicht Renner, nicht den Mitgliedern seiner Regierung und schon gar nicht der Bevölkerung. Im nachhinein wird jedoch erkennbar, wie zielgenau die Sowjets vom ersten Augenblick ihres politischen Agierens in Österreich vorgingen.

Die Regierung beschließt ihre Unabhängigkeitserklärung am

Die „Österreichische Zeitung" erscheint zunächst nur in Wien und nur in wenigen Exemplaren. Sie wird auf Plakatwänden affichiert und wie eine amtliche Kundmachung gelesen. Am 23. April gründen ÖVP, SPÖ und KPÖ gemeinsam die Tageszeitung „Neues Österreich". Erster Chefredakteur des Blattes wird der kommunistische Unterrichtsminister Ernst Fischer.

27. April. Zu diesem Zeitpunkt funktioniert noch kein Radiosender in Wien. Aber es gibt immerhin schon zwei Zeitungen: Das Blatt der Roten Armee, die „Österreichische Zeitung", und ein neugegründetes „Organ der demokratischen Einigung", eine Zeitung mit dem Titel „Neues Österreich", dessen Chefredakteur der Kommunist und Unterrichtsminister Ernst Fischer wird, doch sitzen in der Redaktion des „Neuen Österreich" auch Journalisten der anderen beiden Parteien. Die Unabhängigkeitserklärung erscheint in beiden Zeitungen gleichzeitig mit der Ankündigung, daß die neue Regierung am 29. April im Parlament eine Proklamation zur Errichtung der Zweiten Republik verkünden werde.

Die Zeitungen erscheinen aus Papiermangel nur in wenigen Exemplaren, aber die Nachricht, daß man bereits über eine eigene Regierung verfügt und daß diese schon am nächsten Tag ins Parlament einziehen werde, geht durch Wien wie ein Lauffeuer. In einzelnen Bezirken rufen die Vertreter der drei politischen Parteien ihre Anhänger dazu auf, am Morgen dieses 29. April zum gemeinsamen Fußmarsch durch Wien zum Parlament aufzubrechen. Zunächst einmal wird alles gemeinsam gemacht. Die an der Spitze beschlossene Koalition gilt auch für unten – Kommunisten, Sozialisten, Volksparteiler marschieren gemeinsam. In dieser Reihenfolge:

Immer die Kommunisten vorne mit ihrem Fahnenblock, dahinter alle anderen. Und dieser Umstand wird die Harmonie zwischen den Parteien recht bald stören. Am 29. April jedoch zieht man so gut es geht gemeinsam über die Schutt- und Misthalden in den Wiener Straßen zum Parlament.

Die Adler auf den Masten

Ehe es dort jedoch zur Proklamation der Zweiten Republik kommen konnte, gab es noch ein Hindernis zu überwinden. Wie schon erwähnt, war das Parlament während der Hitlerzeit Sitz der Gauleitung von Wien. An den großen Masten vor dem Parlament wehten Hakenkreuzfahnen, und an den Spitzen der Maste hatte man Reichsadler angebracht mit dem Hakenkreuzemblem in den Fängen. Am Vorabend der geplanten Feier im Parlament wird man dessen in der benachbarten Sowjetkommandantur mit einigem Erschrecken gewahr. Die Adler und die Hakenkreuze müssen herunter. Zwei Männer von der Feuerwehr werden zur Kommandantur befohlen. Diese kommen recht bekümmert in die Feuerwehrzentrale zurück. Erwin Racek war dabei: „Wie alles angetreten war, sagen uns die zwei dann, der Stadtkommandant hätte von ihnen verlangt, daß die Adler vor dem Parlament auf den Fahnenmasten bis morgen herunter sein müssen, sonst wird die Feuerwehr nach Sibirien geschickt." Doch die Feuerwehr besitzt nur eine kleine Leiter. Sie kann da nicht hinauf. Dazu Racek: „Nun waren natürlich alle sehr bedrückt. Einer hat sogar den Vorschlag gemacht, man soll den Russen sagen, sie sollen mit der Kanone hinaufschießen. Es ist eh schon soviel hin, da kommt es auf die zwei Schuß auch nicht mehr an. Na und dann hab ich mich gemeldet und hab gesagt: ‚Moment, ich hol's herunter.' Ich hab mir gedacht, was ist schon dabei, schneiden wir den Fahnenmast halt um. Nun bei der Beratung, was man da machen könnte, sagt der Vormeister Eberl: ‚Du, was wär's, wenn du dich da mit dem Drahtseil hinaufziehen läßt?' Momentan hab ich geglaubt, das ist ein blöder Vorschlag. Aber gleich darauf hab ich mir gesagt, wenn diese Drahtseile im Sturm schwere, durchnäßte Fahnen aushalten, dann müssen sie mein Körpergewicht auch tragen. Ich hab dann an einem Karabiner des Drahtseils den Feuerwehrgurt eingehängt, mich in den Gurt reingesetzt und bin mit Hammer und Meißel im Sack hinaufgefahren. Oben angelangt hab ich gesehen, daß der Abstand zwischen meiner Sitzgelegenheit und dem Sockel von dem Adler so hoch ist, daß ich nicht meißeln kann. So bin ich aus meiner Gurte herausgestiegen, hab mich in die obere Gurte hineingestellt, mich mit einer kurzen Leine rund um den Mast gesichert, festgebunden. Jetzt habe ich die Hände frei gehabt und konnte meißeln."

Racek hängt in schwindelnder Höhe an dem Fahnenmast, während auf der Ringstraße die Menschen zusammenlaufen, für die das Hochartistik ohne Netz ist. Racek weiter: „Dieser Sockel aus Aluminium war bald zur Hälfte durchgemeißelt, dann erblickte ich im Inneren leider ein Eisenrohr, den sogenannten Anker. Aber es ist mir gelungen, auch den Eisenanker bis zur Hälfte einzumeißeln, und beim Ziehen habe ich gesehen, daß der Adler bereits einen kleinen Knick macht. Jetzt bin ich wieder hinuntergefahren mit dieser Gurte, und wir haben den Adler dann mit der Leine heruntergezogen, er ist geknickt, gebrochen und runtergefallen."

Mittlerweile hatte sich auch ein Kameramann der Sowjetarmee eingefunden, leider etwas zu spät: Er filmte nur noch den fallenden Adler, den meißelnden Racek hat er versäumt. Diese Filmaufnahme wurde übrigens von Erich Sokol in der Bildkomposition verwendet, die er der Fernsehserie „Österreich II" als Signation, als Marke,

Rechts unten: Auf die Latten, mit denen ein ausgebombtes Geschäftslokal provisorisch vernagelt wurde, heften die Menschen Nachrichten, Tauschangebote und Anzeigen aller Art. Die Zeitungen haben wegen Papiermangels keinen Platz für kleine Inserate.

Ein sowjetischer Kameramann filmte den Sturz der beiden Reichsadler von den Fahnenmasten vor dem Parlamentsgebäude. Auf den beiden Bildern ist das Drahtseil erkennbar, an dem sich Erwin Racek auf die Maste hochziehen ließ.

vorangestellt hat: der brennende Dom, der fallende Adler, die erste
rotweißrote Fahne auf diesem Mast und der auf der Parlamentsrampe grüßende Karl Renner – in dieser Bildsequenz hat Sokol die
Dramatik dieser ersten, so bestimmenden Tage der Zweiten Republik eingefangen und zum Motto der gesamten Serie „Österreich II"
gemacht.

Auf den von den Hakenkreuzadlern befreiten Masten vor dem
Parlament werden am Morgen des 29. April erstmals wieder die
rotweißroten Farben hochgezogen. Die Regierung tritt zunächst im
Wiener Rathaus zusammen. Dort gibt es noch immer keine Fensterscheiben. So sitzen die Regierungsmitglieder in Mänteln rund um
den Tisch, auf dem sie ihre Hüte abgelegt haben. Renner macht die
Regierungsmitglieder mit der Proklamation vertraut, die er etwas
später im Parlament verkünden will. Er legt größten Wert darauf,
daß es sich nur um eine provisorische Regierung handle. Sie habe
ihr Mandat noch nicht vom Volk erhalten. Noch kenne man den
politischen Willen nicht, den dieses Volk zum Ausdruck bringen
werde. Drei Überlegungen liegen dieser Betonung zugrunde: 1. Mit
ihrer starken Beteiligung und ihren Schlüsselpositionen haben die
Kommunisten in dieser Regierung eine mächtige Position. Man
muß danach trachten, rasch zu Wahlen zu kommen, damit es nicht
zu einer Verfestigung dieser Position kommt. 2. Wenn man die
Änderung der Regierung durch freie Wahlen nicht in Aussicht
stellen kann, wird es schwer, wenn nicht unmöglich sein, die
Unterstützung auch der westlichen Bundesländer für diese Regierung zu gewinnen. Ohne die Unterstützung der Länder aber würde
die Regierung in Wien im luftleeren Raum agieren. 3. Man muß mit
der Betonung des Provisoriums und der notwendigen freien Wah-

Karl Renner, begleitet von Theodor Körner und gefolgt von den Mitgliedern seiner Provisorischen Staatsregierung, auf dem Weg vom Rathaus zum Parlamentsgebäude am 29. April 1945. In der Stadt, in der noch keine Straßenbahn fährt und noch kein Telefon funktioniert, hatte es sich rasch herumgesprochen, daß die Regierung an diesem Tag „das Parlament in Besitz nehmen" und

„Österreich ausrufen" wird. Links neben Renner der spätere Vizekanzler und SPÖ-Vorsitzende Adolf Schärf, hinter Renner der spätere Bundeskanzler und Obmann der ÖVP, Leopold Figl, hinter Körner der Unterstaatssekretär für das Heerwesen, Franz Winterer, im Grunde genommen Österreichs erster und für lange Jahre auch wieder letzter Verteidigungsminister.

len den Sowjets klarmachen, daß sie hier keinen Dauerzustand, sondern eben nur ein Provisorium geschaffen hätten und die freien Wahlen wohl auch zulassen müßten. Die vierte Überlegung stellt Renner zu diesem Zeitpunkt vermutlich noch nicht an, daß nämlich die westlichen Alliierten eine nur von den Sowjets eingesetzte österreichische Regierung nicht akzeptieren würden. Noch glauben die Österreicher, daß alles, was die Sowjets tun, im Einvernehmen mit den Westalliierten geschieht. Hätten sie den Text der sowjetischen Note gekannt, mit der Moskau erst Tage später die Westalliierten von der Existenz einer österreichischen Regierung in Wien verständigt, so hätten sie den Irrtum rasch erkannt. In der Sowjetnote wird nämlich wie beiläufig erklärt, es hätte sich eine österreichische Regierung gebildet, und die Sowjetunion hätte keine Veranlassung gesehen, die Österreicher daran zu hindern. Doch die Formulierung ist keineswegs dazu angetan, den Westen zu beruhigen, im Gegenteil, sie löst Alarm aus. Anhand der Erfahrungen, die der Westen mit der Einsetzung solcher Regierungen in Polen, in Bulgarien und in Rumänien bereits gemacht hat, glaubt man zu wissen, was das bedeutet.

Der Gang zum Parlament

Von der großen Politik weiß man in Wien noch nichts, weder weiß es die Regierung, die nun im Rathaus tagt, noch wissen es die Tausenden Menschen, die zusammengeströmt sind, um diese Regierung zu sehen und sie zu begrüßen. In Paaren verlassen die Mitglieder dieser ersten österreichischen Regierung das Rathaus, an ihrer Spitze zwei imposante Figuren: Karl Renner und Theodor Körner – beide betagt, Renner ist 75 und Körner 72 Jahre alt –, beide hochgewachsen, mit weißem Bart, rüstig ausschreitend und sichtlich gerührt und getragen von dem Jubel, der ihnen entgegenbraust. Sie sind beide nicht nur dem Jahrgang nach Kinder der österreichisch-ungarischen Monarchie, ihr Denken ist noch von diesem Großraum geprägt worden; und im Ringen mit dieser Monarchie und ihren echten und vermeintlichen Fehlern sind sie Sozialdemokraten geworden.

Hinter Renner und Körner zwei abgemagerte, geradezu schmächtige Gestalten: Leopold Figl und Adolf Schärf. Kaum einer aus der Menge kennt sie, nur wenige haben ihren Namen gehört. Sie sind um eine Generation jünger als Renner und Körner, sie waren die Jungen in der Ersten Republik, waren in deren Gegensätze verstrickt und sind von diesen auch geprägt worden. Das wird man ihrem Vokabular und auch dem immer wieder zwischen ihnen aufkeimenden Mißtrauen noch lange anmerken. Doch der Verlust der Freiheit 1938 ist für sie das ausschlaggebendere, das sie tief verändernde Erlebnis. Und das ist auch ihre Gemeinsamkeit. Sie wird sich als stärker erweisen als jedes aus der Ersten Republik herüberragende Ressentiment.

Daneben gehen Koplenig, Honner und Fischer. Ihre Prägung haben sie im kommunistischen Untergrund, im Exil und schließlich in Moskau erfahren. Sie bekennen sich, wie sie immer wieder betonen, zu einem unabhängigen und demokratischen Österreich. Honner trägt auf diesem ersten Weg, den er als Mitglied der Regierung und als Staatssekretär für das Innere dieses Landes antritt, noch immer seine jugoslawische Partisanenuniform und auf der Kappe noch immer den Sowjetstern mit Hammer und Sichel. Und so geben die Kommunisten selbst Anlaß zu der zweifelnden Frage, ob das von ihnen gewünschte unabhängige und demokratische Österreich tatsächlich das Ziel oder doch nur der Weg zu einem ganz anderen Ziel sei.

Die Regierung geht durch ein jubelndes Menschenspalier. Beim Betrachten der Bilder und Filme, die bei diesem Gang der Regierung gemacht wurden, fällt auf, daß vor diesem Spalier bereits eine recht dichte Kette von Hilfspolizisten Aufstellung genommen hat, Männer in Zivil mit rotweißroter Armbinde, die sie als „Hilfspolizei der Kommandantur" ausweist. Sie unterstehen also den Sowjetbehörden, und sie werden von Kommunisten geführt. Man darf nicht übersehen, daß dies damals nicht ohne Wirkung auf die Menschen blieb, die sich fragten, welche Art von Regierungs- und Gesellschaftsform nun auf sie zukommen würde und wie sehr nun die beiden aufrechten alten Männer an der Spitze des Zuges mit ihrem entschlossenen Schritt und ihrer selbstsicheren Gebärde eine unerwartete Hoffnung verkörperten. Das teilte sich den Menschen mit und löste ihren Jubel aus.

Renner hatte beim Verlassen des Rathauses erklärt, die Regierung werde sich nun zum Parlament begeben, um dieses „unter militärischer Assistenz in aller Form zu besetzen". Die militärische Assistenz wartet auf der Parlamentsrampe. An der Spitze Stadt-

Auf der Rampe des Parlaments tritt dem neuen Staatskanzler Karl Renner der sowjetische Stadtkommandant von Wien General Blagodatow entgegen, salutiert, erstattet Meldung und übergibt dem Staatskanzler das von den Sowjets erst am Vortag geräumte Parlamentsgebäude. 16 Tage erst ist es her, da wurde in den Straßen von Wien noch geschossen. Jetzt stehen auf der Wiener Ringstraße viele tausend Menschen, die zu Fuß herbeigeeilt sind, um Zeugen der symbolhaften Übergabe des Parlaments an die neue österreichische Regierung zu sein.

kommandant General Blagodatow. Er begrüßt die Regierung als
gegenwärtiger Hausherr des Parlaments, aber er begrüßt sie auch
mit der Ehrerbietung, die einer Regierung zukommt. Das bringen
die Sowjets unter anderem dadurch zum Ausdruck, daß sie für
diese Regierung ein militärisches Ehrenspalier entlang der Rampe
aufgezogen haben: Sowjetsoldaten in ihren stark mitgenommenen
Felduniformen, die ihre Maschinenpistolen präsentieren. Hinter
Blagodatow ein großer Stab von Sowjetoffizieren, die künftig als
Kontrollorgane über alle Zweige der österreichischen Verwaltung
tätig sein werden.

Vor dem Hauptportal des Parlamentsgebäudes dreht sich
Renner noch einmal um und winkt mit gezogenem Hut den
Menschen auf der Ringstraße zu. Die Geste wird von den Kameras
eingefangen. Das Bild wird wenig später in den Außenministerien
der Westmächte studiert werden und die schon vorhandenen
Bedenken gegenüber Renner und seiner Regierung wesentlich
verstärken. Denn Renner steht hier oben auf der Rampe ausschließlich von sowjetischen Generälen und hohen sowjetischen Offizie-

Als diese Bilder die Staatskanzleien der westlichen Alliierten erreichen, wird deren Mißtrauen gegen die Regierung Renner bestärkt. Scheinen die Bilder doch zu bestätigen, daß Renner seinen Amtsantritt nur den Sowjets zu verdanken hat und mit den Sowjets auf bestem Fuß steht. Den westlichen Armeen ist für die Zeit nach ihrem Einmarsch in Deutschland und in Österreich ein striktes Verbrüderungsverbot auferlegt, das unter anderem auch verbietet, daß ein alliierter Offizier Deutschen und Österreichern eine Ehrenbezeugung leistet. Hier aber salutieren sowjetische Offiziere vor Karl Renner, geleiten ihn ins Parlament und sitzen schließlich wie eine eigene Fraktion neben den österreichischen Politikern in den Parlamentsbänken. Renner und seine Regierung konnten nur Marionetten der Sowjets sein, schloß man im Westen.

ren umgeben. Was anders konnte das bedeuten, als daß Renner sich den Wünschen der Sowjets beugen mußte, meint man im Westen.

Die Regierung betritt ein von mehreren Bombentreffern stark beschädigtes Parlamentsgebäude. Im halbwegs intakten großen Sitzungssaal des ehemaligen Abgeordnetenhauses des Reichsrats wird Staatskanzler Renner nun die Proklamation verlesen, in der der Anschluß Österreichs an das Dritte Reich aufgehoben und die neue, selbständige, demokratische Republik Österreich verkündet wird. In diesem Parlament gibt es noch keine Abgeordneten. In den Abgeordnetenbänken haben die Mitglieder der Bundesregierung Platz genommen, es sind ihrer 30, fast eine Art Rumpfparlament. Wie eine eigene Fraktion sitzen in den Bänken auch all die Sowjetoffiziere, die mitgekommen sind. Auch das gibt, von heute aus betrachtet, ein erstaunliches Bild – sowjetische Soldaten als Fraktion im Wiener Parlament.

„Rafft Euch auf!"

Die Proklamation, die Karl Renner nun verliest, ist ein bemerkenswertes Dokument: „Männer und Frauen von Österreich! In den Tagen größter Bedrängnis durch Krieg und Kriegsfolgen richten wir an Euch alle unser Wort! Rafft Euch auf! Wirkt zusammen zu unserer aller Befreiung! Helft mit, das vormalige unabhängige Gemeinwesen der Republik Österreich wieder aufzurichten! Nur im Rahmen eines geeinigten Staates und mit Hilfe einer geordneten Staatsregierung ist Rettung möglich. Der einzelne Staatsbürger wie die vereinzelte Gemeinde kann nicht Schutz und Rettung bringen: Ohne Wiederaufbau Eures Staates gibt es kein Heil für Euch, für Eure Familien, für Euer Heim, für Eure Arbeits- und Betriebsstätten."

Dann rechnet die Proklamation mit dem Anschluß, mit dem Nationalsozialismus, mit dessen Wirkungen auf Österreich ab. Sie verkündet, daß nun eine neue, von antifaschistischen Parteien getragene Staatsregierung eingesetzt sei. Die Zusammensetzung der Regierung wird erklärt, der Proporz, der für die Bevölkerung etwas völlig Neues ist und den es in dieser Form auch in der Ersten Republik nie gegeben hat. Die totale gegenseitige Kontrolle der Parteien soll der Beruhigung der Bevölkerung dienen. Wörtlich heißt es: „Jedes Staatsamt wird, wenn es auch unter der Führung eines Staatssekretärs einer Richtung steht, von Unterstaatssekretä-

Sowjetisches Ehrenspalier für Renner.

ren der anderen Richtung mitverwaltet – Parteilichkeit, Einseitigkeit und Willkür in der Verwaltung ist damit ausgeschlossen. Ihr könnt Euch darum ohne Vorbehalt und ohne Besorgnis der neuen Staatsleitung anvertrauen."

Die Regierung verkündet auch, wie sie die Nationalsozialisten zu behandeln vorhat: „Jene, welche aus Verachtung der Demokratie und der demokratischen Freiheiten ein Regime der Gewalttätigkeit, des Spitzeltums, der Verfolgung und Unterdrückung über unserem Volke aufgerichtet, welche das Land in diesen abenteuerlichen Krieg gestürzt und es der Verwüstung preisgegeben haben und noch weiter preisgeben wollen, sollen auf keine Milde rechnen können. Sie werden nach demselben Ausnahmerecht behandelt werden, das sie selbst den anderen aufgezwungen haben und jetzt auch für sich selbst für gut befinden sollen."

Das ist nicht nur hingesprochen. Renner ist allen Ernstes der Meinung, die demokratische Republik könnte und sollte schuldig befundene Nationalsozialisten nach den nationalsozialistischen Gesetzen für politische Gegner aburteilen. Und der Gedanke hat in der Regierungserklärung Eingang gefunden. Allerdings ist in dieser Erklärung auch schon eine Amnestie für Mitläufer eingebaut: „Jene freilich, die nur aus Willensschwäche, infolge ihrer wirtschaftlichen Lage, aus zwingenden öffentlichen Rücksichten wider innere Überzeugung und ohne an den Verbrechen der Faschisten teilzuhaben mitgegangen sind, sollen in die Gemeinschaft des Volkes zurückkehren und haben somit nichts zu befürchten."

Die Erklärung betont dann, daß alle Alliierten nichts anderes wollten als die Selbständigkeit und Unabhängigkeit Österreichs. Es folgt ein bemerkenswerter Satz: „Alle erdenklichen Zweifel behebt in diesem Punkte die Erklärung der Sowjetregierung über Österreich, die besagt, daß ihr Ziel nicht sei, die gesellschaftliche Ordnung Österreichs zu ändern. Nehme also jeder auf seinem Besitztum, in seiner Werkstatt, in seinem Büro unbesorgt die Arbeit wieder auf . . ."

Die Erklärung setzt „alle NS-Gesetze außer Kraft, die den Grundsätzen unserer Verfassung von 1920 widersprechen". Die Steuergesetze tun das nicht, die werden bleiben. Dann wird die Bevölkerung aufgefordert, mit den Befehlsstellen der Roten Armee eng zusammenzuarbeiten, da die Kommandanten von ihrem obersten Befehlshaber den Auftrag hätten, das Land in geordnete Verhältnisse zurückzuführen. Die Staatsregierung verspricht, alles zu tun, um „durch ihre Maßnahmen das Vertrauen der drei Weltmächte wiederzugewinnen", gemeint sind die Unterzeichner der Moskauer Deklaration über die Wiederherstellung Österreichs, die Sowjetunion, die USA und Großbritannien.

Abschließend heißt es in der Proklamation: „Österreicher! Dies die Aufträge, die Eure Provisorische Regierung übernommen hat und durchführen will! Verzagt nicht! Fasset wieder Mut! Schließt Euch zusammen zur Wiederaufrichtung Eures freien Gemeinwesens und zum Wiederaufbau Eurer Wirtschaft! Vertagt allen Streit der Weltanschauungen, bis das große Werk gelungen ist! Und folgt in diesem Geiste willig Eurer Regierung! Es lebe das österreichische Volk, es lebe die Republik Österreich!"

Jetzt ist alles vorbei

Maria Knoche stand als kleines Mädchen damals gegenüber dem Parlamentsgebäude auf dem Sockel des Gitters vom Volksgarten, um über das Spalier hinwegschauen zu können. Ihrer Erinnerung nach wurde die Proklamation auch in irgendeiner Form auf der Parlamentsrampe verlesen. „Und als das verlesen war und irgend-

In Ermangelung einer österreichischen Hymne spielt man den Donauwalzer. Viele jubeln, einige beginnen zu tanzen.

Maria Knoche: Jetzt ist alles gut.

wer noch gesprochen hat", berichtet sie, „haben alle applaudiert, und in schlottrigen Kleidern sind Männer mit Musikinstrumenten gestanden, die haben, weil wir ja keine Hymne gehabt haben, halt den Donauwalzer gespielt. Und die ersten haben sich halt auch mal einen Russen geschnappt und sind mit ihm im Walzertakt rundherum getanzt. Man ist nach Hause gegangen und hat gewußt, es kann nix mehr passieren, jetzt ist alles vorbei."

Getanzt wird auf der Ringstraße vor dem Parlament, und getanzt wird auf dem Schwarzenbergplatz. Die Männer in den schlottrigen Kleidern sind die Deutschmeister, ungewohnt in Zivil, aber bereits von Kapellmeister Julius Herrmann angeführt. Vor der Bellaria spielt eine sowjetische Militärkapelle. Es sind nicht sehr viele Paare, die sich da drehen, es ist kein rauschendes Volksfest und auch nicht wirklich eine Verbrüderung mit den Soldaten. Aber eines ist es schon: ein ungeheurer Gegensatz zur Verkündung der Ersten Republik an der gleichen Stelle im November 1918. Auch damals stand vor dem Parlament eine große Menschenmenge, eine noch größere als 1945. Auch damals die Ausrufung einer demokratischen Republik. Doch als 1918 auf den Masten vor dem Parlament die rotweißroten Fahnen hochgezogen werden sollten, da stürzten einige Leute hervor, rissen die weißen Streifen aus den Fahnen, knüpften die roten Bahnen zusammen und hißten diese in Protest gegen die Demokratie und zum Zeichen der Forderung nach einer Räterepublik. Schließlich wurde das Parlament von den Kommunisten gestürmt und konnte erst unter Einsatz von Militär wieder geräumt werden. Das war die Geburtsstunde der Ersten Republik Österreich.

Jetzt, trotz der Anwesenheit fremden Militärs und noch dazu des Militärs der größten Räterepublik, der Sowjetunion, geht ein Jubelschrei durch die Massen, als das Rot-Weiß-Rot die Masten hochgezogen wird. Und nun tanzt man sogar vor dem Parlament, wenn auch zaghaft und mit noch immer etwas zweifelndem Blick.

Im übrigen war dieser gewaltige Unterschied zumindest einigen der Politiker, wenn nicht allen, an diesem Tag sehr bewußt. Mit der Regierung und dem Bürgermeister Körner gehen auch die übrigen Mitglieder der Stadtregierung die Parlamentsrampe hinauf. Unter ihnen der kommunistische Vizebürgermeister Karl Steinhardt. Adolf Schärf berichtet darüber in seinem Buch „April 1945 in Wien": „Uns war feierlich zumute, als wir die Rampe hinaufstiegen; wir bemerkten in vieler Augen Tränen. Ich ging zufällig neben Steinhardt. Unter der Aufsicht von russischen Soldaten wurden auf den Masten die rotweißroten Fahnen hochgezogen. Viele von uns schluchzten vor Freude auf. Der Kommunist Steinhardt zeigte mehr noch als andere Rührung." Da sagt Schärf zu Steinhardt: „Jetzt hast du Tränen der Rührung in den Augen, weil russische Soldaten die rotweißroten Fahnen hochziehen, im November 1918 hast du schießen und das Weiße aus den Fahnen herausreißen lassen, so ändern sich die Zeiten." Steinhardt antwortete: „Ja, ja, das wäre nicht notwendig gewesen, wenn ihr nur immer gemacht hättet, was wir wollten."

Am Rande sei noch vermerkt, daß den sowjetischen Kameraleuten der Tanz auf der Ringstraße wohl auch zu schütter und nicht freudig genug gewesen sein dürfte. Jedenfalls ordnet die Sowjetkommandantur an, daß bis zum nächsten Morgen auf dem Rathausplatz eine intakte Lautsprecheranlage aufgebaut zu sein habe. Mit Mühe treibt man die österreichischen Techniker und sogar die Lautsprecher auf. Niemand weiß, was da vor sich gehen wird. Aber es sammeln sich immerhin Menschen an, die irgend etwas erwarten. Dann erscheint eine sowjetische Musikkapelle und mit ihr der Ordnungsdienst, es wird aufgespielt, und die Leute werden energisch aufgefordert zu tanzen und auch angefeuert, mehr Schwung hineinzulegen. Und nun entstehen die Aufnahmen, die dem sowjetischen Dokumentarfilm den Namen geben werden: „Walzer der Freiheit".

Zur gleichen Zeit, dem 30. April, tritt die neue österreichische Regierung zu ihrem ersten Ministerrat zusammen. Das Bundeskanzleramt auf dem Ballhausplatz hat schwere Bombentreffer abbekommen. Gerade der Flügel mit dem Kanzlerzimmer liegt in Trümmern. Aber der frühere und auch heutige Ministerratssaal ist intakt geblieben. Es gibt auch bereits eine maschingeschriebene Tagesordnung für diesen Ministerrat. Es ist eine Regierung ohne Parlament, eine Exekutive, die gleichzeitig Legislative ist. Gesetze werden vorgeschlagen, angenommen und treten auch schon in Kraft. Das erste Gesetz, das die neue Regierung beschließt, verbietet jede Betätigung im Sinn des Nationalsozialismus. Dann bereitet man Überleitungsgesetze vor, um die Verwaltung rasch in Schwung bringen zu können.

Renner hat in all diesen Fragen die größte Erfahrung und bringt sie mit sichtlicher Befriedigung ein. In den ersten Ministerratsprotokollen gibt es überhaupt nur „Gesetze auf Vorschlag des Staatskanzlers", und sie werden fast ohne Debatte einstimmig genehmigt. Als dann Monate später auch Vertreter aus den westlichen Bundesländern in diese Regierung eintreten, werden sie von dem autoritären Stil des Staatskanzlers befremdet sein. Und dieser Stil steht auch mit dem neuen demokratischen Geist einigermaßen in Widerspruch. Doch diese Regierung unter der Führung Renners stellt innerhalb weniger Wochen unter schwierigsten Bedingungen die österreichische Rechts- und Verwaltungsordnung in ihrer Gänze wieder her.

Das Mißtrauen des Westens

Als die Regierung in Wien ihr Amt antritt, erscheinen in Graz, Salzburg, Innsbruck und Linz noch immer die Zeitungen der NSDAP. Sie alle melden, wenn auch nur am Rande, die Einsetzung der neuen österreichischen Regierung in Wien. So heißt es in der „Salzburger Zeitung" am 1. Mai: „Wie die sowjetische Nachrichtenagentur TASS meldet, haben die Bolschewisten in Wien eine Regierung gebildet, an deren Spitze der 75jährige ehemalige Führer der Austromarxisten Dr. Karl Renner steht." Die Aufteilung der Ministerien unter den Parteien und die Schlüsselpositionen der Kommunisten werden hervorgehoben. Dann beruft man sich auf „anglo-amerikanische politische Kreise", denenzufolge das Kabinett in Wien „nur ein Übergangsstadium zu einem rein bolschewistischen Regime sein werde".

Da haben die nationalsozialistischen Abhörstellen einiges mitbekommen, denn Briten und Amerikaner sind in der Tat höchst beunruhigt über die Einsetzung der Renner-Regierung in Wien. George Kennan, der amerikanische Geschäftsträger in Moskau, schickt am 30. April einen Geheimbericht an das State Department in Washington, in dem er von einer Anerkennung der Regierung Renner dringend abrät. Kennan vergleicht die Renner-Regierung mit den ebenfalls von den Sowjets eingesetzten Regierungen in Polen, Rumänien, Bulgarien und Ungarn. Wie in diesen Ländern sei auch in Wien das Innenministerium einem Kommunisten unterstellt worden. Der „ältliche Staatskanzler Renner werde den Kommunisten nicht gewachsen sein". Die Amerikaner sind auch verstimmt, weil ihnen die Sowjets von der Absicht, in Wien eine Regierung tätig werden zu lassen, nichts mitgeteilt hatten. Als die Sowjets die Amerikaner nun von der Existenz der Renner-Regie-

Der erste Ministerrat der Regierung Renner. Im Kanzleramt, das von mehreren Bomben getroffen wurde, fehlen die Fensterscheiben, und im April 1945 ist es noch kalt. So behalten einige Regierungsmitglieder ihre Mäntel an. Rechts von Renner: Leopold Figl und Georg Zimmermann; links von Renner: Adolf Schärf, Johann Koplenig, Eduard Heinl, Julius Raab und Ernst Fischer.

rung unterrichten, geschieht das durch den stellvertretenden sowjetischen Außenminister Andrej Wyschinski, für sowjetische Begriffe also auf niedriger Ebene. Auch darin sehen die Amerikaner ein Täuschungsmanöver der Sowjets, denn offensichtlich soll die Renner-Regierung nach dem Krieg die politische Macht über ganz Österreich ausüben. Und es ist eine Regierung, in der nach amerikanischer Auffassung die Schlüsselpositionen in der Hand von Kommunisten sind. James Riddleberger leitete die Mitteleuropaabteilung des State Department und war damit auch für Österreich zuständig. Damals wird ihm als erstem das Kennan-Telegramm aus Moskau vorgelegt. Riddleberger berichtet uns: „Ich erinnere mich an das Kennan-Telegramm. Nicht an alle Einzelheiten, aber generell. Er meinte, wir sollten vorsichtig sein mit der Anerkennung der Renner-Regierung, denn der Mann könnte sich als eine Marionette Stalins erweisen. Ich gebe zu, daß das im State Department beachtliche Vorbehalte auslöste, denn – und das möchte ich hervorheben – die Sowjetunion hatte die Renner-Regierung eingesetzt, ohne uns oder die Briten auch nur zu konsultieren. Sie haben lediglich bekanntgegeben, daß es diese Regierung gibt. Und so gab es im State Department große Debatten, welche Haltung die amerikanische Regierung nun einnehmen sollte.“

Ein weiterer Geheimakt klettert damals im State Department auf dem Amtsweg bis hinauf zum Außenminister – das Geheimdossier über Karl Renner. Es enthält eine positive Beurteilung Renners: Er sei ein erfahrener Staatsmann und gewiß kein Kommunist. Sein Eintreten für den Anschluß an Deutschland wird vermerkt. Das löst die Frage aus, ob Renner so wie damals nicht auch heute einer stärkeren Macht nachgeben würde – diesmal der Sowjetunion. Doch die Kräfte, die eine strikte Zurückweisung der Renner-Regierung fordern, werden in Washington und in London überstimmt: Man solle eine abwartende Haltung einnehmen. Welcher Art diese Regierung wirklich sei, werde man wohl erst erfahren, wenn man selbst in Wien Einzug gehalten hat, wenn neben den sowjetischen auch westliche Truppen in der österreichischen Hauptstadt stationiert sind. Riddleberger berichtet über diese Entscheidung: „Das schien uns sinnvoll, da doch die Regierung in Wien zu dieser Zeit zur Gänze in der sowjetischen Besatzungszone lag. Und wir hatten damals noch nicht einmal ein Arrangement mit den Sowjets ausgehandelt, ob und wann unsere Truppen nach Wien kommen könnten. So machten wir das eine vom anderen abhängig: eine Anerkennung der Renner-Regierung wäre erst möglich, wenn wir selbst in Wien wären. Wie sich später herausstellte, und zwar zu unserer größten Genugtuung, erwies sich Renner als ein sehr standhafter Mann.“ Und die westliche Bedingung, die Renner-Regierung erst anzuerkennen, wenn auch westliche Truppen in Wien zugelassen sind, ist vielleicht eine der Ursachen, weshalb es den Westmächten später gelingt, ihre Rechte in Wien bedeutend besser abzustützen, als ihnen das in Berlin möglich war.

Von den schweren Differenzen der alliierten Mächte bezüglich der Vorgänge in Wien erfährt die österreichische Regierung selbst vorläufig nichts. Die einzigen Nachrichten, die ihr zugänglich sind, kommen aus Moskau. Westliche Radiostationen, soweit sie abgehört werden, melden nichts über den Zwist. Und Karl Renner hofft, daß er mit den Westalliierten rasch in Verbindung kommen werde, sobald der Krieg vorüber ist.

Kaplan im Frontgebiet

Denn Krieg gibt es noch, und die Front ist zu diesem Zeitpunkt – um den 30. April – nirgendwo sehr weit von Wien entfernt. Sie ist

James Riddleberger: Ein standhafter Mann.

bei St. Pölten und Tulln und in der östlichen Steiermark zum Stehen gekommen. Das rotweißrote Territorium ist noch sehr klein, das übrige Österreich noch Teil des Dritten Reichs und Kriegsgebiet. Die Sowjets haben nach der Eroberung Wiens ihre Offensive in Österreich eingebremst. Der sowjetische Hauptstoß richtet sich nun gegen Berlin. So gehen die Sowjettruppen in Österreich zur Verteidigung über. Eine Zeitlang glaubt man im deutschen Hauptquartier, es würde sogar möglich sein, die Sowjets noch einmal zurückzudrängen, vielleicht sogar bis Wien vorzustoßen. Übrigens gibt es auf beiden Seiten, auf der deutschen wie auf der sowjetischen, das Gerücht, die Westmächte würden mit den Deutschen einen Sonderfrieden schließen und gemeinsam mit ihnen gegen die Sowjetunion marschieren. Nichts davon ist wahr, aber die Gerüchte sollen angeblich dazu beigetragen haben, daß man sich auf sowjetischer Seite entlang der Front einzugraben und auf eine mögliche Offensive aus dem Westen vorzubereiten beginnt. Damit werden Front und Krieg für viele Orte in Niederösterreich und in der Steiermark zum Alltag. Unter anderem wird St. Pölten zur Frontstadt, in deren Vorfeld ein Stellungskrieg geführt wird. Die Stadt ist durch Bombenangriffe und Artilleriebeschuß stark mitgenommen. Wenige Tage vor Eintreffen der Sowjettruppen fliegen amerikanische Bomber noch einen schweren Angriff gegen St. Pölten. Später kommt die Stadt in den Bereich sowjetischer Tiefflieger und hat schließlich noch das Granatfeuer beider Seiten zu ertragen. Viele Häuser liegen in Trümmern, Straßen und Eisenbahnbrücken sind gesprengt, das Bahnhofsgelände ist von Bomben um und um gepflügt.

Franz König, der spätere Erzbischof von Wien und Kardinal, war damals als junger Kaplan in St. Pölten tätig. Über jene Tage berichtet er uns: „Ich bin in die großen Luftschutzkeller unter der Domkirche hinunter, wo viele Familien, vor allem Frauen und ältere Männer, untergebracht waren. Ich war der einzige Geistliche, und meine Anwesenheit hat, glaube ich, ein bißchen beruhigend gewirkt. Ich erinnere mich an den Sonntagmorgen, ich glaube, es war der 15. April, an dem mich die Leute gebeten haben, ich soll doch versuchen, obwohl man den Einschlag der Geschoße links und rechts gehört hat, im Luftschutzkeller eine Messe zu zelebrieren. Das habe ich dann gern getan. Ich bin aus dem Luftschutzkeller in die Domsakristei hinaufgestiegen und habe das Notwendige geholt. Während dieser Zeit sind die russischen Flugzeuge über St. Pölten dahingeflogen und haben die Dächer beschossen. Das Dach des großen Domgebäudes hat zu rollen begonnen, denn die zerstörten Ziegel sind heruntergekommen. Aber es ist weiter nichts passiert, und ich habe im Luftschutzkeller in einer ganz eigenartigen Stimmung und Atmosphäre die Messe des Sonntags zelebriert. Die Leute waren innerlich entsprechend dabei, und gerade am Schluß der Messe sind die ersten russischen Soldaten in den Luftschutzkeller eingedrungen. Da war ein gewisses Aufatmen unter denen, die im Luftschutzkeller waren: Jetzt ist der Krieg zu Ende, jetzt ist diese Unsicherheit zu Ende, jetzt sind die Russen als Befreier gekommen, und jetzt beginnt sozusagen schon die Vorstufe des Friedens. Leider war das eine Täuschung, denn nun begann eine Zeit der Unruhe und der Unsicherheit. Der erste Tag, der Sonntag, hatte die ganze Stadt verändert: überall russisches Militär, russischer Nachschub. Am nächsten Tag hat mich der Bürgermeister von St. Pölten gebeten, ihn zu begleiten. Er hat verschiedene Häuser besucht und offenbar Informationen gehabt, daß es dort Tote gebe. Auf meine Frage, was denn passiert sei, meinte er, das seien alles Leute, die in der Angst und Unsicherheit sich selbst erschossen haben. Gleich in der Nähe des Domplatzes besuchten wir eine sehr bekannte Familie und ich sehe hier: der

Franz König: Seelsorger in Zeiten der Not.

176

Bilder aus dem schwer zerstörten St. Pölten. Anfang April noch war der Bahnhof von St. Pölten Ziel eines amerikanischen Fliegerangriffs. Der Bombenteppich deckte auch einen Teil der Stadt zu, die Zerstörungen waren groß. Die Eisenbahnbrücke über die Traisen wurde zuerst von Bomben zerstört und nach ihrer provisorischen Wiedererrichtung von den abziehenden deutschen Truppen nochmals gesprengt. Der spätere Erzbischof von Wien, Kardinal König, nahm als Kaplan am Wiederaufbau dieser Brücke teil.

Vater erschossen, die Mutter erschossen, zwei nette Kinder erschossen. Der Vater dürfte Nationalsozialist gewesen sein und hatte die Familie und sich erschossen. Das war in vielen Fällen so. Die Leute hatten Angst vor dem, was jetzt kommen wird, Angst vor Rache, die eventuell vor der Tür auf sie wartet, und so haben sehr viele Selbstmord begangen. Das hat uns dieser Rundgang mit dem Bürgermeister in erschütternder Weise, muß ich sagen, gezeigt."

In St. Pölten tritt der Krieg nun auf der Stelle. Der sowjetische Stadtkommandant befiehlt dem neu eingesetzten Bürgermeister, „sämtliche Einwohner, Männer, Frauen und Mädchen im Alter von 16 bis 50 Jahren" zum Ausheben von Schützengräben einzusetzen. Auf rasch gedruckten Plakaten wird also die gesamte arbeitsfähige Bevölkerung von St. Pölten zum Schanzen einberufen. Der letzte Satz lautet: „Die Nichtbefolgung der Anordnung bedeutet Todesstrafe." Die Schützengräben werden am westlichen Stadtrand von St. Pölten ausgehoben; was zunächst ein spontaner Einsatz ist, wird bald zur täglichen Routine. Herbert Wieden hatte sich damals, wie alle anderen auch, jeden Morgen zu solchem Arbeitseinsatz zu melden: „Ich mußte an den ersten Tagen hinter dem Friedhof schanzen, weil im Dunkelsteinerwald die SS gelegen und in der Nacht immer wieder bis zum Friedhof vorgestoßen ist. Dort wurden wir eingesetzt, die Männer mußten zehn Laufmeter Schützengraben ausheben und die Frauen fünf Meter. Das Tagwerk durfte nicht beendet werden, bevor nicht alle ihr Soll erreicht hatten. Da hat es natürlich Frauen gegeben, die das nicht zusammengebracht haben, oder alte Männer. Dann haben die Jüngeren weitermachen müssen, so lange, bis die gesamte Strecke fertig war. Dann sind wir wieder in die Stadt hineingeführt worden und konnten nach Hause gehen. Verpflegung hat es nicht gegeben. Wir sind den ganzen Tag ohne Verpflegung gewesen. Später waren wir darauf angewiesen, was die russischen Soldaten, die uns bewacht haben, in den umliegenden Häusern requiriert haben. Da hat es einen Tag nur Marmelade gegeben oder nur Kartoffeln."

Nach dem Ausheben der Schützengräben hat die Bevölkerung die Eisenbahndämme und die zerstörten Brücken wiederherzustellen. Kardinal König war mit dabei: „Die Eisenbahnbrücke, die unmittelbar vor St. Pölten über die Traisen führt, war vollständig zerstört, und jetzt versuchte man, sie provisorisch so weit herzurichten, daß wieder Züge darüberfahren konnten. Eine Gruppe von Soldaten unter der Anleitung eines technischen Offiziers hat Leute zusammengeholt, und die Frauen kamen damals zu mir und sagten: ‚Kommen Sie mit, damit wir nicht allein sind.' Ich bin mitgegangen und habe also auch mitgeholfen am Bau der Traisenbrücke von St. Pölten. Wenn ich heute darüberfahre, denke ich mir, es ist doch eine andere Zeit wie damals, wo wir gemeinsam Balken geschleppt haben, um die Brücke aufzubauen."

Der damalige Kaplan König spricht ganz gut russisch. Als Priester und des Russischen mächtig, wird er ununterbrochen geholt, um zwischen der Bevölkerung und den Besatzungssoldaten zu vermitteln. Es gibt viele Vergewaltigungen. Franz König spricht beim sowjetischen Stadtkommandanten vor, bittet um Abhilfe. Der ist bereit, vor dem Luftschutzkeller des Doms einen Posten aufzustellen. Doch das hilft anderen nichts. Die Schwestern vom Roten Kreuz sehen in Kaplan König den besseren Schutz. König berichtet: „Die Rotkreuzschwestern hatten im Domhof ihre Station und ihr Quartier, wo sie sich auf Pritschen gelegt haben, um bereit zu sein, wenn man sie braucht. Eines Tages kommt die Oberschwester zu mir und sagt: ‚Ich bitte Sie, kommen Sie abends zu uns, denn wir sind so ungeschützt. Es kommen alle Augenblicke Soldaten usw.' Ich gehe also dorthin. Die Rotkreuzschwestern lagen der Reihe

Herbert Wieden: 10 Meter Schützengraben pro Tag.

Als sich der Bürgermeister von St. Pölten beim sowjetischen Stadtkommandanten über Plünderungen und Vergewaltigungen beklagte, forderte der Offizier, daß derartige Meldungen nicht im nachhinein, sondern zum Zeitpunkt der Tat zu erstatten seien. Der Bürgermeister gab diese Forderung in der Kundmachung Nr. 12 an die Bevölkerung weiter.

Der Bürgermeister der Stadt St. Pölten

Kundmachung Nr. 12

Plünderungen und Schändungen

müssen sofort, noch zur Zeit der Tat, am Rathaus gemeldet werden

St. Pölten, am 20. April 1945.

Der Bürgermeister:
Benedikt

nach auf Pritschen. Ich lege mich gleich neben dem Eingang auf die Pritsche hin, so wie ich angezogen war, und habe halt versucht, auch ein bißchen zu schlafen. Es wird gegen Mitternacht gewesen sein, da klopft mir ein Soldat auf die Schulter und sagt zu mir: ,Ich will eine Frau.' Also die, die da neben mir liegt, die soll ich ihm gleich mitgeben. Sag ich zu ihm, geistesgegenwärtig: ,Sie, das ist meine Frau!' Daraufhin, es war ein sehr gutmütiger Soldat, sagt er: ,Ah, schade', hat sich entschuldigt und ist wieder davon."

Die sowjetische Stadtkommandantur erklärt sich zwar bereit, gegen die Exzesse einzuschreiten, doch müßte die Bevölkerung handfeste Beweise dafür erbringen, daß solche Exzesse auch stattfänden. So läßt der Bürgermeister erneut eine Kundmachung anschlagen: „Plünderungen und Schändungen müssen sofort, noch zur Zeit der Tat, am Rathaus gemeldet werden." Noch zur Zeit der Tat – viel verlangt von der bedrängten Bevölkerung.

Am 28. April erreichen nun auch die Amerikaner die österreichische Grenze. Die amerikanischen Generäle glauben, in Österreich noch auf erheblichen Widerstand zu treffen. Denn für sie fängt hier die Alpenfestung an. Und es gibt auch einzelne Ortskommandanten, die sich an den Befehl zum Widerstand bis zum letzten Atemzug halten. Dieser Befehl kommt aus dem Führerbunker in Berlin. Am 28. April ist Adolf Hitler noch am Leben, erreichen seine Befehle noch immer jeden Winkel des schmalen Gebiets, das noch Reichsgebiet ist. Wird in seinem Namen noch immer der Volkssturm an die Front geworfen, wird noch immer von jedem gefordert, an den Sieg zu glauben und sich für den Sieg zu opfern. Soldaten und Zivilisten sind einerseits froh, wenn die Front nun über sie hinwegrollt. Andererseits herrscht auch im Westen Ungewißheit darüber, wie alles nun weitergehen wird.

DAS ENDE DER „ALPENFESTUNG"

Die „Alpenfestung" als Festung hat es, wie wir wissen, nie gegeben. Aber die „Alpenfestung" als Gebiet, in das sich schon ab 1944 alles abzusetzen beginnt, was vor den nahenden Fronten flieht oder in Berlin und in Wien nicht unter Bombenteppiche geraten will – diese Alpenfestung hat es gegeben.

Ende April 1945 war das Deutsche Reich – wenn man vom Protektorat Böhmen und Mähren absieht – praktisch auf den Raum dieser Alpenfestung zusammengeschmolzen. Alles, was von Ost und West, von Nord und Süd geflohen war, befand sich nun in diesem Raum. Es war, als hätte man über dem Großdeutschen Reich ein Fischnetz zusammengezogen. Und als nun die amerikanischen Truppen die österreichische Grenze überschritten, als sie in dieses Gebiet der sogenannten Alpenfestung eindrangen, öffneten sie dieses Netz, und was ihnen entgegenquoll, überwältigte sie.

Es überwältigte sie auch, weil die Befehlshaber der in Österreich nun vom Westen einmarschierenden US-Truppen auf diese Besetzung nicht vorbereitet waren. Österreich wollten die Amerikaner und die Briten nicht vom Westen, sondern vom Süden her erreichen; ihre Truppen in Italien sollten die ersten sein, die über den Brenner und über das Kanaltal in Österreich einmarschieren würden. Doch die lang geplante Kapitulation der deutschen Truppen in Italien verzögerte sich immer wieder, und die deutsche Front in Italien hielt länger als erwartet. Die deutsche Front entlang des Rheins aber brach zusammen. Auch hatte der oberste alliierte Befehlshaber, General Eisenhower, große Sorge, daß sich im Alpenraum der deutsche Widerstand noch einmal sammeln könnte, und so ließ er einen Teil seiner Truppen in Deutschland nach Süden einschwenken und führte sie in Eilmärschen auf die österreichische Grenze zu. Um es vorwegzunehmen: Die amerikanischen Offiziere, die später Innsbruck besetzten, hatten die Stadtpläne von Stuttgart bei sich. Und der Kommandeur der ersten amerikanischen Truppen, die in Salzburg einmarschierten, hatte keine Ahnung, daß „dies nicht Deutschland sei". Genausowenig wie die amerikanischen Voraustruppen in Oberösterreich wußten, daß sie bei Mauthausen auf das größte noch existierende Konzentrationslager stoßen würden. Auch waren die Aufklärungsabteilungen in den amerikanischen Stäben überfordert, als ihnen von österreichischen Widerstandskämpfern berichtet wurde, daß bei Altaussee die wertvollsten Kunstschätze Europas in einem Salzbergwerk versteckt und in größter Gefahr seien; daß sich im Alpenraum Flugzeuge, Raketen und andere Waffen befänden, die die deutsche Führung als „Wunderwaffen" klassifiziert habe, und man nicht wissen könne, was da noch alles dahinterstecke; daß da und dort, und eigentlich überall, prominenteste Vertreter des Dritten Reichs auf Schlössern Quartier bezogen hätten oder sich auf Almen versteckt hielten.

Die US-Stäbe, die aus Deutschland kamen, hatten wenig Ahnung, was sie mit all den Informationen anfangen sollten. Nur wenige wußten, daß sie bei Scharnitz, Reichenau oder Passau die Grenze zu einem Land überschritten, das ihre Führung nicht als das zu besiegende Deutschland, sondern als das zu befreiende Österreich betrachtete. Zum Chaos des totalen und letzten Rückzugs der Deutschen gesellte sich nun auch die Verwirrung der Amerikaner.

Bei Scharnitz überschritten die Amerikaner die österreichische Grenze auf ihrem Vormarsch nach Innsbruck. Hier glaubten sie, auf die „Alpenfestung" zu stoßen. Ihre Befürchtungen schienen sich zunächst zu bestätigen: Bei Scharnitz lieferten ihnen Volkssturmmänner ein hartes Gefecht. Erst später stellte sich heraus, daß die „Alpenfestung" im militärischen Sinn nie existiert hatte. Die „Alpenfestung" als letzte Zufluchtsstätte des Dritten Reichs gab es. Und auf die Amerikaner wartete noch so manche Überraschung.

Am 28. April stoßen Truppen der 44. US-Infanteriedivision bei Vils in Tirol über die österreichische Grenze. An diesem Tag stehen die sowjetischen Truppen im Kampf um Berlin. Im Bunker der Reichskanzlei lebt Adolf Hitler noch und wird einen Tag später, am 29. April, Eva Braun heiraten. Am 30. April begehen Adolf und Eva Hitler Selbstmord und übernimmt der bisherige Oberbefehlshaber der deutschen Marine, Großadmiral Dönitz, die Führung dessen, was vom Deutschen Reich noch übrig ist. Dönitz sitzt in Flensburg hoch im Norden Deutschlands. Zwischen seinem Hauptquartier und Österreich haben amerikanische und sowjetische Soldaten einander an der Elbe schon die Hand gereicht. Im abgeschnittenen Süden, im Alpenbereich, rivalisieren zwei Männer um die letzte Befehlsgewalt: der Gauleiter von Oberdonau, wie die NS-Bezeichnung für Oberösterreich lautete, Adolf Eigruber, und der Leiter des Reichssicherheitshauptamtes und Vertreter Himmlers „im Südraum", Ernst Kaltenbrunner. Das ist vielleicht kein Zufall: Hitler stammt aus diesem Raum, und Linz ist seine Lieblingsstadt, Eigruber und Kaltenbrunner sind gleichfalls beide Oberösterreicher und in Linz zu Hause. Jeder der beiden hat eine andere Vorstellung davon, wie es nun weitergehen soll. Eigruber hält am Befehl Hitlers fest, daß jeder Fußbreit deutschen Bodens verteidigt werden müsse. Kaltenbrunner, unter anderem auch Chef des deutschen zivilen und militärischen Auslandsgeheimdienstes, hält noch Verhandlungen mit den Westalliierten für möglich, ja setzt sogar kurzfristig Hoffnungen auf einen Bruch des Bündnisses zwischen den USA und der Sowjetunion, der es ihm, Kaltenbrunner, ermöglichen würde, noch eine politische Rolle zu spielen.

Kaltenbrunners „Gegenregierung"

Kaltenbrunner bespricht dies mit dem Mann, der innerhalb der Kaltenbrunner-Organisation für den deutschen Geheimdienst in Südosteuropa zuständig ist – Wilhelm Höttl. Höttl nimmt in der Schweiz mit dem amerikanischen Geheimdienst, dem OSS, unter der Leitung von Allen Dulles, Kontakt auf. Die Amerikaner wollen einen Beweis, daß Kaltenbrunner im „Südraum" tatsächlich selbständig Macht ausüben kann. Diesen Beweis würden sie für erbracht ansehen, wenn es Höttl gelänge, die Freilassung zweier prominenter früherer österreichischer Politiker aus dem Konzentrationslager zu erwirken: Beide waren einst Bürgermeister von Wien, der Sozialdemokrat Karl Seitz und der Christlichsoziale Richard Schmitz. Kaltenbrunner ordnet die Freilassung auch tatsächlich an, Seitz wird aus Ravensbrück entlassen. Was Schmitz betrifft, so kommt eine Rückmeldung, daß er gestorben sei – was sich später als unrichtig herausstellt.

Ausgang des Führerbunkers

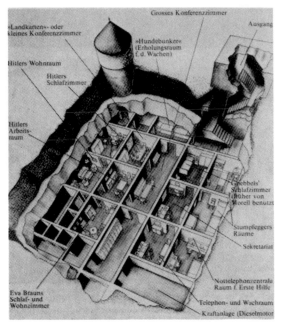

Dies alles spielt sich Ende März ab, in den Tagen, da die Rote Armee im Osten die österreichische Grenze überschreitet. Hitler lebt noch. An allen Fronten wird noch gekämpft. Kaltenbrunner glaubt, den Amerikanern mit Sonderverhandlungen noch etwas bieten zu können. Und die Amerikaner sind geneigt, herauszufinden, was Verhandlungen mit Kaltenbrunner bringen könnten. Das ist eine Aktion des Geheimdienstes, und erst aufgrund der Resultate will man auch die Regierungsstellen in Washington davon verständigen. Und nun kommt es wieder einmal zu einer jener grotesken Szenen, die sich rund um Hitler immer wieder und gegen Kriegsende vermehrt abgespielt haben. Kaltenbrunner will nicht ohne Einverständnis Hitlers handeln. Hitler selbst soll in Kapitulationsverhandlungen einwilligen.

Kaltenbrunner begibt sich, so wie etwas später der Tiroler Gauleiter Hofer, noch einmal nach Berlin in den Führerbunker. Zwischen Hitler und Kaltenbrunner hat durch die gemeinsame Linzer Vergangenheit immer schon ein gewisses Vertrauensverhältnis bestanden. Kaltenbrunner bittet Hitler um eine Unterredung unter vier Augen. Und Hitler gewährt sie ihm. Kaltenbrunner hat ein von Höttl entworfenes Memorandum bei sich. Das Memorandum enthält den Vorschlag, Hitler möge Berlin verlassen, sich auf den Obersalzberg bei Berchtesgaden zurückziehen, einem Feldmarschall die vollziehende Gewalt geben und diesen mit der Kapitulation beauftragen. Die politischen Gespräche mit den Alliierten würde Kaltenbrunner führen.

Höttl wartet ungeduldig auf die Rückkehr Kaltenbrunners, denn wenn dieser frei und lebend von dieser Unternehmung zurückkehrt, dann müßte er Hitlers Einwilligung erhalten haben, mit den Westalliierten zu verhandeln. Kaltenbrunner kehrt zurück. Aber ohne Einwilligung Hitlers. Und in einem Zustand, der Höttl heute noch mit ungläubigem Erstaunen erfüllt. Höttl berichtet: „Da schildert mir der Kaltenbrunner, daß er mit Hitler in den Teil des Bunkers hinunterging, wo Hitler sein Schlaf- und Privatzimmer hatte. Hitler führt ihn nebenan in einen Raum, und da steht auf einem niedrigen Tisch das Modell des neuen Linz, wie es gebaut werden soll. Sinn der Unterredung ist, daß Hitler Schluß machen soll, daß er kapituliert. Doch nun sagt Hitler zu Kaltenbrunner: ‚Schauen Sie sich einmal dieses Linz an, da brauche ich Ihren Rat. Sollen wir diese neue Brücke hier bauen, das große Nationale Museum da?' Und Hitler stellt Teilfragen, verwickelt Kaltenbrunner immer mehr ins Gespräch, sagt: ‚Wir sind doch beide da zu Hause.' Schließlich tritt er zurück mit einer Pose und sagt: ‚Ich weiß ganz genau, was Sie von mir wollen, aber Kaltenbrunner, wenn ich nicht

Der Bunker der Reichskanzlei in Berlin. Hier empfängt Hitler Ernst Kaltenbrunner, der ihm den Ernst der Lage erklären will, doch statt dessen Hitlers Pläne für Linz erklärt bekommt. Danach versucht der Gauleiter von Tirol, Franz Hofer, Hitler zu bewegen, den Bunker zu verlassen und in der „Alpenfestung" Zuflucht zu suchen. Hitler lehnt ab. Am 30. April begeht er in den Privaträumen des Bunkers gemeinsam mit Eva Braun Selbstmord.

Ernst Kaltenbrunner, kurze Zeit Sonderbevollmächtigter für den „Südraum", übt diese Macht von Altaussee aus. Von dort aus besucht er Hitler in dessen Berliner Führerbunker.

Wilhelm Höttl: Duell mit dem Gauleiter.

wüßte, daß wir beide dieses Linz so bauen, wie es da auf dem Tisch steht, würde ich mir heute noch eine Kugel durch den Kopf schießen.' Kaltenbrunner packt seine Akten mit all den Tatsachen, wie es in der Welt ausschaut und wie die militärische Lage wirklich steht und was die Feindmächte vorhaben, und kommt zurück nach Aussee. Wir warten in der Nacht und sind gespannt, was er ausgerichtet hat. Und er sagt: ‚Höttl, es ist alles ein Unsinn. Der Führer weiß genau, was er will, und er hat noch was, er hat mir's nicht gesagt, aber er hat noch was. Geben Sie diese ganzen dummen Ideen von der Kapitulation auf und daß der Führer zurücktreten soll.' Das muß man sich vorstellen, daß der bestinformierte Mann in Deutschland, Kaltenbrunner, sich, wie wir in Wien sagen, von Hitler so übernehmen ließ."

Das war Ende März 1945. Ende April erst beauftragt Kaltenbrunner Höttl, es doch noch einmal in der Schweiz zu versuchen. Höttl kommt mit der Nachricht zurück, daß die Amerikaner über die Einsetzung der Renner-Regierung in Wien nicht glücklich seien. Es wäre ihnen nicht unrecht, wenn in Westösterreich, etwa in Salzburg, eine politische Gegenkraft zur Renner-Regierung in Wien entstünde. Natürlich denken die Amerikaner nicht daran, daß Kaltenbrunner diese Gegenkraft bilden könnte. Aber das sagt Höttl Kaltenbrunner nicht, da er ihn bewegen will, Kapitulationsverhandlungen einzuleiten. Kaltenbrunner jedoch glaubt, er hätte da vielleicht noch eine politische Chance, und nimmt mit dem sich in Salzburg befindenden früheren österreichischen Minister Edmund Glaise-Horstenau Verbindung auf.

Glaise-Horstenau war in der Schuschnigg-Regierung Minister für Innere Verwaltung, tatsächlich aber zuständig für das, was man als nationale Befriedung ansah, also ein Verbindungsmann zu den Nationalsozialisten. So hält ihn Kaltenbrunner auch jetzt für den geeigneten Mann, zwischen früheren österreichischen Politikern und ihm, Kaltenbrunner, zu vermitteln. Kaltenbrunner denkt an eine Gegenregierung zu Wien, die er in Salzburg mit Hilfe von Glaise-Horstenau aufstellen würde. Er notiert die Namen von Politikern, die in einer solchen Regierung alle politischen Kräfte Österreichs vertreten würden. Diese Notizen werden später gefunden. Sie enthalten unter anderen die Namen Julius Raab und Heinrich Gleißner. Und das wird später zur Einsetzung eines parlamentarischen Untersuchungsausschusses in Wien führen, der feststellen soll, was es damals mit diesen Notizen auf sich hatte.

Die Gauleiter lassen weiterkämpfen

All das geschieht sozusagen in letzter Minute vor dem Einmarsch der Amerikaner. Für einen derartigen Versuch, mit den Westalliierten über eine Kapitulation zu verhandeln, würde Gauleiter Eigruber noch jeden sofort an die Wand stellen lassen. Eigruber richtet über den Rundfunk einen Durchhalteappell nach dem anderen an die Bevölkerung. „Ich gebe in aller Öffentlichkeit bekannt, daß in Oberdonau stehengeblieben wird. Niemand verlagert, niemand weicht aus, niemand verlegt nach zurück, es wird auch nicht evakuiert. Wir bleiben in unserer Heimat. Wir sind entschlossen, diese Heimat zu verteidigen . . . Ich wende mich an die Soldaten: Jetzt wird stehengeblieben und, wenn es sein muß, die Entscheidungsschlacht geschlagen. Nicht in Sibirien, sondern in der Heimat wollen wir kämpfen und, wenn es sein muß, fallen." Und in einer anderen Ansprache: „So wie die Verräter ihr Schicksal unbarmherzig erleiden, auch wenn sie als Offiziere getarnt durch die Lande ziehen, so werden Deserteure hart angepackt. Die Fahnenflüchtigen, welche die Front verließen und nicht bereit waren, Frauen und

Kinder gegen den bolschewistischen Mob zu verteidigen, hängen seit gestern an der Brücke in Enns zur Warnung aller Feiglinge und Verräter . . . Es ist lächerlich, wenn der Marschall der Sowjetunion Tolbuchin in einem Aufruf an die Wiener Bevölkerung erklärt, daß die Bolschewisten die Ostmark nicht erobern wollen, sondern nur die Zustände vor 1938 wiederherstellen wollen, und zum Schluß phrasenhaft von einer Befreiung spricht."

Eigruber und auch der Tiroler Gauleiter Hofer werfen ihre letzten Volkssturmeinheiten gegen den Feind. Eigruber an die russische Front, Hofer an die amerikanische. Während die Russen nicht weiter vorrücken, erreichen jetzt die Amerikaner die österreichische Grenze auf der ganzen Linie. In der Scharnitzer Klause hat sich der Volkssturm verschanzt. Übrigens heißen die Volkssturmangehörigen hier unter Ausnutzung eines alten Tiroler Namens „Standschützen". In Scharnitz sind diese „Standschützen" großteils Hitlerjungen im Alter zwischen 14 und 16 Jahren. Sie schießen zwei der heranrollenden amerikanischen Panzer mit Panzerfäusten ab und eröffnen das Feuer auf die begleitende Infanterie. Es kommt zu einem zweistündigen Gefecht, in dessen Verlauf es auf beiden Seiten Tote gibt. Blind ergeben kämpfende Hitlerjungen werden von den Amerikanern oft mehr gefürchtet als erfahrene deutsche Frontsoldaten, die längst wissen, daß der Krieg nicht mehr lange dauern kann, daß er verloren und Widerstand daher sinnlos ist. Die Jungen aber sehen im Kampf oft ihre erste große Bewährungsprobe. Der Widerstand an der Scharnitzer Klause bekräftigt die Amerikaner in ihrer Annahme, daß ihnen in der Alpenfestung noch schwere Kämpfe bevorstehen. Dementsprechend langsam und vorsichtig rücken sie vor.

Doch das wahre Ringen um Tirol hat sich, etwa zur gleichen Zeit, bereits in Innsbruck entschieden. In Innsbruck existiert schon seit längerem ein verzweigter österreichischer Widerstand. Er wird von Karl Gruber geführt, einem jungen Tiroler Ingenieur, der auch mit Offizieren der Innsbrucker Garnison Verbindung aufgenommen hat. Unter ihnen findet Gruber zwei entschlossene und verläßliche Männer. Der eine heißt Ludwig Steiner, ist Tiroler und Oberleutnant und hat den deutschen Major und Ritterkreuzträger Werner Heine als Verbündeten gewonnen. Man beschließt, Innsbruck im Handstreich zu nehmen und damit den Aufbau einer deutschen Abwehrfront in Tirol zu verhindern. Denn, so rechnet man, die deutschen Truppen in Italien würden sich auf den Tiroler Raum zurückziehen, ebenso wie die deutschen Truppen aus Bayern. Wäre aber Innsbruck als Befehlszentrale und Verkehrsknotenpunkt ausgeschaltet, so könnte es zu keinem geordneten Widerstand mehr kommen. Karl Gruber berichtet: „Wir haben zum Schluß rund 85 wirklich wilde Draufgänger gehabt und dann das Militär, das unsere Offiziere, möchte ich sagen, umgeschaltet haben. Doch dann kam es noch zu einer etwas verworrenen Schlacht. Die SS hat 1 500 Mann in der Lizum gehabt. Und die sind zusammen mit anderen Gruppen gegen Innsbruck vorgegangen. Wir haben versucht sie aufzuhalten, es war eine wilde Schießerei. Aber interessant, es hat nicht einmal einen Streifschuß gegeben, es wurde niemand verletzt, niemand getötet, obwohl da bestimmt tausend Schuß an scharfer Munition abgefeuert wurden. Wir haben dann noch ein bißchen Eindruck geschunden in Innsbruck, sind zum Polizeipräsidenten und haben ihn aufgefordert zu kapitulieren. Das hat er auch getan."

Nun tritt der deutsche Major und Ritterkreuzträger Werner Heine in Aktion. Sein Rang gibt ihm Zutritt zum deutschen Hauptquartier auf der Innsbrucker Hungerburg. Auf der Hungerburg sitzt alles, was im Raum Innsbruck Befehlsgewalt hat, beim

Karl Gruber: Mit 85 Draufgängern.

"Standschützen" werden die Volkssturmleu-
te in Tirol unter Berufung auf diese traditio-
nellen Tiroler Verbände genannt. In Schar-
nitz sind diese Standschützen großteils
Hitlerjungen im Alter zwischen 14 und 16
Jahren. Sie schießen zwei US-Panzer mit
Panzerfäusten ab. Die Burschen sehen im
Kampf oft ihre erste große Bewährungspro-
be, während kriegserfahrene Soldaten den
Widerstand schon aufgegeben haben.

Werner Heine: Der Krieg ist aus.

Nachtmahl. Werner Heine schildert, was geschah: „Nach einem Gespräch mit Dr. Gruber bin ich mit mehreren Offizieren und zirka 20 Mann zur Hungerburg gefahren. Der Posten vor Mariabrunn wurde von mir angewiesen, die Nachrichtenzentrale zu besetzen. Die Leitungen wurden unterbrochen und auf die Nachrichtenzentrale in der Innkaserne umgestellt [die sich bereits in der Hand der Widerstandskämpfer befindet]. Ich selbst ging mit meinen Offizieren in den Speisesaal, wo gerade zu Abend gegessen wurde. Der General Böhaimb war sehr erstaunt, als ich ihm mitteilte, daß der Krieg aus sei. Er sagte, nein, der Krieg wäre noch nicht aus. Habe ich gesagt: ‚Doch, für Sie ist er aus, Herr General, und für Ihre Herren auch. Darf ich Sie bitten, hier Schluß zu machen und mit mir runterzukommen nach Innsbruck.' Die übrigen Herren habe ich aufgefordert, sich ebenfalls in Marsch zu setzen, dorthin, wohin sie gehören, denn auch für sie wäre der Krieg zu Ende." So verhaftet Ritterkreuzträger Heine seinen Kommandierenden General und setzt ihn in der Innsbrucker Innkaserne fest.

Aber noch ist der Reichssender Innsbruck in der Hand der Nationalsozialisten. Die Widerstandskämpfer müssen den Sender so rasch wie möglich ausschalten. Der Sender wird von einer schwerbewaffneten Abteilung von SA-Männern bewacht. Die Widerstandskämpfer greifen zu einer List. Karl Gruber berichtet: „Jetzt haben wir 20 Polizisten ausgesucht von unseren Leuten, denn die Polizei war auch schon völlig unterwandert, und das hat unsere Sache sehr erleichtert. Da haben wir hinauftelefoniert zu diesem Kommandanten am Sender, es drohe ein Angriff der Rebellen, und wir schicken Verstärkung hinauf, er soll die Leute sofort gut einsetzen. Die sind reingefahren in den Sender und haben dort alle verhaftet. Nun war der Sender in unserer Hand. Dann habe ich den ersten Aufruf durchgegeben, und es haben sich Tausende gemeldet, die bereit waren, mit der Waffe in die Widerstandsbewegung einzutreten. Sicher war die Hälfte davon wahrscheinlich Nazis, aber das war ja im Augenblick egal. Jeder ist dahergerannt, und wir sind gar nicht nachgekommen mit dem

Ausgeben von Armbinden, auf denen ‚Österreichische Widerstandsbewegung' draufgestanden ist. Die haben wir zu Tausenden ausgegeben. Wir haben etwa 2 000 Mann an dem Nachmittag bewaffnet. Das war natürlich ein furchtbarer Sauhaufen, aber der Zusammenbruch war da."

Jubel in Innsbruck

Es kommt noch zu einem letzten Schußwechsel, gerade als vor dem Landhaus in Innsbruck die rotweißrote Fahne gehißt wird. Eine der Kugeln trifft Professor Franz Mair, einen der führenden Köpfe des Widerstands. Das dürfte der letzte Schuß gewesen sein, der in Innsbruck abgefeuert wurde. Man schreibt den 2. Mai. In den Straßen von Innsbruck herrscht Jubel, denn für die Innsbrucker ist der Krieg nun zu Ende: Es wird keine Luftangriffe mehr geben, in der Stadt wird niemand mehr erschossen werden, es wird keinen Kampf mehr geben, wenn die alliierten Truppen kommen. Innsbruck ist eine der wenigen Städte, in denen es gelingt, den Krieg zu beenden, noch ehe die alliierten Truppen einrücken.

Der Exekutivausschuß der Widerstandsbewegung erläßt einen Aufruf: „Österreicher! Tiroler! Innsbrucker! Die Stunde der Befreiung ist gekommen . . . Jeder weitere Widerstand wäre nicht nur zwecklos, sondern er ist ein Verbrechen an Volk und Staat. Wer die Waffen weiter führt, den Widerstand auch nur entfernt begünstigt, wird als Verbrecher bestraft. Sieben Jahre bitterster Knechtschaft und Bedrückung sind restlos vorbei. Die Alliierten kommen als unsere Befreier und Retter . . . Hißt von allen Häusern die Fahnen! Nicht weiße sollen es sein, sondern rotweißrote oder rotweiße, die Farben unseres heißgeliebten Österreichs, unseres Tirols . . . Verfallt aber nicht in die Fehler der Gegner. Es ist nicht österreichische Art, blinde Rache und Vergeltung zu üben. Ihr könnt Euch darauf verlassen, es wird alles im Wege des Rechts und des Gesetzes geschehen. Es lebe die Freiheit! Es lebe Tirol! Es lebe Österreich!"

Oberleutnant Ludwig Steiner soll nun die Amerikaner holen, ehe neue deutsche Verbände in Innsbruck eintreffen. Ludwig Steiner berichtet: „Ich bin an diesem Abend beauftragt worden, Kontakte mit den anrückenden amerikanischen Truppen in Seefeld aufzunehmen. Es war eine sehr stürmische Nacht mit Schneetreiben, und ich bin nicht mehr durchgekommen. Am nächsten Tag, am 3. Mai, in aller Früh habe ich dann versucht, einen deutschen Offizier, der die Brücke in Zirl sprengen wollte, davon abzuhalten, mit dem Hinweis, daß noch Deutsche über diese Brücke kommen würden. Dann bin ich über den Zirler Berg. Der Zirler Berg war von wallonischen SS-Einheiten vermint worden. Einige Sprengungen waren bereits durchgeführt, bei zwei oder drei konnte ich die Zündungen herausnehmen. Dann hat es noch direkt an der Straße des Zirler Bergs Gefechte gegeben, amerikanische Panzerartillerie gegen eine 88er-Flak oberhalb von Zirl. Außerdem sind die Amerikaner in der Haarnadelkurve des Zirler Bergs auf Minen getreten, und es hat schwere Verluste gegeben. Ein amerikanischer Militärarzt versuchte die Leute herauszuholen und ist auch noch durch eine Mine zu Tode gekommen. Im Schußwechsel der Artillerie habe ich dann den Kontakt mit den Amerikanern hergestellt. Irgendein amerikanischer Feldwebel hat mich angeschrien: ‚Stop! Don't move!' Es war dann sehr schwierig zu erklären, was ich wollte, trotz meiner weißen Armbinde."

Auf dem Gendarmeriepostenkommando in Zirl kommt es endlich zu der Unterredung zwischen Steiner und den kommandierenden amerikanischen Offizieren. Während der Besprechung beginnt die deutsche 88er-Flak-Batterie erneut zu schießen. Dazu

Mit diesem Aufruf wandte sich die Widerstandsbewegung in Tirol an die Bevölkerung: „Die Stunde Eurer Befreiung ist gekommen!" Der Aufruf enthält aber auch schon die ersten Anweisungen zur Aufrechterhaltung der Ordnung, ja legt sogar schon Rechtsgrundsätze fest.

Ludwig Steiner: Den Amerikanern Innsbruck übergeben.

Anfangs stoßen die Amerikaner in Tirol vereinzelt noch auf heftigen Widerstand. Leidtragend ist die Zivilbevölkerung. Einige Gewehrschüsse werden oft mit Dutzenden Salven aus schweren Panzergeschützen beantwortet. So werden bisher verschont gebliebene Dörfer in letzter Stunde noch vom Krieg heimgesucht.

Steiner: „Gott sei Dank hat es keine wesentlichen Verluste gegeben, nur haben die Amerikaner sofort zurückzuschießen begonnen. Dann hat irgend jemand vom Turm der Kirche in Zirl von allen Seiten weiße Altartücher herausgehängt, und dann war Schluß. Das war also das Ende des Krieges, zumindest in diesem Ort, in Zirl. Dazu möchte ich sagen, daß in der Nacht, bevor ich zu den Amerikanern gestoßen bin, von der Front Angehörige einer Flakeinheit zurückgeflutet sind, alle sehr jung, vielleicht 15, 16, 17 Jahre, und die wurden von einem Auffangkommando wieder zurückgejagt. Ich konnte das Auffangkommando davon überzeugen, daß die Truppen, die zurückfluten, doch nach Innsbruck kommen sollen. Wir hätten dort die Auffangstellungen. Aber leider habe ich danach gesehen, daß diese jungen Menschen erschossen und sogar aufgehängt worden sind, im letzten Moment noch. Das war eine furchtbare Szenerie in dieser Nacht. Wie ich also die ersten weißen Fahnen am nächsten Tag gesehen habe, war das ein besonderer Eindruck für mich.“

Steiner versichert den Amerikanern, daß die Straße nach Innsbruck nicht mehr weiter vermint sei und ihnen auf dem Weg nach Innsbruck kein Widerstand geleistet würde. Die Amerikaner fordern eine regelrechte Kapitulation, ehe sie weitermarschieren wollen. Steiner: „Sie wollten unbedingt den Oberkommandanten dieses Abschnitts haben. Da wir aber den General Böhaimb gefangengesetzt hatten, der der Kommandant der Südwestfront war, war militärisch niemand mehr da, der kapitulieren konnte.“ Steiner versichert den Amerikanern, daß Innsbruck in der Hand der Widerstandsbewegung sei und ihrem Einzug nichts mehr im Wege stünde.

Und so ist es auch. Den einmarschierenden Amerikanern wird in Innsbruck ein ungewöhnlicher Empfang bereitet. Die Stadt ist gemäß dem Aufruf der Widerstandsbewegung mit vielen rotweiß-roten und rotweißen Fahnen geschmückt. Auf den Straßen stehen feiernde, jubelnde Menschen, viele von ihnen bewaffnet, sie tragen die Armbinden der Widerstandsbewegung. Aus einem Fenster des Landhauses hängt sogar ein großes Sternenbanner. Wer es damals verfertigt hat, konnten wir nicht mehr feststellen.

Für die Amerikaner ist alles verwirrend. Für sie liegt Innsbruck in Deutschland. Alle Menschen, die hier leben, sind ihrer Ansicht nach Feinde, Deutsche, Nazi. Doch die Menschen jubeln ihnen zu. Sie sind bewaffnet, aber sie geben sich als Freunde zu erkennen. Später wird es im Divisionstagebuch der Amerikaner heißen, daß ihnen ein derart jubelnder Empfang nicht mehr bereitet worden sei, seit sie Belgien verlassen hatten. Auf ihrem langen Marsch von Belgien bis Tirol waren die Amerikaner nur noch auf weiße Fahnen und verängstigte Menschen gestoßen. In Innsbruck werden sie von freien Menschen begrüßt, die ihr Schicksal in die eigenen Hände genommen haben. Die weiter erscheinenden „Tiroler Nachrichten" verkünden die Befreiung Tirols. In dem Bericht heißt es: „Wie ein Lauffeuer dringt der Jubelruf des befreiten Volkes durch die Straßen, umbrandet die Fahrzeuge der Amerikaner."

Eine deutsche Militärkolonne nähert sich Innsbruck. Der für die weitere Kampfführung in Tirol und Vorarlberg zuständige Oberbefehlshaber General Erich Brandenberger ist bereit, die von den Amerikanern gewünschte regelrechte Kapitulation zu vollziehen. Im Innsbrucker Landhaus unterzeichnet Brandenberger die Kapitulationsdokumente. Die Amerikaner rüsten zu einer Siegesparade. Und die Innsbrucker ziehen gleich neben dem Paradestand der Generäle ein Transparent hoch, mit dem sie die Amerikaner willkommen heißen, aber auch schon politisch festzulegen versuchen: „Amerika hilft Österreich zur Freiheit".

Doch die Amerikaner fuhren sich in Österreich zunächst nicht gut ein. In ihrer ersten Proklamation stellen sie fest, daß die alliierten Truppen als Sieger in Österreich einmarschieren. Österreich wird dafür verantwortlich gemacht, als Teil des Dritten Reichs „gegen die Vereinigten Nationen Krieg geführt zu haben". Die strenge Formel: „Die alliierten Streitkräfte rücken in Österreich als Sieger ein", ist von General Eisenhower unterzeichnet. Erst am Ende der Proklamation wird die Wiederherstellung Österreichs als unabhängiger Staat in Aussicht gestellt. „Doch ist dies abhängig", so proklamiert Eisenhower, „vom eigenen Beitrag, den die Österreicher nun zu ihrer Befreiung leisten." Karl Gruber führt dies alles darauf zurück, daß eben die falschen amerikanischen Armeen nach Österreich gekommen seien: „Wir sollten von der Südarmee besetzt werden, von General Mark Clark. Der ist aber damals noch am Po gestanden oder irgendwo. Der hat eine Truppe mitgehabt, die auf österreichische Verhältnisse eingeschult war. Das war der Major [Gordon] Watts, der dann später auch eingetroffen ist, nach einigen Wochen. Wir wurden von der 7. US-Armee erobert, die von Bayern gekommen ist. Die haben uns immer für Stuttgart gehalten, die waren als Besatzungstruppe für Stuttgart eingeschult."

General Clark wird überrascht

Jener General Mark Clark wird tatsächlich zum amerikanischen Befehlshaber in Österreich ernannt. Doch auch er ist auf diese Aufgabe nicht vorbereitet. General Mark Clark lebt heute nicht mehr, aber kurz vor seinem Tod besuchten Sepp Riff und ich ihn in seinem schönen Haus am Rand der Stadt Charleston in South Carolina. Er erinnerte sich noch sehr gut an jene Tage, in denen er seine Truppen in Italien in Eilmärschen – nicht nach Österreich, sondern in Richtung Triest führte. „Wir marschierten in Richtung Jugoslawien, dort gab es Probleme! Nach Österreich kamen Eisen-

US-General Mark Clark:
Auf Österreich nicht vorbereitet.

Bilder vom Einmarsch der Amerikaner in Innsbruck. Am Stadtrand werden die US-Truppen von französischen Soldaten begrüßt, die sich bis dahin in deutscher Kriegsgefangenschaft befunden hatten (rechts oben und Mitte). Das ist für die Amerikaner ein gewohnter Anblick. Auf ihrem Weg von Belgien quer durch Deutschland nach Tirol stießen sie auf viele befreite Gefangene. Überraschend aber ist es für sie, auch von der Zivilbevölkerung freundlich empfangen zu werden (Mitte und unten). Und erst recht in eine Stadt zu kommen, die sich bereits selbst befreit hat. Rechts unten sind Mitglieder der Tiroler Widerstandsbewegung zu sehen mit ihren rotweißroten Armbinden und Gewehren.

howers Truppen. Ich war sehr überrascht, als ich aus Washington erfuhr, daß ich zum Oberbefehlshaber in Österreich ernannt worden war. Ich schickte sofort ein Telegramm nach Washington, um jemanden anzufordern, der mir die Lage in Österreich erklären könnte. Sie sandten mir Herrn Erhardt."

John Erhardt, ein führender Diplomat des State Department, wird erster politischer Ratgeber von General Mark Clark und auch noch von dessen Nachfolger General Geoffrey Keyes. Erhardt wird einer der besten Österreich-Spezialisten der Amerikaner sein.

Zur gleichen Zeit, da die amerikanischen Truppen in Innsbruck eigentlich in Stuttgart sein sollten und General Mark Clark unerwartet aus seiner Kampagne gegen Triest herausgerissen wird, wartet im amerikanischen Mittelmeerhauptquartier in Caserta bei Neapel ein gut vorbereiteter Sonderstab für Österreich. Er probt dort täglich den Einsatz. Spezialisten für jedes Gebiet gehören diesem Stab an. Sie wissen alles über Österreich. Der Leiter des Stabs, General Lester Flory, gibt auch die richtigen Österreich-Erklärungen ab – für die amerikanische Wochenschau. Alles stimmt an diesen Erklärungen: Die Moskauer Deklaration wird zitiert, die Absicht, Österreich als freies und unabhängiges Land wiederherzustellen und mit den demokratischen Kräften in Österreich zusammenzuarbeiten. Doch der Stab sitzt bei der falschen Armee.

In Caserta hat man auch das richtige Handbuch für Österreich. Es sieht vor, die Österreicher freundlich zu behandeln. Die in Österreich einmarschierenden US-Truppen besitzen nur das Handbuch für Deutschland. Dieses schreibt ihnen vor, die Bevölkerung streng zu behandeln und „jede Art nationaler Kundgebung wie auch das Hissen von Fahnen sofort zu unterbinden". In Innsbruck ist das nicht mehr möglich, es sind zu viele Fahnen da und die „nationale Kundgebung" so offensichtlich freundschaftlich gegenüber den Amerikanern, daß diese ihre eigenen Befehle nicht befolgen. In Salzburg und Linz wird das anders sein.

Doch mehr als Salzburg oder Linz interessiert die Amerikaner zunächst eine andere Stadt: Braunau, Hitlers Geburtsstadt und als solche fast ein Ersatz für Berlin. Vor Braunau massieren die Amerikaner Panzer, Artillerie und Sturmtruppen. Sie erwarten, daß Hitlers Geburtsstadt mit allen Mitteln verteidigt werden würde. Die Amerikaner stellen ein Ultimatum: Übergabe der Stadt bis 12 Uhr mittags, oder Braunau wird in Grund und Boden bombardiert.

Unter den deutschen Offizieren, denen die Verteidigung Braunaus befohlen ist, gibt es heftige Auseinandersetzungen. Einige meinen, des Führers Geburtsstadt dürfe man unter keinen Umständen kampflos preisgeben, andere verweisen auf die völlige Sinnlosigkeit jedes weiteren Widerstands. Inzwischen hat die Bevölkerung offenbar von dem Ultimatum der Amerikaner erfahren. Vor der Salzburgertor-Kaserne, dem Sitz des Stadtkommandanten, rotten sich Menschen zusammen, hauptsächlich Frauen. Sie fordern die kampflose Übergabe der Stadt. Es kommt zu einer regelrechten Demonstration. Der Kampfkommandant, ein Major Grünwaldt, weigert sich, die Stadt den Amerikanern zu übergeben. Aber er läßt es geschehen, daß eine Delegation von Stadtvätern unter der Führung des Polizeichefs von Braunau, Walther Hartner, drei Minuten vor Ablauf des Ultimatums in einem Boot den Inn überquert und die Verhandlungen mit den Amerikanern aufnimmt. Der kampflose Einmarsch der Amerikaner nach Braunau wird vereinbart. Nach ihrer Rückkehr aber müssen die Unterhändler erst jene Offiziere überzeugen, die noch immer Widerstand leisten wollen. Doch schließlich räumen die deutschen Truppen die Stadt, und die Amerikaner gestatten ihnen den Abzug, ohne auf Kapitulation zu bestehen. Es ist eine bemerkenswerte Ausnahme in diesem Krieg, in dem von alliierter Seite immer wieder auf bedingungsloser Kapitulation bestanden und auf deutscher Seite so oft bis zuletzt Widerstand geleistet wird.

Erst nach dem Abmarsch der Deutschen überqueren die Amerikaner den Inn, legen amerikanische Pioniere neben der zerstörten Brücke einen Pontonübergang über den Fluß. Die Bevölkerung hat sich am Innufer eingefunden und sieht den einmarschierenden Amerikanern zu. Anders als in Innsbruck gibt es hier keinen Jubel. Niemand weiß so recht, was nun geschehen wird. Aber es

Die „richtigen" Amerikaner für Österreich: General Flory und sein Stab im US-Hauptquartier in Caserta bei Neapel. Sie wüßten, was in Österreich zu tun wäre, aber sie sitzen bei der falschen Armee.

In Braunau am Inn, dem Geburtsort Adolf Hitlers, hatten die Amerikaner mit heftigem Widerstand gerechnet. Doch die Stadt wird kampflos übergeben. Über eine Pontonbrücke überqueren die Amerikaner den Inn (oben). Links: Deutsche Kriegsgefangene müssen die Straße vor Hitlers Geburtshaus kehren.

Oberst Hans Lepperdinger:
Salzburg vor der Vernichtung retten.

geschieht nichts Besonderes. Es ändert sich nicht einmal viel: Hitlers Geburtshaus ist weiterhin eine Attraktion, die neuen Besucher sind amerikanische Kriegsberichterstatter. Und als erste Maßnahme läßt der neue Stadtkommandant von Braunau deutsche Kriegsgefangene die Straße vor diesem Geburtshaus Hitlers gründlich säubern. Denn in nächster Zeit ist noch mit mehr und höherem Besuch zu rechnen, die Generäle werden kommen.

Einmarsch in Salzburg und in Linz

Die Amerikaner stehen auch bei Salzburg. Die Stadt hat noch am 1. Mai einen heftigen Luftangriff über sich ergehen lassen müssen. Auch hier erwarten die Amerikaner noch Widerstand, und die Salzburger befürchten schwere Kämpfe. Die letzte Entscheidung liegt beim Kampfkommandanten der Stadt, dem bayerischen Oberst Hans Lepperdinger. „Mein unmittelbarer Vorgesetzter, General von Bork [Generalleutnant Max Bork war Kommandierender General im Raum Salzburg]", berichtet Hans Lepperdinger, „gab mir den Befehl, die Stadt unter allen Umständen zu verteidigen. Ich hatte mich zu dieser Zeit schon entschlossen, diesen Befehl nicht auszuführen, um dadurch die schöne Stadt Salzburg und ihre Bevölkerung vor der Vernichtung zu retten." Oberst Lepperdinger will aber sicherstellen, daß ihm niemand aus den Reihen der eigenen Offiziere in den Rücken fällt. Er versammelt seinen Stab um sich und stellt die Leute vor die Alternative: Wer diese Maßnahme von ihm nicht billige, würde sofort entlassen werden und könne Zivil anziehen. „Aber alle Offiziere waren einverstanden und haben mir mit Ehrenwort und Handschlag bedingungslosen Gehorsam versprochen."

Doch um die Stadt den amerikanischen Truppen zu übergeben, muß man erst mit den Amerikanern in Verbindung kommen. Lepperdinger schickt mehrere Offiziere aus, mit dem Auftrag, diesen Kontakt mit den Amerikanern irgendwo herzustellen. Dazu Lepperdinger: „Das ist in kurzer Zeit auch gelungen. Ich bin dann selbst mit meinem Adjutanten nach Freilassing hinausgefahren und

habe auf der Grenzbrücke den Kommandeur der mir gegenüberstehenden amerikanischen Division gesprochen, den General Robert Young. Er ist zu mir in den Wagen gestiegen, und wir sind nach Salzburg hereingefahren. Wir haben uns im Hotel ein Zimmer genommen, um dort ungestört verhandeln zu können. Der General fragte mich, ob er mich zu einer Flasche Sekt einladen dürfe, er würde es aber verstehen, wenn ich ablehnte. Ich habe freundlich zugestimmt, denn Sekt war genau das, was mir jetzt guttun würde. Dann habe ich meine Pistole gezogen und sie auf den Tisch gelegt und erklärt: ‚Hier, Herr General.‘ General Young sagte: ‚Ich habe sie Ihnen nicht abverlangt.‘ Da sagte ich: ‚Nein, ich kann sie ja nicht mehr gebrauchen. Ich schenke sie Ihnen.‘ General Young antwortete daraufhin: ‚Ich nehme sie gern. Es wird mir ein Erinnerungsstück sein an einen aufrechten deutschen Offizier.‘“

Nachdem Lepperdinger und Young die Übergabeverhandlungen abgeschlossen haben, rücken die Amerikaner vor. Neben der zerstörten Rupertusbrücke durchqueren die amerikanischen Panzer nun die Saalach, erklimmen das gegenüberliegende Ufer und rücken in Salzburg ein. Am Stadtrand werden die Amerikaner zunächst von jubelnden Fremdarbeitern begrüßt. Aber auch Salz-

Amerikanische Panzer durchqueren die Saalach auf ihrem Weg nach Salzburg (oben). Deutsche Offiziere sind den US-Truppen entgegengefahren und haben die Stadt kampflos übergeben (links unten). Die Bevölkerung hat weiße und rotweißrote Fahnen gehißt, nirgendwo gibt es Widerstand. Die Stadt wird dennoch zunächst kriegsmäßig besetzt (unten und rechts oben). Vorbei an kapitulierenden deutschen Soldaten rollen die Panzerkolonnen weiter in das Salzkammergut. Eine Gruppe Fremdarbeiter jubelt ihnen zu (rechts unten).

burg hat rotweißrote Fahnen gehißt und bereitet den Amerikanern einen freundlichen Empfang. Im Gegensatz zu Braunau sind aus Salzburg nicht alle deutschen Truppenverbände abgezogen. Wohin auch noch? Sie ergeben sich. Die Soldaten werden nach verborgenen Waffen abgesucht, und dabei bemerken die Salzburger, daß die GIs nicht nur die deutschen Orden und Abzeichen als Souvenirs kassieren, sondern auch Armbanduhren und Füllfedern.

Einen Tag später, am 5. Mai, stehen die ersten amerikanischen Panzerverbände nördlich der Donau im Weichbild der Stadt Linz. Die Linzer Nibelungenbrücke ist für die Amerikaner von essentieller Bedeutung – sie ist die einzige intakte Donaubrücke zwischen Passau und Wien. Die Panzerspitzen sind daher angewiesen, rasch in die Stadt vorzustoßen und die Brücke zu nehmen, ehe sie gesprengt wird, nachfolgende Pioniere sollen die Sprengsätze sofort beseitigen, die, wie die Amerikaner zu Recht vermuten, an der Brücke angebracht sind. Auch glaubt man, daß Linz, als Sitz des Gauleiters Eigruber, noch heftig verteidigt werden würde. Hatte Eigruber doch bis zum letzten Moment nicht nur die üblichen Durchhaltebefehle erlassen, sondern fast täglich harte Strafmaßnahmen für jeden verkündet, der in Oberdonau auch nur einen

Schritt zurückgehe. Und an der Brücke bei Enns ebenso wie in der Nähe des Bahnhofs von Kleinmünchen hängen tatsächlich die von den Auffangkommandos der Desertion beschuldigten Soldaten an improvisierten Galgen.

Als jedoch die Amerikaner vor Linz erscheinen, ist Gauleiter Eigruber geflohen, hat sich nach Kirchdorf an der Krems abgesetzt. Immerhin hat er seinen Befehl, Linz bis zum letzten Stein zu verteidigen, noch knapp vor seiner Abreise zurückgenommen. Der Stadtkommandant General Alfred Kuzmany ist in der Nacht zum 5. Mai mit den deutschen Truppen ostwärts über die Traun abgezogen. Zurückgeblieben sind der Linzer Oberbürgermeister Franz Langoth und dessen Sekretär, der spätere Obersenatsrat Hanns Kreczi, sowie der Kreisleiter Franz Danzer.

Die US-Truppen vor Linz gehören zur Panzerarmee des bekannt forschen US-Generals George S. Patton. Und zu seiner Taktik gehört es, in jede Ortschaft, bevor sie von seinen Truppen eingenommen wird, zunächst einmal eine Granatsalve hineinzufeuern. Das nennen seine Soldaten das „Third Army Memorial" – ein Kriegsdenkmal der Dritten Armee. Er läßt das auch in Linz tun. Und nun rechnen die zurückgebliebenen Führungskräfte in Linz damit, daß die Stadt bombardiert und zerstört werden könnte. So fährt Kreisleiter Danzer mit dem Primararzt Rosenauer als Dolmetsch mit vorgehaltener Parlamentärsfahne den Amerikanern entgegen – er will ihnen die kampflose Übergabe der Stadt anbieten. Es gelingt ihm auch, mit dem amerikanischen Hauptquartier in Rottenegg Verbindung aufzunehmen. Doch die Panzer sind schneller in Linz, als Danzer zurückkommen kann. Die ersten Kampfwagen rollen kurz nach 11 Uhr über die Nibelungenbrücke von Urfahr nach Linz. Die Amerikaner scheinen sich in Linz auch ganz gut

Panzertruppen des US-Generals George Patton stoßen in das Mühlviertel vor, schwenken nach Norden in Richtung Budweis und nach Süden in Richtung Linz (oben). Bald darauf rollen die ersten Einheiten über die Linzer Nibelungenbrücke. Ihr Ziel ist das Rathaus, wo sie auch schon erwartet werden (rechte Seite).

Hanns Kreczi:
Den ersten Befehl des Generals notiert.

auszukennen, denn die ersten Kommandowagen fahren schnurstracks zum Linzer Rathaus, das von den Amerikanern kampfmäßig besetzt wird. Hanns Kreczi berichtet: „Der Kommandeur läßt sich den Oberbürgermeister kommen und sich von diesem in dessen Dienstzimmer geleiten. Links und rechts stehen zwei Soldaten mit Maschinenpistolen, die auf uns gerichtet sind. Beim Schreibtisch der Oberbürgermeister, flankiert von seinem Magistratsdirektor und mir, seinem Sekretär. Der Kommandeur lehnt jede Verhandlung ab. Er gibt acht Befehle, die ich notiere. Der erste Befehl ist der bedrängendste: Die Straßen sind binnen einer Stunde zu räumen. Wer sich dann noch zeigt, läuft Gefahr, erschossen zu werden. Der Oberbürgermeister will die Befehle über den Rundfunk verlautbaren. Ich versuche die Verbindung über die Telefonzentrale herzustellen. Aber das ging nicht mehr. Die Truppen hatten nämlich ebenso schnell die Hauptpost besetzt wie das Rathaus und alles stillgelegt. Jetzt gab's die Schwierigkeit, wie sollten wir die Bevölkerung verständigen? In einer Stunde wollen die Amerikaner schießen, wenn die Leute nicht von den Straßen weg sind. Der Oberbürgermeister hatte geplant, nach der Rückkehr Danzers die Bedingungen der Übergabe der Bevölkerung durch ein Nachrichtenblatt der Stadt Linz zu Kenntnis zu bringen, das in einer Auflage von 50 000 Stück gedruckt und mit Hilfe der Polizei verteilt werden sollte. Die Druckerei Wimmer, mit der dieser Plan abgesprochen war, wartete in Bereitschaft. Der Oberbürgermeister weist mich an, schnellstens dafür zu sorgen, daß die Befehle des Generals als ‚Amtliche Mitteilung der Stadt Linz' gedruckt werden. Die Amerikaner bringen mich mit einem Jeep zur Druckerei. Der zuständige Faktor Reinhart hat dort alles vorbereitet und wartet schon auf den Text."

So kam ein Flugblatt zustande, in Form und Inhalt gleichermaßen eine Kuriosität:

„Amtliche Mitteilung der Stadt Linz".
„Die Besetzung der Stadt Linz durch amerikanische Truppen ist im Gang.
Befehl des amerikanischen Generals:
1. Die Straßen sind bis längstens 13 Uhr vollständig zu räumen. Wer sich nach diesem Zeitpunkt auf der Straße befindet, wird erschossen.
2. Uniformierte Personen jeder Art haben ab sofort am rechten Arm eine weiße Armbinde zu tragen.
3. Alle Waffen sind bei den zuständigen Polizeirevieren abzuliefern.
4. Zwei Tage lang hat die Bevölkerung in ihren Häusern zu verbleiben, ausgenommen zwei Stunden am Morgen von 7 bis 9 und am Abend von 16 bis 18 Uhr. Ausnahmsweise heute von 18 bis 20 Uhr.
5. Wenn aus einem Haus geschossen wird, werden fünf Häuser dem Erdboden gleichgemacht.
6. Licht, Wasser, Gas und die sonstigen Einrichtungen sind unbeschädigt zu erhalten.
7. Gebäude, die von der amerikanischen Wehrmacht beansprucht werden, sind von der deutschen Bevölkerung zu räumen.
8. Ruhe und Ordnung ist unter allen Umständen aufrechtzuerhalten. Gegen Plünderer wird schärfstens eingeschritten.
9. Alle diejenigen, die in diesem Krieg in der Wehrmacht waren und keine vorschriftsmäßige Entlassung haben, müssen sich sofort auf dem Rathaus der Stadt Linz melden. Wer bei Hausdurchsuchungen von der Sicherheitspolizei gefunden wird, wird als Spion behandelt.
Linz, den 5. Mai 1945, 11.30 Uhr"

Hanns Kreczi berichtet weiter: „Die Amerikaner haben in der Zwischenzeit erkannt, daß die in Linz Zurückgebliebenen keine Krieger sind, die jetzt die Stadt verteidigen wollen. An den Häusern hängen die weißen Fahnen. Die Menschen sind froh, von der Angst vor den Schrecken des Kriegs erlöst zu sein."

Amtsübergabe in Linz

Wie in Wien, so hatten sich auch in Linz schon während des Krieges Politiker der früheren demokratischen Parteien immer wieder getroffen und darüber beraten, was man tun würde, wenn der Krieg vorbei und das Dritte Reich zusammengebrochen sei. Der Sozialdemokrat Dr. Ernst Koref organisierte regelmäßige Besprechungen dieser Art. Nun, da die Amerikaner da sind, begeben sich Koref und seine Gesprächspartner als kleine Deputation zum Stadtkommandanten. Ernst Koref berichtet uns: „Die Amerikaner hatten ein striktes Ausgehverbot erlassen, so daß es uns an sich schon schwergefallen war, die Verbindung mit dem Stadtkommando herzustellen. Trotz des Verbots machten wir uns auf den Weg ins Rathaus. Wir wurden zwei- oder dreimal von amerikanischen Militärposten aufgehalten, aber sagten, wir seien zum Stadtkommandanten unterwegs, um uns als künftige Stadtverwaltung zu präsentieren. Das nahmen die Posten gläubig zur Kenntnis, denn wir hatten kein Dokument bei uns. Die Straßen waren vollkommen menschenleer. Über buchstäblich meterhohe Schutthaufen sind wir dann in das Rathaus auf dem Hauptplatz mar-

Bei ihrem Vormarsch glauben die Amerikaner immer noch, auf Widerstand zu stoßen. Erstaunt stellen die US-Offiziere, rechts unten auf dem Hauptplatz in Linz, fest, daß die Bevölkerung das Ende des Kriegs mit Erleichterung begrüßt.

Ernst Koref: „You are the right man."

schiert. Dort stellten wir uns dem Stadtkommandanten vor, der uns gemessen empfing und fragte, was wir eigentlich wollten. Wir deklarierten uns als die Reste einer politischen Partei, die stark war und wiedererstehen werde. Ich war von der kleinen Gruppe ausersehen, der kommende Vorsitzende der neuen sozialistischen Partei zu werden, und sie schlug mich auch zum neuen Bürgermeister der Stadt vor. Der Stadtkommandant nahm das sehr kühl auf und forderte uns auf, in drei Tagen wiederzukommen."

Auch die in Linz einmarschierten Amerikaner waren auf eine Besetzung in Österreich nicht gefaßt. Patton hätte seine Truppen am liebsten in Eilmärschen nach Berlin geworfen, um vor den Sowjets dort zu sein. Als Eisenhower einen solchen Vorstoß nach Berlin ablehnt und Pattons Panzerarmee nach Süden einschwenken läßt, sieht der kühne General ein anderes, ihm sehr wichtig erscheinendes Ziel vor Augen – Prag. Doch der Marsch der Amerikaner auf die Hauptstadt Böhmens wird vom eigenen Oberkommando gestoppt: Auch die Besetzung dieser wichtigen mitteleuropäischen Hauptstadt sei den Sowjets vorbehalten. Präsident Roosevelt, der noch gemeint hatte, in Jalta mit Josef Stalin ein gutes Einvernehmen erzielt zu haben, war erst wenige Wochen zuvor, am 12. April, gestorben. Sein Vizepräsident, Harry Truman, ist erst seit diesen wenigen Wochen neuer Präsident der USA. Der Krieg in Europa geht zwar dem Ende zu, aber der Krieg im Fernen Osten gegen Japan ist von den USA noch nicht gewonnen. So wenige Tage erst im Amt und mit, wie er glaubt, einem großen schweren Waffengang vor sich, will sich Truman keine zusätzlichen Sorgen mit dem sowjetischen Verbündeten aufhalsen. So vermeiden die Amerikaner in jenen Tagen möglichst alles, was Stalin mißtrauisch machen oder verärgern könnte.

Der alte Haudegen Patton versteht das ganz und gar nicht, bombardiert das Hauptquartier mit immer neuen Vorschlägen und Anfragen und ist recht erbittert darüber, daß man ihm nicht die Chance gibt, nach Berlin oder doch zumindest nach Prag zu marschieren. Statt dessen hat er nun mit Linz vorliebzunehmen. Seine Truppen sind auf eine Besetzung von Linz nicht vorbereitet. Noch halten sie die Bevölkerung in Linz und Umgebung für Deutsche, sehen in jedem einen Nazi und einen potentiellen Werwolf. „Werwolf" nannte sich eine Organisation, die in den letzten Kriegsmonaten hauptsächlich von Führern der Hitlerjugend aufgebaut wurde und die in den von den Alliierten besetzten Gebieten eine Partisanentätigkeit entfalten sollte. Die Deutschen kannten die Wirksamkeit der Partisanenverbände in der Ukraine und in Jugoslawien, und sie kannten auch den aktiven Widerstand der Franzosen und der Holländer. Den alliierten Truppen sollte in Deutschland mit ebensolchem Widerstand begegnet werden. Doch es kam nur noch zu sehr vereinzelten „Werwolf"-Aktionen, und nach Kriegsschluß hörte sich der „Werwolf" schnell auf. Wie es um den „Werwolf" bestellt sein würde, wissen die Alliierten in jenen Maitagen noch nicht. Daher auch ihre strenge Vorgangsweise bei der Besetzung.

Als nun vor dem Stadtkommandanten von Linz Ernst Koref und seine Gefährten auftauchen, weiß der amerikanische Offizier mit ihnen zunächst nichts anzufangen. Doch jeder amerikanischen Feldeinheit ist eine Abteilung des sogenannten CIC beigegeben, des „Counter Intelligence Corps", also der Abwehr, des Geheimdienstes. Das CIC wird beauftragt, alles über Koref und seine Leute in Erfahrung zu bringen. Dazu Ernst Koref: „Das ist auch wirklich geschehen. Ich möchte sagen, in fast humorvoller Weise, denn diese beauftragten Organe hatten in der Umgebung meiner Wohnung vornehmlich bisherige Nationalsozialisten um meine Vergangenheit befragt, die jedoch teils aus innerer Überzeugung, teils aber wahrscheinlich auch aus Gründen der Angst und einer gewissen Vorsorge für die Zukunft recht wohlwollende Gutachten über mich abgegeben haben. Nach drei Tagen begaben wir uns wieder vereinbarungsgemäß in das Rathaus, und der Kommandant sagte: ‚Yes, you are the right man.' Und so konnte ich am nächsten Tag mein Amt antreten." Nicht ohne eine weitere groteske Szene: Die Amtsübergabe im Linzer Rathaus wird von den Amerikanern und dem bisherigen NS-Oberbürgermeister Langoth höchst feierlich aufgezogen. Alle bisherigen Funktionäre der Stadt und auch der NSDAP, unter ihnen die Amtsleiter, werden, soweit sie in Linz sind, versammelt, um diesem Akt beizuwohnen. Ernst Koref und das kleine Häuflein der mit ihm ins Rathaus einziehenden demokratischen Politiker nehmen gegenüber Aufstellung, während der amerikanische Stadtkommandant mit seinem Stab gleichsam als Souverän zwischen den beiden Gruppen steht und zunächst Langoth und dann Koref das Wort erteilt. Alle Seiten halten kurze, ernste Ansprachen. Die Ämter werden in aller Form übergeben. Man verabschiedet sich mit Handschlag. Der scheidende Bürgermeister Langoth erbittet von den Amerikanern noch die Erlaubnis, zu seiner nach Bad Goisern evakuierten Familie reisen zu dürfen. Dies wird ihm gestattet. Alle Formen sind gewahrt. Langoth hat seine Familie nicht mehr erreicht, kurz nach der Zeremonie im Rathaus wird er wegen prominenter NS-Tätigkeit von den Amerikanern verhaftet und später in das amerikanische Anhaltelager für verdächtige Nationalsozialisten Glasenbach bei Salzburg eingeliefert.

Friederike Leitner, die in Ried im Innkreis wohnt, schildert uns, wie die Bevölkerung damals den Einmarsch der Amerikaner und die ersten Stunden der amerikanischen Besetzung in dieser Stadt erlebte: „Wir sind ihnen entgegengegangen. Momentan war ein bißchen Skepsis unter den Leuten, es waren ja Schwarze dabei, Neger, und man hat doch nicht gewußt, wie die uns gegenüber sind. Es hat sich aber dann erwiesen, daß die Einstellung nicht richtig war, sie waren fast noch netter als die anderen. Ich habe am Hauptplatz gewohnt. Und da haben wir gleich am ersten Tag ausziehen müssen aus der Wohnung, weil die Ami haben geglaubt, daß am Hauptplatz jede Wohnung ein Bad hat. Aber das sind ja lauter Geschäftshäuser gewesen, und da hat's in all den Häusern vielleicht vier, fünf Bäder gegeben. Das war ja nicht so eingerichtet wie heute. ‚Raus! Raus!' hat's geheißen mit einem Befehl. Und natürlich ist sowieso jeder gerannt, weil man ja doch nicht gewußt hat, und irgendwie – Ami war doch früher nie einer da in Ried, oder zumindest nicht so in Massen. Es hat doch ein jeder ein bißl eine Angst gehabt davor, und man hat sich schon so verhalten, daß man ihren Anforderungen entsprochen hat. So sind wir dann hinaufgezogen auf den Kapuzinerberg. Ich hab ein Leiterwagel gehabt, und da haben wir alles raufgepackt, Bettzeug und was ich halt für die Kinder gebraucht hab. Und am nächsten Tag hat's geheißen, die Ami sind schon weg vom Hauptplatz, die sind jetzt alle da heraufgekommen, denn in diesen Häusern war überall ein Bad dabei. Jetzt haben die hier alle rausmüssen. Wie ich zurückkomme in die Wohnung, ausg'schaut hat's – ich kann's Ihnen nicht sagen. Auf dem Tisch, da war der halbe Tisch voll mit einem Berg von Fleisch, ich weiß nicht, haben sie das irgendwo gestohlen, dann eine große Kanne Kondensmilch, da haben sich die Kinder gleich drübergestürzt. Aber die Betten, die Betten . . .!"

Die großen Städte Westösterreichs sind besetzt – Innsbruck, Salzburg, Linz. Und französische Truppen waren inzwischen in Bregenz und in Dornbirn eingerückt. Doch darüber mehr im nächsten Kapitel.

7 May 1945

FRANZ LANGOTH is hereby removed as Burgermeister of Linz, and DR ERNST KOREF is hereby appointed temporary Burgermeister

By order of Military Government

N. P. GATLING J.R. MAJ.-INF.
Military Government Officer · 65th Infantry Division

7. Mai 1945

FRANZ LANGOTH ist als Oberbürgermeister von Linz abgesetzt und Dr. ERNST KOREF wird als vorläufiger Bürgermeister bestellt.

Über Weisung des Military Government

N. P. GATLING J.R. MAJ.-INF.
Military Government Officer · 65th Infantry Division

Die Absetzung des NS-Bürgermeisters und die Bestellung Ernst Korefs zum „vorläufigen Bürgermeister" von Linz verkünden die Amerikaner auf zweisprachigen Plakaten. In Pattons Armee muß alles seine Ordnung haben (oben).
Raupenschlepper der Steyr-Werke wurden eingesetzt, um die Kunstschätze Europas auch während des Winters in das Altausseer Salzbergwerk zu verlagern (rechts).

Friederike Leitner:
Raus, raus, hat es geheißen.

Das Ringen um die Kunstschätze

In den österreichischen Bergen hingegen ist der Krieg noch nicht zu Ende. Hierher, in die Alpen, hat sich alles zurückgezogen, was zur Führung und zum Troß des Großdeutschen Reichs gehört hat und nicht in Berlin zurückgeblieben ist. Viele der hohen und höchsten Funktionäre des NS-Regimes haben in Villen und Schlössern Quartier bezogen. Die berühmten Sommerfrischen dienen auch den Regierungen der bisherigen Verbündeten des Großdeutschen Reichs als Zufluchtsstätte. Viele Reichsstellen, die aus Berlin geflohen sind, haben sich in den Alpenbereich verlegen lassen, dazu kommen die Führungsstäbe der Rüstungsindustrie und ihre Forschungs- und Entwicklungsstäbe. Hierher bringen sie ihre Archive, ihre Kriegskassen, ihr Fluchtgepäck. Das alles konzentriert sich vor allem im Ausseer Land.

Das Ausseer Land war schon zwei Jahre zuvor als Zufluchtsstätte besonderer Art entdeckt worden. Damals ging es noch nicht um Flucht der Menschen vor den anmarschierenden alliierten Armeen, sondern um Schutz wertvoller Güter vor den einsetzenden schweren Luftangriffen. Der Leiter des Instituts für Denkmalpflege in Wien, Dr. Herbert Seiberl, inspizierte das große Salzbergwerk in Altaussee, um festzustellen, ob es sich für die Einlagerung von Kunstgütern eignen würde. Dabei wurde ihm, wie jedem Besucher des Altausseer Salzbergwerks damals und heute, auch die Barbara-Kapelle gezeigt, die im Zentrum des unterirdischen Stollensystems liegt. In dieser Kapelle befanden sich damals wie heute Bilder und Statuen von Heiligen. Der Zustand dieser Kunstgegenstände war hervorragend. Klima und Luftfeuchtigkeit im Bergwerk erwiesen sich für die Aufbewahrung von Kunstgütern als optimal.

So begann man bereits im August 1943, die ersten Kunstgüter aus Wien und aus Wiener Neustadt, aber auch aus dem Stift St. Florian in das Salzbergwerk zu verlagern. Der Bombenkrieg der Alliierten wurde intensiviert. Kein Teil des Dritten Reichs lag mehr außerhalb der Reichweite der alliierten Bomber. Und so stellte sich ein Kurator nach dem anderen beim Generaldirektor der Salinen, Dr. Emmerich Pöchmüller, ein und ersuchte um Aufnahme der ihm anvertrauten Kunstsammlungen. Pöchmüller stellte im Altausseer Salzbergwerk ein sogenanntes „Werk" nach dem anderen für die Lagerung der Kulturgüter zur Verfügung, Stollensysteme, so ausgedehnt, daß sie auch große Kunstsammlungen aufnehmen konnten. Später wurden auch in den Salinen von Bad Ischl und von Hallein Kunstsammlungen gelagert.

Die Bilder werden zu jeder Jahreszeit, bei jeder Witterung herangebracht. Als starke Schneefälle im Winter Lastwagentransporte nach Altaussee nicht mehr zulassen, stellen die Steyr-Werke eigens für den russischen Winter konstruierte Raupenfahrzeuge zur Verfügung, mit denen die aus fast allen Teilen Europas in das Ausseer Land verbrachten Kunstschätze ungeachtet der Schneelage zum hochgelegenen Salzbergwerk transportiert werden können. Als der Krieg zu Ende geht, birgt das Salzbergwerk in Altaussee die größte Ansammlung – denn Sammlung kann man wohl nicht sagen – von Kunstschätzen, die es je in der Welt an einem Ort gegeben hat. Im Bergwerk liegen mehr als 7 000 Gemälde, Meisterwerke europäischer Malerei, viele tausend Zeichnungen, Hunderte Plastiken, berühmte Bibliotheken, Kunstgegenstände aller Art.

Begonnen hatte man mit der Verlagerung der wertvollsten Gemälde des Wiener Kunsthistorischen Museums, Bilder von Rembrandt, Tizian, Raffael, Velazquez, Giorgione, Dürer, Cranach usw. Dann folgten Zeichnungen aus der Wiener Albertina. Schließlich

wurde bestimmt, daß auch die sogenannte „Führer-Sammlung" in die Stollen von Altaussee verbracht wurde. Adolf Hitler hatte diese Bilder als Grundstock für das von ihm geplante größte deutsche Kunstmuseum ausersehen, das er in Linz erbauen lassen wollte.

In der Führer-Sammlung allein befinden sich mehrere tausend Werke, darunter 17 Gemälde von Rembrandt. Während es um diese Sammlung später Streit gab, ob sie auch gestohlene oder erpreßte Gemälde enthielt, gab es darüber bei der nächsten Kunstverlagerung nach Altaussee keinen Zweifel: In 13 Großtransportern mit über 1 000 Kisten, so berichtet Dr. Pöchmüller in seinem Buch „Weltkunstschätze in Gefahr", kam der im Zuge der „Aktion Rosenberg" beschlagnahmte Kunstbesitz aus den von den Deutschen besetzten Westgebieten: „Die größte und berühmteste Sammlung von Kunsthandwerk und Schmuck der Renaissance aus dem Besitz der Familie de Rothschild in Paris, die Gemälde der Familiensammlung de Rothschild, die Sammlungen Weil-Piccard, Levy-Benzin, David Weil, Neumann und Wassermann." Und auch in diesen Sammlungen die berühmtesten Namen – Rubens, Vermeer, Velazquez, van Dyck und Rembrandt. Dazu Pöchmüller: „Daß unter dem Bergungsgut auch eine Unmenge an wertvollsten Juwelen enthalten war, sei nur nebenbei erwähnt."

Pöchmüller berichtet auch, daß die staatliche Schlösserverwaltung in 80 großen Verschlägen „die überaus kostbaren Wandverkleidungen des Millionen- und des Vieux-Laque-Zimmers aus Schönbrunn und des Lackkabinetts aus Hetzendorf" nach Altaussee verbringt. Alle bedeutenden Kunstsammlungen aus München werden ebenfalls in das Altausseer Salzbergwerk eingefahren. Pöchmüller schreibt weiter: „In einer abgelegenen Werkanlage aber

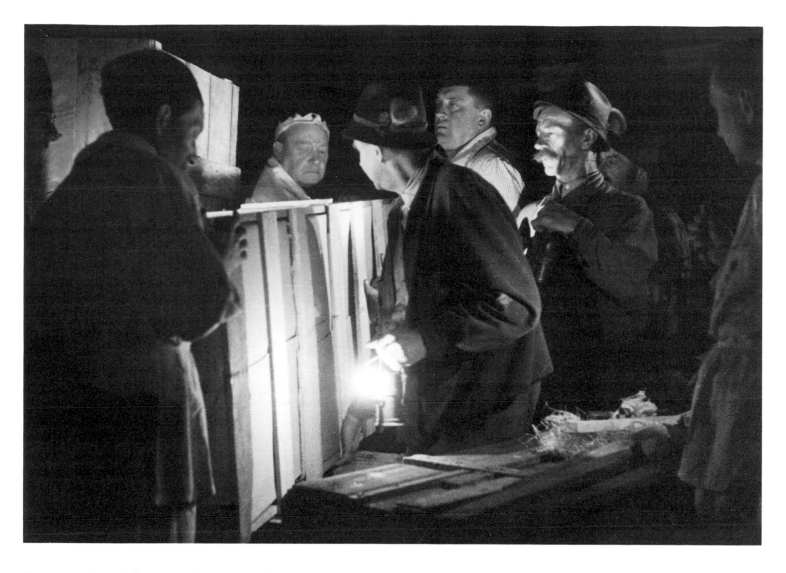

Fotos von der Einlagerung der Kunstschätze in den Stollen des Altausseer Salzbergwerks. Links oben: Bilder der „Führersammlung" werden ausgeladen. Links unten: Kunstwerke in über tausend Kisten gespeichert und registriert. Oben: Museumsexperten und Salinenarbeiter sorgen für die Einlagerung. Unten: Die improvisierten Stellagen und Lagerstätten im Salzbergwerk.

ruhte, auf Matratzen gebettet, die Marmormadonna des Michelangelo aus Brügge." Als Höhepunkt der Bergungsaktionen bezeichnet Pöchmüller die Einlagerung des berühmten Genter Altars der Brüder van Eyck, „zweifellos das kostbarste Kunstwerk, das der Salzberg überhaupt beherbergte".

Schließlich werden auch noch die meisten der Kunstschätze nach Altaussee gebracht, die im Verlauf des deutschen Rückzugs in Italien aus den großen italienischen Museen geholt und nach Norden abtransportiert worden sind, darunter wertvolle Sammlungen aus dem Museum in Neapel und aus Monte Cassino. Zu alldem kommen noch viele Sammlungen aus kirchlichem Besitz, kommt der wertvollste Bestand des damaligen Wiener Heeresmuseums, kommt die gesamte Bibliothek der deutschen archäologischen Institute in Rom, kommen umfangreiche Sammlungen von besonders wertvollen Möbeln, Münzen und Medaillen ebenfalls aus fast allen

im Laufe des Krieges von den deutschen Truppen besetzten Ländern.

Im Salzbergwerk in Ischl werden weitere Bestände vor allem des Kunsthistorischem Museums und der Albertina eingelagert.

Was da im April/Mai 1945 im Salzberg von Altaussee lagert, ist nicht nur von unschätzbarem Wert, es ist auch ein großer Teil des kulturellen Erbes Europas, ja der Welt. Und was sich nun in den letzten April- und ersten Maitagen 1945 rund um diese Kunstschätze abspielt, ist von größter Dramatik.

„Vorsicht, Marmor! Nicht stürzen!"

Der Gauleiter von Oberdonau, Adolf Eigruber, der den Umfang und den Wert der in Altaussee gelagerten Kunstschätze kennt, ist entschlossen, das gesamte Salzbergwerk von Altaussee in die Luft zu sprengen, um, wie er immer wieder sagt, „die Kunstschätze nicht in die Hand des Weltjudentums gelangen zu lassen". Das ist kein Gerede. Bei einer der letzten Einlagerungen in das Salzbergwerk sind acht große Kisten mit der Aufschrift: „Vorsicht, Marmor, nicht stürzen!" dabei. Jede der Kisten enthält eine nicht explodierte amerikanische Fliegerbombe mit 500 Kilogramm Sprengstoff. Als streng geheime Kommandosache werden diese Kisten auf Befehl Eigrubers genau an jenen Stellen des Salzbergwerks deponiert, wo eine Explosion der Bomben den Einsturz weiter Teile des Bergwerks zur Folge hätte.

Obwohl von dieser Aktion niemand erfahren soll, wird sie doch bekannt. Pöchmüller berichtet, daß der mit der Bergung der „Führer-Sammlung" betraute Ministerialrat Dr. Hummel ihn am 13. April 1945 vom wahren Inhalt der angeblichen Marmorkisten unterrichtete. Hitler habe zwar befohlen, die Zugänge zu den Kunstschätzen im Salzbergwerk bei Annäherung des Feindes zuzusprengen, nicht aber die Kunstschätze selbst zu vernichten. Gauleiter Eigruber wolle sich aber an diesen „Führer-Befehl" nicht halten: Nach dem Fall von Wien sei ein derartiger Befehl Hitlers als überholt anzusehen, die Kunstschätze dürften unter keinen Umständen „in die Hände des Weltjudentums fallen". Pöchmüller ist alarmiert. Er unterrichtet die für die Kulturgut-Verlagerung verantwortlichen Leiter. Sie alle sind bereit, sich für die Rettung der Kunstgüter einzusetzen.

Von diesem Tag an bemühen sich Pöchmüller sowie der Leiter des Instituts für Denkmalpflege Seiberl, der Direktor des Wiener Naturhistorischen Museums Hermann Michel und der Leiter der Ausseer Saline, Bergrat Högler, um eine Zurücknahme des Vernichtungsbefehls Eigrubers. Sie wollen dies sozusagen auf legale Art erreichen; Pöchmüller, indem er bei Eigruber selbst zu intervenieren bzw. einen Befehl Hitlers an Eigruber zu bewirken versucht. Gestützt auf halbe Zusagen und verwirrende Befehle planen Pöchmüller und Högler schließlich die Zusprengung der Zugänge zum Salzbergwerk, um das beabsichtigte Vernichtungswerk Eigrubers zu vereiteln. Aber immer wieder überspielt sie Eigruber. Als der Gauleiter merkt, daß man seinem Vernichtungsbefehl entgegenwirkt, schickt er ein eigenes Kommando nach Altaussee, um sicherzustellen, daß die Fliegerbomben im Bergwerk an Ort und Stelle bleiben und die Sprengung des Bergwerks, sobald er sie anordnet, auch durchgeführt werde. Nun stehen die Bomben bereits unter Bewachung, und ihre Entfernung ist um so schwieriger geworden.

Zur gleichen Zeit aber haben auch die Altausseer Bergleute Verdacht geschöpft und prüfen nach, was in den Kisten mit der Aufschrift „Vorsicht, Marmor!" lagert. Zu ihrem Entsetzen stellen

Und das fanden die Amerikaner, als sie nach Altaussee kamen: Die Bergleute hatten die großen Fliegerbomben in den Kisten mit der Aufschrift „Vorsicht Marmor! Nicht stürzen!" bereits aus dem Bergwerk ausgefahren und in einem Straßengraben verborgen. Der Plan des Gauleiters Eigruber, das Bergwerk zu sprengen, war durchkreuzt worden. Auf dem Bild rechts posieren die Bergarbeiter und amerikanische Offiziere mit einer der Kisten und auf den Bomben sitzend für ein Erinnerungsfoto. Rechts unten: Der Schatz im Bergwerk. Links unten: Der letzte Durchhalteaufruf des Gauleiters Eigruber.

sie fest, daß es gewaltige Fliegerbomben sind, und sie begreifen sofort, was die strategische Verteilung dieser Bomben im Bergwerk zu bedeuten hat.

Als die Nachricht eintrifft, daß Eigrubers Sprengkommando schon unterwegs sei und jeden Moment in Altaussee ankommen müsse, entschließt sich die Grubenleitung, die gesamte Belegschaft von der drohenden Gefahr zu unterrichten. Nach dem Krieg und bis zum heutigen Tag wird es einen Streit darüber geben, wer aller damals versucht hat, Eigrubers Pläne zu durchkreuzen, und wem schließlich das Verdienst zukommt, daß das Salzbergwerk nicht gesprengt wurde. Das „Österreich II"-Team hat sich sehr bemüht, die damaligen Vorgänge in Altaussee so genau wie möglich zu rekonstruieren. Wir haben uns dann entschlossen, nur die Schlußphase der dramatischen Vorgänge in Altaussee in unserer Dokumentation wiederzugeben, da wir diese, wie wir glauben, weitgehend nachprüfen und, wie wir hoffen, wahrheitsgetreu wiedergeben konnten.

Und das war die Schlußphase: Die Nachricht, Eigrubers Sprengkommando sei im Anmarsch, alarmiert die Grubenleitung und die Bergarbeiter. Es kommt zu einer Aussprache zwischen dem Leiter der Altausseer Saline, Bergrat Högler, und den Salinenarbeitern. Grubenleitung und Bergleute stimmen überein, daß die Sprengung des Bergwerks unter allen Umständen verhindert werden müsse. Für die meisten steht die Erhaltung des Arbeitsplatzes im Vordergrund ihrer Sorge, doch die Bomben gelten ja den Kunstschätzen, und man wird für die Rettung der Kunstschätze eintreten müssen, will man die Sprengung des Bergwerks abwenden. Und darum geht es in diesem Augenblick. Einer der Salinenarbeiter, Alois Raudaschl, macht darauf aufmerksam, daß er über eine Schulfreundin an Ernst Kaltenbrunner herankommen könnte.

Kaltenbrunner hat in Altaussee ein Domizil. Kaltenbrunners Freundin wohnt hier, und sie hat ihm erst vor kurzem Zwillinge geboren. Kaltenbrunner ist also regelmäßig zu Besuch in Altaussee und wird auch für diesen Tag erwartet. Wie wäre es, wenn man Kaltenbrunner dafür gewinnen könnte, den Befehl Eigrubers zu widerrufen? Kaltenbrunner hat einen Adjutanten, Arthur Scheidler, dessen Frau ist Ausseerin und seit ihrer Kindheit mit Alois Raudaschl befreundet. Diese Verbindung zu Iris Scheidler will Raudaschl nun nützen. Gemeinsam mit seinem Kollegen Hermann König geht Raudaschl zu dem Haus Kaltenbrunners. Er läßt König als Aufpasser auf der Straße zurück und begibt sich in das Haus zu

Iris Scheidler. Raudaschl unterrichtet sie von dem Vorhandensein der Fliegerbomben im Bergwerk und vom erwarteten Eintreffen des Sprengkommandos Eigrubers. Er bittet sie, selbst oder über ihren Mann auf Kaltenbrunner einzuwirken, er möge die Sprengung des Salzbergwerks verhindern.

Kurz darauf trifft Kaltenbrunner mit seinem Adjutanten Scheidler ein. Iris Scheidler unterrichtet die beiden, holt Raudaschl ins Zimmer und läßt diesen nun selbst berichten. Kaltenbrunner begreift, was der Befehl Eigrubers bedeutet: Nicht nur die Vernichtung wertvollster Kulturgüter Europas, sondern auch die Zerstörung des Salzbergwerks von Altaussee zumindest für viele Jahre. Und das bedeutet damals in Altaussee die Zerstörung der Existenzgrundlage für die meisten der hier lebenden Familien. In einem Ort, in dem Kaltenbrunner soeben seine Freundin und seine beiden jüngstgeborenen Kinder untergebracht hat und in dem sie das Kriegsende und, wie er meint, auch die Zeit danach werden überleben müssen. Kaltenbrunner zeigt daher Verständnis für die Argumente Raudaschls und ersucht diesen, den Bergrat Högler zu holen. Es ist klar: Die Gefahr für das Bergwerk und die Kunstschätze kann nur dann mit Sicherheit abgewendet werden, wenn Eigrubers Fliegerbomben aus dem Bergwerk herausgeholt werden. Kaltenbrunner gibt sein Einverständnis dazu, daß die „Marmorkisten" aus dem Bergwerk entfernt werden, er würde die Grubenleitung und die Bergleute gegenüber dem Gauleiter Eigruber decken.

Bergrat Högler gibt Weisung an die Bergleute, die Bomben aus dem Bergwerk zu holen. Alle Bergleute haben sich freiwillig gemeldet, das gefährliche Geschäft zu besorgen. Die „Marmorkisten" werden Stück für Stück auf Hunte geladen, gesammelt und sollen nun ausgefahren werden.

Die von Eigruber eingesetzte Wachmannschaft bemerkt das Vorhaben und ist noch in der Lage, den Gauleiter davon zu verständigen. Eigruber ist zu dieser Zeit selbst schon auf der Flucht, er hat sich von Linz nach Kirchdorf an der Krems abgesetzt. Doch er besteht weiterhin darauf, daß das Bergwerk gesprengt werden müsse. Wer sich weigere, den würde er am nächsten Tag persönlich aufhängen lassen.

Die Wachmannschaft muß Eigruber mitgeteilt haben, daß Kaltenbrunner selbst gegen die geplante Sprengung eintrete. Daraufhin dürfte Eigruber der Wachmannschaft den Befehl gegeben haben, auch Kaltenbrunner auszuschalten. Iris Scheidler, die all dies miterlebt hat, berichtet uns: „Plötzlich ein fürchterliches Getöse in dem kleinen Haus. Mein Mann geht runter, waren die Panzersoldaten da, unter der Führung von Feldwebel Haider, und die sollten im Auftrag von Eigruber den Kaltenbrunner verhaften und die Bomben sofort wieder in den Berg hineinbringen. Kaltenbrunner hat dann den Eigruber in Kirchdorf angerufen und hat gefragt, ob er total irrsinnig geworden ist. Momentan ist er noch Chef des Reichssicherheitshauptamtes, und die Bomben sind bereits heraußen. Die Schätze müssen erhalten bleiben, und den Leuten muß die Arbeit erhalten bleiben."

Die telefonische Auseinandersetzung zwischen Kaltenbrunner und Eigruber dauert sehr lang. Kaltenbrunner brüllt, und anscheinend brüllt auch Eigruber auf der anderen Seite der Leitung. Sie drohen einander mit Absetzung und Liquidierung. Offenbar beruft sich Eigruber darauf, daß Kaltenbrunners Chef, Heinrich Himmler, von Adolf Hitler bereits in Acht und Bann getan und abgesetzt worden sei, weil er „stiftengegangen ist". Kaltenbrunner habe also überhaupt nichts mehr zu reden. Als Kaltenbrunner Eigruber vorhält, daß es auch einen Hitler-Befehl gebe, das Salzbergwerk nur zuzusprengen, aber nicht zu vernichten, scheint sich Eigruber

Iris Scheidler: In der Nacht kamen sie.

darauf zu berufen, daß Hitler schon tot sei und er besser wüßte, was der Führer in diesem Fall gewünscht hätte.

Wir konnten dieses Gespräch nur teilweise rekonstruieren. Aber wir sprachen mit zwei Zeugen, die es auf seiten Kaltenbrunners angehört haben – mit Iris Scheidler und mit Wilhelm Höttl, der in jener Nacht auch im Haus Kaltenbrunner weilte und sogar von Kaltenbrunner mehrmals in das Gespräch mit Eigruber eingeschaltet wurde. Eigrubers Panzersoldaten ziehen schließlich ab, ohne Kaltenbrunner zu verhaften.

Eigruber hat nachgegeben. Doch immer noch besteht Eigruber darauf, die Bomben bereitzuhalten. Sie müßten zumindest als Panzersperren dienen. Doch die Bergleute kümmern sich nicht mehr um die Befehle, sie holen die Bomben aus dem Berg. Johann Egger war damals mit dabei: „Ja, und das haben wir auch getan. In der Nacht hat eine Schicht die Bomben herausgeführt, und um vier Uhr früh ist dann die zweite Schicht gekommen, und wir haben sie auf einen Lastwagen geladen und wollten sie in den See hinunterführen, in den See werfen. Aber inzwischen hat der Gauleiter Eigruber befohlen, die Bomben müssen hin, wo sie her waren, woher sie genommen wurden. Aber das haben wir nicht mehr gemacht. Nur sind wir nicht mehr zum See gefahren mit den Bomben, wir sind hinaufgefahren in die Bergstraße ein Stück und haben die Bomben auf eigene Verantwortung in den Wald hinuntergeleert, in einen Graben, und haben sie mit Reisig zugedeckt." Sicherheitshalber läßt Bergrat Högler, so wie Pöchmüller und er geplant hatten, auch noch die Zugänge zu den Kunstschätzen zusprengen. Jetzt kann keiner mehr die Bomben zurückführen.

Zwei Tage später trifft ein Vorauskommando der Amerikaner in Altaussee ein. Mit ihm auch schon ein Offizier des CIC, Robert Matteson, der von österreichischen Widerstandskämpfern von der Gefährdung der Kunstschätze als auch von der Anwesenheit Kaltenbrunners verständigt worden war. Die Kunstschätze waren gerettet, Kaltenbrunner verschwunden.

Nun könnte man meinen, es sei heutzutage nicht mehr so wichtig, wer in der damaligen Situation was getan habe, wichtig sei allein, daß die Vernichtungsabsicht Eigrubers verhindert werden konnte. Ich glaube jedoch, daß die Vorgänge rund um die Kunstschätze in Altaussee geradezu ein Lehrbeispiel dafür darstellen, wie sich Menschen in einer Diktatur verhalten, unter welchem Druck sie stehen, wie sie die Angst beherrscht und welcher großen Überwindung es bedarf, ehe sie bereit sind, gegen Befehle zu handeln.

Die meisten der Beteiligten waren dem Regime in dieser oder jener Art verbunden, den Irrwitz des Vernichtungsbefehls Eigrubers erkannten sie dennoch alle. Und offenbar waren auch alle bereit, etwas dagegen zu tun. Doch vom Generaldirektor bis zum Salinenarbeiter, vom Sonderbeauftragten des Führers bis zum Museumsdirektor versuchten sie zunächst alle, auf „legalem Weg" eine Rücknahme des Befehls zu erreichen. Und die Bomben wurden schließlich auch erst entfernt, als ein anderer hoher Führer, nämlich Kaltenbrunner, damit einverstanden war. Und doch hat jeder von ihnen, von Pöchmüller bis Raudaschl, allein schon durch die von ihnen gewagten Bemühungen Kopf und Kragen riskiert.

Eine „Wegzehrung" für Eichmann

Wilhelm Höttl berichtet, wie die Träger dieser Macht und dieses Terrors dann klein und ohnmächtig wurden. Einer der letzten Besucher bei Kaltenbrunner in Altaussee ist der Judenverfolger Adolf Eichmann. Er versucht über Höttl mit Kaltenbrunner zu

Johann Egger: Die Bomben ausgefahren.

sprechen. Höttl meldet Kaltenbrunner das Eintreffen Eichmanns. Und so schildert Höttl diese letzte Begegnung zwischen Kaltenbrunner und Eichmann in Altaussee: „Der Eichmann wollte von Kaltenbrunner konkrete Weisungen, was er jetzt tun solle. Der Kaltenbrunner sagt zu mir: ‚Sagen Sie ihm gar nichts, er soll schauen, daß er untertaucht, er ist gesucht und soll schleunigst verschwinden.‘ Sage ich: ‚Er möchte sich zumindest von Ihnen verabschieden, Sie kennen sich doch schon solange, schon von der Zeit vor dem Anschluß.‘ Der Eichmann war mit den Nerven völlig fertig, er hat immer so mit dem Auge gezuckt. Ich habe es dann tatsächlich erreicht, daß der Kaltenbrunner den Eichmann empfing. Und Eichmann hat wortreich auseinandersetzen wollen, was er noch machen wird. Kaltenbrunner hat gesagt: ‚Schauen Sie, daß Sie abhauen, Sie sind der meistgesuchte Mann.‘ Und zum Scheidler hat er gesagt: ‚Geben Sie doch dem Eichmann eine Wegzehrung mit.‘ Ich hab dann eine Kassette mit Goldstücken gesehen und sonst noch was, was ich nicht weiß. Und da ist Eichmann am 7. Mai abgezogen, da habe ich ihn zuletzt gesehen, am Straßenausgang von Altaussee in die Blaa-Alm.“

Doch die amerikanischen Geheimdienstleute, die nun mit den Truppen nach Altaussee kommen, kennen den Namen Eichmann noch gar nicht. Auf ihrer Fahndungsliste steht Kaltenbrunner.

Es dauert nicht lange, da bringt der CIC-Chef Robert Matteson in Erfahrung, daß Kaltenbrunner mit Scheidler und einigen anderen zur Wildenseehütte oberhalb Altaussees aufgestiegen sei. Ortskundige Führer hätten sie dort hinaufgebracht. Nun heuern die Amerikaner ihrerseits Bergführer an, die sie zur Wildenseehütte geleiten sollen. Der spätere Bürgermeister von Altaussee, Karl Moser, war bei dem Trupp, der mit den Amerikanern aufgestiegen ist. Er berichtet: „Es war ein amerikanischer CIC-Offizier dabei, der ist in Zivil gegangen [Robert Matteson], und 14 amerikanische Soldaten. Es war ein sehr schwieriger Anmarsch für die Amerikaner, es war ja noch Schnee im Mai, oben ist immer noch Schnee um diese Zeit. Wir hatten angenommen, daß wir einen Fünfstundenweg mit diesen Leuten machen müssen, es sind aber fast neun Stunden daraus geworden. Wir haben vier Amerikaner am halben Weg liegenlassen müssen, weil sie nicht mehr weitergekonnt haben, weil sie zu müde waren und zu erschöpft. Wir sind also mit zehn Amerikanern zur Wildenseehütte gekommen. Der Herr Kaltenbrunner und sein Adjutant, die haben aber noch geschlafen zu dieser Zeit, es war, glaub ich, neun Uhr vormittags, jedenfalls bei scheinender Sonne. Die Amerikaner haben die Hütte umstellt, der Offizier vom CIC ist dann zur Tür gegangen, hat angeklopft. Wie ich schon gesagt hab, sie haben alle noch geschlafen, sind dann aus den Betten gekommen und haben aufgemacht. Sie sind da alle herausgestellt worden, in Unterhosen in den Schnee.“

Robert Matteson war damals davon überzeugt, den zweitwichtigsten Mann Deutschlands gefangen zu haben. Er war schon seit einigen Tagen Kaltenbrunner auf der Spur, hatte dessen Ehefrau am Wolfgangsee gefunden und bei ihr eine erst vor kürzerer Zeit aufgenommene Fotografie ihres Mannes. Dieses Foto trug Matteson bei sich, als er vor der Wildenseehütte Kaltenbrunner gegenübersteht.

Robert Matteson erzählte uns, wie sich ihm diese Begegnung damals darstellte: „Wir wußten sofort, wer von denen Kaltenbrunner war. Wir hatten ja das Bild von seiner Frau. 43 Jahre alt, 1,90 groß, 100 Kilo schwer, Schmißnarben auf beiden Wangen. Er hatte falsche Papiere, die ihn als Wehrmachtsarzt auswiesen. Doch in der Hütte fand ich in der Asche des Ofens das Gestapo-Abzeichen mit der Nummer 2; Himmler hatte Nummer 1. Ich fand das Kriminal-

Karl Moser: Auf der Wildenseehütte.

Robert Matteson: Die Nummer 2 gefaßt.

polizeiabzeichen mit der Nummer 2; Himmler hatte Nummer 1. Und ich fand die letzte Nachricht Kaltenbrunners an Hitler: ‚Wir erfüllen Ihre Befehle, wir haben mit der Zerstörung der Konzentrationslager durch Sturzkampfbomber begonnen, um alle Beweise auszulöschen.' Ich sagte Kaltenbrunner zu diesem Zeitpunkt nicht, daß ich wußte, wer er war. Wir nahmen alles mit, was wir fanden, inklusive falscher Pfundnoten, und gingen zum Dorf hinunter. Dort hatten sich schon viele Leute angesammelt. Prinz Hohenlohe [Chlodwig Hohenlohe, der in Altaussee ein Haus besaß] kam uns entgegen und sagte: ‚Ich sehe, Sie haben Ihren Mann gefunden.' Und ich sagte, nur um sicherzugehen: ‚Welcher ist es?' Da zeigte er auf Kaltenbrunner."

Einiges hatte Matteson in der Wildenseehütte übersehen. Unter dem Holzfußboden der Hütte fand der Jäger Herbert Köberl im Jahr 1948 noch 200 000 Reichsmark, die in der Zwischenzeit jedoch wertlos geworden waren.

Entdeckung am Ufer der Donau

Kaltenbrunner war von den Amerikanern gesucht worden. Aber die Amerikaner machen bei ihrem Vormarsch in Oberösterreich Entdeckungen, mit denen sie nicht gerechnet haben. Der Kampfkommandant der 11. Division der 3. US-Armee, Oberst Richard R. Seibel, hat Befehl, von Urfahr die Donau entlang nach Osten zu marschieren. Er soll feststellen, wie stark die deutschen Kräfte sind, die sich im Raum nördlich der Donau befinden; aber die Amerikaner erwarten auch, daß sie demnächst schon auf die vom Osten vorstoßenden Sowjets treffen werden. Oberst Seibel schickt also Patrouillen aus. Eine dieser Patrouillen meldet sich über Sprechfunk. Sie habe etwas entdeckt, was sie nicht begreifen könne: ein riesiges Lager, eine Art Festung mit steinernen Mauern. Gleichzeitig sehe das so aus wie ein Gefängnis, denn die Mauern seien mit Wachtürmen versehen. Die gewaltigen Ausmaße der Anlage seien die eine Sache. Was sie aber nicht begreifen können, sei die ungeheure Anzahl von Menschen, die sich innerhalb dieser Anlage und auch schon außerhalb von ihr bewegten. Die Patrouille spricht von vielen Tausenden. Sie alle hätten gestreifte Kleider an. So wie Sträflinge. Sie sähen grauenhaft aus, seien abgemagert, schwach, und manche kröchen wie die Käfer auf dem Boden herum. Die Patrouille war auf das Konzentrationslager Mauthausen gestoßen.

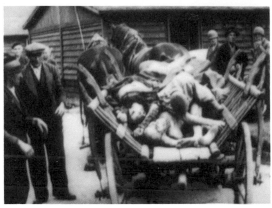

Oberst Seibel hat von Mauthausen noch nie etwas gehört. Er gibt der Patrouille den Auftrag, irgend jemanden zu finden, der die Sache aufklären könne. Die Patrouille kehrt zurück, in ihrer Mitte eine der abgemagerten Gestalten im gestreiften Anzug: ein früherer Leutnant der US-Marine, nach einem Fluchtversuch aus einem deutschen Kriegsgefangenenlager nach Mauthausen überstellt. Dieser Leutnant John Taylor, so heißt er, weiß alles über Mauthausen.

Richard Seibel: Und niemand half uns.

Oberst Seibel will sich das Lager selbst ansehen, ist aber entschlossen, es nicht zu besetzen. Das ist kein Job für die Armee. Als er nach Mauthausen kommt, kann er nicht fassen, was er sieht. Oberst Seibel, den wir in den USA fanden, schilderte uns seine damaligen Eindrücke: „In der Tat, ich konnte es nicht fassen. Wir hatten schon von Konzentrationslagern gehört, aber wir wußten in Wirklichkeit nicht, was sie waren. Wir hatten auch schon von Gaskammern gehört, aber wir wußten nicht, ob das nicht vielleicht Propaganda war. Bis zu dem Zeitpunkt, wo ich nach Mauthausen kam. Hier sahen wir die grauenhaften kalten Tatsachen und die mörderische Art, in der die Menschen behandelt worden waren. Wir fanden die Toten, die vielen Toten. Und wenn man menschli-

Auf ihrem Vormarsch durch Oberösterreich stoßen die Amerikaner auf die Konzentrationslager Mauthausen, Ebensee, Gusen und Gunskirchen. Die meisten der vielen tausend Häftlinge sind dem Hungertod nahe, Hunderte sterben noch in den nächsten Tagen. Die amerikanischen Militärkommandanten sind auf eine derartige Begegnung nicht vorbereitet. Es fehlt an Ärzten, Medikamenten und am Anfang sogar an Nahrungsmitteln, um die total entkräfteten Menschen zu betreuen (oben). In Mauthausen läßt Oberst Seibel die vielen Leichen von Bauern der Umgebung in ein Massengrab auf den Sportplatz des Lagers führen (links oben).

che Leichen aufgestapelt sieht wie Holzscheiter, dann ist das einfach unfaßbar."

Seibel setzt sich mit seinem Hauptquartier in Verbindung. Dort weiß man, was Mauthausen ist. Und so bekommt Oberst Seibel Befehl, das Lager mit seinen Truppen zu besetzen und danach zu trachten, daß die Häftlinge so rasch wie möglich medizinische Betreuung erhalten und entsprechend ernährt werden. Nun kommen die Amerikaner zum drittenmal in das Lager. Die SS-Wachmannschaft des Lagers war schon Tage zuvor geflohen. Anderen Einheiten, die gerade an Mauthausen vorbeikamen, wurde befohlen, die Bewachung des Lagers zu übernehmen. Als sie sahen, worum es ging, flohen auch sie. Inzwischen hatte eine bereits seit längerem im Lager bestehende Widerstandsorganisation der Häftlinge die Selbstbefreiung des Lagers eingeleitet. Die Leute der Widerstandsorganisation bewaffneten sich. An der Spitze der Organisation stehen Kommunisten. Und innerhalb der kommunistischen Gruppe auch mehrere Österreicher.

In Mauthausen befinden sich zu diesem Zeitpunkt rund 18 000 Häftlinge, außerhalb des Lagers noch mehrere Tausend erst in den

letzten Tagen in Fußmärschen herangeführte ungarische Juden und
ebenfalls zu Fuß evakuierte Insassen anderer Konzentrationslager.
Angehörige von insgesamt 20 europäischen Nationen gibt es in
Mauthausen. Unter ihnen zwei besonders starke Gruppen: Polen
und Russen. Widerstandsorganisationen gibt es in beiden Gruppen. Als die Amerikaner zum drittenmal in Mauthausen erscheinen
und Oberst Seibel das Lager nun endgültig übernehmen will, hat
bereits ein Russe, ein früherer sowjetischer Offizier, den Platz des
geflohenen deutschen Lagerkommandanten eingenommen. Der
Sowjetoffizier ist zunächst nicht bereit, den Amerikanern das Lager
zu übergeben. Erst müsse hier mit den Kapos abgerechnet werden.
Aber Seibel bemerkt, daß die Russen und die Polen, so mitgenommen sie auch von der Haft sind, bereits aufeinander losgehen. Die
Polen befürchten, daß die Russen das Heft in der Hand behalten
und das Lager schließlich sowjetischen Truppen übergeben werden. Und dagegen scheinen nicht wenige der Polen etwas einzuwenden zu haben. Als der Sowjetoffizier seinen Platz nicht räumen
will, zieht Seibel die Pistole. Auch läßt er seine Soldaten mit
schußbereitem Gewehr Aufstellung nehmen. Jetzt erst zieht sich
der Sowjetoffizier mit seinen Leuten zurück, und es gelingt, die
Russen von den Polen zu trennen.

Im Lauf der nächsten Tage stellt sich heraus, wie unsagbar das
Grauen ist, das in diesem Lager herrscht. Die meisten der Gefangenen wiegen zwischen 38 und 50 Kilogramm. Die Amerikaner lesen
im Lager 700 Leichen auf. Im Verlauf der nächsten zwei Wochen
sterben noch weitere rund 1 500 der Lagerinsassen. Die Amerikaner
veranlassen die Bauern der Umgebung, auf dem Sportplatz des
Lagers ein Massengrab auszuschaufeln, 50 Meter lang, 5 Meter
breit, um die vielen Toten zu begraben.

Theresia Schausberger:
Da hat uns das Herz wirklich weh getan.

Die beiden Bilder oben wurden unmittelbar nach der Befreiung des Konzentrationslagers Mauthausen in dessen Umgebung aufgenommen. Links oben: KZ-Insassen inmitten amerikanischer Fronttruppen. Rechts oben werden Leichen von Kapos identifiziert, die der Rachejustiz der KZ-Insassen zum Opfer fielen.

Hans Marsalek:
Die Überlebenszeit betrug maximal ein Jahr.

Hans Marsalek war Lagerschreiber in Mauthausen. Er gehörte der Widerstandsbewegung im Lager an. Er beschreibt, wie die Häftlinge selbst die Ankunft der Amerikaner erlebten: „Das war so eine Freude, daß aufgrund dieser Freude sehr viele Häftlinge gestorben sind. Das ist nicht übertrieben, denn die Häftlinge aus den Krankenlagern, die waren nur noch Haut und Knochen, die standen am Rand des Todes. Und diese Häftlinge versuchten, den Panzern entgegenzulaufen, haben sich hingeschleppt, sind hingekrochen, so daß sie in der Stunde der Befreiung aus Freude über die Befreiung gestorben sind. Die durchschnittliche Lebenserwartung eines Häftlings in Mauthausen, wenn er nicht eine Funktion gehabt hat, etwa in einer Lagerschreibstube war oder in der Schreibstube der politischen Abteilung, im Baubüro usw., war bis 1943 maximal sechs Monate; das ist aber sehr lang, durchschnittlich noch weniger. Erst nach dem Besuch von Rüstungsminister Albert Speer im Frühjahr 1943, wo er durchgesetzt hat, daß die Masse der Häftlinge in der Rüstung und nicht mehr in den Steinbrüchen eingesetzt wird, war die Lebenserwartung eines Mauthausener Häftlings dann ungefähr zwölf Monate, ein Jahr. Im Jahr 1945 ist sie wieder gesunken, weil da waren chaotische Verhältnisse, eine Übervölkerung des Lagers, wenig Lebensmittel, und so ist die Lebensdauer wieder gesunken.“

Oberst Seibel hat bei seiner Truppe nicht genügend Lebensmittel, um so viele Menschen zu ernähren. Er richtet Hilferufe an seine vorgesetzten Militärstellen. Seibels Leute entdecken ein Lager mit Dörrgemüse, bald darauf Kartoffelvorräte. Seibel läßt die Kartoffeln von österreichischen Bauern in das Lager bringen. Diese Einfahrt der Bauernwagen mit den Kartoffeln wurde von einem amerikanischen Kameramann gefilmt. Sie sagt mehr aus, als Worte je beschreiben können. So groß ist der Hunger der Häftlinge und so sehr haben Haft, Hunger und Qual auch ihren Widerstand angegriffen, daß sie sich wie Tiere über die Wagen mit den rohen Kartoffeln stürzen. Nicht wenige von ihnen werden daran sterben, daß sie diese Kartoffeln gleich in rohem Zustand zu essen versuchen.

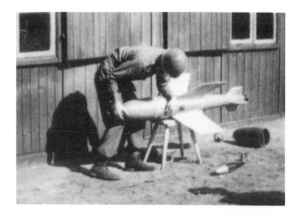

Die Ärzteteams der Amerikaner reichen nicht aus, um all die Sterbenskranken zu betreuen. Hilferufe Seibels bringen zunächst einige tausend Verpflegungsrationen für Soldaten, später Lebensmittelpakete des Roten Kreuzes. Frankreich schickt vier Krankenschwestern. Das ganze Ausmaß des Elends in diesen Lagern begreift die Welt noch immer nicht. Und es ist mit normalem Menschenverstand ja auch nicht zu begreifen.

Oberst Seibel ist ein alter Mann, als wir ihn interviewen, aber seine Augen füllen sich mit Tränen, als er davon erzählt, wie hilflos er sich in den ersten Tagen in Mauthausen fühlte: „Ich war ganz auf mich allein gestellt. Unsere Division konnte mir nicht helfen. Wir hatten Armeerationen – gerade genug für unsere Truppe. Aber ich war doch für das Lager verantwortlich. Ich ernährte die Leute mit Kartoffeln, die ich in der ganzen Umgebung beschlagnahmen ließ. Mit dem Fleisch von Pferden, die wir requirierten und schlachten ließen, mit Trockengemüse, das wir fanden. Und mit Brot, soviel wir auftreiben konnten. Ich gab ihnen alle Medizinen, die wir hatten. Und Medikamente bekam ich dann auch. Doch abgesehen davon erhielten wir keine Hilfe. Oder doch – vier französische Krankenschwestern kamen. Sonst half uns niemand. Niemand in der ganzen großen Welt."

Die Amerikaner halten die Bauern aus der Umgebung dazu an, die Leichen der Häftlinge mit Pferdewagen wegzuführen. Die Bevölkerung rund um Mauthausen kennt das Lager. Es war ihr verboten, in die Nähe des Lagers zu kommen, doch sprach sich viel von dem herum, was im Lager geschah. Auch wurden die Häftlinge im letzten Kriegsjahr zunehmend bei der Errichtung größerer Rüstungsbauten und schließlich auch bei Aufräumungsarbeiten nach Luftangriffen eingesetzt. Bei diesen Gelegenheiten bekam man die Häftlinge zu sehen, und man kam auch mit ihnen in Berührung.

In Redl-Zipf wurde ein großer Betonbunker gebaut, und dabei wurden ebenfalls Häftlinge aus dem Konzentrationslager eingesetzt. Theresia Schausberger war damals ein 15jähriges Mädchen. Der Bunkerbau kam für sie und ihre Familie überraschend: „Auf einmal fahren da militärische Autos zu, Lastwagen dabei, Pkws, vier oder fünf sind es gewesen. Und fahren gleich querfeldein zu uns her. Wir sind erschrocken, ja was ist denn los? Sie sagen: ‚Schnell, räumt das Feld ab, wenn ihr das Heu noch haben wollt. Das Feld ist beschlagnahmt, für militärische Zwecke.' Unser Vater war nicht da, und die haben das dann gleich abgeschritten, ausgemessen. Haben uns gar nicht mehr lang gefragt, sondern es beschlagnahmt. Und dann haben wir viel mit dem Fuhrwerk helfen müssen. Den großen schweren Eisenbeton haben wir führen müssen, die Zutaten, Schotter, Zement, alles, was gebraucht worden ist. Und da sind jeden Tag im Schnitt etwa 150 KZler beschäftigt gewesen. Das war im Winter, und die Leute waren ungeheuer arm. Sie haben nichts zum Anziehen gehabt, sie sind dahergekommen ohne Schuhe. Und da hat uns halt das Herz wirklich weh getan. Wir haben nicht gewußt, dürfen wir was sagen, dürfen wir nix sagen? Das war alles sehr, sehr streng und scharf. Aber wie die gesehen haben, daß ich ein mitfühlender Mensch bin, da haben die KZler Bittzeichen gemacht und haben auf die Füße gedeutet. Jetzt hab ich Fetzen gebracht am andern Tag und Schnüre zum Umwik-

Wernher von Braun wartete in Reutte in Tirol auf die Amerikaner. Er und sein Stab von Raketenexperten waren um diese Zeit schon entschlossen, ihr Forschungsprogramm in den USA fortzusetzen. Den Amerikanern fiel in Österreich auch eine Reihe sogenannter Wunderwaffen in die Hände. Links oben: eine Luft-Luft-Rakete; darunter die damals neuesten Typen deutscher Düsenjagdflugzeuge, die auf Tiroler Flugplätzen standen.

Karl Guschlbauer:
Wernher von Braun ist selbst hier gewesen.

keln. Und da hat mich dann einmal ein SSler erwischt, und er hat gesagt: ‚Weg mit den Sachen, was machst denn da? Wenn du's noch einmal machst, wird geschossen.' Und ich hab wirklich Angst g'habt und hab mir gedacht, i bring nie mehr was. Aber das ist dann auch darauf angekommen, denn mit der Zeit hat man das auch schon gemerkt, wie die Leut unter der Wache eingestellt sind, was die einzelnen SSler für eine Meinung haben. Und dann hat man doch immer wieder irgendwie Erdäpfel und Brot und altes Gewand und ein bißl was zum Einwickeln bringen dürfen."

Wernher von Braun in Tirol

Der Bunkerbau von Redl-Zipf in Oberösterreich diente nach seiner Fertigstellung einem hochgeheimen Projekt: Hier wurden die Triebwerke der deutschen V-2-Raketen getestet, der ersten ballistischen Raketenwaffe der Welt. Diese Raketen wurden von Wernher von Braun und seinem Stab in Peenemünde entwickelt. Doch Peenemünde lag bald unter dem Bombenhagel alliierter Flugzeuge. Und so wurde auch die Raketenentwicklung und -produktion verlagert, zu einem guten Teil nach Österreich.

Die Bierbrauerei von Redl-Zipf wurde beschlagnahmt und in ihren großen Kellern Sauerstoff verflüssigt, um als Treibstoff für die Raketen zu dienen. Die Keller wurden mit dem Bunkersystem verbunden. Hier wurden unter 3 Meter dicken Betondecken die V-2-Raketen getestet.

Karl Guschlbauer wurde 1944 mit einer Kompanie fronterfahrener Wehrmachtssoldaten nach Redl-Zipf verlegt, um das große Rüstungsprojekt gegen etwaige Sabotageangriffe oder überraschende Luftlandeangriffe zu verteidigen. Wir sind mit Karl Guschlbauer in die unterirdischen Betonbauten, die es noch heute gibt, eingestiegen. Im sogenannten Prüfstand 1 erklärte er uns die Anlage: „Der Prüfstand 1, das war das Herzstück der ganzen Anlage, es war die Prüfungsanlage für Raketenmotoren. Hier wurden die Antriebe für die V-2, auch Tuben genannt, an der Decke eingespannt und dann mit der vollen Laufzeit auf ihre Betriebsfähigkeit geprüft. Die Vertiefung, Schurre wurde sie genannt, hat der Ableitung des Feuerstrahls gedient und hatte den Zweck, das Geräusch zu vermindern, denn es war ein ohrenbetäubender Krach, diese Zündung der Raketenmotoren, aber sie diente auch der Tarnung, damit der Feuerstrahl nicht zu weit in den Himmel ragte."

Im Technischen Museum von München fanden wir Filme, die damals aufgenommen wurden und die die Erzeugung des flüssigen Sauerstoffs, das Betanken der Raketen, ihre Antriebswerke, ihre Testflüge zeigen. An die merkwürdigen Kraftwagen mit den großen runden Aufbauten, aus denen es dauernd zu rauchen schien, können sich die älteren Einwohner von Redl-Zipf noch gut erinnern. In diesen Spezialautos wurde der flüssige Sauerstoff transportiert. Sie waren mit einem Überlaufrohr ausgestattet, um die Explosionsgefahr zu vermindern; aus dem Rohr drang unentwegt flüssiger Sauerstoff und evaporierte. So kamen die Wagen immer nur mit einem Teil ihrer ursprünglichen Ladung bei den Raketen an. Dennoch, was hier in Redl-Zipf getestet wurde, das war im Prinzip bereits all das, was später in den USA und in der Sowjetunion für die großen Raketenstarts vervollkommnet wurde.

Die Versuchsstation in Redl-Zipf unterstand, wie alle anderen Fertigungs- und Erprobungsstätten für Raketen, Wernher von Braun. Er hat diese Raketen für das Dritte Reich entwickelt, und er wird nach dem Krieg an die Spitze des großen Raketenprogramms der USA gestellt werden.

Wernher von Braun hat die Versuchsstätte in Redl-Zipf besucht, und einmal sah ihn auch Karl Guschlbauer: „Es war am 28. oder 29. August 1944, da kam es um die Mittagszeit zu einem gräßlichen Unfall hier. Ursprünglich wurde Sabotage vermutet, aber nach Aussage der Experten war das auf die Überlastung der Anlage zurückzuführen. Am nächsten Tag schon ist Wernher von Braun hier gewesen, um sich die Sache selber anzuschauen. Bei diesem Unfall kamen 28 Personen ums Leben, darunter auch der Direktor des Werks."

Die V-2-Raketen waren so groß, daß man sie nicht unbemerkt über Land transportieren konnte. Die Raketen wurden mit Spezialwagen befördert. Und wer diese Raketen damals sah, konnte vermutlich wirklich an die Existenz einer Wunderwaffe glauben. Keine andere kriegführende Nation besaß zum damaligen Zeitpunkt eine derartige Rakete. Die V-2 stellte den entscheidenden Durchbruch in der Raketenentwicklung dar. Eine Wunderwaffe war sie jedoch nicht. Sie konnte ihr Ziel nur sehr ungenau ansteuern, und die von ihr mitgeführte Sprengladung von nur 1 000 Kilogramm rechtfertigte den großen Aufwand nicht. Doch sie war die Mutter aller Kriegsraketen in den heutigen Arsenalen der Welt. Der Bau der Raketenanlagen wurde aber auch – und Redl-Zipf ist dafür nur ein Beispiel – mit Hilfe der Sklavenarbeit zahlloser Häftlinge aus den Konzentrationslagern durchgeführt. Ein Umstand, dem man zu Lebzeiten Wernher von Brauns nicht weiter nachging. Erst in den achtziger Jahren begann man diesbezüglich in den USA Fragen zu stellen.

In Österreich wurden nicht nur viele Komponenten der V-2-Rakete hergestellt. In Österreich gab es auch viele andere modernste Rüstungsentwicklungen, über die noch zu berichten sein wird. Die Fertigungsstätten, die Versuchsgelände und ein guter Teil dieser neuartigen Waffen wurden beim Einmarsch der Alliierten in Österreich gefunden. Und in Reutte in Tirol wartete auf die Amerikaner Werner von Braun mit seinem gesamten Stab.

Kurt Debus war Mitglied des Arbeitsstabes Wernher von Brauns. Wir fanden Kurt Debus in Florida, wo er nicht weit von Cap Canaveral, der großen amerikanischen Raketenstation, vor vielen Jahren sein Heim aufgeschlagen hat. Kurt Debus schilderte uns, wie es zum Auszug des Stabes Braun aus Peenemünde und zur Flucht nach Tirol kam: „Für uns stand von vornherein fest, daß wir uns beim Heranahen der Fronten nach dem Westen durchschlagen müßten. Vom Osten her kamen die Russen, im Westen waren für uns ‚freundliche Feinde'. Es war auch klar, daß wir, was wir wußten und was wir an Geheimmaterial hatten, den Amerikanern übergeben wollten. Das stand für alle von uns von vornherein fest. Als wir dann auszogen aus Peenemünde mit unseren Fahrzeugen und Klamotten, da war es unsere Absicht, uns zu jenem Platz hinzumanövrieren, wo wir glaubten, daß die Amerikaner kommen würden. Heute wissen wir, daß die Amerikaner uns bereits gesucht haben. Aber damals wußten wir das nicht. Kennen Sie das Bild, wo der Wernher dasteht mit seinem gebrochenen Arm? Dort sind wir dann auf die Amerikaner gestoßen."

Dort, das war Reutte in Tirol, und Wernher von Braun hatte seinen Arm gebrochen. Amerikanische Kameraleute hielten den Augenblick fest, als sich Braun mit seinem Stab ergibt. Und es ist nicht der einzige Stab deutscher und österreichischer Wissenschaftler, die auf dem Gebiet der sogenannten Alpenfestung ersten Kontakt mit den Amerikanern suchen. Wir werden später noch einigen von ihnen begegnen. Und auch noch einigen der sogenannten Wunderwaffen, die sie damals in Österreich herzustellen und zu testen versuchten.

Gauleiter Eigruber (rechts, in Zivil) inspiziert die Marinestation am Toplitzsee. Unten: Die ersten Unterwasserraketen, so unscheinbar sie auch ausgesehen haben.

Kurt Debus: Wir wollten zum Mond.

Das Bild unten zeigt die Explosion einer vier Tonnen schweren Wasserbombe. Darunter die Nahaufnahme der Vorläuferin einer U-Boot-Rakete. Man könnte auch sagen: Das Urahnl der heutigen „Polaris"- und „Trident"-Raketen.

Franz Moser: Es war alles streng geheim.

Wir fragten Kurt Debus, weshalb Braun und die anderen Wissenschaftler von vornherein auf die Amerikaner gesetzt hatten. Dazu Debus: „Es war für uns klar, daß die Russen weit zurück waren, daß sie auch nicht das Geld und das Material hineinstecken würden in die Weiterentwicklung. Wir waren interessiert an der Weiterentwicklung, nicht der Waffen, wir wollten zum Mond, wir wollten nach dem Krieg andere Dinge machen als die V-2. Die Sache mit den Waffen war uns widerlich. Wir sind da hineingezogen worden, Waffen herzustellen. Der Wernher von Braun wollte immer in den Weltraum, und so haben wir uns darauf konzentriert, den zu suchen, der uns das Weiterarbeiten in dieser Richtung ermöglichte. Und das war Amerika, das war gar keine Frage."

Die Suche nach Wissenschaftlern

Die Amerikaner kommen mit fertigen Suchlisten nach Österreich. Die Listen enthalten die Namen aller Betriebe, die mit Raketen-, Radar- und Flugzeugentwicklungen zu tun haben. Der Auftrag lautet, diese Betriebe aufzuspüren und die dort beschäftigten Ingenieure und Wissenschaftler zu finden. Viele österreichische Betriebe stehen auf diesen Listen. Sie erzeugten Funkleitsysteme für deutsche Bomber, Radarsysteme für die Fliegerabwehr, eine ganze Reihe verschiedenster Raketen, darunter auch schon Prototypen von Boden-Luft-Raketen und Luft-Luft-Raketen. Und in Österreich wurde nicht nur der Heinkel He-162-Volksjäger hergestellt, sondern auch das schon viel besser erprobte erste einsatzfähige Düsenflugzeug der Welt, die Messerschmitt 262. Auf den verschiedenen Militärflughäfen im Alpengebiet stießen die Amerikaner auf Prototypen dieser Waffen. Spezialteams aus den USA wurden eingeflogen, um die Raketen und die Düsenflugzeuge zu begutachten, sie sorgsam zu zerlegen, zu verpacken und nach Amerika zu verfrachten.

Am Toplitzsee in der Steiermark stießen die Alliierten auf eine Versuchsstation der deutschen Kriegsmarine. Hier hatte man eine Reihe neuartiger Wasserbomben zur U-Boot-Bekämpfung erprobt. Aber aus dem Toplitzsee wurde auch, nach allem, was wir wissen, die erste Rakete gestartet, die jemals unter Wasser abgefeuert worden ist – sozusagen die Urgroßmutter der amerikanischen „Polaris"- und „Trident"-Raketen, die heute von U-Booten aus gestartet werden.

Wir fanden einen Augenzeugen dieses Tests, den damals 15jährigen Franz Moser. Das Gebiet um den Toplitzsee war hermetisch abgeriegelt, aber der junge Bursch kam ungeschoren in das Sperrgebiet. Franz Moser erzählte uns: „Das erstemal, als ich da herinnen war, da haben die eine ungefähr 100-Kilo-Wasserbombe gezündet. Da war ich schon hellauf begeistert als Bub natürlich, wie die Wasserfontäne so in die Höhe gegangen ist, das waren ungefähr 10 Meter – jedenfalls für mich war das sehr interessant. Und dann hat sich das immer gesteigert. Dann hat es geheißen, eine 1 000-Kilo-Wasserbombe wird abgeschossen, dann 2 000, dann 3 000, dann vier Tonnen. Ich glaube, die größte war fünf Tonnen. Und dann haben die natürlich auch solche Sachen gemacht, wo man wirklich nicht hat rein dürfen. Das waren die Versuche mit den Unterwasserraketen. Ich habe das damals nicht begriffen, was das war. Aber ich habe es gesehen, habe gesehen, daß da vom Wasser irgend etwas wegfliegt. Das waren nicht mehr die Wasserfontänen von den Bomben. Ich habe mir gedacht, es ist halt irgend etwas passiert, da ist irgendein Stück weggeflogen. Daß das eine Unterwasserrakete war, das hat einem niemand gesagt, denn das war ja alles streng geheim damals."

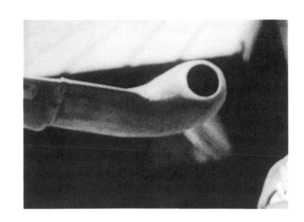

Friedrich Freiherr von Doblhoff ist ein österreichischer Flugzeugbauer. Schon als Student ist er von dem Gedanken besessen, daß es möglich sein müßte, einen Hubschrauber zu konstruieren, der nicht umständlich, schwer und unverläßlich, so wie es in den damaligen Entwicklungen der Fall war, über zwei Getriebe bewegt werden muß, sondern in dessen Rotorspitzen man Düsen einbauen kann, die diese ohne alle Getriebe und auch ohne die Last eines großen Motors in erhebliche Umdrehungszahlen zu bringen vermögen. Doblhoff konstruiert solche Düsen und entwirft auf dem Reißbrett einen derartigen Hubschrauber. 1941 genehmigt das Reichsluftfahrtministerium die Entwicklung des Flugzeugs. Doblhoff darf dies mit einem Stab von 15 Mann im Rahmen der Wiener Neustädter Flugzeugwerke versuchen. 1943 hebt sich der Hubschrauber, nur getrieben von Einzeldüsen an den Spitzen der Rotoren, zu einem Schwebeflug ab.

Doblhoff schilderte uns das so: „Im September 1943 war der erste Flug. Sehr erfolgreich, ein stabiler Schwebeflug, der uns Ingenieure gar nicht erstaunt hat, denn wir waren völlige Neulinge und haben gedacht, das sei doch ganz natürlich. Sogar ein Nichtpilot konnte sich hineinsetzen und steuern, und das schwebte schön am Fleck, und so gehörte sich das. Das Erstaunen war auf seiten der Experten, vor allem des Reichsluftfahrtministeriums, die das gar nicht glauben konnten. Später, als wir selbst mehr darüber gelernt hatten, waren wir dann selber erstaunt. Dieser Hubschrauber ist wenige Tage nach seinem ersten Flug bei einem Luftangriff auf die Fabrik von Wiener Neustadt total zerstört worden."

Doblhoff übersiedelt mit seiner Mannschaft in das Ausweichwerk Obergrafendorf. Dort wird weitergebaut: eine zweite Maschine, eine dritte, eine vierte. Aber dann geht auch schon der Krieg zu Ende. Die Sowjetarmee rückt immer näher. Doblhoff verpackt den zuletzt entwickelten Hubschrauber und verläßt mitsamt seinen Maschinen und Drehbänken Obergrafendorf, um sich mit seiner Werkstatt nach Zell am See durchzuschlagen. Auch er ist entschlossen, seine Erfindung den Amerikanern anzubieten.

Nach dem Einmarsch der Amerikaner meldet sich Doblhoff bei der US-Militärregierung, diese gibt ihm einen Job als Dolmetscher, interessiert sich aber nicht für seinen neuartigen Hubschrauber. Doch eines Tages geschieht es. Doblhoff: „Während ich in Lederhosen auf der Straße gehe, bleibt ein staubiges Auto mit vier amerikanischen Offizieren stehen. Die wenden sich zu mir und sagen: ‚Wie heißen Sie?' Und ich sage: ‚Doblhoff.' Und die sagen: ‚Das haben wir uns gedacht, steigen Sie ein. Wo ist Ihr Hubschrauber?' Die kamen aus Berlin und haben dort in den Akten des Reichsluftfahrtministeriums den ganzen Vorgang gefunden und sind ihm nachgegangen." Doblhoff führt den Amerikanern seinen Hubschrauber vor. Diese filmen den Probelauf. Den Film haben wir in den National Archives in Washington gefunden: Doblhoff in seinem Hubschrauber, dessen Rotor von kleinen Düsen getrieben wird.

Friedrich Doblhoff: Sind Sie Doblhoff?

Während Doblhoff glaubt, nun von den Amerikanern entdeckt zu sein und von diesen zur Weiterentwicklung seiner Erfindung angeheuert zu werden, lassen die Offiziere einen übergroßen Lastkraftwagen vorfahren, packen Doblhoffs Hubschrauber darauf und verschwinden. Doblhoff hört lange nichts. Dann erhält er überraschend ein Angebot von den Franzosen, nach Paris zu kommen. Man lädt ihn ein, das neuartige Flugzeug für Frankreich zu entwickeln. In dem Moment wird Doblhoff auch von allen anderen entdeckt. Die Briten kommen und wollen ihn haben. Und nun doch auch die Amerikaner. Doblhoff: „Sie alle haben Teams geschickt, um mit mir zu verhandeln. Das amerikanische Angebot habe ich dann angenommen und bin mit einem Anstellungsvertrag

„Wo ist Ihr Hubschrauber?" fragten die Amerikaner den Flugzeugingenieur Doblhoff, als sie ihn in Zell am See ausfindig gemacht hatten. Und Doblhoff führte ihnen seinen Hubschrauber vor: Den einzigen seiner Art in der ganzen Welt. An den Enden der Rotoren waren kleine Düsenstrahlwerke angebracht (links oben). Sie trieben den Rotor an und brachten das Fluggerät zum Schweben. Diese Bildfolge zeigt Doblhoff bei der Demonstration seines Düsenhubschraubers auf einer Wiese bei Zell am See. Die Amerikaner luden den Hubschrauber auf einen Lastenschlepper und fuhren mit ihm davon. Monate später erhielt Doblhoff das Angebot, seine Erfindung für die US-Luftwaffe in den USA weiterzuentwickeln.

der amerikanischen Luftwaffe hinüber. Habe dort meinen Hubschrauber wiedergefunden und wieder zusammengesetzt, und er ist dann dort in die Erprobung gegangen."

Doblhoff war mir zum Zeitpunkt dieses Interviews kein Unbekannter. Vor vielen Jahren war ich mit einer Gruppe österreichischer Journalisten in St. Louis im US-Staat Missouri bei einer Party eingeladen, bei der wir dem früheren österreichischen Bundeskanzler und damaligen Professor an der Universität von St. Louis, Kurt Schuschnigg, begegneten. Er machte uns darauf aufmerksam, daß noch ein anderer Österreicher und dessen Frau anwesend seien, ein Flugzeugbauer namens Doblhoff. Ich fragte Doblhoff damals, welche Art von Flugzeugen er baue. Er beschrieb sie mir: Hubschrauber, deren Rotoren mit Düsen angetrieben werden. Für mich schien das klar: Das waren die fliegenden Untertassen, von denen damals alle redeten. Doblhoff lachte schon damals, und er lacht auch heute noch: Das waren sie nicht. Obwohl Doblhoffs düsengetriebene Rotoren die volle Einsatzreife erreichten und im Betrieb tatsächlich wie flammende Scheiben aussahen. Doblhoffs Hubschrauber-Konzeption setzte sich letztlich nicht durch; Doblhoff selbst verfolgte schon bald andere Konzepte.

Doch zurück zu den „Wunderwaffen", auf die die Alliierten 1945 in der „Alpenfestung" stoßen. Auf einem Testgelände am Loferboden finden die Amerikaner die Reste anderer deutscher Waffenentwicklungen, und auch an diesen haben Österreicher führend mitgewirkt. Hier war Dr. Mario Zippermayer mit seinem Team am Werk: Er versuchte etwas zu entwickeln, was er eine „Volksflak" nannte, eine „einfache, aber wirksame Fliegerabwehr".

Raketen, die mit komprimiertem Kohlenstaub gefüllt waren. Sie sollten hochgeschossen und mit selbsttätigen Sensoren an einen feindlichen Flugzeugverband herangeführt werden. Inmitten des Verbandes sollte der Kohlenstaub freigesetzt und – wie die großen Explosionen in den Kohlengruben – als „schlagendes Wetter" zur Explosion gebracht werden. Ganze Flugzeugverbände wollte Zippermayer solcherart vom Himmel holen. In Berlin glaubte man an die Machbarkeit des Projekts. Kein Wunder, daß Zippermayers Erfindung in dem so stark vom Luftkrieg heimgesuchten Dritten Reich mit Vorrang vorangetrieben wurde.

Gerd Schilddorfer vom „Österreich II"-Team konnte feststellen, daß es Zippermayer bereits gelungen war, mehrere Testexplosionen seiner „schlagenden Wetter" durchzuführen und daß am Loferboden bereits Prototypen von Raketen lagen, die für den Einbau der entsprechenden Sensoren vorbereitet waren. Er fand auch Mitarbeiter von Dr. Zippermayer, die uns über die Versuche berichteten. Einer von ihnen erklärte sogar, eine der Raketen hätte die Einsatzreife erreicht und in der Nähe von Braunschweig einige amerikanische Flugzeuge zum Absturz gebracht.

Wunderwaffe „Unternehmen Bernhard"

Übrigens wird der erwähnte Toplitzsee in den Tagen des Zusammenbruchs der Alpenfestung zur Endstation einer ganz anderen Wunderwaffe des Dritten Reichs: Sie trägt den Decknamen „Unternehmen Bernhard" und sollte die Währungssysteme Englands und der USA zum Zusammenbruch bringen.

Vor der Marinestation am Toplitzsee tauchte in den ersten Maitagen 1945 eine Transportkolonne auf, bewacht von SS-Männern. Ida Weissenbacher, die in der Nähe der Marinestation wohnt, wird um 5 Uhr früh aus dem Bett geholt. Sie berichtet: „Ein SS-Mann und einer von der Marine sind gekommen. Ich muß sofort den Pferdwagen einspannen und zur Versuchsstation kommen. Wie wir runterkommen, sind da zwei Lastwagen und an die 15 SS-Männer, und die sagen, wir müssen die Kisten von den Lastwagen so schnell es geht zum Toplitzsee führen. Die Männer waren furchtbar nervös, und ich habe mir gar nicht denken können, warum sie so nervös sind. Schnell, schnell, hat es geheißen, fahrts, fahrts und raufladen und weiter, weiter. Da war einer dabei, der war so nervös, der hat ausg'schaut, als bricht schon die Welt hinter ihm zusammen. Und wahrscheinlich ist es eh so gewesen, weil es sind ja die Amerikaner hinter ihnen hergewesen. Wir durften nicht sehen, wo die Kisten hinkommen, aber ich hab gesehen, daß sie auf ein Floß geladen und in den See geschmissen wurden. Das ist so bis zehn Uhr vormittags gegangen, und dann hat es geheißen: Aus, und alle sind verschwunden, wie vom Erdboden verschluckt."

In den Kisten befinden sich raffinierteste Fälschungen englischer Pfundnoten, hergestellt von den besten Kupferstechern Europas, die die Gestapo als Häftlinge zu dieser Arbeit einsetzte. Millionen dieser Noten wurden vom deutschen Geheimdienst in aller Welt verbreitet, konnten die britische Währung jedoch nicht zerrütten. Der Rest versank im Toplitzsee.

Die Amerikaner dringen nun in die Alpentäler ein. In diese Täler haben sich Hunderttausende deutsche Soldaten zurückgezogen, aber auch Zehntausende Flüchtlinge. So kommt es auf allen Straßen zu einem gewaltigen Stau an Fahrzeugen, Soldaten und Flüchtlingen. Selbst wenn diese Armee noch kämpfen wollte, könnte sie sich nicht mehr formieren. Auch gibt es in den meisten Fällen keine Verbindungen mehr zwischen den Stäben und den Truppen. Die ineinander verkeilten Kolonnen werden von den

In den Tälern der Alpen treffen die Amerikaner immer wieder auf deutsche Truppenverbände, die ihnen die Kapitulation anbieten.

Eine der gefälschten Pfundnoten des „Unternehmens Bernhard".

Amerikanern eingeholt und nach und nach entwaffnet. Auf offenem Feld werden improvisierte Kriegsgefangenenlager errichtet. Dabei fehlt es an allem: Man lagert und man schläft unter offenem Himmel, denn es gibt weder Baracken noch Zelte. In vielen Fällen gibt es nicht einmal eine Feldküche. Und wo es eine gibt, fehlt es an Lebensmitteln. Die Bauernhäuser aber werden überlaufen von Flüchtlingen, viele mit Kindern und Kleinstkindern, die um einen Schluck Milch oder ein Stück Brot betteln. Nun bricht auch über das offene Land der Hunger herein.

Während auf den Landstraßen die deutschen Soldaten gefangengenommen werden, kapitulieren die Generäle in ihren Stabshauptquartieren und die in die Alpen geflohenen Größen des Dritten Reichs in den Schlössern und Hotels der Alpenkurorte. Noch gelten für sie bei den Amerikanern alle Regeln der Genfer Landkriegsordnung. Von einigen Ausnahmen abgesehen, werden die Gefangenen korrekt behandelt. Höhere Offiziere dürfen ihre Adjutanten und auch ihre Diener behalten. Sie behalten auch die Kommandogewalt über ihre eigenen Truppen. Generäle werden samt Gepäck von Salzburg aus in ein Generalslager nach Deutschland geflogen. Ganz Prominente werden von amerikanischen Generälen in die nun von der US-Armee beschlagnahmten Villen eingeladen, wo sie ihren Gegnern von gestern schildern sollen, was sie sich bei dieser oder jener Schlacht gedacht haben und welche Wirkung die eine oder andere amerikanische Maßnahme auf die Deutschen gehabt hat.

Die amerikanischen Kriegsberichterstatter haben ein reiches Betätigungsfeld: Sie filmen und fotografieren diese Zusammenkünfte zwischen ihren Generälen und den Deutschen. Für den Augenblick scheint es ihnen reizvoll, den „Nazi-Feind" von gestern heute als Gefangenen dem Publikum daheim vorführen zu können.

Zu den prominenten Militärs, die sich den Amerikanern in Österreich ergeben, gehört der Oberbefehlshaber der gesamten Südfront, Generalfeldmarschall Albert Kesselring, der die deutschen Truppen im Kampf gegen Amerikaner und Briten bereits seit deren Landung in Sizilien und Süditalien befehligte. Kesselring wird zunächst als Edelgefangener behandelt, darf seinen Marschallstab behalten und seine persönliche Ordonnanz, und sein Reisegepäck wird ihm von einem amerikanischen Kommandowagen nachgebracht. Als Begleitoffizier wird Kesselring ein junger amerikanischer General beigegeben, Maxwell Taylor. Taylor wird später einmal Chef des amerikanischen Generalstabs werden.

Hermann Göring ergibt sich

Dem prominentesten Vertreter des Dritten Reichs begegnen die Amerikaner auf der Straße. Zwischen Wehrmachtskolonnen und Flüchtlingen versucht sich Hermann Göring einen Weg nach dem

Westen zu bahnen – zu den Amerikanern. Hitler ist tot, und Göring glaubt, daß er in einem persönlichen Gespräch mit General Eisenhower noch „ehrenvolle Bedingungen" für eine Kapitulation Deutschlands erhalten könne. Die Amerikaner suchen Göring bereits, jedoch nicht, um mit ihm zu verhandeln. Er steht unmittelbar hinter Hitler auf ihrer Fahndungsliste. Göring ist einer der ältesten Gefährten Adolf Hitlers, er hat wesentlich zur Machtergreifung des Nationalsozialismus beigetragen, er war die treibende Kraft bei der Annexion Österreichs, er kommandierte die deutsche Luftwaffe und war als Beauftragter für den Vierjahresplan für die Aufrüstung in Deutschland mitverantwortlich. Adolf Hitler hatte auch bestimmt, daß im Falle seiner „Verhinderung" oder seines Todes Hermann Göring sein Vertreter oder Nachfolger zu sein habe, und zwar in sämtlichen Funktionen des Reichs und der Partei. An dieser Regelung änderte Hitler auch nichts, als Göring entgegen seinen Versicherungen den Widerstand Englands mit der Luftwaffe nicht brechen konnte und später auch nicht in der Lage war, das Reichsgebiet gegen die Bombenangriffe der Alliierten zu verteidigen. In der allerletzten Phase des Kriegs kam es allerdings zu einem schweren Konflikt zwischen Hitler und Göring. Während Hitler im Bunker der Reichskanzlei in Berlin zurückblieb, begab sich Göring zunächst nach Berchtesgaden auf den Obersalzberg, wo er gleich neben Hitlers Berghof seinen eigenen Gutshof besaß. Als Berlin von den Sowjettruppen eingeschlossen wird, sendet Göring ein Fernschreiben an den Führerbunker, in dem er erklärt, er nehme an, daß Adolf Hitler nicht mehr handlungsfähig sei. Sollte er bis zum selben Abend nichts Gegenteiliges aus dem Führerbunker hören, so würde er, so wie es Hitler bestimmt habe, die Führung des Reichs und der Streitkräfte übernehmen. Göring will versuchen, bei den Westalliierten eine „ehrenvolle Kapitulation" zu erreichen. So grotesk das auch erscheint – aber das ist genau der Moment, auf den der Leiter der Parteikanzlei, Martin Bormann, ein Intimfeind von Göring, gewartet hat. Bormann befindet sich bei Hitler im Berliner Bunker und setzt nun durch, daß Hitler Göring als Verräter brandmarkt und ihn aller seiner Ämter für verlustig erklärt.

Das geschieht am 23. April 1945. Bormann beauftragt eine SS-Abteilung in Berchtesgaden per Fernschreiber, Göring und dessen Familie sofort unter Hausarrest zu stellen. Und kurz darauf erhält diese SS-Wache den Befehl Bormanns: „Sollte Berlin fallen und wir mit der Hauptstadt untergehen, dann müssen die Verräter des 23. April liquidiert werden. Männer tut Eure Pflicht! Euer Leben und Eure Ehre stehen auf dem Spiel!" Aber als das Telegramm eintrifft, hat die Royal Air Force gerade einen Zielangriff auf den Berghof Hitlers durchgeführt und dabei nicht nur den Berghof, sondern auch Görings Haus in Trümmer gelegt. Die Familie Göring und die SS-Wachen überlebten den Angriff, denn sie hatten sich alle gemeinsam in den sicheren Luftschutzstollen geflüchtet. Als sie aus dem Stollen treten, weiß nicht nur Göring, da weiß auch die SS-Wache, daß in Wirklichkeit alles aus ist. Als Göring nun vorschlägt, die zerstörte Stätte zu verlassen und sich in das Schloß Mauterndorf nach Salzburg zu begeben, sind die SS-Männer sofort zur Abreise bereit. Das Schloß Mauterndorf ist Göringscher Besitz. Es gehörte einst dem jüdischen Baron Eppenstein, der es der Familie Göring vermacht hatte, da er Gast und Freund der Eltern Görings war. Görings Vater war deutscher Generalgouverneur in Südwestafrika und hatte Eppenstein dort freundschaftlich aufgenommen. In Schloß Mauterndorf nun erfahren Göring und seine SS-Bewacher am 1. Mai, daß Hitler tot ist. Die SS hebt die Bewachung auf, und damit gewinnt Göring seine Handlungsfreiheit zurück. Er verlegt

Hermann Göring ergibt sich dem amerikanischen General Robert Stack mit weißer Armbinde an seiner Marschallsuniform in Tirol und wird von den Amerikanern zu einem Abendessen mit Champagner eingeladen. Vor amerikanischen Kriegsberichterstattern gibt Göring danach eine Pressekonferenz. Als General Eisenhower davon hört, ordnet er an, daß Göring Pistole, Koppelzeug, Orden und Marschallstab abgenommen werden und der frühere Reichsmarschall zunächst in das amerikanische Hauptquartier nach Augsburg zu überstellen sei (rechte Seite). Links oben: Generalfeldmarschall Albert Kesselring nach seiner Gefangennahme in Tirol. Darunter: Generalleutnant Adolf Galland, Träger der höchsten deutschen Auszeichnung, den Brillanten zum Ritterkreuz mit Eichenlaub und Schwertern, erklärt – nach seiner Gefangennahme in Salzburg –, wie seine Düsenjäger amerikanische Bomberverbände angegriffen haben.

sein Quartier nach Schloß Fischhorn in Bruck bei Zell am See. Und von dort aus versucht er, die amerikanischen Linien zu erreichen, noch immer in der Hoffnung, er könnte bei General Eisenhower in einem persönlichen Gespräch die „ehrenhafte Kapitulation" erreichen. Inzwischen waren die Amerikaner in Schloß Fischhorn, hören, daß Göring abgereist ist, fahren ihm nach und finden ihn auf den verstopften Straßen. Die Amerikaner und Göring sind darüber erfreut. Die Amerikaner, weil sie den Gesuchten haben, Göring, weil er den gesuchten Kontakt nun zu haben glaubt. Noch am Abend kommt es zu einer Begegnung Görings mit dem amerikanischen General Robert Stack. Dieser begrüßt ihn mit Handschlag, was Görings Optimismus wesentlich steigert. Am folgenden Tag wird Göring in das Stabsquartier der 7. US-Armee nach Kitzbühel gebracht. Göring trägt seine Uniform als Reichsmarschall, hat den Pour le mérite aus dem Ersten Weltkrieg und das Großkreuz zum Ritterkreuz mit Eichenlaub, Schwertern und Brillanten – die einzige Auszeichnung dieser Art, die Hitler je verliehen hat, niemand sonst besaß ein Großkreuz – angelegt, trägt seinen vergoldeten Marschallstab, aber hat, den alliierten Bestimmungen folgend, eine weiße Armbinde angelegt. Im US-Hauptquartier in Kitzbühel wird Göring vom amerikanischen Fliegergeneral Carl M. Spaatz und einer Reihe anderer hoher Offiziere empfangen. Sie zeigen sich mit ihrem prominenten Besucher der großen Schar der alliierten Kriegsberichterstatter, diese filmen, fotografieren und berichten von der Begegnung in alle Welt. Wir haben die damals aufgenommenen Filme genau betrachtet. Sie lassen nicht den Schluß zu, daß Göring von den Amerikanern als Kriegsgefangener behandelt worden wäre: Unangefochten trägt er seine Pistole, grüßt mit dem Marschallstab, und die Amerikaner reichen ihm reihum die Hand. Danach gab es ein erlesenes Abendessen, und zum Schluß wurde Champagner serviert.

Von all diesen Vorgängen erfährt nun General Eisenhower und gibt geharnischte Befehle: Hermann Göring sei sofort zu entwaffnen und als gewöhnlicher Gefangener zu betrachten. Auch sei er sofort in das amerikanische Hauptquartier nach Augsburg zu überstellen. Auch das wurde gefilmt und blieb so der Nachwelt als Dokument erhalten: Wie der durch den Empfang in Kitzbühel so optimistisch gestimmte Göring am nächsten Morgen abgeführt wird und in einer kleinen Kammer alles abgeben muß: Pistole, Koppelzeug, Orden und Marschallstab.

Bald darauf wird Göring in das Gefängnis von Nürnberg eingeliefert, und im ersten Kriegsverbrecherprozeß ist er als höchstrangiger überlebender NS-Führer auch Hauptangeklagter. Er wird zum Tod verurteilt, begeht aber vor Vollstreckung des Urteils in seiner Zelle Selbstmord.

Doch wir haben damit den Ereignissen vorgegriffen. Denn der Krieg im österreichischen Raum ist noch nicht zu Ende. Die Kapitulation der deutschen Truppen wird am 8. Mai erfolgen, und an den meisten Fronten werden die Waffen daraufhin ruhen. In Österreich aber kommt es in den Tagen zwischen dem 5. und dem 12. Mai zu dramatischen Entwicklungen, sowohl für die in diesem Raum befindlichen Soldaten als auch für einen guten Teil der Zivilbevölkerung. Bevor wir auf diese letzte Phase des Zusammenbruchs des Dritten Reichs auf österreichischem Boden eingehen, müssen wir noch einen Blick auf weitere zwei Gebiete dieses Raums werfen: auf Vorarlberg, in das zeitlich parallel zu den Amerikanern französische Truppen einmarschieren, sowie auf Kärnten und die Steiermark, auf die sich gleich drei verschiedene Fronten zubewegen, die sowjetische vom Osten, die britische vom Süden und eine jugoslawisch-bulgarische aus dem Südosten.

DER WETTLAUF DER ARMEEN

Als die alliierten Armeen in den letzten Kriegstagen in Deutschland aufeinander zurollten, da wußten ihre Befehlshaber schon, wo die künftigen Demarkationslinien zwischen den Westalliierten und den Sowjets verlaufen würden. Diese Demarkationslinien in Deutschland wurden vom amerikanischen Präsidenten Roosevelt, dem Sowjetführer Stalin und dem britischen Premierminister Churchill bei ihrer letzten gemeinsamen Konferenz in Jalta, im Februar 1945, bestätigt. Aber sie kamen nicht mehr dazu, auch die Frage zu besprechen, in welcher Form man Österreich besetzen wollte. Darüber sollte sich eine Kommission einigen, die seit geraumer Zeit in London tagte, die „European Advisory Commission", EAC, die auch die Vorschläge für die Zonenaufteilung in Deutschland erstellt hatte. In der Kommission saßen Amerikaner, Briten, Sowjets und auch die Franzosen. Deutschland war für diese Kommission das vordringliche Problem, Österreich lief nebenher mit. Und so war auch bis zum Mai 1945 in der Kommission keine endgültige Entscheidung bezüglich der Besatzungszonen in Österreich gefallen. Nur eines war klar: Der Osten Österreichs würde gewiß von den Sowjets, der Westen von den westlichen Alliierten zu besetzen sein. Die Briten hatten darüber hinaus darauf bestanden, daß Kärnten und möglichst auch das südliche Burgenland in ihre Zone fallen müßten, denn es lag den Briten viel daran, die Adria gegenüber den Sowjets abzuschirmen. Man hatte einige Aufteilungsmodelle durchdiskutiert, aber sich noch auf keines davon geeinigt. Darüber wird später noch zu berichten sein, denn diese Modelle zeigen den sich verändernden Stellenwert, den Österreich für die einzelnen alliierten Mächte eingenommen hat.

An eine Beteiligung Frankreichs an der Besetzung Österreichs war ursprünglich nicht gedacht. Die Franzosen waren ja auch an keiner der Gipfelkonferenzen während des Krieges oder in der unmittelbaren Nachkriegszeit beteiligt. Die großen Entscheidungen wurden von den USA, der Sowjetunion und von Großbritannien gefällt. Frankreich wurde davon nur verständigt so wie andere kleinere Verbündete der Alliierten auch. Aber mit der Befreiung Frankreichs durch die Alliierten und der Rückkehr de Gaulles nach Paris konnte Frankreich sein Gewicht wieder mehr zum Tragen bringen, militärisch und politisch. Denn während das französische Militär bis dahin nur innerhalb der westalliierten Verbände operiert hatte, konnte die Regierung de Gaulle – der General war auch der erste Ministerpräsident des befreiten Frankreichs – nun in Frankreich selbst wieder eine neue, relativ starke Armee ausheben. Die Regierung konnte wieder souverän auftreten und daher auch Ansprüche für die Zeit nach dem Krieg anmelden. Zum Anspruch auf Gleichberechtigung gehören auch eigene Besatzungszonen in Deutschland und in Österreich. Doch eines wußten die Franzosen auch: Um einen solchen Anspruch zu rechtfertigen und von den eigenen Verbündeten künftig ernst genommen zu werden, mußte dieses neue Frankreich noch einen beachtenswerten Beitrag zum Sieg der Alliierten leisten. Die Franzosen waren also sehr darauf bedacht, in Deutschland, aber auch in Österreich militärische Siege zu erringen und möglichst viel Territorium aus eigener Kraft zu erobern.

Truppen der „Marokkaner-Division" ziehen entlang des Bodensees in Bregenz ein. Mit ihren Maultieren sind sie für den Einsatz im Gebirge ausgerüstet und sollen in Eilmärschen gegen den Arlberg vorstoßen (oben). Im letzten Moment noch wird Bregenz von Flugzeugen und mit Artillerie angegriffen, und viele Häuser werden ein Raub der Flammen (links unten).

So war für die Franzosen der rasche Vorstoß der Amerikaner in den süddeutschen Raum und nach Österreich eine große Herausforderung. Bestand doch die „Gefahr", daß für die französischen Truppen zum Siegen und Besetzen wenig übrigbleiben könnte. Den französischen Truppen in Deutschland wurde befohlen, so rasch wie möglich nach Süden einzuschwenken und in Eilmärschen Vorarlberg und Tirol zu erreichen.

Während Amerikaner und Briten den französischen Operationen wenig Beachtung schenkten, zeigten sich die Briten durch die Operationen einer anderen Armee äußerst beunruhigt: Der jugoslawische Maschall Tito tat nämlich ähnliches wie die Franzosen; um seine künftigen Ansprüche sicherzustellen, befahl er seiner Partisanenarmee ebenfalls, in Eilmärschen in zwei Richtungen vorzustoßen – nach Istrien und Triest sowie nach Kärnten. Das aber war genau der Raum, den die Briten und den insbesondere der britische Premierminister Winston Churchill strategisch und geopolitisch als entscheidend für die Zukunft Italiens und damit des gesamten Mittelmeerraums hielten. Im übrigen auch entscheidend für die künftige Position des Westens in Österreich und eventuell sogar im gesamten Donauraum. Denn als Seemacht, die Großbritannien damals noch unbestritten war, war die nördliche Adria mit ihrem Hafen Triest die absolute Voraussetzung für die Aufrechterhaltung einer militärischen und damit politischen Präsenz des Westens in diesem Raum.

Die Sowjetunion, die um diese Zeit schon wußte, daß es auch in Österreich bezüglich der Besatzungszonen zu einer ähnlichen Aufteilung kommen werde wie in Deutschland und daher jeder weitere Vormarsch der Roten Armee nur unnütze Opfer kosten würde, hatte ihre Offensive in Österreich nach der Eroberung Wiens eingestellt. Von 15. April bis 8. Mai blieb die sowjetische Front, die vom Waldviertel bis in die Oststeiermark verlief, stehen. Während die Sowjetarmee also im Stellungskrieg verharrte, lieferten alle anderen Armeen einander einen regelrechten Wettlauf nach Österreich. Es ging um die rasche Eroberung von Faustpfändern, die man zur Durchsetzung seiner Interessen nach dem Krieg sicherstellen wollte. Dieser Wettlauf der Armeen erfolgte simultan. Er läßt sich jedoch leichter verfolgen, wenn wir die Operationen der Franzosen, der Briten und der Jugoslawen im einzelnen betrachten.

Ein Ultimatum an Bregenz

Am 28. April stehen französische Panzerspitzen vor der Bregenzer Klause. Sie haben Befehl, möglichst rasch zum Arlberg und über den Paß nach Tirol vorzustoßen. Schon tags darauf halten sie für die Geschichte fest, daß die 1. Französische Armee am 29. April den Boden Österreichs betreten hat. Auch die Franzosen kommen, so wie die Sowjets, mit einem politischen Konzept nach Österreich. Die Sowjets verkündeten gleich nach Überschreiten der österreichischen Grenze, daß sie nicht als Eroberer, sondern als Befreier kämen. Die Franzosen gehen einen Schritt weiter: Auf den ersten Plakaten, die sie affichieren, heißt es wörtlich: „Hier ist Österreich, ein befreundetes Land." Das wird vor allem den eigenen Truppen mitgeteilt. Es ist ja bekannt, mit welch strengen Befehlen sich die Amerikaner in Österreich einführten, weil sie den Unterschied zwischen dem „Feindesland Deutschland" und Österreich, ob nun befreit oder befreundet, zunächst nicht machten.

Die ersten Plakate der Franzosen sind auch folgerichtig nur in französischer Sprache gehalten – „ihr betretet jetzt ein befreundetes Land, und dementsprechend habt ihr euch zu verhalten". Daß sich dann nicht alle Soldaten an diese Aufforderung gehalten haben, ist eine andere Sache. Sie treffen auch beim Betreten dieses befreundeten Landes Österreich noch auf unerwartet heftigen Widerstand. Denn an der Bregenzer Klause haben sich deutsche Verbände verschanzt und folgen am 29. und 30. April noch dem Befehl ihres obersten Befehlshabers Adolf Hitler, jeden Fußbreit Bodens zu verteidigen.

Die Franzosen sind betroffen. Und sie stellen ein Ultimatum: Das Feuer an der Klause ist einzustellen, oder aber die französische Luftwaffe und Artillerie werden Bregenz dem Erdboden gleichmachen. Zum Stab der Franzosen gehört Maurice Blondel, zuständig für Aufklärung und Sicherheit. Blondel ist Elsässer, spricht perfekt Deutsch und ist bei den Verhandlungen dabei, die nun mit verschiedenen Gruppen geführt werden. Maurice Blondel schildert uns die damalige Lage so: „Ende April 1945 war ich der 5. Panzerdivision als Nachrichtenoffizier zugeteilt. Am 28. April stieß eine Kampfgruppe dieser Division, unterstützt von einer Abteilung der Fremdenlegion und von der Marokkaner-Division, in Hohenweiler über die Grenze. Am 29. April wurde ein Versuch gemacht, durchzubrechen. Es war nicht möglich, weil die Klause, die Bregenz von Lochau trennt, an der jetzigen Bundesstraße 1, vermint war und durch Panzerabwehrkanonen verteidigt wurde. Dann kamen österreichische Widerstandskämpfer zu uns durch die Linien geschlichen, über Nebenwege, mit dem dringenden Ersuchen, Bregenz nicht zu beschießen. Man wolle verhandeln. Diese Verhandlungen liefen dann die ganze Nacht vom 29. auf den 30. und vom 30. April auf den 1. Mai."

In diese Verhandlungen einbezogen ist Georg Poschacher, der Standortarzt in Bregenz. Bregenz ist Lazarettstadt. Seit Monaten werden die Verwundeten aus den frontnahen Gebieten nach Vorarlberg und vor allem nach Bregenz evakuiert. Ein Kampf um Bregenz würde die Versorgung dieser Verwundeten unmöglich machen und sowohl sie als auch die Zivilbevölkerung schwerstens gefährden. Poschacher bittet zuerst das deutsche und danach auch das französische Oberkommando um Schonung der Stadt. Poschacher wendet sich an den Schweizer Konsul in Bregenz, Karl Bitz, und bittet ihn zu vermitteln. Bitz tritt dafür ein, Bregenz und Feldkirch über das Internationale Rote Kreuz zu offenen Städten erklären zu lassen. Dabei finden sie im deutschen Oberbefehlshaber für Tirol und Vorarlberg, General Valentin Feurstein, einen willigen

Maurice Blondel: Bregenz leider beschädigt.

Mit Sinn für Geschichte und für Politik überschreiten Frankreichs Truppen die österreichische Grenze. Für die Geschichte halten sie fest, daß die 1. französische Armee am 29. April 1945 österreichischen Boden betreten hat, und ihre Politik gegenüber Österreich dokumentieren sie mit dem Plakat: „Hier ist Österreich – ein befreundetes Land" (oben). Als einer der ersten zieht General Emile-Marie Béthouart, der spätere französische Hochkommissar in Österreich, in Bregenz ein (links oben).

Verbündeten. Als General Feurstein jedoch meldet, daß er Bregenz kampflos übergeben will, wird er vom immer noch funktionierenden deutschen Oberkommando seines Postens enthoben; Feursteins Nachfolger aber lehnt Übergabeverhandlungen ab. Konsul Bitz, der die Einwilligung Feursteins zur kampflosen Übergabe von Bregenz und Feldkirch über das Rote Kreuz bereits an die Alliierten gemeldet hatte, muß nun einen Widerruf tätigen: Bregenz werde verteidigt. Für Bregenz bahnt sich eine Katastrophe an.

Auch die mit den Franzosen verhandelnden Widerstandsgruppen sind gegenüber dieser Entscheidung des deutschen Militärs machtlos. Sie können den Franzosen keine Alternative anbieten. Aber sie alarmieren noch die Widerstandsgruppen in Bregenz selbst, und diese sind bemüht, den zu erwartenden Schaden zu begrenzen. Und dazu gehört ein kleines Husarenstück: Im Hafen von Bregenz liegen drei der schönsten Schiffe der Bodensee-Flotte. Das Flaggschiff „Ostmark" (das bald wieder „Austria" heißen wird) und zwei seiner Schwesterschiffe. Früher hatten sie Touristen über den Bodensee geführt, in den letzten Wochen holten sie Truppen und Verwundete von der zusammenbrechenden Front in Deutschland über den See nach Vorarlberg. Die Schiffe sind nun in Gefahr. Die ARLZ-Befehle gelten auch für Vorarlberg, und nach diesen Befehlen müßten auch die Schiffe gesprengt werden, um nicht „in die Hand des Feindes zu fallen". Auch könnten die Schiffe bei den Kampfhandlungen versenkt werden, wenn die Franzosen ihr Ultimatum wahrmachen und Bregenz bombardieren. So beschließen einige beherzte Männer, die Schiffe zu entführen und in die Schweiz in Sicherheit zu bringen.

Viktor Baldauf war einer von ihnen: „Um 12 Uhr in der Nacht sind wir in den Hafen runter, haben eine weiße Flagge vorne auf das Schiff getan, haben zwei Schiffe angehängt und ein Motorboot und sind losgefahren." Im Schutz der Dunkelheit dampfen die Schiffe hinüber zum Schweizer Ufer. Die Schweizer waren von Leuten des österreichischen Widerstands von der Möglichkeit einer solchen Aktion verständigt worden. Sie hatten sich bereit erklärt, die Schiffe in Empfang zu nehmen. Aber die Schweiz war nicht

bereit, die österreichische Besatzung auf den Schiffen mit aufzunehmen. Die Bedingung war, daß die Besatzung nach Ablieferung der Schiffe das Schweizer Gebiet sofort wieder zu verlassen habe. Das wußte die Besatzung und nahm daher ein Motorboot mit, mit dem sie noch im Schutz der Dunkelheit nach Bregenz zurückkehren wollte.

Viktor Baldauf berichtet: „Wir mußten wieder zurückfahren, weil die Schweizer es angeordnet haben, wir durften in der Schweiz nicht an Land. So sind wir wieder zurückgefahren, in der Früh; es war schon langsam hell geworden, als wir nach Bregenz gekommen sind. Und da sind die Franzosen schon über uns hergeflogen und haben auf Bregenz heruntergeschossen. Auch Bomben sind gefallen. Aber da waren eben die Schiffe schon in Sicherheit, sonst wären sie vielleicht versenkt worden."

Bregenz wird bombardiert

Maurice Blondel berichtet von der französischen Seite: „Die Verhandlungen mit den Widerstandsgruppen gingen am 1. Mai um 3 Uhr früh zu Ende. Dann war es nicht mehr möglich, die Offensive aufzuhalten. Es wurde die Artillerie eingesetzt, dann die Luftwaffe. Und Begrenz wurde leider beschädigt." Französische Tiefflieger eröffnen den Angriff. Zuerst beschießen sie die Bregenzerwaldbahn, dann richten sie ihr Feuer gegen die Dächer der Stadt. Der vermutete deutsche Nachschub soll unterbunden werden. Aber es sind Zivilisten, die bei diesen Angriffen verwundet und getötet werden. Bregenz wird schwer getroffen. Die Dachstühle der Häuser geraten in Brand, mehrere Straßenzüge gehen in Flammen auf. Die Feuerwehrleute sind beim Volkssturm, in der Stadt gibt es fast keine Männer mehr. So sind es die Frauen, die nun die Feuer bekämpfen und aus den brennenden Häusern einen letzten Rest von Habe zu retten versuchen.

Bregenz, das bisher vom Krieg verschont gewesen war, erleidet durch das französische Bombardement schwere Schäden (oben). Während die französischen Geschoße in Bregenz viele Brände hervorrufen (Mitte), gelingt es, drei Schiffe der Bodensee-Flottille an das Schweizer Ufer zu bringen (darunter).

Den Fliegerangriffen folgt schwerer Artilleriebeschuß. Mehrere Stunden lang liegt Bregenz im Feuer der Granaten. Ungeachtet dessen gehen die Lösch- und Rettungsversuche weiter. Und die Bevölkerung gibt, soweit sie das kann, ihrer Forderung Ausdruck, die Kämpfe unverzüglich einzustellen. Unaufgefordert werden an den Häusern weiße Fahnen gehißt und dazwischen auch schon einige seit längerem vorbereitete rotweißrote Fahnen entrollt.

Die Franzosen kämpfen den deutschen Widerstand an der Bregenzer Klause rasch nieder. Der Bürgermeister entsendet einen Parlamentarier, Georg Hämmerle, zu den Franzosen. Er wolle die Stadt kampflos übergeben. Nun rücken die Franzosen in Bregenz

Der französische Oberbefehlshaber General Lattre de Tassigny übernimmt vom provisorischen Bregenzer Bürgermeister Stephan Kohler formell den Schlüssel der Stadt (oben). Von nun an liegt alle Gewalt in den Händen der Besatzungsmacht.

ein. Sie kommen in eine brennende Stadt. Widerstand wird nirgendwo mehr geleistet. In den Straßen begegnen den Franzosen nur Zivilisten, die verzweifelt versuchen, die geretteten Reste ihrer Habe in Sicherheit zu bringen und die immer noch nicht begreifen können, was da in den letzten Stunden über sie hereingebrochen ist.

Nach den Kampftruppen zieht entlang des Seeufers der französische Troß in langen Maultierkolonnen in die Stadt. Augenzeugen haben uns berichtet, wie ungewöhnlich dieser Anblick war, und wir konnten ihn auch anhand einiger Fotografien nachempfinden: Es handelte sich um marokkanische Verbände, die damals noch Teil der französischen Armee waren. Bald tauschen sie den Stahlhelm mit dem Turban. So marschierten turbanbedeckte Marokkaner mit ihren Maultieren in ein leicht erstauntes Bregenz ein. Es ist die Marokkaner-Division, die in Vorarlberg die Hauptbürde des Kampfes trägt, soweit es ihn noch geben wird, und die später auch das Hauptkontingent der Besatzungstruppen stellt. Die deutschen Verbände, die an der Klause Widerstand geleistet haben, ziehen sich nun relativ rasch in Richtung Arlberg zurück. Dadurch ergibt sich für die Zivilbevölkerung eine kurze Spanne Zeit, in der es die deutsche Autorität nicht mehr und die französische noch nicht gibt.

Die Bevölkerung nützt diese Zeitspanne auch in Vorarlberg, um, wo immer das möglich ist, ihre kargen Lebensmittelvorräte aufzufüllen – sie plündert. Und doch gibt es, wie nicht anders zu erwarten, in Vorarlberg eine andere Einstellung zu diesem Vorgang. Grete Schweighofer erzählt, wie das bei ihr daheim in Dornbirn vor sich gegangen ist: „Da hat ein Kind gesagt, in der Molkerei gibt es noch alles, und man könnte das von dort holen. Die Mama hat gesagt, die Schwester ist schon oben, geh schnell. Da

Viktor Baldauf: Schiffe in Sicherheit.

227

bin ich hinauf, und da ist mir die Schwester schon entgegengekommen mit einem großen Rad Käse. Das war wirklich einen Meter hoch. Also los, wir das Rad geschoben. Dann ging es abwärts, und da ist uns der Käse umgefallen. Wir haben ihn wieder aufgestellt – zu zweit, und dann ging es die Straße runter mit dem Rad. Dann, mei, alle Kinder, alle Nachbarn! Nachmittag ist dann der Einmarsch gewesen. Wir haben in den Luftschutzkeller müssen, und die Mama hat ein Leintuch zerrissen, und wir haben Fahnen gemacht, weiße Fahnen. Auf einmal haben wir die Panzer rollen gehört, gar nicht weit weg. Wir haben mit den Fahnen gewunken, und da kamen schon die Franzosen mit den Gewehren, haben sie gegen uns gerichtet: ‚Soldaten hier?' – ‚Nein', haben wir gesagt. ‚Du tot, wenn welche hier sind.' – ‚Nein, nein, sicher nicht, keine.' Wir waren alle voller Angst. Aber dann sind sie wieder weggegangen. Und am Nachmittag mußten wir den Käse wieder zurückbringen. Weil es geheißen hat – unter Todesstrafe, wer das nicht zurückbringt, wird erschossen. Und so haben meine Schwester und ich den Käse halt wieder hinaufgerollt." Plünderungsverbote gehören in allen Zonen Österreichs zu den allerersten Maßnahmen der neuen Behörden. Aber von Rückgaben haben wir nur in Vorarlberg gehört.

In das weißbeflaggte Bregenz zieht der Kommandierende General ein – Emile-Marie Béthouart. Er wird Frankreichs Hochkommissar für Österreich werden. Nun veröffentlicht die französische Militärregierung die bisher geheimgehaltenen Anweisungen für die Behandlung Österreichs. Die französischen Truppen werden angewiesen, eine Erklärung der französischen Regierung an das österreichische Volk zu verbreiten. In dieser Erklärung heißt es unter anderem: „Die französischen Truppen haben siegreich das feindliche Gebiet durchquert. Sie erreichen heute österreichischen Boden. Zu dieser feierlichen Stunde erklärt die Regierung der Französischen Republik nochmals ihren Willen, an der Wiederherstellung der österreichischen Unabhängigkeit mitzuwirken. In dem Augenblick, in dem sich dieses Versprechen erfüllt, sendet Frankreich an die Bewohner Österreichs, an jene, die die Stunde der Befreiung beschleunigt haben, an jene, die erst morgen befreit sein werden, seine Grüße. Nicht als Eroberer, sondern als Befreier dringt der französische Soldat auf österreichischen Boden ein. Das österreichische Volk, endlich befreit von seinen Unterdrükkern, wird Nazismus und preußischen Geist aus der Verwaltung seines Landes verbannen. Es wird seine Freiheiten wiedererlangen durch die Wiederherstellung seiner Ordnung und seiner demokratischen Einrichtungen. Das österreichische Volk wird dabei Hilfe und Unterstützung durch die französische Befreiungsarmee finden."

Der Text der französischen Deklaration unterscheidet sich in einigen Punkten sehr bemerkenswert von den Proklamationen der anderen alliierten Mächte: Frankreich hat die Moskauer Deklaration über Österreich vom Oktober 1943 nicht mitbeschlossen. Dadurch kann es sich auf die zwei Kernsätze dieser Deklaration nicht berufen: Auf den Entschluß der alliierten Mächte, Österreichs Unabhängigkeit wiederherzustellen, und auf den Hinweis der alliierten Mächte, daß es eine Mitschuld Österreichs am Hitler-Krieg gibt, der sich Österreich nicht entziehen kann, und daß daher Österreichs Behandlung davon abhängig gemacht wird, wieviel es selbst zu seiner Befreiung beiträgt.

Der Text der französischen Proklamation weicht dem Inhalt dieser beiden Kernstücke der Moskauer Deklaration geschickt aus. Dafür betont Frankreich etwas, was die anderen alliierten Mächte aufgrund der Moskauer Deklaration nicht betonen können: seine

ARMEE FRANCAISE.   Bregenz, le 2. Mai 1945.

ORDRE.

Par Ordre du Colonel LECOQ Commandant d'Armes de Bregenz, Monsieur le Docteur KOHLER remplira dès réception du présent ordre les fonctions de Bourgmestre de la ville de Bregenz.

Toutes les Autorités Autrichiennes civiles, et de Police, de la ville se mettront immédiatement à sa disposition.

BEFEHL.

Auf Befehl des Oberst. Lecoq, Ortskommandant von Bregenz, wird Dr. Kohler bei Empfang des Gegenwärtigen das Amt des Bürgermeisters übernehmen. Alle zivilen Autoritäten, sowie die Polizei haben sich sofort dem neuen Bürgermeister zur Verfügung zu stellen.

Le Colonel LECOQ, Cdt. la Place
Militaire de Bregenz
P. O. le Chef d'Escadrons de Camy Gozon
Chef d'Etat Major P. I.

Die Franzosen setzen unmittelbar nach ihrem Einmarsch bereits Bürgermeister und Bezirkshauptleute ein. Besonders am Anfang betonen sie, daß sie als Freunde und Befreier nach Österreich gekommen seien.

Der Arlbergbahn-Tunnel ist gesprengt, die Paßstraße tief verschneit. Die deutschen Verbände lassen ihre Fahrzeuge stehen und setzen ihren Weg zu den Amerikanern zu Fuß fort. Die verlassenen Fahrzeugkolonnen verstopfen über viele Kilometer die Sraßen.

Grete Schweighofer: Den Käse gerollt.

Freundschaft zu Österreich. Frankreich wird zwar wegen seiner militärischen und wirtschaftlichen Schwäche nach dem Krieg, ähnlich wie Großbritannien, die Federführung in der Österreich-Politik weitgehend den Amerikanern überlassen, aber die Österreicher werden bei den Franzosen nicht erst lange um eine freundschaftliche Grundhaltung werben müssen.

Für die Bregenzer allerdings bringt diese Stunde der Befreiung noch die letzten schweren Zerstörungen ihrer Stadt. Das französische Bombardement hat nicht weniger als 80 Häuser in Trümmer gelegt. Dem französischen Oberbefehlshaber werden nun die Schlüssel der Stadt überreicht, und der schon bestellte französische Bezirksgouverneur setzt den Österreicher Stephan Kohler zum provisorischen Bürgermeister von Bregenz ein. So geht die Herrschaft des Dritten Reichs nun auch in Vorarlberg ihrem Ende zu. Die Franzosen stoßen über Dornbirn und Feldkirch in Richtung Arlberg vor.

Es geht um den Arlberg

In Tirol haben inzwischen die Amerikaner Landeck erreicht. Die sich vor den Franzosen zurückziehenden deutschen Verbände haben das Ziel, noch über den Arlberg nach Tirol zu kommen, um sich dort den Amerikanern zu ergeben. Die Überlegungen der deutschen Truppenführung sind verständlich: Deutschland hatte 1940 Frankreich besiegt. Vier Jahre lang standen die Deutschen als Besatzungstruppen in Frankreich, wurden von der französischen Résistance bekämpft und bekämpften ihrerseits die Résistance, und das oft mit sehr harten Mitteln. Die Franzosen werden daher einige offene Rechnungen gegenüber den Deutschen zu begleichen suchen.

Und nun begibt sich wieder einmal eine der kleinen Grotesken dieser letzten Kriegstage. Auf der Tiroler Seite des Arlbergs, in St. Anton, wird bekannt, daß die Franzosen im Anmarsch sind. Gleichzeitig hört man, daß die Amerikaner schon Landeck erreicht haben. St. Anton und die Gemeinden am Arlberg wollen nicht von den Franzosen, sondern von den Amerikanern besetzt werden, aus den gleichen Gründen, derentwegen sich die deutschen Soldaten von den Franzosen zu den Amerikanern absetzen. Während jedoch die Soldaten eine gute Chance haben, zu den Amerikanern durchzukommen, rechnet man sich in St. Anton aus, daß, wenn es so weitergeht, die Franzosen früher da sein werden als die Amerikaner. Es sei denn, man könnte sie an der Überwindung des Arlbergs hindern.

Albert Funder: Das Loch zubringen.

Die schnellste Verbindung ist natürlich der Tunnel durch den Arlberg. Erobern die Franzosen den Tunnel, sind sie sofort auf der Tiroler Seite. Ein Übersteigen des Arlbergs hingegen würde sich zweifellos lange hinziehen. Nun gibt es auch in St. Anton eine österreichische Widerstandsgruppe. Und diese wird nun tätig, jedoch nicht mehr gegen das Dritte Reich oder gegen die deutsche Wehrmacht, sondern ihr Ziel ist es, die französischen Truppen bei ihrem Vormarsch aufzuhalten. Die Widerstandsgruppe entschließt sich nunmehr, den Arlbergtunnel, das „Loch", wie sie sagen, zuzusprengen.

Albert Funder gehörte der Gruppe damals an und berichtet: „Wir haben dann gehört, daß die Marokkaner über das Klostertal heraufkommen. Und wir haben nicht gerade das Beste von denen gehört. Da haben wir gesagt, Teufel noch einmal, jetzt müssen wir schauen, daß wir das Loch zubringen." Auf der Tiroler Seite des Tunnels steht ein Zug. Die Widerstandsgruppe beschließt, diesen Zug in den Tunnel einfahren zu lassen. Albert Funder: „Wir haben

Raimund Hepberger: Hunderte Fahrzeuge.

bei einem Waggon auf jeder Innenseite vom Rad eine Kiste Munition angebunden mit 25 Kilo und mit zehn Zündschnüren. Der Bahnhofsvorstand war im Bilde, und der hat uns das Zeichen gegeben, wann wir anzünden können. Das war ja nicht leicht, weil es gab überall noch den Bahnschutz [deutsche Bahnpolizei]. Der Zug ist abgefahren, und dann nach 4 Kilometer hat die Explosion den letzten Waggon zerrissen und die Oberleitung auch. Und so war der Tunnel blockiert."

Der Arlbergtunnel ist unpassierbar, die Straße über den Arlberg tief verschneit. Zunächst einmal bleibt der gesamte deutsche Troß zwischen Klösterle und Langen auf der Strecke liegen. Die deutschen Soldaten lassen ihre gesamte Ausrüsung zurück und schlagen sich über den verschneiten Arlberg nach Tirol durch. Als die französischen Truppen in Langen eintreffen, stoßen sie auf keinen Widerstand mehr.

Raimund Hepberger, der auf dem Bahnhof von Langen arbeitete, war Zeuge des Abzugs der Deutschen und der Ankunft der Franzosen: „Die Deutschen haben sich, soweit es ging, Zivilkleider beschafft und die Uniformen weggeworfen. Der ganze Bahnhofsvorplatz, der Ladeplatz und die Rampen, alles war bis zu einem Meter hoch mit Kriegsmaterial voll – Helme, Gewehre, Uniformen. Und dann erst die Straße – da standen Hunderte von Fahrzeugen, zum Teil noch vollbeladen, auch mit Brennstoffen und Munition, Maschinen aller Art, Lastkraftwagen, Panzerwagen, Spähwagen, da war alles total verstopft. Das Material haben dann die Franzosen übernommen. Auch Plünderungen sind vorgekommen; die Einheimischen haben sich da auch noch so manches Stück geholt."

Vor dem Bahnhof türmte sich das Kriegsmaterial (rechts unten).

Der Marsch der Marokkaner

Die Franzosen bleiben am Arlberg stecken, aber sie geben den Wettlauf mit den Amerikanern nicht auf. Nur versuchen sie es jetzt von der anderen Seite: Eine Abteilung Marokkaner soll vom Kleinen Walsertal her quer über das Gebirge nach St. Anton marschieren. Da sich das Kleine Walsertal nach der deutschen Seite hin öffnet, hatte die Bevölkerung damit gerechnet, daß als erste alliierte Truppen die Amerikaner eintreffen würden. Aber der gesamte Frontabschnitt ist den Franzosen zugeteilt. So kommen auch von Bayern her Franzosen in das Kleine Walsertal. Dort hat eine Widerstandsgruppe, die sich als „Heimatschutz" bezeichnet, bereits die Macht übernommen. Es sind Zivilisten, verstärkt durch österreichische Gendarmeriebeamte und durch Österreicher aus der deutschen Wehrmacht. Die Gruppe ist gut bewaffnet, verfügt über Maschinenpistolen und Gewehre. Und sie hat sich auf die Ankunft der Alliierten vorbereitet, allerdings auf die Ankunft der Amerikaner. Als nun die ersten Marokkaner im Walsertal auftauchen, stoßen sie auf ein großes Spruchband mit englischer Aufschrift: „Here is Austria."

Gemäß ihren Weisungen behandeln die Franzosen die Österreicher als Freunde. Die Widerstandskämpfer dürfen die französischen Autos und sogar die Panzer besteigen und rücken nun mit den Franzosen in das Tal ein. Zum großen Teil sind sie in Zivil und tragen rotweißrote Armbinden. Zunächst dürfen sie sogar ihre Gewehre und Maschinenpistolen behalten. Diese gemeinsame Fahrt ist bemerkenswert, denn keine der anderen alliierten Armeen hat eine derartige Verbrüderung, auch mit Widerstandsgruppen, zugelassen.

Diese Harmonie im Kleinen Walsertal hält nicht lange an; bald führen auch die Franzosen ein strenges Regiment ein. Zunächst aber herrscht Befreiungsstimmung. Die Marokkaner richten sich darauf ein, in diesem Tal ohne Ausgang gemütlich das Kriegsende abzuwarten. Da erreicht sie eben jener Befehl, aufzubrechen und quer über das Gebirge nach St. Anton zu marschieren.

Wieder vertrauen sich die Franzosen den Leuten vom „Heimatschutz" an. Und so kommt es zu einer der kuriosesten militärischen Aktionen am Ende des Krieges in Österreich: Geführt von Österreichern, stapfen marokkanische Soldaten, den Turban auf dem Kopf, durch tiefen Schnee den Hochtannberg hinauf, um den Amerikanern bei der Besetzung von St. Anton zuvorzukommen.

Geführt von Österreichern machen sich die Marokkaner über den verschneiten Arlberg auf den Marsch nach St. Anton in Tirol, um den Amerikanern dort zuvorzukommen (links oben und rechts Mitte).

Im Kleinen Walsertal wurden die Franzosen von einer Widerstandstruppe, die sich „Heimatschutz" nannte, mit dem Transparent „Here is Austria" empfangen. Man hatte die Amerikaner erwartet, statt dessen kamen Marokkaner im Dienste Frankreichs (links). Die österreichischen Heimatschützer durften erstaunlicherweise ihre Waffen behalten, ja sogar auf den französischen Panzern aufsitzen und an der Besetzung des Walsertales teilnehmen (rechts unten).

Toni Marth: Da springt einer heraus.

Die Operation gelingt. Die Marokkaner treffen vor den Amerikanern in St. Anton ein. Die St. Antoner allerdings sind nicht sehr erbaut darüber, statt der erwarteten Amerikaner nun doch die Marokkaner als Besatzung zu erhalten. Noch dazu, da man sich mit der Sprengung des Arlbergtunnels soviel Mühe gemacht hatte.

Toni Marth berichtet von der Ankunft der Franzosen in St. Anton: „Die sind die Straße heruntergekommen. Bei unserem Haus war ein kleiner Aufgang, auf dem bin ich oben gestanden. Da sind die ersten Marokkaner gekommen, ziemlich alkoholisiert. Da schreit einer immer: ‚Nazi!' Ich hab sofort französisch zurückgegeben. Ich bin da allein gestanden, weil die Frauen sind alle verschwunden, wegen der Vergewaltigung, das war ja sehr gefährlich. Das Interessante an der Geschichte – ich war vier Jahre drüben in Frankreich als Skilehrer, 1938. Da springt auf einmal einer heraus aus der Gruppe Soldaten, ein Sergeantchef, das war so eine Gruppe von zirka 45, 50 Mann, und der schreit meinen Namen, springt her, ich geh hinunter, er umarmt mich, küßt mich ab. Das war ein Bub, mit dem ich Ski gelaufen bin, mit der ganzen Familie, in Morzine."

Mit den Marokkanern hat es seine eigene Bewandtnis. Sie sind durchaus diszipliniert, wenn sie unter Kommando stehen. Sie sind auch freundlich gegenüber der Bevölkerung, wenn sie nüchtern sind. Als Mohammedaner sollten sie keinen Alkohol zu sich nehmen und sind Alkohol daher nicht gewohnt. Wenn sie ihn dann doch trinken, werden sie rabiat. Es hat in Vorarlberg nicht sehr viele Zwischenfälle gegeben, aber es kam doch zu einer Reihe von Vergewaltigungen und auch zu einigen Totschlägen.

In Vorarlberg waren viele Menschen bestrebt, das bis dahin fast unversehrte Land vor größeren Kriegsschäden in letzter Minute zu bewahren. Der Bürgermeister von Bludenz, Max Troppmayer, setzte es durch, daß seine Stadt den Franzosen kampflos übergeben wird. Den Österreichern Gottfried Oettl und Otto Schubert gelingt es in Dornbirn, die beabsichtigte Sprengung des Rundfunksenders zu verhindern. Der Sender Dornbirn wird den Franzosen unbeschädigt übergeben. Und er wird von den Franzosen auch sofort in Betrieb gesetzt, allerdings zunächst als französischer Soldatensender.

Die Wiedereröffnung des Senders Dornbirn haben die Franzosen in Bild und Ton festgehalten, und wir fanden den entsprechenden Film im französischen Armeemuseum. Ein französischer Offizier steht vor dem Mikrofon und meldet sich in französischer Sprache: „Hier ist Radio Vorarlberg, ein Sender, der bisher unter

nationalsozialistischem Einfluß stand. Ab nun sendet er in französischer Sprache. Freunde der französischen Armee, hört zu! Hört das Programm, das für euch bestimmt ist."

Jedes gesprochene Wort ist französisch, aber jedes gesungene österreichisch. Denn zur Bestreitung ihres Programms engagieren die Franzosen eine Vorarlberger Gesangsgruppe, die nun für die „Freunde der französischen Armee" zünftige Vorarlberger Lieder vorträgt. Aufgefordert, diesem Programm zuzuhören, holen sich französische Soldaten allerdings die entsprechenden Radiogeräte auch von der Zivilbevölkerung. So konnte man damals in Dornbirn und Umgebung genau feststellen, ab wann Radio Vorarlberg in französischer Sprache zu senden begann. Sicherheitshalber wurde daraufhin die strenge Warnung vor Plünderungen von den Stadtkommandanten auch in französischer Sprache angeschlagen.

An der Grenze der Schweiz

Die Nähe der Schweizer Grenze spielte in Vorarlberg immer eine Rolle und in den letzten Kriegstagen naturgemäß eine besondere. An den beiden Grenzübergangsstellen in Feldkirch und in St. Margarethen versuchen noch viele tausend Menschen in die Schweiz zu gelangen: Politiker aus den bisherigen Satellitenstaaten des Dritten Reichs, Militärs der verschiedensten Armeen, Flüchtlinge aus halb Europa. Für sie alle scheint die Schweizer Fahne jenseits der Grenze die Rettung zu bedeuten. Die Schweizer haben den Massenansturm erwartet. Quer über die Straßen werden Stacheldrahtverhaue errichtet, dahinter zieht Schweizer Militär auf mit dem Gewehr im Anschlag. Wer hinüber will, muß seinen Fall genau begründen. Truppeneinheiten in geschlossener Formation dürfen übertreten, denn die Schweizer wissen, daß diese relativ bald den Alliierten übergeben werden können. Zivile Flüchtlinge kommen kaum noch durch.

Trotz dieser rigorosen Politik, die seither auch von Schweizer Seite kritisiert worden ist, machen die Schweizer Behörden in den Tagen drohender Kampfhandlungen eine bemerkenswerte Ausnahme: Sie bieten der im Grenzbereich wohnenden österreichischen Bevölkerung den vorübergehenden Übertritt auf Schweizer Boden an, sollte die Bevölkerung durch Kampfhandlungen unmittelbar bedroht werden. Für einen derartigen eventuellen Massenübertritt der Vorarlberger Grenzbevölkerung werden auf Schweizer Seite in vorbildlicher Weise große Barackenlager bereitgestellt. Da es entlang der Grenze jedoch kaum noch zu Kampfhandlungen kommt, wird von dem Schweizer Angebot fast nicht Gebrauch gemacht werden.

Die Schweizer rechnen sogar damit, daß bei Eintreffen der Alliierten die deutschen Truppen sich kämpfend auf Schweizer Boden zurückziehen werden. In diesem Fall sollen die deutschen Truppen unverzüglich entwaffnet werden. Und so ist hinter der Grenze ein Einsatzstab der Schweizer Armee an der Spitze starker Miliztruppen aufgezogen. Eingerichtet als Notlazarette und beladen mit Krankenwagen, fährt ein Zug um den anderen an der Grenze auf, damit man notfalls auch viele Verwundete aufnehmen und sofort abtransportieren kann. Auch zu diesem Massenübertritt kämpfender Truppen kommt es nicht.

Statt dessen haben die Schweizer Stäbe eine heikle politische Entscheidung zu fällen. Eines Tages stehen die Mitglieder jener französischen Vichy-Regierung an der Grenze, die mit Hitler kooperiert hatte. Sie sind über Deutschland nach Vorarlberg geflüchtet. In den Autos sitzen unter anderen der Chef der Vichy-Regierung, Marschall Philippe Pétain, und sein Ministerpräsident

Die Schweiz sperrt ihre Grenze. Über die Straße werden Stacheldrahtverhaue gezogen, dahinter zieht Schweizer Militär auf.

Einen einzigen politischen Flüchtling lassen die Schweizer bei St. Margarethen die Grenze passieren: den Chef der Vichy-Regierung Marschall Pétain in Begleitung seiner Frau. Wenig später wird Pétain von der Schweiz an das neue Frankreich ausgeliefert werden.

Die Schweizer halten für den Fall von Kampfhandlungen Notlazarette und Rotkreuz-Kolonnen bereit, um der Vorarlberger Zivilbevölkerung zu Hilfe eilen zu können. Ein Krisenstab dirigiert den Einsatz. Für die Vorarlberger Anrainer wäre die Grenze geöffnet worden.

Pierre Laval. Die Vichy-Franzosen ersuchen, auf Schweizer Gebiet übertreten zu dürfen. Die Schweizer lassen nur einen einzigen Wagen passieren, jenen des Marschalls Pétain. Gemeinsam mit seiner Frau wird ihm der Grenzübertritt bei St. Margarethen gestattet. Wenige Wochen später wird der Marschall an das neue Frankreich ausgeliefert und nach einem Hochverratsprozeß zu lebenslanger Festungshaft verurteilt werden.

Die Mitglieder seiner Regierung, denen der Übertritt in die Schweiz nicht erlaubt wurde, setzen nun die Flucht vor ihren in Vorarlberg eindringenden Landsleuten fort – in Richtung Südtirol, nach Bozen. Und auf dem dortigen deutschen Fliegerhorst wird der damalige Luftwaffenangehörige Hans Herzog Zeuge der dramatischen Endphase dieser Flucht des Ex-Ministerpräsidenten Pierre Laval.

Hans Herzog berichtet: „Da heißt es plötzlich geheimnisvoll, eine hohe Persönlichkeit soll weggebracht werden aus Bozen ins Ausland. Eine Besatzung muß noch zusammengestellt werden, die diese Leute mit dem Flugzeug rausfliegt. Und diese Aufgabe ist auf mich gefallen. Ich war Aufklärungsbeobachter. Ich habe dann einen Flugzeugführer gesucht und einen Funker und habe die Flugpläne ausgearbeitet. Es sollte von Bozen nach Barcelona gehen, in das neutrale Spanien. Und dann wurde uns der Name des geheimnisvollen Passagiers bekanntgegeben: Pierre Laval, der ehemalige französische Ministerpräsident in der Vichy-Regierung. Der sollte nun im letzten Augenblick nach Barcelona ausgeflogen werden."

Laval besteht darauf, von seiner Frau und seinen engsten Mitarbeitern begleitet zu werden. Das Flugzeug ist so überladen, daß von der deutschen Besatzung jemand zurückbleiben muß. Hans Herzog bleibt zurück: „Doch dieser Flug ist geglückt. Die sind damals in der Nacht unangemeldet nach Barcelona geflogen, sind dort gelandet und wurden interniert. Laval ist dann später freiwillig zurückgegangen nach Frankreich, hat sich gestellt."

Auch dieser Rückweg Lavals nach Frankreich wird über Österreich führen. Denn die Spanier entlassen Laval nicht nach Frankreich, sondern nach Österreich, allerdings in die französische Zone. Das Flugzeug landet in Innsbruck. Dort nehmen französische Offiziere Laval und dessen Frau in Empfang, setzen sie in ein anderes, schon bereitstehendes Flugzeug und bringen sie von Innsbruck nach Paris. In Frankreich wird Laval vor Gericht gestellt und zum Tod verurteilt.

Es ist bemerkenswert, wie viele Begebenheiten damals in Vorarlberg und in Tirol in Verbindung mit Frankreich stehen. So auch diese: Während die Vichy-Regierung durch Vorarlberg flieht, werden auf Schloß Itter in Tirol die Mitglieder der letzten demokratischen Regierung Frankreichs, jene, die nach der Kapitulation Frankreichs von den Deutschen festgenommen worden waren, gefangengehalten. Hier befinden sich der seinerzeitige Präsident der französischen Republik, Albert Lebrun, die früheren französischen Ministerpräsidenten Edouard Daladier und Paul Reynaud, die prominenten französischen Generäle Maurice Gustave Gamelin und Maxime Weygand und eine Schwester General de Gaulles. Auch zwei prominente britische Gefangene gibt es auf Schloß Itter: den Hauptmann Elphistone und Lord Lascelle, beide nahe Verwandte des britischen Königs, die als Offiziere in deutsche Gefangenschaft geraten waren.

Man hat die gesamte Gruppe bis dahin nicht schlecht behandelt. Aber die Gefangenen befürchten, es könnte im letzten Moment noch ein Tötungsbefehl eintreffen. So versuchen sie mit Hilfe von Einheimischen, die sie seit längerem kennen, mit den vordringenden Alliierten in Verbindung zu kommen. Zunächst wird der Kontakt mit Angehörigen der Tiroler Freiheitsbewegung in Wörgl hergestellt. Diese versuchen sich zu den Amerikanern in Innsbruck durchzuschlagen, um sie zu Hilfe zu rufen. Inzwischen erklärt sich ein deutscher Major namens Sepp Gangl bereit, mit acht Soldaten die Bewachung der prominenten Gefangenen auf Schloß Itter zu übernehmen und sie gegenüber eventuellen Liquidierungskommandos zu schützen. Alles scheint zunächst zu klappen. Aufgrund der Meldung der Widerstandskämpfer aus Wörgl entsenden die Amerikaner einen Offizier zur Erkundung nach Itter. Der findet die Meldung der Österreicher bestätigt und ruft eine amerikanische Panzereinheit zu Hilfe. Einer der Panzer erreicht Schloß Itter noch am Abend des 4. Mai. Da erscheint in den Wäldern um Schloß Itter eine deutsche Kampftruppe. Wir wissen heute nicht, ob sie wegen der Gefangenen gekommen oder ob sie durch die Anwesenheit des amerikanischen Panzers angezogen worden war. Jedenfalls eröffnet diese Kampftruppe am 5. Mai das Feuer auf Schloß Itter. Der amerikanische Panzer wird abgeschossen. Noch am gleichen Tag kämpft sich der Rest der amerikanischen Panzergruppe nach Schloß Itter durch und befreit die Gefangenen. Keiner der Gefangenen ist im Laufe der Kampfhandlungen zu Schaden gekommen. Auch die amerikanischen Soldaten haben trotz Verlust ihres Panzers überlebt. Doch der deutsche Major Sepp Gangl und einer seiner Soldaten waren bei der Verteidigung der Gefangenen gefallen.

Eine „Party" in Strobl

Eine andere Befreiung verlief unblutig. Auch sie betraf zwei Nobelgefangene: König Leopold von Belgien und dessen Frau, Prinzessin Liliane de Réthy. Beide wurden in einer Villa in der Nähe von Strobl am Wolfgangsee von einem Sonderkommando der SS bewacht. Auch hier hatte man die Befürchtung, das Paar könnte im letzten Moment umgebracht werden. In Strobl wohnte die Familie Fürstenberg, alter österreichischer Adel und sowohl mit Leopold als auch mit de Réthy schon aus der Zeit vor dem Krieg bekannt. Der junge Georg Fürstenberg hält geheimen Kontakt mit dem königlichen Paar.

Dann heißt es, die Amerikaner seien bereits in St. Gilgen. Doch die Amerikaner marschieren nicht weiter. Und rund um den Wolfgangsee gibt es noch immer hektische Aktivitäten: Die Familie Ernst Kaltenbrunners ist da, die Familie des SS-Generals Wolff, der in Italien kapituliert hat, andere Prominenz des Dritten Reichs. Niemand weiß, wer den letzten Befehl geben und wie der Befehl lauten wird. In Strobl befindet sich der bekannte deutsche Filmschauspieler Theo Lingen. Mit einer jüdischen Frau verheiratet, hat auch er Sorge vor dem, was in letzter Minute noch passieren könnte. Georg Fürstenberg und Theo Lingen fassen einen Entschluß: Sie wollen mit ihren Fahrrädern nach St. Gilgen fahren, um die Amerikaner so rasch wie möglich nach Strobl zu holen. Aber sie wollen sich gegenüber den Amerikanern auch als Leute des Widerstands ausweisen und daher selbst schon etwas geleistet haben, ehe sie ins amerikanische Hauptquartier kommen.

Georg Fürstenberg berichtet, wie er und Theo Lingen zunächst Strobl in Besitz genommen haben: „Vorsorglich haben wir in Strobl alle Spitzen des Nationalsozialismus eingesperrt, also den Bürgermeister, den Ortsgruppenführer und was es halt sonst noch an Zelebritäten gegeben hat, ohne Gewalt. Wir haben ihnen gesagt, es ist eh vorbei und besser, wenn ihr schon konfiniert seid, damit es nicht die leiseste Gefahr eines bewaffneten Widerstands gibt. Wir mußten das als Alibi gegenüber den Amerikanern nützen und

Georg Fürstenberg: Sind Sie so freundlich und kommen Sie mit einem Panzer.

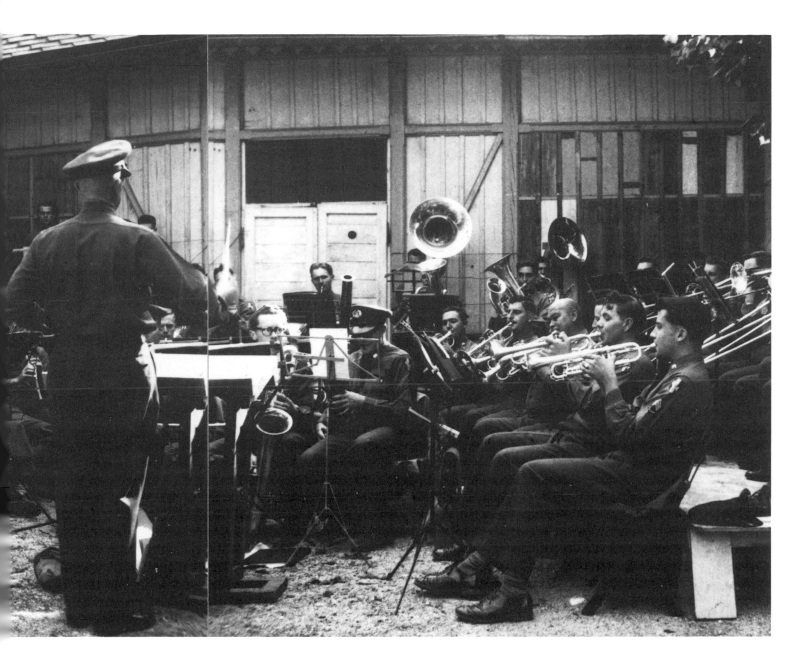

Zuerst mußten sie mit einer Party nach Strobl gelockt werden, dann fühlten sie sich in Strobl ganz zu Hause: Nach der ersten freien Wahl auf österreichischem Boden – im Juni 1945! – spielt in Strobl eine amerikanische Militärkapelle auf.

ihnen sagen können, daß sie nichts zu befürchten haben, wenn sie mit uns kommen. So sind der Theo Lingen und ich hinübergeradelt nach St. Gilgen. Ich kam auch zum amerikanischen Kommandanten und trug ihm unser Anliegen vor, vor allem, daß König Leopold und Prinzessin de Réthy in höchster Gefahr seien und er rasch mitkommen möge. Da sagt er: ‚Wie stellen Sie sich denn das vor? Wir haben einen Marschbefehl, der lautet auf St. Gilgen, weiter fahre ich nicht.‘ Da half nichts, auch kein Hinweis auf Leopold und de Réthy. Da fiel mir etwas ein: ‚Kommen Sie doch inoffiziell, machen wir eine Party in Strobl, da gibt es viele hübsche Mädchen, die lade ich alle ein.‘ Der Vorschlag gefiel ihm und er sagte: ‚Ich komme.‘ Darauf sagte ich: ‚Da hätten wir eine kleine Bitte: Könnten Sie so freundlich sein, mit einem Panzer nach Strobl zu kommen?‘ Er sagte: ‚Das ist eine merkwürdige Idee, aber vielleicht für unsere Sicherheit ganz gut.‘"

Die Amerikaner kommen. Mit einem Panzer. Und Fürstenberg führt sie zu der Villa, in der das belgische Königspaar festgehalten wird. Die Wachmannschaft ergibt sich widerstandslos.

Fürstenberg: „Plötzlich tut sich die Tür auf, und das Königspaar tritt heraus, mit einem Blick, den ich nicht vergessen werde – wir sind frei." Übrigens: Die versprochene Party fand statt. Und einer der US-Offiziere hat eines der Mädchen, das er auf der Party traf, später geheiratet.

237

Später werden Theo Lingen und Georg Fürstenberg noch eine andere historische Tat in Strobl setzen: Sie überreden den amerikanischen Kommandanten, die Durchführung freier Wahlen für Strobl zu billigen, denn der Ort brauche einen demokratisch gewählten Bürgermeister. Theo Lingen und Fürstenberg sorgen für die Gründung wahlwerbender Parteien. Und der amerikanische Ortskommandant spielt mit: Bereits im Juni 1945 wird in Strobl gewählt. Es ist die allererste demokratische Wahl, die nach dem Krieg auf österreichischem Boden stattfindet. Die Wahl ist legendär geworden, und so hieß es später, Theo Lingen sei zum ersten Bürgermeister von Strobl gewählt worden. Das stimmt nicht – Theo Lingen war so wie Fürstenberg nur sehr aktiv bei der Durchführung dieser Wahl. Erster Bürgermeister von Strobl wird der Zimmermeister Franz Brüggler.

Zu einem der letzten Prominentengefängnisse wurde das Hotel „Pragser Wildsee" in den Südtiroler Dolomiten ausersehen. Am 30. April 1945 trifft hier eine strengbewachte Kolonne mit fast 200 Gefangenen ein, Prominenz aus mehreren deutschen Konzentrationslagern. Wer heute in das Hotel kommt, findet dort ein Album zur Erinnerung an jene Tage. Es enthält keine Fotos, sondern die damals verwendeten Kupons für die Essensausgabe an die Gefangenen, mit deren Namen und Zimmernummer. Unter ihnen die Frau des Hitler-Attentäters, Gräfin Stauffenberg; der letzte Wiener Bürgermeister vor dem Anschluß, Richard Schmitz; der letzte österreichische Bundeskanzler Kurt Schuschnigg und dessen Frau; die deutsche Industriellenfamilie Thyssen; der frühere Reichsbankpräsident Hjalmar Schacht; Frankreichs prominenter Sozialistenführer und Ministerpräsident Léon Blum; der deutsche Pastor Martin Niemöller; der griechische General Alexander Papagos; ein Neffe des sowjetischen Außenministers Molotow und viele andere.

Unter diesen anderen Gefangenen befinden sich auch hohe Offiziere der deutschen Wehrmacht, seit Juli 1944 in Haft. Ihnen gelingt es, mit dem deutschen Oberkommando in Bozen in Verbindung zu kommen. Dieses schickt ein Wehrmachtskontingent, das die Überwachung der Gefangenen übernimmt. Der Kommandant dieser Einheit stellt sich bei den Gefangenen in aller Form vor und erklärt, er sei mit seinen Leuten nicht mehr zur Bewachung der Gefangenen, sondern ausschließlich zu ihrem Schutz da.

Da kommt es zu einer bewegenden Szene: Der mitgefangene Tiroler Ingenieur Anton Ducia steht auf und erklärt den 200 Gefangenen aus insgesamt 22 europäischen Nationen: „Meine Damen und Herren, ich bitte Sie im Namen der Tiroler Landesregierung, sich als unsere Gäste zu betrachten." Kurt Schuschnigg berichtet von diesem Moment in seinem Buch „Ein Requiem in Rot-Weiß-Rot", und er schildert seine Reaktion auf diese Erklärung Ing. Ducias: „Mein Gott – daheim!"

Die Kapitulation in Caserta

Der deutsche SS-General Karl Wolff steht wie bereits erwähnt schon seit März mit den Alliierten in Italien in Kontakt und versucht, eine Kapitulation aller deutschen Truppen in Italien herbeizuführen. Aber dazu braucht er auch die Zustimmung des deutschen Oberbefehlshabers in Italien, General Heinrich Vietinghoff, und dieser wiederum will ohne ausdrückliche Zustimmung des Generalfeldmarschalls Albert Kesselring nicht handeln. Wolff versucht eine Zeitlang, mit Hilfe des Tiroler Gauleiters Hofer die Wehrmachtsgeneräle zu überspielen. Über die schwankende Rolle Hofers in diesen Tagen wurde schon berichtet. Von der Kapitulation der

Der SS-General Karl Wolff bietet den Alliierten die Kapitulation aller deutschen Truppen in Italien an. Aber Feldmarschall Kesselring und der Tiroler Gauleiter Hofer spielen nicht mit. So hält die deutsche Front in Italien länger als erwartet.

Der amerikanische General Lester Flory wartet in Caserta bei Neapel mit seinem Österreich-Stab vergeblich auf einen raschen Vormarsch nach Österreich.

Hans Herzog:
Geheimer Flug nach Barcelona.

deutschen Verbände in Italien hängt unter Umständen viel für das Schicksal Österreichs in der unmittelbaren Nachkriegszeit ab. Denn sollte der deutsche Widerstand in Italien enden, so könnten die westalliierten Truppen sehr schnell nach Österreich gelangen; vor allem die Briten nach Kärnten. Und sie könnten so ihren Wettlauf mit Titos Partisanen gewinnen.

Aber das Hin und Her zwischen Wolff, Vietinghoff, Kesselring, Hofer und noch vielen anderen Kommandostellen, die sich einmal diesem und dann wieder jenem Befehl unterstellen, wirft die Kapitulationsverhandlungen ein ums andere Mal zurück.

Hans Herzog, der wenige Tage später den Flug Lavals nach Barcelona arrangiert, erlebt diese chaotische Situation hautnah: „Da haben sich bei uns im Offizierskorps die Leute gegenseitig verhaftet, die einen wollten aufgeben, die anderen weiterkämpfen, und wer halt gerade der Stärkere war, hat den anderen arretiert. Bis zum Erschießen ist es zwar nicht gegangen. Aber mein Kommandeur war in so eine Verhandlung verwickelt, und er hat sich gefürchtet, daß sie ihn hoppnehmen. Da hat er mich mitgenommen und hat gesagt: ‚Du stellst dich daher. Nimm dir ein paar anständige Lackeln mit‘ – also da habe ich einige kräftige Unteroffiziere mitgenommen –, ‚wenn ich in einer Viertelstunde nicht heraußen bin, holst du mich heraus.‘ Die Viertelstunde ist vergangen, er kommt nicht, ich denke, den haben sie hoppgenommen. Durchgeladen, Handgranaten, und wir haben das eigene Hauptquartier gestürmt. Ich dring da in das Zimmer ein, sitzt der Kommandeur dort und trinkt mit den Offizieren. Sage ich: ‚Was machst denn da?‘ Sagt er: ‚Ja was machst denn du?‘ Sag ich: ‚Du hast doch gesagt in einer Viertelstunde, sonst hol mich raus.‘ Hat der vergessen, daß ich draußen gelauert habe. Solche Szenen haben sich abgespielt. Heute klingt das vielleicht komisch, damals war das blutiger Ernst.“

Immerhin, am 29. April erscheinen im Hauptquartier der Alliierten in Caserta bei Neapel zwei Abgesandte Wolffs und Vietinghoffs. Die deutschen Offiziere tragen Zivil. Sie mußten von Norditalien durch die Schweiz nach Frankreich geschleust werden und wurden erst von dort nach Caserta geflogen. Die deutschen Unterhändler bieten im Namen ihrer Vorgesetzten die Gesamtkapitulation aller deutschen Verbände in Italien an.

Als ihnen die Alliierten die Kapitulationsurkunde zur Unterzeichnung vorlegen, nehmen die beiden Deutschen Haltung an und machen ihren Vorbehalt: Sie seien zwar von Wolff und Vietinghoff bevollmächtigt zu unterschreiben, aber sie seien nicht sicher, ob ihre Vorgesetzten noch im Amt sein werden, wenn sie mit der Kapitulationsurkunde zurückkehren. Die Alliierten nehmen den Vorbehalt zur Kenntnis, sie riskieren damit nichts.

Unter den alliierten Offizieren in Caserta, die dieser Unterzeichnung beiwohnen, befindet sich der sowjetische General Kislenko. Er ist den Anglo-Amerikanern als Verbindungsoffizier zugeteilt. Die Sowjets wissen, daß die deutsche Kapitulation in Italien den Briten und den Amerikanern freie Bahn nach Triest und nach Österreich verschafft. Titos Truppen werden sich beeilen müssen.

Dabei war es erst vor wenigen Monaten ebenfalls in Süditalien zu einer Begegnung zwischen dem britischen Premierminister Winston Churchill und Marschall Tito gekommen. Ein britisches Flugzeug hatte Tito aus seinem Partisanenhauptquartier abgeholt und nach Brindisi gebracht. Bei der Unterredung ging es bereits um Triest und um den Zugang der Westalliierten nach Österreich. Tito sagte zu, Istrien samt Triest einer westlichen alliierten Militärverwaltung zu überlassen. Er versicherte auch, in Jugoslawien kein rein kommunistisches Regime einzuführen. Churchill versprach daraufhin verstärkte britische Waffenlieferungen an die Jugoslawen. Und diese hat Tito auch erhalten. Nun kämpfen sich Titos Truppen mit Hilfe dieser Waffen nach Triest durch. Auf den Filmen, die von diesem jugoslawischen Vormarsch gemacht wurden, kann man deutlich erkennen, daß alle schweren Waffen und auch ein guter Teil der Infanteriewaffen der Tito-Partisanen englischen Ursprungs sind.

In Triest treffen die Jugoslawen noch auf den Widerstand deutscher Verbände, die sich weigern, gegenüber den Jugoslawen zu kapitulieren. Es dauert einige Tage, ehe Titos Truppen die Stadt beherrschen. Die Jugoslawen haben eine ansehnliche Streitmacht in Triest konzentriert, und diese formiert sich zum Weitermarsch in

In einer persönlichen Begegnung im Sommer 1944 versucht der britische Premierminister Winston Churchill Jugoslawiens Partisanenführer Josip Broz Tito zur Mäßigung im Raum Istrien–Triest–Kärnten zu bewegen (links unten). In London sicherte Churchill dem letzten österreichischen Gesandten Georg Franckenstein die Unterstützung Englands zu: Österreich gehört zu den Ländern, „für die Großbritannien das Schwert gezogen hat" (unten).

Vladimir Velebit: Alle von Slowenen bewohnten Gebiete in einem Land.

Richtung Kärnten. Da rollen die ersten britischen Panzer in Triest ein. Sie werden von den italienischen Einwohnern der Stadt stürmisch begrüßt.

Offiziell kommen die Briten als Verbündete der Jugoslawen, aber der Konflikt zwischen den Briten und Tito baut sich nun rasch auf. Und obwohl es für die Briten nicht primär um Kärnten geht, sondern um Triest und die Adria, wird es in Kärnten und um Kärnten zur ersten großen Konfrontation zwischen den Briten und den Jugoslawen kommen.

Der jugoslawische General Vladimir Velebit, während des Kriegs Leiter der jugoslawischen Militärmission in London, war bei der Unterredung zwischen Tito und Churchill in Neapel dabei und berichtet uns darüber: „Die Slowenen haben im Jahr 1943 bei einer großen Sitzung im damals schon befreiten Gebiet beschlossen, daß alle Territorien, die von Slowenen bewohnt sind, in einem künftigen föderativen Slowenien zusammengeschlossen werden sollen. Und ein Großteil der Slowenen, die außerhalb Jugoslawiens gelebt haben, siedelte rund um Triest. Deshalb dachte man auch daran, den nördlichen Teil von Istrien, das slowenische Küstenland und Triest nach dem Krieg Jugoslawien einzuverleiben. Natürlich hat diese Politik Churchill nicht gepaßt. Churchill hat nicht gewünscht, daß Triest ein Teil Jugoslawiens wird. Meiner Ansicht nach fürchtete er, daß ein jugoslawisches Triest zur gleichen Zeit ein russisches Triest wird oder daß die Jugoslawen Triest den Russen zumindest als Stützpunkt im Mittelmeer zur Verfügung stellen werden."

Nun waren Jugoslawen und Briten gemeinsam in Triest angelangt. Und ihr Wettlauf ist in Triest nicht zu Ende. Beide sind nun auch in Richtung Kärnten unterwegs. Die Jugoslawen kommen auf ihrer Strecke schneller voran. Die Briten treffen im Kanaltal auf deutsche Verbände, die separate Kapitulationsverhandlungen führen wollen. Denn hier ist der Krieg noch nicht zu Ende, nur die Südarmee in Italien hat kapituliert, die deutschen Truppen auf dem Balkan kämpfen sich noch in Richtung Heimat durch und wollen sich nicht den Jugoslawen, sondern den Briten ergeben. So treffen die Briten auf ihrem Weg zur Kärntner Grenze unentwegt auf Parlamentäre verschiedener deutscher, kroatischer und ungarischer Verbände, ja auch auf Abgesandte der in deutschen Diensten stehenden russischen Kosaken.

Erst am 7. Mai erreichen die britischen Verbände die österreichische Grenze. Und in der Nacht zum 8. Mai ergeht an die britischen Truppen ein Geheimbefehl, der sie auf das Zusammentreffen mit Jugoslawen in Österreich vorbereitet und ihnen entsprechende Verhaltensmaßregeln vorschreibt. Zunächst heißt es in dieser Direktive: „Der Vormarsch nach Villach ist im ersten Morgengrauen des 8. Mai fortzusetzen." Und: „Alle Marschziele sind zu besetzen, auch wenn sich dort bereits jugoslawische Truppen befinden. Gleichzeitig ist sofort Rückmeldung zu erstatten, wo sich Jugoslawen befinden und wie stark ihre Verbände sind."

Kärnten, die Slowenen und Tito

Sind die Briten durch den Vorstoß der Jugoslawen nach Kärnten irritiert, so sind das die Kärntner noch viel mehr. Denn die Briten kommen als Befreier oder als Besatzungsmacht und werden eines Tages wieder gehen; die Jugoslawen aber kommen mit Gebietsansprüchen; das weiß man zu diesem Zeitpunkt in Kärnten schon. Die Jugoslawen beanspruchen zumindest jene Gebiete Kärntens, die ihnen nach dem Ersten Weltkrieg durch den Kärntner Abwehrkampf und die Volksabstimmung verwehrt worden sind.

Aber es könnte noch schlimmer kommen. Denn 1941, nach der militärischen Niederwerfung Jugoslawiens durch Hitler, hat das Dritte Reich das nördliche Slowenien an Kärnten und an die Steiermark angeschlossen und dort sehr bald eine Umsiedlungs- und Vertreibungspolitik praktiziert. Viele Slowenen leisteten Widerstand. So kam es gerade in diesem Gebiet auch zu blutigen Auseinandersetzungen zwischen der Bevölkerung und Titos Partisanen auf der einen, der Gestapo und deutschen Verbänden auf der anderen Seite. Und so wird befürchtet, daß die Jugoslawen nicht nur erweiterte Gebietsansprüche stellen, sondern auch Vergeltungsmaßnahmen setzen könnten.

Um die damalige Situation in Kärnten, aber auch die Entwicklung der Slowenenfrage bis zum heutigen Tag verständlicher zu machen, haben wir in der Fernsehserie „Österreich II" an dieser Stelle eine Rückblende auf jene kritischen Jahre eingeschaltet und wollen das auch hier tun.

1941 tritt das damalige Königreich Jugoslawien dem Dreierpakt Deutschland – Italien – Japan bei, um einem Konflikt mit Deutschland und Italien zu entgehen. Doch ein Teil des jugoslawischen Offizierskorps revoltiert und zwingt die Regierung in Belgrad zum Rücktritt. Hitler, der um diese Zeit den Angriff auf die Sowjetunion plant, sieht sich auf dem Balkan in seiner Flanke bedroht und greift Jugoslawien an. Nicht zuletzt auch, um Mussolini zu Hilfe zu kommen, der Griechenland angegriffen hat, aber allein mit den Griechen nicht fertig wird.

Jugoslawien wird von Hitlers Wehrmacht zerschlagen. Auf dem Territorium Jugoslawiens entstehen neue Staatengebilde. Kroatien unter der Führung des kroatischen Nationalisten Ante Pavelic wird ein eigener faschistischer Staat, der sowohl von Deutschland als auch von Italien abhängig ist. In Serbien wird ebenfalls eine deutschfreundliche Regierung eingesetzt. Das mit Deutschland verbündete Bulgarien annektiert den mazedonischen Teil Jugoslawiens. Die Untersteiermark aber, die nach dem Ersten Weltkrieg Jugoslawien einverleibt wurde, und Teile des früheren Krain werden nun dem Deutschen Reich eingegliedert, und zwar den Gauen Steiermark und Kärnten. Als mit dem Kriegsaustritt Italiens 1943 der italienische Einfluß in diesem Gebiet erlischt, wird Slowenien sogar bis zur Adria der Kärntner Gauleitung unterstellt:

Unmittelbar nach der Angliederung der Untersteiermark und Südkärntens an das Dritte Reich versucht man, die slowenische Bevölkerung in diesem Gebiet durch eine großangelegte Germanisierungskampagne für das Deutschtum zu gewinnen. Fast jede slowenische Familie, so wird argumentiert, habe auch deutsche Vorfahren, und ihrer Eindeutschung stünde nichts im Wege. „Du gehörst zu uns! Lerne deutsch!" ist das Motto, mit dem man die Slowenen zu gewinnen sucht. Und nicht wenige folgen diesem Ruf, bekennen sich zum deutschen Volkstum, auch wenn sie nur schlecht deutsch sprechen, und nehmen die reichsdeutsche Staatsbürgerschaft an. Die Männer aus diesen Familien werden auch prompt zur deutschen Wehrmacht eingezogen und kämpfen nun für „Führer, Volk und Vaterland" an allen deutschen Fronten.

Aber diese Politik wird nicht lange durchgehalten. Sowohl in Berlin als auch an Ort und Stelle, in der Steiermark und in Kärnten, setzen sich jene Kreise durch, die nur in der Unterdrückung und Vertreibung der Slowenen eine dauerhafte Einverleibung dieser Gebiete in das Deutsche Reich gesichert sehen. Ein „Reichskommissar für die Festigung des deutschen Volkstums" wird eingesetzt und ein eigenes Amt mit der Aussiedlung der Slowenen und der Ansiedlung deutschsprachiger Menschen betraut. Gasthöfe, in denen vorwiegend Slowenen verkehren, müssen ihren Betrieb

Jugoslawische Truppen bei ihrem Einmarsch in Österreich.

Feliks Wieser: Familie ausgesiedelt.

einstellen. Slowenischen Unterricht in der Schule gibt es ohnedies nicht mehr. Schließlich beginnt die systematische Vertreibung slowenischer Familien von den Bauernhöfen, die in einer allgemeinen Umsiedlungs- und Vertreibungspolitik endet. Die ausgesiedelten Slowenen werden in die Mitte des Reichs oder nach Polen gebracht und müssen dort zunächst in großen Lagern ihr Leben fristen.

Die Politik ist nicht nur unmenschlich, sie ist auch völlig widersinnig. Familien werden von ihren Höfen vertrieben, deren Väter und Söhne soeben für das deutsche Volkstum gewonnen worden sind, die in der Wehrmacht dienen und für Deutschland an der Front stehen. Unter jenen Slowenen aber, die noch da sind – und das ist noch immer die Mehrzahl –, kann sich jeder ausrechnen, wann ihn das gleiche Schicksal treffen wird. So macht diese Politik sowohl die Ausgesiedelten wie die Daheimgebliebenen gleichermaßen zu erbitterten slowenischen Nationalisten, deren Sympathien sich sehr bald Titos Partisanenbewegung zuwenden.

Feliks Wieser war einer jener Slowenen, die dieses Schicksal erfahren haben. Er berichtet: „Ich habe 1941 im Oktober die Einberufung bekommen und bin zur deutschen Wehrmacht. Wir

Den Slowenen gegenüber wird eine völlig widersinnige Politik verfolgt. Auf der einen Seite versucht man sie für den Übertritt zum Deutschtum zu gewinnen, wie das Werbeplakat (unten) beweist. Doch bald folgt eine rigorose Aussiedlungspolitik. Während die Väter als deutsche Soldaten an der Front stehen, werden ihre Familien in Anhaltelager oder nach Polen gebracht.

haben kurz die Ausbildung gemacht in Marburg, damals Südsteiermark, und sind dann an die Front gekommen, an die russische Front. Im Frühjahr 1942, im April, war unsere ganze Familie bereits ausgesiedelt – Vater, Mutter, meine Geschwister. Ich war an der russischen Front und habe erst nach sechs Monaten die Nachricht bekommen, daß sie alle ausgesiedelt sind." Wieser benützt den ersten Heimaturlaub, den er erhält, um zu Titos Partisanen überzugehen.

Im slowenischen Gebiet werden deutsche Patrouillen, deutsche Verwaltungsorgane, Kreisleitungen und Bürgermeisterämter, Polizeistationen und Wehrmachtsdienststellen von Partisanen angegriffen. Brücken und Eisenbahnanlagen werden gesprengt, in den Betriebsstätten wird Sabotage verübt. Die deutschen Dienststellen schlagen hart zurück. Da man der Partisanen nur selten habhaft werden kann – sie ziehen sich nach den Überfällen in die Wälder und ins Gebirge zurück –, glaubt die deutsche Führung durch scharfe Vergeltungsmaßnahmen einen Abschreckungseffekt erzielen zu können. Für jeden getöteten Deutschen werden zehn slowenische Bürger erschossen. Dabei achtet man darauf, daß sich unter diesen Geiseln möglichst jene befinden, die der slowenischen Intelligenz angehören oder als slowenische Nationalisten gelten. Doch bald nehmen diese Geiselerschießungen derartige Ausmaße an, daß auch Frauen, Jugendliche und Kinder erschossen werden.

Auch diese Politik bewirkt genau das Gegenteil dessen, was sie bezwecken will. Viele Slowenen entschließen sich, lieber gleich zu den Partisanen zu gehen als eines Tages Opfer von Geiselerschießungen zu werden. Die Partisanen erhalten immer mehr Zulauf, können größere Operationen durchführen, bewirken größere Vergeltungsaktionen, und diese wieder festigen die Position der Partisanen. Auch müssen immer mehr deutsche Truppen zur Bekämp-

Anna Sadovnig: Das Massaker überlebt.

Im Grenzgebiet gerät die Bevölkerung schließlich zwischen zwei Fronten. Wer den Partisanen nicht hilft, wird von diesen als Verräter mißhandelt. Wer ihnen hilft, wird von den Deutschen erschossen. Die beiden Bilder rechts zeigen das Resultat des Massakers an der Familie Sadovnig. Die Mutter Sadovnig (unten) und zehn ihrer Kinder wurden von einer deutschen Patrouille erschossen, während der Vater Sadovnig in der deutschen Wehrmacht diente.

fung der Partisanen eingesetzt werden, womit eines der Kampfziele der Partisanen schon erreicht ist, nämlich die Bindung starker deutscher Kräfte.

Am schlimmsten ergeht es der Bevölkerung auf dem offenen Land. Die Partisanen können ohne deren Hilfe, ohne Nahrungsmittel und ohne Unterschlupf nicht auskommen. Wer die Partisanen der Polizei anzeigt, muß mit der Rache der Partisanen rechnen. Wer aber das Auftauchen von Partisanen verschweigt, fällt der Vergeltung der Deutschen zum Opfer. Drastischste Mittel werden angewendet, um Informationen über den Verbleib der Partisanen zu erzwingen. Wird festgestellt, daß die Bevölkerung den Partisanen geholfen oder auch nur ihre Anwesenheit verschwiegen hat, so droht zumindest Vertreibung, meist jedoch Erschießung.

Frau Anna Sadovnig ist Slowenin. Ihre Familie hat sich 1941 wie so viele andere dazu entschlossen, zum Deutschtum überzutreten. Ihr Vater wird auch sofort zur deutschen Wehrmacht eingezogen. Ihre Mutter bleibt mit zwölf Kindern daheim in Kärnten. Eines Tages kommen Partisanen und verlangen etwas zu essen. Frau Sadovnig, damals ein kleines Mädchen, erinnert sich an jenen Tag: „Die Partisanen sind gekommen, haben das Vieh geschlachtet und haben hier gegessen. Dann sind sie gegangen. Nicht weit vom Haus ist es dann zum Kampf zwischen den Partisanen und den Deutschen gekommen. Dann kamen die Deutschen. Wir haben schon geschlafen. Auf, auf, wir sollen alle hinausgehen. Meine Mutter und die meisten meiner Geschwister sind gegangen. Eine Schwester und ich versteckten uns im Stall. Die, die rausgingen, wurden gleich erschossen. Dann haben sie auch mich und meine Schwester aus dem Versteck geholt. Und dann haben sie auch auf uns geschossen."

Die Garben aus den Maschinenpistolen strecken alle nieder. Auch Anna Sadovnig wird von fünf Kugeln getroffen. Regungslos liegt sie neben ihrer toten Mutter und ihren zehn toten Geschwistern. Aber sie überlebt gemeinsam mit einer Schwester das Massaker. Die Narben der Einschüsse auf ihrem Körper sind heute noch zu sehen.

Die österreichischen Bataillone

Im Inneren Jugoslawiens greifen Titos Partisanen bereits in militärischen Großformationen an. Ihr Kampf gilt auch nicht mehr nur der Befreiung des Landes von fremder Herrschaft. Er gilt bereits der Errichtung eines kommunistischen Systems. Tito ist daher bereit, sich auch internationaler kommunistischer Anliegen anzunehmen. Er erläßt den Befehl, im Rahmen seiner Armee auch österreichische Bataillone aufzustellen. Angesprochen werden Gegner des Hitler-Regimes vor allem auch in den Reihen der deutschen Wehrmacht. Österreichischen Kriegsgefangenen wird angeboten, ihre Gefangenschaft in Partisanenhand, die kein Honiglecken ist, gegen den Dienst in einem dieser Freiheitsbataillone einzutauschen.

Die Führungsorgane der Freiheitsbataillone sind in kommunistischer Hand. Jedem Kommandanten steht ein politischer Kommissar zur Seite. Und die Österreicher sind selbstverständlich dem höheren jugoslawischen Kommando unterstellt. Insgesamt werden bis Kriegsende vier österreichische Bataillone aufgestellt werden. Nur das erste von ihnen kommt noch zum Kampfeinsatz.

Diese Bataillone gehören zu den wenigen bewaffneten österreichischen Formationen auf alliierter Seite. Und die Österreicher in den Freiheitsbataillonen in Jugoslawien werden auch die einzigen sein, die nach Kriegsende ihre Waffen behalten dürfen. Mit sowjetischer Zustimmung und Hilfe werden sie schon Mitte Mai in Wien einziehen.

Nirgendwo wird der Krieg so brutal geführt wie im Partisanengebiet. Für die Deutschen sind Partisanen „Banditen", die aus dem Hinterhalt morden. Da man sie selten zu fassen bekommt, übt man Vergeltung: Für jeden getöteten Deutschen werden zehn jugoslawische Zivilisten erschossen. Der Haß eskaliert. Mitte: Erschossener Deutscher. Unten: Hingerichtete Partisanen. Links unten: Bauern heben ein Massengrab aus.

246

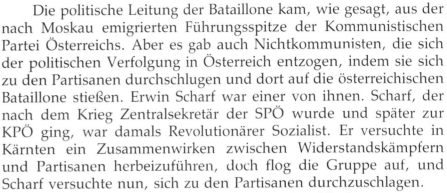

*Mitglieder des „1. Österreichischen Frei-
heitsbataillons". Die politische Führung
liegt in der Hand der Kommunisten. Unten
kniend: Franz Honner und Friedl Fürnberg.*

Die politische Leitung der Bataillone kam, wie gesagt, aus der nach Moskau emigrierten Führungsspitze der Kommunistischen Partei Österreichs. Aber es gab auch Nichtkommunisten, die sich der politischen Verfolgung in Österreich entzogen, indem sie sich zu den Partisanen durchschlugen und dort auf die österreichischen Bataillone stießen. Erwin Scharf war einer von ihnen. Scharf, der nach dem Krieg Zentralsekretär der SPÖ wurde und später zur KPÖ ging, war damals Revolutionärer Sozialist. Er versuchte in Kärnten ein Zusammenwirken zwischen Widerstandskämpfern und Partisanen herbeizuführen, doch flog die Gruppe auf, und Scharf versuchte nun, sich zu den Partisanen durchzuschlagen.

Erwin Scharf berichtet: „Wir waren eine Woche unterwegs. Wir sind mitten durch die deutschen Frontlinien durch. Es war sehr strapaziös, und es gab fast nichts zu essen. Aber schließlich sind wir durchgekommen. Dort hab ich die Genossen Honner und Fürnberg getroffen, die haben das österreichische Bataillon politisch betreut. Und da wir uns schon vorher durch Kuriere darauf geeinigt hatten, daß wir eine österreichische Freiheitsfront für Kärnten und Steiermark bilden wollen, haben wir nun dort als ‚Österreichische Freiheitsfront, Landesgruppe Kärnten und Steiermark' die politische Betreuung des Bataillons übernommen. Gleichzeitig aber haben wir auch einen Rundfunksender betrieben und eben durch unsere politische Agitation versucht, die Menschen in Kärnten und in der Steiermark für unsere Ziele zu gewinnen."

Doch da gibt es ein Dilemma: Die Jugoslawen nennen Klagenfurt Celovec und Villach Beljak und erklären, daß es eines ihrer Kriegsziele ist, diese Teile Kärntens an Jugoslawien anzuschließen. Erwin Scharf, selbst Kärntner, wird mit dieser Frage konfrontiert und erklärt dazu heute: „Schon bei der ersten Begegnung, die ich mit jugoslawischen Partisanen hatte, haben die mir ihre Vorstellung entwickelt, daß eben das südliche Kärnten zu Jugoslawien gehört und daß nach dem Krieg dementsprechend eine Lösung gefunden werden müßte. Ich habe natürlich dagegen argumentiert, die Einheit Kärntens müsse bewahrt, Kärnten dürfe nicht zerrissen werden. Dieser Versuch sei bereits im Jahr 1920 gescheitert. Auch die slowenische Minderheit müsse an einer Einheit Kärntens interessiert sein und auch an der Zugehörigkeit zu Österreich."

Argumente hat es gegeben, aber keine Änderung der jugoslawischen Einstellung zu diesem Problem. Die Einverleibung Südkärntens in den Tito-Staat war von den kommunistischen Gremien der slowenischen Kommunisten beschlossen und von Tito und seiner obersten Führung zum Kriegsziel erklärt worden.

Das alles bildet den Hintergrund zu dem, was nun in den Maitagen 1945 in Kärnten geschieht. Im Wettlauf mit den Briten marschieren die Jugoslawen in jene Kärntner Gebiete ein, auf die sie Anspruch erheben. Diesen Anspruch machen die jugoslawischen Verbände auch unmißverständlich klar. Sie schlagen Plakate an mit einer „Bekanntmachung" in slowenischer und in deutscher Sprache. Wörtlich heißt es in dieser Bekanntmachung: „Die jugoslawische Armee ist in Kärnten eingerückt, um das Land ein für allemal von den Naziverbrechern zu säubern und um der gesamten slowenischen und österreichischen Bevölkerung die wahre Volksdemokratie, Freiheit und Wohlstand im neuen siegreichen und starken Groß-Jugoslawien zu gewährleisten." Und weiter: „Wir geben bekannt, daß im ganzen Gebiet des befreiten Kärntens die Militärgewalt der jugoslawischen Armee . . . errichtet wurde. Diesem Kommando sind die Kommandostellen der Städte sowie die Befehlsstellen der Partisanenwachen untergeordnet. Die Bevölkerung sowie alle Organe der Behörden haben unserer Wehrmacht jegliche Hilfe zu leisten und alle Erlässe bedingungslos zu befolgen."

Die einrückenden jugoslawischen Verbände kommen auch schon mit Suchlisten. Gesucht werden Leute, die am Kampf gegen die Partisanen teilgenommen haben. Gesucht aber werden auch Kärntner, die schon 1920 im Abwehrkampf gestanden sind und sich in der seinerzeitigen Volksabstimmung 1920 exponiert hatten und von denen zu erwarten ist, daß sie die politische Führung in Kärnten in die Hand nehmen und den jugoslawischen Forderungen Widerstand entgegensetzen werden. Unmittelbar nach dem Einmarsch werden Personen dieser Kategorien von den Jugoslawen zusammengetrieben, werden nicht wenige davon erschossen, nachdem man sie irgendwelcher Kriegsverbrechen beschuldigt hatte, und es werden Menschen verschleppt, von denen die Jugoslawen politischen Widerstand erwarten. Viele von ihnen sind nicht mehr zurückgekehrt.

Dieser kurze Blick zurück und voraus erscheint uns notwendig, um die besondere Lage zu verstehen, in der sich Kärnten bei Kriegsende befindet. Kehren wir nun in jene ersten Maitage 1945 zurück.

Ein Telegramm nach London

Der Gauleiter Kärntens heißt Friedrich Rainer und ist wie viele seiner Kollegen entschlossen, Kärnten bis zum letzten Blutstropfen zu verteidigen. Doch am 6. Mai wird Rainer zu einer Lagebesprechung mit Generalfeldmarschall Albert Kesselring nach Graz beordert, an der auch der Oberbefehlshaber der deutschen Heeresgruppe auf dem Balkan, der Österreicher Generaloberst Alexander Löhr, teilnimmt. Kesselring, der bis dahin jede Kapitulation abgelehnt hat, erklärt Rainer rundheraus, der Krieg sei verloren, alles sei vorbei. Rainers Angebot, die Kärntner in Erinnerung an den Abwehrkampf von 1920 zu einem letzten Opfergang aufzurufen, wird von den Generälen als sinnlos zurückgewiesen. Rainer kehrt nach Klagenfurt zurück, wo es zu einer Konfrontation zwischen dem Gauleiter und dem obersten Landesbeamten, dem Gauhauptmann Meinrad Natmeßnig, kommt. Obwohl selbst Nationalsozialist, fordert Natmeßnig Rainer auf, die Macht an Vertreter der früheren demokratischen Parteien abzugeben. Natmeßnig kennt selbst einige dieser Politiker und läßt andere durch Vermittlung holen.

Die Sozialdemokraten Hans Herke und Friedrich Schatzmayr waren unter jenen, die auf Veranlassung von Natmeßnig ersucht

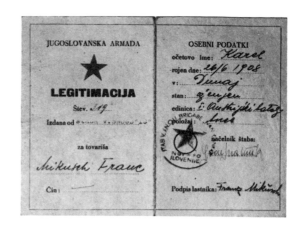

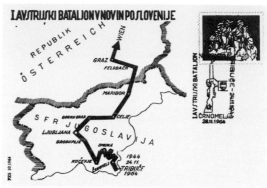

Insgesamt wurden vier österreichische Freiheitsbataillone innerhalb der Tito-Armee aufgestellt. Nur eines kam in den Kampfeinsatz. Oben: Mitgliedskarte des österreichischen Bataillons, darunter eine jugoslawische Gedenk-Postkarte, auf der die Operationen des 1. Freiheitsbataillons wiedergegeben sind.

Erwin Scharf: Differenzen um Kärnten.

248

Der Gauleiter von Kärnten, Friedrich Rainer, gibt auf, als die Briten die Grenze überschreiten.

werden, in das Landhaus zu kommen. Hans Herke schildert den Moment, als die beiden damals vor dem Landhaus stehen: „Bevor wir hineingegangen sind, habe ich meinem alten Freund Schatzmayr gesagt: ‚Glaubst du, daß wir da noch lebend herauskommen?' Darauf sagt er: ‚Daran hab ich nicht gedacht, aber ich glaub nicht.' Wir sind dann doch hinauf. Im Vorraum saßen Hitlerjungen, die als Boten oder so eingeteilt waren. Wir haben gehört, wie die im Flüsterton gesagt haben: ‚Das ist das Kommunisteng'sindel.' Wir sind dann ins Vorzimmer Rainers. Dort waren die Herren Generäle und der Chef der Gestapo und alle anwesend, und der Gauhauptmann Natmeßnig hat uns zum Reichsstatthalter [Anm.: Gauleiter Rainer] geführt, hat uns vorgestellt und ist dann selbst gegangen. Nun begann die Aussprache. Der Gauleiter, Reichsstatthalter Rainer, versuchte lange Zeit, uns die militärische Lage zu erklären, mit Hilfe von Landkarten. Der hat noch immer so getan, als ob er glaubt, daß die Alpenfestung standhalten wird und daß der Endkampf stattfinden kann. Worauf ihn [Sylvester] Leer unterbrochen hat und gesagt hat: ‚Herr Reichsstatthalter, Sie leben auf dem Mond. Die Amerikaner sind in Innichen, in Badgastein, die Engländer stehen schon in Udine. Was wollen Sie denn hier in Kärnten noch tun? Nur ein Blutvergießen hervorrufen?'" Aber Rainer zögert, glaubt immer noch, daß „ihn Kärnten braucht" und versucht so etwas wie eine Koalition mit Beteiligung seiner Person vorzuschlagen.

Erstaunlich, wie es nun weitergeht. Die demokratischen Politiker sind nicht ganz sicher, wie sie sich verhalten sollen. Es erscheint ihnen richtig, daß die deutsche Front gegenüber den Tito-Partisanen intakt bleibt, gleichzeitig wollen sie den möglichst raschen Einmarsch der heranrückenden Briten. Und sie wollen den Briten auch schon ein Kärnten übergeben, das sich sozusagen selbst befreit hat. Die Politiker fragen sich: Ist es richtig oder falsch, bis zu diesem Augenblick noch die Strukturen des nationalsozialistischen Regimes zu verwenden, um Zusammenbruch, Chaos und vor allem den jugoslawischen Einmarsch zu vermeiden?

Nun tun die Politiker etwas, was nachträglich eigentlich als völlig unmöglich erscheint. Sie erinnern sich, daß der letzte österreichische Gesandte in London, Georg Franckenstein, nach dem Anschluß Österreichs in England geblieben ist. Sie wissen auch, daß Franckenstein immer schon beste Beziehungen zur britischen Regierung hatte. So gehen die Politiker zum Postamt in Klagenfurt und geben dort ein Telegramm auf: „An Georg Franckenstein in London." Das noch unter nationalsozialistischer Oberhoheit stehende Postamt fertigt das Telegramm ab, schickt es in die Schweiz (nach einer anderen Version in das amerikanisch besetzte Rom), mit dem Ersuchen, es nach London weiterzuleiten. Das Telegramm geht über Leitungen, die bereits quer durch die Fronten und Besatzungszonen schneiden, aber es trifft bei Franckenstein in London ein.

Noch am gleichen Tag, es ist der 7. Mai, kommt über denselben Weg die Antwort Georg Franckensteins in Klagenfurt an: „Auf alle Fälle muß eine würdige Widerstandsbewegung die alliierten Truppen begrüßen. Wenn dies die Nazis machen, wird dies für Kärnten von Nachteil sein. Aus der Hand der Nazis werden die Alliierten keine Übernahme durchführen. Handelt rasch, korrekt und österreichisch. Trefft Einvernehmen mit O5. Zwingt Nazis zur sofortigen Abdankung aller Regierungsgeschäfte." Franckenstein hat dieses Telegramm nicht allein unterzeichnet, er spricht im Namen eines österreichischen Komitees in London. So heißt es zum Schluß des Telegramms: „Im Auftrag für Österreich: Gusek, Dobretsberger, Franckenstein."

Hans Herke: Der Gang ins Gauhaus.

Der Rat ist eindeutig: Gauleiter Rainer ist zum Rücktritt zu zwingen. So bestehen die Kärntner Politiker auf der bedingungslosen Übergabe der Macht, und Rainer gibt nun auch nach. Er überträgt seine Machtbefugnisse auf den Gauhauptmann Natmeßnig, und dieser gibt sie sofort an die versammelten demokratischen Politiker weiter. Dieser Vorgang wird Österreich bei den ersten Staatsvertragsverhandlungen von den Jugoslawen zum Vorwurf gemacht werden: Die Kärntner Politiker hätten ihre Macht aus der Hand der Nazi erhalten und könnten daher nicht anerkannt werden, werden die Jugoslawen argumentieren.

An jenem 7. Mai bilden die Kärntner Politiker eine Koalition von Sozialisten, Christlichsozialen und Kommunisten. Der Sozialist Hans Piesch wird Landeshauptmann. Sein Stellvertreter ist Stephan Tauschitz (ÖVP); zu Landesräten bestellt werden Ferdinand Wedenig und Hans Herke von der SPÖ, Hans Ferlitsch, Sylvester Leer und Josef Ritscher von der ÖVP sowie der parteiungebundene Julius Santer; ab 8. Mai werden auch noch die Kommunisten Albin Tschofenig und Karl Perchtold bestellt. Am Morgen des 8. Mai erscheint die „Kärntner Zeitung" mit der Schlagzeile: „Kärnten – ein freies Land Österreichs!" Und in der Tat, in diesem Augenblick ist Kärnten das freieste Bundesland Österreichs. Einen Tag lang amtiert die neue Landesregierung in einem Klagenfurt, in dem die nationalsozialistische Herrschaft beendet ist und in dem es noch keine alliierten Soldaten gibt.

Klagenfurt doppelt besetzt

Doch die Sorge der Kärntner Politiker ist groß, daß die Jugoslawen das Rennen vor den Briten gewinnen könnten. Hans Herke berichtet: „Herr Santer und ich wurden beauftragt, mit dem Generalstab der deutschen Armee, der im Haus des ehemaligen jugoslawischen Konsulats seinen Sitz hatte und mit dem wir schon seit Tagen in Verbindung standen, Kontakt aufzunehmen, uns zu erkundigen, welche Maßnahmen getroffen werden, um Unruhen und das Eindringen von Partisanen zu verhindern. Nach einer Aussprache von eineinhalb Stunden, in denen uns die Generäle erklärten, daß alle zur Verfügung stehenden Truppen entsprechende Sicherungen vorgenommen haben, tritt eine Ordonnanz ein und meldet: ‚Herr General, die englische Panzerspitze hat Klagenfurt erreicht!'"

Die Briten waren überrascht, in Klagenfurt bereits eine funktionierende Kärntner Landesregierung anzutreffen. Die Anwesenheit der Jugoslawen gebot ihnen, mit der Landesregierung zusammenzuarbeiten. Später durfte sie eine Zeitlang nur noch beratende Funktion ausüben. Das Bild oben zeigt den Kärntner Landeshauptmann Hans Piesch (mit Brille) und die Mitglieder seiner Landesregierung mit den britischen Militärkommandanten in Klagenfurt.

Bilder von der britischen Besetzung in Klagenfurt. Panzerspähwagen und leichte Schützenpanzer nehmen auf allen Plätzen und Straßenkreuzungen der Stadt Aufstellung, um den britischen Anspruch gegenüber den Jugoslawen zu demonstrieren. Um deutsche Soldaten kümmern sich die Briten kaum noch. Sie stehen teils sogar noch mit Stahlhelm unter den Zuschauern (rechts). Ein von den Jugoslawen angeschlagener Befehl, der das „slowenische Kärnten" dem jugoslawischen Staat einverleibt, wird von britischen Soldaten von den Hauswänden entfernt (links unten).

Herke eilt auf die Straße und begrüßt die ersten britischen Offiziere. Die Briten besetzen das Landhaus und sind erstaunt, dort eine bereits in Amt befindliche demokratische Landesregierung vorzufinden. Der britische Offizier, der nun den ersten Kontakt zu den Kärntner Politikern herzustellen hat, heißt Nicholas Saunders.

Saunders wird später noch lange Zeit Verbindungsmann der Briten zu den Kärntnern sein und ein sehr enges Verhältnis zu den Kärntnern entwickeln. Über sein damaliges erstes Zusammentreffen mit den Kärntnern berichtete uns Nicholas Saunders: „Als wir in Klagenfurt ankamen, war dort bereits ein Befreiungskomitee tätig. Dieses Komitee hatte sich zur Landesregierung erklärt, und Herr Piesch führte diese Regierung an. Das Komitee hatte die Verwaltung des Landes übernommen und auch schon Bürgermeister ernannt und Ausschüsse aufgestellt. Wir hatten gegen diese Ausschüsse nichts einzuwenden, vorausgesetzt, daß es keine Nazi unter ihnen gab. Und für uns war es auch wichtig, daß keines dieser politischen Gremien durch die Regierung Renner in Wien ernannt würde. Denn die Zentralregierung des Dr. Renner haben wir nicht anerkannt, die war von den Russen aufgestellt worden."

Die Briten akzeptieren zwar, was sie in Klagenfurt vorfinden, aber die gesamte Entwicklung in Österreich ist ihnen nicht recht. Die als Besatzungsorgane vorgesehenen britischen Behörden hatten sich alles anders vorgestellt: Zunächst würde man das Land besetzen und eine eigene Militärverwaltung errichten. Im Lauf der Zeit würde man dann unter den Österreichern nach geeigneten Leuten Ausschau halten, diese genau überprüfen und nach und nach für politische und verwaltungstechnische Aufgaben heranziehen. Zuerst auf der untersten Ebene, etwa der Gemeindeverwaltung, später dann auch auf Landesebene. Und ganz zum Schluß, wenn in allen Besatzungszonen bereits diese unteren Verwaltungsorgane aufgebaut wären, könnte man daran denken, einen eigenen politischen Willensprozeß in Österreich zuzulassen, der auch zur Wahl einer Volksvertretung und einer Bundesregierung führt. Dies alles aber würde Zeit in Anspruch nehmen.

Und nun, gerade erst in Klagenfurt angekommen, tritt den Briten bereits eine amtierende Kärntner Landesregierung entgegen, und in Wien sitzt schon eine zehn Tage zuvor eingesetzte österreichische Zentralregierung. Wie wir heute wissen, wäre es den Briten am liebsten gewesen, die Landesregierung in Kärnten sofort wieder aufzulösen, um wie geplant Schritt für Schritt vorzugehen. Aber den Briten hart auf den Fersen marschieren nun auch schon

Nicholas Saunders: Nur nicht Renner.

jugoslawische Truppen in Klagenfurt ein. Als sie zum Landhaus kommen, verwehren ihnen dort britische Posten den Zutritt, ebenso im Klagenfurter Rathaus. So besetzen die Jugoslawen die Hauptpost und das Arbeitsamt und richten dort ihre zentralen Militärkommandos ein, die Kärnten bereits ihrem Befehl unterstellen wollen. Briten und Jugoslawen stehen nun einander in Klagenfurt gegenüber, und nicht nur dort, auch im Bezirk Villach und im gesamten südlichen Kärnten. Überall errichten Briten und Jugoslawen nebeneinander ihre Kommandanturen. In dieser Situation scheint es den Briten angebracht, sich der Ortskenntnisse und der Hilfe der Kärntner zu vergewissern. So bleibt die Landesregierung unter Piesch zunächst einmal im Amt, ja die Briten sorgen sogar recht bald für den militärischen Schutz ihrer Mitglieder.

Denn die Jugoslawen versuchen, in Kärnten eine Gegenregierung zu bilden. Ein slowenisch-kärntnerischer „Nationalrat" wird gegründet, und ein Kärntner Slowene, Franc Petek, als eine Art Gegenlandeshauptmann eingesetzt. Die Jugoslawen fordern von Landeshauptmann Piesch die sofortige Einholung aller rotweißroten Fahnen und verkünden die jugoslawische Militärgerichtsbarkeit. Es kommt zu einer Intensivierung der jugoslawischen Verhaftungswelle, und immer mehr Kärntner werden verschleppt.

Anna Egger berichtet, wie es damals ihrer Familie erging. Ihr Vater hatte die Nachricht erhalten, daß die Jugoslawen heimattreue Kärntner systematisch verhafteten. So entschloß er sich, nach Völkermarkt zu fahren und Verbindung mit den Briten zu suchen: „Der Vater fährt weg, und es dauert nicht lang, da kommen die Partisanen, Gewehr mit Bajonett auf, und fragen: ‚Wo ist der Vater?' Ich hab g'sagt: ‚Der ist nicht mehr nach Hause gekommen von der Arbeit.' – ‚Dann müssen wir die Mutter mitnehmen.' Hab ich g'sagt: ‚Nein, die Mutter nehmts mir nicht mit, ich geh mit statt der Mutter.' – ‚Na gut', haben die gesagt, ‚morgen sind Sie wieder zu Haus. Aber ihr müßt sowieso mit der ganzen Familie fort. Weil ihr habts hier nix mehr verloren.' Dann haben sie eben mich mitgenommen auf den Bahnhof nach Eberndorf. Von dort sind wir eingeliefert worden nach Eisenkappel und waren dort in einem Schloß einige Tage interniert. Dann hat es geheißen, die Engländer kommen. Und so haben uns die Jugoslawen nach Prevalje geliefert, nach Jugoslawien, damals hieß es noch Mießtal. Dort waren wir wieder einige Tage interniert. Und da gab es noch Kämpfe mit der [kroatischen] Ustascha, mit der [slowenischen] Weißen Garde, mit deutschen Soldaten, alles miteinander. Da haben sie uns wieder zurückgebracht nach Hirschenau hinter Völkermarkt in ein Lager. Dort waren auch die Leitgeb-Herren von Kühnsdorf, die Fabrikanten. Damals waren sie noch bei uns [Anm.: Siegfried, Valentin und Walter Leitgeb; die Leitgebs sind nicht mehr zurückgekommen]. Wir waren zwei, drei Tage dort, dann haben sie uns nach Gutenstein geliefert, und dort haben sie mit uns getrieben, was sie treiben wollten. Dann haben sie gesagt, wir kommen alle nach Serbien. Wir sind auf Laster aufgeladen worden und sind nach Sterntal bei Pettau gekommen. Dort waren über zehntausend Leute interniert, alle Verschleppten, die Gottscheer Deutschen und andere. Was wir dort erlebt haben, das glaubt uns doch kein Mensch."

Rosa Grimming befand sich ebenfalls in diesem Lager: „Wir waren im Gurkfeld angesiedelt, und von dort sind wir geflüchtet. Wir sind mit dem Zug bis nach Tüffer gekommen, das ist unter Marburg. Dort haben uns die Partisanen herausgeholt und in eine Fabrik gesperrt. Die Männer und Frauen wurden getrennt, die Maschinen dazwischen, die Männer links, die Frauen rechts. Da mußten wir uns komplett nackt ausziehen, und sie haben uns alles weggenommen, was wir gehabt haben. Sie haben einen Gottscheer

„Freies Österreich" steht auf der rotweißroten Armbinde, mit der sich Hans Herke den Briten gegenüber als Mitglied der Kärntner Landesregierung ausweist (oben). Rechts: Der britische Aufmarsch in Klagenfurt.

Anna Egger: Statt des Vaters verschleppt.

Rosa Grimming: Aus der Heimat vertrieben.

aus unserer Mitte herausgenommen, der angeblich bei der Gendarmerie war, und haben den gemartert vor unseren Augen. Am nächsten Tag haben sie Weißgardisten gebracht, Soldaten. Und wir mußten das alles ansehen, was sie mit diesen Soldaten gemacht haben. Wir haben's dann draußen gesehen, die Augen und die Ohren im Bombentrichter, wo sie dann noch die Körper hineingeschmissen haben. Es ist sehr schwer, wenn man ein Kind ist und wenn man das mitmacht. Von dort weg haben sie uns in einen Waggon gegeben, nach 14 Tagen. Da waren wir 24 Stunden drinnen, ohne Wasser sind wir da dringestanden wie die Zündhölzln. Und so sind wir nach Graz geschickt worden."

Hunderttausende auf der Flucht

Nun treten die Engländer in Aktion. Als erstes lassen sie sämtliche jugoslawischen Aufrufe und Proklamationen durch britische Soldaten von den Plakatwänden reißen. Dann erlassen die Briten ein allgemeines Flaggenverbot, damit diese Frage nicht andauernd Ursache von Zusammenstößen wird. Verboten sind nun auch die Tito-Fahnen.

Vor das Landhaus und die verschiedenen Bürgermeisterämter stellen die Briten Panzer, und auf größeren Plätzen lassen sie ihre Artillerie auffahren. Es kommt zu manchem harten Kräftemessen zwischen britischen und jugoslawischen Besatzungstruppen in Kärnten. Maria Kontschan-Colins wurde Zeugin einer solchen Konfrontation in Velden am Wörther See: „Da haben dann die Briten mit den Jugoslawen verhandelt und sie offenbar aufgefordert, nicht weiterzufahren. Aber die wollten das nicht zur Kenntnis nehmen, und dann kam der grausige Moment, wo die britischen Panzer ihre Rohre ganz langsam – es herrschte eine Totenstille damals –, langsam auf die jugoslawischen Militärfahrzeuge gerichtet haben. Die außen stehenden britischen Panzer haben sich reingedreht, um genau in der Schußrichtung zu stehen. Man hatte das Gefühl, jeden Moment werden die Fahrzeuge jetzt zusammengeschossen. Eine furchtbare Angst, alles war wie gelähmt. Und dann setzte sich die jugoslawische Militäreinheit doch in Richtung Rosegg in Bewegung, also zurück nach Jugoslawien. Die britischen Militärfahrzeuge haben sie begleitet, und diese Kolonne ist dann stundenlang langsam aus dieser Gegend herausgerollt Richtung Karawanken."

Doch schon bahnen sich neue Probleme an. Auf Kärntens Landstraßen kommen Tausende Soldaten mit Pferden und Pferdewagen gezogen. Auch sie eine Armee im Wettlauf mit Armeen: russische Kosaken, die in der deutschen Wehrmacht gedient haben. Die Sowjets fordern die Auslieferung der Kosaken. Die Briten sagen den Kosaken freies Geleit zu. Auf diese Zusage hin lassen sich die Kosaken entwaffnen. Wenige Wochen später werden die Briten sie dennoch an die Sowjets ausliefern. (Darüber mehr in Kapitel 8.)

In den Maitagen 1945 laufen auch noch andere Menschen um ihr Leben: königstreue Serben, Cetniks genannt, selbst Partisanen, die anfangs gegen die Deutschen, doch später zunehmend gegen Titos Kommunisten gekämpft haben. Jetzt fliehen sie mit den Deutschen zu den Briten. Es kommen Slowenen, die als Weißgardisten ebenfalls gegen Tito gekämpft haben. Und es kommen Kroaten, sie kommen zu Zehntausenden. Und schließlich kommen die deutschen Soldaten selbst. Vor Monaten sind sie in Griechenland, in Albanien, aus allen Winkeln Jugoslawiens aufgebrochen und haben den Marsch nach Hause angetreten. Unterwegs ist ihnen der Sprit ausgegangen, danach auch die Munition. Aber sie versuchen, in geschlossenen Verbänden zu bleiben. Eine halbe Million Mann schätzungsweise sind da unterwegs. Das Gros kann Kärnten und die Steiermark noch erreichen. Rund 150 000 schaffen es nicht mehr. Sie geraten in jugoslawische Gefangenschaft. Es fliehen aber auch die Angehörigen all der Armeen und Verbände der bisherigen mit Deutschland verbündeten Balkanstaaten. Sie waren Gegner Titos, und sie alle wollen nun auch das andere Ufer erreichen, die Grenze nach Kärnten überschreiten. Immer mit dem Ziel, in britische und nicht in jugoslawische Gefangenschaft zu kommen.

Die Briten haben die Drau erreicht und ziehen entlang des Flusses eine dichte Postenkette auf. Diese britischen Truppeneinheiten erreichen nun eine Mitteilung und ein Befehl aus dem britischen Hauptquartier: Nach letzten Aufklärungsmeldungen seien nicht weniger als eineinhalb Millionen Kroaten unterwegs nach Österreich. Sie würden von 220 000 bewaffneten kroatischen Soldaten begleitet. Die Spitze des kroatischen Exodus nähere sich der Stadt Bleiburg.

Diese Nachricht war, wie wir heute wissen, zu einem guten Teil wahr. Hunderttausende Kroaten hatten sich entschlossen, Kroatien zu verlassen, da sie mit einem Rachefeldzug der Tito-Partisanen rechneten. Kroatien hatte die Tito-Truppen während des ganzen Krieges bekämpft, und die bewaffneten Verbände der Ustascha – so hieß Kroatiens faschistische Partei – hatten den Kampf besonders hart geführt.

Wahrscheinlich brachen damals in den ersten Maitagen nicht eineinhalb Millionen Kroaten auf, aber nach Ansicht von Augenzeugen waren es zumindest viele Hunderttausend, und gut die Hälfte von ihnen waren Frauen und Kinder. Begleitet wurde diese Völkerwanderung von 220 000 Mann der regulären kroatischen Armee und von Ustascha-Verbänden. Es war also eine ansehnliche Streitmacht, die da mitzog.

Maria Kontschan-Colins: Eine Totenstille.

Britische Grenztafel bei Thörl-Maglern. Die Ritterfaust ist das Divisionszeichen der einmarschierenden Briten.

Doch nun wird den britischen Truppen im Raum Bleiburg befohlen, den Weiterzug der Kroaten unter allen Umständen zu stoppen. In diesem Befehl heißt es wörtlich: „Sollten die Kroaten versuchen, über die Drau zu setzen, ist ohne zu zögern das Feuer zu eröffnen, zunächst über die Köpfe hinweg. Führt dies nicht zum Erfolg, sind die Kroaten mit massiertem Feuer am Übergang zu hindern."

Das „Österreich II"-Team hat diese und viele andere Befehle im Public Record Office in London gefunden, und sie wurden uns auch ohne weiteres ausgehändigt. Die britische Archivsperre gilt nur 30 Jahre, und die Freigabe solcher Dokumente dient nicht zuletzt dem Zweck, Ereignisse wie diese beurteilen und aus ihnen Schlüsse für heute und für morgen ziehen zu können. Die Veröffentlichung einiger dieser Dokumente in „Österreich II" hat die britische Fernsehgesellschaft BBC veranlaßt, sich in einer mehrteiligen Dokumentation mit dem Schicksal der Kroaten, mit dem Ursprung und der Motivation der damaligen britischen Befehle auseinanderzusetzen.

Es kommt übrigens damals bei Bleiburg zu keiner blutigen Konfrontation zwischen Briten und Kroaten. Die Kroaten schicken Unterhändler und machen die Briten auf zweierlei aufmerksam: auf das ungeheure Ausmaß dieses Völkerzuges und auf das vermutlich schreckliche Los, das diese Menschen treffen würde, sollte es ihnen nicht möglich sein, sich unter britischen Schutz zu begeben. Noch während die Kroaten mit den Briten verhandeln, erscheinen die Vertreter der jugoslawischen Partisanenarmee, erklären den Briten, sie mögen sich da heraushalten, und fordern die Kroaten auf, sich zu ergeben. Da die Briten einen Übertritt der Kroaten verweigern, empfehlen die demoralisierten kroatischen Führer ihren Leuten, sich zu ergeben. Einzelnen Truppenteilen der kroatischen Armee gelingt es im Laufe der nächsten Tage, auf anderen Wegen nach Kärnten zu gelangen. Der Großteil dieser Truppen wird später von den Briten ausgeliefert und in Massakern niedergemacht werden. Wir werden später noch mehr davon hören.

Schließlich taucht noch eine Armee auf Kärntens Straßen auf: Es sind Bulgaren. Sie kommen als Verbündete der Sowjetunion und unterstehen sowjetischem Befehl. Im Wettlauf der Armeen haben sie steirisches Gebiet durchquert und stoßen bis knapp vor Klagenfurt vor. Auf das Erscheinen der Bulgaren sind die Briten nicht vorbereitet. Doch die bulgarischen Offiziere machen den Briten klar, daß sie nicht die Absicht haben, in Kärnten zu bleiben. Der Umgang der Briten mit den Bulgaren wird daraufhin freundlicher.

Zwischen all diesen Armeen befanden sich große deutsche Truppeneinheiten. Diese Truppen hatten Befehl gehabt, den Kampf an der Ostfront so lange fortzusetzen, bis das Gros der deutschen Soldaten den Rückzug nach Westen bewerkstelligt und in britische oder amerikanische Gefangenschaft gegangen ist. Denn vor der sowjetischen Gefangenschaft haben alle Angst; man weiß, welche Verwüstungen der Hitler-Krieg in der Sowjetunion angerichtet hat, man weiß, wie gnadenlos der Kampf dort oft geführt wurde. Und man weiß auch, wie hart das Leben in sowjetischen Kriegsgefangenenlagern ist. Aus dieser Gefangenschaft, so befürchtet man, werde man lange nicht heimkehren. Und deshalb soll die deutsche Front gegenüber der Roten Armee solange es geht halten, um der Masse der Soldaten den Abzug nach dem Westen zu ermöglichen.

Diese deutsche Front steht am Morgen des 8. Mai noch in der Oststeiermark. Und so ist die Steiermark am 8. Mai noch Teil des Dritten Reichs und erlebt als letztes Bundesland den Endkampf, die Kapitulation, die Befreiung und die Besetzung.

DAS ERBE DES KRIEGES

Hitler ist tot. Vor seinem Selbstmord hat er Großadmiral Karl Dönitz, den Oberbefehlshaber der deutschen Kriegsmarine, zu seinem Nachfolger bestellt. Dönitz hat diese Nachfolge angetreten. Sein Hauptquartier befindet sich in Flensburg in Schleswig-Holstein. Dönitz ist klar, daß er nur noch einen Akt zu vollziehen hat – die Kapitulation der deutschen Streitkräfte.

Deutschland ist von den alliierten Armeen bereits weitgehend besetzt, die Reichshauptstadt Berlin in sowjetischer Hand. Die Regierungsgewalt, die Dönitz für sich in Anspruch nehmen kann, erstreckt sich außer auf diesen Teil Schleswig-Holsteins nur noch auf Reste von Böhmen und Mähren, auf Niederösterreich westlich von St. Pölten, auf Teile Kärntens, der Steiermark und Oberösterreichs. Dönitz bietet über seinen General Admiral Hans-Georg von Friedeburg zunächst den Briten die Kapitulation an. Der britische Oberbefehlshaber Montgomery akzeptiert diese auch. In einem Zelt in der Lüneburger Heide wird der Waffenstillstand unterzeichnet. Doch die deutschen Unterhändler machen klar, daß nur die deutschen Truppen an der Westfront die Waffen strecken werden, nicht jene an der Ostfront. Die Kapitulation im Westen soll es den Truppen an der Ostfront erleichtern, sich nach dem Westen abzusetzen.

Eine derartige Teilkapitulation widerspricht den Abmachungen, die zwischen den alliierten Mächten getroffen worden sind: Ausdrücklich haben sich alle Alliierten verpflichtet – außer an Teilabschnitten einer Front –, nur eine Gesamtkapitulation Deutschlands entgegenzunehmen, und diese müsse auch noch bedingungslos erfolgen. Das machen nun die Westalliierten der Regierung Dönitz klar. So entsendet Dönitz am 7. Mai den Chef des Wehrmachtführungsstabes Generaloberst Alfred Jodl in das Hauptquartier General Dwight D. Eisenhowers nach Reims. Dort unterzeichnet Alfred Jodl die bedingungslose Kapitulation aller deutschen Streitkräfte.

Die sowjetische Führung hält jedoch auch diese Kapitulationsurkunde für nicht ausreichend. Die Deutschen hätten vor allen vier alliierten Mächten zu kapitulieren und könnten ihre Kapitulation nicht nur bei einer der Mächte deponieren. Während in den USA, in England und in Frankreich am folgenden Tag, dem 8. Mai, bereits das Ende des Kriegs in Europa gefeiert wird, während Präsident Truman, Premierminister Churchill und General de Gaulle ihre Siegesansprachen halten, ist für die Sowjetunion der Krieg in Europa noch nicht beendet.

Und das stimmt auch. Denn gegenüber den Sowjets leisten die deutschen Truppen, wo immer sie noch stehen, weiterhin Widerstand. Das trifft unter anderem und vor allem auch für die deutsche Front am Semmering und in der Steiermark zu. Wie schon gesagt, hatten die deutschen Truppen Befehl, die Sowjets so lange hinzuhalten, bis sich das Gros der deutschen Soldaten nach Westen abgesetzt und die amerikanischen bzw. die britischen Linien erreicht hat.

Rund 1,2 Millionen Soldaten der deutschen Streitkräfte ergeben sich auf österreichischem Boden den Alliierten. In endlosen Kolonnen ziehen sie – über fast alle österreichischen Landstraßen – in die Gefangenschaft. Unter ihnen befinden sich schätzungsweise 200 000 Österreicher: Gefangene im eigenen Land.

Gemäß der Kapitulationsurkunde, die General Jodl unterschrieben hat, sollen diese Kämpfe, wie überhaupt alle Kämpfe, von den deutschen Truppen am 8. Mai um 23 Uhr eingestellt werden. Die Sowjetunion will nun erreichen, daß noch vor diesem Zeitpunkt eine deutsche Gesamtkapitulation unterschrieben und in Anwesenheit von Vertretern aller vier Siegermächte unterzeichnet wird. Und diese Unterzeichnung soll in der bisherigen Reichshauptstadt Berlin, und zwar im sowjetischen Hauptquartier, in Karlshorst, stattfinden. Die Sowjets wünschen auch, daß die Kapitulation vom Chef des Oberkommandos der Wehrmacht, Generalfeldmarschall Wilhelm Keitel, unterzeichnet wird.

Amerikaner und Briten müssen also zum zweitenmal antreten, um eine deutsche Gesamtkapitulation entgegenzunehmen. Beziehungsvoll entsenden sie die Oberbefehlshaber ihrer beiden Luftwaffen in das Berlin, das diese Luftwaffen weitgehend zerstört haben: Großbritannien wird von Luftmarschall Sir Arthur Tedder und die USA vom Oberbefehlshaber der strategischen US-Luftstreitkräfte, General Carl M. Spaatz, vertreten. Auch Keitel und Offiziere aller drei deutschen Waffengattungen werden mit dem Flugzeug nach Berlin gebracht. Die Amerikaner und die Briten empfängt auf dem Flugfeld eine sowjetische Ehrenformation, die Deutschen werden direkt nach Karlshorst gebracht. Dort allerdings müssen sie warten. Die Kapitulationszeremonie findet vorläufig nicht statt. Keitel und seine Leute werden in ein Nebengebäude geführt. Zwischen den Sowjets und den Vertretern der Westmächte gibt es erhebliche Meinungsverschiedenheiten. Der von den Sowjets vorgeschlagene Text der Kapitulationsurkunde weicht von dem der Westmächte ab. Während es den Westmächten genügte, daß alle deutschen Truppen kapitulieren, bestehen die Sowjets „auf die Übergabe dieser Truppen und aller Waffen, Fahrzeuge und Maschinen aller Art". Nach elfstündigen Verhandlungen zwischen den westlichen Militärs und den Sowjets wird der Sowjettext schließlich genehmigt.

Die Sowjets fragen auch die Deutschen, ob sie den neuen Text akzeptieren. Die Urkunde wird Generalfeldmarschall Keitel zum Studium übergeben. Doch Keitel sieht keinen besonderen Unterschied zwischen dem westlichen und dem sowjetischen Text. Keitel ist übrigens von den Sowjets recht angetan, sie haben die deutsche Delegation mit Wodka, Wein und Kaviar begrüßt und ihr ein gutes Mahl bereitet. Keitel gibt seine Zustimmung zum sowjetischen Text.

Hätte Keitel auch mit den westlichen Militärs gesprochen – oder sprechen dürfen, wir wissen nicht, ob es ihm überhaupt möglich gewesen wäre –, sie hätten ihn vielleicht darauf aufmerksam gemacht, worin der Unterschied zwischen den beiden Formulierungen bestand: Der sowjetische Text begründete einen Anspruch der Sowjetunion auf die Auslieferung jener deutschen Truppen, die an der Ostfront gekämpft haben; und der Text spricht den Sowjets nicht nur Waffen und Transportmittel zu, sondern generell „Maschinen aller Art" als Kriegsbeute.

Diesen Unterschied werden in den nächsten Tagen viele deutsche und österreichische Soldaten zu spüren bekommen, dort nämlich, wo sie von den Westalliierten nicht mehr durchgelassen oder nach der Gefangennahme an die Sowjets ausgeliefert werden.

Erst nach Mitternacht, also in den frühen Morgenstunden des 9. Mai, schreitet man in Karlshorst zur Unterzeichnung der Kapitulationsurkunde. Zum letztenmal läßt man die deutschen Offiziere in großer Uniform und Keitel mit Marschallstab und allen Auszeichnungen auftreten – der Feind soll vor den surrenden Kameras der alliierten Kriegsberichterstatter auch genauso aussehen, wie man ihn sich immer vorgestellt hat.

Keitel wird noch einmal gefragt, ob er mit dem Text einverstanden ist. Er hebt das Papier vom Tisch und stimmt zu. Dann wird unterzeichnet. Für die Sowjets unterschreibt der Eroberer von Berlin und Oberkommandierende in Deutschland, Marschall Grigorij Schukow. Damit ist der Waffenstillstand für alle deutschen Truppen besiegelt.

Der Krieg in der Steiermark

Werfen wir nun einen Blick in die Steiermark, in jenes Bundesland, für das diese Vorgänge in Flensburg, Reims und Berlin von besonderer Bedeutung waren, weil in der Steiermark noch kämpfende deutsche Verbände standen, die den Befehlen der Regierung Dönitz und der deutschen Generalität folgten. Dazu kam noch die spezielle Situation in der steirischen Landeshauptstadt Graz.

In Graz hatte das Leben um diese Zeit eigenartige Formen angenommen. Anfang April befand sich die Rote Armee bereits im Anmarsch auf Graz, sowohl vom Osten her wie auch über den Semmering. Doch auf dem Semmering hatten sich deutsche Einheiten verschanzt und verteidigten den Gebirgszug mit Erfolg bis zum 8. Mai. Dabei wurde oft erbittert gekämpft. Wer heute den Solda-

Graz galt nicht nur als Frontstadt, es wurde auch noch in den letzten Tagen des Kriegs schwer bombardiert. Rechts oben: Eine Flakstellung vor dem Grazer Schloßberg, daneben die Einschläge eines Bombenteppichs in der Stadt. Mitte: Die Gleisanlagen des Grazer Bahnhofs unmittelbar nach einem Angriff; daneben ein Volltreffer in die Fahrradproduktion der Puch-Werke. Unten: Grazer Straßenzug unmittelbar nach einem Bombenangriff; daneben: Nur bei kriegswichtigen Objekten wird auch Militär zu Aufräumungsarbeiten herangezogen, wie hier am Grazer Hauptbahnhof.

tenfriedhof auf dem Semmering besucht, kann sich davon überzeugen, wie viele Opfer dieser Kampf noch gekostet hat, vor allem aber wie blutjung die Soldaten waren, die hier in den letzten April- und ersten Maitagen des Jahres 1945 ihr Leben gaben. Auf beiden Seiten – auf deutscher und auf sowjetischer.

Auch im Joglland, in den Fischbacher Alpen, versteifte sich der deutsche Widerstand, und die Sowjets, die anfangs offenbar Befehl hatten, rasch in Richtung Graz durchzubrechen, schalteten nun auch hier auf einen Stellungskrieg um. Einen Krieg allerdings, in dessen Verlauf sich die Front immer wieder um einige Kilometer nach Osten oder nach Westen verschob; einige Ortschaften wech-

selten bis zu viermal den Besitzer. Wer in diesen Ortschaften zurückgeblieben war oder vorzeitig zurückkehrte, hatte Unsägliches zu leiden.

Graz galt als Frontstadt. Frauen und Kinder wurden evakuiert, viele von ihnen verließen die Stadt zu Fuß, da es bereits an Transportmitteln fehlte. Der Spannungszustand in Graz selbst wird zum Alltag. Und zum Alltag gehören auch weiterhin Luftangriffe der alliierten Bomberverbände. Die schwersten Angriffe gegen Graz fliegen Briten und Amerikaner erst in den Ostertagen 1945: Drei Angriffe hintereinander, zwei bei Nacht, einen bei Tag. Die Stadt versinkt unter den Bombenteppichen.

Insgesamt haben die Alliierten 56 große Luftangriffe auf Graz unternommen und dabei rund 29 000 Bomben abgeworfen, bedeutend mehr als auf die gesamte übrige Steiermark und deren Industrien. Jedes dritte Gebäude in Graz wird zerstört oder beschädigt, Graz verliert 20 000 Wohnungen, ein Drittel seines Wohnraums. Unter den Bomben kommen allein in Graz 1 980 Menschen um, in der übrigen Steiermark sind es weitere 600. Dabei verfügte Graz über eine der größte Luftschutzanlagen in Österreich. In den Grazer Schloßberg hat man Stollen von über sechs Kilometer Länge getrieben, in denen bis zu 50 000 Menschen sicheren Schutz finden können. In den Stollen befinden sich Luftwarn- und Fliegerabwehrzentralen, Sanitätsstationen und Wehrmachtsleitstellen und zum Schluß auch die Befehlsstände des Gauleiters der Steiermark, Siegfried Uiberreither.

Hitler stattet die Gauleiter während des Krieges mit zusätzlichen Vollmachten aus – sie werden Reichsverteidigungskommis-

Die Aufräumungsarbeiten in den Wohnvier-
teln müssen meist von der Zivilbevölkerung
allein bewältigt werden. Einsturzgefährdete
Mauern werden abgetragen (links oben);
noch brauchbarer Hausrat wird aus den
halbzerstörten Wohnungen geholt (links unten). Erst nach Eintreffen der Alliierten
werden auch Maschinen eingesetzt, um den
Bombenschutt zur Seite zu räumen. Die
Menschen suchen nun im Schutt nach Holz
und anderen noch brauchbaren Dingen
(rechts oben).

sare. Damit geht fast die gesamte Befehlsgewalt in ihrem Gau auf
sie über. Auch Uiberreither wurde zum nahezu uneingeschränkten
Herrn über Leben und Tod in der Steiermark, und als nun die
Fronten die Steiermark erreichen, gibt auch Uiberreither die Parole
zum Durchhalten um jeden Preis aus.

Hitlers Befehl, Graz bis zum letzten Atemzug zu verteidigen,
will Uiberreither auch noch durchführen, als Hitler schon tot ist. In
allen wichtigen Straßenzügen der Stadt waren Barrikaden errichtet
worden, und mit Barrikaden wurde auch rund um den Schloßberg
und die Burg, in der sich die Gauleitung befindet, ein Festungsgür-
tel gezogen. Fußgänger konnten nur noch auf Notstiegen über die
Barrikaden klettern. An wichtigen Punkten der Stadt wurden
überdies Sandsackbarrieren für den Straßenkampf errichtet. Immer
neue Durchhalteparolen tauchen auf. So heißt es auf einem Plakat:
„Elend, Not und Jammer ohne Ende. Der Untergang für alle, auch
für dich wäre es, wenn wir jetzt schwach werden, kapitulieren,
aufgeben würden. Daher Kampf, Kampf, Kampf! Hart bleiben!
Durchstehen! Sieg um jeden Preis!"

Zum Hartbleiben gehören auch Massenverhaftungen vermute-
ter Widerstandskämpfer, Todesurteile am laufenden Band und
schließlich Erschießungen ohne jedes Urteil. Sie finden auf dem
Gelände des Grazer Felieferhofes statt. Noch in den letzten Kriegstagen werden hier 142 Menschen umgebracht. Keine Gnade auch
gegenüber Soldaten, die nicht mehr weiterkämpfen wollen. In
einem Rundschreiben befiehlt Gauleiter Uiberreither, solche Soldaten aufzugreifen und „der nächsten Dienststelle wegen Vollstrek-
kung der Todesstrafe zu überstellen". Auf einem Friedhof in

Hieflau sind heute noch die Einschußstellen in dem Baumstumpf zu sehen, an dem die Soldaten exekutiert wurden. Hier war eines der vielen Standgerichte jener Tage am Werk. Die Exekutierten wurden gleich am Friedhof bestattet. Die Grabsteine der Erschossenen tragen das Datum der Exekution. Bei einigen ist es noch der 8. Mai 1945.

Gustav Müller wird auf einem Spaziergang Zeuge der standgerichtlichen Erschießungen: „Die haben sie hier herausgeführt und bei der Kapelle abgeladen. Dann wurden sie mit verbundenen Augen durch den Wald geführt und an die Bäume angebunden. Das Erschießungskommando ist etwas weiter vorn gestanden. Dann sind sie erschossen worden. Der Strick wurde weggenommen. Sie haben noch einen Genickschuß gekriegt und sind in die offenen Gräber hineingeschmissen worden. Wir waren nur zufälligerweise hier, sind da hinten spazierengegangen und sind dann auch vom Erschießungskommando verjagt worden. Aber wir haben das Ganze von oben angeschaut." Und mit tränenerstickter Stimme fügt Gustav Müller hinzu: „Das war sehr, sehr traurig, es war ja auch schon das Kriegsende da."

Großadmiral Dönitz läßt am 7. Mai über den Sender Flensburg die Kapitulation an allen Fronten verkünden. Die Grazer Gauleitung erklärt daraufhin den Sender Flensburg zum „Feindsender" und die Erklärung von Dönitz zur „Lügenmeldung". Die Gauleitung stellt fest: „Der Kampf an der Ostfront geht weiter – es gibt keine bedingungslose Kapitulation gegenüber der Sowjetunion."

Die Gauleitung hat sich noch immer nicht damit abgefunden, daß der Krieg verloren und zu Ende ist.

Gustav Müller:
Dann wurden sie erschossen.

Ein ausgedehntes Stollensystem im Grazer Schloßberg bot Schutz für 50 000 Menschen. In den Stollen befanden sich auch die Leitstellen des Luftschutzes (links). In den Straßen rund um den Schloßberg ließ der Gauleiter Barrikaden errichten: Graz sollte „bis zum letzten Stein" verteidigt werden (oben).

Rudolph Forenbacher:
Im Notfall den Gauleiter verhaften.

Die Machtübergabe in Graz

Die Ostfront, das ist die Front in der Steiermark. In den Hauptquartieren der Wehrmacht allerdings werden die Koffer gepackt und die Stäbe aufgelöst. Sie dürfen tun, wofür andere am gleichen Tag noch standrechtlich erschossen werden. Und im Stab der Wehrmacht befürchtet man, daß Gauleiter Uiberreither den ihm unterstellten Volkssturm auch noch zur Verteidigung von Graz einsetzen wird. An dieser letzten Lagebesprechung nimmt der Österreicher und damalige Oberstleutnant Rudolph Forenbacher teil.

Forenbacher, später General des Bundesheeres, schildert, welche Sorge man vor einem Alleingang Uiberreithers damals hatte: „Er hatte eigene Ambitionen, er wollte Graz so ähnlich wie den Alcazar verteidigen. [Alcazar = eine Festung der Franco-Truppen, die im spanischen Bürgerkrieg bis zuletzt gehalten wurde]. Es waren auch Straßensperren in Graz gebaut, und Uiberreither hatte sich heimlich eine Panzerjägerkompanie organisiert, die mit rumänischen Panzerabwehrkanonen ausgerüstet war, und auch noch eine weitere Kompanie und den Volkssturm für die Verteidigung in Betracht gezogen. Wir sind da draufgekommen, weil der Kreisleiter von Graz und ein SA-Standartenführer zu mir in den Gefechtsstand gekommen sind und darauf aufmerksam gemacht haben, daß in dem Bereich, den der Gauleiter verteidigen will, also rund um den berühmten Grazer Schloßberg, etwa 50 000 Grazer Bürger leben. Nicht wenige von ihnen hatten im Schloßberg-Stollen Zuflucht gesucht. Es wären aber nur drei Brunnen zur Wasserversorgung dieser 50 000 Leute da, wobei ein Brunnen schon in der geplanten Hauptkampflinie liege. Nun haben diese beiden – der Kreisleiter und der SA-Führer – uns gebeten, das doch nicht wahr werden zu lassen. Das kam zum Lagevortrag beim General Ringel [General der Gebirgstruppen]. Und vom General Ringel bekam ich dann den Auftrag, den Gauleiter zu verhaften, falls er diese Verteidigung tatsächlich aktivieren sollte."

Zur Verhaftung kommt es nicht. Die Gauleitung muß erkennen, daß die Wehrmacht eine Verteidigung von Graz nicht mehr mitmachen würde. Und die von Dönitz angeordnete Gesamtkapitulation gilt nun auch für die Steiermark. Der Gauleiter gibt auf. Er übergibt die Amtsgeschäfte – so wie Rainer in Kärnten – seinem höchsten Beamten. In der Steiermark ist das der Gauhauptmann Armin Dadieu.

Am 8. Mai taucht Uiberreither unter, wird später gefaßt, kann aus alliierter Gefangenschaft entkommen, flieht nach Argentinien, wo er Mitte der siebziger Jahre stirbt.

Im Landhaus zurückgeblieben ist Gauhauptmann Armin Dadieu. Er will die von Uiberreither übernommenen Amtsgeschäfte den Vertretern der früheren demokratischen Parteien übergeben. Diese versammeln sich bereits im Grazer Rathaus und fordern ihrerseits den noch amtierenden NS-Bürgermeister Julius Kaspar und auch Gauhauptmann Dadieu auf, die Macht in der Stadt und im Land an sie abzugeben. An die Spitze der versammelten Politiker stellt sich der Sozialdemokrat Reinhard Machold. Bei den letzten freien Wahlen vor dem Jahr 1934 war Machold zum Landeshauptmann-Stellvertreter der Steiermark gewählt worden. Unter den jetzt im Grazer Rathaus Versammelten ist er der Ranghöchste.

Sozialdemokraten, Christlichsoziale und Kommunisten haben sich eingefunden. Der Sozialdemokrat Alois Rosenwirth erscheint in der Uniform eines k. u. k. Hauptmanns und stellt sich als Polizeibeamter zur Verfügung. Die Politiker übertragen ihm den Posten eines Polizeipräsidenten von Graz und eines Sicherheitsdirektors für die Steiermark.

Grazer Volkszeitung

Verlag und Schriftleitung:
Graz, Stempfergasse 3–7
Fernruf 21-27, 21-38.
Anruf nach 23 Uhr:
Schriftleitung 61-93,
Betrieb 34-11, Torwart 33-77,
Vertrieb 21-38.
Fernsprecher:
Bezug auswärts 21-38, 34-11.
Bezug Stadt
und Anzeigen 33-77.
Einzelverkaufspreis:
Sonntags und werktags
14 Pf.

Postbezugspreis:
Für Graz bei Abholung in der
Geschäftsstelle monatlich
RM 2.60. Für alle Orte Österreichs bei Zustellung ins Haus
durch Boten oder Post RM 2.90
(einschl. 21 Pf. Postgebühr,
zuzüglich Porto bei Lieferung
im Streifband).

Der Bezugspreis ist monatlich
im voraus zu entrichten. Ausfall der Lieferung im Falle
höherer Gewalt rechtfertigt
keinen Anspruch auf Rück-
zahlung des Bezugspreises.

Nr. 1   Graz, Donnerstag, 10. Mai 1945   1. Jahrgang

Frieden und Sicherheit
Schwedische Stimmen zur Kapitulation
STOCKHOLM, 9. Mai. (R)

In einer Rundfunkansprache an das schwe-
dische Volk sagte der Sprecher Professor Han-
sen u. a.: „Der Tag der deutschen Kapitulation
bedeutet das Ende eines noch nie dagewesenen
Vernichtungsorkans von Menschenleben und
Werten. Auch wir Schweden hatten unter den
Auswirkungen dieses Krieges viel zu leiden.
Nun können wir endlich aufatmen und mit
unserer Arbeit zum Wiederaufbau einer Welt
des Friedens und der Sicherheit beitragen."

Einmarsch der Russen in Prag
Zum Abschluß noch deutscher Bombenterror über die Stadt
PRAG, 9. Mai. (R)

Prag ist nunmehr völlig frei von deutschen
Truppen. Die Rote Armee, die in die Stadt
eingedrungen war, besetzte sofort den Alt-
städter Ring und den Wenzelsplatz. Ein Offizier der Armee Konjeff, der als einer der
ersten russischen Soldaten im Zentrum von

Russische Truppen in Graz einmarschiert
Vollste Disziplin zugesichert — Allen Anordnungen ist Folge zu leisten
GRAZ, 9. Mai.

Der Sicherheitskommissär gibt bekannt: In
die Stadt Graz sind heute nacht die russischen
Truppen einmarschiert. Der provisorischen
Landesregierung wurde vom Besatzungskom-
mando vollste Disziplin zugesichert, es ist aber
auch notwendig, daß jedermann sich den gegebenen Anordnungen fügt und kein wie
immer gearteter Anlaß zu Mißhelligkeiten gegeben wird. Das normale Leben hat seinen
Gang zu nehmen. Die Geschäfte sind offen zu
halten. Die Betriebe haben zu arbeiten.

Auf Anordnung des Besatzungskommandos
ist es strengstens verboten, geistige Getränke
auszuschenken oder zu verkaufen. Dies gilt
ausnahmslos, d. h. sowohl der einheimischen
Bevölkerung und den zurückflutenden eigenen
Truppen als auch den Besatzungstruppen
gegenüber.

Waffen jeder Art (Gewehre, Pistolen, Re-

pen. Lange Pferdefuhrwerkkolonnen wurden
wiederholt von unheimlich schnell galoppieren-
den Kavalleristen überholt, die gleichsam mit
ihren Pferden verwachsen zu sein schienen.
Alle Soldaten machten, jung und gut aus-
sehend, einen strammen Eindruck, die meisten
von ihnen sind vielfach ausgezeichnet und
haben schwere Kriegsschauplätze hinter
sich. Die hier einmarschierenden Einheiten gehören zur Armee Marschall Tolbuchins, die sich
u. a. in Bulgarien und Ungarn ausgezeichnet hat.

Grazer, Achtung!
Befehle des sowjetrussischen Ortskommandanten
GRAZ, 10. Mai.

Heute werden auf den Anschlagsäulen und
Anschlagwänden der Stadt Graz Befehle des

Unerfüllte Hoffnungen
Sieben Jahre lang nichts als Phrasen
GRAZ, 9. Mai.

In der österreichischen Bevölkerung wird
es wohl nur wenige geben, denen es nicht
wenigstens in den letzten Jahren aufgedämmert
ist, daß sich das Schicksal unseres Vaterlandes
unter der nationalsozialistischen Führung
immer mehr der Katastrophe näherte. Als in
der Zeit vor 1938 einsichtige Männer aus allen
Kreisen davor warnten, den verlockenden
Tönen, die aus dem Reiche herüberklangen,
Glauben zu schenken und damit unser Geschick an das Nationalsozialismus zu heften, wurden sie verlacht und als Feinde der so
lange ersehnten Einigung des deutschen Volkes
bekämpft und verfolgt. Wie dann unter dem
Jubel des Teiles der Bevölkerung, der den
nationalsozialistischen Phrasen erlegen ist, die
Grenzbäume fielen, hofften viele, es werde nun
das goldene Zeitalter für uns anbrechen.

Wie ganz anders ist es gekommen. Und
doch, wer sich einen klaren Blick gewahrt hatte

Von jenen, die sich damals im Grazer Rathaus versammelt
hatten, lebten, als wir mit den Arbeiten zu „Österreich II" begannen,
nur noch wenige. Ditto Pölzl war einer von ihnen. Er war 1945
Kommunist. Er berichtet: „Kaspar und Dadieu haben erklärt, sie
seien am Ende. Die Kapitulation habe stattgefunden, und sie
übergeben ihre Geschäfte somit den versammelten Herren. Ich
erinnere mich noch sehr genau an die erste Reaktion in diesem
Kreis. Der Realist Machold stellte sofort die Frage: ‚Welche Lebensmittelvorräte gibt es in Graz und in der Steiermark?' Dadieu
antwortete: ‚Keine.'"

Karl Kober war bei dieser Machtübergabe ebenfalls anwesend:
„Der Machold hat dann auch die Unterlagen vom Bürgermeister
übernommen, und wir haben dem Bürgermeister gesagt, er könne
jetzt nach Hause fahren. Und da ist mir noch eines in Erinnerung,
er hat einen Chauffeur gehabt mit einem Steyr 50er. Und wie der
gesehen hat, daß jetzt alles aus ist, hat er ihn nimmer heimführen
wollen. Er hat sich dann besonnen und hat ihn doch heimgeführt,
den Bürgermeister. Es hat sich auch herausgestellt, daß bei dieser
Übergabe faktisch nur Sozialisten und Kommunisten dabei waren.
Mich hat dann der Herr Machold gefragt, zu welcher Gruppe ich
gehöre. Und da hab ich gesagt: ‚Meiner Anschauung nach zu den
Christlichsozialen.' – ‚Gut so', hat er gesagt, ‚wir machen nachmittag eine Konferenz, und da wird eine provisorische Regierung
eingesetzt.' Den Herrn Rosenwirth haben sie gleich zum Polizeipräsidenten gemacht."

Die Amtsübergabe erfolgt erstaunlich reibungslos. Machold
läßt den früheren christlichsozialen Landeshauptmann der Steiermark, Alois Dienstleder, holen, der krank ist und zunächst nicht
mitmachen will, aber dann doch in diese erste provisorische Landesregierung eintritt. Die steirischen Zeitungen und Radio Graz
stellen sich sofort in den Dienst der neuen demokratischen Landesregierung. Am Nachmittag des 8. Mai befindet sich Graz somit in
demokratischer Hand, ehe noch die deutsche Kapitulation in Kraft
tritt.

Es ist die Hoffnung der neuen Landesregierung, die Geschicke
der Steiermark auch nach der Besetzung weiter bestimmen zu
können.

*Als die Sowjets in Graz einmarschierten,
erschien die erste Nummer der „Grazer
Volkszeitung". Die Nummer 2, die am
nächsten Tag erschien, hieß bereits „Grazer
antifaschistische Volkszeitung" und verkün-
dete in ihrer Schlagzeile die „Befehle des*

Ditto Pölzl: Sie waren am Ende.

Karl Kober: Wir machen eine Regierung.

Befehle des sowjetischen Ortskommandanten

Wichtige Anordnungen an die Gesamtbevölkerung der Stadt Graz

GRAZ, 10. Mai.

Befehl Nr. 1:

Zwecks Aufrechterhaltung des normalen Lebens und der Ordnung im Weichbilde der Stadt

befehle ich:

1. Alle Gewalt ist in meiner Person konzentriert aus dem Repräsentanten des Oberkommandos der Roten Armee. Die Anordnungen des Ortskommandanten der Roten Armee sind für die Bevölkerung bindend und haben Gesetzeskraft.

2. Alle Gesetze, die nach dem 13. März 1938 erlassen wurden, werden aufgehoben.

Die Funktionen der zivilen Gewalt wird der von mir ernannte provisorische Bürgermeister ausüben.

u. a. von Müll, Kehricht, Schmutz und anderen Unreinlichkeiten zu säubern). Für ständige Reinlichkeit der Stadt ist Sorge zu tragen.

c) Straßen, Brücken, Flußübersetzungen und andere wehrwirtschaftliche Objekte sind in gutem Zustand zu erhalten.

6. Der Betrieb von Gastwirtschaften, Restaurants, Kabaretts, Kasinos, Theatern, Lichtspielen und anderen Unterhaltungsstätten ist von 7 bis 20 Uhr mitteleuropäischer Zeit gestattet.

7. Allen Bürgern ist auf das strengste verboten:

a) Mitteilungen zu machen — wem immer es sei — über die Rote Armee, Truppenbewegungen, Einquartierung, Truppenzahl und andere Dinge, die Wehrgeheimnis darstellen;

b) Aufbewahrung und Tragen von Feuer- und

d) Aufbewahrung, Lesen, Weiterverbreitung oder mündliche Wiedergabe von Flugblättern oder sonstigen literarischen Erzeugnissen, die gegen die Rote Armee und ihr Oberkommando gerichtet sind, sowie die Verbreitung von allerhand unwahren, panischen und provokatorischen Gerüchten.

8. Der Straßenverkehr zur Nachtzeit ist erlaubt auf Grund von Passierscheinen, die von der Ortskommandantur ausgestellt sind:

a) Arbeitern und Angestellten von Unternehmungen und Behörden, deren Beruf den Weg zu oder von der Arbeitsstätte zur Nachtzeit erfordert;

b) der Feuerwehr bei entstandenen Bränden; technischem Personal bei Leistung technischer Nothilfe; ebenso Lebensmitteltransporten;

Der Fluch der Stadt

GRAZ, 10. Mai.

Ein Spuk ist verweht, ein Wahn ist zerstoben, eine Nacht ist vergangen. Und von einem tausendjährigen Reich ist nichts geblieben als die Schuld, unzählige Verbrechen, unzählige Morde, unzähliger Schandtaten, die es begründen sollten, und welche den Mut unsrer Männer und die Opfer unsrer Frauen überschatten.

Nicht davon wird die Welt sprechen und die Geschichte erzählen, was unsre Söhne geleistet und gelitten, wie sie gestritten und sie erduldet haben, auch nicht von den Frauen, die unter Trümmern ihr Leben gelassen, sondern von den Verbrechen, den Morden, den Schandtaten. Darum ziemt es uns nicht, die Glocken zu läuten und Fahnen an den Masten hochzuziehen, obgleich doch der Krieg zu Ende ist.

Tausend Jahre waren nur sieben Jahre, aber diese sieben Jahre waren eine schier endlose Verdammnis unter die Herrschaft eines Größenwahnsinnigen und unter dem Terror

---

sowjetischen Ortskommandanten". Der Titel der Zeitung änderte sich jedoch noch einmal über Nacht – nämlich als die Briten kamen. Am Tag nach dem britischen Einmarsch in Graz hieß sie nunmehr „Neue Steirische Zeitung".

Josef Haas: Kein Vaterland mehr.

Maria Melcher: Wer das nicht erlebt hat.

Das Ende am Semmering

Die Sowjets warten den Ablauf der Kapitulationsfrist nicht ab. Schon im Morgengrauen des 8. Mai greifen die Truppen der Roten Armee am Semmering an, ebenso wie im Joglland, im Norden wie im Osten der Steiermark. Die deutschen Soldaten liefern da und dort noch einen kurzen, harten Abwehrkampf, um vor ihrem Abmarsch nach dem Westen die Sowjets möglichst auf Distanz zu bringen. Auf beiden Seiten gibt es auch noch Gefallene und Verwundete. Erst in den Nachtstunden tritt am Semmering Gefechtsruhe ein.

Josef Haas gehörte zur „Kampfgruppe Semmering" und schildert, wie der Krieg für ihn und seine Kameraden plötzlich zu Ende war: „Der Russe hat versucht, unter allen Umständen den Semmering zu erobern, es war ein fanatischer Kampf, wirklich von Mann zu Mann. Bis zum 8. Mai sind noch Kameraden gefallen, obwohl niemand mehr wußte, wer, was, wozu. Es war alles schon ein Chaos. Zwischen dem 7. und 8. Mai zirka um halb elf in der Nacht hat der Oberst Behnsen, das war einer der Kampfgruppenführer der Kampfgruppe Semmering, uns auf einer Waldlichtung zusammengerufen und hat gesagt: ‚Kameraden, ihr habt kein Vaterland mehr zu verteidigen. Der Krieg ist aus. Ich gebe euch aber den guten Rat, eure Waffen nicht wegzuwerfen. Ihr werdet vielleicht noch euer Leben verteidigen müssen.' So gingen wir, ich kann das gar nicht beschreiben, kampferprobte Männer, mit Tränen in den Augen, bis zu der Mühle von Steinhaus. Deprimiert, hoffnungslos. Dort haben wir unser Gepäck aussortiert, was immer man noch schleppen konnte, ein paar Hemden, neue Stiefel waren noch da. Dann sind wir bis nach Bruck an der Mur. Und dort habe ich dann schweren Herzens meine von den Russen erbeutete Maschinenpistole auf dem Geländer der Mur-Brücke zerschlagen, und dort, wo die Mürz in die Mur fließt, habe ich alles reingeworfen – Handgranaten und alles."

Maria Melcher wohnte am Semmering. Sie gehörte zur „Zivilbevölkerung", zu jenen Menschen, die dem Krieg völlig wehrlos ausgeliefert sind. Fünf Wochen lang lag ihr Haus im Frontgebiet und immer wieder im Hagel der Geschosse. Das Haus stand auf der deutschen Seite der Front. Und dann kamen die deutschen Soldaten zum letztenmal. Maria Melcher: „Die Soldaten haben uns gesagt, jetzt dauert es nicht mehr lang. Und in der Früh waren auf einmal alle Soldaten weg. Wir haben gar nicht bemerkt, wie sie weg sind. Aber wir sind beschossen worden von der russischen Seite. Wer das nicht mitgemacht hat, der hat ja keine Ahnung! Ein Neffe von uns hat gesagt: ‚Wißts was, wir hängen ein Leintuch raus.' Er hat das Leintuch rausgehängt, und es hat keine zehn Minuten gedauert, da sind die Russen schon heraufgekrochen gekommen. Ob Militär hier ist? Wir haben alle gezittert. Die Russen waren voll Dreck, weil sie auch kein Wasser zum Waschen hatten, wo ihre Stellungen waren. Und mein Mann hat gleich mit ihnen rausmüssen, dann ist ein Höherer gekommen und der hat zu meinem Mann g'sagt, er muß mitgehen und ihnen die Grenze von Niederösterreich zeigen. Jetzt ist mein Mann mit ihnen halt hinauf zum Panhans und ist mit ihnen die Grenze abgegangen zur Steiermark."

Der Bericht von Maria Melcher ist nicht nur wegen des eigenen Erlebens interessant, sondern vor allem auch, weil wir von ihr erfahren, daß sich die Sowjets sofort nach der steirischen Grenze erkundigt haben. Denn zu diesem Zeitpunkt mußte die Sowjetführung schon wissen, daß die Steiermark mit größter Wahrscheinlichkeit zur künftigen britischen Besatzungszone gehören wird. An sich hätten die sowjetischen Verbände an der steirischen Landesgrenze haltmachen und das Eintreffen der Briten abwarten können. Da der Krieg zu Ende war, wäre dies eine Frage von wahrscheinlich 48 Stunden gewesen. Statt dessen aber marschieren die Sowjets über den Semmering und stoßen in Eilmärschen nach Süden und nach Westen vor. So schnappen die Sowjets den Briten ein großes Stück Steiermark noch vor der Nase weg. Und das wird auch große wirtschaftliche Folgen haben: Die Sowjets werden Teile der steirischen Industrien demontieren, die Maschinen als Kriegsbeute beanspruchen und für die Abtretung des von ihnen besetzten Teils der Steiermark westliche Zugeständnisse fordern.

Die Briten sind noch weit

Dem Gros der deutschen Truppen, die sich nun am 8. und 9. Mai rasch von der Ostfront absetzen, gelingt es, der Verfolgung durch die Sowjets zu entkommen. Sie bewegen sich in Eilmärschen auf die amerikanischen Linien zu, die sie mit Recht an der Enns vermuten. Von den Briten hat man zu diesem Zeitpunkt in der Steiermark noch nichts gehört. Die Briten werden, wie schon erwähnt, auf ihrem Vormarsch nach Österreich aufgehalten – durch die Konfrontation mit den Jugoslawen in Triest und auch durch die vielen Truppenverbände, die sich ihnen entlang des Weges zu ergeben trachten. Die britischen Verbände überschreiten ja auch erst im Morgengrauen des 8. Mai die italienisch-österreichische Grenze, also etwa zum gleichen Zeitpunkt, da die Sowjets über den Semmering marschieren. Die Vorausabteilungen der Briten stoßen rasch nach Klagenfurt vor, um ihren Wettlauf mit Titos Partisanen zu gewinnen. Doch das Gros der britischen Truppen bewegt sich langsamer, sichert noch kriegsmäßig nach allen Seiten ab und eskortiert Tausende deutsche Gefangene in hastig errichtete Auffanglager. So viele sind es nun schon, daß das britische Kommando beschließt, sie nicht mehr als Kriegsgefangene, sondern als „sich ergebendes Personal" zu bezeichnen. Ein wichtiger Unterschied: Für Kriegsgefangene muß nach der Genfer Konvention gesorgt werden, „sich ergebendes Personal" kann verhalten werden, für sich selbst zu sorgen.

Im „totalen Krieg" durften die Wiener Sängerknaben als „Spielschar" der Hitlerjugend
weiter auftreten (oben). Statt der traditionellen Matrosenanzüge hatte man für sie eine
eigene Konzertuniform entworfen. Links
oben unser Augenzeuge Günther Theuring.
Als die Briten nach Hinterbichl kamen, fanden sie dort die bombenevakuierten Sängerknaben vor. Jedoch nicht mehr in Uniform –
sie erwarteten die Briten in Lederhosen und
sangen die britische Hymne; danach durften
sie sogar die Panzerwagen besteigen (links
unten).

Günther Theuring: „God save the King".

Als die Briten bei ihrem Vormarsch über Lienz hinausstoßen,
erwartet sie in Hinterbichl eine Überraschung. Hierher hat man die
Wiener Sängerknaben vor den Bombenangriffen evakuiert. Als sie
von Wien wegfuhren, standen sie noch unter HJ-Führung und
steckten selbst in HJ-Uniformen. Seit der Proklamation des totalen
Krieges galten die Sängerknaben als „Spielschar" und mußten stets
Uniform tragen. Die traditionellen Matrosenanzüge waren durch
eine eigens für die Sängerknaben entworfene HJ-Konzertuniform
ersetzt worden. Nun ist auch für die Sängerknaben das Kriegsende
da. Die aus Wien mitevakuierte Internatsleitung der Sängerknaben
setzt die HJ-Führer kurzerhand ab, die Sängerknaben schlüpfen in
zünftige Lederhosen, und damit ist der Chor für das Kriegsende
gerüstet.

Günther Theuring war einer der evakuierten Sängerknaben in
Hinterbichl. Und er war dabei, als die Briten anrollten: „Also der
Waffenstillstand kam, der 8. Mai. Wir hatten gehört, die Engländer
seien schon in Lienz und im Anrücken. Jeden Moment mußten sie
auch nach Hinterbichl kommen. Und da entschloß sich die Leitung
der Sängerknaben, daß wir die Engländer doch in gebührender
Form empfangen sollten. Es war nämlich so: Wenn die Sängerknaben im Ausland gastierten, dann haben sie immer die Hymne
gesungen, sozusagen als Reverenz vor dem Gastland. Und so
haben wir nun schnell die englische Hymne gelernt – ‚God save the
King'. Und eines Morgens rückten die Engländer ein mit ihren
Panzerspähwagen, eine kleine Gruppe, die ganz langsam herange-
kommen ist. Ich kann mich erinnern, wir sind erwartungsvoll auf
dem großen Platz in Hinterbichl gestanden, aber die sind eingefahren, Luke zu und offenbar in Erwartung feindlicher Aktionen. So
kamen sie auf den Platz von Hinterbichl. Dann haben sie die Luken

geöffnet, die Engländer sind herausgestiegen, und wir haben Aufstellung genommen und haben gesungen ‚God save the King'."

Wir haben uns sehr bemüht, einen der englischen Soldaten wiederzufinden, die damals in Hinterbichl einfuhren. Leider war unsere Suche nicht erfolgreich. Aber man kann sich vorstellen, welch eine Überraschung es für die Briten gewesen sein muß, mitten im Feindesland – und als solches betrachteten sie ja das Gebiet noch – auf eine Schar von kleinen Buben zu stoßen, die ihnen die britische Hymne vorsangen.

Während also die Briten, die vom Süden kommen, und die Sowjets, die vom Norden kommen, auf ihrem Marsch in Richtung Steiermark auf keinen Widerstand mehr stoßen, gibt es an der Ostfront im Raabtal und im Wechselgebirge immer noch kurze, harte Gefechte, mit Verwundeten und Toten auf beiden Seiten. Und noch so manches Haus in den kleinen Dörfern geht in Flammen auf. Doch dann wird der Waffenstillstand von beiden Seiten respektiert. Nun rollen die Sowjets auch von der Ostfront her in die Steiermark ein.

Die Sowjets in Graz

Ein sowjetisches Vorkommando trifft am Abend des 8. Mai am Hilmteich vor Graz ein. Die Sowjets beschließen, einen Offizier und drei Soldaten als Parlamentäre in die Stadt zu schicken. Ein deutscher Kriegsgefangener soll ihnen mit einer weißen Fahne vorausgehen und ihnen den Weg weisen. Der Kriegsgefangene ist ein Österreicher. Wo sich in Graz ein deutsches Oberkommando befindet und ob in der Stadt überhaupt irgendwer zu finden ist, der in der Lage wäre, mit den Russen zu verhandeln, das weiß er nicht. Doch genau das fordern die Sowjets von ihm, er soll sie zu den Verantwortlichen führen. Was tut ein Österreicher in einem solchen Fall? Er führt die vier Russen schnurstracks zur nächsten Polizeiwachstube. Die diensthabenden Beamten rufen das Polizeipräsidium an: Es sei ein russischer Parlamentär eingetroffen, er verlange, mit verantwortlichen Stellen in Verbindung gebracht zu werden. Den Polizisten wird nun befohlen, die Sowjets in das Polizeipräsidium zu bringen. Dieser Aufgabe unterzieht sich der Rayonsinspektor Josef Gusmag. Wir wissen dies alles so genau, weil Gusmag, wie es sich für einen sorgfältigen Polizeibeamten gehört, über die Vorgänge in jener Nacht ein sehr detailliertes Protokoll angelegt hat, das mit den Worten beginnt: „Betrifft: Einmarsch der Roten Armee in der Nacht vom 8. auf den 9. Mai 1945 in Graz."

Gusmag führt die Sowjets durch das noch immer kriegsmäßig verdunkelte Graz. Auf dem Weg trifft die kleine Gruppe unentwegt auf deutsche Soldaten, die noch bewaffnet sind. Immer wieder äußern die Sowjets die Sorge, sie könnten von diesen Soldaten niedergemacht werden. Und so schreitet Gusmag den Sowjets im Abstand voraus und ruft in der Dunkelheit unentwegt: „Achtung! Nicht schießen! Nicht schießen! Österreichische Polizei mit russischem Parlamentär!" Die Gruppe wird mehrmals von deutschen Soldaten aufgehalten, die jedoch nur fragen, wo sie ihre Waffen abgeben sollen. Den Sowjets ist eher unheimlich zumute, vor allem als die ganze Gruppe mit Gusmag im Finstern in einen Stacheldrahtverhau gerät. Auch darüber berichtet Gusmag in seinem Protokoll.

Und wie es der Zufall will: In der Sowjetunion haben wir nach einem sowjetischen Soldaten gesucht, der den Einmarsch in Graz in der Nacht zum 9. Mai mitgemacht hat. Wir fanden einen sowjetischen Kriegsberichterstatter, der in jener Nacht mit den andern

Der Einmarsch der sowjetischen Truppen in Graz erfolgt erst nach der Kapitulation der deutschen Streitkräfte. Die Vorauskommandos besetzen Graz schon in der Nacht vom 8. auf den 9. Mai unter recht dramatischen Umständen. Am Tag folgt das Gros der sowjetischen Truppen.

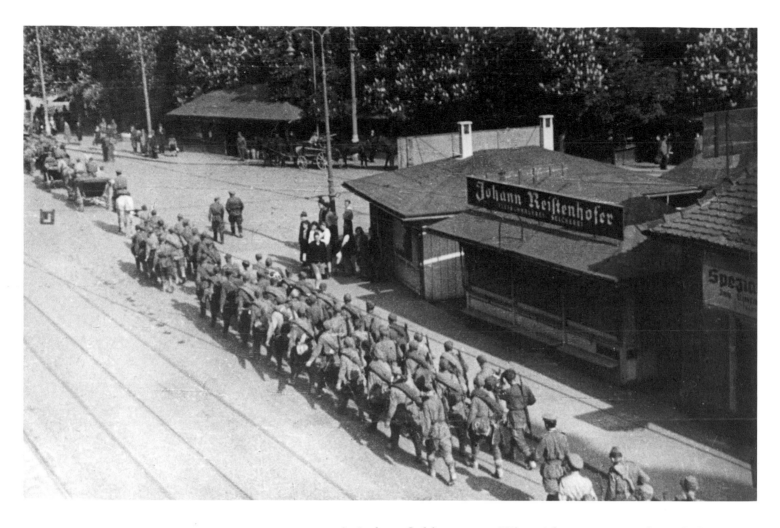

sowjetischen Soldaten am Hilmteich wartete, während die Parlamentäre unterwegs waren. Er erlebte auch den Moment, als die Parlamentäre zurückkehrten. Sein Bericht und der Gusmags stimmen völlig überein: Auf dem Rückweg wurden die Parlamentäre im Finstern beschossen, aber nicht von deutschen Soldaten, sondern von der Postenkette der Sowjets. Die Parlamentäre berichteten dann, wie unübersichtlich und gefährlich alles in Graz sei, weil man im Finstern nichts sehen könne. So bestand das sowjetische Oberkommando darauf, daß die Straßenbeleuchtung in Graz eingeschaltet werden müßte, ehe die Rote Armee mit der Besetzung der Stadt beginne.

Und von den österreichischen Unterhändlern in jener Nacht wissen wir, daß sie über die sowjetische Forderung einigermaßen verzweifelt waren, da ja wegen der dauernden Verdunklung niemand mehr wußte, ob die Straßenbeleuchtung funktionierte, und man auch nicht garantieren konnte, daß sie funktionierte. Alfred Scheidl war dabei, als die Sowjets ins Polizeipräsidium kamen und dort vom neuernannten Polizeipräsidenten von Graz, Alois Rosenwirth, und anschließend auch von Machold und den Mitgliedern seiner Landesregierung empfangen wurden. Der russische Parlamentär und die Österreicher legten in einer fast einstündigen Besprechung die genauen Routen fest, auf denen die Sowjets in Graz einmarschieren sollten, Straßenzug für Straßenzug. Die Grazer Polizeibeamten wiesen den Sowjets auch schon Quartiere zu, in Kasernen und Schulen, und machten sich erbötig, die in diesen Gebäuden wahrscheinlich noch vorhandenen deutschen Dienststellen zu verständigen.

Dann forderten die Russen, von einigen der österreichischen Polizeibeamten zurück zu ihren Linien begleitet zu werden und dem sowjetischen Stab beim Einmarsch in Graz zu helfen. Alfred Scheidl berichtet: „Rosenwirth hat sich dazu bereit erklärt, mit noch

Alfred Scheidl: Graz hat geschlafen.

zwei Leuten und einem Fahrer die Russen zu begleiten. Sie sind mitten in der Nacht in Richtung Ries hinausgefahren. Und wir haben gehofft, daß sie wieder lebend zurückkommen. Wir sind in der Polizei gesessen und haben um sie gebangt: Wie wird das nun ausgehen? Lange haben wir nichts erfahren. Dann kam ein Mann daher und sagte, er sei von Rosenwirth geschickt. Der Kontakt mit den Russen ist hergestellt, aber die Russen verlangen, daß die Verdunklung aufgehoben und die Stadt beleuchtet wird. Ich weiß nicht mehr, wer es veranlaßt hat, es hat jedenfalls eine halbe oder dreiviertel Stunde gedauert, dann waren die ersten Straßenbeleuchtungen eingeschaltet. Die Stadt war total still, und wenn man so will, kann man sagen, daß die Grazer den Einmarsch der Roten Armee verschlafen haben. Und als die Stadt am nächsten Tag, am 9. Mai, wieder aufwachte, war sie von den Russen besetzt."

Der Einmarsch der Sowjettruppen geht auf den mit Rosenwirth vereinbarten Routen vor sich; die Besetzung erfolgt bereits nach Inkrafttreten des Waffenstillstands. Die noch in der Stadt befindlichen deutschen Soldaten ergeben sich kampflos. Das Sowjetkommando hat Machold und Rosenwirth die vollste Disziplin der Truppe zugesichert. Dennoch kommt es auch in Graz zu Übergriffen der Soldaten. Am nächsten Tag erscheint die bisherige „Tagespost" als „Grazer Volkszeitung" und meldet lakonisch: „Russische Truppen in Graz einmarschiert" und im Untertitel: „Vollste Disziplin zugesichert – allen Anordnungen ist Folge zu leisten."

Von der neuen steirischen Landesregierung fehlt jedoch jede Nachricht. Und das ist nicht erstaunlich: Sie ist nicht mehr im Amt. Ditto Pölzl berichtet, wie das gekommen ist: „Nachdem die Russen einmarschiert waren, wurden wir bei den Russen vorstellig. Ein hoher Offizier ist uns gegenübergesessen, und der provisorische Bürgermeister Prof. Rückl hat das Gespräch eröffnet und hat dem russischen Kommandanten gesagt: ‚Wir danken für die Befreiung, wir sind froh, daß über Graz nicht mehr der Krieg hinweggegangen ist, daß der Einmarsch erst nach der Kapitulation stattgefunden hat, wodurch Graz Kampfhandlungen erspart geblieben sind.' Der Offizier mit Auszeichnungen noch und noch an der Brust sagte: ‚Wir sind nicht als Befreier gekommen, wir sind als Sieger gekommen.' Als der Dolmetscher das übersetzte, haben wir einen leichten Schock gekriegt. Denn das wußten wir doch, die offizielle Politik der Sowjetunion gegenüber der neugebildeten Regierung in Wien war, daß die Sowjets nach Österreich als Befreier kommen. Offen-

Reinhard Machold steht an der Spitze der ersten, der zweiten und der dritten provisorischen Landesregierung der Steiermark. Die erste macht er selber, die zweite wird von den Sowjets eingesetzt, die dritte von den Briten.

sichtlich hatte sich das noch nicht bis zu den einzelnen Armeestellen durchgesprochen. Ein Sowjetangehöriger in Zivil, offensichtlich ein GPU-Mann [GPU = Abkürzung für die frühere sowjetische Geheimpolizei], erklärte, wir hätten in Graz keine Macht, die Macht sei allein bei der russischen Militärregierung. Und wem sie diese Macht abtreten werde, das müsse sie sich noch überlegen."

Der sowjetische Stadtkommandant veröffentlicht seinen Befehl Nummer 1. Der Kommandant verwendet dazu einen Vordruck, den die sowjetischen Truppen mitführen und der es ihnen erlaubt, in jedem Ort den gleichen Befehl anzuschlagen. Der jeweilige Kommandant muß nur den Namen der Ortschaft und das Datum einsetzen und den Vordruck unterschreiben. Er sollte auch „das Nichtzutreffende streichen", aber diese Mühe macht sich der neue Stadtkommandant von Graz nicht. Und so heißt es auf seinem Befehl Nummer 1: „Kommandant der Stadt, des Bezirks, der Ortschaft, des Marktfleckens, des Dorfes – Graz. Am 9. Mai 1945." Dann folgt der übliche Text des Befehls: „Alle Gewalt ist in meiner Person konzentriert." Die Verwendung dieses Vordrucks scheint zu beweisen, daß die Sowjets auf die Besetzung von Graz nicht vorbereitet waren, sonst hätten sie der zweitgrößten Stadt Österreichs wohl einen namentlich auf Graz lautenden Befehl gewidmet.

Am 11. Mai ist aus der „Grazer Volkszeitung" vom Vortag bereits eine „Grazer antifaschistische Volkszeitung" geworden. Die Schlagzeile lautet an diesem Tag: „Befehle des sowjetischen Ortskommandanten. Wichtige Anordnungen an die Gesamtbevölkerung der Stadt Graz." Die Befehle sind die gleichen, wie sie fast einen Monat früher schon in Wien angeschlagen worden sind: Alle mögen sofort an ihre Arbeitsplätze zurückkehren, die Arbeit aufnehmen, die Betriebe öffnen. Alle öffentlichen Unternehmungen und Krankenhäuser sind in Betrieb zu setzen. Die NSDAP und alle ihre Gliederungen sind aufgelöst. Die einfachen Mitglieder werden nicht verfolgt, falls sie sich gegenüber der Roten Armee loyal verhalten. Alle Reichsdeutschen haben sich registrieren zu lassen. Alle Waffen sind abzuliefern. Von 20 bis 7 Uhr herrscht Ausgangssperre. Zum Schluß heißt es: „Die Nichtdurchführung auch nur eines Punktes dieses Befehls wird als eine gegen die Rote Armee gerichtete Handlung angesehen. Die schuldigen Personen sowie diejenigen, die sie beherbergen, werden nach dem Kriegsrecht bestraft."

Nach der Besetzung

Auch in dieser Zeitungausgabe kein Wort vom Schicksal der Landesregierung. Aber Abhilfe ist unterwegs. Bereits einen Tag nach dem Einmarsch der Sowjets trifft in Graz der Generalsekretär der Kommunistischen Partei Österreichs, Friedl Fürnberg, ein. Er trägt noch die Uniform der jugoslawischen Partisanen und ist offenbar ausgestattet mit allen Vollmachten der Partei und der sowjetischen Zentralstellen in Wien zur Einsetzung einer neuen steirischen Landesregierung. Voraussetzung ist die Anwendung des in der Wiener Regierung praktizierten Proporzes: die Kommunisten müssen gleich viele Sitze in der Landesregierung erhalten wie die Vertreter der beiden anderen Parteien. Ditto Pölzl berichtet dazu: „Fürnberg hat mit Machold die Dinge insofern geklärt – und offensichtlich auch mit den Russen –, daß er nach dem Beispiel der Regierung in Wien nun in Graz darangegangen ist, eine zweite provisorische Landesregierung zu bilden, die aus drei Revolutionären Sozialisten bzw. Sozialdemokraten, drei Kommunisten und drei Christlichsozialen bestanden hat." Nachdem der Proporz nun hergestellt ist, wird Machold von den Sowjets als Landeshauptmann anerkannt. Zu seinen Stellvertretern werden der Kommunist Viktor Elser und der Christlichsoziale Alois Dienstleder ernannt.

Wie sich den Grazern die sowjetische Besetzung dargestellt hat, schildert Alfred Scheidl: „Der 9. Mai hat einige Kuriositäten gebracht, mit denen man nicht gerechnet hat. Zum Beispiel gab es am 9. Mai zu Mittag kein Auto mehr in Graz. Jedes Fahrzeug wurde von den Russen beschlagnahmt. Das Fahren mit den Fahrrädern war nahezu lebensgefährlich, denn jedes Fahrrad nahm irgendein russischer Soldat. Armbanduhren zu tragen war ein Blödsinn, denn wenn einer eine Armbanduhr gehabt hat, wurde sie mit Sicherheit demontiert. Am Abend waren noch zwei Fahrzeuge vorhanden: ein Topolino, mit dem großzügigerweise der Landeshauptmann fahren durfte, und ich hatte ein Motorrad. Sonst fuhr nichts mehr. Die Feuerwehr hatte keine Fahrzeuge, die Rettung hatte keine Fahrzeuge. Ich erinnere mich, daß das Schweizerhaus, das auf der halben Höhe des Schloßbergs steht, plötzlich gebrannt hat. Die Feuerwehr ist zu Fuß ausgerückt, denn sie hatte kein Fahrzeug mehr."

Nicht nur die Feuerwehr hat Probleme. Auch die Bestattung. Andreas Froschauer war damals in der Stadtverwaltung und berichtet: „Viele haben noch durch die Kriegswirren den Tod gefunden, viele sind so gestorben, und viele Nazi haben sich selbst erschossen oder sich die Pulsadern geöffnet. Die sind in den Wohnungen gelegen und wurden von der Bestattungsanstalt abgeholt, sobald das gemeldet worden war. Nach einer Meldung, die uns von dort zugegangen ist, waren es schon 80 oder 100 Särge, die in der Bestattungsanstalt in der Grazbachgasse gelagert waren. Dann haben wir endlich einen Wagen aufgetrieben und ein Pferd. Auf diesem Wagen waren acht Särge drauf. Kaum ist der Wagen herausgefahren aus der Bestattungsanstalt, kommt ein Russe, hält den Wagen auf und veranlaßt den Kutscher, die Särge abzustellen, gleich am Straßenrand. Dann hat er sich auf den Kutschbock geworfen und ist davongefahren. Jetzt haben wir die Toten dort auf der Straße gehabt und die mußten wieder zurückgetragen werden in die Lagerräume der Bestattungsanstalt."

Andreas Froschauer: Tote auf der Straße.

Die Sowjets bringen, wie später auch die westlichen Alliierten, ein neues Geld nach Österreich – Militärschillinge. Bereits 1944 in England gedruckt, mit der Aufschrift „In Österreich ausgegeben", was ja dann auch wieder gestimmt hat, in des Wortes anderer Bedeutung (unten).

Im Verhalten der sowjetischen Truppen kommt auch in Graz jener Widerspruch zum Ausdruck, den wir schon aus Wien und aus Niederösterreich kennen: Die Truppe fühlt sich als Siegerin im besetzten Land, wahrscheinlich sogar im Feindesland, die oberen Armeestellen versuchen die offizielle Politik der Sowjetregierung durchzusetzen: Österreich als befreites Land und die Österreicher im Gegensatz zu den Deutschen als ein befreites Volk zu behandeln. Daher trotz aller Pannen die Zustimmung zur Einsetzung einer neuen Landesregierung, die Bestellung eines Bürgermeisters und die weitgehende Übertragung der Alltagsgeschäfte in österreichische Hand. Der „Grazer antifaschistischen Volkszeitung" entnehmen wir auch, daß die Sowjets bereits vier Tage nach dem Einmarsch ein Gesangs- und Tanzensemble der Roten Armee zur Unterhaltung der Bevölkerung im Grazer Stephaniensaal auftreten lassen. Bei den Sowjets gibt es auch kein Fraternisierungsverbot gegenüber der einheimischen Bevölkerung – mit den guten und auch den schlechten Seiten, die das zweifellos gehabt hat. Erst später wird das sowjetische Oberkommando danach trachten, seine Truppen von der einheimischen Bevölkerung möglichst abzuschirmen. Die Sowjets beliefern übrigens auch die Kinos gleich mit Spielfilmen. Am 14. Mai haben bereits vier Grazer Kinos geöffnet, drei davon spielen russische Filme. Die Beginnzeiten der Vorstellungen: 16 und 18 Uhr. Denn ab 20 Uhr ist Ausgehverbot.

Die Sowjets bringen eine neue Währung mit, die sie auch schon in Wien eingeführt haben – den Militärschilling. Die Reichsmark bleibt vorderhand Zahlungsmittel in ganz Österreich. Die Alliierten selbst zahlen in Militärschilling. Der alliierte Militärschilling ist soviel wert wie eine Reichsmark oder, wie es bei den Russen heißt, wie „50 russische Kopeken". Auf den Scheinen steht: „Serie 1944 – in Österreich ausgegeben". Das Militärgeld wurde tatsächlich schon 1944 gedruckt, und zwar in England. Die Briten hatten es übernommen, für alle künftigen Besatzungsmächte diese neue Währung herzustellen. Eine entsprechende Menge von Militärschilling wurde den Sowjets zur Verwendung übergeben. So wird der Geldumlauf in Österreich auch noch mit vielen Millionen Militärschilling aufgebläht. Für das Geld wird nun noch weniger zu bekommen sein.

Begegnung an der Mur

Werfen wir noch einen Blick auf andere Teile der Steiermark in jenen Tagen. In Judenburg scheinen am Morgen des 8. Mai die Sowjets ebenso weit entfernt zu sein wie die Briten. Im Gußstahlwerk werden noch immer Kanonenrohre für deutsche Panzer gegossen, obwohl eine kleine Widerstandsgruppe auf dem Werksgelände bereits eine rotweißrote Fahne hißt. Die Auflösung der bisherigen Ordnung ist spürbar. In Judenburg treffen die ersten Rückzugskolonnen von den zusammenbrechenden Fronten ein. Ernst Kreuzmayr wurde Augenzeuge des nun ausbrechenden Chaos: „Die haben alles liegen- und stehenlassen – Autos, Pferde, die Uniform haben sie weggeschmissen, wenn's irgendwie gegangen ist. Trotzdem hat es noch einem Herrn nicht gepaßt, daß am Gußstahlwerk schon eine rotweißrote Fahne ausgesteckt war. Die hat er mit der Maschinenpistole heruntergeschossen. Hat ihm aber nichts genützt. Am nächsten Tag in der Früh hat in der Stadt die Plünderung begonnen. Fairerweise muß ich sagen, daß es nicht nur die Fremdarbeiter waren, die hier geplündert haben, sondern auch die bereits hungrige eigene Bevölkerung. Und die Plünderung hat dann den ganzen Tag angedauert. Da hat man eigentlich erst gesehen, was die Kaufleute noch an Waren gehabt haben, wo man

In Judenburg rollen zunächst sowjetische Panzer auf den Hauptplatz (oben). Am Abend folgen die Briten und stellen auf dem gleichen Platz ihre Kanonen auf (unten). Schließlich wird Judenburg entlang der Mur geteilt.

doch schon so lange Zeit nichts gekriegt hat. Ungefähr um 9 Uhr bin ich dann Richtung Bahnhof gegangen, da war zu meinem Entsetzen ein Lazarettzug voll mit Verwundeten, die vom Zugspersonal und vom Sanitätspersonal verlassen waren. Die waren dort ganz sich selbst überlassen. Die sind herumgesessen, teilweise auch Kopfverletzte, haben nach Wasser gerufen und geweint und geschrien. Da hat es eine Menge Leute gegeben, die ihnen mit Kübeln das Wasser gebracht haben. Aber dann ist doch das Schlimme passiert: Den Zug hat man geplündert, buchstäblich unter dem Hintern dieser armen Teufel hat man die Leintücher, die Decken herausgezogen. Das war ein furchtbarer Anblick, ich werde das nie vergessen. Zur gleichen Zeit sind drei russische Panzer eingefahren. Der eine ist stehengeblieben beim Gabelhoferkreuz. Der zweite ist dann hinaufgefahren zum Hauptplatz, wo er vor dem damaligen Hotel Schwerterbräu stehengeblieben ist. Der dritte ist weitergefahren Richtung Scheifling."

Die Panzer rollen auf das rechte Ufer der Mur und nehmen auf dem Hauptplatz von Judenburg Aufstellung. Die Bevölkerung rechnet mit einer sowjetischen Besetzung. Doch den Panzern folgen keine Truppen nach, und am Abend rücken die ersten britischen Panzerspähwagen in die Stadt ein, kurz danach gefolgt von schwerer Artillerie. Auch die Briten nehmen auf dem Hauptplatz Aufstellung. Die Kanonen werden gleich neben den Sowjetpanzern abgeprotzt und ausgerichtet. Die Briten sind gekommen, um zu bleiben. Nach und nach besetzen sie die Stadtteile auf dem rechten Ufer der Mur.

Dann erst nehmen die Briten mit den Sowjets Kontakt auf. Es geht um die Festlegung einer Demarkationslinie zwischen den beiden Armeen. Jetzt begreifen die Judenburger mit einigem Schrecken, daß der Stadt die Teilung in zwei verschiedene Besatzungszonen droht. Doch die Bevölkerung wird nicht gefragt. Die Österreicher sind in dieser Stunde nur Zuschauer. Die kommandierenden Offiziere der Briten und der Sowjets setzen sich zu einem Essen zusammen, danach steht es fest: Judenburg wird geteilt. Links der Mur sowjetisch, rechts der Mur britisch.

Die Briten demonstrieren ihre militärische Stärke: In allen Ortschaften, die sie besetzen, fahren sie mit ihren Panzerwagen und Kanonen auf, die sie viele Tage lang auf den Hauptplätzen stationiert lassen.

Ernst Kreuzmayr:
Dann begann die Plünderung.

Sowjets und Briten setzen nun entlang der beiden Murufer ihren Vormarsch fort. Anna Jahn hat das damals miterlebt: „Dann hieß es, die Russen kommen über die Mur, während die Engländer in Kärnten bleiben. Ich bin dann, ich glaub drei oder vier Nächte, mit meiner Schwester sozusagen in Nachtschicht am Fenster gesessen – wir hatten ein Zimmer auf die Straße hinunter und haben gewartet, wer kommt: Russen oder Engländer. Ich hatte weder einen Engländer in natura gesehen noch einen Russen. Ich wußte nur, daß die Engländer Pullmanmützen tragen. Und eines Nachts so um elf kommt ein Panzer und bleibt genau vor dem Fenster stehen. Mir ist das Herz auch stehengeblieben. Ich schau hinunter, da geht die Luke auf. Ich hatte noch nie einen Panzer gesehen bis dahin. Es geht die Luke auf und heraus kommt ein Mann mit einer Pullmankappe, Engländer. Ich war so aufgeregt, ich hab meine Schwester aufgeweckt und bin hinuntergelaufen. Ich hatte Englisch-Matura, aber ich hatte noch nie ein englisches Wort von einem Engländer gehört. Wir hatten uns doch nicht getraut, Schwarzsender zu hören. Ich bin hinuntergelaufen und hab am Weg unentwegt zu mir gesagt: Was heißt nur ‚Bleiben Sie hier?‘ und hab übersetzt: ‚Do you stay here?‘, ‚Do you stay here?‘ Aber der wird mich nicht verstehen, ich hab sicher eine fürchterliche Aussprache. Und ich war die erste im Ort, die vor ihm steht, und ruf hinauf: ‚Please, do you stay here?‘ Und zu meiner großen Überraschung sagt er ganz gemütlich: ‚Yes.‘“

Die „Brunneriade" von Murau

Nicht überall wird die Besetzung durch die eine oder die andere Armee als unabwendbares Schicksal hingenommen. In der steirischen Ortschaft Murau hat sich eine kleine österreichische Widerstandsgruppe formiert. An der Spitze des Murauer Widerstands steht Karl Brunner. Vor 1938 war er ein engagierter christlichsozialer Politiker und gehörte dem österreichischen Heimatschutz an. Nach dem Anschluß wird er von der Gestapo geholt, eingesperrt und erst Anfang April 1945 aus dem Gefängnis in Graz entlassen. In seiner Häftlingskleidung marschiert Brunner zu Fuß nach Murau und organisiert dort eine Widerstandsgruppe.

Am 8. Mai, dem Tag des Waffenstillstands, steht die Gruppe Brunner in Murau bereit. Sie hat der örtlichen Gendarmerie Auftrag gegeben, sofort zu melden, wenn sich das alliierte Militär nähert. Johann Glettler ist damals Gendarmeriebeamter in Murau und berichtet: „Am 11. Mai habe ich den Inspektionsdienst versehen. Gegen ein Uhr hat der Gendarmerieposten Unzmarkt uns telefonisch in Kenntnis gesetzt, daß eine sowjetische Panzerspitze als Vorhut in Scheifling eingetroffen ist, ein Kommissar, zirka 18 Offiziere und über 150 Mann. Sie haben Quartier bezogen. Aufgrund dieser Meldungen bin ich sofort zum Postenkommandanten und zu Herrn Karl Brunner gelaufen und hab das gemeldet."

Als Brunner hört, daß die Sowjets anrücken, faßt er einen kühnen Entschluß. In Murau waren alliierte Kriegsgefangene interniert, darunter auch Engländer. Das gibt Karl Brunner eine Idee: Wie wäre es, wenn er Murau von diesen bisherigen britischen Kriegsgefangenen besetzen ließe? Dann wäre Murau bereits in britischer Hand, ehe die Sowjets kommen.

Brunner nimmt Kontakt mit den britischen Kriegsgefangenen auf, schlägt ihnen vor, sie zu bewaffnen und als Besatzungsmacht einzusetzen. Die Briten sind damit einverstanden, was man sich gut vorstellen kann – Kriegsgefangene, die endlich eine Waffe in die Hand bekommen und nun selbst eine Ortschaft in Besitz nehmen können; wenn die Kameraden kommen, haben sie das Ihre schon

Anna Jahn: „Do you stay here?"

Johann Glettler: Fahrt zum Kommissar.

geleistet. Die Briten setzen das Brunnersche Angebot mit Enthusiasmus in die Tat um.

Doch Brunner fragt sich, was geschieht, wenn die Sowjets ihren Vormarsch von Scheifling nach Murau fortsetzen? Werden sie vor Murau stehenbleiben, wenn sie die Engländer sehen? Wieso werden sie wissen, daß die Engländer schon da sind? Brunner sorgt nun doppelt vor: Er läßt in Windeseile englische Fahnen nähen. Eine davon wird – deutlich sichtbar – auf dem Gemeindeamt gehißt. Dann fahren Brunner und Glettler zu den Sowjets nach Scheifling.

Brunner meldet sich beim sowjetischen Kommissar und berichtet ihm, daß Murau bereits von den Briten besetzt sei. Glettler war bei dem Gespräch dabei: „Der Kommissar hat uns groß und klein ausgefragt über die Verhältnisse und war mit unseren Angaben offenbar zufrieden. Doch inzwischen hatte er eine Motorradstaffel losgelassen, in Richtung Murau, um festzustellen, ob das stimmt, was wir sagen, ob wirklich die Engländer da sind. Die Motorradstaffel ist nachher zurückgekommen mit der Meldung: Ja, die Engländer sind da." Die sowjetische Patrouille war bis zum Ortseingang von Murau vorgestoßen, hatte dort die von Brunner aufgestellten Ex-Kriegsgefangenen gesehen und bestätigte nun Brunners Angaben. Murau ist von Briten besetzt.

Das ist für Brunner zwar ein erster Erfolg, aber noch nicht das Ende der Sache. Er fährt nach Judenburg weiter, schlägt sich dort ins britische Hauptquartier durch, bittet um eine Unterredung und erhält sie auch. Er schildert den britischen Offizieren, was er getan hat, und bittet die Briten, nun doch möglichst schnell eine echte britische Besatzungstruppe nach Murau zu schicken. Die Briten lesen Brunner zunächst einmal die Leviten. Da hat ein Österreicher gewagt, alliierte Verbündete an der Nase herumzuführen, hat sich in militärische Dinge eingemischt, versucht, eine Besatzungsmacht gegen die andere auszuspielen. Brunner könnte sofort verhaftet und vor ein Kriegsgericht gestellt werden. Doch die Briten lassen es bei der Moralpredigt bewenden. Und – sie schicken einen Panzer.

Karl Brunner marschiert im Sträflingsgewand (rechts oben) von Graz nach Murau. Dort bewaffnet er bisherige britische Kriegsgefangene und setzt sie als Besatzungstruppe ein, als die Sowjets heranrücken. Die

Es war für das „Österreich II"-Team nicht einfach, Brunners Handstreich zu rekonstruieren. Man hatte die Sache damals nicht an die große Glocke gehängt, denn man war froh, daß die Briten der Angelegenheit nicht mehr weiter nachgingen. Die wenigen Überlebenden wußten nur jeweils ihren Teil der Geschichte. Erst nach und nach konnten wir wie in einem Puzzlespiel die einzelnen Phasen dieser Köpenickiade Brunners zusammensetzen. Und dann half uns der Zufall. In der Bildersammlung des Grazer Joanneums suchten wir nach Fotografien aus jener Zeit und fanden nicht wenige, die uns den Zustand von Graz und einigen anderen steirischen Städten plastisch vor Augen führten. Wir erkundigten uns, ob im Joanneum nicht auch Filme lägen. Nein, hier würden keine Filme archiviert. Nur einmal hätte jemand mit vielen Bildern auch eine Filmrolle übergeben. Diese müßte noch da sein.

Die Filmrolle war noch da. Und wir sahen uns an, was sie enthielt. Sie enthielt Aufnahmen, die unmittelbar nach einem Bombenangriff in Graz gemacht worden waren. Sie zeigte weiters irgendeinen Platz in einer kleineren Ortschaft, offenbar unmittelbar nach dem Einmarsch der Briten. Denn da wurde eine britische Fahne entrollt, da standen englische Soldaten mit Gewehren herum. Nichts wirklich Besonderes. Doch eines fiel uns auf: Neben den britischen Soldaten stand auch noch ein Offizier in deutscher Uniform, und drei Zivilisten mit Steirerhüten auf dem Kopf hatten Maschinenpistolen geschultert. Irgend jemand brachte eine britische Fahne an einem Gebäude an. Dann sah man wieder britische Posten stehen und eine deutsche Wehrmachtskolonne im Eiltempo über eine Brücke abfahren.

Bilder links oben zeigen jene britischen Kriegsgefangenen, die Murau besetzten. Brunner begibt sich ins britische Hauptquartier und bittet um die Entsendung eines echten britischen Besatzungspanzers (unten).

Der Film war offenbar von einem Amateur gedreht worden, der danach auch sein eigenes Haus in dieser Ortschaft filmte und von diesem Haus auf ein Schloß hinter diesem Haus schwenkte. Die Aufnahmen waren, wie Amateuraufnahmen oft, nicht von besonderer Qualität. Wir wußten mit ihnen auch nicht viel anzufangen. Erst als wir Stück um Stück von jenen Taten des Karl Brunner erfuhren, fiel bei uns plötzlich der Groschen: Das muß es gewesen sein, da hat doch jemand die Bewaffnung der Engländer durch Karl Brunner in Murau gefilmt! Den Film rasch wieder eingespannt und: alles wurde plötzlich identifizierbar – die österreichische Widerstandsgruppe, die Zivilisten mit den Maschinenpistolen, die britischen Gefangenen, die aus der Hand der Widerstandsgruppe ihre Waffen erhalten, die englische Fahne, die Brunner nähen ließ und die nun am Gemeindeamt gehißt wird, die noch rasch aus Murau abziehenden deutschen Truppen. Und als letzte Bestätigung: das Schloß Murau hinter dem Haus unseres Amateurfilmers.

Leider haben wir nicht herausfinden können, wie dieser Filmer geheißen hat. Aber er hat mit seinem Film ein kostbares Dokument hinterlassen. Und an dieser Stelle möchten wir auch Dank sagen dem Erbprinzen Karl Schwarzenberg und dem Archivar der Schwarzenbergschen Archive in Murau, Wolfgang Wieland. Sie haben uns bei der Rekonstruktion der Vorgänge rund um Karl Brunner sehr geholfen und uns zur Vervollständigung des Bildes, was sich in jenen Tagen in diesem Teil der Steiermark zugetragen hat, auch noch manches wertvolle Stück aus ihren Archiven überlassen. Darunter den ersten Befehl, den die Briten in Murau anschlagen ließen, als sie auf Karl Brunners Ersuchen endlich dort eingetroffen waren. Es war, da es sich ja schon um den 11. oder 12. Mai handelte, bereits die „Bekanntmachung Nummer 2", die die Briten für ihre Besatzungszone erlassen hatten. Und das muß man sich nun vorstellen: Brunner und seine Gruppe hatten nicht wenig riskiert, um die Briten statt der Sowjets nach Murau zu bringen; der britische Kommandant erläßt nun seine erste Bekanntmachung, die die Bevölkerung voll Erwartung und Neugier liest. Und in dieser heißt es wörtlich:

„Artikel I

Deutscher Gruß

Es ist verboten, den deutschen oder Faschistengruß oder eine verdeckte Andeutung desselben zu gebrauchen.

Artikel II

Aushängen von Fahnen

Es ist verboten, Fahnen irgendwelcher Art auszuhängen.

Artikel III

Strafbestimmungen

Personen, die irgendeiner Vorschrift dieser Bekanntmachung zuwiderhandeln, unterliegen nach Schuldspruch durch ein Gericht der Militärregierung nach Ermessen des Gerichts jeder Bestrafung, mit Ausnahme der Todesstrafe.

C. E. Benson, Oberster Militärregierungs-Offizier."

Die Partisanen auf der Koralpe

Zu einem Handstreich anderer Art kommt es zum gleichen Zeitpunkt im Gebiet der Koralpe. In den Wäldern der Koralpe hatte in den letzten Kriegsmonaten eine Gruppe Partisanen operiert. Sie nennt sich „Kampfgruppe Steiermark". Am 8. Mai verläßt die Gruppe die Koralpe und besetzt die steirische Ortschaft Schwanberg, bevor auch hier sowjetische oder britische Truppen eintreffen. Die Männer haben einen langen Weg und harte Kämpfe hinter sich. Denn der Partisanenverband war in Moskau aufgestellt worden.

Walter Wachs gehörte der „Kampfgruppe Steiermark" als leitendes Mitglied an und berichtet: „Wir waren damals eine Gruppe ehemaliger Spanienkämpfer in der Sowjetunion, auch ehemalige Schutzbündler, auch Kinder von Schutzbündlern. In Moskau wurde mit Hilfe der sowjetischen Behörden eine Gruppe von 24 Personen zusammengestellt. Wir sind dann im Sommer [1944] abgeflogen und über dem befreiten Gebiet von Jugoslawien in Slowenien mit Fallschirmen abgesprungen. Dort haben wir eine Ruhepause eingelegt und sind dann nach Norden marschiert. Zuerst in Richtung Bacher-Gebirge und dann in die Steiner Alpen. Von dort sind wir Mitte September nach Österreich hinein. Wir waren zuerst auf der Saualpe. Von der Saualpe sind wir hinübergewechselt auf die Koralpe. In der Gruppe war ich derjenige, der vor dem deutschen Einmarsch 1938 aus Österreich geflüchtet war. Und ich war also im Glauben, daß, wenn wir nach Österreich kommen, wir von der Bevölkerung mit offenen Armen empfangen werden. Ich muß leider sagen, daß ich dann bei den ersten Begegnungen davon gar nichts bemerken konnte. Die Menschen, mit denen wir zusammengekommen sind, waren sehr stark beeinflußt durch die nationalsozialistische Propaganda. Sie betrachteten sich als Ostmärker, und sie hatten fürchterliche Angst vor uns, denn wir Freiheitskämpfer oder Partisanen wurden ja von der Propaganda Brandstifter, Mörder und Untermenschen genannt, alle Titel, die es nur gegeben hat. Und es hat sehr, sehr lange gedauert, bis wir Vertrauen finden konnten bei der Bevölkerung, einige Monate."

Die Gruppe betreibt politische Agitation und versucht, durch Überfälle deutsche Truppen zu binden. Dabei erleidet sie schwere Verluste und schrumpft auf 14 Mann zusammen, die in den Wäldern in primitiven Unterständen hausen. Sie haben Verbindung mit einer österreichischen Widerstandsgruppe, die unter der Führung eines gewissen Mooslechner steht. Diese Widerstandsgruppe wird eines Tages verraten und unter Mitwirkung örtlicher NS-Führer festgenommen, verurteilt und erschossen, insgesamt 16 Menschen. Das erfährt die „Kampfgruppe Steiermark" und beschließt, die beteiligten NS-Funktionäre aufzuspüren, sie gefangenzunehmen und sie nun ihrerseits vor ein Partisanengericht zu stellen. Es gelingt ihnen, den Ortsgruppenleiter von Schwanberg festzunehmen und auf die Koralpe zu bringen. Dort verurteilen ihn die Partisanen wegen Mitwirkung an der Liquidierung der Widerstandsgruppe Mooslechner zum Tod und erschießen ihn. Später holen sich die Partisanen auch den Kommandanten des Volkssturms von Schwanberg, klagen ihn wegen Scharfmacherei und schlechter Behandlung seiner Leute an, verurteilen ihn ebenfalls zum Tod und erschießen auch ihn.

Als sich der Krieg dem Ende zuneigt, erhält die „Kampfgruppe Steiermark" starken Zulauf. Zuerst sind es Fremdarbeiter, unter ihnen Polen, Italiener und Franzosen, die sich zu den Partisanen durchschlagen. Dann gelingt es russischen Soldaten, aus einem deutschen Kriegsgefangenenlager zu entkommen, und auch sie stoßen zu den Partisanen auf der Koralpe. Die Erschießung des Volkssturmkommandanten führt dazu, daß einige Mitglieder des Volkssturms Schwanberg ebenfalls zu den Partisanen überlaufen. Und in den letzten Tagen vor Kriegsende sind es ganze Gruppen von Wehrmachtsangehörigen, die sich mit ihren Waffen nun den Partisanen anschließen, weil sie keinen Sinn mehr in der Fortsetzung des Krieges sehen, andererseits aber Gefahr laufen, von Greifkommandos gefaßt und noch vor ein Standgericht gestellt zu werden.

Am 8. Mai zählt die „Kampfgruppe Steiermark" daher rund 500 Mitglieder. Und in dieser Stärke verläßt sie die Wälder und

Walter Wachs:
Mit Fallschirm abgesprungen.

Zuerst waren sie 24, dann nur noch 14 Mann, aber in den Tagen des Kriegsendes schwoll die „Kampfgruppe Steiermark" auf rund 500 Mann an. In dieser Stärke besetzte sie die Stadt Schwanberg, requirierte Wehrmachtsfahrzeuge und selbst einen Panzerspähwagen (rechts). So zog die „Kampfgruppe" später in Graz ein, wurde aber gleich darauf von den Sowjets demobilisiert. Das Bild links zeigt zwei der Führer der „Kampfgruppe", rechts im Bild Augenzeuge Walter Wachs.

besetzt Schwanberg. Dabei kommt es noch zu einem Scharmützel, bei dem ein deutscher Soldat fällt. Da Schwanberg an einer der Rückzugsstraßen der deutschen Wehrmacht liegt, holen sich die Partisanen auch noch einen deutschen Panzerspähwagen und requirieren ein paar Dutzend Wehrmachtsautos. Tage später erst stellt die „Kampfgruppe" die erste Verbindung zur sowjetischen Armee her. Diese beordert die „Kampfgruppe" nach Graz, wo sie mit ihrem Panzerspähwagen und 37 Autos einzieht. Doch auf sowjetischen Befehl muß die „Kampfgruppe" Graz gleich wieder verlassen, wird nach Gleisdorf geleitet und dort von den Sowjets demobilisiert.

Drei verschiedene Besatzungen

So gibt es in der Steiermark die merkwürdigsten Besatzungskonstellationen. Leibnitz zum Beispiel erlebt gleich drei verschiedene Besatzungen. Zuerst kommen die Sowjets. Diese sind kaum einige Stunden in Leibnitz, als vom anderen Ortsende die Bulgaren einmarschieren. Zwei Kommandanturen werden aufgemacht – eine sowjetische und eine bulgarische, beide beanspruchen Wohnraum und Verpflegung für ihre Truppen. Und einen Tag später stoßen jugoslawische Truppen in das Gebiet von Eibiswald vor und marschieren weiter, bis sie auf Bulgaren und Sowjets treffen.

Annelies Senn erlebte diesen Einmarsch: „Wir waren eine Gruppe von Kindern vor dem Haus meiner Großeltern. Da kam ein Lastwagen vorgefahren, und herunter sprang eine Gruppe Männer, schwerbewaffnet, mit Maschinenpistole und Handgranaten. Wir sind erschrocken, sind ins Haus gelaufen und haben geschrien: ,Die Banditen kommen!' Die haben das gehört und sind hinter uns her. Und einer hat uns dann ganz unmißverständlich erklärt, wer sie sind und was sie sind und vor allem, daß sie keine Banditen sind. Gleich darauf hat es geheißen, wir müssen beflaggen, also Fahnen raus. Und woher nehmen? Wir hatten doch keine Fahnen. Dann ist halt zusammengestückelt worden; aus alten Sachen sind kleine jugoslawische Fahnen fabriziert worden. Ich kann mich erinnern, meine Tante hat eine Dirndlschürze geopfert für die

Annelies Senn:
Die Dirndlschürze geopfert.

blauen Streifen. Und so sind halt dann die Fahnen gemacht worden. Das nächste, an das ich mich erinnern kann: Da sind endlose Kolonnen von jugoslawischen Männern durchmarschiert. Die sind, kann ich sagen, Tag und Nacht marschiert. So jedenfalls hatte man den Eindruck. Und wenn man sie gefragt hat, wohin sie wollen, nannten sie als erstes Ziel Berlin. Und das nächste war schon ein bisserl näher, das war der Semmering. Und später sind sie dann immer nähergekommen: Leibnitz, und dann war's auch nur mehr der Karnerberg, wohin sie wollten."

Auch die Jugoslawen errichten Kommandanturen, etwa in Eibiswald, das sie auf slowenisch Iunik nennen. Im Befehl des Ortskommandanten heißt es lakonisch: „Das jugoslawische Kommando hat die Militärgewalt eingeführt, der sich die gesamte Bevölkerung fügen muß . . . Ab 2 Uhr nachmittags darf niemand mehr die Wohnung verlassen, und ohne besondere Erlaubnis darf sich niemand mehr auf dem Marktplatz zeigen.

Der Politikommissar.

Der Kommandant von Eibiswald.

Tod dem Faschismus! Freiheit dem Volk!"

Wo immer möglich, setzen die Jugoslawen slowenische Amtmänner ein, die nun die Zivilverwaltung ausüben sollen. Das Gebiet wird von den Jugoslawen als bereits annektiert betrachtet. Und wie in Kärnten so wird auch in der Steiermark eine Anzahl von Menschen verschleppt, werden einige von ihnen gleich an Ort und Stelle erschossen.

Gleichzeitig mit den Briten marschieren jugoslawische Partisanenverbände in Kärnten und auch in Randgebiete der Steiermark ein. In den von ihnen besetzten Ortschaften errichten sie Kommandanturen und bestellen slowenische Kommunisten zu Amtmännern, die die Zivilverwaltung organisieren sollen.

Nun aber kommen die vielen Besetzer in der Steiermark einander in die Quere. Es gibt noch kein endgültiges Abkommen über die Zuteilung von Besatzungszonen in Österreich. So werden die Demarkationslinien an Ort und Stelle ausgehandelt. Es verhandeln die Briten mit den Jugoslawen und die Jugoslawen mit den Sowjets. Die Jugoslawen unterstellen sich zunächst keinem höheren alliierten Befehl. Die Bulgaren folgen zwar Sowjetbefehl, lassen sich aber von den Briten nichts sagen. So sitzt oft eine Truppe neben der anderen und wartet auf Entscheidungen von oben, während die einfachen Soldaten versuchen, es sich mit den alliierten Kollegen am Platz zu richten. Die Offiziere aber feiern jede Einigung mit einer Parade.

Aufnahmen von solchen Mini-Paraden in kleinsten Ortschaften und auf freiem Feld fanden die Mitarbeiter von „Österreich II" in den Archiven aller Mächte, deren Truppen damals in Österreich einmarschiert sind. Selbstverständlich bei Amerikanern, Sowjets, Briten und Franzosen, aber auch bei den Jugoslawen, den Bulgaren und sogar bei den Ungarn, deren von den Sowjets eingesetzte Regierung auch noch zwei Honved-Divisionen an die sowjetische Front in Österreich entsandt hatte.

Schicksalsbrücke an der Enns

Nicht für alle sind Krieg und Flucht schon ausgestanden. Die deutschen Kampfverbände aus dem Semmering- und dem Wechselgebiet kommen auf ihrem Marsch nach dem Westen im allgemeinen Rückzugschaos nur langsam vorwärts. Auch trennen sie sich erst nach und nach von Waffen und Gerät, die schließlich als Strandgut des Krieges liegenbleiben. Als die Sowjettruppen die Ufer der Enns erreichen, bieten sich ihren Kameraleuten ungemein beeindruckende Bilder von dieser letzten Schutthalde des großen Rückzugs durch die Steiermark dar: Da liegen Panzer und Lastkraftwagen, Kanonen und Flakgeschütze, Munitionskisten und Benzintonnen kreuz und quer und übereinander am Ufer und im Wasser der Enns.

Den deutschen und unter ihnen auch den österreichischen Soldaten, die ihre Ausrüstung nun endlich in die Enns geworfen haben, wird die Röthelbrücke bei Liezen in jenen Maitagen zur Schicksalsbrücke. Die Enns führt um diese Zeit Hochwasser, ist zum reißenden Strom geworden und ist eiskalt. So drängen die Tausenden Soldaten zur Brücke, auf deren Geländer bereits eine amerikanische Fahne aufgezogen worden ist. Doch auf der anderen Seite der Brücke stehen zwei amerikanische Panzer und versperren den Weg. Die Amerikaner wollen keine deutschen Soldaten mehr über die Brücke lassen. Teils weil den Sowjets zugesagt wurde, daß die deutschen Truppen, die an der Ostfront gekämpft hatten, den Sowjets als Kriegsgefangene zustehen, teils weil die Amerikaner in Österreich schon viele Gefangene gemacht haben und nicht mehr wissen, wo sie diese unterbringen und verpflegen sollen.

Hubert Weissenegger befand sich damals unter jenen Soldaten, die es bis zur Röthelbrücke geschafft hatten und dort auf die amerikanische Sperre stießen. Genau an der Stelle, wo er damals an der Röthelbrücke stand und auf das amerikanisch besetzte Ufer hinübersah, schilderte er uns die Situation: „Es lagen hier Maschinenpistolen herum, Maschinengewehre, Munitionskisten, es gab Kriegsmaterial in jeder Menge. Ich sagte zu einigen Landsern, die ich alle nicht kannte, es waren Offiziere da, Unteroffiziere, Feldwebel: ‚Da steht ein amerikanischer Panzer und da gibt es Panzerfäuste und Waffen. Wenn wir uns zehn, 15 Mann bewaffnen und den ersten Panzer überfallen, und fünf, sechs laufen zum zweiten

Panzer, so daß die Amerikaner gar nicht zum Schießen kommen, dann schaffen wir es, dann nehmen wir die Amerikaner gefangen, und dann können alle Landser, wie sie sind, über die Brücke gehen.' Aber das haben sie nicht getan, sie haben gesagt: ‚Na ja, der Krieg ist aus.' Keiner wollte wahrscheinlich mehr sein Leben einsetzen. Und ich sagte mir dann: ‚Wenn ihr nicht wollt, ich geh' die Enns entlang bis dorthin, wo sie schmäler wird.'"

Weissenegger tat das auch und kam schließlich an eine Stelle der Enns, die schmal genug war, um hinüberzukommen.

Zu Weisseneggers Geschichte fanden wir ganz unerwartet auch einen Beweis. In den National Archives in Washington gab es relativ viele Filmberichte über die Begegnungen der Amerikaner und der Sowjets an der Röthelbrücke. Doch die amerikanischen Kameraleute hatten nur aufgenommen, was für sie von Interesse war: steckengebliebene sowjetische Panzer, die von amerikanischen Panzern aus dem Morast gezogen werden; sowjetische Truppen, die auf ihrer Seite der Brücke zu einer Parade aufziehen; den amerikanischen General Walton Walker, der über die Röthelbrücke den Sowjets entgegengeht und dem sowjetischen Kommandanten dieses Frontabschnittes die Hand schüttelt; sogar wie die Amerikaner und die Sowjets einander mit Wassergläsern voll Wodka zuprosten. Zu diesem Zeitpunkt war von den deutschen Soldaten an der Röthelbrücke nichts zu sehen, denn auf beiden Seiten der Brücke hatten die amerikanischen und die sowjetischen Truppen das Gebiet abgesperrt.

Im sowjetischen Zentralarchiv in Krasnogorsk fanden wir zufällig die Aufnahmen eines sowjetischen Kameramanns, der ebenfalls an der Röthelbrücke gefilmt hatte. Ihn hatte – seitenverkehrt – die amerikanische Seite am meisten interessiert. So filmte er liebevoll das Sternenbanner auf der Röthelbrücke und schwenkte dann mit der Kamera auf die amerikanische Seite. Und da standen sie – die zwei amerikanischen Panzer, die den deutschen Soldaten den Weg über die Brücke versperrten. Genauso wie das Hubert Weissenegger geschildert hatte.

Weg frei für 10 000 Pferde

Durch einen anderen Film kamen wir auf die Spur einer weiteren erstaunlichen Begebenheit, die sich zur gleichen Zeit in Tamsweg und Umgebung zugetragen hat. Patsy Meehan, die für „Österreich II" mit Umsicht und Expertise die britischen Filmarchive durchkämmte, stieß eines Tages auf einen Farbstreifen, der endlose Kolonnen berittener deutscher Soldaten zeigte. Patsy Meehan richtete ihr Augenmerk auf die Landschaft, durch die diese berittenen Kolonnen zogen. Dann rief sie uns an: „It must be Austria." Und mehr noch: Die Kavalleristen trugen vielfach weiße Armbinden. Soldaten mit weißen Armbinden gab es nur in den allerletzten Tagen des Krieges oder knapp nach der Kapitulation. Wo aber in Österreich zog ein riesiges Kavalleriekorps im Mai 1945 seines Weges? Und wer hat es in Farbe gefilmt?

Die Antwort auf die letzte Frage bekamen wir schnell: Ein Team britischer Kriegsberichterstatter hatte damals zu Versuchszwecken Farbfilme zugeteilt bekommen. Ihr Einsatzgebiet: Kärnten und die Steiermark. Um eine lange Recherche-Geschichte kurz wiederzugeben: Unter den zurückgehenden deutschen Truppen befindet sich in den letzten Kriegstagen das I. deutsche Kavalleriekorps. Daß es dieses Korps überhaupt gegeben hat, ist nicht allgemein bekannt. Wer konnte auch auf die Idee kommen, in dieser bereits hochtechnisierten Zeit, in der fast nur noch Panzer und Flugzeuge zählten, 10 000 Soldaten auf Pferderücken zu set-

Mit 10 000 Pferden ergibt sich ein deutsches Kavalleriekorps den Briten (oben). Die Bauern wollen die kriegsgefangenen Pferde auf ihren Weiden nicht dulden, so ordnen die Briten deren Notschlachtung an. Doch mit List und Sportsgeist gelingt es, die Pferde zu retten und sie über eine Zonen- und eine Staatsgrenze nach Bayern zu bringen, wo sie den Bauern als Zugpferde zugeteilt werden.

Hubert Weissenegger: Zwei Panzer zuviel.

Die Röthelbrücke über die Enns wurde für viele zur Schicksalsbrücke. Zwei US-Panzer sperrten die Brücke, als Tausende deutsche Landser auf der Flucht vor den Sowjets über die Enns nach dem Westen gelangen wollten. Tage später gaben Sowjets und Amerikaner den Übergang frei für heimkehrende Fremdarbeiter und befreite alliierte Kriegsgefangene. Unser Bild zeigt den ersten Trupp jugoslawischer Fremdarbeiter und Ex-Kriegsgefangener beim Passieren der Röthelbrücke. Sowjetische und amerikanische Soldaten lehnen am Brückengeländer.

zen? Aber sie wurden gesetzt, und sie wurden von den Deutschen dort eingesetzt, wo sie tatsächlich wirksam waren – in der Pußta. Nun zieht dieses Korps auf der Flucht nach Westen durch die Steiermark und erreicht die britischen Linien in der Nähe von Tamsweg.

Es handelt sich um nicht weniger als 10 000 Pferde und die dazugehörigen Soldaten. Die Briten nehmen das Korps gefangen, aber die österreichischen Bauern protestieren gegen die 10 000 Pferde, die nun ihre Wiesen abgrasen. So geben die Briten den Befehl, die Pferde zu schlachten. Da beginnt der kommandierende General Gustav Harteneck um die Pferde zu ringen. Es handle sich um die besten Pferde Europas, erklärt er den Briten, die ihm das nicht so ohne weiteres glauben, da die besten Pferde Europas wohl doch nur aus England kommen könnten. Aber ihr Sportsgeist ist herausgefordert. Als Harteneck anbietet, die Qualität der Pferde unter Beweis stellen zu dürfen, wird ihm das gestattet.

Harteneck darf vor den versammelten britischen Offizieren mit einer Auswahl seiner Pferde ein Reit- und Springturnier abhalten. Das muß man sich vorstellen: an allen Wegen, auf allen Wiesen und Feldern lagern Zehntausende gefangene Soldaten, Flüchtlinge, Fremdarbeiter, befreite Kriegsgefangene usw. Alle Straßen sind verstopft, alle Dörfer überlaufen. Aber ein deutscher General darf vor britischen Offizieren ein Turnier abhalten. Und in der Tat: Die Briten sind beeindruckt, es sind vielleicht nicht die besten Pferde Europas, aber es handelt sich zweifellos um sehr gute Pferde. Nur – in der britischen Zone können sie nicht bleiben. Es gibt zuwenig Weideflächen, zuwenig Platz. Aber die Briten gestatten es dem General Harteneck, mit den Amerikanern zu verhandeln.

Der General ist gut informiert: Er weiß, daß auf amerikanischer Seite von einer Entindustrialisierung Deutschlands gesprochen wird, von einer Reduzierung der Deutschen auf ein Agrarvolk, vom Morgenthau-Plan. Das ist zwar nur eine vorübergehende Phase in der amerikanischen Diskussion über das Nachkriegsschicksal Deutschlands, aber die amerikanischen Offiziere haben diese Diskussion auch voll mitbekommen. Harteneck unterbreitet ihnen folgendes Argument: Wenn das besiegte, entindustrialisierte Deutschland von seiner Landwirtschaft wird leben müssen, dann werden die 10 000 Pferde dringend gebraucht werden, und zwar ganz im Sinne der amerikanischen Nachkriegspläne. Das überzeugt die Amerikaner.

Das gesamte I. Kavalleriekorps darf in das amerikanisch besetzte Salzburg überwechseln und von dort den Weitermarsch nach Bayern antreten. Die Militärstellen, die für Menschen keine Ausnahme kennen, lassen die Pferde passieren. Sie werden in Bayern demobilisiert und tatsächlich der Landwirtschaft zugeteilt.

Patsy Meehan hatte den Filmstreifen entdeckt, den die britischen Kriegsberichterstatter drehten, als das Korps aus der britischen Zone aufbrach, um in langen Kolonnen in die amerikanische hinüberzureiten. Sie hatte recht: „It must be Austria!"

Zu dem Zeitpunkt, da die deutschen Verbände in der Steiermark noch in Eilmärschen die Linien der westlichen Alliierten zu erreichen trachten, haben die meisten deutschen Verbände, die noch in Niederösterreich und in Oberösterreich stehen, bereits haltgemacht. Die sowjetische Front in diesem Abschnitt hat sich viele Wochen lang nicht bewegt. Und so sind die deutschen Kommandeure der Ansicht, daß die Sowjets hier auch weiterhin stehenbleiben werden und die deutschen Verbände daher nur auf die Ankunft der Amerikaner zu warten hätten.

Das stellt sich als Irrtum heraus. Auch hier beginnen die Sowjets zu marschieren. Im Raum Pregarten kommt es zu einer ähnlichen Situation wie an der Röthelbrücke in der Steiermark. Herta Danzinger lebte in Pregarten. Die Ortschaft war von deutschen Truppen überlaufen. Überall hatten sie ihre Fahrzeuge abgestellt, überall biwakierten sie. Sie warteten auf die Ankunft der Amerikaner. Denn man hatte schon amerikanische Panzer gesichtet: Es konnte nicht mehr lange dauern, dann mußte auch ihre Infanterie aufschließen und dann würden sie wohl in Pregarten einrücken. Die kommandierenden deutschen Offiziere bereiteten sich auf die Übergabe vor.

Um halb zehn Uhr abends klopft es an der Tür der Danzingers. Draußen steht der Bürgermeister. Er ist soeben verständigt worden: Die Amerikaner kommen nicht, es kommen die Sowjets. Die Amerikaner sind knapp hinter Pregarten am Fluß Aist stehengeblie-

Herta Danzinger: Der Russe kommt!

Nirgendwo in Österreich wurde die Begegnung zwischen amerikanischen und sowjetischen Truppen so formell und danach auch so ausgelassen gefeiert wie an der Röthelbrücke an der Enns. Unser Bild zeigt die amerikanischen und die sowjetischen Generäle bei der gemeinsamen demonstrativen Überschreitung der Brücke. Schon wenige Tage später wird die Enns auch hier zum Grenzfluß und die Brücke zu einem der gefürchteten Zonenübergänge.

ben. Die Nachricht verbreitet sich wie ein Lauffeuer unter den deutschen Soldaten. Herta Danzinger beschrieb uns, was dann geschah: „Der Marktplatz war voll mit rund 60 Lastkraftwagen, voll von biwakierenden Soldaten. Es war eine laue Mainacht, es sind alle auf der Straße gelegen, die nicht mehr in den Häusern untergebracht werden konnten. Und plötzlich heißt es: Der Russe kommt! Wie ein Lauffeuer: Der Russe kommt! Was sich da getan hat! Die Autos sind losgefahren, die Pferde sind los, die Pferde sind auf die Kühler der Autos gesprungen, die Autos haben sich verkeilt in den Pferdefuhrwerken. Leute wurden zu Tode getrampelt, ich weiß die Zahl nicht mehr genau. Und dann sind sie los, alle zur Aist, jeder wollte nach dem Westen zu den Amerikanern. Viele Soldaten haben ihre Uniformen weggeworfen, die waren dann alle auf dem Marktplatz verstreut. Und in diesen Wirbel sind die ersten Russen bereits von den Seitengassen hereingekommen, haben sich das angeschaut und sich ganz ruhig verhalten. Es hat bis drei Uhr früh gedauert, da war keiner der Soldaten mehr hier, alle waren über der Aist, und der Russe war allein auf dem Hauptplatz."

Die Sowjets konnten sich das auch in aller Ruhe ansehen, es ging ihnen kaum einer dieser deutschen Soldaten als Kriegsgefangener verloren. Denn drüben bei den Amerikanern wurden sie gesammelt, mußten einige Tage auf offenem Feld lagern und wurden dann geschlossen den Sowjets ausgeliefert. Sie kamen alle noch in Gefangenenlager in die Sowjetunion.

Begegnung in Erlauf

Wenn vom Kriegsende in Europa die Rede ist, dann wird oft auf ein Ereignis Bezug genommen, das schon Tage vor diesem Kriegsende stattgefunden hat: auf die Begegnung der Amerikaner und der Sowjets am Ufer der Elbe. Dort, wo amerikanische und sowjetische Soldaten aufeinander zuliefen und sich umarmten, dort war sozusagen das Ende des Dritten Reichs gekommen. In Österreich mußte es doch auch eine derartige Begegnung gegeben haben. Irgendwo mußten Amerikaner und Sowjets einander zum erstenmal begegnet sein. So war es auch. Wir fanden den Filmbericht über diese Begegnung gleich in drei Archiven: in Washington, in Krasnogorsk und bei Chronos in Berlin.

Die Amerikaner haben das sogenannte Ausgangsmaterial archiviert, das heißt alle damals gedrehten Filme ungeschnitten aufbewahrt. Als wir sie durchsahen, machten wir eine Entdeckung: Amerikaner und Sowjets begegneten einander in einer schmalen Straße in einer kleinen österreichischen Stadt. In keinem der Archive war der Name der Stadt angegeben. Aber aus dem amerikanischen Ausgangsmaterial war klar zu entnehmen, daß die gefilmte Begegnung nicht spontan erfolgte. Man hatte sie für die Kameraleute gestellt. Denn mehrmals fuhren – ganz offensichtlich nur für die Kameras – je ein sowjetischer und ein amerikanischer Panzer in der schmalen Straße aufeinander zu, dann öffneten sich die Luken der Panzer, heraus sprangen hier die Sowjets, dort die Amerikaner, liefen aufeinander zu und umarmten einander. Zweimal klappte das nicht, weil die aussteigenden Soldaten in den Luken hängenblieben. Also wurde die Szene noch einmal und noch einmal gefilmt.

So jedoch konnten Amerikaner und Sowjets einander nicht zum erstenmal begegnet sein. Wir gingen der Sache nach und kamen einem Drama auf die Spur: Eine amerikanische Patrouille stieß am 7. Mai bis Amstetten vor. Amstetten war voll von deutschen Soldaten, doch diese hatten bereits von den Kapitulationsverhandlungen gehört, dachten nicht mehr an Widerstand und ergaben sich den Amerikanern. An den meisten Häusern am Hauptplatz von Amstetten wehten weiße Fahnen. Die amerikanische Patrouille stellte ihre Panzerspähwagen auf dem Platz ab und wollte offenbar darauf warten, bis das Gros ihres Verbandes nachkam. Da erschienen sowjetische Tiefflieger über Amstetten, sahen die Truppenansammlungen auf dem Hauptplatz, begannen sie zu beschießen und warfen auch noch Bomben ab. Amerikanische Soldaten, deutsche Soldaten und österreichische Zivilisten stürzten gemeinsam in die nächsten Häuser und suchten Deckung. Wir wissen nicht, ob und wie viele Tote und Verwundete es gab. Aber ein Amstettner Fotograf, Ernst Schindelegger, war nicht nur Augenzeuge dieses Vorfalls, er hatte auch die Nerven, diesen Zwischenfall zu fotografieren. Schindelegger drückte ab, als deutsche Soldaten auf dem Hauptplatz haltmachten, er drückte ab, als amerikanische Panzerspähwagen Aufstellung nahmen, und er drückte ab, als auf diesem Platz die sowjetischen Geschosse und Bomben einschlugen. Einzigartige Bilddokumente dieser ersten amerikanisch-sowjetischen Berührung auf österreichischem Boden.

Am gleichen Tag kam es zum ersten physischen Kontakt der Amerikaner mit den Sowjets. Denn aufgrund des Vorfalls in Amstetten entsandten die Amerikaner einen Unterhändler zu den Sowjets, und zwar einen hochrangigen, den General Stanley Reinhart. Er und seine Begleiter mußten sich erst zum nächsten sowjetischen Feldhauptquartier durchfragen. Sie fanden es in der kleinen niederösterreichischen Ortschaft Erlauf.

Dramatische Momente in Amstetten: Deutsche Militärkolonnen machen Rast und warten auf das Eintreffen der Amerikaner (oben). Die amerikanischen Panzerspähwagen kommen und nehmen neben den deutschen Fahrzeugen Aufstellung (Mitte). Kurz darauf erscheinen sowjetische Tiefflieger, beschießen den Platz und werfen Bomben ab. Deutsche und amerikanische Soldaten fliehen gemeinsam mit der Zivilbevölkerung in die Luftschutzkeller (unten). Diese eindrucksvollen Bilder wurden von Ernst Schindelegger aufgenommen.

Nach dem Zwischenfall von Amstetten handeln Amerikaner und Sowjets auf hoher Ebene eine Demarkationslinie aus, die die beiden Armeen vor weiteren Zwischenfällen schützen soll. Die Verhandlungen finden in der niederösterreichischen Ortschaft Erlauf statt. Am gleichen Abend, es ist der 8. Mai, tritt an allen Fronten der Waffenstillstand in Kraft. Der amerikanische General Stanley Reinhart (links) und der sowjetische General Daniil A. Dritschkin vergleichen ihre Uhren, rufen dann „Hurra" und feiern das Ende des Kriegs mit viel Wodka – in Erlauf.

Bilder wie diese sollten die erste Begegnung amerikanischer und sowjetischer Truppen auf österreichischem Boden wiedergeben. Man hatte sie für die Kameraleute gestellt – in einer Seitenstraße von Amstetten, denn der Hauptplatz war tags zuvor zerstört worden (links unten). Die Freude der Soldaten ist dennoch echt: Der Krieg ist aus (rechts).

    In einem Bürgerhaus in Erlauf vereinbarten nun der amerikanische General Reinhart und der sowjetische General Dritschkin eine Demarkationslinie, die die amerikanischen und die sowjetischen Truppen so voneinander trennen sollte, daß es zu Zwischenfällen wie in Amstetten nicht mehr kommen könne. Die Vereinbarung wurde am Abend des 8. Mai geschlossen. Danach wurde gefeiert: die erste amerikanisch-sowjetische Begegnung auf österreichischem Boden und auch gleich das Kriegsende. Denn an diesem Tag um 23 Uhr MEZ wurde die Kapitulation der deutschen Streitkräfte wirksam. Um Punkt 23 Uhr standen General Stanley Reinhart und Generalmajor Daniil A. Dritschkin in Erlauf nebeneinander und verglichen ihre Uhren. Um Punkt 23 Uhr riefen sie „Hurra!", umarmten einander und ließen sich Wodka einschenken. Beweis: zwei Bilder, die unsere amerikanische Mitarbeiterin Karen Wyatt in den National Archives in Washington fand und auf denen dieser Moment festgehalten ist. Die Gemeinde Erlauf jedoch mußte sich jahrelang darum bemühen, als erster Begegnungsort von Amerika-

nern und Sowjets auf österreichischem Boden anerkannt zu werden. Die Aussage der Augenzeugen genügte nicht. Die Filme von der Begegnung der beiden Panzer in einer kleinen Stadt in Österreich galten als authentisch – und die Stadt, das konnte ja nur Enns sein, denn dort verlief doch später die amerikanisch-sowjetische Demarkationslinie. Das alles stimmte nicht: Die gefilmte enge Straße haben wir in Amstetten gefunden. Und nun war uns auch klar, weshalb diese offizielle sowjetisch-amerikanische Begegnung nachgestellt werden mußte und weshalb sie, wenn schon in Amstetten, dann doch nicht auf dem Hauptplatz stattfinden konnte – der war nämlich tags zuvor von sowjetischen Flugzeugen zertrümmert worden.

Wir wissen nicht, wie sich das mit der amerikanisch-sowjetischen Begegnung an der Elbe genau abgespielt hat. Die Aufnahmen, die von dieser Begegnung gemacht worden sind, sind selbst schon ein Teil der Weltgeschichte. Und sie lassen ja auch keine Frage offen – so war es. War es so?

DIE ERSTEN SCHRITTE

„Deklaration über Österreich" steht auf den bunten Plakaten, die die sowjetischen Militärbehörden bald nach ihrem Einmarsch in den größeren Orten Ostösterreichs affichieren lassen. Drei Fahnen zieren dieses Plakat – die der Sowjetunion, der USA und die Großbritanniens. Und es waren diese drei Mächte, die den Wortlaut der „Deklaration über Österreich" gemeinsam beschlossen hatten, im Oktober 1943 bei einer Außenministerkonferenz in Moskau. So wird man dieses Dokument künftig auch als „Moskauer Deklaration" ansprechen.

Jahrelang ist die Moskauer Deklaration die wichtigste Grundlage für alle Verhandlungen über Österreich; sie ist das Dokument, auf das sich schon die erste Provisorische Regierung Karl Renner beruft und auf das sich alle weiteren österreichischen Regierungen bis 1955 berufen werden, wenn sie von den Alliierten die völlige Freiheit und Unabhängigkeit für Österreich fordern.

Denn genau das wird Österreich in der Moskauer Deklaration versprochen: „Die Regierungen des Vereinigten Königreiches, der Sowjetunion und der Vereinigten Staaten von Amerika sind darin einer Meinung, daß Österreich, das erste freie Land, das der typischen Angriffspolitik Hitlers zum Opfer fallen sollte, von deutscher Herrschaft befreit werden soll. Sie betrachten die Besetzung Österreichs durch Deutschland am 15. März 1938 [es war der 13. und nicht der 15. März, doch so steht es in der Deklaration] als null und nichtig. Sie betrachten sich in keiner Weise gebunden durch irgendwelche Änderungen, die in Österreich nach diesem Zeitpunkt durchgeführt wurden. Sie geben ihrem Wunsch Ausdruck, ein freies und unabhängiges Österreich wiederhergestellt zu sehen und dadurch ebensosehr den Österreichern selbst wie den Nachbarstaaten, die sich ähnlichen Problemen gegenübergestellt sehen werden, die Bahn zu ebnen, auf der sie die politische und wirtschaftliche Sicherheit finden können, die die einzige Grundlage eines dauerhaften Friedens ist."

Soweit die Befreiungsformel in dieser Deklaration. An sie schließt sich eine Mitschuld-Klausel: „Österreich wird aber auch daran erinnert, daß es für die Teilnahme am Kriege an der Seite Hitler-Deutschlands eine Verantwortung trägt, der es nicht entrinnen kann, und daß anläßlich der endgültigen Abrechnung Bedachtnahme darauf, wieviel es selbst zu seiner Befreiung beigetragen haben wird, unvermeidlich sein wird."

Es ist für Österreich nicht nur wichtig, was in dieser Deklaration steht. Entscheidend ist auch der Geist, in dem der Wortlaut der Deklaration entstanden ist. Gehen wir der Sache nach. Im wesentlichen stammt der Wortlaut der Deklaration aus zwei Quellen – aus dem britischen und aus dem sowjetischen Außenministerium. Als man in London daranging, die Deklaration zu entwerfen, steckte zunächst einmal die Überlegung dahinter, daß man Hitler-Deutschland und vor allem die deutsche Armee schwächen könnte, wenn man den Österreichern die Wiederherstellung ihrer Heimat als unabhängigen Staat verspricht und dies gleichzeitig davon abhängig macht, daß sie ihren eigenen Beitrag zur Befreiung Österreichs leisten müßten. Das war natürlich eine Aufforderung an die Öster-

Über die aus dem Wasser ragenden Teile der gesprengten Floridsdorfer Brücke hat man einen Notsteg gelegt. Tausende Menschen überqueren ihn täglich, um zu ihren Arbeitsstätten zu kommen. Die Kletterpartie über die Donau nimmt, je nach Gedränge, ein bis zwei Stunden in Anspruch.

reicher, sich gegen den Anschluß, gegen das Dritte Reich und gegen den Krieg Hitlers zu stellen. Und es war auch eine Aufforderung, aktiv gegen den Hitler-Krieg zu handeln, sei es, indem man die Kriegsanstrengungen nicht mitmacht, sie sabotiert oder als Soldat an der Front überläuft.

Die Idee, eine solche Deklaration bezüglich Österreich zu beschließen, kam im Londoner Foreign Office auf. Geoffrey Harrison brachte sie als erster zu Papier. Er war im britischen Außenamt für Österreich zuständig. Für ein Österreich, das zu diesem Zeitpunkt nicht existierte. Harrison selbst erklärte damals in einem Begleitbrief zu seinem Österreich-Entwurf, daß eine derartige Erklärung schon aus Gründen der „politischen Kriegführung" notwendig sei, heute würde man sagen der psychologischen Kriegführung. Aber Harrison fügte auch hinzu, daß die Deklaration einen Beitrag zu den gewiß bevorstehenden Diskussionen über die Gestaltung Europas nach dem Krieg darstellen sollte.

Vier Alternativen der Briten

Wir haben Geoffrey Harrison gefragt, wie man sich damals in Großbritannien die Zukunft Österreichs vorgestellt habe. Die Antwort Harrisons hat uns überrascht. Denn sie zeigt, daß es für die Briten keineswegs so selbstverständlich war, den Anschluß Österreichs an Deutschland für null und nichtig zu erklären und sich für ein völlig unabhängiges Österreich auszusprechen. Das britische Zögern begründete Harrison im Gespräch mit uns mit dem Hinweis darauf, daß man ja damals, im Jahr 1943, in England nicht wissen konnte, was das österreichische Volk selbst wollte. Die Österreich-Experten des Foreign Office hätten damals darauf hingewiesen, daß die Erste Republik Österreich wirtschaftlich nicht lebensfähig gewesen sei, daß sich das Land als zu klein und zu schwach erwiesen habe, um selbständig existieren und einem mächtigen Nachbarn widerstehen zu können. Wollte man tatsächlich ein derartiges schwaches, existenzunfähiges Österreich nach dem Krieg wieder ins Leben rufen? Und wem würde ein derartiges Österreich in Zukunft zum Opfer fallen? Der Westen und insbesondere Großbritannien, so sei argumentiert worden, müßten ein Interesse haben, im Donauraum eine lebensfähige und möglichst starke Staatenföderation zustande zu bringen, um den Einfluß einer unliebsamen Großmacht in diesem Raum möglichst fernzuhalten. Wahrscheinlich hat man in den internen Diskussionen die Namen dieser denkbaren unliebsamen Großmächte genannt, und das konnten nur Deutschland und die Sowjetunion sein; wobei ein besiegtes Deutschland vermutlich nicht mehr als so große Gefahr angesehen wurde wie eine siegreiche Sowjetunion. Und man hielt auch keine Lösung für haltbar, die nicht von der österreichischen Bevölkerung selbst mitgetragen würde. Anschlußverbote, wie man sie über die Erste Republik verhängt hat, hätten sich als unwirksam erwiesen, ja nur dazu geführt, die Sehnsucht nach dem Anschluß zu steigern.

Wörtlich erklärte uns Harrison: „Wir haben die verschiedenen Möglichkeiten für die Zukunft Österreichs geprüft. Es gab deren vier. 1. Es mußte überlegt werden, ob der Anschluß an Deutschland nicht von den Österreichern gewünscht wird und daher auch in Zukunft erhalten bleiben sollte. 2. Welche Aussichten hat ein freies unabhängiges Österreich? Wäre es lebensfähig? 3. Wäre es nicht besser für Österreich und den gesamten Raum, wenn das Land Teil einer Donauföderation würde, wobei dieser Föderation sicher Ungarn, aber vielleicht auch die Tschechoslowakei und Jugoslawien, ja sogar Polen angehören könnten? 4. Wenn man die Absicht hat, Deutschland zu zerstückeln, und wenn das ein primä-

Im Park von Schloß Belvedere grasen Ochsen und Kühe, die hier von irgendeiner Verpflegsabteilung der Sowjetarmee auf die Weide gestellt wurden. Allerdings hat auch der Bombenkrieg und der Mangel an Arbeitskräften in den Kriegsjahren von den früher so gepflegten Anlagen des Schloßparks nicht viel übriggelassen.

res Nachkriegsziel wäre, dann könnte man Bayern von Deutschland trennen und eine Union zwischen Österreich und Bayern herbeiführen."

Harrison schlug seinen Vorgesetzten dennoch vor, den Anschluß für null und nichtig zu erklären und den Wunsch zu äußern, Österreich als ein freies und unabhängiges Land wiederhergestellt zu sehen. Harrison hielt dies vor allem aus propagandistischen Gründen für wichtig. Zu diesem Zeitpunkt lagen den Briten Meldungen aus Österreich vor, die besagten, daß die Österreicher zunehmend über den Krieg und den Kriegsverlauf unglücklich seien, daß sie die Oberherrschaft deutscher Funktionäre als drückend empfänden und in Österreich eine Sehnsucht nach der früheren Unabhängigkeit festzustellen wäre. Dies müßte ausgenützt werden, argumentierte Harrison, und so argumentierte man an allen Stellen, die sich mit der psychologischen Kriegführung gegen Deutschland befaßten. Eine solche Stimmung war jedoch nur auszunützen, wenn man sich klipp und klar für die Aufhebung des Anschlusses und für die Herstellung eines unabhängigen Österreichs aussprach.

Dennoch sollte die Deklaration Großbritannien nicht darauf festlegen, ein ganz allein auf sich gestelltes Österreich dem Schicksal der Ersten Republik preiszugeben. Und daher hieß es im Entwurf Harrisons, dem österreichischen Volk müsse die Möglichkeit gegeben werden – "ebenso wie anderen benachbarten Staaten, vor denen ähnliche Probleme stehen werden" –, diejenige "politische und wirtschaftliche Sicherheit zu finden, die die einzige Grundlage eines dauerhaften Friedens ist". Harrison schrieb sogar "in Verbindung mit benachbarten Staaten". Damit wollten die Briten den Weg zu einer Donauföderation oder zu einer Union Österreichs mit Bayern offenhalten.

Als dieser Entwurf später dem sowjetischen Außenminister Molotow vorgelegt wurde, erhob dieser sofort Einwände gegen den Hinweis "in Verbindung mit benachbarten Staaten". Stalin trete für ein selbständiges unabhängiges Österreich ein. Auch die Amerikaner hatten einen Abänderungswunsch, als sie den Entwurf Harrisons diskutierten: Die von Präsident Roosevelt und von Premierminister Churchill bei ihren Konferenzen im August 1941 auf den Schlachtschiffen „H.M.S. Prince of Wales" und „USS Augusta" im Atlantik festgelegten Grundsätze zur Befreiung der Völker Europas sollten durch einen Hinweis auf diese Atlantik-Charta in die Deklaration über Österreich eingebaut werden. Die Sowjets erhoben auch dagegen Einspruch, und der Hinweis auf die Atlantik-Charta entfiel. Denn es war Ziel der Atlantik-Charta, den einzelnen befreiten Völkern Europas nach dem Krieg die Möglichkeit zu geben, ihre Unabhängigkeit auch gegenüber anderen Großmächten und nicht nur gegenüber Deutschland zu behaupten.

Es gab noch andere, scheinbar nicht so wichtige, aber im Effekt entscheidende Änderungen, die die Sowjets gegenüber dem Harrison-Entwurf wünschten. Harrison hatte geschrieben, „die Österreicher" hätten für ihre Teilnahme am Hitler-Krieg die Verantwortung zu tragen – dies hielt er aus propagandistischen Gründen für wirksam, er wollte die Menschen ansprechen. Die Sowjets beantragten die Ersetzung des Wortes „Österreicher" durch „Österreich". Das erschien den Briten und Amerikanern unerheblich. Nach dem Krieg, bei den Staatsvertragsverhandlungen, aber werden die Sowjets ins Treffen führen können, daß man schon in der Moskauer Deklaration den Staat Österreich für die Teilnahme am Hitler-Krieg verantwortlich gemacht habe und daß infolgedessen der Staat Österreich für diese Mitverantwortung aufzukommen habe. Die von der Sowjetunion erhobenen wirtschaftlichen Forderungen gegenüber Österreich hätten sich kaum aus einer Mitverantwortung einzelner Österreicher als Personen ableiten lassen.

Dieses Tauziehen um den Wortlaut der Moskauer Deklaration läßt erkennen, wie sehr man bereits 1943 in London und in Moskau, zu einem geringeren Teil auch in Washington, an die eigene künftige Strategie im mitteleuropäischen Raum gedacht hat. Ziel der Briten: Im Donauraum wenn möglich wieder einen stärkeren Staatenverband entstehen zu lassen, der die frühere Aufgabe der österreichisch-ungarischen Monarchie erfüllen könnte, nämlich der jeweils stärksten Kontinentalmacht in Europa zu trotzen, sei es Deutschland oder Rußland. Und in seitenverkehrter Logik war es das Ziel der Sowjetunion, im Donauraum nichts entstehen zu lassen, was sich sowjetischen Interessen kraftvoll widersetzen könnte. Viele kleine Staaten, das wußten schon die alten Römer, sind für eine Großmacht viel leichter zu handhaben als ein größerer Staatenverband. Daher mußte auch der von den Briten vorgesehene Hinweis „in Verbindung mit benachbarten Staaten" fallen.

Als sich nun im Oktober 1943 die Außenminister Cordell Hull für die USA, Anthony Eden für Großbritannien und Wjatscheslaw Molotow für die Sowjetunion in Moskau zusammensetzten, hätten sie eigentlich um diese kleinen, aber doch entscheidenden Varianten in der Deklaration über Österreich zumindest ausführlich diskutieren müssen. Aber 1943 sind selbst die sowjetischen Armeen noch weit von Österreich entfernt, und die Anglo-Amerikaner kämpfen sich erst mühsam auf der italienischen Halbinsel nach Norden. Die Außenminister haben zu diesem Zeitpunkt andere Sorgen und – größere Probleme miteinander.

Harrison, der in Moskau mit dabei war, berichtete uns: „Österreich kam erst am Ende der Konferenz zur Sprache. Nach all den vorangegangenen schwierigen Diskussionen über die anderen Probleme [der Kriegführung, der zweiten Front, der alliierten Zusammenarbeit, der Zukunft Deutschlands] meinten die Außenminister, hier zumindest gebe es eine Frage, in der es möglich wäre, eine Einigung zu erzielen. Und natürlich haben alle Teilnehmer an Konferenzen es gern, wenn sie am Ende irgendein konkretes Resultat herzeigen können. So wurde die Diskussion über die Österreich-Deklaration verhältnismäßig schnell und reibungslos abgeführt. Und sie brachte die Entscheidung zugunsten eines freien und unabhängigen Österreichs."

Das ist bereits die Grundlage für die Wiederherstellung Österreichs als unabhängiger Staat, also die Grundlage für die Zweite Republik; aber der Westen hat die sowjetischen Korrekturen in der Deklaration und ihre Zielrichtung doch erfaßt und bleibt daher gegenüber den sowjetischen Absichten bezüglich Österreichs mißtrauisch. Ebenso wie die Sowjetunion mißtrauisch bleibt gegenüber den westlichen, vor allem den britischen Plänen im Donauraum. England strebte in Mitteleuropa weiterhin nach einer starken Föderation, die sich als Riegel gegenüber der Sowjetunion eignen würde, während Moskau diesen Raum bereits als seine künftige Einflußsphäre sah. Ob dies Österreich mit einschloß oder nicht, ist eine Frage, die man sich schon damals und auch später im Westen stellte und die sich bis heute nicht absolut schlüssig beantworten läßt. Hatte die Sowjetunion von allem Anfang an vor, ihre Truppen aus Österreich abzuziehen und das Land dem westlichen Gesellschaftssystem zu überlassen, oder wäre der Sowjetunion nicht auch in Österreich eine Entwicklung lieber gewesen, wie sie in Ungarn und in der Tschechoslowakei herbeigeführt worden ist?

Wir werden später sehen, daß diese Frage nicht so leicht zu beantworten ist, wie es im Rückblick scheinen mag. Denn die Haltung der Westmächte ist, nach allem, was wir davon aus den

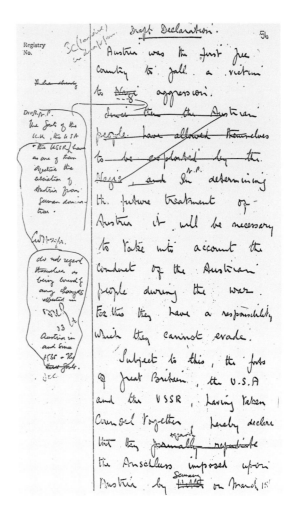

Der von Geoffrey Harrison handschriftlich entworfene Urtext der Deklaration über die künftige Unabhängigkeit Österreichs, wie er dann – mit entscheidenden Änderungen – von den Außenministern der USA, der Sowjetunion und Großbritanniens in Moskau 1943 gutgeheißen wurde.

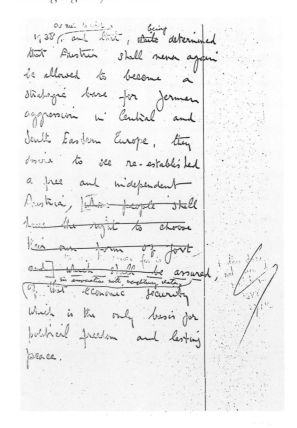

So bot sich der Wiener Prater dar: Die Vergnügungsstätten eingeäschert, die Restaurants zerstört, das Riesenrad hat alle seine Gondeln verloren.

Geoffrey Harrison: Die Moskauer Deklaration für Österreich entworfen.

damaligen Geheimdokumenten herauslesen können, die wir in britischen und amerikanischen Archiven gefunden haben, weitgehend davon beeinflußt worden, wie sich die Österreicher selbst verhalten haben. Hätten bei der ersten Wahl nach dem Krieg, im November 1945, 30 oder mehr Prozent der Österreicher ihre Stimme der Kommunistischen Partei gegeben, wie dies zum Beispiel die Tschechoslowaken bei ihrer ersten Wahl getan haben, so kann man nahezu mit Gewißheit annehmen, daß sowohl die Sowjetunion als auch die Westmächte jeweils eine ganz andere Haltung gegenüber Österreich eingenommen hätten als nach einer Wahlentscheidung, die den Kommunisten nur 5 Prozent der Wählerstimmen brachte, während sich 95 Prozent der Wähler für zwei Parteien entschieden, die den Kommunismus ganz und gar ablehnten. Es kann also der eigene Beitrag der Österreicher zur Gestaltung ihres Schicksals gar nicht hoch genug angesetzt werden, doch in Anbetracht des jahrelangen Tauziehens der Weltmächte um Österreich wird er oft übersehen. Diese eigenwillige, zielbewußte Politik der Österreicher setzt auch nicht erst mit den Wahlen 1945 ein, sondern bereits in dem Augenblick, da österreichische Politiker erstmals wieder die Möglichkeit haben zu handeln. Denn die Wahlen und das Wahlergebnis sind schon Resultate dieses Handelns.

Renner schreibt einen Brief

Am 27. April 1945 ist die Regierung Renner bereits im Amt. Mit Hilfe und Duldung der Sowjetunion. Karl Renner ist der Inhalt der Moskauer Deklaration bekannt. Für ihn ist sie eine Zusage der

Weltmächte, Österreich in seinen Grenzen vor 1938 als freies und unabhängiges Land wiederherzustellen. Doch nun erfährt Renner von den Sowjets, daß seine Regierung vorläufig nur von der Sowjetunion anerkannt ist und daß der Wirkungsbereich dieser Regierung auf die sowjetisch besetzten Bundesländer Niederösterreich und Burgenland sowie auf den sowjetisch besetzten Teil der Steiermark beschränkt ist. Und offenbar sind auch die Sowjets nicht so sicher, ob sich eine Anerkennung der Renner-Regierung bei den Westmächten durchsetzen lassen wird. Denn in ihren Kontakten mit den Westmächten sprechen die Sowjets zurückhaltend von „einer österreichischen Verwaltung", die sie nun einmal für ihre Besatzungszone amtieren ließen. Renner als erfahrener Staatsmann weiß, daß er das Vertrauen aller Mächte benötigt, damit diese Regierung im Amt bleiben und ihren Amtsbereich eines Tages auf ganz Österreich ausdehnen kann. Und daß das die Voraussetzung dafür ist, das von den Truppen verschiedener Mächte besetzte und somit zerrissene Österreich wieder zu einem einzigen Staat zusammenzufügen.

Bereits 24 Stunden nach der Bildung der neuen Regierung setzt sich Karl Renner hin und schreibt einen Brief, den er sehr einfach adressiert: „An die Regierung der Vereinigten Staaten von Amerika." Renner weiß, daß er den Westen vor allem davon überzeugen muß, daß er und seine Regierung weitgehend eigene Handlungsfreiheit haben. Daß er und seine Regierung keine Erfüllungsgehilfen der Sowjets sind, obwohl sie von diesen eingesetzt worden sind. In seinem Schreiben an die Westmächte betont Renner daher die völlige Eigenständigkeit seiner Regierung. Er gibt dem Schreiben den Titel „Notifikation" – In-Kenntnis-Setzung – und stellt zunächst fest, daß Wien und ein entscheidender Teil Österreichs von der Roten Armee befreit worden seien, aber von einer Einsetzung seiner Regierung durch die Sowjets ist in diesem Schreiben mit keinem Wort die Rede. Darin heißt es: „. . . Gestützt auf die Beschlüsse . . . der Moskauer Konferenz . . . haben die Vertreter

Der erste Schritt zur Motorisierung im neuen Österreich: An den Straßenrändern und in den Fluren liegen die Wracks zerschossener und zum größten Teil auch schon demontierter Autos. Die Reste werden gesammelt und aus den noch vorhandenen Bestandteilen funktionsfähige Vehikel hergestellt (oben).

Aus den Zeitungsannoncen (unten) geht hervor, daß hier einer einen noch funktionsfähigen Wagen der Type Ford Eifel gefunden hat, doch ohne Papiere. Einem anderen fehlen die Türen zu einem Steyr-Baby.

Suche Papiere zu „Ford-Eifel". Zahle halben Wagenwert. Zuschriften erbeten: Mödling, Schulgasse 2.

Gesucht wird dringend rechte und linke Tür, komplett, für Steyr 50. Unter „Englisch" an die Redaktion, V, Rechte Wienzeile 97.

Die Sowjets machen dem von ihnen eingesetzten Staatskanzler Karl Renner ein wertvolles Geschenk – ein Auto. Polit-General Alexej Scheltow stellt die Schenkungsurkunde eigenhändig aus: Marke Buick, Jahrgang 1939, geht „als Geschenk der Roten Armee in Ihr persönliches Eigentum" über. Das Bild rechts oben zeigt den Wagen mit der Nummer 1 an dem Tag, an dem Karl Renner im Parlament zum ersten Bundespräsidenten der Zweiten Republik gewählt worden ist.

sämtlicher politischen Parteien des Landes beschlossen, die Republik Österreich als selbständigen und unabhängigen demokratischen Staat wieder aufzurichten und haben hiezu unter dem Vorsitz des ersten Staatskanzlers der Republik [1918 bis 1920], Präsidenten der Friedensdelegation von St. Germain [1919] und letzten Präsidenten einer demokratischen Volksvertretung [1928 bis 1934] Dr. Karl Renner eine Provisorische Regierung eingesetzt, die am heutigen Tage ihre Tätigkeit aufgenommen hat. Die Regierung bringt dies unter Vorlage der gefaßten Beschlüsse und Kundgebungen zur Kenntnis, ersucht um Anerkennung des wiedererstandenen Staatswesens und bittet, ihr bei der Erfüllung der schweren Aufgabe die Hilfe nicht zu versagen." Datiert: „Wien, den 28. April 1945." Unterzeichnet: „Der Staatskanzler – Dr. Karl Renner."

Dies ist ein bemerkenswert zielbewußtes Schreiben. Man ist fast versucht zu sagen, ganz im Gegensatz zu Renners üblichem Wortreichtum gibt es in diesem Schreiben kein Wort zuviel und kein Wort zuwenig, etwa im Vergleich mit Renners erstem Brief an Josef Stalin. Renner schreibt nicht nur zielbewußt, er verfährt mit diesem Schreiben auch zielbewußt: Er steckt diese Notifikation in ein Kuvert, adressiert es „An die Regierung der Vereinigten Staaten von Amerika, zu Handen des Herrn Außenministers Edward Stettinius, Washington", vermerkt auf der Rückseite den Absender: „Staatskanzler Dr. Karl Renner, Wien", geht zu den Sowjets und bittet sie, den Brief an die Amerikaner weiterzuleiten.

Wir haben das Kuvert in den National Archives in Washington wiedergefunden. Es trägt auf der Vorderseite den Vermerk eines Vizekonsuls der Vereinigten Staaten in Belgrad, Jugoslawien: „Übergeben am 30. April 1945 von einem Offizier der russischen Militärmission an die amerikanische Militärmission in Belgrad. Weitergeleitet an die amerikanische Botschaft, von dieser abgesandt an den Außenminister (Secretary of State), Belgrad, 1. Mai 1945." Drei Tage nachdem Renner seine Notifikation verfaßt hat, ist sie auf dem Umweg über Belgrad bereits in amerikanischer Hand.

Wir haben auch die Notifikation selbst in den amerikanischen Archiven gefunden. Sie trägt einen Eingangsstempel des Außenministeriums in Washington: 11. Mai 1945. Der Brief ging entweder mit Schiffspost, oder die Luftverbindung von Belgrad nach Washington war verständlicherweise um diese Zeit noch schlecht und langsam. Wir wissen, daß die Amerikaner der Renner-Regierung vom ersten Moment an mißtraut haben – siehe George Kennans

Warnung vor einer Anerkennung Renners bereits am 30. April. Doch als Renners Notifikation in Washington eintrifft, am 11. Mai, ist das Mißtrauen des Westens noch gewachsen. Was besagen die Berichte aus Wien, die der Westen wenn auch spärlich, so doch erhält? Renner wird stets von sowjetischen Offizieren begleitet, ein sowjetischer General hat ihm das Parlamentsgebäude übergeben, sowjetische Ehrengarden standen für ihn Spalier, die Sowjets saßen in den Abgeordnetenbänken. Für den Westen mit seinen strengen Fraternisierungsverboten und seiner Absicht, weder in Deutschland noch in Österreich gleich eine zentrale Regierungsgewalt zuzulassen, sondern eine eigenständige Verwaltung erst nach gründlicher Entnazifizierung auf unterster Ebene zu entwickeln, ist die sowjetische Vorgangsweise nur so zu verstehen, daß die Sowjets in Wien vollendete Tatsachen schaffen wollen, ehe noch die Westmächte mit ihren Kontingenten in die österreichische Hauptstadt einziehen.

Gordon Brook-Shepherd war damals Nachrichtenoffizier im britischen Generalstab und berichtet über die Haltung der Briten gegenüber der Renner-Regierung: „Diese Regierung haben wir bloß als eine Marionettenregierung betrachtet. Wir haben nachgeschaut: Wer ist denn dieser Renner? Und seine Vergangenheit? Und wie eng ist er mit den Russen verbunden? Auch wenn man eine gewisse Achtung für ihn hatte als Persönlichkeit, aber aus der Geschichte heraus konnte man da nachdenklich sein. Auch ist er nicht durch freie Wahlen an die Regierung gekommen, sondern durch eine Ernennung oder Akzeptierung von seiten der sowjetischen Behörden. Also politisch mußte man ihn doch als eine Marionette der Russen betrachten, was immer er persönlich war." Gordon Brook-Shepherd, der Karl Renner später achten und schätzen lernte, gibt die damalige Stimmung in der britischen Führung korrekt wieder. Der britische Premierminister Winston Churchill selbst schlägt Alarm. Er sieht Österreich bereits hinter einem eisernen Vorhang verschwinden.

Am 30. April sendet Churchill dem amerikanischen Präsidenten Truman ein Telegramm – „Streng geheim und persönlich. Von: Premierminister. An: den Präsidenten." Darin heißt es: „Ich bin tief besorgt darüber, wie sich die Dinge in Österreich entwickeln. Die Bekanntgabe der Bildung einer provisorischen österreichischen Regierung gleichzeitig mit der Weigerung [der Sowjets], unsere Missionen nach Wien einfliegen zu lassen, läßt mich befürchten, daß die Russen die Tatsache, daß sie die ersten in Österreich waren, dazu benützen, das Land auf ihre Weise zu organisieren, bevor wir dort eintreffen. Wenn wir beide hier nicht eine sehr starke Haltung einnehmen, wird es für uns sehr schwer werden, irgendeinen Einfluß in Österreich geltend zu machen nach der Befreiung des Landes von den Nazis. Wären Sie bereit, mit mir gemeinsam eine dementsprechende Botschaft an Stalin zu schicken?" Churchill fordert von Truman einen gemeinsamen scharfen Protest in Moskau. Aber der Präsidentenneuling Truman schlägt eine differenzierte Vorgangsweise vor: Man möge zwar dagegen protestieren, daß die Sowjets die Renner-Regierung ohne Zustimmung der Westalliierten eingesetzt haben, aber man möge nichts gegen Renner und auch nichts gegen die Zusammensetzung seiner Regierung einwenden. Das ist eine erstaunlich umsichtige Vorgangsweise Trumans: Damit hält der Präsident die Tür zur späteren Anerkennung der Renner-Regierung offen und vermeidet es, die Sowjets und die Amerikaner in eine ausweglose Konfrontation zu manövrieren. Er läßt die Sowjets wissen, wie besorgt man über deren Vorgangsweise ist, aber er überläßt es Moskau, von sich aus einen Weg aus dieser Krise anzubieten.

Gordon Brook-Shepherd: Als Nachrichtenoffizier im britischen Generalstab und (darunter) als Augenzeuge: Wir dachten, Renner sei eine Marionette.

Der Coup mit der Verfassung

Doch die Frage nach der Zukunft der Renner-Regierung ist nicht nur eine Frage der Anerkennung durch die westlichen Alliierten, sondern auch, und das in erster Linie, in welcher Position Renner und die österreichischen Politiker sich selbst sehen. Sie sind ja tatsächlich von der Sowjetunion eingesetzt, und auch sie wissen nicht, wieviel Einfluß die Sowjets in Zukunft auf diese Regierung nehmen werden. Dazu kommt, daß nach dem Dreierproporz die Kommunisten in allen Ministerien dieser Regierung sitzen, mit Staatssekretären (Ministern) und Unterstaatssekretären. Die Kommunisten haben um die Schlüsselministerien dieser Regierung hart gerungen und sie auch bekommen: das Innenministerium mit seiner Gewalt über die Polizei und das Ministerium für Volksaufklärung, für Unterricht und Erziehung und für Kultusangelegenheiten. Renner, seine sozialistischen Parteifreunde und auch die Politiker der Volkspartei befürchten, die Kommunisten könnten in Zukunft eine dominierende Rolle in dieser Regierung zu spielen versuchen, etwa so, wie sie es zum gleichen Zeitpunkt bereits in Bulgarien und in Rumänien tun. Wohin also geht der Weg dieser Regierung Renner?

Da tritt Renner Anfang Mai mit den Ministern seiner Regierung in demselben Saal im Kanzleramt zusammen, in dem auch heute noch die österreichischen Bundesregierungen tagen. Überraschend schlägt Renner vor, nicht über eine neue Verfassung für Österreich zu diskutieren, sondern die alte Verfassung aus dem Jahr 1920 in ihrer Fassung von 1929 wieder in Kraft zu setzen und dem Land damit eine gesicherte demokratische Grundlage zu geben. Renner läßt es bewußt auf eine Machtprobe mit den kommunistischen Mitgliedern seiner Regierung ankommen: Renner beantragt, über seinen Vorschlag abzustimmen. Die Kommunisten erheben Einspruch. Die Verfassung des Jahres 1920 war 1929 ergänzt worden, und zwar im Sinne der Bundesländer, die mehr Föderalismus und weniger Zentralismus gefordert hatten. Aber in einzelnen Bundesländern waren 1929 bereits politische Einflüsse auch der Heimwehren und anderer autoritär ausgerichteter Gruppen vorhanden gewesen. Die Ergänzung der Verfassung war dennoch demokratisch sowohl in der Zielsetzung als auch in der Form, in der sie zustande kam. Nun aber nennen die Kommunisten die damalige Verfassung eine „Heimwehr-Verfassung" und lehnen sie für das neue Österreich ab, da sie ihrer Meinung nach faschistische Elemente enthalte.

Insbesondere für Adolf Schärf liegt der Verdacht nahe, die Kommunisten zielten bereits darauf ab, den neuen Staat auf eine ihren eigenen gesellschaftlichen Vorstellungen entsprechende Grundlage zu stellen. Verliert Renner diese Kraftprobe, so wird es eine lange und vielleicht gefährliche Auseinandersetzung über die künftigen verfassungsmäßigen Grundlagen Österreichs geben. Und wer weiß, welche Rolle in dieser Auseinandersetzung die sowjetische Besatzungsmacht spielen wird.

Renner besteht darauf, daß über seinen Antrag abgestimmt wird. Alles hält den Atem an. Der Sozialist Andreas Korp war als Staatssekretär für Volksernährung Mitglied der Regierung und erinnerte sich an diesen dramatischen Augenblick: „Ernst Fischer stand auf und erhob kategorischen Einspruch. Er wollte eine Beschlußfassung einfach nicht zulassen. Dr. Renner ergriff das Wort und wies Fischer darauf hin, daß in der Provisorischen Staatsregierung das Prinzip der Einstimmigkeit herrsche. Es bleibe Fischer überlassen, wenn er sich mit der Beschlußfassung über das Gesetz nicht abfinden könne, sein Amt zur Verfügung zu stellen

Andreas Korp: Eine Weile herrschte atemlose Stille, aber nichts geschah.

und die Regierung zu verlassen. Eine Weile herrschte atemlose Stille, aber nichts geschah." Renner forderte nochmals zur Abstimmung auf. Alle außer den Kommunisten stimmten für die Wiedereinführung der Verfassung aus dem Jahr 1920 in der Fassung von 1929. Als Renner fragte, ob die Kommunisten nun zurücktreten und die Regierung verlassen wollten, schwiegen diese. Daraufhin erklärte Renner das Gesetz für angenommen. Renner hatte die Kraftprobe mit den Kommunisten gewonnen. Die Österreicher selbst hatten eine entscheidende Weichenstellung vorgenommen.

Das Protokoll des damaligen Kabinettsrats verrät die Durchschlagskraft Karl Renners innerhalb seiner Regierung. Der Staatskanzler hat in dieser Sitzung fünf Gesetzesanträge gestellt. Alle fünf dienen sie der rechtlichen Stabilisierung des Landes. Alle vom Staatskanzler beantragten Gesetze werden vom Kabinettsrat zum Beschluß erhoben. Die Gesetze müßten von der sowjetischen Militärregierung genehmigt werden, doch die Sowjets erheben in der Regel keinen Einwand. Renner tritt nach innen und nach außen mit erstaunlicher Souveränität auf.

Der damalige kommunistische Unterstaatssekretär Franz David beschrieb uns Renners Regierungsstil mit einem eigenen Erlebnis: „Der Renner hat mir als Unterstaatssekretär einmal gesagt: ‚Schon das Wort ‚Unter-' bringt klar zum Ausdruck, daß man sich unterzuordnen hat.' Ich hatte mir erlaubt, ihm in der Regierungssitzung etwas zu entgegnen. Da hat er mich rufen lassen und mir gesagt, wenn ich etwas zu erwidern hätte, dann soll ich das über den Herrn Staatssekretär machen. ‚Als Unterstaatssekretär steht Ihnen das nicht zu', hat er gesagt."

Viktor Matejka, damals Kommunist und Wiener Stadtrat für Kultur, sieht in der Vorgangsweise Renners sogar ein Kräftemessen mit Stalin. Stalin hätte wohl geglaubt, in Renner einen gefügigen Mann gefunden zu haben. Doch dem war nicht so, meinte Matejka: „Renner ist darauf eingegangen, aber er war halt noch schlauer als Stalin. Stalin war bestimmt schlau bis zum Verbrechen. Aber Renner war schlauer und hat den Stalin überringelt [überspielt]."

Wie selbstbewußt Renner auch den Sowjets gegenüber auftritt, geht aus einem anderen Bericht hervor, den uns General Dimitrij Schepilow gegeben hat. Schepilow war der sowjetische Verbindungsoffizier, der Karl Renner zu betreuen hatte. Der General erzählte uns: „In den ersten Tagen, nachdem Renner eingewilligt hatte, die Regierung zu bilden, fragte ich ihn: ‚Was brauchen Sie, womit können wir Ihnen helfen, Ihre schweren Pflichten zu erfüllen?' Da sagte er: ‚Ich muß das erst mit meiner Frau besprechen.' Er bat um einen Tag Bedenkzeit. Am nächsten Tag brachte er eine lange Liste, was er alles brauchte: Das begann bei der Wohnung, bei Kleidern oder beim Schinken und endete mit Lorbeerblättern und Pfeffer." Renner läßt zwar die Sowjets für sich sorgen, aber er begibt sich nicht in Abhängigkeiten. Der sowjetische Politgeneral Alexej Scheltow macht Renner ein besonderes Geschenk: einen amerikanischen Personenwagen Marke Buick. Mit einer eigenen Urkunde überträgt Scheltow diesen Luxuswagen ins persönliche Eigentum Renners. Es ist eines der wenigen, wenn nicht für den Moment sogar das einzige Auto in zivilem österreichischem Besitz, das durch Wiens Straßen fährt. Der Wagen dürfte den Sowjets von den Amerikanern im Rahmen der Pacht- und Leihhilfe geliefert worden sein.

Eine der ersten Ausfahrten mit diesem Wagen unternimmt Renner am 9. Mai zur Wiener Peterskirche. Da der Stephansdom zerstört ist, soll in dieser Kirche ein Gottesdienst zum Dank für das Kriegsende gefeiert werden. Tausende Menschen haben sich auf dem Petersplatz und am Graben eingefunden, viel mehr, als die

Dimitrij Schepilow: Karl Renner betreut.

Elisabeth Oberleitner-Kloiber:
Die erste Frauenstimme im Äther.

Beim Dankgottesdienst zur Beendigung des Kriegs begegnen einander Kardinal Theodor Innitzer und der sozialistische Staatskanzler Karl Renner (ganz oben). Hinter ihnen Staatssekretär Leopold Figl. Die Kirche schaltet sich kraftvoll in das wiedererstehende gesellschaftliche Leben ein, zieht sich jedoch vom parteipolitischen Engagement zurück. Die übrigen Bilder zeigen die erste Fronleichnamsprozession nach dem Krieg in Wien.

Kirche fassen kann. Das feierliche Hochamt wird von Kardinal Theodor Innitzer zelebriert. Karl Renner begibt sich Seite an Seite mit dem damaligen ÖVP-Staatssekretär Leopold Figl in die Kirche. Sie werden von der Menschenmenge stürmisch umjubelt. Der Dankgottesdienst wird zu einer ersten öffentlichen Kundgebung der politischen Versöhnung zwischen Katholiken und Sozialdemokraten, jenen beiden Lagern, die vor dem Krieg so entzweit waren. Die Situation in der Kirche selbst entbehrt nicht einer gewissen Pikanterie. Vor dem Altar stehen einander Renner und Innitzer gegenüber. Beide hatten 1938 den Anschluß an Deutschland gutgeheißen. Beide hatten inzwischen ihre eigenen Erfahrungen gemacht. Und beide wollen nun zum Ausdruck bringen, daß es im wiedergeborenen Österreich weder Bruderzwist noch Zweifel am Vaterland geben dürfe. Der sozialistische Kanzler wohnt dem vom Kardinal zelebrierten Hochamt bei – das war bis dahin kaum vorstellbar gewesen. Die Menschen in und vor der Kirche begriffen die historische Bedeutung dieses Augenblicks.

Hier ist Radio Wien

Es ist uns heute nicht ganz verständlich, wie sich die Kunde von derartigen Ereignissen damals in Wien herumgesprochen hat. Die Zeitungen hatten wegen Papiermangels nur eine geringe Auflage, und da es auch noch keine Nachrichtenagenturen und nur wenige Reporter gab, wurden viele Ereignisse gar nicht wahrgenommen und wenn, dann meist erst im nachhinein. Rundfunk gab es zunächst einmal auch nicht. Wiens Rundfunksender auf dem Bisamberg waren von den abziehenden deutschen Truppen gründlich gesprengt worden, ihre Masten lagen zerstückelt da, und selbst die Fundamente waren zerborsten. Die Reparatur wird viele Wochen dauern. Nicht viel besser als den Sendeanlagen ist es dem Funkhaus in der Argentinierstraße ergangen. Um das Funkhaus wurde hart gekämpft. Das Gebäude ist zerschossen, seine technischen Anlagen sind weitgehend vernichtet.

Elisabeth Oberleitner-Kloiber war Angestellte des Rundfunks und hatte noch die letzte Sendung des Reichssenders Wien miterlebt. Als sie von dieser Sendung heimging, explodierten rund um sie auf dem Schwarzenbergplatz bereits die Geschosse russischer Stalinorgeln. Doch kaum ist der Kampf um Wien vorüber, ist Elisabeth Oberleitner schon wieder unterwegs zum Funkhaus: „Ich wußte ja nicht, ob das Funkhaus noch steht, vielleicht hatten sie befohlen, es zu sprengen oder anzuzünden. Als ich hinkam, da stand das Funkhaus. Meine Freude war sehr groß. Aber es war zerschossen. Und drinnen hat's ausgesehen, das kann man überhaupt nicht beschreiben. Mein Eindruck war, alle Truppen, die durch Wien gekommen sind, müssen im Funkhaus Quartier gemacht haben. In den Zimmern waren Strohballen und Schmutz, alle Scheiben waren kaputt, das ganze Haus schien verwüstet. Meine erste Arbeit war das Ausklopfen der Reste der Fensterscheiben mit dem Hammer, und die Fenster haben wir dann mit Papier zugeklebt. Es sind dann auch schon einige zurückgekommen und haben mir geholfen. Aber die meisten Kollegen waren weg, waren geflohen."

Zu den ersten, die ins Funkhaus zurückkehren, gehören die Techniker der RAVAG und der Intendant Oskar Czeija. Sie haben natürlich nur eines im Sinn: Der Sendebetrieb muß so rasch wie möglich wieder aufgenommen werden. Emanuel Strunz bastelt aus kleinen Sendern, die zum Einbau in Bombenflugzeugen gedacht waren, eine Sendeanlage von immerhin schon 100 Watt. Dann erinnern sich die Techniker daran, daß im Technologischen Gewer-

bemuscum ebenfalls ein Kleinsender steht. Auf abenteuerliche Weise dringen sie in das Museum ein, finden den Kleinsender und setzen ihn in Betrieb.

Die RAVAG, wie der Rundfunk noch nach seiner Vorkriegsbezeichnung Radio-Verkehrs AG heißt, könnte nun senden, wenn sie auch über eine Sendeantenne verfügte. Doch die gibt es nicht, die Sender sind gesprengt. Und es gibt, so scheint es, auch keinerlei Materialien, mit denen man eine derartige Sendeanlage herstellen könnte. Doch da haben die Techniker wieder einen Einfall: Viele Leitungsdrähte der Straßenbeleuchtung sind zerschossen und hängen auf die Straßen hinunter. Trotz Ausgehverbot pirschen sich die RAVAG-Techniker in der Nacht an solche Leitungen heran, reißen sie herunter, demontieren sie, wickeln die Drähte auf, stecken die Rollen in Rucksäcke und schmuggeln sie tags darauf an allen Straßenkontrollen vorbei ins Funkhaus. Dort basteln sie aus den Drähten der zerstörten Lichtleitungen eine Antenne, die sie zwischen Argentinierstraße und Taubstummengasse montieren und die eine Gesamtlänge von etwa 100 Meter hat. Die Hilfssender und diese Antenne müßten imstande sein, im Raum von Wien ein Programm zu verbreiten. Wenn es Strom gäbe. Doch den gibt es nicht, oder doch sehr unregelmäßig. So pirschen sich die RAVAG-Techniker nun auch an eine Lichtleitung heran, von der sie wissen, daß sie bevorzugt und ohne Unterbrechung mit Strom gespeist wird – es ist die Leitung in das russische Lazarett. Diese Leitung wird angezapft und mit den Sendeanlagen verbunden.

Am 29. April, das ist der Tag, an dem die österreichische Regierung im Parlament die Unabhängigkeitsproklamation verkündet, meldet sich Radio Wien zum erstenmal im neuen Österreich. Und Radio Wien berichtet über die Geburtsstunde der Zweiten Republik, verliest die Unabhängigkeitserklärung, verkündet das Programm der neuen Regierung Renner.

Und zum erstenmal kommt aus dem Äther eine weibliche Stimme. Es ist die Stimme der Elisabeth Oberleitner, die in das Funkhaus gekommen war, um es zunächst einmal aufzuräumen: „Aber es waren keine Sprecher da. Wir können senden, aber was machen wir ohne Sprecher? Ich war bereit, das zu machen. Doch der Intendant Czeija, der als erster hierherkam, meinte, eine Frau am Mikrofon komme überhaupt nicht in Frage. Doch da hat der

Die Sendemaste der RAVAG auf dem Bisamberg wurden von den abziehenden deutschen Truppen gesprengt. Ihre Wiedererrichtung wird erst in Monaten möglich sein (oben). Auch das Funkhaus in der Argentinierstraße ist zerschossen und geplündert (unten). Mit Mühe gelingt es, ein kleines Studio in Gang zu bringen.

Auch Wasser ist Mangelware in einer Stadt, in der die Wasserleitungen durch Fliegerbomben und Straßenkämpfe an tausend Stellen unterbrochen sind. Dieser Mann verkauft auf der Wiener Ringstraße Sodawasser, das unter den Passanten reißend Absatz findet.

Suche nach Suppensternchen auf der Wiener Ringstraße.

Oberingenieur Sevcik gemeint, wenn wir die Frau Oberleitner weggeben, dann können wir überhaupt zusperren. So hat mich der Czeija angehört, und dann hat er gesagt: ‚Die gefällt mir, die bleibt.'"

Ab 1. Mai gibt es sogar schon ein tägliches Sendeprogramm. Der Rundfunk meldet sich dreimal am Tag. Am Morgen von 7 bis 8 Uhr mit Nachrichten und Frühmusik, zu Mittag von 12 bis 14 Uhr mit Nachrichten und Musik und am Abend von 19.30 bis 21.30 Uhr auch schon mit Wortsendungen. Fünf Stunden Programm über einen Hilfssender, der über eine Hilfsantenne ausstrahlt.

Der Hunger regiert

Während die Renner-Regierung ihre ersten Schritte tut, während die Weltmächte – nicht zuletzt auch wegen dieser Regierung – um die Zukunft Österreichs ringen, haben die Österreicher selbst andere Sorgen: Für sie geht es zunächst um das blanke Überleben. Die Menschen auf den Straßen sind ständig auf Nahrungssuche. Denn mit dem Kriegsende ist auch die Versorgung am Ende. An den mit Brettern vernagelten Schaufenstern hängt die Anordnung des Bürgermeisters, die Geschäfte wieder zu öffnen. Aber es gibt fast nichts zu verkaufen. Wird irgendwo irgend etwas angeboten, stellen sich die Menschen sofort in Schlangen an, und sei es nur, um einen Schluck Sodawasser zu erstehen. Auch Wasser ist bei den vielen Leitungsschäden keine Selbstverständlichkeit.

Wir fanden ein Filmdokument, das uns die Not der damaligen Tage wirkungsvoller vor Augen führte als jede noch so dramatische Schilderung. Auf der Wiener Ringstraße beim Burgtor fährt ein sowjetischer Lastkraftwagen vorbei. Auf dem Wagen waren Säcke mit Teigwaren, kleine Sternchen als Suppeneinlage. Von diesen Säcken war wohl einer geplatzt. Eine Handvoll der Teigsternchen ist, als der Lkw über eines der damals zahlreichen Löcher auf der Straße fährt, aus dem Wagen verstreut worden. Das bemerken einige Passanten, stürzen sich auf die Straße und beginnen die Teigsternchen aufzulesen. Männer und Frauen knien auf der Ringstraße, in ihren verfallenen Gesichtern hungrige Augen, deren Blick ununterbrochen wechselt vom Boden zum Nachbarn, vom Nachbarn zum Boden, wie Hühner, die einander das Futter wegzunehmen drohen.

Erwachsene ertragen den Hunger leichter, viele Kinder sind jedoch so geschwächt, daß sie Opfer der Ruhr und des Typhus werden. In Wien sterben 1945 dreimal so viele Kinder wie in den früheren Jahren. Am schlimmsten aber ist die Hungersnot in Wiener Neustadt. Diese von Bomben um und um gepflügte Stadt beherbergt nur noch einige hundert Menschen, und für sie ist die Versorgung total zusammengebrochen.

Maria Stumfoll lebte damals in den Ruinen von Wiener Neustadt mit ihrer kleinen Tochter: „Mein Kind war sehr krank, es war im Spital mit der Ruhr. Aber die hatten keine Milch, die hatten auch dort nichts zu essen. Und der Arzt hat mir gesagt, wenn das Kind nicht bald Milch und Zucker bekommt, stirbt es. So bin ich aufs Land hinaus, um zu schauen, daß ich für das Kind Milch bekomme. Die Bauern waren nicht sehr freundlich zu uns, sie haben uns oft die Tür zugemacht. Und ich hab gewußt, im Spital wartet mein Kind auf Milch, sonst hat es keine Chance zum Überleben. Uns ist nichts übriggeblieben, als so lang von einer Tür zur anderen zu gehen, bis endlich einer ein Herz gehabt hat und uns irgend etwas gegeben hat. Mit Geld war überhaupt nichts zu machen. Geld hatten wir genug. Doch da haben wir gar nicht zu fragen brauchen, ob irgend etwas zu kaufen wäre; wenn, dann höchstens etwas zu tauschen. Am liebsten war ihnen, wenn man ihnen Gold gegeben hat. Meine goldene Armbanduhr habe ich für Zucker hergegeben, da hab' ich ein Kilo Zucker gekriegt. Das war der Zucker, damit mein Kind überleben kann. Es war ganz, ganz furchtbar. Ich will an die Zeit gar nicht mehr zurückdenken."

Die Sowjets stellen österreichischen Politikern Autos und Begleitoffiziere zur Verfügung, damit sie das Versorgungssystem ankurbeln können. Der ÖVP-Staatssekretär Leopold Figl ist als Direktor des Bauernbunds unermüdlich in seinem von den Sowjets gestellten Wagen unterwegs, um in Niederösterreich Lebensmittel für Wien zu organisieren. Figl wird bei diesen Fahrten von einem sowjetischen Verbindungsoffizier und einem österreichischen Kriminalbeamten begleitet. Das ist Ende April, Anfang Mai. Da ist der Krieg noch nicht zu Ende, da steht die sowjetische Front bei Tulln und bei Korneuburg. Und bei einer seiner Fahrten gerät Figl in das unmittelbare Frontgebiet. Figl und sein sowjetischer Begleitoffizier werden von einer Patrouille sowjetischer Soldaten angehalten, und als die Soldaten feststellen, daß Figl kein Wort Russisch spricht, sind sie fest davon überzeugt, daß beide, Figl und sein Begleitoffizier, Spione sind. Für Figl war dies ein einschneidendes Erlebnis,

Maria Stumfoll: An jede Tür geklopft.

305

von dem er oft erzählt hat. Und Dank sei jenem Kameramann und jenem Journalisten, die Figl bei einer dieser Erzählungen in seinem Heimatort Rust im Tullnerfeld aufgenommen haben. So ist uns Figls Erzählung als Film- und Tondokument erhalten geblieben.

Leopold Figl als „Spion"

Hier der Wortlaut der Erzählung Figls: „Wir sind rausgefahren über die Hagenbachklamm. Wie wir da drüberkommen, sag ich [zum sowjetischen Begleitoffizier]: ‚Herr Oberst, da rührt sich was, da ist ja eine Front.' Sagt er: ‚Nein, nix, nix.' Sag ich: ‚Da schießen sie ja mit den Maschinengewehren.' Auf einmal: verhaftet, hinein ins Häusl. Mich haben sie auf die Veranda gesetzt, den russischen Oberst sofort weggebracht. Der Oberinspektor Pospischil [von der Kriminalpolizei] war auch mit mir. Wir sind da g'sessen, ich hab noch eine Zigarette geraucht. Auf einmal kommt ein Russe, haut mir die Zigarette aus dem Mund. Dann seh ich den Oberst, ohne Distinktionen, ohne Orden. Der ist kasweiß, denk ich mir, no allerhand, da sind wir in einer schönen Gegend. Der wird abgeführt, und dann führen sie mich auch weg, stellen uns hinter dem Haus an die Wand, den russischen Oberst mit nackter Brust und mich auch. Dann zieht ein Peloton auf, sechs Mann mit Maschinenpistolen, und ein Offizier und der erklärt uns als Spione. Unterdessen ist das Gefecht aus. Das war damals der letzte Kampf zwischen Kreuzenstein und St. Andrä im Hagental. Und der Kommandant [von dem Abschnitt], ein Oberstleutnant, kommt herauf und erkennt den russischen Oberst, der doch vom NKWD war, das hat damals so geheißen [Vorläufer des KGB, des sowjetischen Geheimdiensts]. Der Oberstleutnant fällt dem Obersten um den Hals und sagt dann zu mir: ‚Karascho, wenn ich jetzt nicht komme, du kaputt.'"

Leopold Figl fährt von Dorf zu Dorf, um Lebensmittel für Wien aufzutreiben. Auf einer der Fahrten wird er verdächtigt, ein Spion zu sein und wird an die Wand gestellt. Unser Bild ist jenem Filmbericht entnommen, in dem Figl dieses Erlebnis im Kreis von Freunden schildert. Sein Sohn Johannes Figl (oben) begleitete seinen Vater oft auf diesen Einsatzfahrten.

Figl setzt seine Aufbringungsfahrten in Niederösterreich fort und wird dabei auch oft von seinem Sohn Johannes begleitet. Dieser erinnert sich an die Fahrt, die Leopold Figl zum erstenmal wieder in seinen Heimatort Rust zurückbrachte: „Es muß Anfang Mai gewesen sein, da sind wir nach Rust gefahren. Rust war so zerstört, daß sich der Papa schwergetan hat, sich zurechtzufinden. Wir mußten außerhalb der Ortschaft stehenbleiben und sind dann über Bombentrichter hineingegangen. Und sofort unsere Frage: Wie könnt ihr uns in Wien helfen? Da zwei Sackerln Getreide, dort Erdäpfel, was halt noch da war, was jeder entbehren konnte, das hat man damals zusammengekratzt, um wenigstens für die Spitäler, für die Kleinstkinder irgend etwas aufzutreiben."

Dem Staatskanzler Renner steht in Anbetracht der katastrophalen Versorgungslage nur noch ein Weg offen – er muß die Sowjets um Hilfe bitten. Von der übrigen Welt ist Ostösterreich noch völlig abgeschnitten. Renner schreibt wieder einen Brief an Marschall Stalin. Er wählt die politische Anrede „Hochverehrter Genosse". Renner dankt Stalin „sowohl für das geschenkte persönliche Vertrauen wie vor allem auch für das wohlwollende Interesse für das wiedererstandene Österreich". Dann wendet sich Renner seinem Anliegen zu: Die Kriegshandlungen und die Bedürfnisse der operierenden Truppen hätten die Vorräte an Lebensmitteln weitgehend erschöpft. Durch den Krieg sei auch der Anbau von Getreide und Gemüse fast nicht möglich gewesen. Eine erste Bestandsaufnahme habe nun ergeben, „daß wir von den zehn Wochen bis zur neuen Ernte nur auf drei Wochen eingedeckt sind und für die weiteren sieben Wochen nicht wissen, wie wir unsere Bevölkerung am Leben erhalten sollen". Doch Renner stellt keine Bitte, kein Ersuchen an Stalin. Mit ungebrochenem Stolz schreibt er

Zweimal gibt Josef Stalin seinen Truppen in Österreich Befehl, der Bevölkerung mit Lebensmitteln zu helfen: Zur Feier des 1. Mai 1945 gibt es Trockenerbsen, Mehl und Zucker als sogenannte „Stalin-Spende"; danach Lebensmittellieferungen, die Österreich später mit Waren abgelten soll. Unser Bild: Auf Pferdefuhrwerken wird die „Stalin-Spende" von der Verladerampe zu den Kleinverteilern gebracht.

lediglich: „Ich fühle mich verpflichtet, Ihnen, verehrter Genosse, von diesem alarmierenden Zustande Mitteilung zu machen, damit Sie über die Tatsachen, wie sie sind, genau unterrichtet sind. Darüber, welche Schritte die österreichische Staatsregierung angesichts dieser Lage zu unternehmen haben wird, hat sie sich noch nicht schlüssig werden können. Verzeihen Sie, daß ich Ihre Zeit und Ihr Interesse mit unseren Angelegenheiten so sehr in Anspruch genommen habe – die Sorge um unser Land und Volk hat mich zu diesem Schritt ermutigt. Verehrungsvoll Ihr Dr. Karl Renner."

Stalins Spende zum 1. Mai

Zweimal gibt Stalin seinen Truppen in Österreich Befehl, der Bevölkerung mit Lebensmitteln zu helfen. Die erste Hilfsaktion wird ideologisch genützt: Zur Feier des 1. Mai gibt es eine Stalin-Spende für die Wiener Bevölkerung. Unter den von den Sowjets übergebenen Lebensmitteln befinden sich vor allem Trockenerbsen, aber auch 800 Tonnen Mehl und 7 000 Tonnen Getreide. Zum erstenmal seit dem Ende der Kampfhandlungen können die Wiener Bäckereien wieder Brot backen. Die von allen ihren Vorräten geplünderte Ankerbrot-Fabrik nimmt ihren Betrieb wieder auf. Man arbeitet mit Hochdruck, um der hungernden Bevölkerung das erste Brot seit vielen Wochen zukommen zu lassen. Da es noch keine neuen Lebensmittelmarken gibt und auch keinerlei Rationierungssystem, erfolgt die Zuteilung nach einem einfachen Prinzip: Pro Familie ein Laib Brot, solange der Vorrat reicht.

Andreas Korp, wie gesagt damals Staatssekretär für Volksernährung, übernahm die Stalin-Spende im Namen der österreichischen Regierung: „Wir bedankten uns natürlich sehr höflich für diese Spende, obwohl wir wußten, daß sie aus den Lagerhäusern in Albern stammte und aus einer Wiener Zuckerfabrik, wo die Vorräte von der deutschen Wehrmacht hinterlassen worden waren." Eine Spende war es trotzdem, die Sowjets hätten die erbeuteten Lebensmittel auch für sich behalten können.

Auf Renners Brief reagiert Stalin mit einem Handelsangebot: Die Sowjetunion sei bereit, weitere Lebensmittel zu liefern, jedoch nicht als Spende, sondern auf Kredit, den Österreich später mit Waren abdecken könne. Erfreut sagt die Regierung zu. Erstmals werden wieder Lebensmittelkarten gedruckt und ausgegeben. Da man nicht weiß, welche Waren wann eintreffen werden, sind auf den Karten nur minimale Fett- und Brotzuteilungen vorgedruckt. Alle anderen Kartenabschnitte tragen keine Bezeichnung, sondern nur Nummern und Buchstaben. Je nachdem, was angeliefert wird, werden diese Lebensmittel, so gut es geht, aufgeteilt und die Rationen auf Abschnitte mit Nummern und Buchstaben ausgegeben. Oft reicht das nur für wenige Gramm pro Person. Vorwiegend sind es dann auch wieder Trockenerbsen, die zur Verteilung kommen. Alle anderen Lebensmittel bleiben rar und sind trotz Rationierung nur durch rechtzeitiges und stundenlanges Anstellen zu ergattern. Menschenschlangen vor den wenigen offenen Geschäften gehören zum täglichen Straßenbild. Obwohl die Sowjets in den nächsten drei Monaten Lebensmittel für insgesamt 35 Millionen Friedensschilling liefern, reicht das nur zur Ausgabe von Minimalrationen an die Bevölkerung. Der Hunger bleibt groß.

Die Rettung läuft zu Fuß

Schlimm ist es auch um die Versorgung der Kranken bestellt. In Wien, wie übrigens auch in Graz und in anderen sowjetisch besetzten Städten, gibt es keinen einzigen Rettungswagen für die Zivilbevölkerung. Einzelne Stationen der Wiener Rettung nehmen trotzdem ihren Betrieb auf, wo immer sich frühere Sanitäter zum Dienst zurückmelden. Manche der Stationen verfügen noch über Tragbahren, einige sogar über sogenannte Räderbahren, das sind Tragbahren auf Rädern. Kranke werden von den Sanitätern und von freiwilligen Helfern oft über weite Strecken und über hohe Schutthalden auf diesen Bahren in die Krankenhäuser getragen oder gerollt. Wo es noch keine Rettungsstation gibt oder keine Tragbahren, erfolgt die Krankenbeförderung auf händisch gezogenen Leiterwagerln. Und es ist ein großer Tag für die Rettung, als ihr ein Pferdewagen zur Verfügung gestellt wird. Auf die Plattform des Wagens wird ein Sofa gestellt, und es gibt auch eine Decke, um den Kranken zuzudecken. Auf dem Kutschbock eine Stange mit einer Rotkreuzfahne: das schnellste Rettungsfahrzeug von Wien.

Hans Janowetz war damals bei der Rettung: „Da ist eine Frau mit ihrer Schwester gekommen, die hatte eine Halsverletzung. Es war ein Arzt da, aber der konnte die Blutungen nicht stoppen. Da wir kein Transportmittel hatten, sind wir mit einer Tragbahre gegangen, wie zur Gründerzeit der Rettungsgesellschaft, der Arzt daneben. Der Fall ist mir unvergeßlich. Stoßweise kam eine Blutung aus dem Hals, und der Arzt, der auch kein Verbandszeug hatte, hat die Wunde zugehalten mit dem Daumen, mußte achtgeben, daß er die Frau nicht stranguliert. So sind wir bis zum Rudolfspital, wir haben sie noch lebend hingebracht. In normalen Zeiten wär das gar nichts gewesen. Aber ehrlich gesagt, ich weiß nicht, ob sie durchgekommen ist."

Frau Helma Eckl berichtet, wie bei ihrer Schwester die Wehen einsetzten und sie noch in ein Krankenhaus gelangen wollte. Daß man keinen Krankenwagen rufen konnte, wußten die Geschwister, aber Helma Eckl dachte, die Polizei würde dazu doch in der Lage sein. So läuft sie in die nächste Polizeiwachstube: „Ich bin dort hinein, da ist ein Beamter gesessen, hab ich gesagt: ‚Meine Schwester hat schon Wehen, könnte ich einen Krankenwagen oder ähnliches bekommen?' Sagt er: ‚Wir haben schon nichts für schwere

Zwei Fahrzeuge ganz besonderer Art. Der Pferdewagen mit den Gummirädern ist das schnellste zivile Rettungsfahrzeug, das es im April 1945 in Wien gibt. Ein Liegestuhl dient als Krankenbett, in dem Wäschekorb befinden sich die wenigen medizinischen Hilfsmittel, über die man damals verfügte. Die weiße Fahne am Kutschbock ist eine

Bitte um freies Geleit. Der merkwürdige Straßenbahnwagen dient dem Leichentransport. Jedes der zwölf Fächer ist geeignet, einen Sarg aufzunehmen. Als es keine Särge mehr gab, aber viele Tote nach den Bombenangriffen, konnten bis zu 36 Leichen mit solchen Wagen befördert werden.

Krankenfälle.' Sag ich: ‚Was sollen wir denn da machen?' Sagt er: ‚Schaun Sie, wie Sie durchkommen.' Also nichts wie nach Hause gelaufen und auf den Weg gemacht, es kommt keine Rettung. Wir haben ein aufklappbares Stockerl genommen und einen Polster und sind zu Fuß losgezogen. Und jedes Mal, wenn die Wehen gekommen sind: Stockerl auf, Polster drauf, sitzen. Bitte nur kein Kind kriegen auf der Straße." Auf diese Weise schaffen sie es, erreichen die Klinik, und es wird eine komplikationslose Geburt.

Auch in den Krankenhäusern ist die Versorgung nicht selbstverständlich. Es fehlt an Ärzten, die meisten waren zum Militär eingezogen und sind noch nicht zurückgekehrt, andere sind geflohen. Es fehlt vor allem auch an Medikamenten. Der damalige Unterstaatssekretär im Staatsamt für soziale Verwaltung Dr. Franz David nimmt sich, da er selbst Arzt ist, der Versorgung der Spitäler an. Er berichtet: „Das kann man sich nicht vorstellen. In Vorau haben die Operationsschwestern einen akuten Blinddarm operiert, weil es keinen Arzt gegeben hat. Die Apotheken waren total ausgeplündert. Kommt der Schönbauer [Professor Leopold Schönbauer] zu mir und sagt: ‚Wir können nicht mehr operieren, wir haben keinen Äther mehr [damals das einzige Narkosemittel]. Die Fabrik, die Äther erzeugt, wird soeben von den Sowjets demontiert.' Also geh ich zum Sowjetgeneral Morosow ins Hotel Imperial. Sagt er: ‚Ich kann nichts machen, gehen Sie zum Beutegeneral, der ist im Hotel Bristol. Ich komm zu dem hin und erzähl ihm das, sagt der: ‚Lieber Freund, wie die Deutschen abgezogen sind, haben die sich auch nicht gekümmert, die haben alles mitgenommen und den Rest haben sie zerschlagen. Wir haben auch nichts gehabt zum Operieren.' Ich war nervlich schon so überlastet, bekomm einen hysterischen Anfall und fang zum Platzen an [platzen = weinen]. Sagt der: ‚Beruhige dich, beruhige dich.' Hat mir einen Offizier mitgegeben, wir sind hinausgefahren in die Fabrik, da war schon alles eingepackt. Da haben wir wieder auspacken lassen. Sagt mir der Morosow: ‚In 14 Tagen muß mir der erste Äther gezeigt werden.' Also brauche ich Alkohol. Methylalkohol, Äthylalkohol. Woher nehmen? Rufe ich wieder den Morosow an. Sagt der: ‚Ich hab einen ganzen Zug davon bei Tulln stehen. Der Kommandant der Donauflottille will ihn soeben in die Donau schütten, denn die haben schon ein paar Tote, die davon getrunken haben. Wenn ihr den Zug sofort wegbringt, dann gehört er euch.' Geh ich zum Unterstaatssekretär Hermann Lichtenegger vom Verkehrsministerium. Dem sag ich das, sagt der, das machen wir. Ich beschaff dir eine Lokomotive. Kaum wollen wir den Sprit wegziehen, sind die Leute vom Marschall Malinowski da, der der Kommandant auf der anderen Seite von der Donau war. Gehen mit dem Bajonett auf uns los. Die wollen den Alkohol nicht hergeben. Bis ihn dann der Morosow aufgeklärt hat. Endlich war's soweit. Strahlend berichte ich das im Ministerrat. Sagt der Zimmermann, der Staatssekretär für Finanzen: ‚Alkohol? Das ist Staatsmonopol, das gehört mir!' Hat er doch den ganzen Zug kassiert. Aber wir haben gekriegt, was wir gebraucht haben."

Unterstaatssekretär David scheut auch nicht davor zurück, notfalls zu plündern, um zu Medizinen für die Krankenhäuser zu kommen. Seine perfekten Russischkenntnisse helfen ihm dabei: „Da haben die Deutschen Medikamente aus Italien als Beutegut im Kunsthistorischen Museum gelagert gehabt. Da sind wir hin, ich selbst mit. Dort steht ein sowjetischer Wachsoldat. Also sprech ich den auf russisch an und hab mich sehr interessiert, wie es ihm geht und seiner Familie usw. Und die anderen haben mittlerweile ausgeräumt, was nur gegangen ist. Vieles war nicht mehr brauchbar, aber immerhin, da haben wir alles mögliche noch herausgeholt."

Die Sache mit den Kamelen

Nicht nur die Menschen leiden Not, auch die Tiere. Über den Schönbrunner Tiergarten ist ein Bombenteppich niedergegangen, rund 200 Bomben sind in den Tiergehegen explodiert. Viele Tiere wurden getötet, andere freigesetzt, flüchteten, und nur wenige werden wieder eingefangen. Das Nashorn-Haus liegt in Trümmern, ebenso das Sumpfvogel-Haus, das Elefanten-Haus. Von den ursprünglich 3 500 Tieren befinden sich bei Kriegsende nur noch 1 500 im Tiergarten. Das ist trotz allem noch ein ansehnlicher Tierbestand. Doch es gibt kein Futter mehr für die Tiere. Die wenigen Tierwärter, die noch Dienst tun – für die zum Militär eingezogenen Wärter hatte man Fremdarbeiter eingesetzt, die nun schon alle auf dem Weg nach Hause sind –, sind verzweifelt. Karl Schopper war einer von ihnen: „Wir brauchen Heu, Fleisch, Futter, aber wie kommen wir hinaus? Wo bekommen wir das her? Man muß zum sowjetischen Kommandanten, der muß uns helfen. Da hatten wir Glück. Rebernigg, der Besitzer vom Zirkus Rebernigg, der konnte gut Russisch, den haben wir mitgenommen und haben dem sowjetischen Kommandanten die ganze Sachlage erklärt."

Wir haben diesen sowjetischen Kommandanten, den General Dimitrij Schepilow, in Moskau wiedergefunden. Er war nicht nur für die Versorgung Karl Renners zuständig. Schepilow erinnerte sich noch ganz genau: „Es gibt wirklich kuriose Dinge. Da kam eine sehr aufgeregte Gruppe von Österreichern zu mir, die sofort vorgelassen werden wollte. Die Leute erklärten, sie seien das Personal des bekannten Wiener Tiergartens. Die Tiere brüllten vor Hunger, und sie demolierten ihre Käfige, weil es kein Futter gebe. Nun ließ ich mich überzeugen, daß, solange das Leben nicht richtig organisiert ist, wir die Tiere im Tiergarten eine Zeitlang auf Armeekost setzen müssen. So gab ich dem General im Hinterland, General Dubrowskij, die Anweisung, für die Bewohner des Wiener Tiergartens Armeerationen auszugeben." Dazu Karl Schopper, der das von der anderen Seite her erlebte: „Sagt uns der General: ‚Sie können in der Lobau Heu holen.‘ Also holen wir Heu in der Lobau. Fuhrwerk her, Pferd her und hinaus geht's. Ja, bis zur Hietzinger Brücke ist er gekommen, dann war das Fuhrwerk weg, die Pferde waren weg, und der Kutscher war auch weg. Also wieder nichts. Also wieder zur Kommandantura."

Beim zweiten Anlauf klappt es. Nun gibt es Heu. Karl Schopper: „Dann sagen wir ihm: ‚Nun gut, Heu haben wir, aber wir brauchen doch Fleisch. Wir haben doch Raubtiere.‘ Also teilen uns die Sowjets mit, in Gmünd stehen elf Kamele, die können wir uns holen."

Karl Schopper wußte nicht, woher diese elf Kamele kamen. Die Frage hat dem „Österreich II"-Team keine Ruhe gelassen. Aber wir fanden es auch nur durch Zufall heraus. Jemand, der das Kriegsende in einem kleinen Ort in Südböhmen verbrachte, erzählte uns so nebenher: „Unser Ort wurde ja von Sowjettruppen besetzt, die auf Kamelwagen einmarschierten. Nun gab es eine ganze Abteilung, die nur Kamele als Zugtiere hatte." In Usbekistan, in Kasachstan, in allen Teilen Zentralasiens sind Kamele gebräuchliche Zugtiere. Auch die deutschen Truppen, die in den Kaukasus vorstießen, bedienten sich dort der Kamele als Zugtiere. Da hatte es offenbar eine sowjetische Nachschub-Einheit geschafft, mit ihren Kamelen von Usbekistan bis in das Waldviertel zu ziehen. Dort hatte diese Abteilung ihre Kamele auf die Weide gestellt, vielleicht, weil man ihnen den langen Weg nach Hause nicht mehr zugemutet hat. General Schepilow hat die Kamele dem Schönbrunner Tiergarten zugeteilt.

Karl Schopper: Aus Gmünd Kamele geholt.

Hans Janowetz: Rettung zu Fuß.

310

Der Schönbrunner Tiergarten wurde von Bomben schwer getroffen, viele Tiere wurden getötet, andere entkamen aus den Gehegen und konnten nicht mehr eingefangen werden. Nach Kriegsende wurden aus den teilzerstörten Gehegen auch Tiere gestohlen und geschlachtet. Die übriggebliebenen rund 1 500 Tiere aber litten selbst an Hunger. Schließlich wandte man sich an die Sowjets und bat um Armeerationen für die Tiere. Sowjetsoldaten ließen sich gerne mit den Bären fotografieren, die aber bei unvorsichtigen Annäherungsversuchen nicht selten zuschlugen.

Karl Schopper berichtet weiter: „Wieder hat sich Rebernigg eingeschaltet, der Zirkusmann, und hat die Kamele nach Wien gebracht. Wir haben sie erschossen, eins nach dem anderen, und zerlegt. Aus den Höckern, die ja aus reinem Fett bestehen, habe ich Seife machen lassen. Und nun hatten wir Fleisch. Wir waren elf Leute, und wir waren ja Tag und Nacht hier, und so hatten auch wir eine Fleischzubesserung. Ich meine, die besseren Teile haben wir abgezogen und selbst gegessen. Alles andere ist verfüttert worden."

Der Polizeiliche Hilfsdienst

Neben dem Hunger wird die Unsicherheit zur Drangsal der Bevölkerung. Noch immer, oder besser gesagt, schon wieder, sind Plünderer am Werk. Marodierende Soldaten, aber auch viele dunkle Elemente setzen sich selbst als Polizisten ein. Jeder Bezirk hat einen anderen Polizeichef. Auch dafür ist der damalige Unterstaatssekretär Franz David ein Augenzeuge: „Ich hab am Heumarkt die 1.-Mai-Rede halten sollen. Ich komm dort hin in den Bezirk, da kommen die Genossen zu mir und sagen: ‚Hör zu, das ist fürchterlich, da ist eine Bande am Werk.'" Die kamen aus dem KZ, aber waren Grünwinkler, das heißt Verbrecher. Aber die haben sich vor dem Bezirkskommandanten aufgebaut, und der ist ihnen reingefallen oder war vielleicht selbst anfällig. Die haben ganze Wohnungen systematisch ausgeplündert und hatten schon einige Zimmer vollgeräumt mit wertvollstem Gut. Bitte schön, wenn Nazis geflohen waren, daß die sich da was rausnehmen, wäre vielleicht noch nicht das Schlimmste gewesen. Aber die haben richtig geplündert, bei allen und überall, es waren Banditen. Nun bin ich in der Früh am

2. Mai zum Stadtkommandanten Blagodatow. Wir hatten noch diese Uniform, die uns die Jugoslawen in Belgrad angemessen hatten [Franz David war auch bei den österreichischen Freiheitsbataillonen in Jugoslawien]. Ich bin dort hinein bis ins Zimmer vom Blagodatow, ohne daß mich jemand aufgehalten hätte, ich hab Russisch geredet und diese Uniform angehabt. Der sitzt beim Telefon und brüllt: ‚Die verfluchte Trophäenstimmung! Erschießt sie! Erschießt sie!' Also das zeigt, daß es nicht so war, als hätte man da nichts machen wollen. Man hat das schon versucht. Dann hab ich dem Blagodatow die Geschichte erzählt. Sagt er: ‚Wie kommen Sie da überhaupt herein?' Sag ich: ‚Es hat mich niemand aufgehalten!' Dann erzähl ich ihm das noch einmal. Die Banditen nennen sich selber Bürgermeister, Bezirksbürgermeister. Sagt der Blagodatow: ‚Wieviel Bürgermeister habt ihr noch? Ich kenn mich schon gar nicht mehr aus!' Aber er hat mir versprochen, das wird erledigt. Und die sind dann auch weggekommen."

Es gibt bereits eine übergeordnete Polizeiorganisation, den schon erwähnten „Polizeilichen Hilfsdienst der sowjetischen Kommandantur". Mitte Mai hat er bereits einen Mannschaftsstand von 7 200 Polizisten. Sie unterstehen dem sowjetischen Stadtkommandanten General Blagodatow. Er gibt Befehl, die Plünderungen und Vergewaltigungen abzustellen. Alfred Hroch war damals Mitglied des Polizeilichen Hilfsdienstes: „Also bekomme ich den Befehl, ich hab jetzt nichts anderes mehr zu tun, als darauf zu achten, daß Vergewaltigungen und eventuell Morde und Plünderungen verhindert werden. Sag ich: ‚Wie soll ich das verhindern?' Sagt der Kommandant, er wird mir einige Soldaten zur Verfügung stellen. Ich hab auch einen Wagen bekommen. Den haben sie einem Fabrikanten aus Simmering weggenommen, und der mußte ihn auch chauffieren. Und dann einen Jeep mit Soldaten. Die sind hinterhergefahren. Aber am nächsten Tag war das alles weg. Dann hab ich ein Pferdefuhrwerk bekommen. Aber die haben mir auch die Pferde weggenommen. Nach langem Hin und Her haben sie mir eines gelassen. Ein Pferd und einen Fiaker, damit ich g'schwinder vorwärtskomm. Da bin ich tagelang nicht aus den Stiefeln gekommen. Die Stiefel hab ich auch von den Russen bekommen. Ich mußte mir nämlich etwas anziehen, damit mich die Russen sofort erkennen. Jedenfalls bin ich von Haus zu Haus. Da haben sich schreckliche Szenen abgespielt, da könnt ich Sachen erzählen . . . Vom Friesenplatz, wo zwei Mädchen von 16 Soldaten vergewaltigt wurden, ein Mädchen sprang runter, vom 3. Stock, war tot. Aber die Soldaten haben wir erwischt. Da ist eine Frau Hauptmann gekommen, die ist dann sehr streng vorgegangen. Die Soldaten wurden alle streng bestraft. Das kann man sich nicht vorstellen, wie die bestraft wurden, sie wurden sofort strafversetzt."

Betrifft: Sofortige Verhaftungen

Obwohl auch schon eine eigene Staatspolizei aufgebaut wird, ist es zunächst der Polizeiliche Hilfsdienst, der auch als politische Polizei auftritt und nun Befehl erhält, alle Nationalsozialisten zu verhaften, die als „belastet" eingestuft werden. Der Leiter des Polizeilichen Hilfsdienstes, ein Mann namens Rudolf Hautmann, erläßt am 28. Mai seine „Anweisung Nr. 5 an alle Polizeichefs der Bezirke 1 bis 21 in Wien". Wörtlich heißt es in der Anweisung: „Betrifft: Durchführung einer schlagkräftigen Verhaftungswelle in unserem Wiener Bereich. Aufstellung eines Spezialtrupps, zu dessen Unterstützung noch andere Polizisten hinzukommen, Zuhilfenahme von Rotarmisten, welche die Bezirkskommandantur zur Verfügung

So sahen die Dienstausweise für die rund 7 000 Mitglieder des „Polizeilichen Hilfsdienstes" aus.

Der „Polizeiliche Hilfsdienst" nahm in einer großen Verhaftungswelle über 5 000 Personen fest, die als „belastet im Sinne des Nationalsozialistengesetzes" galten. Einfache Mitglieder und Anwärter der NSDAP wurden täglich zum Schutträumen oder zu Arbeiten für die Besatzungsmacht eingesetzt. Links die Befehle an den Polizeilichen Hilfsdienst, eine Verhaftungswelle durchzuführen.

Alfred Hroch: Vergewaltigungen, Morde und Plünderungen verhindern, aber wie?

stellt. Die Leute sind für ihren Dienst zu bewaffnen. Ab 3 Uhr früh haben die Verhaftungen im Sinn der Anweisung Nr. 3 zu erfolgen. Die Bezirkspolizeichefs sind mir für die straffe und wirksame Durchführung dieser Aktion verantwortlich."

Die Anweisung Nr. 3 ist einen Tag zuvor ergangen und hat folgenden Wortlaut: „Betrifft: Sofortige Verhaftungen. 1. Sofortige Erfassung geeigneter und äußerst zuverlässiger Personen, die schlagkräftig zu Verhaftungen eingesetzt werden können. 2. Sicherung einer oder wenn notwendig mehrerer Lokalitäten, in welchen die zu verhaftenden Personen vorübergehend Platz finden. 3. Die Festhaltung . . . wird so lange durchgeführt, bis eine Überführung in eine Zentralstelle möglich ist. 4. Zu verhaften sind: öffentliche Mandatare, führende Nazi, SS-Leute, SA-Leute, Gestapo und Leute, die als Denunzianten tätig gewesen. Einfache Mitglieder, welche sich loyal verhalten, bleiben unangetastet . . ."

Es kommt in der Tat zu einer „schlagkräftigen Verhaftungswelle". Insgesamt werden rund 5 500 Personen festgenommen, die völlig unterschiedlich behandelt werden. In Hernals werden die Festgenommenen demonstrativ in einem großen Zug in das Landesgericht eingeliefert. Sie müssen Tafeln tragen, auf denen steht: „Wir Hernalser Kriegsverbrecher werden in das Landesgericht eingeliefert." Andere müssen, analog dem Judenstern in der Nazizeit, Hakenkreuz-Plaketten tragen und werden zu verschiedenen Aufräumungsarbeiten eingesetzt. Manche werden in improvisierten Gefängnissen, zum Teil in Schulgebäuden, festgehalten, andere müssen sich täglich zum Arbeitseinsatz melden. Eine gesetzliche Grundlage für diese Festnahme gibt es in jenen Tagen nicht. Polizeichef Hautmann ordnet sie an und führt sie teilweise mit Hilfe von Rotarmisten durch.

Fritz Eckhardt, der der Widerstandsbewegung O5 angehörte und der später auf der Bühne und im Film so erfolgreich Polizeikommissare spielen wird, leitete damals eine Dienststelle mit Polizeiaufgaben. Er berichtet: „Ich sitze in der Dienststelle, kommen zwei russische Soldaten mit der Puschka [Gewehr], sogar mit aufgepflanztem Bajonett und bringen vier Leute und natürlich den übersetzenden Kommunisten mit. Denk ich mir, was wollen die da? ‚Ja, das sind vier schwere Nazi, die sollst du in Obhut nehmen.' Sag ich: ‚Entschuldige, ich mit meinen depperten Hilfspolizisten, wie soll ich das machen? Schauts euch die doch an –', denn das waren schwere Brocken, ‚ich denke nicht daran.' Also der hat das den Russen erklärt. Die haben gesagt, sie haben den Auftrag, die hier abzuliefern und fertig. Also schön, was soll ich machen. Jetzt hab ich die vier Kerle dagehabt, die allerdings schon ein bißchen eingeschüchtert waren. Aber wo sollt ich denn hin mit denen? Ich hab ja kein Gefängnis. Was soll ich machen? Ich hab s' nach Hause geschickt."

Manche gehen heim, andere kommen dran. Es werden mehrere große Anhaltelager in Wien eingerichtet. Und in einigen kommt es zu Racheakten. Einer der Kommandanten und mehrere Hilfspolizisten waren Opfer der Nationalsozialisten, waren im Gefängnis, im Konzentrationslager, haben viel durchgemacht. Zumindest begründen sie damit ihr hartes Vorgehen gegen die festgenommenen Nationalsozialisten, wobei auch geschlagen und in mehreren Fällen totgeschlagen wird. Heinrich Dürmayer, der erste Chef der Wiener Staatspolizei, dem diese Lager unterstellt sind und den wir nach diesen Vorfällen befragten, erklärte uns, man habe zur Verwaltung und Bewachung dieser Lager verläßliche Antifaschisten eingesetzt und daher vor allem Verfolgte des NS-Regimes. Einige dieser Leute hätten nun an den Internierten persönliche Rache geübt. Man habe diese Gefahr zu spät erkannt.

Die sogenannten „kleineren Nazis" müssen sich jeden Morgen melden und werden zu Arbeitseinsätzen eingeteilt. Helene Moser, der man als Lehrerin während des Krieges nahegelegt hatte, sich um die Migliedschaft bei der NSDAP zu bewerben und die dadurch Anwärterin auf die Parteimitgliedschaft geworden war, wurde 1945 mit vielen anderen zu solchen Arbeitseinsätzen kommandiert. Sie berichtet: „Bei den Arbeitseinsätzen ging es meist darum, Bombentrichter zuzuschaufeln. Dann mußten wir einmal Unterstellräume für Flugzeuge bauen, das war in Schwechat. In der Früh um sieben haben wir uns getroffen Ecke Laxenburger Straße–Gudrunstraße. Sind dann mit dem Lastauto nach Schwechat hinuntergebracht worden, mußten den ganzen Tag arbeiten und haben nicht einen Bissen Brot bekommen. Dann sind wir wieder nach Haus gebracht worden. Bei einem anderen Arbeitseinsatz mußten wir zu Fuß nach Vösendorf und haben ebenfalls Aufräumarbeiten gemacht. Auf dem Matzleinsdorfer Platz im Bahngelände haben wir Bombentrichter zugeschaufelt. Alt und jung, Männer und Frauen, alles durcheinander."

Zum Arbeitseinsatz ging man zu Fuß oder wurde von den Lastwagen des Polizeilichen Hilfsdienstes abgeholt. In den Aufräumekolonnen gab es kaum prominente Nationalsozialisten. Diese hatten sich abgesetzt. So gab es damals den Spruch: „Große läßt man laufen, Kleine müssen schaufeln." Das Los des Schaufelns aber traf auch viele andere: Brauchte irgendeine Sowjeteinheit Aufräumer, so wurden einfach vorbeigehende Passanten unmittelbar rekrutiert. Manche kamen erst nach Tagen nach Hause, einige gar nicht.

Karl Hofbauer: Polizei im Park gegründet.

Fritz Eckhardt: Schon damals Kommissar.

Frühere Mitglieder der NSDAP wurden in der ersten Zeit nach Kriegsende zu verschiedenen Arbeitseinsätzen verpflichtet und je nach Einstellung des jeweiligen Bezirkspolizeichefs mehr oder weniger streng behandelt. Diese beiden Frauen müssen zur Kennzeichnung Hakenkreuz-Embleme tragen.

Helene Moser: Bombentrichter beseitigt.

Eine Polizei neben der Polizei

Die neue Stadtverwaltung unter Bürgermeister Körner versucht nun, neben dem Polizeilichen Hilfsdienst der Kommandantur eine zweite Polizei aufzubauen, die den österreichischen Behörden untersteht. Uniformen gibt es weder für die einen noch für die andern. Die Polizei unter sowjetischem Befehl trägt Zivil mit rotweißroten Armbinden; die nun entstehende österreichische Polizei trägt Zivil mit weißen Armbinden und der Aufschrift „Polizei" auf deutsch und auf russisch.

Karl Hofbauer, der spätere Polizeigeneral, berichtet, wie dieser erste österreichische Polizeikader entstand: „Wir haben uns noch während des Krieges getroffen, wir waren durchwegs Entlassene, aus politischen Gründen pensionierte Polizeioffiziere, aber auch einige aktive Beamte, und wir haben uns schon damals Gedanken gemacht, wie es sein wird, wenn es das Dritte Reich nicht mehr gibt. Da haben wir uns schon in Grundrissen eine neue Polizeiorganisation vorgestellt. Und als die Deutschen abgezogen waren, sind wir sofort mit dem Doktor Hüttl [Dr. Heinrich Hüttl, Vizepräsident in der Polizeidirektion Wien, hatte wesentlichen Anteil am raschen Aufbau der neuen Polizei in Wien] zusammengekommen, der dann Vizepräsident der Polizei geworden ist. Und der hat entscheidend mitgeholfen. Wir haben versucht, einen Kommandostab zu errichten, das Fundament für eine neue Exekutive. Dr. Hüttl hatte bereits Verbindung mit der O5, die im Auersperg ihren Sitz hatte, und wir wollten im Auersperg auch Amtsräume haben und dort die Polizei gründen. Aber das war ein Kommen und Gehen, und es war unmöglich, einen Raum zu bekommen. So haben wir die Polizei im Schmerlingpark vis-à-vis vom Auersperg auf einer Bank gegründet. Dann hat uns ein Kollege einen Tip gegeben: Das Kommissariat Kandlgasse ist leer, zwar furchtbar demoliert, aber die Zimmer sind frei. So sind wir in die Kandlgasse gezogen. Schwierig, es war keine Schreibmaschine da, kein Papier. Da hat dann der Doktor Hüttl einen Aufruf erlassen, daß sich alle Polizisten, die vor 1938 gedient haben, aber auch solche, die später aufgenommen wurden, Schutzpolizisten, Luftschutzpolizisten, daß die sich melden mögen in der Kandlgasse, um wieder Dienst zu versehen. Wir haben den Aufruf in den Bezirken affichiert, und der Erfolg war gigantisch. Eine Unmenge von Polizisten, die noch in Wien waren, kamen zu uns. Belastete haben wir natürlich nicht akzeptiert. Das war eine schwere Aufgabe, es gab ja keine Personalakten. Und nun haben wir von unserer Stelle aus, obwohl wir noch nicht legalisiert waren, ja obwohl unsere Tätigkeit noch halb verboten war, so haben wir doch schon unsere Polizisten in die einzelnen Bezirke hinausgeschickt. Und wir haben die Polizei in den Bezirken mit unseren Berufspolizisten infiltriert. Es gab Bezirksleiter, die damit sehr einverstanden waren, aber es gab eine große Anzahl von Bezirksleitern, die sich dagegen wehrten. Also mußten wir mit Geduld und Feingefühl versuchen, langsam den Polizeiapparat in unsere Hand zu bekommen. Das ist uns Gott sei Dank im Lauf der Zeit gelungen. Aber gegründet, gegründet wurde die neue Polizei vom Doktor Hüttl und einer Handvoll alter Polizisten auf einer Bank im Schmerlingpark."

In jenen Maitagen 1945 ist noch eine dritte Polizeitruppe unterwegs. Aus Jugoslawien kommt das Zweite österreichische Freiheitsbataillon, das im Rahmen der Tito-Armee aufgestellt worden war. Der Verband wird mit Hilfe der Sowjetbehörden nach Wien transferiert. Die Soldaten kommen auf dem Südbahnhof an, wo sie zunächst im Freien biwakieren. Am nächsten Tag marschieren sie, ihre Lieder singend, in die Stadt ein, in Viererreihen, hinter

315

einer rotweißroten Fahne, bewaffnet mit Gewehren und Maschinengewehren. Sie sind um diese Zeit die einzige österreichische Truppe, die Waffen trägt. Sie stehen unter kommunistischer Führung und marschieren in die Hofburg, die ihnen als Kaserne dienen soll.

Auf dem Burghof wird das Bataillon von seinen früheren politischen Betreuern feierlich empfangen: Franz Honner, der das Bataillon erst wenige Wochen zuvor in Jugoslawien verlassen hat, ist inzwischen Staatssekretär für Inneres geworden, und Friedl Fürnberg, mit Honner ebenfalls in der politischen Führung der Bataillone, ist nun Generalsekretär der KPÖ. Honner teilt das von ihm selbst in Jugoslawien mitgeschaffene Bataillon zum Polizeidienst in Wien und in Niederösterreich ein.

Wiener und Niederösterreicher begegnen den Mitgliedern des Freiheitsbataillons mit zwiespältigen Gefühlen: Einerseits hoffen sie sehr, daß eine österreichische bewaffnete Kraft nun Ordnung und Sicherheit in das Leben bringen würde. Andererseits befürchten viele, daß diese bewaffnete Macht zur Festigung des politischen Einflusses der Kommunisten verwendet werden könnte. Beides trifft zu: Die Männer des Bataillons bewähren sich im Gendarmeriedienst und als Grenzschutz an der tschechoslowakischen Grenze. Die engagierten Kommunisten unter ihnen organisierten später den Wehrschutz in den sowjetischen USIA-Betrieben.

Der Einzug des Österreichischen Freiheitsbataillons in die Wiener Hofburg im Mai 1945. Die Männer tragen die Uniform jugoslawischer Partisanen und dürfen Waffen haben (oben). Man beachte auch die Schutthalden und das eingemauerte Denkmal des Prinzen Eugen im Hintergrund. Rechts oben: Der Marsch des Freiheitsbataillons über die Wiener Ringstraße zur Hofburg. Die Männer wurden im Polizeidienst und als Grenzschutz eingesetzt.

Zwei Kommunisten gründen die Staatspolizei

Das Freiheitsbataillon ist kein politisches Instrument geworden. Eher hätte das schon die neugegründete Wiener Staatspolizei werden können. Honner gibt Auftrag zur Aufstellung einer Wiener Staatspolizei. Seine Wahl fällt auf Heinrich Dürmayer. Dürmayer ist ein besonderer Mann mit einer besonderen Geschichte. Er ist Kommunist und nimmt als solcher auf der republikanischen Seite am spanischen Bürgerkrieg teil. Zunächst als Soldat, dann als politischer Kommissar. Dürmayer wird schließlich Kriegskommissar der Internationalen Brigaden im spanischen Bürgerkrieg. Als

Heinrich Dürmayer: In diesem Moment war ich die Staatspolizei.

solcher ist er wahrscheinlich der mächtigste Mann in den Internationalen Brigaden. Nach dem Zusammenbruch der Republik in Spanien wird Dürmayer in Frankreich interniert und nach 1940 an die Deutschen ausgeliefert. Er kommt in das Konzentrationslager Flossenburg und wird von dort nach Auschwitz überstellt. Gemeinsam mit anderen später prominenten Kommunisten organisiert Dürmayer in Auschwitz eine Widerstandsgruppe, der es immer wieder gelingt, einzelne Häftlinge aus dem Lager hinauszuschmuggeln, in Verbindung mit einer außerhalb von Auschwitz tätigen polnischen kommunistischen Widerstandsbewegung. Dürmayer selbst überlebt Auschwitz und wird nach Mauthausen evakuiert. Auch dort gibt es eine kommunistische Lagerorganisation, die das KZ nach Abzug der SS-Wachen übernimmt. Dürmayer ist auch an dieser Organisation führend beteiligt. Ende Mai kommt er nach Wien zurück.

Heinrich Dürmayer berichtet: „Ich bin aus Mauthausen gekommen und habe mich natürlich bei der Partei gemeldet. Damals war der Genosse Honner Staatssekretär für Inneres. Und der hat gesagt: ‚Gut, daß du da bist.' Wir haben uns gekannt aus Wöllersdorf [Anhaltelager in der Dollfuß-Schuschnigg-Zeit für politische Gegner des Regimes], dort sind wir gemeinsam gesessen. Auch in Spanien waren wir gemeinsam. Sagt der Honner: ‚So, und du übernimmst die Staatspolizei.' Und in dem Moment, da er das

Heinrich Dürmayer, als kommunistischer Aktivist zuerst in Wöllersdorf interniert, später Häftling der Gestapo (rechts). Im spanischen Bürgerkrieg ist Dürmayer Kriegskommissar der Internationalen Brigaden und damit wahrscheinlich der mächtigste Mann in diesen Brigaden (oben). 1945 wird Dürmayer vom damaligen Staatssekretär für Inneres und kommunistischen Kampfgefährten zum Chef der Wiener Staatspolizei bestellt.

gesagt hat, war ich die Staatspolizei. Ich allein, sonst nichts. Denn es war ja nichts da, kein Personal, keine Räume, keine Schreibmaschinen, kein Papier, nichts. Es war tatsächlich die Stunde Null. Na, und was hätte ich machen sollen? Warten, bis man mir von irgendeiner Seite etwas zuteilt? Ich hab einfach beschlagnahmt. Ob das jetzt Räume waren, Wohnungen für meine Beamten, ob das war in der Herrengasse 13, wo der Landtag ist, ich hab einfach die Räume beschlagnahmt und aus. Und hab mich dort mit meiner Staatspolizei hineingesetzt. Natürlich haben die getobt: Der Dürmayer ist ein Räuber, was der aufführt. Aber ich hab auch arbeiten müssen und mit nichts angefangen. So hab ich das langsam, systematisch aufgebaut, vor allem, was das Wichtigste für eine Staatspolizei ist, für eine politische Polizei – Vorakten. Die hab ich ja auch nicht gehabt. Es gab ja keine Kartei."

Die Karteien der Gestapo wurden zu einem guten Teil gefunden, aber deren Aufzeichnungen galten den Gegnern des Hitler-Regimes. Die neue Staatspolizei unter Dürmayer will wissen, wer diesem Regime verbunden war. Dieses Wissen ließe sich auch politisch nutzen.

Die Gauakten tauchen auf

Niemand ahnt um diese Zeit, daß zumindest ein guter Teil dieser Vorakten im bombardierten und halb ausgebrannten Parlamentsgebäude liegt. Hier hatte bis zum Sowjeteinmarsch die Wiener Gauleitung ihren Sitz. Und als erobertes Gauhaus wird das Gebäude auch von vielen hohen Sowjetoffizieren besucht und besichtigt. Die Aufmerksamkeit der Besucher gilt den Zerstörungen. In all der Zeit stecken in den vier großen Heizungsanlagen des Gebäudes nicht weniger als 400 000 Personalakten der NS-Gauleitung. Es sind die später so umstrittenen „Gauakten". Sie hätten im letzten Moment verbrannt werden sollen, denn ihr Inhalt würde einige hunderttausend Österreicher als Mitglieder und Anwärter der NSDAP ausweisen. Aber die Öfen im Parlament waren zu vollgestopft mit Akten, das Feuer erlosch. Nun werden die teils angebrannten, aber größtenteils noch unversehrten Akten vom Gebäudeverwalter gefunden.

Der Mann, der jetzt in Aktion tritt, ist Dürmayers Gegenstück, der Chef der Bundesstaatspolizei, Maximilian Pammer. Er ist kein Kommunist. Ihm wird der Fund gemeldet, und er prüft den Inhalt der Gauakten. Maximilian Pammer berichtet: „Da waren die einzelnen Lebensläufe, die Einstellung der Leute zur Partei, zur NSDAP, von ein paar hunderttausend Österreichern, Wienern hauptsächlich. Ihre eigene Darstellung, so, wie sie's gegenüber der Partei zum Ausdruck bringen wollten, indem sie sich gerühmt haben, was sie alles geleistet haben, als Illegale in der NSDAP oder für die NSDAP. Natürlich hat nicht alles gestimmt, was da drinnengestanden ist, aber um es zu Erpressungen zu gebrauchen, hätte es um so mehr gereicht."

Wer die Gauakten besitzt, kennt also die Vergangenheit von Hunderttausenden Österreichern. Pammer, der nun weiß, wo die Gauakten liegen, hält eine politische Zeitbombe in der Hand. Er beschließt, seinen Fund zunächst nur dem Staatskanzler, Karl Renner, zu melden. Maximilian Pammer: „Ich bin also zum Staatskanzler Renner und habe ihm das vorgetragen. Der war mit meinem Vorgehen völlig einverstanden und sagte: ‚Absolut richtig, das darf unter keinen Umständen in die Hände der Besatzungsmacht kommen.' Hab ich gesagt: ‚Was ist mit dem Staatssekretär?' [Der Staatssekretär ist der Kommunist Honner.] Hat der Renner gesagt: ‚Na selbstverständlich auch nicht, es darf überhaupt niemand etwas wissen davon.' Sag ich: ‚Das müssen wir dann ausdeh-

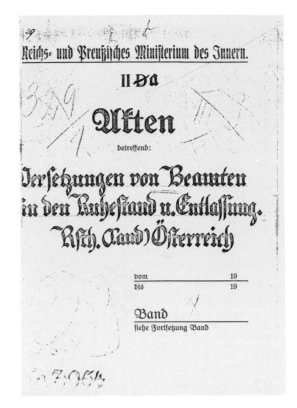

Maximilian Pammer: Es darf überhaupt niemand etwas wissen davon.

Regelung gefunden haben. Unter Bezugnahme auf
die telefonische Besprechung bitte ich davon
Kenntnis zu nehmen.

Heil Hitler!

Die Gauakten enthielten alle Eingaben, Bewerbungen, Beurteilungen, amtlichen Entscheidungen usw. zu jeder Person, die im Guten oder Bösen mit der NSDAP in Berührung kam. Hunderttausende Gauakten lagerten bei Kriegsende in den vier großen Heizungsanlagen des Parlaments, das bis dahin Sitz der Wiener Gauleitung war. Der Inhalt dieser Akten kann das Schicksal vieler Menschen bestimmen. Der Chef der Bundesstaatspolizei, Maximilian Pammer, betrachtet sie als streng geheime Kommandosache.

nen auch auf die beiden Unterstaatssekretäre.' [Die Unterstaatssekretäre für Inneres sind der Sozialist und spätere Innenminister Oskar Helmer und der frühere Chef der Widerstandsbewegung O5 und Mitbegründer der ÖVP, Raoul Bumballa.] Meint der Renner: ‚Sie sagen gar niemandem etwas. Sie haben von mir den Auftrag, diese Gauakten im Zuge des Aufbaus einer Staatspolizei und im Zuge der Entnazifizierung zu benützen. Suchen Sie sich geeignete Leute, machen Sie, was Sie wollen, aber es ist Ihre Verantwortung, daß da ja niemand etwas erfährt. Sie haben dabei meine volle Rückendeckung.'"

Und das Unwahrscheinliche geschieht. Pammer berichtet weiter: „Die Existenz der Akten ist bis Jänner 1946 wirklich geheimgehalten worden. Die Gauakten waren bis zur Ankunft der westlichen Alliierten in Wien weiter im Parlament. Sie mußten dort bleiben. Man konnte sie nicht wegschaffen, das wäre aufgefallen, wenn man da möbelwagenweise Akten aus dem Parlament weggeführt hätte. Das wäre sicher der Polizei in Wien nicht verborgen geblieben. Man hätte nachgeforscht, und es wäre für die Russen einfach gewesen, uns die Akten wegzunehmen. Sie sind also im Parlament geblieben, das teilweise eine Ruine war und in dem mit Aufräumungsarbeiten begonnen wurde. So ist es auch nicht aufgefallen, daß dort Leute hineingekommen sind, die keine Bauarbeiter waren und keine Aufräumungsarbeiten gemacht haben, sondern sich eben mit der Inventarisierung dieser Akten befaßt haben."

Diese Gauakten werden in der Geschichte der Zweiten Republik immer wieder eine Rolle spielen. Ihr Inhalt ist wichtig, wenn jemand nachweisen will, daß er bei der NSDAP nicht gut angeschrieben war oder von ihr sogar als Gegner eingestuft wurde. Ihr Inhalt ist wichtig, wenn man überprüfen will, ob jemand in der Partei war, welchen Rang er dort hatte, wie er politisch eingestuft wurde, in welchem Vertrauensverhältnis er stand. Die Akten können entlasten, und die Akten können belasten. In den kommenden Jahren wird einige Male der Vorwurf erhoben werden, daß bestimmte Gauakten „gereinigt", andere verschwunden seien, aber auch, daß Inhalte der Gauakten, obwohl sie geheimgehalten werden sollten, bekannt wurden und zur Belastung politischer Gegner verwendet worden wären.

Höhepunkt der Auseinandersetzung um diese Gauakten war ein Fernsehauftritt des späteren Innenministers Franz Olah im Jahr 1964, bei dem er einzelne Gauakten zeigte und darüber berichtete, wie man diese Akten gegen prominente Politiker einzusetzen versucht hätte. Olah kündigte damals die sofortige Vernichtung aller dieser Akten an. Beides wurde ihm übelgenommen: Die Nennung von Namen im Zusammenhang mit den Gauakten und auch die angekündigte vollständige Vernichtung der Akten. Ob sie tatsächlich und ausnahmslos vernichtet worden sind, ist, soviel wir wissen, sogar jenen, die es wissen sollten, bis heute nicht ganz klar.

Im Mai 1945 gibt es also in Wien nicht nur in jedem Bezirk eine eigene Polizei, es gibt auch fünf übergeordnete Polizeiorganisationen, die zum Teil heftig miteinander rivalisieren: der Polizeiliche Hilfsdienst der sowjetischen Kommandantur, die im Aufbau befindliche neue Wiener Polizei, die Wiener Staatspolizei unter Dürmayer, die Bundesstaatspolizei unter Pammer und – zumindest für eine Weile – auch das österreichische Freiheitsbataillon im Polizeieinsatz. Drei dieser Polizeiorganisationen stehen unter kommunistischer Leitung. So wie die Polizei in Ungarn, in Rumänien, in der Tschechoslowakei. Und die Sorge von ÖVP und SPÖ ist groß, daß die Polizei in Österreich von den Kommunisten ähnlich verwendet werden könnte wie in diesen Ländern. In dieser Frage wird es noch zu harten Konfrontationen kommen.

Ein Student sperrt die Universität auf

In jenen Tagen ist Mut und Initiative alles. Wer sie hat, kann viel bewegen, im schlechten wie im guten. Zwei Tage nach dem Ende der Kampfhandlungen in Wien weht vom Gebäude der Universität eine rotweißrote Fahne. Das Hauptportal ist geöffnet. Der Mann, der die Universität aufgesperrt hat, heißt Kurt Schubert, ist 22 Jahre alt und kommt aus einer katholischen Widerstandsgruppe. Schubert geht schnurstracks zum sowjetischen Stadtkommandanten Blagodatow und fordert von ihm die Freigabe des Universitätsgebäudes, den Abzug der dort einquartierten sowjetischen Truppen. Kurt Schubert, heute Professor an dieser Universität, schildert, wie er damals dem mächtigen General in der Stadtkommandantur gegenübergestanden ist: „Der General hat zunächst diesen jungen Tutter [junger, unreifer Mensch], der da mit ihm sprach, etwas von oben herab behandelt. Und er ließ mir auch durch seine Dolmetscherin sagen, daß der weiße Streifen auf meiner Armbinde, die eine rotweißrote Armbinde war, überflüssig sei. Und ich habe in dieser apokalyptischen Stimmung, in der wir damals waren, einfach gesagt: ‚Für diesen weißen Streifen haben wir gegen Hitler gekämpft und sind bereit, weiterzukämpfen!‘ Als er das gehört hat, übersetzt durch die Dolmetscherin, stand er auf und hat mir die Hand gegeben. Und damit war eigentlich bei ihm alles gewonnen. Der Kompetenz halber hat er mich einem jungen Deutsch sprechenden russischen Offizier anvertraut, von dem es hieß, er sei ein Kommissar. Unterwegs unterhielten wir uns, und da stellte er sich als Student der Kunstgeschichte aus Leningrad vor, der wissenschaftlich über die Wiener Ringstraßenbauten arbeitet. Also einen besseren Mann für den Schutz des Universitätsgebäudes konnte es überhaupt nicht geben. Der war auch innerlich dafür, daß wir geschützt werden sollen. Mit dem sind wir in die Universität und haben dort etliches devastiert gefunden durch die einquartierten Russen. Etliche Laden und Tische waren aufgebrochen. Und da schrieb mein junger Kommissar auf jede Tafel in Russisch: ‚Es ist eines Rotarmisten unwürdig, Kulturgüter zu zerstören.‘“

Die größeren Zerstörungen an der Universität stammen von den letzten Luftangriffen. Das Gebäude war von 23 Fliegerbomben getroffen worden. Die Aufgänge zur Juridischen und zur Philosophischen Fakultät sind mit Trümmern übersät, nur wenige der Hörsäle sind benutzbar, in andere kann man lediglich über hohe Schutthalden gelangen. Trotz der Verwüstungen ist die Rektoratskanzlei weitgehend intakt geblieben. In diese Rektoratskanzlei dringt nun Kurt Schubert ein: „Denn ich wußte bereits, das Wichtigste im befreiten Österreich ist, daß man einen Stempel hat. Und so bat ich meinen russischen Begleiter, im Rektorat von Amts wegen eine Lade aufzubrechen, was er auch tat. Wir entnahmen der Lade den Stempel mit der Aufschrift ‚Der Rektor der Universität Wien‘ – oder war es ‚Rektorat der Universität Wien‘? –, jedenfalls war es der Rektoratsstempel. Diesen Stempel hat er mir übergeben. Wir mußten noch den Hakenkreuzadler herausschneiden. Doch jetzt war ich im Besitz eines Stempels, und das war ein ungeheures Machtmittel zu dieser Zeit. Da fiel mir ein, wenn ich dieses Machtmittel habe, so kann ich es auch einsetzen. Und ich habe festgelegt, daß das Sommersemester 1945 im Mai 1945 beginnt.“

Der spätere Parlamentsdirektor Wilhelm Czerny gehörte zur Gruppe Schubert und berichtet: „Wir haben Zettel geschrieben: Am 2. Mai beginnt das Sommersemester. Das war eine Frechheit, weil man gar nicht wissen konnte, wie denn dieser Universitätsbetrieb beginnen soll. Aber wir haben aufgerufen, jeder möge kommen, der inskribieren will. Und diese Zettel haben wir überall ange-

Beherzte Männer – Studenten und Professoren – öffneten schon im April 1945 die Tore der Universität Wien. Wer studieren wollte, mußte zunächst 14 Tage lang in dem von 23 Fliegerbomben schwer zerstörten Universitätsgebäude Schutt räumen (rechts). Doch schon im Mai begann der Lehrbetrieb, in Hörsälen ohne Fensterscheiben, die über zerstörte Stiegenhäuser nur in Kletterpartien zu erreichen waren.

Kurt Schubert: Die Universität aufgesperrt.

Wilhelm Czerny: Das Semester eröffnet.

bracht. Ich hab auf dem Graben zwei angebracht und dann vor allem in der Umgebung der Universität. Natürlich ist das Problem aufgetaucht, wer wird denn lehren an dieser Universität. Aber da war es wieder der Kurt Schubert, der Namen gesammelt hat, zu Professoren gegangen ist und die erste Professorenkonferenz einberufen hat."

Eine Reihe der früheren Professoren findet sich auch selbst ein in der Universität. Darunter einige mit großen Namen. So die Professoren Adamovich, Meister, Arzt, Verdroß, Degenfeld, Lindner, Czermak. Ludwig Adamovich wird der erste Rektor der neu eröffneten Universität. Es dauert nur wenige Tage, da sind die Ordinariate besetzt, da ist ein Lehrplan aufgestellt, und es kann mit dem Studienbetrieb begonnen werden.

Kurt Schubert baut die Hochschülerschaft auf und verfügt als erstes: Wer studieren will, muß vorher helfen, den Kriegsschutt wegzuräumen. Alle Studenten müssen zunächst einen 14tägigen Arbeitseinsatz absolvieren. Erst die Bestätigung über diese Leistung gibt ihnen das Recht zur Inskription. Das macht sich bemerkbar: In Kürze sind die Stiegenaufgänge der Universität wieder begehbar, ist ein guter Teil der Hörsäle zu benützen, können die Vorlesungen beginnen.

Schubert nimmt das Haus der bisherigen NS-Studentenschaft in der Kolingasse in Besitz, richtet dort eine Mensa ein, treibt aus allen möglichen Quellen Lebensmittel auf, die die Studenten auf Handwagerln durch die Stadt ziehen, oft zitternd, daß man sie überfallen und ihnen die kostbaren Nahrungsmittel wegnehmen könnte. Lange Zeit ist es nur Trockengemüse für eine Suppe und, wenn es gut geht, eine Scheibe Brot pro Student und Tag.

Zum Brot aber auch die Künste: In der Kolingasse wird ein Theater eingerichtet, das Studio der Hochschülerschaft. Das Studio ist ein Durchbruch in vieler Hinsicht. Schneller als andere Theater bringt es die Weltliteratur nach Wien, viele der Stücke, die in der Hitler-Zeit verboten waren; stellt zeitgenössische Dichter und Autoren vor. Und das vor einem aufgeweckten, auch geistig hungrigen jungen Publikum. Das Studio zieht auch viele junge Talente an, gibt ihnen die Chance, sich schnell zu entwickeln. Fritz Langer leitet das Studio, Helmut Qualtinger, Kurt Sobotka, Bibiane Zeller, Erich Neuberg, Fritz Schönherr, Paul Popp, Hans Groh stehen auf seiner Bühne, damals als unbekannte Anfänger.

Die Vorhänge gehen hoch

Aufgesperrt werden auch die Theater und die Konzertsäle, soweit sie nicht in Schutt und Asche liegen. 14 Tage nachdem in Wien der letzte Schuß gefallen ist, gehen die Vorhänge hoch. Die Philharmoniker geben bereits am 27. April im Konzerthaus ihr erstes Konzert. Sie spielen Schubert und Tschaikowsky. Der damalige junge Burgschauspieler Oskar Werner war Ohren- und Augenzeuge dieses ersten Philharmonischen Konzerts. Oskar Werner hat uns nur wenige Monate vor seinem Tod mit seiner ganzen schauspielerischen Ausdruckskraft geschildert, wie er diesen ersten Abend mit den Philharmonikern empfunden hat: „Ich geh in dieses Konzert. Clemens Krauss hat dirigiert, der herrliche Krauss. Oben in der Loge sitzt der kahlgeschorene Paul Hörbiger [Hörbiger kam gerade erst als zum Tode Verurteilter aus dem Gefängnis]. Plötzlich erkennen ihn die Wiener, stehen auf, bringen ihm eine Ovation dar. Auch Hörbiger steht auf, hat Tränen in den Augen, lehnt sich auf die Brüstung, wehrt ab. Also wir haben alle mitgeheult – er hat überlebt, der Volksschauspieler, der Girardi unserer Zeit! Dann kommen die Philharmoniker heraus, genauso wie sie vorher im

Luftschutzkeller waren, der eine hatte noch eine Knickerbocker-hose, einer nur einen Pullover. Und das war auch etwas:. Zuerst haben die Leute zu applaudieren angefangen, dann ist das abge-ebbt, und dann ist etwas Ungeheures geschehen: Der ganze Saal ist aufgestanden – ihre Philharmoniker! Stehend haben sie das Für-stenorchester empfangen. Und dann haben die nichts Geringeres gespielt als die ‚Unvollendete‘. Ich muß jetzt noch weinen, nur wenn ich's erzähl. Und damals ist auch kein Auge trocken ge-blieben."

Walter Hoesslin ist als Bühnenbildner an der Volksoper tätig. Er gehört auch zu jenen, die gleich wieder aufsperren, die gleich wieder anfangen wollen. Er berichtet: „Die Volksoper war eines der wenigen Theater, die sozusagen intakt waren, nicht zerstört. Aber es gab keinen Strom und keine Bühnenarbeiter, keine Technik, keine Transportmittel, nichts. Wir standen vor der Volksoper und diskutierten, und da kam ein Bote: Ich soll sofort kommen, in die Nähe vom Rathaus, im vierten Stock, da sitzt ein Kulturmann. Stellt sich heraus, es war der Viktor Matejka. Und der wollte, daß die Volksoper sofort mit dem Betrieb beginnt. Auch auf Wunsch der Russen. Natürlich, wenn die schon in Wien einmarschieren, so wollen sie auch was sehen und hören. Wo ist die Kultur? Wo ist die Oper? Wo ist das Ballett? Also es muß unbedingt Theater gespielt werden."

Adolf Rott: Doch der Geist war da.

Ein Major Levitas wird von den Sowjets als Kulturoffizier eingesetzt, und er hat Vollmachten – er ordnet an, daß die Theater Strom erhalten, er holt die Transportmittel von der Roten Armee. Aber Levitas setzt auch die Direktoren unter Druck. Die Sowjets wissen: Ein funktionierendes Kulturleben ist Ausdruck rascher Normalisierung.

Die großen Theatergebäude Wiens, die Oper und das Burg-theater, sind zerstört. Aber auch das Volkstheater hat einen Voll-treffer abbekommen, und wo die Bomben nur geringe oder keine Schäden zurückgelassen haben, da dienen die Gebäude den Besat-zungstruppen als Quartier. Doch in den Ruinen der Theater finden sich die Schauspieler der früheren Ensembles ein und sind auch entschlossen, wieder zu spielen, einerlei wo. Staatsoper und Burg-theater benötigen ein neues Heim. So übersiedelt „die Burg" ins Varieté, in das Ronacher. Dort ist zwar auch das Dach beschädigt, aber die Bühne ist intakt und der Zuschauerraum auch. Tonio Riedl berichtet, wie das kleine, zusammengewürfelte Ensemble darüber diskutierte, womit man die neue Saison im neuen Österreich eröffnen sollte: „Natürlich mit einem österreichischen Klassiker. Aber welchen kann man spielen, wer ist da? Die Maria Eis ist da! Also ‚Sappho‘! Aber es war kein Phaon da, kein Jugendlicher. Da sagt die Bleibtreu: ‚Da steht doch der Tonio Riedl, er hat bestimmt den Phaon gespielt.‘ Ruft mich der Müthel [Lothar Müthel, der bisherige Burgtheaterdirektor] und fragt: ‚Haben Sie den Phaon gespielt?‘ – ‚Nein.‘ – ‚Sind Sie studiert?‘ – ‚Nein.‘ – ‚Können Sie das in sieben Tagen machen?‘ Natürlich habe ich mit Freuden ja gesagt. Und so begannen die Proben noch unter Müthel im Ronacher, und am 30. April gab's die erste Vorstellung."

Lotte Tobisch: Ein Toter vor der Tür.

Nicht ohne Schwierigkeiten. Mitten in der Probe gibt es eine Unterbrechung. Der Portier kommt auf die Bühne gestürzt und berichtet aufgeregt, daß eben ein Mann auf der Straße erschossen worden sei, seine Leiche liege vor dem Bühneneingang. Aber um diese Zeit gibt es kaum eine Behörde, die sich um Tote kümmert, nicht einmal die Polizei. Es gelingt auch nicht, die Polizei, die Rettung oder die Feuerwehr herbeizurufen. Aufgeregt beraten die Schauspieler, was zu tun sei, man könne doch nicht über den Toten hin und her steigen. Aber es will ihn auch niemand anrühren.

Tonio Riedl: Mit Freuden Ja gesagt.

14 Tage nach dem Ende der Kampfhandlungen in Wien geben die Wiener Philharmoniker ihr erstes Nachkriegskonzert. Unter der Leitung von Clemens Krauss (rechts) spielen sie Schuberts Unvollendete und Tschaikowskys 5. Symphonie. Wenige Tage später geht der Vorhang hoch für die erste Vorstellung des Burgtheaters, „Sappho" mit Maria Eis in der Hauptrolle (links). Das Burgtheater, dessen Heimstatt vernichtet ist, findet im Varietétheater Ronacher für viele Jahre Aufnahme.

Oskar Werner: Ich muß jetzt noch weinen.

Lotte Tobisch erinnert sich an diese ungeplante Szene: „Dann hat's geheißen, aber man muß ihn fortschaffen, denn da kann ja niemand ins Haus und auch niemand aus dem Haus. Es war eine schreckliche Aufregung. Und ich hab mir gedacht, na ja, man muß ihn forttragen, man muß ihn forttragen, damit die Kollegen reinkönnen und raus. Und so bin ich hinuntergegangen und hab den Toten hinters Haus getragen und dort hingelegt. Das war das erstemal in meinem Leben, daß ich mit dem Tod so direkt konfrontiert war. Es war ein junger Mann, er hatte eine deutsche Uniformhose an. Vielleicht ist er nicht stehengeblieben, als ihn eine Militärstreife gestellt hat."

Die Vorstellungen im Ronacher, dem neuen Burgtheater, beginnen um 16 Uhr, und auf den Programmen steht, daß sie gewiß vor 18.30 Uhr enden. Denn ab 20 Uhr beginnt die nächtliche Ausgangssperre, und bis dahin muß das Publikum zu Fuß nach Hause gekommen sein. Und dort, wo bisher Zauberkünstler und Akrobaten auftraten, geht jetzt „Sappho" über die Bühne.

Die erste Vorstellung im Ronacher beginnt gleich zweimal. Lotte Tobisch berichtet, wie das gekommen ist: „Wir sind also aufgetreten und haben begonnen, die Blumen zu streuen. Rosenblätter. Und dann war die erste Szene zwischen Melitta und Ramnes. Und dann war das Volksgemurmel, und wir haben auf Stichwort gerufen: ‚Heil Sappho! Hoch Sappho! Heil Sappho!' Und dann ist die Eis aufgetreten. Einen wunderbaren roten Mantel hat sie angehabt und in ihrem schönen Prager Deutsch gesagt: ‚Dank, Freunde, Landsgenossen, Dank. Um Euretwillen ehrt mich dieser Kranz, der nur den Bürger ziert, den Dichter drückt.' Und dann hab ich gesehen, wie der Vorhang ganz langsam und still heruntergeht. Man hat ein bißchen Gemurmel gehört, die Eis hat noch weitergesprochen. Plötzlich war der Vorhang unten. Und wir sind alle völlig bestürzt gewesen. Was ist los? Was ist los? Da kam der Buschbeck [Erhard Buschbeck, Dramaturg] auf die Bühne und hat gesagt: ‚Es ist ein kleines Malheur passiert. Es ist der Marschall Tolbuchin erst jetzt gekommen, mit 10 Minuten Verspätung.' Und man hat gesagt: Wieso konnte das passieren? Wie konnten wir anfangen, ohne daß der Marschall da ist? Und da hat der Buschbeck gesagt: ‚Na ja, da ist einer gewesen mit so viel Orden, und da haben wir gedacht, das ist schon der Marschall.' Das aber war der General Blagodatow. So hat sich dann der Marschall hingesetzt, und der Erhard Buschbeck hat durchs Guckerl hinausgeschaut und hat gesagt: ‚So, jetzt sitzt er, jetzt fangen wir an.' Dann ist der Vorhang wieder aufgegangen, und wir haben noch einmal von Anfang begonnen."

„Zehn Minut, muß!"

Man war froh, endlich wieder Theater spielen zu können. Denn Theater hatte es kaum mehr gegeben, seit Joseph Goebbels den totalen Krieg ausgerufen hatte. Und was war nicht alles seither passiert! Adolf Rott, der spätere Burgtheaterdirektor, erinnerte sich an diesen Neubeginn: „Wir haben nach nichts anderem gefragt, wir haben nur gearbeitet. Und ich muß sagen, welche Strapazen hat die Eis auf sich genommen, welche die unvergeßliche Bleibtreu! Die Garderoben waren nicht geheizt, die wenigen Garderoben, die da waren, mußte man mit x Personen teilen, überall war Improvisation. Die Direktion bestand aus einem Zimmer, in dem sich dann die Temperamente entladen konnten. Nichts war da, aber der Geist war da, und der Wille war da, und der Glaube war da! Und der Höhepunkt des Abends war eigentlich, daß wir in der Direktion saßen und Aslan [Raoul Aslan, Schauspieler und erster Burgtheaterdirektor nach dem Krieg] einen Laib Brot geschenkt bekommen hatte. Und er saß da wie ein altväterlicher Bauer und hat jedem ein Stück Brot gegeben. Das war der Höhepunkt unseres Lebens."

Nach einer neuen Heimstatt suchen auch die Künstler der Staatsoper. Das Operngebäude auf der Ringstraße ist seit dem 12. März eine ausgebrannte Ruine. Nahezu prophetisch erscheint es im nachhinein, daß man als letzte Vorstellung in diesem Haus Wagners „Götterdämmerung" aufgeführt hatte. Und die Ruinen dessen, was damals Zuschauerraum und Bühne war, sind im April 1945 eine überzeugende Kulisse für das Ende der Welt.

Doch die Sänger der Staatsoper geben nicht auf. Wenige Tage nach dem Ende der Kampfhandlungen sind auch sie schon unterwegs. Eine der jungen Sängerinnen von damals ist Sena Jurinac: „Plötzlich ging das Gerücht, man solle sich bei der Oper melden, es sei dort ein Anschlag. Alle Mitglieder, die in der Stadt sind, mögen zur Oper kommen. Also wanderte ich von Währing hinunter zur Staatsoper. Und da hat's geheißen, wir müssen am 1. Mai eine Vorstellung machen. Alles war selig, alles glücklich. Erstens einmal, daß wir am Leben geblieben sind und halbwegs gesund und daß wir jetzt auch noch arbeiten können." Irmgard Seefried wandert auch zur Opernruine und begegnet dort ihren Kolleginnen und Kollegen: „Jesus, der lebt! Und der ist auch noch da! Ja, wo kommst du denn her?! So sind wir aus den Kellern herausmarschiert, und so haben wir uns vor der Staatsoper getroffen." Sena Jurinac: „Wir haben uns in die Arbeit hineingestürzt. Wir probten zuerst im Akademietheater, später dann in der Volksoper."

Die Volksoper bietet zunächst beiden Opernhäusern eine Heimstatt. Man verfährt wie bei der Straßenbahn: Die Tafel mit der Aufschrift „Volksoper" oder „Staatsoper" ist auswechselbar und wird wie eine abendliche Endstation über dem Portal der Volksoper ausgehängt. Walter Hoesslin trägt wesentlich dazu bei, daß im Gebäude der Volksoper wieder gespielt werden kann. Dieser Beitrag erfolgt nicht immer ganz freiwillig, wie Hoesslin berichtet: „Die Generäle schickten jeden Tag Kulturoffiziere zu mir in die Volksoper. Und die hatten immer einen anderen Wunsch, also zum Beispiel erste Vorstellung ‚Figaros Hochzeit' für die Generäle, für Blagodatow. ‚Heute abend, Mittelloge', sagt der Offizier zu mir, ‚Blumen, viel Blumen!' Wo nimmt man die Blumen her? Es war April, wir hatten keine Transportmittel, von Blumen war keine Rede. Der Krieg war grad zu Ende. Ich habe gesagt: ‚Blumen haben wir keine.' Worauf der sagt – und das ist ein Spruch, den gibt's noch heute in der Volksoper –, der nimmt die Pistole heraus, richtet sie auf mich, schaut auf die Uhr und sagt: ‚Zehn Minut – Blumen muß!' Also, wenn Sie sich nicht entscheiden für die Blumen, dann

Sena Jurinac und Irmgard Seefried: An jenem Abend stehen sie am Anfang ihrer Karriere, bald wird man sie in der ganzen Welt hören.

Sena Jurinac:
Alles war selig, alles war glücklich.

Heute wäre es ein Millionenensemble, damals sangen sie für einen Sack Erdäpfel. Die Staatsoper in der Volksoper eröffnete mit „Die Hochzeit des Figaro"; stehend von links nach rechts: Alois Pernerstorfer, Oscar F. Schuh, Robert Kautsky, Alfred Jerger, Sena Jurinac, Josef Krips, Alfred Poell; sitzend: Irmgard Seefried und Hilde Konetzni.

Walter Hoesslin: Weil sich alle so gefreut haben, daß sie am Leben sind.

kracht's. Wir alle in Verzweiflung. Aber noch heute heißt's so bei uns, wenn alle sagen, das geht nicht, das können wir nicht, das haben wir nicht. Wenn's allzu demokratisch zugeht, dann schau ich auf die Uhr, und dann sag ich: „Zehn Minut – muß!' Das wissen meine Leute schon. Also das muß, das muß einfach sein. Und was taten wir damals? Wir sind in den Burggarten mit einem Spaten, und wir haben irgendeinen grünen Wedel ausgegraben und haben ihn ins Theater gebracht. Er hat nicht geblüht, aber grün war's."

So geht auch in der Volksoper der Vorhang hoch: „Die Hochzeit des Figaro". Kaum geprobt und ein zum Teil sehr junges Ensemble. Heute wäre es ein Millionenensemble: Hilde Konetzni, Irmgard Seefried, Sena Jurinac, Elisabeth Höngen, Alfred Poell. Damals singen sie ohne Gage – für einen Sack Erdäpfel, wenn es ihn gibt. Ausgegrabene Sträucher vor den Logen, geflickte Dekorationen als Kulisse, aber die schönsten Stimmen auf der Bühne. Einen besseren Anfang konnte es nicht geben. Walter Hoesslin über die erste Vorstellung: „Der Zuschauerraum war voll, hauptsächlich mit sowjetischen Soldaten. Die hatten alle ihre Gewehre mit, und das war ihnen wahrscheinlich nicht bequem, und so haben sie ihre Gewehre nach vorne getragen zum Orchester. Nun lagen zum Schluß sämtliche Gewehre auf der Orchesterbrüstung Richtung Bühne. Ich werde das nie vergessen: Wir schauen bei dem Vorhangguckerl hinaus, und was sehen wir – sämtliche Gewehre auf die Bühne gerichtet! Bis wir das begriffen haben, was da los ist! Und dann ging's uns wieder ganz gut. Denn die Generäle dachten, also wenn wir schon ins Theater gehen, dann wollen wir auch ein bißchen was trinken und ein bißchen was essen, und sie brachten Sekt mit, und sie brachten Hühner und Schweine und Schinken mit. Und nach jeder Vorstellung sausten wir hinaus in den Zuschauerraum und haben vor allem hinter den Logen alles mögliche gefunden. Und das nahmen wir dann mit nach Hause, zum Essen und zum Trinken. Und das war eine ungeheuer schöne Zeit, weil sich alle so gefreut haben, daß sie am Leben sind."

DAS ÜBERLAUFENE LAND

Europa, so wie es heute ist, geteilt in Ost und West, zugeteilt der NATO oder dem Warschauer Pakt, den Europäischen Gemeinschaften oder dem Rat für gegenseitige Wirtschaftshilfe, COMECON, dieses geteilte Europa sei, so heißt es immer wieder, „das Resultat von Jalta". Und dieses Jalta steht für die Teilung Europas, für die Blockbildung in Europa, für die „Auslieferung Ostmitteleuropas an den Kommunismus". Wenn die Teilung Europas tatsächlich ein Resultat von Jalta wäre, dann hat Jalta in einem hohen Maß auch auf Österreich eingewirkt, denn die Ausklammerung Österreichs aus dieser Teilung und seine Verpflichtung zur Neutralität ist das Resultat des Teilungsprozesses in Europa. Und eine Reihe von Einzelbeschlüssen in Jalta hat gleich nach Kriegsende 1945 Folgen für Österreich und für Hunderttausende Menschen in Österreich gezeitigt.

Man kann sich also mit der Entstehung der Zweiten Republik nicht befassen, ohne auch danach zu fragen, was nun in Jalta tatsächlich beschlossen worden ist. Über diese Beschlüsse und über die in Jalta offengebliebenen Fragen ist schon viel geschrieben und diskutiert worden. Vielfach steht da Meinung gegen Meinung: Jalta sei „an allem schuld" oder Jalta habe in Wirklichkeit nichts bewirkt, weder im Guten noch im Schlechten. Die Protokolle von Jalta und die dort gefaßten Beschlüsse geben auch nur sehr eingeschränkt Auskunft. Man muß schon die Umstände dieser Konferenz bedenken, sich in den Zustand der Konferenzteilnehmer, in den Geist der Verhandlungen von Jalta versetzen, um das, was von Jalta dann später ausging, halbwegs abschätzen zu können.

Beginnen wir bei einem Umstand, der zunächst nebensächlich aussehen mag, aber unserer Ansicht nach nicht ohne Folgen war: mit dem Umstand, daß die Konferenz in Jalta, also an einem Ort in der Sowjetunion stattfand, auf der Halbinsel Krim. Der amerikanische Präsident Roosevelt und der britische Premierminister Churchill waren schon 1944 der Meinung, daß man möglichst bald wieder mit Stalin zusammenkommen müßte, um sich über die dringenden Probleme der Nachkriegsordnung in Europa zu einigen. (Die erste Konferenz mit Stalin hatte im November 1943 in Teheran stattgefunden.) Aber Stalin zeigte keine Eile. Seine Truppen waren im vollen Vormarsch – Polen, Rumänien, Bulgarien, Ungarn, Jugoslawien, die Tschechoslowakei und aller Voraussicht nach auch der Osten Deutschlands und Österreichs würden demnächst von der Roten Armee erobert sein. Jeder Tag verbesserte die sowjetische Position in diesen Räumen.

Präsident Roosevelt war zu diesem Zeitpunkt bereits schwer krank. Kranker, als man damals und später zugab: Er litt nicht nur an den Folgen einer Kinderlähmung, er hatte auch bereits Arteriosklerose, einen enorm hohen Blutdruck (260/150), eine Insuffizienz der linken Herzkammer, er litt an der Alvarez-Krankheit, das sind unmerkliche Gefäßzusammenbrüche, die verschiedene Gehirnfunktionen zerstören oder unterbrechen können, er litt an Leberkoliken und hatte Gallensteine, die man nicht mehr zu entfernen wagte. Deshalb ersuchten die Amerikaner die Sowjets, einem Konferenzort zuzustimmen, der für Roosevelt leicht zu erreichen wäre. Stalin lehnte ab – das sich überstürzende Frontgeschehen erlaube ihm nicht, die Sowjetunion zu verlassen. Es nützte nichts,

Eine österreichische Landstraße im Mai 1945. Hunderttausende Menschen sind unterwegs: bisherige Kriegsgefangene, Fremdarbeiter aus fast allen Ländern Europas, frühere Zwangsverschleppte, Flüchtlinge und auch schon Vertriebene.

die beiden westlichen Staatsmänner mußten sich zu der langen Reise entschließen, wollten sie Stalin sehen. Für Roosevelt hieß das, daß er von Washington nach dem amerikanischen Flottenstützpunkt Newport News in Virginia zu reisen hatte, wo er an Bord des amerikanischen Kriegsschiffes „U.S.S. Quincy" gebracht wurde. Mit der „Quincy" und entsprechendem Begleitschutz überquerte nun Roosevelt den Atlantik, in dem zu dieser Zeit noch immer deutsche U-Boot-Rudel auf alliierte Geleitzüge Jagd machten. Der Präsidentschaftskonvoi fuhr in das Mittelmeer ein und kam schließlich auf der damals britischen Insel Malta an. Weiter aber ging es nicht – denn die Insel Kreta war noch immer von den Deutschen besetzt, auf Kreta gab es deutsche Luft- und Flottenstützpunkte. So beschloß man, Präsident Roosevelt von Malta aus mit dem Flugzeug im Nonstopflug auf die Krim zu bringen. Das hieß bei der damaligen Leistungsfähigkeit der Flugzeuge einen mühsamen Siebenstundenflug auf sich zu nehmen, und zwar nicht in großer Höhe, sondern mitten durch alle Wetterfronten. Wegen der Gefahr, von Kreta aus noch von deutschen Jagdflugzeugen angegriffen zu werden, beschloß man weiters, den Flug des Präsidenten in der Nacht durchzuführen, ohne Positionslichter und ohne Funkverkehr.

Premierminister Churchill stand, was seine Reise betraf, vor einem ähnlichen Problem. Er wählte jedoch von vornherein den Flug von London nach Malta. Man hielt diesen Flug für problemlos, weil er über das von den Alliierten bereits befreite Frankreich durchzuführen war. Trotzdem stürzte eines der Begleitflugzeuge auf dem Weg nach Malta ab. Von Malta weg stand die britische Delegation vor den gleichen Problemen wie die amerikanische: Auch sie mußte den Langstreckenflug auf die Krim auf sich nehmen, auch sie flog bei Nacht und ohne Funkverkehr. Allein die Briten flogen mit 25 Flugzeugen, die Anzahl der amerikanischen Maschinen ist uns nicht bekannt, aber es waren sicher mehr als 25. Einige der Flugzeuge dienten nur dazu, im Notfall die Aufmerksamkeit der deutschen Jäger auf sich zu ziehen.

Alle diese Flugzeuge mußten auf dem Flugplatz Saki auf der Krim landen. Der Konferenzort – die Villen und Paläste rund um Jalta – war von Saki acht Autostunden entfernt, und der Weg führte über schlechte, gewundene Straßen. Als das Flugzeug Roosevelts in Saki gelandet war, mußte der Präsident von seiner Leibgarde aus dem Flugzeug gehoben und zunächst bis zu einem Jeep getragen werden, denn natürlich waren die Sowjets mit einer Ehrenformation aufmarschiert und erwarteten, daß der Präsident die Front der angetretenen Soldaten zumindest abfahren, wenn schon nicht abschreiten würde. Churchill, der vor Roosevelt eingetroffen war, ging neben dem Jeep und hielt dabei den Arm des Präsidenten. Anschließend wurde Roosevelt aus dem Jeep gehoben und in eine Limousine gesetzt, die nun die Achtstundenreise nach Jalta antrat.

Stalin hat es entsprechend einfacher, nach Jalta zu kommen, er ist hier zu Hause. Für die Konferenzteilnehmer gibt es auch so gut wie keine Ruhepause. Alles drängt, alles scheint von Anfang an unter Zeitnot zu stehen. Die Konferenz findet im sogenannten Livadia-Palast statt, von Zar Nikolaus II. im Jahr 1911 erbaut. Nach der Revolution 1917 diente der Livadia-Palast Bauern und Kindern als Erholungsheim. Als die Deutschen die Krim besetzen, schlagen sie im Livadia-Palast eines ihrer Hauptquartiere auf. Und sie haben den Palast erst zehn Monate zuvor geräumt.

Die Amerikaner haben sich eine Erleichterung erbeten: Der Präsident möge im Palast untergebracht werden, damit ihm der tägliche Weg zum Konferenzort erspart bliebe. Die Sowjets stimmen zu. Winston Churchill aber teilen sie die Woronzow-Villa in Alupka als Residenz zu, und das bedeutet für Churchill rund 30 Kilometer Fahrt auf gewundenen Straßen, die er zweimal am Tag zurücklegen muß.

Stalins starke Position

Ziel der Konferenz ist die Neuordnung der Welt nach dem Krieg, ist das Schicksal Deutschlands und Polens, ist die Zukunft der befreiten Länder Ost- und Mitteleuropas. Churchill ist voll Skepsis. Der Kriegsverlauf stärkt die Position Stalins: Die militärischen Trümpfe in Ost- und Mitteleuropa liegen in der Hand der Sowjets. Ihre Armeen sammeln sich bereits zum Sturm auf Wien bzw. auf Berlin. Die Westalliierten haben zu diesem Zeitpunkt nicht mehr viel in der Hand, womit sie Stalin bewegen könnten, auf westliche Wünsche einzugehen. Die großen amerikanischen Lieferungen an Rüstungsmaterial und an Lebensmitteln, die sogenannte Pacht- und Leihhilfe, an die Sowjetunion wäre noch ein halbes Jahr zuvor ein derartiger Hebel gewesen. Im Februar 1945 sind die Lieferungen jedoch bereits in der Sowjetunion eingetroffen, die Stalin noch braucht, um den Sieg der Roten Armee sicherzustellen. Man könnte den westlichen Armeen auch noch Befehl geben, mit aller Kraft

Als Präsident Roosevelt zur Konferenz von Jalta auf der Krim eintrifft, ist er ein todkranker Mann. Er wird in einen Jeep gehoben und dann erst begrüßt. Stalin ist nicht erschienen, er hat seinen Außenminister Molotow entsandt. Aber Winston Churchill ist schon hier und begleitet Roosevelt, neben dem Jeep einhergehend, zur angetretenen sowjetischen Ehrenkompanie. Unten: Die Konferenz ist zu Ende, die Großen Drei stellen sich den Fotografen. Zwei Monate später ist Roosevelt tot.

nach Berlin durchzustoßen, um die deutsche Hauptstadt vor den Sowjets zu erobern. Doch darin sehen wie gesagt die amerikanischen Generäle überhaupt keinen strategischen Vorteil, und der politische Vorteil, den dies für die Nachkriegsordnung wahrscheinlich hätte, wird von Roosevelt nicht erkannt. Die Dinge liegen genau umgekehrt: Der Westen ist es, der bei Stalin um die Erfüllung von Wünschen und Forderungen einkommen muß.

Churchill steht vor einem großen Problem: England ist 1939 zum Schutz der Unabhängigkeit und der territorialen Integrität Polens in den Krieg gegangen. Soll dieser Krieg nun damit enden, daß Polen seine Unabhängigkeit dennoch eingebüßt hat, ja, daß es anscheinend sogar einen Teil seines Landes der Sowjetunion abzutreten haben wird? Und werden noch weitere Länder ihre Freiheit und Unabhängigkeit einbüßen, diesmal gegenüber der Sowjetunion? War es das Kriegsziel Großbritanniens, eine Hegemonie des Deutschen Reichs auf dem europäischen Kontinent nicht zuzulassen, so könnte der Krieg nun damit enden, daß der Kontinent letztlich unter die Hegemonie der Sowjetunion gerät. So geht es Winston Churchill bei dieser Konferenz in erster Linie um das Schicksal Polens. Hier und jetzt will Churchill sicherstellen, daß die in London befindliche polnische Exilregierung, jene, für die England in den Krieg gegangen ist, nach Polen zurückkehren kann und dort zumindest am künftigen Regieren beteiligt wird. Denn die Sowjets haben schon ihre eigene polnische Regierung aufgestellt, und zwar im sowjetisch besetzten Lublin. Diese Regierung wird von den Kommunisten dominiert und folgt ausschließlich den Wünschen Moskaus. Doch ob Churchill mit der Forderung nach Zulassung auch der Londoner Exilpolen durchkommt, hängt vom guten Willen Stalins ab.

Weniger als um Polen, aber doch besorgt ist Churchill – und in einem gewissen Maß auch Roosevelt – um die Zukunft der anderen Länder in Ost- und Mitteleuropa: Was wird mit Rumänien, Bulgarien, Ungarn, was mit Jugoslawien und Griechenland geschehen? Und schließlich geht es auch noch um Deutschland und in Verbindung mit Deutschland um Österreich. Lediglich in der deutschen und in der österreichischen Frage halten auch die Westmächte noch etwas in der Hand: In Deutschland werden ihre Truppen das Ruhrgebiet und andere wichtige Industriezentren besetzen, und auch Österreich wird nicht zur Gänze der Sowjetarmee anheimfallen. Für jede gemeinsame Lösung, die Stalin also für Deutschland und für Österreich wünscht, braucht er auch die Zustimmung der Westmächte.

Für Roosevelt geht es noch um zwei andere ihm äußerst wichtig erscheinende Probleme. Europa ist für die Amerikaner nur ein Kriegsschauplatz von zweien. Mindestens ebenso wichtig ist für die USA der Krieg gegen Japan. Roosevelt weiß zwar um die Entwicklung der ersten Atombomben in den amerikanischen Geheimlabors, aber er weiß zu diesem Zeitpunkt noch nicht, ob diese Bomben zeitgerecht fertig werden, ob sie funktionieren werden und welche Wirkung von ihnen überhaupt zu erwarten ist. Noch ist keine Atombombe fertiggestellt, und noch hat man keine getestet. So rechnet Roosevelt mit einem langen, blutigen Waffengang Amerikas gegen ein sich zäh verteidigendes Japan. Vor dieser Invasion Japans hat Roosevelt Angst, sie wird viele Opfer kosten; Roosevelts Berater meinen, die Amerikaner würden dabei mindestens eine Million Soldaten verlieren. So ist Roosevelt sehr daran interessiert, die Sowjetunion nach Beendigung des Krieges in Europa zum Kriegseintritt gegen Japan zu bewegen. Das ist für Roosevelt zu diesem Zeitpunkt offenbar bedeutend wichtiger als das Schicksal Polens oder anderer kleiner europäischen Länder.

Auch ist Roosevelt wie fast jeder amerikanische Präsident von einem Missionsgeist erfüllt: Wenn man schon diesen Krieg über so viele Jahre führen und den Sieg mit so vielen Opfern erkaufen muß, dann soll es zumindest der letzte aller Kriege gewesen sein. Nach diesem Krieg müßte eine Weltordnung errichtet werden, die Kriege nicht mehr zuläßt. Roosevelt schwebt eine Vereinigung aller Völker vor, und zwar innerhalb einer Organisation, die stark genug sein müßte, um als eine Art Weltregierung und Weltpolizei auftreten zu können. Diese Organisation nennen die Amerikaner United Nations Organization, die UNO. Doch die hochgesteckten Ziele könnte die UNO nur verwirklichen, wenn die Sowjetunion sich ebenfalls zu diesem Konzept bekennt und bereit ist, gemeinsam mit dem Westen die Pläne Roosevelts in die Tat umzusetzen. Auch diese neue Weltordnung ist für Roosevelt ein vorrangiges Ziel bei der Konferenz von Jalta. Alle anderen Fragen scheinen ihm im Vergleich zum Krieg gegen Japan und zum Konzept der UNO geringfügig und nebensächlich.

Obwohl wir über Stalins Zielvorstellungen bis heute nichts Konkretes in Händen halten, läßt sich doch aufgrund der Verhandlungstaktik Stalins und der von ihm angestrebten Ergebnisse mit ziemlicher Bestimmtheit sagen, daß es Stalin in Jalta in erster Linie darum gegangen ist, den Einfluß der Sowjetunion über jene Gebiete sicherzustellen, die die Rote Armee unter hohen Blutopfern inzwischen in Ost- und Mitteleuropa erobert hatte. Und Stalin ging es sicherlich auch darum, das Deutsche Reich so zu schwächen, daß es nie wieder zu einem Angriff gegen die Sowjetunion in der Lage sein würde. Beides aber, die Sicherstellung der sowjetischen Einflußsphäre und die Schwächung Deutschlands, diente noch einem dritten Ziel: Aus diesem Raum sollte all das an Wirtschaftsgütern, Arbeitskraft und Geld kommen, was zum Wiederaufbau der durch den Krieg schwer zerstörten Sowjetunion notwendig sein würde.

Stalins Ziele ließen sich, wie man sieht, auch ohne jede Zustimmung der Westmächte verwirklichen, vielleicht mit Ausnahme der hohen Reparationssumme, die er aus dem gesamtdeutschen Raum herausholen wollte. Denn die Räume, die er beansprucht, sind schon in der Hand der Roten Armee oder werden es bald sein. Die westlichen Wünsche hingegen lassen sich nur mit Zustimmung Stalins verwirklichen.

Entlassene deutsche Kriegsgefangene und Displaced Persons, zu deutsch „versetzte Personen", bilden die nächsten Kolonnen auf Österreichs Landstraßen (oben). Die Amerikaner und die Briten schicken die in Österreich gemachten Gefangenen in der Regel bald nach Hause, kontrollieren jedoch jeden Gefangenen, ob er nicht Angehöriger der Waffen-SS gewesen sei – was an einer Blutgruppen-Tätowierung erkennbar wäre (rechts oben). Die Lager füllen sich bald wieder: Versetzte Personen, Flüchtlinge, Vertriebene werden in sie eingewiesen. Die DDT-Spritze soll sicherstellen, daß sie keine Läuse mitbringen (rechts, drittes Bild von oben). Russen, die als sogenannte Ostarbeiter im Dritten Reich eingesetzt waren, kehren heim und haben zum Zeichen ihrer Gesinnungstreue ein Stalin-Bild verfertigt. Dennoch wissen sie, daß ihre Heimkehr eine Fahrt ins Ungewisse ist (unten).

Dehnbar von Jalta bis Washington

Stalin selbst dürfte seine Position vielleicht nicht einmal so stark eingeschätzt haben, als sie es in Wirklichkeit schon war. Er hatte offenbar doch Angst, daß der Westen sich am Ende des Krieges gegen die Sowjetunion wenden und sie sogar militärisch angreifen könnte. Und das wußte er: Die wirtschaftliche und technische – und das heißt rüstungsmäßige – Überlegenheit des Westens zu diesem Zeitpunkt war enorm. Einen Waffengang mit dem Westen mußte die Sowjetunion verlieren. Daß die öffentliche Meinung in den USA und in Großbritannien nach den soeben erst durchgestandenen fünfeinhalb Jahren Krieg gegen Hitler einen neuen Krieg nicht zulassen würde und daß Roosevelt und Churchill sich über diese öffentliche Meinung kaum hinwegsetzen könnten, das hat man Stalin vielleicht gesagt, aber daran dürfte er mangels Demokratie-Erfahrung nicht unbedingt geglaubt haben. Für ihn zählte das Potential. Und das Potential hatten die USA. Nur so ist es zu verstehen, daß Stalin auf die westlichen Wünsche doch weitgehend eingeht, zumindest mit Zusagen. Er verspricht Churchill und Roosevelt nach langen, zähen Verhandlungen, die polnische Exilregierung in London mit der moskautreuen polnischen Regierung in Warschau – inzwischen von Lublin in die Hauptstadt übersiedelt – zu verbinden. Er sagt auch zu, daß in Polen zum ehestmöglichen Zeitpunkt freie und geheime Wahlen durchgeführt würden und daß die künftige polnische Regierung aus diesen Wahlen hervorgehen würde. In Jalta wird auch eine Deklaration verabschiedet, in der sich die drei Mächte verpflichten, in den anderen befreiten Ländern Regierungen anzuerkennen, die dort ebenfalls aus freien und geheimen Wahlen hervorgegangen sein werden.

Würden diese Zusagen eingehalten, hätten Churchill und Roosevelt weitestgehend das erreicht, was sie sich in Jalta als Ziel gesetzt hatten. Roosevelt glaubt sogar, noch viel mehr erreicht zu haben: Stalin hat ihm zugesagt, drei Monate nach Kriegsende in Europa in den Krieg gegen Japan einzusteigen; und Stalin hat auch die volle Mitwirkung der Sowjetunion beim Aufbau der UNO zugesagt.

Nach der Papierform haben Roosevelt und Churchill in Jalta viel erreicht. Und sie haben, so scheint es, nur wenig gegeben: Die Zustimmung zur Bildung einer neuen, integrierten Regierung in Polen, die dort nun mit Stalins Hilfe entstehen soll; die territoriale Verschiebung Polens von Ost nach West, um die sowjetischen Gebietsansprüche zu befriedigen; das Einverständnis mit Stalin, daß alle Regierungen in diesem Raum prinzipiell eine freundschaftliche Haltung gegenüber der Sowjetunion einnehmen müßten. Die Westmächte sagen weiter zu, Deutschland zunächst in drei, und wenn die Franzosen mitmachen wollen, in vier Besatzungszonen zu teilen, jedoch eine gemeinsame alliierte Kontrollkommission einzusetzen, die gemeinsam ganz Deutschland zu regieren haben wird. Roosevelt und Churchill stimmen mit Stalin auch darin überein, daß Deutschland für den Schaden aufzukommen hat, der durch den Hitler-Krieg insbesondere in der Sowjetunion angerichtet worden ist. Das heißt: Deutschland wird in hohem Maß Reparationen zu zahlen haben, und die Sowjetunion wird auch deutsche Kriegsgefangene oder Deutsche überhaupt zu Wiederaufbauarbeiten in der Sowjetunion einsetzen.

In diese Deutschland betreffende Übereinkunft fällt geradezu automatisch eine Konzession des Westens, die für Österreich von großer Tragweite sein wird: Als einen Teil der Wiedergutmachung wird die Sowjetunion wenige Monate später bei der Potsdamer Konferenz das gesamte Deutsche Eigentum in allen von ihr besetz-

331

ten Ländern für sich beanspruchen, daher auch in der sowjetisch besetzten Zone Österreichs. Und in Österreich werden diese Forderungen besonders extensiv ausgelegt werden, denn in der Zeit vom Anschluß bis zum Kriegsende war unter anderem auch das gesamte frühere österreichische Staatseigentum zu deutschem Staatseigentum geworden.

Schließlich gibt es in Jalta auch noch einige Konzessionen, die, so erscheint es den Westmächten, fast gar nicht ins Gewicht fallen, aber bereits wenige Monate später zu schweren Spannungen zwischen den Westmächten und der Sowjetunion Anlaß geben werden. So die sowjetische Forderung, daß die aus deutscher Hand befreiten alliierten Kriegsgefangenen in ihre Heimat zurückgeführt werden müssen, sobald der Krieg vorbei ist.

Zum Zeitpunkt der Konferenz von Jalta wissen die Westmächte bereits, daß in den Reihen der deutschen Armee Russen, Ukrainer, Kosaken, Tataren usw. kämpfen, deren Rückstellung an die Sowjetunion schlimme Konsequenzen für sie zeitigen würde. Die Deutschen haben derartige Verbände an allen Fronten eingesetzt. Sie haben auch gegen Briten und Amerikaner gekämpft und sind teilweise zu ihnen übergelaufen. Ihr Schicksal könnte den Westmächten einerlei sein, sind sie doch auf der Seite des Feindes gestanden. Dennoch gibt es schon Warnungen von seiten des amerikanischen und des britischen Außenministeriums: Diese Gefangenen wollen nicht gegen ihren Wunsch an die Sowjetunion ausgeliefert werden, und die Genfer Konvention [über den Schutz von Kriegsgefangenen vom 27. Juli 1919] besagt, daß Gefangene jeweils als Angehörige jener Nation zu betrachten sind, deren Uniform sie tragen. Andererseits ist die Sowjetunion der Genfer Konvention nie beigetreten. Die Sache wird nicht so leicht zu lösen sein, wenn man auf dem Boden des Rechts verweilen will. Es kommt in Jalta diesbezüglich auch nur zu der Erklärung, die befreiten Kriegsgefangenen müßten in ihre jeweiligen Heimatländer zurückgestellt werden. Kein Bezug auf die Genfer Konvention, kein Bezug auf die Nationalität.

Letztlich ist dies das Um und Auf der gesamten Konferenz auf Jalta: Mit ihren Beschlüssen scheinen die Großen Drei alle wichtigen Probleme gelöst zu haben, doch die Beschlüsse sind in Worte gefaßt, die sich in jede Richtung auslegen lassen. Das ist nicht nur Churchill voll bewußt. Auch Roosevelt weiß Bescheid. Unmittelbar nachdem man den Kompromiß bezüglich Polen ausgehandelt hat, macht der Stabschef des Weißen Hauses, Admiral William D. Leahy, den Präsidenten aufmerksam: „Mister President, der Wortlaut der Vereinbarung ist so elastisch, daß man ihn von Jalta bis Washington dehnen könnte, ohne jemanden beschuldigen zu können, er hätte ihn gebrochen." Der im wahrsten Sinne des Wortes todkranke Roosevelt antwortet: „Ich weiß es, Bill. Aber das ist das Beste, was ich zur Zeit für Polen tun kann."

Churchill wird sich über die Nachgiebigkeit Roosevelts und dessen echte oder auch nur gespielte Vertrauensseligkeit gegenüber Stalin noch sehr beklagen. Er hat zumindest versucht, für Polen mehr zu erreichen, muß aber aufgeben, als Roosevelt auf einen Kompromiß einschwenkt. Um so mehr ist Churchill entschlossen, dort, wo der Westen noch etwas zu sagen hat, nicht mehr nachzugeben und keinen Millimeter mehr zurückzuweichen. Und dieser Vorsatz Churchills führt unmittelbar nach Kriegsende bereits zur ersten schweren Konfrontation zwischen West und Ost, und diese Konfrontation findet auf dem Boden Österreichs statt. Roosevelt hat dies nicht mehr erlebt. Drei Monate nach der Konferenz von Jalta stirbt der amerikanische Präsident am 12. April 1945. Vizepräsident Harry Truman wird sein Nachfolger. Er war bis dahin in

Zwischen Briten und Jugoslawen kommt es zum Wettlauf in Istrien, in Triest und in Kärnten. Die Soldaten beider Armeen betrachten einander noch als Waffenbrüder (Bilder rechts oben), während die Oberkommandos einander bereits die strategischen Positionen streitig machen. Ironie am Rande: Die Jugoslawen kommen dank der Lastkraftwagen rasch weiter, die ihnen die Briten erst kurz zuvor geliefert haben.

keine der alliierten Verhandlungen eingeschaltet und von Roosevelt auch nie eingehend informiert worden. Truman erfährt auch erst jetzt, daß in Los Alamos an einer Atombombe gebaut wird. Niemand hatte es ihm vorher gesagt.

Die Konfrontation mit Tito

Doch blenden wir noch einmal zurück auf Jalta. Bei den Konferenzunterlagen Winston Churchills in Jalta befindet sich auch ein Dokument, das das britische Außenministerium als Grundlage für eine Diskussion über die künftigen Besatzungszonen in Österreich ausgearbeitet hat. Wir haben dieses Dokument, das damals streng geheim war, im nunmehr geöffneten Londoner Public Record Office gefunden. Es stammt vom 25. Jänner 1945, wurde also kurz vor der Jalta-Konferenz verfaßt und trägt den Titel: „Für den Premierminister: Die Besatzungszonen in Österreich". Sein Inhalt: Es gebe derzeit zwei Pläne für die künftige Besetzung Österreichs: a) den britischen Plan, vorbereitet für den Fall, daß die Amerikaner keine Zone in Österreich haben wollen. Dann sollte Österreich waagrecht geteilt werden. Der nördliche Teil sollte sowjetisch, der südliche britisch besetzt werden; b) den russischen Plan, der Österreich senkrecht teilt, und zwar in drei Zonen: im Westen amerikanisch, in der Mitte britisch, im Osten russisch. Der russische Plan, so heißt es weiter, müßte unter allen Umständen abgelehnt werden. Er würde Österreich so zerstückeln, daß es nicht mehr regierbar wäre. Jeder Zonenplan müßte auf die Einteilung Österreichs in Bundesländer Rücksicht nehmen, um sicherzustellen, daß die lokalen Verwaltungen auch funktionieren können. Dann wird ein Vorschlag unterbreitet: Vom britischen Standpunkt aus wäre es am besten, folgende Zoneneinteilung für Österreich vorzunehmen: Britisch: Kärnten und die Steiermark. Sowjetisch: Niederösterreich. Amerikanisch: Oberösterreich, Salzburg und Tirol/Vorarlberg. Dieser Vorschlag stützt sich auf die nach dem Anschluß vorgenommene deutsche Einteilung Österreichs in Reichsgaue. Damals wurde das Burgenland als selbständige Verwaltungseinheit aufgelöst und den Gauen Niederdonau (Niederösterreich) und Steiermark zugeteilt. Desgleichen wurden Tirol und Vorarlberg in einen gemeinsamen Gau zusammengelegt.

Weiter heißt es in dieser für Churchill vorbereiteten Verhandlungsgrundlage: Die Sowjets würden wahrscheinlich mit Niederösterreich allein nicht zufrieden sein. In dem Fall könnte man ihnen noch jenen Teil Oberösterreichs zusprechen, der nördlich der Donau liegt. Doch dann folgt der für die Briten wichtigste Punkt. Wörtlich heißt es in dem Dokument: „Nach jedem der drei Pläne würde die britische Zone die gesamte Länge der österreichisch-jugoslawischen Grenze mit einschließen. An dieser Grenze kann es zu Schwierigkeiten kommen, denn die Slowenen beanspruchen das Gebiet um Klagenfurt, und wir könnten uns gezwungen sehen, nicht nur jugoslawische Einbrüche und Infiltrationen zurückzuweisen, sondern auch reguläre jugoslawische Streitkräfte hinauszuwerfen, die im Zuge ihrer Operationen gegen die Deutschen diese Gebiete durchaus besetzen könnten. Müßten dies die britischen Truppen auf sich allein gestellt tun, so könnten uns [in Kärnten] die gleichen Schwierigkeiten erwachsen, mit welchen wir bereits in Griechenland konfrontiert sind [dort stehen britische Truppen im Kampf gegen kommunistische Partisanen, die von Jugoslawien voll unterstützt werden]. Wir schlagen daher vor, mit der amerikanischen, sowjetischen und französischen Regierung ein Abkommen zu erzielen, in dem erklärt wird, daß die Aufrechterhaltung der österreichisch-jugoslawischen Grenze, wie sie im Jahre 1937 existiert hat, der gemeinsamen Verantwortung aller Mächte obliegt und daß die vier Regierungen gemeinsame Aktionen ergreifen, um sicherzustellen, daß die jugoslawische Regierung dieses Abkommen ebenfalls einhält, notfalls aber daß jugoslawische Streitkräfte, die in Österreich eindringen, zum Abzug aus Österreich gezwungen werden."

Dieses Dokument lag wie gesagt bereits bei den Papieren, die Churchill zur Konferenz von Jalta mitnahm. Aber wegen der zähen Auseinandersetzungen über Polen und all die anderen erwähnten Probleme kommt es nicht mehr zu einer Diskussion über Österreich. So übergeben die Briten dieses Papier am Schluß der Konferenz den Sowjets, und es findet Eingang in die Jalta-Dokumente. Jedoch nur als Unterlage zum Studium für die Sowjets.

Und nun ist genau das eingetreten, was das britische Außenministerium befürchtet hat: Der Krieg ist zu Ende, es gibt noch immer keine endgültige Einigung über die Zoneneinteilung in Österreich, die Briten sind zwar in Kärnten einmarschiert, aber gleichzeitig mit ihnen auch die Jugoslawen, und diese haben nun in weiten Gebieten Kärntens gleich neben den Briten Quartier bezogen. Das ist für die Westmächte im Moment wahrscheinlich das kleinere Problem. Doch die Jugoslawen haben auch Triest und Istrien besetzt. Mit ihren Truppen in Kärnten umklammern sie nun diesen Raum und damit die nördliche Adria. Bleibt es dabei, wäre der britische Brückenkopf samt dem Hafen Triest von kommunistischen Truppen mit besetzt.

Roosevelts Nachfolger Präsident Harry Truman schlägt Alarm. Bereits am 12. Mai, vier Tage nach Beendigung des Krieges in Europa, sendet Truman ein Telegramm an Winston Churchill: „. . . Titos Vorgehen in Julisch-Venetien erfüllt mich immer mehr mit Sorge . . . Offenbar hat er nicht die Absicht, das Territorium wieder aufzugeben und eine friedliche Lösung dieses jahrhundertealten Problems abzuwarten." Dann heißt es weiter wörtlich in Trumans Telegramm: „Wir müssen uns entscheiden, ob wir an den fundamentalen Prinzipien festhalten wollen, daß Territorialansprüche nur im Rahmen eines ordentlichen Verfahrens geregelt werden können, nicht jedoch durch Anwendung von Gewalt, Einschüchterung oder Erpressung. Auch scheint mir, daß Tito die gleichen Ansprüche auf Südösterreich erhebt, in Kärnten und in der Steiermark, und daß er dort Ähnliches im Sinne hat wie bereits in Teilen Ungarns und in Griechenland, falls seine Methoden in Julisch-Venetien Erfolg haben sollten." Truman zieht die Konsequenz und schlägt Churchill vor: „Unter diesen Umständen sollten wir absolut darauf bestehen, daß Feldmarschall Alexander die totale und alleinige Kontrolle über Triest und Pola erhält." Am Schluß des Truman-Telegramms heißt es: „Ich würde vorschlagen, daß wir beide Stalin informieren, gemäß unserer Übereinkunft von Jalta, die derartige Konsultationen vorsieht.".

Auf den Protest der Anglo-Amerikaner antwortet Tito mit der Erklärung, Jugoslawien habe im Krieg mit Deutschland einen hohen Blutzoll entrichtet. Die deutschen Truppen hätten Jugoslawien auch von Österreich aus überfallen. Nun seien jugoslawische Verbände im Zuge der Verfolgung der deutschen Streitkräfte in Österreich eingedrungen. Im übrigen seien die von jugoslawischen Truppen besetzten Gebiete überwiegend slowenisch besiedelt und stünden Jugoslawien daher zu. Jugoslawien werde diese Gebiete bis zum Abschluß eines entsprechenden Friedensvertrages auch besetzt halten.

Statt des geforderten Rückzugs ordnet Tito eine weitere Verstärkung der jugoslawischen Truppen in Kärnten, Istrien und in Triest an. Die jugoslawischen Verbände zeigen sich gefechtsbereit

PRIME MINISTER'S
PER... ...TELEGRAM
S... T. 1039/5
10, Downing Street, Whitehall.

PRIME MINISTER TO PRESIDENT TRUMAN No:- 64.
Personal and Top Secret 1.6.45

1. I have been much occupied the last few days by the formation of our very complicated Government, which is now completed. I have made it clear that nothing in the British Election will prevent the meeting of the three major Powers at the earliest possible date.

2. The news from Jugoslavia is not good. Very abrupt demands have been made, both to British and United States troops, and there is a clear show of force. I earnestly hope for the sake of the future that we shall not be overawed by this nor lend ourselves to schemes for saving Marshal Tito's face. The words which you used in your message about land-grabbing methods strike home to my heart. Field Marshal Alexander is, I understand, ready to move forward any time after June 1st and eject the enemy from their positions. It seems to me that unless Tito returns a satisfactory answer to your Ambassador and ours within three days of the presentation to him of the agreement...

Die Botschaft, die Premierminister Churchill am 1. Juni 1945 an Präsident Truman richtet: „Persönlich und streng geheim." Churchill gibt seiner Befürchtung Ausdruck, daß es zwischen den Westmächten und Marschall Tito zu einer kriegerischen Auseinandersetzung kommen könnte. So heißt es in der Botschaft: „Feldmarschall Alexander ist jederzeit in der Lage, nach dem 1. Juni vorzurücken und den Feind aus seinen Stellungen hinauszuschmeißen. Sollte Tito nicht binnen drei Tagen nach der Überreichung unserer gemeinsamen Note unseren Botschaftern (in Belgrad) eine zufriedenstellende Antwort übermittelt haben, sollte Alexander angewiesen werden, die Besetzung jener Gebiete von Julisch-Venetien durchzufüh-

- 2 -

agreement we have drawn up. Alexander should be
instructed to complete the occupation in force of such an
area of Venezia Giulia as he may consider necessary for
the protection of his lines of communication and his
Allied Military Government. As soon as he is ready to
move he should let the Ambassadors in Belgrade know, and
they would tell Tito that the Field Marshal was now taking
matters into his own hands. The fact that the Russians
have so far remained quiescent is important. If we once
let it be thought that there is no point beyond which we
cannot be pushed about, there will be no future for Europe
except another war more terrible than anything that the
world has yet seen. But by showing a firm front in
circumstances and a locality which are favourable to us,
we may reach a satisfactory and solid foundation for
peace and justice.

3.   I earnestly hope however that unless we have
unqualified submission on our front by these land-grabbers,
the operation which is being prepared may take place. I
understood from Field Marshal Alexander that he contemplated
operations which would be sharp and short. The support
                                          which...

ren, die er zum Schutz seiner Versorgungslinien für notwendig erachtet. Sobald er dazu bereit ist, sollten unsere Botschafter in Belgrad Tito mitteilen, daß der Feldmarschall die Sache nunmehr in seine Hände genommen hat. Die Tatsache, daß sich die Russen bisher ruhig verhalten haben, verdient Beachtung. Ließen wir sie je auf den Gedanken kommen, sie könnten mit uns verfahren, wie sie wollten, dann würde es für Europa keine Zukunft geben, außer einem neuen Krieg, der noch viel schrecklicher wäre als alles, was die Welt bisher gesehen hat. Indem wir eine feste Haltung einnehmen in einem Fall, dessen Umstände für uns günstig sind, können wir eine solide Grundlage für Frieden und Gerechtigkeit legen."

und verstärken ihre Patrouillentätigkeit. Mit höchster Dringlichkeitsstufe meldet Feldmarschall Alexander den Vereinigten Stabschefs, er rechne bereits in unmittelbarer Zukunft damit, die Streitkräfte Titos gewaltsam aus Österreich hinauswerfen zu müssen. Für diese Konfrontation mit den jugoslawischen Truppen werde er die 15. Armeegruppe einsetzen, die vorwiegend in Österreich stationiert ist. Feldmarschall Alexander beauftragt seine Truppen, nicht nur ganz Kärnten, sondern auch Istrien und Triest zu besetzen, ohne Rücksicht auf die Anwesenheit jugoslawischer Verbände. Den Soldaten wird befohlen, jederzeit kampfbereit zu sein. Über den möglichen Gegner werden jedoch nur die höheren Offiziere informiert. Die britischen Soldaten, die nun überall auf Tito-Truppen stoßen, sehen in diesen noch immer die Verbündeten aus dem soeben erst zu Ende gegangenen Krieg. Marschall Tito tut ein weiteres, um den Besitzanspruch Jugoslawiens politisch zu festigen – er läßt die slowenische Bevölkerung in den besetzten Gebieten für den Anschluß an Jugoslawien demonstrieren. Tito begibt sich selbst nach Istrien, um in einer Reihe von Großkundgebungen die jugoslawischen Gebietsansprüche zu begründen. Der Kampf gegen die deutschen und die italienischen Faschisten sei nicht nur zur Wiederherstellung Jugoslawiens in seinen alten Grenzen geführt worden, erklärt Tito, sondern auch zur Befreiung der slowenischen Bevölkerung in den Nachbargebieten. Die Kundgebungen finden unter den Augen der bereits einmarschierten britischen Soldaten statt. Die slowenischen Demonstranten tragen auch britische und amerikanische Fahnen mit und berufen sich damit auf die bisherige Waffenbrüderschaft mit den Anglo-Amerikanern. Für die britischen Soldaten gibt es zwar ein strenges Fraternisierungsverbot gegenüber Deutschen und Österreichern, nicht jedoch gegenüber den bisherigen jugoslawischen Waffenbrüdern. Und so kommt es zu spontanen Freundschaftsbezeigungen zwischen britischen Soldaten und slowenischen Demonstranten.

Britische und jugoslawische Kameraleute haben dies gefilmt, und wir haben diese Filme sowohl im Imperial War Museum in London wie auch im Revolutionsmuseum in Laibach gefunden. Die britischen und amerikanischen Fahnen wurden damals von slowenischen Mädchen getragen, was von den britischen Soldaten gern zum Anlaß genommen wurde, sich der Fahnenträgerinnen waffenbrüderlich anzunehmen: Die Filme geben den Jubel wieder, die Küsse und die Umarmungen.

Notfalls ein neuer Krieg

Feldmarschall Alexander, der von dieser Stimmung unterrichtet wird, ist beunruhigt und meldet sein Bedenken den Vereinigten Stabschefs in einem Telegramm: „Die Soldaten werden den Befehlen gehorchen, aber ich zweifle, ob sie mit dem gleichen Enthusiasmus gegen Tito kämpfen werden, wie sie gegen die verhaßten Deutschen gekämpft haben." Winston Churchill ist wütend, als er erfährt, daß sein Feldmarschall Alexander derartige Bedenken gegenüber den Vereinigten Stabschefs, also auch gegenüber den Amerikanern, geäußert hat. Er sendet ein Telegramm voll der Vorwürfe an Alexander: Sollten die Amerikaner zu dem Schluß kommen, es wäre auf die Briten kein Verlaß, wie könnte man dann von den Amerikanern erwarten, daß sie sich voll und ganz hinter die britischen Forderungen stellten? Außerdem irre sich Feldmarschall Alexander in der Mentalität seiner Soldaten. Churchill wörtlich: „Niemand erwartet, daß sich kriegsmüde Truppen mit Enthusiasmus neuen Aufgaben zuwenden. Aber sie erwärmen sich schnell, wenn einmal mit dem Schießen begonnen wird."

Churchill fordert von Präsident Truman, er möge den amerikanischen Streitkräften in Europa Befehl geben, für eine eventuelle kriegerische Auseinandersetzung mit Tito bereit zu sein. Außerdem schlägt Churchill vor, die amerikanischen Truppen aus jenen Teilen Deutschlands nicht abzuziehen, die gemäß dem Abkommen von Jalta zur künftigen Sowjetzone Deutschlands gehören sollen. Das ist vor allem Thüringen, das die Amerikaner vor den Sowjets erreicht und besetzt haben.

In seiner Antwort erklärt Truman, er würde mit all diesen Maßnahmen noch zuwarten, bis sich herausstellt, wie Tito auf die anglo-amerikanischen Proteste reagiere. Truman verweist darauf, daß er die USA nicht so ohne weiteres in einen neuen Krieg in Europa verwickeln könne, da doch der Krieg gegenüber Japan noch nicht gewonnen sei. Wörtlich heißt es im Telegramm Trumans an Churchill: „Es ist mir unmöglich, die USA in einen neuen Krieg zu verwickeln, es sei denn, Titos Streitkräfte greifen uns an. Sollte Tito einen feindlichen Akt setzen und unsere alliierten Streitkräfte irgendwo angreifen, dann würde ich meinen, daß Feldmarschall Alexander so viele Truppen jeglicher Nationalität einsetzt als ihm nötig erscheint. Truman."

Tito setzt keine feindlichen Aktionen, er läßt nur weitere Truppen aufmarschieren, und er weigert sich, Kärnten und Triest zu räumen. Nun mobilisiert der Westen. Feldmarschall Alexander werden weitere 18 Divisionen unterstellt. Auch die Eliteverbände des amerikanischen Panzergenerals Patton, die im Raum Oberösterreich und Bayern stationiert sind, erhalten Befehl, sich in Richtung Triest in Marsch zu setzen. Die ersten Panzerkolonnen rollen über Salzburg und die Tauern in Richtung Jugoslawien. Es ist Mitte Mai 1945, wenige Tage nach Kriegsende, drei Monate nach Jalta. Feldmarschall Alexander begibt sich nach Kärnten und inspiziert die dort eingerückten britischen Verbände. Er besucht auch Lager mit deutschen Kriegsgefangenen. Die Kärntner Bevölkerung merkt zwar, daß das Verhältnis zwischen Briten und Jugoslawen sehr gespannt ist, das volle Ausmaß dieser Konfrontation erfahren die Kärntner aber erst am 20. Mai. Die „Kärntner Zeitung", die nun als „Organ der britischen 8. Armee" erscheint, veröffentlicht einen Erlaß des Feldmarschalls Alexander, in dem eine eindeutige Sprache gesprochen wird: „Marschall Tito beansprucht für Jugoslawien italienische Gebiete rund um Triest und Teile Kärntens mit Klagenfurt. Wir haben prinzipiell gegen die Anmeldung solcher Ansprüche nichts einzuwenden, die bei der Friedenskonferenz geprüft und gerecht und unparteiisch entschieden werden.

Es ist aber offenbar die Absicht Marschall Titos, solche Ansprüche mit Waffengewalt und durch einseitige Okkupation durchzusetzen. Solche Methoden erinnern zu sehr an die Methoden Hitlers, Mussolinis und Japans. Um solche Methoden zu verhindern, haben wir diesen Krieg geführt.

Die Vereinten Nationen sind übereingekommen, gemeinsam eine geordnete und gerechte Regelung aller territorialen Streitfragen durchzuführen. Sie haben furchtbare Opfer in diesem Krieg gebracht, um einen dauernden Frieden zu sichern. Wir können jetzt nicht einfach alle diese Grundsätze über Bord werfen. Wir haben uns verpflichtet, solche umstrittenen Gebiete als Treuhänder zu verwalten, bis die Friedenskonferenz eine Entscheidung gefällt hat.

Wir müssen jetzt abwarten, ob Marschall Tito gewillt ist, an einer friedlichen Regelung mitzuarbeiten, oder ob er weiter versuchen wird, seine Ansprüche mit Waffengewalt durchzusetzen."

Tito wird von den Botschaftern der USA und Englands in Belgrad ultimativ aufgefordert, Kärnten, Triest und Teile Istriens zu

TOP SECRET CYPHER TELEGRAM

WARNING This message must be thoroughly paraphrased if its text is to be published or communicated outside British or American Services or Departments. If re-transmitted unparaphrased other than through the Cabinet Office, the originator must mark the message "to be sent in One-Time Pad."

IZ 5183
TOO 1717432
TOR 1720502

EMERGENCY

From:- A.F.H.Q.

To:- AG.WAR.
A.M.S.S.O.

Info:- S.H.A.E.F. Forward   X C.C.M.

NAF 975   17th May, 1945.   FX. 77292

For:- Combined Chiefs of Staff.
British Chiefs of Staff.

Signed:- Alexander.

Cite:- FHCAO.

Ref:- NAF 974.

To assist us in clearing congestion in Southern Austria we urgently require direction regarding final disposal following three classes:

(a) Approximately 50,000 Cossacks including 11,000 women, children and old men. These have been part of German armed forces and fighting against Allies.

(b) Chetniks whose numbers are constantly increasing. Present estimate of total 35,000 of which we have already evacuated 11,000 to Italy.

(c) German Croat troops total 25,000.

In each of above cases to return them to their country of origin immediately might be fatal to their health. Request decision as early as possible as to final disposal.

T.O.O. 171743Z

CIRCULATION.
Defence Office.
Foreign Office.
First Sea Lord.
C.6 Tels. War Office.
A.M.C.S.(C).
Short TAM/MAT.

Links unten das entscheidende Telegramm Feldmarschall Alexanders an die Vereinigten Generalstabschefs. Die Auslieferung der Kosaken, Cetniks und Kroaten „in die Länder ihrer Herkunft könnte sich für ihre Gesundheit verhängnisvoll erweisen". Rechts unten die Regierungsanweisung an Feldmarschall Alexander: Die Kosaken sind im Sinne des Abkommens von Jalta zu behandeln. Das bedeutet ihre Auslieferung.

räumen. Wörtlich heißt es in der britischen Note: „Seiner Majestät Regierung fordert, daß alle jugoslawischen Streitkräfte, die sich zur Zeit in Österreich befinden, unverzüglich zurückgezogen werden." Falls Jugoslawien diesen Forderungen nicht nachkomme, heißt es abschließend, sei „Feldmarschall Alexander beauftragt, die Sache in seine Hände zu nehmen". Gleichzeitig verständigen die USA und England die Sowjetunion von ihrer Entschlossenheit, die Jugoslawen mit Waffengewalt zu vertreiben. Die entscheidende Frage ist nun, ob die Sowjets Tito ermutigen, Widerstand zu leisten, oder ob sie Tito raten nachzugeben. Einen Moment lang steht alles auf des Messers Schneide. Ergreift die Sowjetunion jetzt für Tito Partei und machen die Anglo-Amerikaner ihr Ultimatum wahr, so gibt es den Krieg, und er wird vielleicht nicht auf Kärnten, Triest und Istrien beschränkt bleiben.

Gordon Brook-Shepherd erlebt diese Situation als Nachrichtenoffizier im britischen Hauptquartier in Klagenfurt: „Ich war diensthabender Offizier und befand mich allein in unserer Nachrichtenzentrale. Da kommt ein Telegramm. Ich weiß nicht mehr, ob von der Downing Street [Sitz des britischen Premierministers] oder vom Chef der Vereinigten Stabschefs. Und da der verantwortliche General nicht anwesend war, habe ich als diensthabender Offizier das Telegramm entschlüsselt. Und dieses Telegramm hat kurz und bündig besagt – ich übersetze dies ungefähr ins Deutsche –: ‚Mit sofortiger Wirkung sind die Streitkräfte der Sowjetunion als feindliche Streitkräfte zu betrachten.' Ich muß unterstreichen, ich war im Nachrichtendienst des Generalstabs, nicht in der Abteilung Feldoperationen. Das war kein Befehl, die Russen anzugreifen, sondern das war ein Nachrichtenziel – die Russen müssen ab sofort vom nachrichtendienstlichen Standpunkt her als mögliche Feinde betrachtet werden. Trotzdem – ich kann nur sagen, nachdem ich das Telegramm gelesen und noch einmal gelesen habe, ist die Sonne, die schöne Sonne über Kärnten für mich für eine Minute lang verschwunden. Ich habe plötzlich schwarz gesehen im buchstäblichen Sinn des Wortes: Mein Gott, was fängt jetzt an! Fünf Jahre Krieg haben wir hinter uns, und was kommt jetzt?!"

Auf dem Höhepunkt der Krise telegrafiert Churchill an Truman, „persönlich und streng geheim": „Sobald Alexander bereit ist zu marschieren, sollten unsere Botschafter in Belgrad Tito wissen lassen, daß der Feldmarschall die Dinge nun in seine Hand nimmt." Und Churchill weiter: „Die Tatsache, daß die Russen sich bisher still verhalten, ist wichtig. Kämen sie zu dem Schluß, daß man mit uns verfahren könne, wie man wolle, dann wird es keine Zukunft für Europa geben, außer einem neuen Krieg, viel fürchterlicher als alles, was die Welt bisher gesehen hat."

Feldmarschall Alexander braucht die Dinge nicht in seine Hand zu nehmen. Moskau hat sich offensichtlich eingeschaltet. Der für diesen Raum zuständige sowjetische Oberbefehlshaber in Österreich, Marschall Tolbuchin, unterstellt sämtliche jugoslawische Truppen in Österreich seinem Befehl, und er befiehlt ihnen – den sofortigen Abzug aus Kärnten. Kampflieder singend, ziehen die Jugoslawen ab. In Triest und in Teilen Istriens geschieht das gleiche. Dort übergeben die Jugoslawen den Briten sogar ordnungsgemäß ihre Ortskommandanturen. Das harte Auftreten der Anglo-Amerikaner hat das von ihnen erhoffte Resultat gebracht. So endet der erste schwere Nachkriegskonflikt zwischen Ost und West. Welche Auswirkung das für Österreich hat, erfahren die Kärntner am 22. Mai aus der „Kärntner Zeitung". Die Schlagzeile: „Abzug aus Kärnten". Die Zeitung zitiert eine Meldung des jugoslawischen Rundfunks: „Unsere Truppen werden aus dem Bundesland Kärnten abgezogen. Die Zurücknahme unserer Truppen bedeutet jedoch nicht das Aufgeben des rechtmäßigen Anspruches auf dieses Gebiet."

Eine unerwartete Wendung für Österreich. Auch wenn die jugoslawischen Gebietsansprüche weiter aufrechterhalten werden, so ist doch die Gefahr gebannt, daß diese Gebiete Kärntens von Tito-Truppen besetzt bleiben und auf diese Weise ihr Anschluß an Jugoslawien bereits vollzogen wäre. Ein Sieg auch für die Briten – sie haben sich gegenüber Tito und den Sowjets durchgesetzt.

50 000 Kosaken harren ihres Schicksals

Doch der britische Triumph wird nun Zehntausenden Menschen indirekt zum Verhängnis. In jenen Maitagen des Jahres 1945 lagern im Kärntner Drautal rund 50 000 Menschen. Es sind Kosaken mit ihren Frauen und Kindern. Sie alle stammen aus Rußland. Als die deutschen Armeen den Don erreichten und auch in die von Kosaken besiedelten Gebiete kamen, meldeten sich diese Kosaken freiwillig zum Dienst in den deutschen Streitkräften. Denn ein guter Teil der Kosaken-Bevölkerung fühlte sich im kommunistischen Regime und insbesondere unter Stalin seiner Freiheiten beraubt und unterdrückt. Freiheit und Unabhängigkeit sind für die Kosaken immer schon unverzichtbare Güter gewesen. Mit dieser Forderung auf den Lippen haben sie schon ihre großen Aufstände gegen die Zaren gemacht, haben Schlachten gewonnen, andere verloren, haben den Zaren Konzessionen abgerungen oder sind blutig unterdrückt worden. Nicht nur einmal haben die Kosaken schon den Weg nach Sibirien anzutreten gehabt. Apropos Sibirien: Die Gnade der Zaren haben sich die Kosaken immer wieder zurückgekauft durch ihre wagemutigen Eroberungen in Sibirien; es war ihre Landnahme für Rußland, für den Zaren. Als es nach Lenins Revolution in Rußland zum Bürgerkrieg kommt, kämpfen die Kosaken auf beiden Seiten, bei den Roten und bei den Weißen. Die einen versprechen sich da, die anderen dort mehr Freiheit. Nach dem Sieg der Roten sind die Kosaken nicht besser und nicht schlechter dran als alle anderen Sowjetbürger auch. Als nun die Deutschen kommen, glaubt ein Teil der Kosaken, selbst etwas zum Sturz Stalins und zur Ausschaltung des Kommunismus in Rußland tun zu müssen. So sind sie bereit, auf deutscher Seite mitzutun.

Eigene Kosakeneinheiten werden gebildet. Die alten Kosakenatamane [Atamane: gewählte Stammes- und Militärführer der Kosaken] werden in deutsche Generaluniformen gesteckt und grüßen nun mit dem Hitler-Gruß. Andere Kosaken, die schon nach dem Bürgerkrieg 1920 aus der Sowjetunion geflohen waren und seither in Jugoslawien, in der Tschechoslowakei und in Frankreich lebten, melden sich nun ebenfalls zu den deutschen Kosakendivisionen. Sie alle erhalten deutsche Uniformen und deutsche Soldbücher. Nach der Genfer Konvention waren die Kosaken damit deutsche Soldaten geworden und hatten Anspruch, in der Kriegsgefangenschaft als Deutsche behandelt zu werden. Wie schon gesagt, nach der Genfer Konvention gehört man der Nationalität an, deren Uniform man als Soldat trägt.

Die Kosaken stehen auch unter deutscher Führung. General Helmuth von Pannwitz ist ihr Befehlshaber, ein deutscher Reitergeneral, der nun seinerseits eine Kosakenuniform anzieht. Pannwitz holt in seine Kosakendivisionen rund 1 000 Kavallerieoffiziere als sogenanntes deutsches Rahmenpersonal. Viele von ihnen sind Österreicher, unter ihnen auch der damalige Rittmeister Leopold Goess. Und er erklärte uns, wie es zu dieser starken Beteiligung der Österreicher im Stab Pannwitz gekommen ist:

„Der Pannwitz, selber zwar Deutscher, war nach 1938 zu dem

Unter britischer Aufsicht werden die in deutschen Diensten gestandenen Kosaken entwaffnet. Im Drautal bei Lienz werfen sie ihre Waffen weg im Glauben, daß die Briten ihre Zusage halten werden, die Kosaken nicht an die Sowjetunion auszuliefern.

338

damaligen Kavallerieregiment Nr. 11 in Stockerau versetzt worden, wo wir alle waren, nämlich ursprünglich im österreichischen Bundesheer. Nun kam Pannwitz zu uns und lernte uns kennen. Als er dann mit der Führung der Kosaken betraut wurde, kannte er a) die Österreicher, b) waren bei diesem Kavallerieregiment viele Aristokraten und c) hatte er die Erfahrung gemacht, daß die Österreicher und im besonderen die Aristokraten mit fremden Völkern besser umgehen können als die Preußen. Das hatte er sehr geschickt erfaßt und hat sich daher von da seine Leute geholt. Sein Hauptreservoir war das österreichische Kavallerieregiment Nr. 11. Daher dienten so viele Österreicher mit Pannwitz bei den Kosaken."

Aber die Kosaken, die sich zum Kampf gegen die Rote Armee gemeldet hatten, werden von den Deutschen hauptsächlich zur Partisanenbekämpfung in Jugoslawien und später in Norditalien eingesetzt. Offenbar traut man ihnen nicht ganz. Wie das deutsche Oberkommando ja auch all den Russen und Ukrainern nicht traut, die sich zu den Truppen des in deutsche Dienste getretenen russischen Generals Andrej Wlassow [„Komitee zur Befreiung der Völker Rußlands"] melden.

Doch eines machen die Kosaken zur Bedingung: Wo immer sie auch eingesetzt werden, ihre Frauen und Kinder müssen mit ihnen ziehen. So wandert die kleine Kosakenrepublik zunächst vom Don nach Polen und von dort nach Jugoslawien und dann nach Oberitalien. Die Deutschen versprechen den Kosaken, daß dies künftig ihre Heimat sein werde. Die einheimische italienische Bevölkerung werde man aussiedeln. Das trägt nicht wenig dazu bei, daß die Italiener dieses Gebiets in Scharen zu den Partisanen übergehen und es zwischen den Kosaken und den Partisanen zu immer heftigeren Kämpfen kommt. Die Partisanen stehen unter kommunistischer Führung. Als der Krieg zu Ende geht und die Kosaken erkennen müssen, daß die deutsche Sache verloren ist, müßten sie gegenüber den kommunistischen Partisanen kapitulieren. Und diese, davon sind die Kosaken fest überzeugt, würden sie den Sowjets ausliefern. So beschließen die Kosaken, sich nach Österreich durchzuschlagen und dort gegenüber den Briten zu kapitulieren. Zu diesem Entschluß trägt auch bei, daß einige der alten Kosakenatamane während des Bürgerkriegs, als sie gegen die Bolschewiken kämpften, mit dem anglo-amerikanischen Expeditionskorps in Rußland engen Kontakt hatten. Einer der führenden britischen Offiziere hieß Alexander, und dieser Alexander ist nun Oberbefehlshaber der britischen Truppen in Österreich. Deshalb sind die Kosaken überzeugt, daß sie bei den Briten gut aufgenommen würden.

Einige von ihnen besitzen noch die Orden, die sie im Bürgerkrieg von den Briten erhalten haben. Sie stecken diese Orden jetzt an, als sie sich aufmachen, mit den Briten Kontakt zu suchen und zu verhandeln. Die Kosaken haben auch schon einen Plan, den sie den Briten anbieten wollen: Sie wären bereit, in britische Dienste überzutreten und sich von den Briten als eine Art Fremdenlegion im großen weiten britischen Empire einsetzen zu lassen.

Auf britischer Seite treten den Kosaken jedoch nur untergeordnete Offiziere gegenüber. Der Wunsch der Kosaken nach einem Kontakt mit Feldmarschall Alexander wird entgegengenommen, aber nicht erfüllt. Aber die Briten behandeln die Kosaken freundlich und sagen ihnen zu, sie unter keinen Umständen den Sowjets auszuliefern. Das Drautal bei Lienz in Osttirol wird den Kosaken als Lagerplatz angewiesen. Auf den Feldern am Nordufer der Drau schlagen die Kosaken ihre Zelte auf, läßt sich das Kosakenvolk nieder. Rund 50 000 Männer, Frauen und Kinder. Die Briten selbst stellen nur wenige Posten; diese patrouillieren quer durch das

Als sie österreichischen Boden erreichten, glaubten sie sich in Sicherheit: Tausende kroatische und slowenische Soldaten, die auf deutscher Seite gegen Tito gekämpft hatten (unten). Und auch sogenannte Cetniks, Serben, die im Dienste der jugoslawischen Exilregierung in London zunächst gegen die Deutschen kämpften, jedoch zunehmend in Tito und seinen Kommunisten ihre Gegner sahen. Sie fliehen mit ihren Frauen und Kindern nach Österreich (rechts). Im Unterschied zu den Kroaten und Slowenen werden sie von den Briten nicht an Tito ausgeliefert.

Lager und freunden sich mit den Kosaken rasch an. Dann kommt der Befehl zur Abgabe der Waffen. An sich eine Selbstverständlichkeit; da die Kosaken auf deutscher Seite gekämpft haben, sind sie zu entwaffnen. Die Kosaken folgen dem Befehl, und doch wird zum erstenmal Mißtrauen in ihnen wach: Würden die Briten ihre Zusage halten, sie nicht an die Sowjetunion auszuliefern? Denn für die Sowjets sind die Kosaken Vaterlandsverräter.

„Verhängnisvoll für ihre Gesundheit"

Die Kosaken sind übrigens nicht die einzigen, die nun im britischen Besatzungsgebiet lagern. Wir berichteten schon, daß es trotz der von den Briten verhängten rigorosen Grenzsperre einigen tausend Kroaten gelungen war, sich nach Kärnten durchzuschlagen. Nach britischen Angaben handelt es sich um rund 25 000 kroatische Soldaten und um wahrscheinlich fast ebenso viele Frauen und Kinder. Königstreue Serben, die Cetniks, mit ihren Frauen und Kindern haben ebenfalls Kärntner Boden erreicht und berufen sich nun darauf, daß sie im Krieg Verbündete der Briten waren. Sie alle und dazu noch an die 12 000 slowenische „Domobranzen", Heimatschützer, die auch gegen Tito gekämpft hatten, befinden sich nun in verschiedenen Lagern im Raum von Kärnten und Osttirol.

Mitte Mai erhält Feldmarschall Alexander den Befehl, sich auf eine kriegerische Auseinandersetzung mit Jugoslawien gefaßt zu machen. Wenn es dazu kommt, so wird diese Auseinandersetzung auch im Kärntner Raum stattfinden. Die zahlreichen Lager mit den vielen fremden Truppen werden sich nach Alexanders Auffassung als sehr hinderlich erweisen, schon weil man die Ernährung dieser Menschen sicherstellen muß. Dennoch weiß Alexander ganz genau, daß ein Abschieben dieser Menschen einerseits zu den Sowjets, andererseits in Titos Jugoslawien schlimme Konsequenzen für sie hätte. So sendet Feldmarschall Alexander am 17. Mai eine Anfrage an die Vereinigten Stabschefs: Wie soll er verfahren mit 50 000 Kosaken, mit 35 000 Serben, mit 25 000 Kroaten, die alle in seinem Operationsgebiet lagern und die man von da wegbringen müßte, bevor es mit Tito losgeht? Vorsorglich fügt Alexander in diesem Telegramm hinzu: „Eine Auslieferung an ihre Heimatländer wäre zweifellos verhängnisvoll [englisch: fatal] für ihre Gesundheit." Das ist ein Understatement, eine Untertreibung, wie sie bei den Briten üblich ist, aber wie sie Briten auch verstehen und sofort richtig deuten können: „Verhängnisvoll für ihre Gesundheit" heißt, daß ihnen der Tod droht. Alexander erhält zunächst eine Teilantwort auf seine Anfrage. Sie betrifft das Schicksal der Kroaten. Und in London tut man so, als ob man Alexanders Hinweis nicht gelesen oder nicht verstanden hätte, daß die „Auslieferung dieser Leute zweifellos verhängnisvoll für ihre Gesundheit wäre". Der Befehl, den Alexander nun erhält, zeigt, daß man in London ausschließlich britische Interessen im Auge hat: Die kroatischen Truppen in Südösterreich sind an Jugoslawien auszuliefern. Wörtlich wird hinzugefügt: „Eine solche Aktion wird Tito zweifellos mit Genugtuung erfüllen und würde ihm zeigen, daß wir zumindest in einigen Fragen bereit sind, ihn als Verbündeten zu betrachten."

Zu dem Zeitpunkt, da Alexander den Befehl erhält, die Kroaten auszuliefern, fühlen sich diese schon völlig in Sicherheit. Die Briten haben die Soldaten entwaffnet und ihnen dann gestattet, mit den Frauen und Kindern in gemeinsame Lager zu ziehen. Zu ihrer großen Beruhigung hat man diese Lager an den Wörther See verlegt, bewußt außerhalb der Zone, in der zunächst auch jugoslawische Truppen neben den britischen stationiert waren. In diesen Kroatenlagern träumt man davon, demnächst die Bewilligung zur

Auswanderung nach den USA, nach Kanada oder nach Australien zu erhalten.

Die britischen Militärbehörden wissen genau Bescheid um die Befürchtung der Kroaten, an Titos Jugoslawien ausgeliefert zu werden. Und als die Briten nun den Befehl erhalten, gerade diese Auslieferung zu bewerkstelligen, teilen sie dies den Kroaten nicht mit. Richtigerweise erwarten sie, daß eine derartige Nachricht zu Panik und zu Aufständen in den Kroatenlagern führen und es den Briten schwerfallen würde, der Situation Herr zu werden. So wird in den Kroatenlagern nur beiläufig bekanntgemacht, daß alle Männer vor ihrer endgültigen Entlassung mit den entsprechenden Papieren ausgestattet werden müßten. Zu diesem Zweck würden britische Lastwagen bereitgestellt, um die Männer in die Entlassungslager zu transportieren.

Für die Kroaten ist das eine gute Nachricht: endgültige Entlassung, endgültige Papiere! Guter Dinge besteigen sie die britischen Lastkraftwagen. Diese aber fahren keineswegs zu einer Entlassungsstelle, sondern geradewegs in den österreichischen Grenzort Bleiburg. Als die Kroaten dort von den Lastkraftwagen steigen, sind sie bereits von schwerbewaffneten Tito-Soldaten umzingelt, die ihre Maschinengewehre auf sie gerichtet haben.

Die Kroaten werden über die jugoslawische Grenze getrieben, jedoch nicht sehr weit. Dort werden sie auf offenem Feld reihenweise erschossen. Die Massengräber, in die man sie wirft, waren schon vorbereitet. Es ist ein Massaker. Und als Massaker von Bleiburg wird es in die Geschichte eingehen, zumindest in die kroatische, in die britische und in die österreichische.

Über die Anzahl derer, die bei Bleiburg sofort erschossen worden sind, gehen die Schätzungen auseinander, aber es waren zweifellos mehrere tausend. Im Londoner Unterhaus wird die Regierung bald befragt, was mit den Kroaten geschehen sei, die auf britischen Befehl ausgeliefert worden seien, und ob es richtig sei, daß viele von ihnen gleich erschossen worden wären. Die Antwort des Londoner Außenministeriums an die britischen Parlamentarier bestätigt dies. In dem Bericht heißt es: „Wir haben später erfahren, daß diese unglücklichen Menschen" – doch das Wort „unglücklich" wurde in dem Bericht amtlich wieder gestrichen – „daß diese Menschen auf brutalste Weise niedergemetzelt worden sind." Der Bericht erwähnt mit keinem Wort, daß für die Kroaten ein derartiges Schicksal vorauszusehen gewesen sei und daß Feldmarschall Harold Alexander in seiner Anfrage sogar ausdrücklich darauf hingewiesen hatte: „. . . zweifellos verhängnisvoll für ihre Gesundheit". Den Kroaten folgen die 12 000 Slowenen. Ihnen wird von den Briten gesagt, daß sie nach Oberitalien gebracht würden. Auch sie besteigen arglos die Lastzüge – und werden den Jugoslawen ausgeliefert. Auch von ihnen sollen nur wenige überlebt haben.

Die nächste Anweisung an Feldmarschall Alexander betrifft die Cetniks, die serbischen Partisanen, und ihre Angehörigen. 35 000 von ihnen war die Flucht nach Österreich geglückt. Sie treten gegenüber den Briten zunächst sehr selbstbewußt auf: Sie waren Kämpfer für das königliche Jugoslawien und damit Kämpfer für die jugoslawische Exilregierung in London. Sie waren also Verbündete der Briten. Daß die politisch-militärische Realität in Jugoslawien die Cetniks schließlich dazu bewogen hat, sich mehr gegen Tito als gegen die Deutschen zu wenden, hing daran, daß Tito in den Cetniks bewaffnete Verbände sah, die sich nach dem Krieg seinem Anspruch auf Errichtung einer kommunistischen Diktatur in Jugoslawien widersetzen würden. Und dementsprechend bekämpfte er sie auch. So wäre auch die Auslieferung der Cetniks an Tito „für deren Gesundheit zweifellos verhängnisvoll". In London beschließt

Das Kosaken-Korps wurde vom deutschen Reitergeneral Helmuth von Pannwitz geführt, doch befanden sich beim deutschen Rahmenpersonal auch viele österreichische Kavalleristen. Das Bild rechts oben zeigt General Pannwitz (links) in der deutschen Kosakenuniform. Da die Kosaken unter der Hakenkreuz-Fahne kämpften, wurden sie von den Sowjets als Hochverräter eingestuft. Die Kosaken, die sich auf österreichischem Boden den Briten ergeben hatten, tragen ihre deutschen Uniformen (unten). Nach der Genfer Konvention wären sie daher als Deutsche und nicht mehr als Sowjetbürger anzusehen. Ihre Gesichter spiegeln jedoch die Skepsis wider, mit der sie die Zusicherung aufnehmen, daß sie nicht ausgeliefert würden.

man nun, die Cetniks im Gegensatz zu den Kroaten nicht auszuliefern. Aber Verbündete der Briten dürfen sie auch nicht bleiben, denn Titos Regierung ist von den Westmächten und daher auch von England als einzig legitime Regierung Jugoslawiens anerkannt. Als die Briten ihnen dies mitteilen wollen und die Cetniks in ihren Lagern in Kärnten zum Appell antreten lassen, marschieren diese noch mit britischen und amerikanischen Fahnen auf, zum Zeichen ihrer Verbundenheit mit dem Westen. Bei den Appellen wird ihnen jedoch gesagt, daß sie ihre Waffen, soweit vorhanden, abzugeben haben, daß sie von nun an den Status von „displaced persons", von „versetzten Personen" erhalten, das heißt als Heimatlose gelten, die sich darum bemühen müßten, in irgendeinem Land der Welt Aufnahme zu finden. Aber sie könnten beruhigt sein: man werde sie nicht an Jugoslawien ausliefern. Fairerweise muß man hier hinzufügen, daß die Briten und auch die Amerikaner diese ungerechte Behandlung der Cetniks relativ bald einsehen und diese dann bevorzugt zur Auswanderung nach den USA, nach Kanada und Australien zulassen.

Die Auslieferung der Kosaken

Streng geheim ist der Befehl an Feldmarschall Alexander, mit dem das Schicksal der Kosaken entschieden wird. Für so heikel hält man diesen Befehl, daß seine Weitergabe in der höchsten Geheimstufe erfolgt, das heißt: nur in wenigen Kopien, gerichtet an die Vereinigten Stabschefs, an Alexander, an die britische Regierung. Jede einzelne Kopie dieses Befehls ist numeriert, und der Empfänger wird mit Unterschrift zur Geheimhaltung verpflichtet. Dabei klingt dieser Befehl fast harmlos: Die Kosaken seien „gemäß den Vereinbarungen von Jalta zu behandeln". Es gibt aber keine Sondervereinbarung bezüglich der Kosaken. Die einzige Vereinbarung, die hier anwendbar wäre und die man in Jalta getroffen hat, befaßt sich mit dem Schicksal der Soldaten alliierter Mächte, die in deutsche Gefangenschaft geraten sind und nun von alliierten Truppen befreit werden. Diese befreiten alliierten Staatsangehörigen würden, so verpflichteten sich die Konferenzteilnehmer von Jalta, unverzüglich in ihre Heimatstaaten überstellt werden. Gemeint waren befreite Kriegsgefangene oder Fremdarbeiter bzw. Zwangsverschleppte oder KZ-Insassen.

Die Kosaken aber waren keine Gefangenen der Deutschen. Sie standen in deutschen Diensten und waren deshalb nach der Genfer Konvention als Deutsche zu behandeln. Doch die Sowjets haben die Briten wissen lassen, daß sie das Abkommen von Jalta bezüglich der „Staatsangehörigen alliierter Mächte" auch auf Überläufer angewendet wissen wollen. Und die Kosaken sind in den Augen der Sowjets Überläufer und Hochverräter.

Die britische Regierung hätte sich auf den Standpunkt der von Großbritannien anerkannten Genfer Konvention stellen können, ja stellen müssen. Das sowjetische Auslieferungsbegehren wäre demnach abzuweisen gewesen. Die Briten aber beschlossen, der sowjetischen Forderung nachzukommen. Der harmlos klingende Befehl, die Kosaken „seien gemäß den Vereinbarungen von Jalta zu behandeln", bedeutete in diesem Zusammenhang nichts anderes als Auslieferung.

Über das Schicksal der Kosaken sind seither mehrere Bücher geschrieben worden. Es gab Debatten im britischen Unterhaus. Die britische Öffentlichkeit hat die damalige Haltung ihrer Regierung ziemlich einhellig verurteilt. Nur eines ist bisher nicht geklärt worden: Wer war die letzte Instanz, die den Befehl zur Auslieferung gab? Und vor allem: Weshalb wurde die Entscheidung getroffen? Vieles deutet darauf hin, daß die Auslieferung der Kosaken auch mit der großen Konfrontation zwischen den Briten und Marschall Tito zusammenhängt. Tito wollte ja offenbar nicht nachgeben, weder in Triest noch in Kärnten. Es waren die Sowjets, die der Tito-Armee den Abzug aus Österreich befahlen. Das läßt vermuten, daß die Sowjetunion starken Druck auf Tito ausgeübt hat. Titos Nachgeben honorierten die Briten mit der Auslieferung der Kroaten und der Slowenen – „eine solche Aktion wird Tito zweifellos mit Genugtuung erfüllen". So liegt die Vermutung nahe, daß sich die britische Regierung für den sowjetischen Druck auf Tito bei Stalin mit der Auslieferung der Kosaken bedankte.

Den Kosaken war ebenso wie den Kroaten von der britischen Militärregierung in Kärnten zugesichert worden, daß sie nicht ausgeliefert würden. Die Kosaken aber waren mißtrauischer als die Kroaten – ihnen genügte die einfache Zusicherung nicht. Sie wandten sich immer wieder an die britischen Instanzen, insbesondere an Feldmarschall Alexander, und erinnerten eindringlich daran, daß sie an der Seite des britischen Expeditionskorps gegen die Bolschewiken gekämpft hätten, daß viele von ihnen britische Auszeichnungen aus jener Zeit besäßen und daß Großbritannien sich über diese gemeinsame Geschichte der geänderten Zeiten wegen nicht hinwegsetzen könnte.

Tom Dennis war Hauptmann in der britischen Armee und gehörte 1945 zu jenem britischen Kontingent, dessen Aufgabe es war, die Kosaken im Drautal bei Lienz zu überwachen. In seinem Heim in England schilderte uns Tom Dennis, was er damals wußte, was er sah und was er tat: „Die Kosaken wurden von allen anderen Nationen separiert und formten ihre eigenen Lager. Sie haben uns immer wieder gefragt, ob es denkbar sei, daß sie an Rußland ausgeliefert werden. Wir gaben ihnen jede Versicherung, daß sie unter keinen Umständen ausgeliefert würden. Und doch verging kein Tag, ohne daß sie diese Frage gestellt hätten. Sie waren angstgeplagt bei dem Gedanken, man könnte sie zu den Sowjets überstellen, für sie war das gleichbedeutend mit ihrer Auslöschung."

Die britischen Offiziere im Drautal geben nur weiter, was ihnen selbst von oben mitgeteilt worden ist: Die Kosaken werden nicht ausgeliefert, sagt es ihnen, beruhigt sie. 50 000 Kosaken lagern hier; Frauen und Kinder zwar inbegriffen, aber es werden doch weit über 30 000 Soldaten gewesen sein, eine Streitmacht auch dann, wenn man ihnen die Waffen weggenommen hat. Mit einem Aufstand der Kosaken würden die Briten nicht so schnell fertig werden. Und so greift das britische Oberkommando auch gegenüber den Kosaken zu einer List: Eines Tages werden alle Kosakenführer von den Briten höflich eingeladen, zu einer Unterredung in das britische Hauptquartier zu kommen. Man wolle mit ihnen die Zukunft der Kosaken besprechen. Die Einladung erweckt bei einigen Kosakenführern Mißtrauen, und sofort fragen sie wieder die britischen Verbindungsoffiziere: Werden wir ausgeliefert? Doch das britische Oberkommando hat auch diese Verbindungsoffiziere nichts von der beabsichtigten Auslieferung wissen lassen, ganz im Gegenteil – gerade ihnen wird versichert, daß alles in Ordnung sei und daß an keine Auslieferung gedacht werde.

Diese britischen Offiziere haben im Laufe der letzten Wochen Freundschaft mit den Kosaken geschlossen, ein echtes Vertrauensverhältnis hergestellt. Ihnen glauben die Kosaken. Und so besteigen sie die britischen Lkw, um zu einer Besprechung über ihre Zukunft in das britische Hauptquartier zu fahren. Sie werden in ein vorbereitetes Gefangenenlager gebracht. Als sie dort von den Lastwagen steigen, erkennen sie, daß sie in eine Falle gegangen

Leopold Goess: Besser verstanden, mit fremden Völkern umzugehen.

Tom Dennis: Ich war entsetzt und konnte es nicht glauben.

Gleich außerhalb von Lienz liegt der kleine Friedhof, auf dem jene Kosaken bestattet sind, die 1945 dort den Tod fanden. Nicht wenige von ihnen begingen Selbstmord, als sie erfuhren, daß sie nun doch an die Sowjetunion ausgeliefert würden, wo ihnen die Verurteilung als Hochverräter drohte. Einigen gelang damals die Flucht durch die britische Postenkette. Die Überlebenden von damals kommen Jahr für Jahr auf dem Friedhof zusammen, um ihrer Kameraden zu gedenken.

sind. Tom Dennis befand sich in diesem Lager. Doch selbst er, im Rang eines Hauptmanns, weiß noch nicht, daß dies der Anfang der Auslieferungsprozedur ist.

Und so erlebte Tom Dennis die Ankunft der Kosakenführer: „Da ruft uns ein britischer Offizier zu: ‚Raus mit euch aus dem Lager! Man hat den Kosaken soeben gesagt, daß sie an die Russen ausgeliefert werden.' Wir hatten keine Ahnung davon und versuchten nun, schleunigst aus dem Lager zu kommen, denn das war uns schlagartig klar: Jetzt zerlegen sie uns Stück für Stück. Wir mußten sogar schießen, um rauszukommen."

Tom Dennis und seine Offizierskollegen schlagen sich zum Lagerausgang durch und gelangen auch noch hinaus. Das Lager ist von einem dichten Kordon britischer Soldaten zerniert. Für die Kosaken gibt es kein Entkommen. Als sie das erkennen, begehen einige von ihnen vor den Augen der Briten Selbstmord, andere werden am nächsten Morgen in den Baracken tot aufgefunden. Tom Dennis aber ist empört: „Ich konnte das einfach nicht glauben. Das war doch nicht möglich. Wir hatten ihnen doch immer die Versicherung gegeben, daß sie nicht ausgeliefert werden. So bin ich ins Hauptquartier gegangen und habe gefragt, was denn um Himmels willen los sei! Ja, es ist wahr, sie werden morgen ausgeliefert. Ich war entsetzt und konnte nicht glauben, daß Briten dies tun könnten. Ich forderte, von meinem Kommando sofort enthoben zu werden. Man sagte mir, ich möge doch kein Weichling sein, Befehl sei Befehl, und ich habe den Befehl auszuführen. Wir waren kampferprobte Soldaten. Strikte Disziplin war für uns das Um und Auf. So mußte auch ich diesen Befehl akzeptieren."

Im großen Kosakenlager im Drautal ahnt man bereits, was geschehen ist. Am nächsten Morgen ist es Gewißheit. Doch die zurückgebliebenen Kosaken sind führungslos, außerdem befinden sich im Lager Tausende Frauen und Kinder. So setzen die Kosaken nicht auf einen Aufstand, auf einen Ausbruch, auf einen Kampf, sie setzen auf Gott und auf menschliche Barmherzigkeit. Als die britischen Lastwagenkolonnen anrollen und die britischen Soldaten in Schwarmlinien auf das Lager zugehen, bietet sich ihnen ein erschütterndes Bild. Inmitten des Lagers haben die Kosaken einen improvisierten Altar errichtet. Vor diesem Altar beten mehrere Popen mit lauter Stimme und bitten Gott um ein Wunder. Die Frauen und die Kinder der Kosaken sind dicht um den Altar geschart, sie beten laut und singen. Rund um diese Frauen und Kinder haben die Kosaken einen Ring gebildet. Auch sie knien, haben aber ihre Arme eingehakt und sind entschlossen, der Gewalt zu trotzen.

Die Anwendung dieser Gewalt wird den britischen Soldaten nun befohlen: Der Ring der Kosaken ist zu sprengen, die Kosaken selbst sind auf die bereitstehenden Lastkraftwagen zu treiben, zuerst die Männer, dann auch die Frauen und die Kinder. Iwan Tschongow war einer der Kosaken, die dort knieten und versuchten, gewaltlos Widerstand zu leisten. Er ist einer der wenigen, denen es später gelang, den Briten zu entkommen und in den Wäldern bei Lienz zu überleben.

Wir trafen Iwan Tschongow auf dem Kosakenfriedhof bei Lienz. Hier ist ein Teil jener Kosaken begraben, die damals ums Leben gekommen sind; sei es durch fremde Gewalteinwirkung, sei es, weil sie Selbstmord begingen. Auch Frauen und Kinder liegen auf diesem Friedhof begraben. Und jedes Jahr an dem Tag, an dem damals die Briten kamen, um die Kosaken zu holen, versammelt sich auf dem Friedhof jenes Häuflein von Kosaken, dem damals die Flucht gelang, und gedenkt bei einem Feldgottesdienst ihrer damaligen Kameraden. Iwan Tschongow aber berichtete uns von jenem anderen Gottesdienst in diesem Tal, als die Engländer kamen: „Noch während des Gottesdienstes drangen sie auf uns ein, schlugen auf die Leute ein und zerrten sie auf die Autos hinauf. Alles war in Panik, alles hat geschrien. Die Leute versuchten, gegen das Drauufer zu entkommen und über die Brücke zu fliehen. Aber den Fluchtweg haben sie auch gesperrt, sie sind mit Panzern aufgefahren. Und danach war Schluß."

Doch es war nicht ganz Schluß. Viele sprangen in die Drau und erreichten das andere Ufer. Drüben standen zwar Briten, aber einige der britischen Soldaten verweigerten den Befehl und ließen die fliehenden Kosaken passieren. Andere Kosaken suchten in der Drau den Tod. Tom Dennis stand nicht weit von der Brücke über die Drau entfernt: „Ich konnte sehen, wie sich viele Leute zur Brücke drängten. Als ich näherkam, bemerkte ich zwei Kosakenfrauen; eine hatte etwas in der Hand, was aussah wie ein Kleiderbündel, mit dem sie plötzlich heftig gegen das Brückengeländer schlug. Dann drückte sie das Bündel an sich und sprang in den Fluß. Da begriff ich, daß es ein Baby war, das sie soeben erschlagen hatte, um danach Selbstmord zu verüben. Und ich sah eine andere Mutter mit einem etwa fünf Jahre alten Buben. Auch sie nahm das Kind in die Arme und sprang mit ihm in den Fluß. Man muß wissen, daß die Drau zu diesem Zeitpunkt Hochwasser führte und ein reißender Strom war. Die Drau konnte innerhalb eines halben Tages ein, zwei Meter steigen. Manchmal war sie niedrig und sehr klar, und dann konnte man Hunderte deutsche Gewehre auf dem Boden des Flusses erkennen. An diesem Tag war die Drau sehr hoch, und die Frau wurde sofort vom Strom mitgerissen so wie die anderen auch." Die Erinnerung überwältigt Tom Dennis, Tränen steigen ihm in die Augen, und er wendet sich ab.

Die Demarkationslinie zwischen Briten und Sowjets verlief damals wie schon erwähnt entlang der Mur und mitten durch Judenburg. Und auf der Murbrücke in Judenburg wurden die Kosaken den Sowjets übergeben. Das „Österreich II"-Team hat mehrere Augenzeugen gefunden, die dieser Auslieferung zugesehen haben, und andere, die selbst ausgeliefert wurden. Übereinstimmend berichten sie, daß die Kosaken keinen Widerstand mehr geleistet haben, sobald die Lastwagenkolonnen unterwegs waren. Diese Kolonnen kommen auf der Strecke sogar einige Male zum Stehen. Da und dort versucht einer der Kosaken, vom Auto zu springen und davonzulaufen. Es wird ihm sofort nachgeschossen. Dann muß irgend jemand auf den Lastwagen die Parole ausgegeben haben, daß die Kosaken alles, was sie bei sich trugen, wegwerfen sollen. In erster Linie sind es ihre Soldbücher, Dokumente aller Art, sind es Fotografien, aber es ist auch Geld, es sind Schmuckstücke. Offenbar wollen sie nichts in die Hände der Sowjets geraten lassen. Österreicher, die entlang des Weges, den die Kosaken damals genommen haben, wohnen, haben Papiere, Geld und Schmuck aufgelesen; und wir trafen einige, die diese Gegenstände bis heute aufbewahrt haben – „für den Fall, daß jemand zurückkommt".

Einige der Kosaken versuchen noch unmittelbar vor der Übergabe an die Sowjets Selbstmord zu begehen: Auf der Murbrücke springen sie von den Lastwagen ab und stürzen sich über das Geländer der Brücke in den tiefen Murgraben. Sie werden von den Briten und den Sowjets heraufgeholt. Die Zahl derer, die auf diese Weise noch der Auslieferung entkommen wollten, konnten wir nicht feststellen. Die Aussagen der Augenzeugen gehen diesbezüglich weit auseinander. Viele dürften es jedoch nicht gewesen sein.

Am anderen Ufer der Mur stehen sowjetische Soldaten, Gewehre und Maschinenpistolen im Anschlag. Die Kosaken wer-

Iwan Tschongow: Danach war Schluß.

Das ist der Moment der Auslieferung der Kosaken durch die Briten an die Sowjets. Die britischen Lastkraftwagen mit den Kosaken sind in Doppelreihe auf der Judenburger Murbrücke aufgefahren. Einige der Kosaken versuchen noch, durch einen Sprung in die Mur die Freiheit zu gewinnen oder Selbstmord zu begehen.

den auf das Gelände der Judenburger Stahlfabrik getrieben, der heutigen VEW-Werke. In Judenburg hielt sich lange das Gerücht, die Kosaken wären an Ort und Stelle erschossen worden. Doch das stimmt nicht. Die Sowjets nahmen die Personalien jedes einzelnen Ausgelieferten auf und trieben sie dann in die große Halle des Stahlwerks, dessen Maschinen um diese Zeit – es war Ende Mai – bereits demontiert und weggeschafft waren. In der leeren Halle befanden sich sowjetische Posten mit Maschinengewehren. Aber es wurde nicht geschossen. In der Nacht jedoch begingen einige der Kosaken noch Selbstmord.

In dieser Halle befanden sich aber nicht nur Kosaken, sondern auch viele jener deutschen und österreichischen Offiziere, die zum Rahmenpersonal der Kosakendivision gehört hatten. Diese Deutschen und Österreicher waren von den Briten kurz nach der Kapitulation des Kosakenkorps von den Kosaken getrennt und in einem eigenen Kriegsgefangenenlager bei Griffen untergebracht worden. Auch diesem Rahmenpersonal hatten die Briten versichert, daß es nicht an die Sowjets ausgeliefert würde. Und als die britischen Lkw in das Lager Griffen kamen, wurde auch den deutschen und den österreichischen Offizieren gesagt, es handle sich lediglich um Verlegung und Entlassung. Erst als die Lkw-Kolonne in Judenburg zur Murbrücke abbog, erkannten auch die Deutschen und die Österreicher, daß sie an die Sowjets ausgeliefert würden. In der Halle der Judenburger Stahlwerke trafen nun diese Offiziere wieder mit ihren Kosaken zusammen.

Die Sowjets zeigten übrigens am deutschen Rahmenpersonal nicht soviel Interesse wie an den hohen Kosakenführern. Diese wurden abgesondert und in die sowjetische Offiziersmesse gebracht. Dort trafen hohe sowjetische Stabsoffiziere ein, die im Sowjethauptquartier in Baden und in Wien stationiert waren. Sie wollten sich die Begegnung mit den legendären Kosakenführern nicht entgehen lassen. Und wir wissen, daß die Kosakenatamane überrascht waren, wie gut und fast kameradschaftlich sie bei diesen Zusammenkünften behandelt wurden. In den nächsten Tagen wurden die Kosaken in Viehwaggons weitertransportiert, zuerst nach Graz und von dort über Ungarn und Rumänien bis Moskau. Von Moskau ging es fast ohne Aufenthalt weiter nach Sibirien – über Nowosibirsk bis in das Kusnetski-Kohlebecken. Das galt für das Gros der Kosaken sowie für das deutsche und das österreichische Rahmenpersonal. Generalleutnant Helmuth von Pannwitz, der Kommandierende General des Kosakenkorps, und die sieben höchsten Kosakenatamane wurden in Moskau vor Gericht gestellt, zum Tod verurteilt und 1947 hingerichtet. Die Nachricht, daß man sie öffentlich auf dem Roten Platz gehenkt hätte, erwies sich als falsch. Sie wurden in der Ljubljanka, dem Zentralgefängnis in Moskau, erschossen.

Die Kosaken und die rund 1 000 Mann des Rahmenpersonals mußten sich ihre Gefangenenlager in Sibirien zunächst selbst bauen. Sie waren auf offenem Feld ausgeladen worden, an irgendeiner Wasserstelle. Das war die härteste Zeit für sie: ohne Schutz vor Temperatur und Witterung, sehr schlecht ernährt, fast ohne medizinische Betreuung, hielten Ruhr und Flecktyphus unter den geschwächten Menschen reiche Ernte. Dann mußten die Kosaken und ihr Rahmenpersonal zur Zwangsarbeit in die Kohlengruben. Härteste Arbeit unter sehr schlechten Arbeitsbedingungen kostete wieder vielen das Leben. Aber – und darin stimmen die Berichte aller Überlebenden, mit denen wir gesprochen haben, überein: Ab Frühjahr 1946 begannen sich die Verhältnisse zu bessern. Jene, die bis zu diesem Zeitpunkt überlebt hatten, erhielten nun feste Lager, wurden besser ernährt, bekamen zum erstenmal neue Kleidung, und es gab auch eine bessere medizinische Betreuung. Ein Jahr später, 1947, gab es für die Kosaken so etwas wie eine Amnestie: Sie wurden mit ihren Frauen und ihren Kindern in einem Teil Sibiriens zwangsangesiedelt. Den Kosaken war damit wieder einmal ihr geradezu schon traditionelles Schicksal widerfahren: Immer im Aufstand gegen die Obrigkeit, schließlich gefaßt, als Gefangene nach Sibirien gebracht und dann dort zwangsangesiedelt. Das war schon seinerzeit bei den Zaren so, und Stalin hielt sich an das gleiche Muster.

In den Gefangenenlagern blieb jedoch das deutsche und das österreichische Rahmenpersonal zurück. Von einem der Offiziere erfuhren wir eine rührende Geschichte: 1948 tauchte neben den im Kohlenstollen arbeitenden Deutschen und Österreichern mit geschwärztem Gesicht einer der Kosakenführer auf, die ein Jahr zuvor zwangsangesiedelt worden waren. Er und ein Trupp Kosaken waren in die Nähe des Lagers zurückgekehrt und waren bereit, einen Befreiungsversuch für ihre ehemaligen Offiziere zu unternehmen. Eine Nacht lang wurde beraten, dann entschieden sich die Deutschen und die Österreicher gegen das Unternehmen. Ihre Überlegung: Im besten Fall würde es ein paar Dutzend gelingen, zu fliehen – und dann? Sie waren 6 000 Kilometer von ihrer Heimat entfernt. Durchzukommen war aussichtslos, und den Rest des Lebens in der Taiga versteckt zu verbringen, ebenso. Den Kosaken wurde gedankt, ihre Hilfe aber abgelehnt.

Die Österreicher im Rahmenpersonal wurden 1949 zum erstenmal davon verständigt, daß sie mit einer anderen Behandlung als die deutschen Gefangenen und mit einer früheren Heimkehr rechnen könnten.

Erstes Anzeichen dafür war die Einleitung eines Gerichtsverfahrens: Jeder einzelne österreichische Offizier wurde im Schnellverfahren zu 25 Jahren Zwangsarbeit verurteilt, hatte das Urteil zu unterschreiben und wurde begnadigt. Aber es sollte noch zwei Jahre bis zur endgültigen Entlassung dauern.

Heute läßt sich nicht mehr feststellen, wie viele Kosaken und wie viele Offiziere des Rahmenpersonals die Gefangenschaft überlebt haben. Die Aussagen der von uns interviewten Überlebenden lassen den Schluß zu, daß es ungefähr die Hälfte gewesen sein dürfte.

Die entführte Stephanskrone

Wenden wir uns nun dem Schicksal einer anderen Armee zu, die auch jahrelang an der Seite Deutschlands gekämpft hatte und deren Soldaten bei Kriegsende in Österreich stranden: der ungarischen Armee. Rund 200 000 ungarische Soldaten befinden sich im Mai 1945 in Kärnten, in der Steiermark, in Salzburg und in Oberösterreich. Dort treffen sie auf die Briten und die Amerikaner und nehmen mit diesen Verhandlungen auf. Dabei beweisen die ungarischen Offiziere großes Geschick: Es gelingt ihnen, die Anglo-Amerikaner davon zu überzeugen, daß die ungarischen Soldaten nicht als Verbündete, sondern als Gefangene der Deutschen nach Österreich verschleppt worden seien. Und das stimmt ja auch in einem gewissen Maß: Die Horthy-Regierung [Nikolaus Horthy, Reichsverweser Ungarns] hatte, als die sowjetischen Truppen die ungarische Grenze überschritten, mit den Sowjets einen Waffenstillstand schließen und ihr Bündnis mit Deutschland annullieren wollen. Horthy und seine Regierung wurden von den Deutschen festgenommen und in Bayern interniert. Der ungarischen Armee aber mißtraute die deutsche Wehrmachtsführung. Bis auf einige Divisionen, deren Kommandeure den Kampf auf deutscher Seite

Der ungarische Kronschatz, der bei Kriegsende nach Österreich gebracht und von den Kronwächtern bei Mattsee versteckt worden ist: die Stephanskrone, der Reichsapfel mit dem ungarischen Doppelkreuz, das Krönungsschwert und das Zepter. Die Kleinodien wurden später in den USA in Fort Knox aufbewahrt. Erst Präsident Jimmy Carter verfügte 1978 ihre Rückführung nach Budapest.

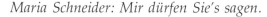

Maria Schneider: Mir dürfen Sie's sagen.

weiterführen wollten, waren die ungarischen Soldaten entwaffnet und zu Fuß in Richtung Österreich in Marsch gesetzt worden – nicht als Feinde, aber auch nicht mehr als Verbündete.

Darauf berufen sich nun die ungarischen Offiziere und fordern von den Amerikanern und Briten, man möge sie möglichst bald nach Ungarn zurückkehren lassen. Da das nicht so schnell geht, gewähren Amerikaner und Briten den Ungarn einen Sonderstatus – sie sind keine Kriegsgefangenen, sondern befreundete Ausländer. In einigen österreichischen Orten werden sie von den Amerikanern als Ordnungsdienst eingesetzt. In den amerikanischen Archiven haben wir ein Filmdokument gefunden, das auf sehr beeindruckende Weise eine derartige Verhandlung zwischen einem ungarischen General und amerikanischen Offizieren in Bild und Ton wiedergibt. Der ungarische General erklärt: „Solange wir in Ungarn waren, hatten wir mit den Deutschen keinen Kontakt. Vor sechs Wochen hat man uns gezwungen, nach Deutschland, das heißt hierher nach Österreich zu kommen. Ab dem Moment, da wir die Grenze überschritten hatten, wurden meine Leute unmenschlich behandelt von den sogenannten Verbündeten, den Deutschen."

Der ungarische General ersucht die amerikanischen Offiziere, die Ungarn unter den Schutz Amerikas zu stellen. Er tut dies in feuriger Sprache und mit eindringlichen Gebärden. Die amerikanischen Offiziere sind sichtlich beeindruckt und ersuchen nun im gleichen Pathos den Dolmetscher: „Sagen Sie dem General, daß die amerikanische Armee ab sofort seine Truppen in Obhut nimmt. Sie werden von uns ernährt werden. Von nun an wird die amerikanische Militärregierung für sie sorgen. Wir werden sie so schnell wie möglich in ihr Heimatland zurückbringen." Der ungarische General salutiert, schwingt sich auf einen der amerikanischen Panzerwagen und ruft den Tausenden ungarischen Soldaten zu: „Für eine menschliche Behandlung sind wir bereit, für die Amerikaner zu arbeiten. Den Amerikanern ein dreifaches Eljén! Eljén! Eljén!" Die Soldaten reißen ihre Mützen vom Kopf und stimmen in das dreifache Eljén ein. Die Amerikaner salutieren.

Doch es gibt auch Ungarn, die auf der Fahndungsliste der Amerikaner stehen. Es sind die Mitglieder der letzten ungarischen Regierung, die unter Führung des Pfeilkreuzlers und Hitler-Verbündeten Ferenc Szálasi stand. Die Pfeilkreuzler waren Ungarns faschistische Partei. Und als die Horthy-Regierung kapituliert, ergreifen die Pfeilkreuzler in Budapest mit deutscher Hilfe die Macht. Ferenc Szálasi wird zum „Führer der ungarischen Nation" ausgerufen, und seine Gefolgsleute führen eine Zeitlang ein Schreckensregime. Doch die Rote Armee steht bald vor Budapest. Szálasi und seine Regierung fliehen zuerst nach Westungarn, dann nach Österreich, schließlich beziehen sie in der Salzburger Ortschaft Mattsee Quartier.

Maria Schneider ist Bedienstete in dem Gasthof, in dem die Ungarn einziehen, und sie erinnert sich noch sehr gut daran, wie sie kamen: „Eines Tages waren sie da, die vielen Autos mit den Ungarn. Die haben dann beim Seewirt logiert. Und ein paar Tage darauf ist noch ein Wagen gekommen, ein großer, und der war immer sehr streng bewacht. Jetzt hab ich den Ungarn gefragt, warum denn der Wagen alleweil bewacht ist. Sagt er: ‚Leider, das darf ich Ihnen nicht sagen.' Da hab ich ihm gesagt: ‚Mir dürfen Sie's schon sagen, ich sag ja niemanden was.' Na, und dann sagt er also ‚Es ist da die ungarische Krone drinnen'. Sag ich: ‚Das ist ja allerhand.'"

Und in der Tat, die Regierung Szálasi hat den ungarischen Kronschatz aus Budapest nach Mattsee mitgenommen, darunter das heiligste Stück: die Reliquie des heiligen Stephan, und das wertvollste Stück: die Stephanskrone. Mit ihr sind seit rund 1 000 Jahren fast alle Könige von Ungarn gekrönt worden. Der letzte, der diese Krone trug, war der österreichische Kaiser Karl. 1916 wurde er in Budapest als Karl IV. zum König von Ungarn gekrönt. Die Stephanskrone hat legitimierende Kraft. Auch als Szálasi nach seinem Pfeilkreuzler-Putsch im Oktober 1944 als „Führer der ungarischen Nation" vereidigt wurde, legte er diesen Eid in der Budapester Burg auf die Stephanskrone ab. Und nun befinden sich Szálasi und der ungarische Kronschatz in Mattsee.

Hier wird zunächst einmal ausgepackt. Vor allem das Kronsilber, mit dem eine Hochzeitstafel gedeckt wird. Szálasi hat sich entschlossen, noch vor Kriegsende, das wahrscheinlich auch sein persönliches Ende mit sich bringen dürfte, zu heiraten. Er ersucht den Pfarrer von Mattsee, das Aufgebot zu bestellen und die Trauung in der Kirche von Mattsee durchzuführen. Im Standesregister des Pfarramtes Mattsee ist die Eintragung noch heute nachzulesen. Interessanterweise heiratet Szálasi fast zum gleichen Zeitpunkt wie sein Vorbild Hitler in Berlin. Szálasis Hochzeit fand am 28. April, die Hitlers mit Eva Braun am 29. April 1945 statt. Doch während die Trauungsurkunde für Hitler in dessen Bunker ausgefertigt wurde, als bereits sowjetische Granaten links und rechts einschlugen, geht es in der Kirche von Mattsee bei Szálasis Trauung feierlich zu. Szálasi selbst trägt sich in das Trauungsregister ein, schreibt als Berufsbezeichnung: „Führer der ungarischen Nation", überlegt einen Moment und fügt hinzu: „und Ministerpräsident". Die Hochzeitstafel wird beim Seewirt ausgerichtet und die Speisen auf dem ungarischen Kronsilber serviert. Die Teller und Schüsseln aus schwerem Silber tragen ein Monogramm: „FJ I", der vorletzte König von Ungarn und Kaiser von Österreich Franz Joseph I.

Maria Schneider, die damals für Szálasis Mutter gekocht und gewaschen hat, bekam als eine der wenigen Menschen in Mattsee das Kronsilber zu sehen: „Die Kisten haben sie dann in die Waschküche gebracht, da war das ganze Silbergeschirr drin. Alles, was man zu den großen Banketten braucht, die großen Schüsseln, die schönen Teller, alles für die Salate und dann das herrliche Besteck. Das war alles in den Kisten drinnen. Und da hat man mir gesagt, ich soll nicht zusperren, denn es wird sowieso alles bewacht. Also gut, hab ich gesagt, dann sperr ich nicht zu. Aber ich hab noch eine Zeitlang mit dem Mann geredet. Und dann hat er mir g'sagt: ,Warten S' a bißl, ich laß Sie was anschauen.' Dann hat er die Deckel aufgemacht und hat mich das G'schirr anschauen lassen und das Besteck. Es war wie ein Wunder. So etwas Schönes hab ich mein ganzes Leben nie gesehen und werd's auch nicht mehr sehen. Und dann hat er gesagt: ,Gefällt's Ihnen?' Sag ich: ,Ja, sehr.' Sagt er: ,Wenn es mir gehörte, so würde ich Ihnen von jedem ein Stück geben. Aber leider', sagt er, ,kann ich das nicht machen.'"

Zur gleichen Zeit macht sich der Kommandant der Kronwache, Oberst Ernö Pajtas, in Mattsee selbständig. Pajtas unterstehen zwölf ungarische Feldwebel, alle darauf vereidigt, den Kronschatz mit ihrem Leben zu schützen. Doch das Leben der Feldwebel und des Obersten Pajtas würde den Kronschatz jetzt nicht mehr schützen. Andererseits würde es sich auch nicht gehören, „den Kronschatz den Feinden Ungarns auszuliefern". Pajtas ist zwar nicht ganz sicher, wer nun in Hinkunft als Feind oder als Freund anzusehen sein wird, doch eines will er auf jeden Fall verhindern: Der Kronschatz soll nicht in die Hände der Sowjets fallen, und diese befinden sich zur Zeit in Budapest. So entschließt sich Pajtas, den Kronschatz in Mattsee zu verstecken. Er geht sehr umsichtig vor. Zunächst besucht er den Pfarrer von Mattsee, Anton Strasser, und ersucht diesen, die Reliquie, den Arm des heiligen Stephan, im

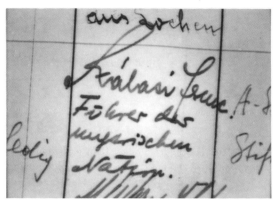

Ferenc Szálasi, der mit deutscher Hilfe in Ungarn 1944 die Macht ergriffen hatte, wurde auf der Budapester Burg noch auf die Stephanskrone vereidigt (oben). Am 28. April 1945 heiratet Szálasi in Mattsee und bezeichnete sich im kirchlichen Standesregister selbst als „Führer der ungarischen Nation" (darunter). Die Reliquie des Heiligen Stephan wurde dem Pfarrer von Matt-

see, Anton Strasser, anvertraut. Er hielt sie versteckt, bis die Amerikaner an seine Tür klopften. Er habe die Reliquie nur dem „rechtmäßigen Herrscher Ungarns" übergeben wollen, erklärte Strasser, und dies wäre Otto von Habsburg. Unsere Bilder zeigen Pfarrer Strasser bei der Übergabe der Holzkiste mit der Reliquie an die Amerikaner (oben).

Pfarrhaus aufzunehmen. Auch der Krönungsornat, der in einer langgestreckten Kiste verpackt ist, wird um Mitternacht zu Pfarrer Strasser gebracht. Dieser tarnt die Kiste als Notbett, und zwar so gut, daß, wie er später mit Stolz erklärt, „sogar meine Wirtschafterin nichts bemerkt hat". Oberst Pajtas fragt den Pfarrer Strasser auch, ob er ihm die große eisenbeschlagene Kiste mit der Stephanskrone, dem Zepter und dem Reichsapfel übergeben dürfe. Doch die Kiste ist dem Pfarrer zu groß, er empfiehlt Pajtas, sie in den benachbarten Zellhof zu bringen, der zum Stift Mattsee gehört und daher auch unter geistlichem Schutz stehe.

Pajtas läßt den Lastwagen mit der eisenbeschlagenen Kiste im Zellhof einfahren und stellt die Kronwache als Posten auf. Tags darauf sind die ersten Amerikaner da. Und es dauert nicht lange, da fällt ihnen der Lastwagen und da fallen ihnen vor allem die ordensdekorierten Kronwächter in ihren ungarischen Uniformen auf dem Zellhof auf. Das CIC wird verständigt, das Counter Intelligence Corps. Und die Leute vom CIC wissen Bescheid: Ungarische Krone! Sie kommen, beschlagnahmen die Kiste, nehmen die Leibwächter und den Oberst Pajtas gefangen. Die Kiste wird ungeöffnet in das amerikanische Hauptquartier nach Augsburg gebracht. Ebenso der Oberst Pajtas. Das spielt sich bereits am 6. Mai 1945 ab. Pajtas wird dem gleichen amerikanischen Major Paul Kubala vorgeführt, der der erste Vernehmungsoffizier Hermann Görings sein wird.

Die Schatzkiste hat drei komplizierte Schlösser und kann ohne Schlüssel nicht geöffnet werden, es sei denn, man würde sie mit Gewalt sprengen. Pajtas erklärt, die Schlüssel zu den Schlössern befänden sich im Besitz Szálasis. Ein Leutnant Granville wird beauftragt, die Schlüssel herbeizuschaffen. Aber es dauert zwei Monate, ehe Granville alle drei Schlüssel beisammen hat, denn entweder waren sie schon vorher auf verschiedene Personen aufgeteilt, oder Szálasi hat sie im letzten Moment verteilt. Erst am 24. Juli stehen Kubala, Granville, Pajtas und ein junger Leutnant, John Andrews, wieder vor der Kiste und setzen die drei Schlüssel ein. Als sie die Kiste öffnen, befindet sich darin nur das Krönungsschwert, weder die Krone noch das Zepter, noch der Reichsapfel sind vorhanden.

Was danach geschah, ist nicht ganz klar. In einer Version heißt es, die Amerikaner hätten Pajtas mit dem Erschießen gedroht, wenn er nicht gestehe, wo sich die Krone befinde. Nach einer anderen Version habe Major Kubala Pajtas klargemacht, daß sich die USA eine derartige Blamage nicht leisten könnten: Mittlerweile habe die ganze Welt erfahren, daß sich die Stephanskrone wohlbehalten in amerikanischem Besitz befinde. Wie auch immer: Pajtas legt nun ein Geständnis ab. Krone, Zepter und Reichsapfel habe er in eine alte Benzintonne gesteckt und sie am Seeufer bei Mattsee vergraben, während er den schwerbewachten Lastkraftwagen mit der geleerten Kiste in den Zellhof sandte.

Während nun Kubala seine Vorgesetzten zu verständigen und ihre Erlaubnis einzuholen sucht, eine Fahndungsexpedition nach Mattsee auszurüsten, schnappt sich der Leutnant Andrews den Oberst Pajtas und fährt mit ihm noch in derselben Nacht in einem Jeep nach Mattsee. Dort graben sie die Benzintonne ebenso heimlich aus, wie sie Pajtas drei Monate zuvor vergraben hat. Am Morgen des nächsten Tages stellen sie die rostige Tonne in Kubalas Zimmer auf. Pajtas selbst stemmt den Behälter auf. Darin befinden sich drei Lederkassetten, bereits in schlechtem Zustand, und in diesen Krone, Zepter und Reichsapfel. Da die Kroninsignien schon sehr verschmutzt sind, werden sie in das Badezimmer Kubalas getragen und in der Badewanne abgeduscht.

Mittlerweile gefällt den Amerikanern gar nicht mehr, was in Budapest vor sich geht. Sie halten die von den Sowjets dort eingesetzte Regierung für eine Marionettenregierung, die die kommunistische Machtergreifung vorbereiten soll. Und als sich die Dinge in Budapest tatsächlich in diese Richtung entwickeln, wird der ungarische Kronschatz in die USA geflogen und nach Fort Knox in Kentucky gebracht, in jene unterirdischen, schwerbewachten Tresors, in denen der Goldschatz der USA aufbewahrt wird.

Inzwischen hat man aber auch die von Pfarrer Strasser in Mattsee in Verwahrung genommenen Teile des ungarischen Kronschatzes gefunden: den Krönungsornat und die Reliquie des heiligen Stephan. Die Amerikaner neigen zunächst dazu, Pfarrer Strasser wegen Unterschlagung und Betrug an der amerikanischen Besatzungsmacht hart anzufassen. Aber Strasser entwaffnet die Amerikaner mit einem Satz: Er habe diese heiligen Gegenstände mit dem Versprechen übernommen, sie der rechtmäßigen Regierung Ungarns auszuhändigen; dies und dies allein wollte er tun und will er weiterhin tun. Als ihn die Amerikaner fragen, welche Regierung er meine, sagt Strasser bestimmt: Ungarn ist ein Königreich, und der König von Ungarn ist Otto von Habsburg. Ihm sei der Kronschatz auszufolgen.

Tatsächlich ist Ungarn zu diesem Zeitpunkt offiziell noch Königreich. Erst am 2. Februar 1946 wird in Budapest die Republik ausgerufen. Die Amerikaner lassen die Verantwortung Strassers gelten, ja feiern ihn nun als einen Retter der heiligen Reliquie Ungarns. Vor Strassers Pfarrhaus wird ein Ehrenposten aufgezogen, und unter Teilnahme fast der gesamten Bevölkerung von Mattsee wird die Reliquie des heiligen Stephan in die Ortskirche getragen und vor dem Altar aufgestellt. Die Amerikaner postieren nun auch vor den Altar zwei Ehrenwachen, die so lange dort bleiben, bis die Reliquie von Fürsterzbischof Rohracher von Salzburg in treuhändige Verwahrung genommen wird.

Als die ungarische Regierung von den USA die Auslieferung des Kronschatzes fordert, wird ihr auf Anordnung der US-Regierung nur die Reliquie des heiligen Stephan übergeben, die dann auch sehr feierlich in Budapest eingebracht wird; übrigens zur gleichen Zeit, da man dem ebenfalls an Ungarn ausgelieferten Ferenc Szálasi dort schon den Prozeß macht, der mit dessen Todesurteil und Hinrichtung endet.

Der ungarische Kronschatz selbst bleibt bis zum Jahr 1978 in Fort Knox. Erst im Zuge der großen Entspannungspolitik willigt US-Präsident Jimmy Carter ein, der kommunistischen Regierung in Budapest den Kronschatz zu übergeben. So endet die Odyssee der Stephanskrone, die in Mattsee in Salzburg 1945 begonnen hatte.

Die Szálasi-Leute waren nicht die einzigen Verbündeten Hitlers, die noch in der vermeintlichen Alpenfestung Zuflucht suchten und sich nach Kriegsende in Österreich befanden. Allein in Altaussee hatten vier Exilregierungen Quartier bezogen. Die Gendarmeriechronik vermerkt das Eintreffen der Regierungen aus Rumänien, Bulgarien, Kroatien und Estland. So läßt sich die Anwesenheit einer ganzen Reihe prominenter Verbündeter des Dritten Reichs in Österreich nachweisen: Horia Sima, der Führer der faschistischen Eisernen Garde in Rumänien, bildet 1944 in Wien eine rumänische Exilregierung, flieht nach Altaussee, verschwindet dort nach dem Einmarsch der Amerikaner und ist seither verschollen.

Alexander Zankoff ist Ministerpräsident einer bulgarischen Exilregierung, die zunächst ebenfalls in Wien ihren Sitz nimmt und dann nach Altaussee flieht. Zankoff gelingt es, nach Argentinien zu entkommen, wo er 1949 in Buenos Aires gestorben ist.

Zahlreiche Politiker, die mit dem Dritten Reich zusammengearbeitet hatten, waren bei Kriegsende in die österreichischen Alpen geflohen. Die meisten wurden hier von den Amerikanern festgenommen. Einigen gelang jedoch noch die Flucht ins Ausland. Der Ministerpräsident der französischen Vichy-Regierung, Pierre Laval, wurde von den Deutschen nach Spanien ausgeflogen. Laval kehrte jedoch einige Wochen später nach Tirol zurück und stellte sich den Franzosen (rechts oben). Der Großmufti von Jerusalem – das Bild unten zeigt ihn bei der Inspektion eines aus Mohammedanern bestehenden Verbandes der Waffen-SS – wurde im letzten Moment mit einem Fieseler-Storch-Flugzeug von Badgastein in die Schweiz geflogen. Ihm gelang die weitere Flucht nach Ägypten.

Ante Pavelić, Regierungschef des 1941 von ihm gegründeten Staates Kroatien. Im Gegensatz zu den meisten seiner Landsleute gelingt ihm die Flucht nach Österreich. Auch er kommt nach Altaussee, sieht sich dort einmal um, erklärt den Bergkessel von Altaussee für eine „Mausefalle", verschwindet und taucht später als Gast General Francos in Madrid auf, wo er auch bis an sein Lebensende bleibt.

Milan Nedić ist Ministerpräsident des von den Deutschen geschaffenen Staates Serbien. Er flieht nach Kitzbühel. Die Amerikaner verweigern seine Auslieferung an Jugoslawien, leihen aber Nedić gegen Zusicherung freien Geleits 1946 zu einer Zeugenaussage an Jugoslawien aus. Nedić stürzt aus einem Fenster des Gerichtsgebäudes in Belgrad, wo er als Zeuge einvernommen wird, und ist tot.

Joseph Tiso, Staatspräsident der Slowakei, flieht mit seiner Regierung nach Kremsmünster, wo er von den Amerikanern verhaftet und an die Tschechoslowakei ausgeliefert wird. Dort wird er des Hochverrats angeklagt und 1947 hingerichtet.

Mohammed Amin al-Husseini, Großmufti von Jerusalem, hat mit Hitlers Hilfe in Deutschland ein „Arabisches Büro" gegründet, über das er zum „Kampf gegen die Juden" aufruft. Er organisiert auch eine mohammedanische SS-Division. Bei Kriegsende flieht er nach Badgastein. Aber der Großmufti von Jerusalem verfügt über Verbindungen quer über die Fronten hinweg. Im letzten Moment noch wird der Großmufti von Badgastein in die Schweiz ausgeflogen, kommt von dort nach Ägypten und zieht nach 1948 als gefeierter Mann in den jordanischen Teil Jerusalems ein. Er ist später in Beirut gestorben.

Andere Araber sind im Golfhotel in Igls untergebracht. Hier in Tirol befinden sich die Mitglieder einer früheren irakischen Regierung, die unter der Leitung von Raschid Ali al-Kailani stand. Al-Kailani hatte 1941 im Irak einen von den Deutschen unterstützten Putsch geleitet, der den Einmarsch britischer Truppen im Irak zur Folge hatte. Ein Flugzeug der deutschen Luftwaffe holt ihn aus Bagdad nach Deutschland. So wie dem Großmufti gelingt auch al-Kailani in den Tagen des Kriegsendes die Flucht von Tirol nach Ägypten.

Die Flucht der weißen Pferde

Das CIC hat in der amerikanischen Besatzungszone in Österreich viel zu tun. Täglich laufen neue Fahndungsmeldungen ein: nach Politikern des Dritten Reichs, nach hohen Militärs, nach Kollaborateuren aus den von den Deutschen einst besetzten Gebieten. Suchmeldungen nach verschleppten Kunstschätzen, entführten Staatskassen, versteckten Geheimakten, verlagerten Archiven. Auf einer ihrer vielen Inspektionsfahrten entdecken die Amerikaner bei St. Martin in Oberösterreich ein wie ihnen scheint recht ungewöhnliches Gestüt. Der größte Teil der Spanischen Reitschule war von ihrem Leiter Oberst Alois Podhajsky aus dem kriegszerstörten Wien hierher evakuiert worden. Oberst Podhajsky befürchtet, daß die Lipizzaner als Kriegsbeute betrachtet werden könnten, und sucht daher zunächst keinen Kontakt mit den Militärbehörden. Doch nun ist das Gestüt entdeckt, und Podhajsky faßt den Entschluß, den Spieß umzudrehen: Er macht die Amerikaner auf die Einzigartigkeit und den hohen Wert der Reitschule aufmerksam und ersucht sie, den Schutz der Reitschule zu übernehmen.

St. Martin liegt im Bereich des amerikanischen Panzergenerals George Patton. Wie die meisten Panzereinheiten ist auch diese aus einem früheren Kavalleriekorps heraus entwickelt worden. Patton versteht etwas von Pferden. Er kommt nach St. Martin und sieht sich das Gestüt selbst an. Die Pferde imponieren ihm, theoretisch begreift er auch ihren großen Wert, während er in der Hohen Schule nur wenig Sinn erblickt.

Podhajsky versucht, seine amerikanischen Besucher durch eine rasch improvisierte Vorstellung zu überzeugen, er hofft, daß das hohe Können der Pferde und ihrer Bereiter ihren Eindruck nicht verfehlen werden. In seinem Tagebuch vermerkt Patton über diese Vorführung: „Die ganze Zeit wunderte ich mich darüber, daß diese jungen, gesunden Männer die Kriegsjahre nur damit verbracht haben, den Pferden solche Tricks beizubringen." Am Ende der Vorstellung reitet Podhajsky auf General Patton zu, der sich erhebt und Podhajskys Ansprache wie eine militärische Meldung entgegennimmt. Podhajsky ersucht Patton formell, den Schutz des Gestüts zu übernehmen, vor allem aber zu verhindern, daß die Pferde nach Wien zurücktransportiert werden. Denn, so argumentiert Podhajsky, auf dem Weg nach Wien müßten sie die sowjetische Zone durchqueren, und es sei anzunehmen, daß die Sowjets das Gestüt als Kriegsbeute betrachten und konfiszieren würden.

General Patton versteht das sofort. Er ist der Meinung, daß die Amerikaner den Sowjets ohnedies schon viel zuviel überlassen hätten, zum Beispiel Berlin und Prag, die er, General Patton, den Russen gerne vor der Nase weggeschnappt hätte. So übernimmt er nicht nur den Schutz der Dressurpferde in St. Martin, er läßt sich auch genau berichten, wo das übrige Lipizzanergestüt geblieben ist. Und das befindet sich in der Nähe von Hostau in Böhmen – wie es der Zufall will ebenfalls im Operationsgebiet der Truppen des Generals Patton. Ob nun Patton selbst noch rechtzeitig den Befehl zur Evakuierung des Gestüts in Hostau gegeben hat oder ob seine Kavallerieoffiziere dort auf eigene Faust gehandelt haben, darüber gehen die Meinungen bis heute auseinander. Jedenfalls kommt es in Hostau zu einer dramatischen Aktion, die zur Evakuierung und damit zur Sicherstellung der Lipizzanerherden führt.

Bei Kriegsende liegt die kleine Ortschaft Hostau mit ihrem großen Pferdegestüt für den Moment tatsächlich im Niemandsland, nämlich zwischen der zum Stillstand gekommenen amerikanischen und der erst heranrollenden sowjetischen Front. In Hostau befindet sich das gesamte österreichische Lipizzanergestüt mit Ausnahme der Dressurhengste, die in St. Martin sind. Nach Hostau sind aber auch andere Pferdeherden evakuiert worden; insgesamt sind es 670 Pferde, die der Obhut des Gestütsleiters Oberstleutnant Hubert Rudofsky übergeben sind. Der Mann der Stunde ist Rudofskys Veterinärarzt Dr. Rudolf Lessing. Auch er befürchtet, daß die Pferde, falls sie in Böhmen bleiben, von den Sowjets oder von den Tschechen als Kriegsbeute beansprucht würden.

Als die Amerikaner nicht weitermarschieren, reitet Lessing auf eigene Faust durch die Fronten ins amerikanische Hauptquartier, schildert dort Ausmaß und Wert des Gestüts und ersucht die Amerikaner um die Evakuierung der Pferde. Bei dieser Unterredung ist Louis Holz anwesend, ein amerikanischer Offizier deutscher Abstammung. Er schildert, welchen Eindruck der Bericht Dr. Lessings auf den amerikanischen Stab gemacht hat: „Die US-Kavallerie hatte damals erst seit drei Jahren aufgehört, selbst beritten zu sein. Wir waren auf Panzer umgestiegen. Doch die Berufsoffiziere waren noch Kavalleristen und kannten Pferde sehr gut, besonders unser Oberst Charles Reed. Er hatte sogar für das olympische Reiterteam trainiert und wußte sofort, was Lipizzaner sind. Er setzte sich mit dem deutschen Offizier zum Frühstück und ließ sich genau erklären, wo das Gestüt war und was man für das Gestüt tun konnte. Reed beschloß, die Pferde zu retten. Wir

In St. Martin in Oberösterreich entdeckten die Amerikaner die Dressurpferde der Spanischen Reitschule. Das Gestüt selbst befindet sich zum größten Teil in Hostau in der Tschechoslowakei. Der Leiter der Spanischen Reitschule, Oberst Alois Podhajsky, ersucht den amerikanischen Panzergeneral George S. Patton um Schutz für die Dressurpferde und um die Rettung des Gestüts in Hostau. Unser Bild zeigt Podhajsky und General Patton nach der Vorführung der Lipizzaner in St. Martin.

Louis Holz: Wußten, was Lipizzaner sind.

wußten, daß sich die Russen näherten. Oberst Reed und der Deutsche kamen überein, daß das Gestüt den Amerikanern übergeben werden sollte. Oberst Reed sandte einen amerikanischen Offizier, Thomas Stewart, durch die Linien, damit dieser mit dem Gestütsleiter in Hostau Kontakt aufnehmen und die Übergabe vereinbaren konnte. Stewart kam erst nach zwei Tagen zurück. Aber als er kam, ritt er auf einem Lipizzaner daher. Und als Unterpfand des guten Willens brachte er Dr. Lessing mit, den deutschen Veterinär, der zu uns gekommen war."

Die Übergabe der Pferde ist vereinbart, aber nun müssen die Amerikaner auch bis Hostau vormarschieren, und dabei spielen nicht alle mit: Vor Hostau hat eine deutsche Volkssturmeinheit Stellung bezogen. Ihr Kommandant läßt auf die Amerikaner schießen, und die Amerikaner schießen zurück. Auf beiden Seiten gibt es Tote und Verwundete. Schließlich marschieren die Amerikaner in Hostau ein und besetzen auch das Lipizzanergestüt. Der Gestütsleiter Rudofsky zeigt nun dem amerikanischen Oberst und olympischen Reiter Charles Reed die Pferde, und dieser ist begeistert. Doch Reed weiß, daß er und seine Truppen nicht in Hostau bleiben können. Das Gebiet soll von sowjetischen Truppen besetzt werden, die jeden Moment auftauchen müssen. So ordnet Oberst Reed die sofortige Evakuierung des Gestüts an. Die trächtigen Stuten und ein Teil der Fohlen werden auf Lastwagen geladen, die übrige Herde wird, flankiert von Panzerspähwagen und amerikanischen Soldaten, in Richtung böhmisch-bayerische Grenze getrieben. Es gelingt, das gesamte Gestüt zu evakuieren, ehe die ersten sowjetischen Soldaten eintreffen.

Der Abzug des Gestüts bleibt jedoch weder den Sowjets noch den mit ihnen in Kontakt stehenden tschechischen Widerstandsgruppen verborgen. Sie nehmen mit den Amerikanern Kontakt auf und versuchen sie zu überzeugen, daß die Pferde in der Tschechoslowakei bleiben müßten. Doch Oberst Reed hat zu diesem Zeitpunkt bereits die volle Deckung General Pattons für die Evakuierung und gibt seinen Truppen Befehl, die Pferde notfalls unter Androhung von Gewalt zu schützen.

Die Aktion ist als „Rettung der weißen Hengste" in die Geschichte der amerikanischen Armee und auch Hollywoods eingegangen. Walt Disney hat unter diesem Titel die Evakuierung des Lipizzanergestüts aus Hostau zu einem Spielfilm gestaltet. In dem Film allerdings werden die Ereignisse von St. Martin und von Hostau ineinander verblendet, und so entsprechen zwar einzelne Szenen der historischen Wahrheit, nicht jedoch die gesamte Filmgeschichte. Eines gibt der Disney-Film jedoch korrekt wieder: den Abzug des Gestüts aus Hostau unter amerikanischer militärischer Bedeckung. Und weiters: Mit den Lipizzanerherden und den amerikanischen Militärkolonnen, die die Pferde bewachen, ist auch ein Flüchtlingsstrom aus Böhmen in Richtung Grenze unterwegs.

Der Todesmarsch der Brünner Deutschen

In den amerikanischen Archiven fanden wir Filme, die von Kriegsberichterstattern in jenen Tagen im böhmischen Grenzgebiet aufgenommen worden sind. Auf diesen Filmen dominieren bereits die Flüchtlingskolonnen zwischen dem Militär. Hier bahnt sich eine der großen Nachkriegstragödien an. In der Tschechoslowakei, in Ungarn, in Jugoslawien wird die dort ansässige deutschsprachige Bevölkerung für den Krieg verantwortlich gemacht, für die Besetzung dieser Länder durch die deutsche Armee, für die Verletzung der nationalen Würde, für Unterdrückung und Verfolgung während der deutschen Besetzung. Vor allem in Böhmen und in

Mähren kommt es an vielen Orten zu Ausschreitungen gegen die deutschsprachige Bevölkerung. Und diese zählt 1945 über drei Millionen Menschen. In den größeren Städten werden die Männer festgenommen und in Arbeitslager gesteckt, wobei es oft zu tätlichen Ausschreitungen kommt. Frauen, Kinder und alte Leute müssen sich ebenfalls in Lagern einfinden. Der gesamte deutsche Besitz, Häuser, Wohnungen, Bauernhöfe, aber auch Mobiliar, Kleider, Bankkonten und Wertgegenstände werden beschlagnahmt. Die tschechoslowakische Regierung beschließt die Ausbürgerung der gesamten deutschsprachigen Bevölkerung. Wo amerikanische Truppen stehen, nimmt dies die Form einer halbwegs geordneten Aussiedlung an, das heißt, die Menschen werden zu Zügen gebracht, verladen und über die Grenze nach Deutschland abgeschoben. In der übrigen Tschechoslowakei – und das ist der größte Teil des Landes – kommt es oft zu ungeordneten, gewaltsamen Vertreibungen. In einigen Fällen werden die Menschen zu Fuß über die Landstraßen in Richtung irgendeiner Grenze in Marsch gesetzt, ohne Rücksicht auf Alter und Gesundheitszustand und meist ohne Verpflegung oder gar medizinische Betreuung.

Im Böhmerwald, in Südmähren, in Brünn wird die deutschsprachige Bevölkerung in Richtung österreichischer Grenze getrieben. Die Austreibung aus Brünn ist als „Brünner Todesmarsch" in die Nachkriegsgeschichte eingegangen. Der heutige Monsignore Josef Koch war damals Pfarradministrator in Muschau, etwa zehn Kilometer nördlich von Nikolsburg. Er wurde Augenzeuge dieser Vertreibung der Brünner: „Es war der Fronleichnamstag 1945. Da hörte ich schon von weit her gellende Rufe, sie klangen wie Kommandos, aber ich konnte mir nicht vorstellen, was das sein könnte. Dann habe ich hinübergesehen zur Straße, zur Brünner Straße, da kamen in Gruppen Kinder und Frauen daher, bewacht von Partisanen, einige Russen dazwischen. Das war ein Geschrei, ein Gejammer und ein fürchterlicher Anblick. Verhungerte Menschen, die sich kaum noch weiterschleppen konnten, aber die weitergetrieben wurden von den Partisanen, die rechts und links diesen traurigen Zug flankierten. Ich hab mir gedacht, da wirst du helfen müssen, bin hinein in die Pfarre und hab Wasser geholt. Aber ich wurde zurückgetrieben und durfte das Wasser nicht verabreichen. Der Zug schleppte sich weiter. Doch dann dürfte es irgendwo Schwierigkeiten gegeben haben, so daß man einige Gruppen, es waren zwischen 500 und 600 Leute, ins Dorf zurückgetrieben hat. Die Pfarre wurde selber ein Quartier für etwa 50 Leute."

Nicht alle finden ein Dach über dem Kopf, und kaum jemand findet etwas zum Essen. Viele haben nur mit, was sie am Körper tragen. Die meisten Kinder kommen durch, es sind die Alten, die es nicht schaffen. Augenzeuge Josef Koch: „Die alten Leute lagen im Straßengraben, da und dort. Da bin ich mit dem Schubkarren gefahren und habe sie aufgeklaubt und zu Häusern gebracht, wo ich geglaubt habe, daß sie dort aufgenommen werden. Eine Frau, die an der Kirchenmauer gelehnt ist, hat gesagt: ‚Der Herrgott hat mich bis hierher geführt, er wird auch weitersorgen.' Ich hab sie auch unterbringen können, sie konnte in einem Bett sterben."

Die Brünner werden bei Drasenhofen über die österreichische Grenze getrieben. Der Elendszug bricht wie ein Elementarereignis über die Dörfer an der Grenze herein. Tausende Menschen, die meisten von ihnen krank und schwach. So lagern die Vertriebenen auf offenen Wiesen, ohne Verpflegung, ohne medizinische Betreuung, und sie wissen auch nicht, wohin sie nun weiterziehen sollen.

Gisela Wiesmann versuchte zu helfen: „Das war eine Völkerwanderung! So etwas möchte ich nie mehr erleben! Mit Schubkar-

Flüchtlinge und Vertriebene kamen meist nur mit dem nach Österreich, was sie in der Hand tragen konnten. Manche retteten nur das nackte Leben (rechts).

Msgr. Josef Koch: Sie konnte doch noch in einem Bett sterben.

Gisela Wiesmann: Sie werden den Ring noch notwendiger brauchen.

ren und Kinderwagen und zu Fuß sind sie dahergekommen. Die Kinder haben geschrien. Ich hab da im Schupfen [Scheune] Stroh liegen gehabt, da sind dauernd die Flüchtlinge hinein und sind da gelegen. Einmal in der Früh hab ich 40 herausgelassen, aber es sind immer wieder Flüchtlinge gekommen, immer wieder, und einmal wieder so ein altes Mutterl, der hab ich halt ein Brot gegeben und Milch und da wollte sie den Ehering runterziehen und mir ihn geben. Hab ich gesagt: ‚Mutterl, lassen S' den Ring drauf, Sie werden ihn noch notwendiger brauchen.'"

Das Sterbebuch der Gemeinde Drasenhofen nennt die Namen jener, die damals über die Grenze kamen, aber nicht mehr weiterkonnten, und es vermerkt, woran sie zugrunde gegangen sind. Fast neben allen Namen steht als Todesursache: „Herzschwäche" oder „Entkräftung". 186 sind hier gestorben. Man hat sie in einem Massengrab beigesetzt. Sie starben, so steht geschrieben, weil sie zu schwach waren. Aber sie starben in Wirklichkeit so wie die Millionen anderen Opfer in jenen Jahren der Verfolgung und des Krieges am Haß der Verhetzten.

Der Zug der Flüchtlinge auf Österreichs Straßen, der Vertriebenen aus den Nachbarländern, wird noch lange kein Ende nehmen. Und die großen Lager, in denen bisher Fremdarbeiter, alliierte Kriegsgefangene und Häftlinge untergebracht waren, sind von diesen kaum geräumt, da werden sie schon wieder belegt.

Drei Millionen zusätzlich

Als wir all die Filme sahen, die die damaligen alliierten Berichterstatter gedreht hatten, zwang sich uns die Frage auf, wie viele Menschen sich wohl nach dem Ende des Krieges auf österreichischem Boden befunden haben. Mit den Truppen aller alliierten Mächte waren viele Kriegsberichterstatter nach Österreich gekommen. Da der Krieg vorbei war, richteten sie ihre Kameras auf das, was ihnen in Österreich bemerkenswert erschien. Und das waren in erster Linie die endlosen Züge von Menschen, die anscheinend ziellos durch das Land wanderten, und das waren die gewaltigen Lager, in denen Tausende und Zehntausende Menschen auf irgend etwas warteten. Wir fanden einen Film, den ein amerikanischer Kameramann von einem niedrig fliegenden Flugzeug aus aufgenommen hat. Zehn Minuten lang ließ der Mann seine Kamera einfach laufen, zehn Minuten lang reiht sich unter dem Flugzeug

Bei Kriegsende befanden sich rund drei Millionen Menschen in Österreich, die nicht hierhergehörten: deutsche Soldaten, alliierte Soldaten, befreite Kriegsgefangene, frisch

gemachte Kriegsgefangene, Fremdarbeiter, Zwangsverschleppte, befreite KZ-Insassen, Flüchtlinge, Vertriebene. Zehntausende biwakierten in offenen Lagern.

Lager auf Lager, Soldaten verschiedenster Nationen, soeben befreite Kriegsgefangene, soeben gemachte Kriegsgefangene, Fremdarbeiter, Flüchtlinge, Deutsche, Ungarn, Franzosen, Russen, Italiener, Amerikaner, auf den Straßen zwischen den Lagern endlose Kolonnen, Menschen zu Fuß, auf Pferdewagen, motorisiert, wenn es Alliierte sind. Ein im wahrsten Sinn des Wortes überlaufenes Land. Wie viele waren es, die sich da in Österreich befanden, ohne hier daheim zu sein? Diese Ziffern, so mußten wir nach langem Bemühen herausfinden, fluktuierten zu stark, als daß man sie für einen bestimmten Zeitpunkt genau feststellen könnte. Aber wir wissen ziemlich genau, was in den Frühjahrs- und Sommermonaten des Jahres 1945 in Österreich ein und aus ging:

Rund 1,2 Millionen deutscher Soldaten, darunter fast 200 000 Österreicher, von denen viele nach relativ kurzer Kriegsgefangenschaft von den Alliierten nach Hause entlassen wurden.

Über eine Million alliierte Soldaten – Sowjets, Amerikaner, Briten, Franzosen, Bulgaren, Jugoslawen, Ungarn.

Rund eine halbe Million Soldaten jener Armeen, die im Krieg mit Deutschland verbündet waren – Ungarn, Kroaten, Kosaken, Italiener, Angehörige von Freiwilligenverbänden aus Spanien, Holland, Belgien, Norwegen, Teile der russischen Wlassow-Armee.

Rund eine halbe Million – am Anfang weniger, später mehr – deutschsprachige Flüchtlinge aus Rumänien, Ungarn, Jugoslawien, der Tschechoslowakei und Polen.

An die 100 000 Bombenflüchtlinge aus Deutschland und fast ebenso viele innerösterreichische Bombenflüchtlinge, meist Frauen und ältere Leute, die aus den Städten auf das Land geflohen waren.

An die 120 000 vorwiegend deutsche, aber auch österreichische Kinder, die im Rahmen der „Kinderlandverschickung" aus den bombenbedrohten Städten in den „Alpengebieten" untergebracht worden sind.

An die 100 000 alliierte Kriegsgefangene, die man auf österreichischem Boden befreit hatte.

Etwa 200 000 sogenannte Fremdarbeiter, Ostarbeiter und Hilfsfreiwillige – Arbeitsverpflichtete aus fast allen Ländern Europas, vorwiegend aber aus Frankreich, Polen, Rußland und der Ukraine.

Und die rund 80 000 Überlebenden aus den Konzentrationslagern, auch sie Angehörige von rund 20 europäischen Nationen.

Man kann diese Ziffern jedoch nicht einfach zusammenzählen. Die kriegsgefangenen Deutschen und Österreicher wurden zügig entlassen oder abtransportiert. Die alliierten Soldaten – vor allem Amerikaner, Briten und Franzosen, die man noch auf anderen Kriegsschauplätzen brauchte – wurden zum Teil auch rasch abgezogen. Bei den Sowjets ging der Abtransport langsamer vor sich, ja, im Herbst wurden noch sowjetische Truppen aus der Tschechoslowakei und aus Ungarn nach Österreich gebracht. Sie traten an die Stelle der heimkehrenden Soldaten, so daß die Gesamtzahl der Sowjettruppen in Österreich zunächst fast gleich blieb – und die war hoch. Die Jugoslawen kamen Anfang Mai in voller Stärke herein, zogen aber Ende Mai wieder alle ab. Auch die Bulgaren blieben nicht sehr lange. Die vielen Soldaten der ungarischen Armee wurden auch schon bald nach Hause entlassen. Aber fast zum gleichen Zeitpunkt, da die einen gingen, kamen die anderen, zuerst die vertriebenen Volksdeutschen aus Österreichs Nachbarstaaten, aber dann auch Rumänen, Bulgaren, Jugoslawen, später Ungarn, die vor dem Kommunismus flohen. Mit Sicherheit kann man annehmen, daß sich in den Wochen unmittelbar nach Kriegsende bis zu drei Millionen Nichtösterreicher in Österreich befanden. Und das Land hat es ausgehalten.

DAS GETEILTE LAND

Die alliierten Mächte hatten zwar in der Moskauer Deklaration versprochen, Österreich als freien und unabhängigen Staat wiederherzustellen, doch als der Krieg zu Ende ging, hatten sie sich noch nicht darüber geeinigt, in welcher Form sie dieses Versprechen in die Tat umsetzen werden. Es gab keine Absprache zwischen den Alliierten, ob und welche politischen Parteien sie in Österreich zulassen wollten, ja ab wann den Österreichern überhaupt eine politische Aktivität erlaubt werden sollte. Die Alliierten hatten auch nicht darüber gesprochen, welche Verfassung, welche Staatsform, welche Gesellschaftsordnung für Österreich vorzusehen oder ob das völlig den Österreichern zu überlassen wäre, und wenn, dann wem und wann. Dabei hatte jede der vier Mächte für sich schon gewisse Vorstellungen darüber, was zunächst einmal in ihren eigenen Besatzungszonen geschehen sollte. Das sowjetische Konzept war einfach und praktisch: Man stütze sich auf die befreundeten Kommunisten, lasse die traditionellen politischen Parteien zu, übertrage ihren Führern die Verantwortung auf allen administrativen Ebenen und mache sie damit auch auf allen Ebenen gegenüber der Besatzungsmacht verantwortlich. Je früher die Gemeindeämter, die Bezirkshauptmannschaften, die Landesregierungen und auch die Zentralregierung funktionierten, desto besser. Dabei müsse sich die sowjetische Militärregierung auch gar nicht anstrengen, über all das die Kontrolle zu behalten. Sie müßte nur darauf bestehen, daß auf allen Verwaltungsebenen und in allen politischen Gremien die Kommunisten mindestens gleichberechtigt, möglichst aber in Schlüsselpositionen vertreten sind. Damit wäre schon weitgehend sichergestellt, daß nichts gegen die Interessen der Sowjetmacht geschehen könne.

Auch die Briten kamen mit einem Konzept. Es war fast das genaue Gegenteil von jenem der Sowjets. Die Briten betrachteten zunächst niemanden in Österreich als potentiellen Freund oder gar Verbündeten. Mißtrauen war ihrer Meinung nach angebracht – in Österreich hatte es zu viele Nazi gegeben; es würde für eine fremde Macht geraume Zeit dauern, herauszufinden, wer ein verläßlicher Demokrat sei und mit wem man zusammenarbeiten könne. Daher sei es notwendig, in der britischen Zone sämtliche Verwaltungsebenen mit eigenem britischem Personal zu besetzen und die Verwaltung auch tatsächlich selbst auszuüben: vom Gemeindeamt über die Bezirkshauptmannschaft bis zur Landesebene. Eine Zentralregierung für Österreich könnte es überhaupt erst in fernerer Zukunft geben, wenn man wieder österreichische Parteien zugelassen haben werde und wenn die Österreicher bewiesen hätten, daß sie zum Aufbau einer demokratischen Verwaltung imstande sind. Diesen Beweis aber würden sie von unten heraus anzutreten haben – von der Gemeindeebene allmählich bis zur Bundesebene. Die Österreicher sollten nicht unfreundlich behandelt, aber auf Distanz gehalten werden.

Die Vorstellungen der Amerikaner bewegten sich zwischen dem britischen und dem sowjetischen Konzept: So wie die Briten wollten auch die Amerikaner zuerst eine gründliche Überprüfung aller Österreicher, die Ausschaltung aller bisherigen Nationalsozia-

Die Westalliierten erstmals in Wien: Flory, Cherrière und Winterton sind hier Gäste der Sowjets (oben). Das Festbankett für die Vienna Mission im Imperial. Tags darauf

ging es allerdings hart auf hart (Mitte). Mit einem Toast nach dem anderen trank man auf die künftige Zusammenarbeit in Wien (unten).

listen, alle Sicherungen gegen eine Wiederkehr des Nationalsozialismus, dann erst die Zulassung demokratischer Parteien und dann auch erst den Aufbau einer österreichischen Verwaltung. Anders als die Briten wollten die Amerikaner die Verwaltung zwar selbst installieren und kontrollieren, doch sollten die Österreicher vom ersten Augenblick an eingeschaltet sein. Diese Österreicher würden der amerikanischen Militärregierung voll unterstellt und für jede ihrer Handlungen verantwortlich sein. Ihr politischer Spielraum würde am Anfang gering sein, später immer größer werden. Das Tempo dieser Entwicklung würde von den Realitäten diktiert werden. Doch auch die Amerikaner gehen so wie die Briten zunächst davon aus, daß erst einmal jeder Österreicher zu überprüfen, jeder Nazi auszuscheiden sei. Es werde mühsam sein, genügend Menschen mit demokratischer Gesinnung zu finden, aber mit vielen Fragebögen und einer entsprechenden Auswertung und Überprüfung dieser Fragebögen würde man die Richtigen schon finden können.

Die Franzosen hatten ihr Konzept für Österreich praktisch schon in dem einen Satz zusammengefaßt, den sie gleich nach Überschreiten der Grenze affichierten: „Österreich – ein befreundetes Land". Die Überlegung dahinter war ebenso einfach: Der Feind Frankreichs in Europa war Deutschland. Alles, was Deutschland in Zukunft schwächt, wäre gut. Daher auch die Annullierung des Anschlusses und die Wiedererrichtung Österreichs als unabhängiger Staat. Das ergibt schon ein Stück weniger Deutschland. Jedoch muß auch sichergestellt werden, daß Österreich Österreich bleibt und nicht eines Tages wieder an Deutschland angeschlossen wird. Dies wird man nicht durch militärische oder politische Kontrollen erreichen, sondern nur wenn man die Österreicher für sich gewinnt. Daher: Jede österreichische Regierung, welche es auch immer sei, sollte Frankreich als Freund gewonnen werden. Am besten, man benützt seinen eigenen Einfluß als Besatzungsmacht dazu, Freunde an die Macht zu bringen bzw. jene an der Macht zu Freunden zu machen.

Dennoch bauen auch die Franzosen zunächst eine eigene Militär-Administration auf, und ihre Kontrollorgane mischen sich in alles und jedes ein. Soweit die politischen Überlegungen der Franzosen. Sie werden später komplexer werden, wenn auch Frankreich beginnt, nicht nur in Deutschland, sondern auch in der Sowjetunion mögliche Gefahren zu erkennen. Doch diese Erkenntnis ändert ja die Politik aller drei Westmächte, allen voran die der Amerikaner, gegenüber Österreich.

Die Franzosen haben es am Anfang nicht leicht, ihre Linie gegenüber Österreich durchzuhalten, die der Freundschaft und der Besatzung zugleich. Ein frisch eingesetzter französischer Ortskommandant will schließlich etwas zu reden haben, und erst recht gilt das für seine Vorgesetzten. Diese Diskrepanz zwischen politischer Intention einerseits und Besatzungswirklichkeit andererseits registrieren die österreichischen Politiker im französischen Besatzungsgebiet mit Kopfschütteln, mit Unwillen und später sogar mit Protest.

Das also sind die Vorstellungen der vier Mächte von jenem Österreich, das sie nun besetzt haben. Es war wahrscheinlich ein Glück für Österreich, daß es zwischen den vier Mächten zu keinen fixen Absprachen bezüglich der künftigen Politik gekommen ist. Ohne daß sie es wußten, gaben die vier verschiedenen Konzepte der Besatzungsmächte den Österreichern von Anfang an die Chance, ihre eigene Politik zu verfolgen und sie am besten zu verteidigen, indem man sich das Konkurrenzmoment zwischen den Besatzungsmächten zunutze machte.

Tauziehen um die Zonen

Doch wir sind mit dieser Darlegung der Geschichte etwas vorausgeeilt. Denn das erste Problem, auf das die alliierten Mächte nach ihrem Einmarsch in Österreich stoßen, ist noch nicht ihre Beziehung zu Österreich oder die Verwaltung des Landes, sondern zunächst müssen sie sich überhaupt erst darüber einigen, wie die endgültigen Besatzungszonen aussehen sollen. Zunächst verlaufen die Demarkationslinien zwischen den vier alliierten Armeen dort, wo ihre Truppen jeweils aufeinandergestoßen sind. Eine endgültige Zoneneinteilung hat die dafür zuständige „European Advisory Commission", die „Europäische Beratende Kommission", in London noch immer nicht ausgehandelt. Allerdings liegt dieser Kommission nun ein sowjetischer Vorschlag vor, der im Gegensatz zu den bisherigen Aufteilungsplänen für Österreich politische Aspekte erkennen läßt. Die Sowjets schlagen vor: Das frühere Bundesland Burgenland soll wiederhergestellt werden (wie schon erwähnt, war das Burgenland im Dritten Reich auf die Gaue Niederdonau und Steiermark aufgeteilt worden). Sobald das Burgenland wieder existiert, soll es zur Gänze der sowjetischen Besatzungszone angehören; zu dieser Zone würden weiters das gesamte Niederösterreich und Oberösterreich nördlich der Donau gehören. Wien, das die Nationalsozialisten zu einem Gau Groß-Wien ausgedehnt hatten, unter Einbeziehung der Wien umgebenden Gemeinden, sollte von diesem Reichsgau Wien auf das Land Wien eingeengt werden, so wie man es vor 1938 kannte.

Dem sowjetischen Vorschlag lag ein erkennbares Konzept zugrunde: Wird das Burgenland wiederhergestellt und in seiner Gänze sowjetisch besetzt, werden entlang der Grenze zu Ungarn nur Sowjettruppen stehen; für die Westmächte wird es keinen direkten Zugang zu Ungarn geben. Wird Oberösterreich nördlich der Donau, also das Mühlviertel, sowjetisch besetzt, werden auch entlang der Grenze zur Tschechoslowakei nur sowjetische Soldaten stehen. Wird der Gau Groß-Wien aufgelöst und fallen die Randgemeinden an Niederösterreich zurück, so werden auch sie der Sowjetzone zugeteilt, und das bedeutet, daß sich sämtliche Flugplätze in der Umgebung Wiens innerhalb der sowjetischen Zone befinden werden. Eine Beibehaltung der bisherigen Gaugrenzen hätte den Flugplatz Schwechat einen Teil Wiens bleiben lassen, wodurch die westlichen Besatzungsmächte innerhalb Wiens über einen Flugplatz verfügen würden. Das würde bei einer eventuellen Blockade Wiens durch die Sowjets, so wie sie 1948/49 gegenüber Berlin tatsächlich durchgeführt wurde, den Westmächten die Möglichkeit gegeben haben, ihre Besatzungszonen in Wien über eine Luftbrücke zu versorgen, während sie nun auf das sowjetische Wohlwollen angewiesen bleiben.

Als die Sowjets ihren Vorschlag der Europäischen Beratenden Kommission im Londoner Lancaster House auf den Tisch legen, haben die Westmächte nicht nur nichts einzuwenden, sie zeigen sich sogar erfreut; endlich geht es mit den Verhandlungen über Österreich weiter! Denn die Sowjets sitzen in Österreich auf dem längeren Ast: Wien befindet sich in alleinigem sowjetischen Besitz, in Wien haben die Sowjets bereits eine ihnen genehme Regierung eingesetzt, ihre Truppen haben das von ihnen nunmehr beanspruchte Burgenland ohnedies schon zur Gänze besetzt, aber dazu auch noch den größten Teil der Steiermark. Wollen die Westmächte nach Wien, wollen die Briten auch noch in die Steiermark, so hat der Westen nur ein kleines Faustpfand dafür zu bieten: das Mühlviertel, das zum größten Teil von den Amerikanern besetzt worden ist.

Auf dem Weg nach Wien wird die Vienna Mission immer wieder von den Sowjets aufgehalten, zu Speis und Trank und auch zu einem Tänzchen eingeladen.

John Winterton: Heiter und angeheitert.

Lester Flory: Mit 186 Mann nach Wien.

So akzeptierten die Westmächte den sowjetischen Vorschlag. Die Sowjets würden das Burgenland, Niederösterreich und das Mühlviertel erhalten; die Amerikaner Salzburg und Oberösterreich südlich der Donau; die Briten Kärnten und die Steiermark; die Franzosen Tirol und Vorarlberg. Nun ging es um Wien. Und in dieser Frage wollte der Westen keinem sowjetischen Vorschlag zustimmen, ohne sich in Wien selbst umgesehen zu haben. Wie stand es um Wohnraum und Quartiere in Wien, welche Stadtviertel waren mehr, welche weniger bombenzerstört? Welche Bahnhöfe waren brauchbar, welche unbrauchbar? Gab es einen Zugang zu den Flugplätzen und wenn, zu welchen? Man wollte aber auch wissen, wie es um die Versorgung der Bevölkerung stand. Wien galt zu diesem Zeitpunkt als Eineinhalbmillionenstadt. Das bedeutet, daß die einrückenden Westmächte die Verantwortung für die Ernährung von wahrscheinlich über einer Million Menschen zu tragen hätten. Konnten die Lebensmittel für diese Menschen in Niederösterreich und dem Burgenland aufgebracht werden, oder mußten die Westzonen bei der Versorgung Wiens mitwirken? Reichte die österreichische Eigenproduktion an Nahrungsmitteln überhaupt aus, um Wien zu ernähren? Wenn nicht, wer kam dann für die Versorgung Wiens auf? Jede Macht für ihre eigene Zone? Oder müßten nicht die Sowjets mehr beitragen, weil die traditionellen Versorgungsgebiete für Wien in ihrem Besatzungsbereich lagen? (Damit waren auch Ungarn und die Tschechoslowakei gemeint.)

Und dann gab es auch große politische Probleme. Die Struktur der Stadt Wien allein war ein solches Problem: Alle wichtigen Regierungs- und Verwaltungsgebäude lagen in der Inneren Stadt, im ersten Bezirk. Wer diesen Bezirk als Besatzungsmacht kontrollierte, konnte erheblichen Druck auf die österreichischen Behörden und vermutlich auch auf die Regierung ausüben. Wem also sollte dieser erste Bezirk als Besatzungssektor zugeteilt werden?

General Florys „Vienna Mission"

Das waren wichtige und noch ungelöste Probleme. So war man auf westlicher Seite froh, als die Sowjets Ende Mai endlich erklärten, daß sie mit der Entsendung einer westlichen Erkundungskommission nach Wien einverstanden seien. Das war der Augenblick, auf den alle, vor allem die Amerikaner und die Briten, gewartet hatten. Gewartet in dem uns schon bekannten Mittelmeerhauptquartier der Anglo-Amerikaner, in Caserta bei Neapel. Dort lagen ja auch die auf Österreich spezialisierten Stäbe der Amerikaner. Sie standen unter der Leitung des amerikanischen Generals Lester Flory.

Flory erhält nun den Auftrag, eine „Vienna Mission" zusammenzustellen. Ihr sollen Amerikaner, Briten und Franzosen angehören. Ziel der Mission ist eine Untersuchung der Verhältnisse an Ort und Stelle in Wien. Der Westen will wissen, was auf ihn zukommt, wenn seine Truppen in Wien einrücken, und er will vor allem wissen, welche Positionen er von den Sowjets beanspruchen soll und um welche er notfalls hart zu ringen hat, um nicht später in eine nachteilige Situation zu geraten. In Berlin, das weiß man um diese Zeit schon, hatte man zu hastig gehandelt, hatte man keine handfesten Abmachungen mit den Sowjets getroffen. Das rächte sich schon jetzt; das wird sich später noch oft und bitter rächen.

General Lester Flory, den wir in seinem Heim in den USA interviewten, berichtete uns über seine Vienna Mission: „Jeder von uns wollte in seiner Zone die besten Quartiere und die besten Übungsplätze haben. Jeder wollte auch einen eigenen Flugplatz innerhalb seines Sektors in Wien. Das war nicht nur eine Frage

zwischen uns und den Sowjets. Auch wir drei mußten uns noch einig werden. Ich wurde zum Leiter der gesamten Vienna Mission bestellt. Also mußte ich darauf sehen, zu einer Bestandsaufnahme in Wien zu kommen, die uns ein möglichst detailliertes Bild von den Zuständen in Wien ermöglichte, damit dann die Europäische Beratende Kommission eine entsprechende Einteilung Wiens in die verschiedenen Besatzungszonen vornehmen konnte."

Jede der drei Westmächte will natürlich mit ihren eigenen Experten in der Vienna Mission vertreten sein. Die Sowjets teilen mit, daß sie bereit wären, eine Kommission von 60 bis 70 Mitgliedern zuzulassen. Als die Flory-Mission in Caserta reisefertig ist, umfaßt sie 186 Mitglieder.

Die Vienna Mission bewegt sich auf dem Landweg nach Wien. Von Italien kommend, trifft sie am Abend des 2. Juni in Klagenfurt ein. Hier erreicht sie eine Nachricht der Sowjets: Die Vienna Mission ist zu groß, es können nicht so viele nach Wien. Die Sowjets erinnern daran, daß sie von 60 bis 70 Mann gesprochen hatten. Flory und sein britischer Kollege General John Winterton nehmen Verbindung mit dem anglo-amerikanischen Hauptquartier in Caserta auf: Was tun? Der Oberste Befehlshaber der britischen Streitkräfte, Feldmarschall Montgomery, trifft um zwei Uhr früh die Entscheidung: Die Mission soll den sowjetischen Einwand nicht zur Kenntnis nehmen, sondern sich in voller Stärke über die Brücke in Judenburg zu den Sowjets begeben. Sollten die Sowjets sie nicht weiterfahren lassen, dann sollte die gesamte Kommission umdrehen. Alles Weitere wäre dann ein politisches Problem, das die Regierungen untereinander auszumachen hätten. Schließlich stimmt auch der Leiter der französischen Delegation in der Vienna Mission, General Paul Cherrière, dieser Vorgangsweise zu.

Am nächsten Morgen fährt die Mission, 186 Mann stark, mit einem gewaltigen Troß über die Brücke in Judenburg in die Sowjetzone ein. Denn die Westalliierten nehmen alles mit, wovon sie glauben, daß sie es in Wien brauchen werden: Lebensmittel für viele Wochen, Funkstationen für jede einzelne Delegation in der Mission, Büroeinrichtungen, die einen normalen Amtsbetrieb erlauben usw. Der britische General Winterton erinnert sich an den Moment, in dem er und seine amerikanischen und französischen Generalskollegen über die Judenburger Brücke fuhren: „Ich versuchte auszumachen, was uns am anderen Ufer erwarten würde. Und dann sah ich es: Eine russische Ehrenkompanie war aufgezogen, eine große Musikkapelle und viele Offiziere standen bereit,

Cyrillisch geschriebene Wegweiser und Militärpolizistinnen mit geschultertem Gewehr entlang der Straße nach Wien (links oben). Wo immer die Westalliierten auf ihren Erkundungsfahrten durch Wien auftauchen, werden sie sofort von Menschen umringt, die vor allem danach fragen, ob der Einzug der westlichen Truppen nach Wien nun schon begonnen habe.

uns zu empfangen. Da meinte ich: Die schicken uns nicht zurück. Wir haben gewonnen."

Und so ist es auch. Mit Musik und allen militärischen Ehren wird die Vienna Mission von den Sowjets empfangen – übrigens genau an der Stelle, an der wenige Tage zuvor die von den Briten ausgelieferten Kosaken von den Sowjets mit Gewehr und Maschinenpistole in Anschlag in Empfang genommen worden waren. Doch davon bemerkt man nichts mehr an diesem Tag.

Die westliche Mission muß die sowjetische Gastfreundschaft unverhältnismäßig lang über sich ergehen lassen. Wie sich später herausstellt, hatten die Sowjets ihrem Hauptquartier in Wien die hohe Zahl der westlichen Missionsmitglieder gemeldet und Befehl erhalten, sie in Judenburg und auch noch unterwegs so lange wie möglich aufzuhalten, damit die sowjetischen Stellen in Wien zusätzliche Quartiere schaffen können. Das gelingt ihnen, indem sie in Hietzing eine Reihe weiterer Villen requirieren. Davon weiß die Vienna Mission nichts. Die Generäle Flory und Winterton haben es auch später nicht erfahren. Sie berichteten uns nur, wie oft sie auf dem Weg von Judenburg nach Wien damals aufgehalten worden sind. Immer wieder stand ein sowjetischer Ortskommandant auf der Straße, der sie bat, seine Gäste zu sein bei Speis und Trank. Dazu Winterton: „Es war eine sehr ereignisreiche Reise, denn entlang des Weges hatten die Russen viele Halteplätze für uns vorgesehen. Es gab immer wieder eine Pause, während der sie uns zum Essen einluden oder zu einer Party. Sie musizierten, und sie sangen sogar vor uns. Das Wolga-Lied, wenn ich mich recht erinnere. Es war bei Krieglach, irgendwann um vier Uhr nachmittags, da gaben sie uns eine Tee-Party, aber nicht mit Tee, sondern mit einer Menge starkem Schnaps. Und ein sehr amüsanter russischer General war unser Gastgeber. Irgendwann spätabends kamen wir dann in Wien an. Nicht nur heiter, sondern auch ganz schön angeheitert."

Es geht um die Flugplätze

Das war am Abend vor dem nächsten Tag. Und der nächste Tag brachte seine Überraschungen: Die westlichen Generäle wurden im sowjetischen Hauptquartier empfangen, zwar noch immer höflich, aber sehr bestimmt: Marschall Tolbuchin erwarte, daß die Vienna Mission Wien wieder so bald wie möglich verlassen möge. Wie wäre es mit dem 10. Juni? Die erste Konfrontation war da. Dazu Flory: „Wir erklärten mit großer Bestimmtheit, daß wir in Wien seien, um eine Aufgabe zu erfüllen, und wir würden hier so lange bleiben, bis wir die Aufgabe auch erfüllt hätten. Aber wenn schon Eile, dann wollten wir zunächst einmal die Flugplätze sehen, und zwar alle, damit wir uns für unsere Sektoren die bestgelegenen aussuchen könnten."

Die nächste Konfrontation ist da: Innerhalb der Stadtgrenzen von Wien gebe es keine Flugplätze, erklären die Sowjets. Nun geht es um die Frage, ob Wien innerhalb der bis jetzt gültigen Gaugrenzen in Besatzungssektoren aufgeteilt werden soll oder, wie dies die Sowjets wollen, in den Landesgrenzen von 1937. Es ist den Westalliierten rasch klar, daß die Sowjets von den Landesgrenzen 1937 nicht abgehen würden. Dennoch müssen die Westmächte Flugplätze zugesprochen bekommen, und sie müssen auch freien Zugang zu diesen Flugplätzen haben. Schließlich sind die Sowjets bereit, ihnen Flugplätze zu zeigen – Schwechat und Tulln-Langenlebarn. Aber es gibt ein halbes Dutzend ausgebauter Flugplätze rund um Wien, deutsche Militärflughäfen, auf denen während des Kriegs die Jagdverbände zur Verteidigung Wiens und Wiener

Neustadts stationiert waren. Vor allem jenseits der Donau, das wissen die Anglo-Amerikaner, liegen die ihrer Meinung nach besseren Flugplätze.

Aber in diesem Punkt bleiben die Sowjets hart: keine Inspektion. Die Westalliierten sind betroffen, vermuten Ränke und sehen in der sowjetischen Haltung ein schlechtes Omen für die künftige Zusammenarbeit. Wir haben die Berichte der Vienna Mission in Washington in den National Archives gefunden und sie nachgelesen. Mehrfach wird darin festgestellt, daß die Sowjets nicht bereit waren, die Flugplätze jenseits der Donau herzuzeigen. General Flory hat uns da vielleicht ein bis heute gehütetes Geheimnis gelüftet. Er berichtete uns nämlich: „Als die Sowjets wieder nein sagen, packe ich meine Papiere in die Aktenmappe, stehe wortlos auf und verlasse den Verhandlungstisch. Es war klar, ich hatte die Verhandlungen abgebrochen. Am nächsten Tag kommt General Morosow zu mir, allein, und sagt zu mir: ‚Passen Sie auf, machen Sie daraus keine Prinzipienfrage. Ich nehme Sie jetzt mit und fahre mit Ihnen über die Donau, und ich zeige Ihnen die Flugplätze drüben. Aber Sie müssen mir versprechen – Sie haben sie nie gesehen.'"

Flory sieht die Flugplätze jenseits der Donau, und er erfährt unterwegs auch, weshalb er versprechen muß, sie nie gesehen zu haben: Das Gebiet nördlich der Donau untersteht dem Oberbefehl des Sowjet-Marschalls Rodion Malinowski, der in Brünn residiert. Und Marschall Malinowski läßt sich von Marschall Fedor Tolbuchin, der in Baden residiert und dessen Befehlsgewalt nur bis zur Donau reicht, nichts vorschreiben. Das ist ein Argument, das General Flory sofort versteht. Und er hat sich, zumindest offiziell, an sein Versprechen gehalten: In keinem seiner Berichte kommen die Flugplätze nördlich der Donau vor. Ob er intern darüber berichtet hat, wissen wir nicht.

Die Westalliierten setzen nun ihre Bestandsaufnahme in Wien fort. Das Tauziehen um die Flugplätze dauert bis zum Ende des Aufenthalts der Vienna Mission an. Die Sowjets lehnen es weiterhin ab, die westlichen Besatzungszonen etwa bis zum Schwechater Flugplatz zu erweitern. Es müsse bei den Stadtgrenzen von 1937 bleiben. Auch wollen die Sowjets den drei Westalliierten nur einen einzigen gemeinsamen Flugplatz zugestehen. Schließlich einigt man sich auf zwei Flugplätze – Schwechat für die Briten und die Franzosen sowie Tulln-Langenlebarn für die Amerikaner. Die Westalliierten bestehen jedoch darauf, daß ein sehr detailliertes schriftli-

ches Abkommen getroffen wird, in dem der freie Zugang des Westens zu diesen beiden Flugplätzen von den Sowjets garantiert wird. Und was sie für die Flugplätze aushandeln, wollen sie dann auch für die Bahnstrecken und die Straßen haben, über die die Westsektoren Wiens mit den westlichen Zonen in Österreich verbunden sein sollen – sowjetische Garantien auch für diese Zufahrtswege. Das erweist sich später als Segen. Als die Sowjets 1948/49 die Westsektoren in Berlin blockieren, können sie sich darauf berufen, daß es nie detaillierte Vereinbarungen mit den Westalliierten bezüglich der freien Zufahrt nach Berlin gegeben habe. Fast jede Berlin-Krise bis zum Beginn der siebziger Jahre wird mit dem Fehlen solcher Vereinbarungen begründet. In den zehn Jahren der gemeinsamen alliierten Besetzung Wiens kommt es nur ein einziges Mal zu einer Krise, als die Sowjets fast gleichzeitig mit der Berliner Blokkade versuchen, einen amerikanischen und einen britischen Konvoi nach Wien aufzuhalten. In 48 Stunden sind die Sowjetmaßnahmen abgeblasen: Amerikaner und Briten machen die Sowjets darauf aufmerksam, daß für Wien sehr detaillierte, handfeste Abmachungen existieren. Flory, Winterton und Cherrière hatten sie im Juni 1945 als Vienna Mission mit den Sowjets ausgehandelt.

Diese Abmachungen sind auch von großer Bedeutung für die Entwicklung Österreichs. Denn als der kalte Krieg ausbricht, wird zwar auch im Alliierten Rat in Wien nicht mit harten Worten gespart, aber zu einer echten Krise im Verhältnis der vier Besatzungsmächte zueinander kommt es nicht. Und das allein schon wird eine wesentliche Voraussetzung für die Bewahrung der Einheit des Landes, für die kontinuierliche Entwicklung der österreichischen Politik und auch für die weitgehend reibungslose Zusammenarbeit der Bundesregierungen mit den alliierten Mächten sein. So vollbrachten die Vienna Mission und ihre sowjetischen Gastgeber nicht nur für die alliierten Mächte, sondern auch für die Österreicher eine wesentliche Weichenstellung.

Renners „Dringende Eingabe" bleibt liegen

Damals allerdings, im Juni 1945, war das westliche Auftreten in Wien für die österreichische Regierung enttäuschend. Flory, Winterton und Cherrière waren von ihren Regierungen strikt angewiesen worden, jeden Kontakt mit der Renner-Regierung oder mit irgendwelchen österreichischen Politikern in Wien zu vermeiden. Die Renner-Regierung war von den Westmächten nicht anerkannt und wurde von ihnen mit großem Mißtrauen beobachtet. Nichts sollte die künftige Haltung des Westens gegenüber dieser Regierung präjudizieren, schon gar nicht ein freundliches Wort.

Niemand empfindet dies bitterer als der Chef dieser Regierung, Karl Renner. Als er hört, daß sich eine westliche Mission in Wien befindet, versucht Renner sofort, mit ihr Kontakt aufzunehmen. Renner verfaßt eine Note an die Vienna Mission. Da er weiß, daß seine Regierung vom Westen nicht anerkannt ist, wählt er für diese Note einen Titel, den es in der Diplomatensprache nicht gibt. Er nennt sie „Dringende Eingabe". Die „Dringende Eingabe" Renners ist ein Hilfeschrei. Und auch ein wenig der Versuch, die Westmächte zu zwingen, ihn und seine Regierung zur Kenntnis zu nehmen. Die „Dringende Eingabe" beginnt mit den Worten: „Die augenblicklichen Arbeits- und Lebensbedingungen des österreichischen Volkes bringen die gebieterische Notwendigkeit mit sich, raschestens – das ist schon vor der definitiven Anerkennung der Provisorischen Staatsregierung und ohne Präjudiz für ihre Bestellung – dieser Regierung die Erlaubnis und die praktische Möglichkeit eines sofortigen Handelns für das ganze Staatsgebiet und über

die Grenzen der Besatzungszonen hinweg zu verschaffen." Dann zählt Renner die Probleme auf, die dringend gelöst werden müssen, soll Österreich wieder festen Boden unter den Füßen gewinnen. Im einzelnen führt Renner an:

„Geldnot." – Man müsse schnellstens eine neue, einheitliche Schilling-Währung herstellen und die Reichsmark als Zahlungsmittel ausschalten. Das Problem müsse bereits in wenigen Tagen gelöst werden. Die Behörden können keine Gehälter, die Betriebe keine Löhne zahlen, Handelsunternehmungen keine Umsätze tätigen, die ganze Wirtschaft stockt.

„Nahrungsnot." – Im Ernährungswesen drohe eine Katastrophe. Moskau habe zwar durch eine großzügige Hilfsaktion Wien vor der Hungersnot bewahrt. „Aber schon die von der Roten Armee besetzten Gebiete außerhalb Wiens können nicht versorgt werden." Diplomatisch setzt Renner hinzu: „. . . und das Schicksal der übrigen Besatzungszonen ist ungewiß." Weiter: „Diese Not ist nicht unbesiegbar. Die Republik Österreich besitzt immerhin, wenn auch verstreut über alle Besatzungszonen, Tauschgüter, wofür Lebensmittel bei den Nachbarstaaten eingetauscht werden könnten." Jedoch: „Kein Teilgebiet des an sich kleinen Landes ist allein handlungs- und vertragsfähig." Auch könnten die Kompensationswaren nur durch eine „einheitliche gemeinsame Verwaltung eingesammelt und bereitgestellt werden".

„Absperrung vom Ausland." – Handelsverträge mit den Nachbarstaaten seien von lebensrettender Wichtigkeit. Österreich könnte Salz, Holz und Papier nach Ungarn liefern und würde von dort dafür Lebensmittel erhalten – wenn nur „die Provisorische Regierung das Recht bekommt, mit den Nachbarstaaten Handelsdelegationen auszutauschen".

„Kohlennot." – Dringendst benötige man auch Kohle aus den Nachbarstaaten. Ohne sie könne Österreichs Industrie nicht in Gang kommen.

„Treibstoffmangel." – Renner klammert die Zistersdorfer Erdölvorkommen aus, indem er erklärt, daß „sie allein nicht ausreichen", um den Treibstoffmangel zu beheben. Tatsächlich sind die Ölfelder rund um Zistersdorf bereits sowjetisch besetzt und arbeiten zur Zeit nicht für Österreich. Renner fordert Zugang zum rumänischen Öl.

„Verkehrsnot." – Der Zugsverkehr liege darnieder, Brücken und Viadukte seien gesprengt, die Bahnstrecken vielfach bombardiert, das „rollende Material stark mitgenommen". Das stimmt vor allem in des Wortes zweiter Bedeutung: Die meisten Lokomotiven und Waggons in der Ostzone wurden von den Sowjets mitgenommen. Renner fordert „fürs erste mindestens 3 000 neue oder wenigstens fast neue, jedenfalls voll betriebsfähige Lastautos" und „einige hundert ebensolche Personenautos". Österreich würde in der Lage sein, für diese Güter „durch eigene Erzeugnisse in einiger Zeit zu bezahlen, wenn seine Industrie in Gang käme".

„Innere Einheit." – Renner wörtlich: „Die innere Handlungsfähigkeit wird durch die Aufteilung in Besatzungszonen beschränkt. Es ist doch heute für den Wiener leichter, den Boden der Tschechoslowakei oder Ungarns zu betreten, als über die Enns nach Oberösterreich zu gelangen." In geradezu rührender Weise versucht Renner, die Alliierten auch zu locken: „Besonders wichtig ist in dieser Hinsicht, daß nicht die künftigen definitiven Besatzungszonen die Ländereinteilung und Verwaltungsgrenzen durchschneiden und dadurch eine organische Zusammenarbeit der Zivilverwaltung mit den militärischen Befehlsstellen erschweren."

„Äußere Bewegungsfreiheit." – Nochmals fordert Renner die Erlaubnis, mit den Nachbarstaaten in Verbindung treten zu dürfen,

Die Westalliierten richten ihr Augenmerk in Wien vor allem auf die Bahnhöfe, die möglichen Unterkünfte und die Flugplätze. Die Sowjets treten den Briten den zerstörten Südbahnhof ab (rechts), den Amerikanern den Franz-Josefs-Bahnhof und den Franzosen den Westbahnhof. Von den Ringstraßenhotels erhalten die Amerikaner das Hotel Bristol (links) und die Briten das Hotel Sacher. Die Westalliierten benötigen einige Zeit, ehe sie sich in Wien zurechtfinden (unten).

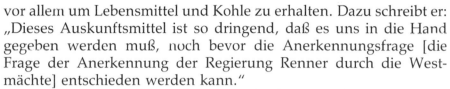

vor allem um Lebensmittel und Kohle zu erhalten. Dazu schreibt er: „Dieses Auskunftsmittel ist so dringend, daß es uns in die Hand gegeben werden muß, noch bevor die Anerkennungsfrage [die Frage der Anerkennung der Regierung Renner durch die Westmächte] entschieden werden kann."

In der Abschlußformel Renners heißt es: „Alle vorgeschlagenen Schritte stellen Maßregeln dar, mit denen Österreich sich selbst zu helfen unternimmt und die erbetenen Leistungen der Weltmächte und Nachbarstaaten durch eigene Leistungen zu kompensieren sich bemühen will. Fatalerweise haben diese Schritte nahe Termine, die den Beratungen der hohen Mächte voraneilen. Alles, was wir erwarten, ist, daß aus dieser zeitlichen Inkongruenz unserem Lande und Volke kein Schaden erwachse."

Das ist der Inhalt von Renners „Dringender Eingabe", die er den westlichen Militärs in der Vienna Mission überreichen will. Zum erstenmal sind Abgesandte der Westmächte in Wien! Zum erstenmal könnte die österreichische Regierung den Westmächten direkt sagen, wie es um das Land bestellt ist. Doch es gelingt Renner nicht, seine „Dringende Eingabe" an die westlichen Generäle heranzubringen. Wir wissen nicht, was er und andere alles unternommen haben, um diesen Kontakt herzustellen, wir wissen nur aus dem Munde der Generäle Flory und Winterton, daß es ihnen strikt verboten war, in welcher Form auch immer einen Kontakt mit der Renner-Regierung zu akzeptieren.

Aber wir haben sie gefunden: Renners „Dringende Eingabe". Sie liegt unter der Geschäftszahl 240-pol/45 als Akt der „Staatskanzlei, Auswärtige Angelegenheiten" im Österreichischen Staatsarchiv. Der Aktendeckel trägt folgende Eintragung: „Gegenstand: Hilfe für Österreich, Übertragung der Regierungsgewalt über das ganze Gebiet von Österreich." Darunter der Aktenvermerk: „Die inliegende vom Staatskanzler verfaßte Denkschrift sollte den vier Mitgliedern der hier amtierenden interalliierten Delegationen übergeben werden; da sie unvermutetermaßen abgereist sind, hat sich der Kanzler nach einem Gespräch mit General Morosow entschlossen, vorläufig einen Schritt bei den Russen zu unternehmen, der mit der beiligenden Note an die Räteregierung [gemeint ist die Sowjetregierung] erfolgen soll. Sie ist von einem Brief an Marschall Tolbuchin eingeleitet. Der Note liegen bei: eine deutsche und eine russische Ausfertigung der für die Delegationen der interalliierten

Kommission bestimmt gewesenen Ausführungen; sowie drei englische und zwei französische Ausfertigungen derselben." Nachschrift zur Nachschrift: „Der Herr Staatskanzler hat die Reinschrift nebst Anlagen übernommen, um sie persönlich dem General Morosow zu übergeben."

Wir haben Renners „Dringende Eingabe" sonst weder in den National Archives in Washington noch im Public Record Office, noch in den Akten des Quai d'Orsay, des französischen Außenministeriums, gefunden. Die „drei englischen und zwei französischen Ausfertigungen derselben" haben wohl nie den Weg zu den Westalliierten gefunden.

Rasch erfassen die Westalliierten, daß sie nach ihrem Einzug in Wien rund eine Million Menschen mit Lebensmitteln und Brennmaterial werden versorgen müssen. Oben: Ein Ringstraßenbaum wird zerlegt und – rechts – als kostbares Heizmaterial nach Hause geschleppt. Unten: Ein Laib Brot pro Familie, solange der Vorrat reicht, und dann für viele Tage wieder nichts; die Lebensmittelversorgung ist weitgehend zusammengebrochen.

Die Aufteilung Wiens in Zonen

Während Renner noch den Kontakt zur Vienna Mission sucht, schließt diese nun ihre Verhandlungen mit den Sowjets in Wien ab. Man einigt sich über die Zoneneinteilung in Wien. Wien wird in den Stadtgrenzen von 1937 aufgeteilt. Der sowjetische Standpunkt hat sich durchgesetzt. Und nun die Zonenaufteilung: Die Sowjets konzentrieren sich auf die vorwiegend von Arbeitern bewohnten Bezirke Favoriten und Floridsdorf und erhalten weiters den zweiten, vierten und zwanzigsten Bezirk. Die Briten konzentrieren sich auf das aristokratische Hietzing; der dritte, fünfte, elfte und zwölfte Bezirk werden ebenfalls britisch. Die Amerikaner holen sich die Nobelbezirke Währing und Döbling und erhalten weiters den siebenten, achten, neunten und siebzehnten Bezirk. Die Franzosen bekommen das bürgerliche Mariahilf sowie den vierzehnten, fünfzehnten und sechzehnten Bezirk.

Auf der Suche nach möglichen Stabsquartieren erleben die Westalliierten manche Enttäuschung. Die Briten wären gerne in das Schloß Belvedere eingezogen. In den Parkanlagen des Schlosses grasen Besatzungskühe. Das hätte weniger gestört, doch das Schloß selbst ist teils von Bomben zerstört, teils ausgeplündert und daher kaum beziehbar. So fällt der Blick der Quartiermeister auf ein Gebäude, das den imperialen Briten noch mehr zusagt – auf das Schloß Schönbrunn. Zwar auch von Bomben getroffen, erfüllt Schönbrunn doch alle Anforderungen: genügend Räume, um einen ganzen Generalstab und auch noch eine Division unterzubringen, dazu große Exerziergründe und Parkanlagen.

Die großen Hotels der Stadt werden ebenfalls unter den Besatzungsmächten aufgeteilt. Bis dahin waren sie alle von den Sowjets besetzt. Die Sowjets sind bereit, das Hotel Sacher zugunsten der Briten und das Hotel Bristol zugunsten der Amerikaner zu räumen. Die Sowjets selbst behalten das Hotel Imperial und das Grand-Hotel. Geschmückt mit den Porträts Stalins und Lenins und von sowjetischen Posten bewacht, wird das „Imperial" Sitz des sowjetischen Hochkommissars für Österreich – bis zum Ende der Besatzung 1955. Bescheidener die Franzosen: Sie finden auf der Mariahilfer Straße das Hotel Kummer zur Unterbringung ihres politischen Stabes.

Eine der wichtigsten Entscheidungen – noch wichtiger als die über die Flugplätze – ist die Übereinkunft zwischen den Westalliierten und den Sowjets, den ersten Bezirk, die Innere Stadt, mit ihren Regierungsgebäuden und Verwaltungszentren zu einem interalliierten Sektor zu erklären. Eine Forderung der Briten, der aber auch die Sowjets zustimmen. Die Innere Stadt wird allen vier Alliierten gleichermaßen unterstellt. Das Oberkommando soll jeden Monat von einer anderen alliierten Macht ausgeübt werden.

Noch einmal muß man anerkennen, wie umsichtig und verantwortungsvoll die Vertreter der vier Mächte bei ihren damaligen

Verhandlungen in Wien verfahren sind. Die Internationalisierung der Inneren Stadt hat zweifellos entscheidend zur Stabilisierung der Verhältnisse in Wien und in Österreich beigetragen: Sie gab der österreichischen Regierung, allen Ministerien und zentralen Verwaltungsstellen ein hohes Maß an Sicherheit und ließ sie daher um so mutiger und zielbewußter auftreten. Die gemeinsame Verwaltung der Inneren Stadt zwang die vier Alliierten zu einer Zusammenarbeit, die sich kaum aufkündigen und nur schwer durch Bruch beenden ließ. Und die Viermächteverwaltung der Inneren Stadt gab Wien ein internationales Flair schon und gerade zu einer Zeit, als es noch darniederlag, und legte damit wohl auch einen Grundstein für Wiens heutigen Anspruch als internationales Zentrum.

Nebstbei und dennoch nicht unwichtig: Die Alliierten vollziehen den monatlichen Wechsel im Kommando über die Innere Stadt jeweils mit einer kleinen Parade. Truppenkontingente der beiden einander ablösenden Mächte marschieren auf, ihre Kommandanten schütteln einander die Hände, Musikkapellen spielen, die Kommandierenden Generäle nehmen Schulter an Schulter den gemeinsamen Vorbeimarsch der Soldaten ab. Nicht ein einziges Mal in den zehn Jahren der alliierten Besatzung ist diese Zeremonie ausgefallen. Auch nicht auf dem Höhepunkt des kalten Krieges, auch nicht, als aus dem kalten Krieg in Korea ein heißer Krieg geworden war, auch nicht, als an Österreichs Grenzen der Eiserne Vorhang herunterging, auch nicht, als 1950 schwerste, von der KP angeführte Streikunruhen das Land erschütterten. So könnte man annehmen, daß selbst diese scheinbare Äußerlichkeit, dieses Ritual der Wachablöse, auch seinen Anteil an der Stabilität der interalliierten Beziehungen in Österreich hatte. Doch das ist eine Erkenntnis im nachhinein. Wie es mit Österreich tatsächlich weitergehen würde, das konnte 1945 und auch noch viele weitere Jahre niemand mit Sicherheit voraussagen.

Gehen wir zurück in die Tage, da die Vienna Mission nach erledigter Aufgabe nun ihren Abschied nimmt und am 13. Juni 1945

Wien wieder verläßt. Über die interalliierten Verhandlungen war nichts verlautbart worden. Auch ihr Ergebnis wird geheimgehalten. In Wien bemerkt man nur, daß die Autokolonnen mit den westlichen Militärs auf einmal nicht mehr da sind. Die Westalliierten sind wieder abgezogen. Und es gab auch keine Kontaktaufnahme der Westalliierten mit den Österreichern. Das löst nun eine Flut von Gerüchten und Befürchtungen aus: Der Westen überlasse Ostösterreich und Wien den Sowjets, eine kommunistische Machtübernahme stehe bevor.

Angst vor einem Putsch

Just in diesem Moment kommen die Kommunisten auf ihren Vorbehalt zurück, den sie innerhalb der Regierung gemacht hatten, als die Regierungsmehrheit gegen ihren Willen die Wiedereinführung der Verfassung von 1920/1929 beschloß. Die Kommunisten fordern eine neue Verfassung für Österreich. Diese Forderung steht im Zentrum der ersten großen Konferenz, die die KPÖ in Wien einberuft. Die Konferenz akzeptiert, wie es scheint, eine eindeutige Parole: Es müsse in Österreich zur Errichtung „einer wahren Volksdemokratie" kommen. Dabei wird von den Kommunisten ausdrücklich Bezug genommen auf Rumänien und Bulgarien, wo es bereits wahre Volksdemokratien gebe. Um diese Zeit marschieren auch, wie schon berichtet, die Angehörigen der österreichischen Freiheitsbataillone aus Jugoslawien in Wien ein, in ihrer Uniform mit dem Sowjet-Stern, bewaffnet und unter kommunistischer Führung. Auch das wird von den nichtkommunistischen Politikern mit Sorge registriert.

Das „Office of Strategic Services", wie der amerikanische Geheimdienst damals heißt, richtet ein Memorandum an Präsident Truman: „Eine Nachricht von Adolf Schärf", überbracht von einem Mann namens Lambert. Lambert ist der Deckname Ernst Lembergers. Lemberger ist Sozialdemokrat und Rechtsanwalt, war während des Krieges im französischen Untergrund und wurde später von den Franzosen erfolgreich als Verbindungsmann zu einzelnen Widerstandsgruppen in Österreich eingesetzt. Nun hält Ernst Lemberger Verbindung zwischen den sozialistischen Mitgliedern der Renner-Regierung und dem Westen. Diese „Nachricht von Adolf Schärf" bringt Lemberger aus Wien, und sie wird an das Büro des amerikanischen Geheimdienstchefs William Donovan weitergeleitet. Und von dort geht die Nachricht direkt auf den Schreibtisch des amerikanischen Präsidenten. Wörtlich heißt es in dem Bericht: „Schärf erklärt, die Kommunisten in Wien befürchteten, freie Wahlen würden ihnen nicht den Anteil an Stimmen bringen, den zu bekommen sie Moskau gegenüber angekündigt haben. Betriebsratswahlen hätten gezeigt, daß die Kommunisten nirgendwo mehr als 10 Prozent der Stimmen erhalten." Als Folge davon, so erklärt Schärf weiter, habe der kommunistische Unterrichtsminister Ernst Fischer und hätten andere kommunistische Führer den Sozialdemokraten vorgeschlagen, daß die beiden Parteien bei den ersten Wahlen in Österreich eine Einheitsliste aufstellen sollten. Die Sozialdemokraten aber hätten diese kommunistischen Anträge kategorisch zurückgewiesen. Wörtlich heißt es dann in dem Memorandum des Geheimdienstes an Truman: „Schärf teilt mit, daß die Kommunisten nun eine drohende Haltung einnehmen. Er sagt, er befürchte, Fischer könnte versuchen, einen Putsch zu organisieren, bevor die westlichen Truppen [nach Wien] kommen. Schärf und Lambert behaupten, daß die Rote Armee die österreichischen Kommunisten mit Waffen ausgerüstet habe und daß die sowjetischen Streitkräfte vermutlich nichts tun werden, wenn es zu

Die junge Republik soll nicht ohne Schutz bleiben: Karl Renner bestellt den früheren Schutzbundfunktionär Franz Winterer zum Unterstaatssekretär für Heerwesen (oben), und innerhalb weniger Wochen werden über 2 000 frühere Offiziere und Unteroffiziere angeworben. Zunächst schaufeln sie ihr eigenes Amtsgebäude von Schutt frei (rechts oben). Der Versuch, früheres deutsches Heeresgut für Österreich sicherzustellen, scheitert jedoch. Die Sowjets betrachten alles, was früher deutsch war, als Kriegsbeute. Als Deutsches Eigentum werden auch zahlreiche Fabriken beschlagnahmt (rechts).

dem Putsch käme. Schärf meint, schon einige wenige Maschinengewehre in den Händen der Kommunisten könnten sich für Sozialdemokraten und Christlichsoziale als unüberwindlich erweisen." Schärf ersuche daher die westlichen Autoritäten, ihre Truppen rasch nach Wien zu entsenden und die Qualität der Truppen der Möglichkeit eines kommunistischen Putschversuchs anzupassen.

Lambert, der die Nachricht von Schärf überbracht hat, fügt als eigene Meinung hinzu: „Schärfs Befürchtungen gehen wohl von der Überlegung aus, der Westen könnte mit der Besetzung Wiens noch Monate zuwarten und im Falle eines kommunistischen Putsches in Wien eventuell davor zurückscheuen, überhaupt Truppen nach Wien zu entsenden." Interessant ist ein Nachsatz des amerikanischen Geheimdienstes: Man habe zwar versprochen, Schärfs Warnung den höchsten Autoritäten zukommen zu lassen, teile aber Schärfs Befürchtungen nicht.

Doch auch Renner scheint ähnliche Befürchtungen wie Schärf gehabt zu haben. Schon bei der Regierungsbildung hat er ein „Unterstaatssekretariat für Heerwesen" eingerichtet und hat dieses als Teil des Kanzleramtes sich selbst unterstellt. Zum Unterstaatssekretär für Heerwesen macht Renner den früheren Schutzbund-Ausbildner Franz Winterer. Das Unterstaatssekretariat für Heerwesen ist das einzige Regierungsamt, das Renner von keiner der anderen Parteien kontrollieren läßt.

Es gibt verschiedene Hinweise darauf, daß Renner durch die rasche Aufstellung einer österreichischen Truppe unter seinem Befehl die neue Republik gegen eventuelle Anschläge schützen wollte. Winterer erläßt prompt die ersten Aufrufe zur Erfassung früherer Heeresangehöriger – zunächst wendet er sich nur an jene, die schon im seinerzeitigen Bundesheer gedient haben. Aber kurz darauf sucht er auch „Angehörige der bisherigen Stäbe der deutschen Wehrmacht". Das Heeresamt nimmt insgesamt über 2 000 frühere Offiziere und Soldaten auf. Dies alles geschieht bereits vier Wochen nach Kriegsende im Mai und Juni 1945. Im August und September werden dann die Westalliierten in Wien eintreffen, womit die Aktivitäten des Heeresamtes an Bedeutung verlieren. Schließlich werden gerade die Westalliierten die Auflösung des Heeresamtes fordern, weil es das gemeinsam deklarierte Ziel der vier alliierten Mächte sei, Österreich total zu demilitarisieren. Hier sei vorweggenommen, daß schon drei Jahre später, 1948, die Westmächte auf rasche Aufstellung einer bewaffneten österreichi-

Franz Walch: Die Sinnlosigkeit erkannt.

Hermann Lendl: Es war wie ein Fieber.

schen Macht drängen, vor allem weil sie befürchten, die Kommunisten könnten in Österreich einen ähnlichen Putsch versuchen, wie er ihnen in Prag im Februar 1948 geglückt ist.

Ein anderer Umstand alarmiert im Sommer 1945 die Österreicher in der Ostzone noch mehr: Die Sowjets beginnen mit umfangreichen Demontagen in den Industriebetrieben. In Niederösterreich und in der Steiermark werden in vielen Werken die Maschinen demontiert und zum Abtransport in die Sowjetunion verladen. Das geht in einzelnen Betrieben so weit, daß sogar die Kabel aus den Wänden gerissen, die Lichtschalter abgeschraubt, die Telefone abgeschnitten werden. Die Sowjets erklären, die Demontagen dienten der Zerschlagung der deutschen Rüstungskapazität in Österreich. Die Sowjets geben aber auch zu, daß sie die Maschinen als Kriegsbeute betrachten, da die Werke ja für Deutschland gearbeitet hätten. Was nach den schweren Bombardements der Kriegszeit an intakten Werksanlagen noch übrig ist, wird nun in vielen Betrieben herausgerissen und abtransportiert. Zurück bleiben oft nur noch leere Hallen mit zerstörten Fundamenten.

Besonders bitter empfindet man die Demontagen in der Steiermark, da dieses Bundesland nicht der sowjetischen, sondern der britischen Zone angehören soll. In den Demontagen sieht man den Versuch der Sowjets, rasch noch Beute zu machen, ehe sie die Steiermark den Briten übergeben müssen. Franz Walch war Direktor in den Böhler-Werken in Kapfenberg und Zeuge der Demontagen in seiner Fabrik: „Die von der Roten Armee eingesetzte Kommission begann schon am 13. Mai mit der Demontage und dem Abtransport der vorhandenen Maschinen und Einrichtungen. Auf Befehl der Roten Armee mußten wir unsere eigenen Belegschaften dazu gewinnen, bei dieser Demontage mitzuhelfen. Insgesamt arbeiteten da rund 20 000 bis 22 000 Menschen, um die Maschinen so rasch wie möglich abzutransportieren. Beim Wegbringen der Einrichtungen ist uns die ganze Sinnlosigkeit dieser Art der Demontage erst richtig klargeworden. Denn der Großteil dieser wertvollen Einrichtungen, darunter viele Spezialmaschinen, wurde durch unsachgemäße Demontage zerstört. Vielleicht war es auch Absicht, jedenfalls haben sie als Schrott abgeführt, was für uns bisher wertvollste Maschinen waren."

Der Demontage entzogen

Hermann Lendl war in den Semperit-Werken in Traiskirchen tätig. Als knapp vor Kriegsende der Befehl zur Lähmung der Fabrik kommt, halten alle zusammen und holen nur jene Bestandteile aus den Maschinen heraus, von denen sie wissen, daß man sie mit den zurückgebliebenen Werkzeugen wieder herstellen kann. So rettet die Belegschaft den Maschinenpark der Fabrik. Dann kommt die Sowjetarmee und mit ihr ein Sowjet-Kommissar in die Semperit-Fabrik: Er ersucht die Belegschaft eindringlich, die Arbeit sofort wieder aufzunehmen und Reifen für die Rote Armee zu erzeugen. Wie geplant, werden die „gelähmten" Maschinen rasch wieder arbeitsfähig gemacht. Von nun an glaubt die Belegschaft den Betrieb für die Zukunft gesichert. Aber kaum ist der Krieg zu Ende, erlischt das Interesse der Sowjets an der Reifenerzeugung. Statt dessen kommt nun ein Demontagekommando in die Semperit-Fabrik: Alles beschlagnahmt, alles wird abmontiert, alles weggeführt. Und wieder hält die Belegschaft zusammen wie Pech und Schwefel. Hermann Lendl berichtet: „Wir hatten damals auf dem Werksgelände fünf oder sechs alte Brunnen. Da haben wir Stangenmaterial, Bronzestangen, Rundmaterial, Spezialstähle in die Brunnen hinuntergelassen. Andere Maschinenteile, Regelventile, Spezialventile, kurz alles, von dem wir angenommen haben, daß es das Wasser aushalten wird. Das haben wir alles in die Brunnen versenkt. In einem abgedeckten Teil des Mühlbachs haben wir Bleche, Kupferbleche, Messingbleche versteckt. Es war wie ein Fieber, das die ganze Belegschaft erfaßt hat. Jeder ist mit irgendwelchen Trümmern dahergekommen, zum Beispiel ist es gelungen, die Wickeltrommeln, an denen die Reifen konfektioniert werden – sehr komplizierte Trommeln und ein sehr wichtiger Bestandteil –, unter der Erde zu verstecken, wir haben die Erde aufgegraben und haben auf die Trommeln einen großen Erdhaufen geschichtet. Von den Maschinen der Velo-Produktion haben wir die entscheidenden Oberteile auf einen Alteisenhaufen gebracht und mit Alteisen zugedeckt. Die ganze Belegschaft hat mitgetan, es war unheimlich, wie die Leute bei der Sache waren. Wir haben geglaubt, es wird alles gut sein. Aber dem war nicht so. Eines Abends fahren die Russen vor, kommen mich holen, ich soll mit ihnen fahren, im Werk ist etwas passiert."

In Wirklichkeit ist es eine Verhaftung. Lendl wird von den Sowjets in die Fabrik geführt, wo er zu seinem Schrecken von den Sowjets von einem Versteck zum andern gebracht wird – alle Verstecke sind verraten. Lendl landet im Zentralgefängnis der Sowjets in Baden bei Wien. Lendl berichtet weiter: „Also zum Verhör. Nein, ich weiß nichts, ich hab nichts getan, und ich weiß nichts. Niemand weiß etwas. Kurz, ich habe alles abgeleugnet. Auf einmal geht der Dolmetscher hinaus und kommt mit dem Maurer herein, der die Verstecke zugemauert hatte. Den hatten sie schon weichgeklopft. ‚Wer hat Ihnen das befohlen?' Hat er auf mich gezeigt. Darauf hat mir der Oberleutnant ein paar saftige Ohrfeigen verabreicht, daß ich nur so hin und her geflogen bin. Dann wollte er von mir wissen, wer die anderen Beteiligten waren. Da ist mir die Sache zu bunt geworden, und ich hab gesagt, ich allein hab das veranlaßt. Ich übernehme die volle Verantwortung, alle anderen haben nur in meinem Auftrag gehandelt. Daraufhin hat man mich in Ruhe gelassen."

Lendl wartet nun im Gefängnis darauf, verurteilt zu werden, und er rechnet mit einem Todesurteil. Aber mittlerweile hat es in Wien Interventionen bei den Sowjets gegeben: Die Leute seien keine Saboteure, sie seien Patrioten. In Rußland hätte man von den eigenen Leuten auch nichts anderes erwartet. Und was in nur wenigen Fällen gelungen ist, im Fall Lendl gelingt es. Und so hat es Lendl erlebt: „Eines Tages kommt der eleganteste russische Offizier, den ich gesehen hab, irgendein ganz hoher Knabe, und der erklärt den Russen etwas in russischer Sprache. Ich hab nur ein Wort aufgeschnappt: ‚Patriot.' Da hab ich mir gedacht, wenn die mich vielleicht jetzt nicht als Dieb, sondern als Patrioten betrachten – und richtig. Als mir das verdolmetscht wird, hatte der Mann erklärt, daß wir alle aus nationaler Notwehr heraus gehandelt haben. Wir seien eigentlich keine Verbrecher. Und schließlich seien ja die versteckten Materialien alle für die Russen sichergestellt worden. Und so wurden wir freigelassen." Wie erfreut aber sind Lendl und seine Mithäftlinge, als sie nach Rückkehr in die Fabrik feststellen, daß doch nicht alle Verstecke verraten worden sind. Einige gibt es noch, und mit diesen setzen sie ihre Hoffnung auf die Zukunft.

In der Regierung ist man über die sowjetischen Demontagen höchst beunruhigt. Was wird dem Land als industrielle Grundlage bleiben, um wirtschaftlich überleben zu können, wenn ihm jetzt die letzten Maschinen weggenommen werden? Die Regierung ist gegenüber derartigen Ansprüchen der Besatzungsmacht noch völlig ohnmächtig. Aber einzelne versuchen etwas zu tun. Und es

Hunderte Lokomotiven und Eisenbahnwaggons wurden von den Sowjets als Beutegut beschlagnahmt, auch wenn sie österreichischen Ursprungs waren. Unser Bild

zeigt eine Lokomotive mit der Herkunftsbe-
zeichnung „Wien" und dem sowjetischen Be-
schlagnahmezeichen „CCCP" sowie dem
Wappen der sowjetischen Staatsbahnen.

nimmt nicht wunder, daß dazu in erster Linie jene Leute gehören, die schon einmal im Widerstand waren, die Angehörigen der Widerstandsbewegung O5.

Raoul Bumballa, der die O5 geführt hatte und nun Unterstaatssekretär im Innenministerium ist, verfügt noch immer über seine geheime Funkverbindung zu den Westmächten. Über sie verständigt er den Westen von den sowjetischen Demontagen und gibt so viele Einzelangaben durch, wie er nur kann. Aber Bumballa geht auch zu den Sowjets und legt Protest ein. Johannes Eidlitz, ein Mitkämpfer Bumballas in der Widerstandsbewegung O5, kann sich an diese Vorgänge gut erinnern: „Bumballa hat sich bei den Russen, und zwar beim General Lebedenko, sehr beschwert über die Dinge, die da vor sich gehen. Der General hat erklärt, er wisse von nichts, und das sei alles unwahr und stimme nicht. Und dort, wo es wahr sei, dort handle es sich nur um Deutsches Eigentum. Und da hat der Bumballa ihm gedroht, er werde durch seine Funkkontakte die Westalliierten von dem verständigen, was da vor sich geht. Und das hat er auch gemacht, er hatte tatsächlich noch ein geheimes Funkgerät. Das hat die Russen schon sehr geärgert, das haben wir sehr bald bemerkt."

Diese und ähnliche Funksprüche landen ebenfalls auf dem Schreibtisch des US-Präsidenten Truman. Wir fanden mehrere Berichte des US-Geheimdienstes, die sich auf österreichische Quellen stützen und die Truman vorgelegt worden sind: Die Sowjets, hieß es in den Berichten, demontierten in dem von ihnen besetzten Gebiet ganze Industriebetriebe und transportierten sie in die Sowjetunion ab. Die betroffenen Fabriken werden im einzelnen genannt: Schoeller-Bleckmann, die Stahlwerke in Ternitz, Siemens-Schuckert, Siemens & Halske, die Simmeringer Locomotivfabrik, Brown-Boveri, die Saurer-Werke usw. Man kann sich vorstellen, wie dies alles die österreichischen Politiker zutiefst besorgt gemacht und verunsichert hat. Angst vor einem kommunistischen Putschversuch, rigorose Demontagen, keine Hilfe von außen, abgeschnitten von der Welt, und auch die westlichen Alliierten kommen, so scheint es, nicht oder noch lange nicht nach Wien.

Nur aus dieser Stimmung heraus ist vermutlich zu verstehen, was sich nun in Wien begeben hat. Johannes Eidlitz als Zeuge dieser Vorgänge: „Die Amerikaner haben auch manche ungeschickte Sache gemacht. So haben sie zum Beispiel einen Mann nach Wien geschickt, der der Sohn eines ehemals führenden österreichischen Politikers war, übrigens ein guter Freund von mir, der aus dem KZ befreit worden war und nun nach Wien kam. Sein erster Weg war zu mir. Und mir hat er klipp und klar erklärt, wir müßten einen Putsch gegen die Regierung Renner organisieren und damit erzwingen, daß die Amerikaner nach Wien kommen. Damals schien mir das durchaus logisch, heute begreife ich nicht mehr, wieso man glauben konnte, daß das so funktionieren würde. Bei mir ist der Freund damals auf freundliche Ablehnung gestoßen. Aber er hat andere Leute gefunden, die da irgendwie mitgetan haben, und es ist so etwas wie eine kleine Verschwörung zustande gekommen."

Später, als diese „kleine Verschwörung" aufgedeckt und eine Reihe bekannter Persönlichkeiten unter Anklage gestellt wurde, war es vielen nicht begreiflich, wer sich was dabei gedacht hatte. Wir sind auch dieser Frage nachgegangen und nach vielen Recherchen zu folgendem Schluß gekommen: Unter den amerikanischen Abwehroffizieren, die ihr Hauptquartier in Salzburg aufschlugen, befand sich auch ein früherer Österreicher und naturalisierter Amerikaner. Er war vor 1938 ein engagierter politischer Parteigänger der Vaterländischen Front. Der von Johannes Eidlitz erwähnte

Sohn eines prominenten Politikers, der 1945 aus dem KZ befreit worden war, stand dem gleichen politischen Lager nahe. Aufgrund ihrer eigenen politischen Herkunft und dem bei den Amerikanern vorherrschenden Mißtrauen gegenüber der Renner-Regierung waren die beiden davon überzeugt, daß Renner und seine Regierungsmannschaft selbstverständlich nur Erfüllungsgehilfen Josef Stalins sein konnten. Würden sie nicht rasch genug von der Macht verdrängt, so würden sie Österreich in das Lager der Sowjetunion führen. Die Westalliierten seien zwar mißtrauisch, aber nicht bereit zu handeln, und die Amerikaner hätten überhaupt eine Neigung, den Sowjets gegenüber nachzugeben. Wenn, dann müßte man die Westalliierten durch irgendeine Aktion zum Handeln zwingen.

Der Schluß lag nahe: Antikommunistische Österreicher müßten von sich aus etwas gegen die Regierung unternehmen und dadurch eine Situation schaffen, die den Westen zum Eingreifen zwingt. Wodurch das Ziel schon erreicht wäre: Die nächste österreichische Regierung könnte nur noch im Verein mit den Westmächten eingesetzt werden. Wir haben keinen Hinweis darauf gefunden, daß diese Überlegungen irgendeiner höheren amerikanischen Dienststelle vorgelegt worden wären. Aber der Mann, der nun von Salzburg nach Wien kam, konnte sich auf etwas berufen, was in jenen Tagen von vielen als geradezu höchste Autorität angesehen wurde: Er gab weiter, was ein alliierter Offizier gesagt hatte, und noch dazu einer vom Geheimdienst. In dem nur von den Sowjets besetzten Wien wog dies doppelt. Erst recht bei früheren Mitgliedern der Widerstandsgruppe O5, hatten sie doch einiges gegen Hitler gewagt und waren sie doch von den Sowjets, aber auch von den Leuten der Renner-Regierung sang- und klanglos abserviert worden. Einige von ihnen fühlten sich geradezu berufen, den Widerstand nun fortzusetzen, da sie ihr ursprüngliches, gegen Hitler vertretenes Ziel in Gefahr glaubten – ein eigenständiges Österreich.

Zu diesem Zeitpunkt ist Heinrich Dürmayer bereits Chef der Wiener Staatspolizei. Und ihm entgehen die Aktivitäten der „kleinen Verschwörung" nicht. Diese Aktivitäten bestehen zwar fast ausschließlich nur im Herumgerede, aber was herumgeredet wird, erscheint ihm eindeutig. Dürmayers Staatspolizei schlägt zu und nimmt an die 70 Verhaftungen vor. Dürmayer erstattet Anzeige wegen Verdachts des Hochverrats. Angezeigt werden prominente Mitglieder der früheren Widerstandsbewegung O5: Sie hätten unter der Führung des Rechtsanwaltes Paul Antosch eine illegale Organisation ins Leben gerufen, die sich „Ordnungsbewegung" genannt habe und deren Ziel es gewesen sei, den Sturz bzw. die Absetzung der Regierung Renner herbeizuführen. „Das wollten sie tun, indem sie bei Eintreffen der westlichen Alliierten in Wien Massendemonstrationen gegen Renner und die sowjetischen Besatzungsbehörden organisiert hätten", heißt es in der Anzeige.

Die Anklageschrift spricht von Absichten, Taten sind nicht nachweisbar. So begründet die Anklage ihren Verdacht auf Hochverrat mit folgendem Delikt: „Es steht jedoch fest, daß Dr. Antosch den Aufbau seiner Organisation, die alle ehemaligen Widerstandsgruppen . . . erfassen sollte, von Anfang an ohne ordnungsgemäße Anmeldung bei der russischen Besatzungsbehörde sowie auch ohne Kenntnis der Provisorischen Staatsregierung durchführen wollte. Da zu dieser Zeit insbesondere die Anmelung bei der russischen Besatzungsbehörde vorgeschrieben war, lag schon in der Aufzäumung einer von vornherein als illegal gedachten und der russischen Besatzungsbehörde verheimlichten Vereinigung insofern eine Gefahr, für die ohnehin nur de facto anerkannte und vom Wohlwollen der russischen Besatzungsbehörde abhängige öster-

Österreicher, die um diese Zeit Waffen tragen dürfen, unterstehen kommunistischer Leitung. Die Bilder oben zeigen Mitglieder des in Wien eingerückten Österreichischen Freiheitsbataillons beim Biwak am Gelände

des Südbahnhofs und beim Marsch durch die Stadt. Dies alarmiert unter anderen die früheren Führungskräfte der Widerstandsbewegung O5 und ruft bei einigen von ihnen den Willen zu neuem Widerstand hervor.

reichische Staatsregierung und damit für die Selbständigkeit Österreichs überhaupt, als die Besatzungsbehörde die Entdeckung einer solchen geheimen Organisation größeren Umfangs mit gegen sie selbst gerichteter Tendenz, zum Anlaß für sehr drastische Maßnahmen hätte nehmen und die Verwaltung hätte selbst in die Hand nehmen können."

Doch nun kommt der zweite Fall der Anklage, und der richtet sich gegen den früheren Leiter des militärischen Widerstands in Wien, Major Carl Szokoll. Wie erinnerlich, hatte Szokoll schon an der deutschen Offiziersverschwörung am 20. Juli 1944 aktiv teilgenommen und danach in Wien den militärischen Flügel der Widerstandsbewegung O5 aufgebaut, zu dem auch Biedermann, Huth und Raschke gehörten, und es war Szokoll, der über Oberfeldwebel Käs am Vorabend des Kampfes um Wien die Verbindung mit dem sowjetischen Hauptquartier aufgenommen hatte. Dürmayers Staatspolizei klagt nun auch Szokoll und eine Reihe seiner Mitarbeiter des Hochverrats an. Szokoll wird vorgeworfen, sich bereit erklärt zu haben, eine militärische Organisation aufzuziehen, mit der Absicht, „Unruhen hervorzurufen, um auf diese Weise die alliierten Besatzungsbehörden zur Absetzung der Provisorischen Staatsregierung zu bewegen, was zweifellos für Österreich den Verlust der Selbständigkeit und die Unterstellung unter eine alliierte Militärregierung auf lange Zeit bedeutet hätte". Szokoll hätte die Adressen von Regierungsmitgliedern gesammelt, hätte feststellen lassen, wie stark die „Honner-Truppen" [gemeint ist das Österreichische Freiheitsbataillon, das aus Jugoslawien kam] seien und er hätte auch „Anschriften von Parteilokalen zu erkunden versucht". Wörtlich in der Anklageschrift: „Aus all dem ergibt sich, daß sich Major Szokoll vollständig darüber klar war, daß gewaltsame Aktionen geplant waren." Eine Verbindung zwischen Dr. Antosch und Szokoll, so erklärt die Anklageschrift, habe bisher nicht nachgewiesen werden können. Irgendwo müsse es eine gemeinsame Spitze geben. Und die Anklageschrift lenkt den Verdacht bezüglich einer gemeinsamen Spitze auf den früheren Führer der Widerstandsbewegung O5, Raoul Bumballa. Doch Raoul Bumballa ist Unterstaatssekretär im Innenministerium, Mitglied der Renner-Regierung, Mitglied des Parteivorstandes der ÖVP und auch in Verbindung mit dem britischen Geheimdienst. So nennt die Anklageschrift zwar Bumballas Namen mehrfach, bringt ihn mit den angeklagten Personen in Verbindung, aber läßt es dahingestellt, ob Bumballa nun als Teil der Verschwörung anzusehen sei oder nicht. Ja, auch der Name des damaligen Wiener Polizeipräsidenten Ignaz Pamer wird mehrfach genannt. Einige der Angeklagten hätten sich darauf berufen, daß Bumballa und der Polizeipräsident über ihre Aktivitäten informiert gewesen wären.

Heinrich Dürmayer, heute nach den damaligen Ereignissen befragt, erklärt: „Den Szokoll haben die Sowjets verhaftet; die haben ihn dann mir übergeben, und ich habe ihn selbst verhört, lange verhört. Und hundertmal habe ich ihm gesagt: ‚Passen Sie auf, Herr Szokoll, Sie interessieren mich überhaupt nicht. Ich will die Hintermänner wissen.' Aber er hat nichts gesagt. Und ich war damals schon und bin heute noch der Überzeugung – es gab keine Hintermänner. Das alles war auf dem Mist dieser paar Leute gewachsen, die geglaubt haben, sie könnten die Regierung stürzen. Die haben allerdings im stillen gehofft, daß die Westmächte, zumindest die Amerikaner, ihnen helfen werden, denn sie haben deren Aversion gegen die Regierung Renner gespürt."

Wie schon vorher berichtet, sind auch wir der Frage nach den Hintermännern nachgegangen. Und wir stießen auf die Verbindung zwischen der Gruppe Antosch und jenem ungenannten

„Sohn eines früheren österreichischen Politikers, der aus dem KZ kam", sowie dem amerikanischen Geheimdienstoffizier österreichischer Herkunft in Salzburg. Die Gruppe um Dr. Antosch dürfte ihren Impuls, so wie es Johannes Eidlitz berichtet, aus dieser Verbindung erhalten haben. Und es gab wahrscheinlich auch Gespräche zwischen Antosch und Carl Szokoll. Aber nach allem, was wir heute noch darüber herausfinden konnten, und das ist nicht wenig, waren die Gruppen Antosch und Szokoll zwei völlig verschiedene Organisationen, die aus völlig verschiedenen Überlegungen mit völlig verschiedenen Zielen operierten. Das findet in der Anklageschrift auch seinen Niederschlag, da sie ja feststellt, eine Verbindung zwischen beiden Gruppen nicht nachweisen zu können. Eine gemeinsame Spitze wird nur vermutet.

Die Gruppe Antosch hatte keine Hintermänner außer diesem nebulosen Geheimdienstoffizier, der höchstwahrscheinlich als engagierter Österreicher auf eigene Faust gehandelt hat. Bei Carl Szokoll war das etwas anderes. Wir haben ihn danach befragt, und er gab uns folgende Auskunft: „Es gab diese Hintermänner. Es waren aber keinesfalls die westlichen Alliierten oder gar deren Geheimdienste, sondern österreichische Politiker. Diese wollten eine Schutztruppe aufstellen, um einen eventuellen Putsch in Wien zu verhindern. Diese Politiker, denen auch Mitglieder der damaligen Provisorischen Regierung angehörten, befürchteten, daß die Kommunisten die Situation ausnützen und noch vor dem Eintreffen der westlichen Alliierten und ohne Wissen oder gar Mittun der sowjetischen Besatzungsbehörden einen Staatsstreich anzetteln könnten, der die politische Entwicklung in Österreich dann sicherlich für lange Zeit in eine andere Richtung als die der Demokratie geführt hätte. Da ich während der Kämpfe um Wien den österreichischen Widerstand leitete, hat man sich an mich gewendet. Obwohl ich selbst diese Befürchtungen für übertrieben hielt, so glaubte ich doch, daß eine solche Maßnahme im Sinn der Staatsräson zu vertreten wäre. Es kam aber nicht zu der Aufstellung der Schutztruppe und nicht einmal zum Druck der vorbereiteten Flugblätter. Ich wurde verhaftet. Und es wurde gegen mich eine Voruntersuchung nach Paragraph 58c des Österreichischen Strafgesetzbuches eingeleitet, nämlich daß ich mit Hilfe der westlichen Alliierten Vorbereitungen getroffen hätte, um die Provisorische Regierung zu stürzen. Das Verfahren wurde eingestellt, denn es stellte sich heraus, daß es ausschließlich patriotische Gründe waren, die meine Freunde und mich leiteten, und auch meine Beziehungen zu den Sowjetbehörden waren nur kurze Zeit getrübt."

Man könnte die ganze Geschichte als Episode abtun, doch erhellt dies schlaglichtartig die Umstände, unter denen die damalige Regierung Renner zu arbeiten hatte, und sie läßt auch erkennen, in welch hohem Maß die Menschen verunsichert und auch verzweifelt waren. Man hatte Angst. Angst, die Regierung Renner könnte tatsächlich gezwungen werden, ein Erfüllungsgehilfe der Sowjets zu werden, und umgekehrt Angst, es könnten die Kommunisten mit oder ohne Hilfe der sowjetischen Besatzungsmacht gerade diese Regierung Renner stürzen und sich selbst an ihre Stelle setzen. Es waren die Leute, die im Widerstand gegen Hitler viel riskiert hatten, die sich nun der einen oder der anderen Entwicklung erneut unter Risiko ihres Lebens widersetzen wollten.

Man stelle sich vor, was es heute bedeuten würde, wenn die Staatspolizei über Nacht 70 angesehene Bürger verhaften und wegen versuchten Hochverrats zur Anklage bringen würde, ja, daß die Spuren der Verschwörung sogar ins Regierungslager selbst führten. Und doch wäre das heute eine Bagatelle im Vergleich zu

Grenzschranken auf der Ennsbrücke.

Die Enns ist zum Grenzfluß inmitten von Österreich geworden. An ihrem Ufer endet die sowjetische Zone. Hier endete auch der Rückzug der deutschen Streitkräfte vor den Sowjets. So sind die Ufer des Flusses übersät mit zurückgelassenem Kriegsmaterial. Zunächst ist es keinem Österreicher erlaubt, den Fluß und damit die Zonengrenze legal zu überschreiten. Herbert Braunsteiner schwamm als Emissär der ÖVP durch die eiskalten Fluten der Enns, um die Verbindung mit Parteifreunden in Westösterreich herzustellen.

Herbert Braunsteiner: Ich habe nicht mehr geglaubt, daß ich es bis drüben schaffe.

damals, als ja jede Aktion automatisch als gegen die Besatzungsmacht gerichtet aufgefaßt werden konnte und im Kriegsrecht der Besatzungsmacht für derartige Konspirationen das Todesurteil vorgesehen war. Daß letztlich alle noch glimpflich davongekommen sind, war mit darauf zurückzuführen, daß die westlichen Alliierten bald nach Wien kamen, daß noch 1945 freie Wahlen stattfanden und daß aus diesen Wahlen eine Regierung hervorging, in der das Innenministerium nicht mehr in kommunistischen Händen war. Wie sagt doch Szokoll: „Das Verfahren wurde eingestellt."

Ein Kurier schwimmt über die Enns

Versetzen wir uns aber noch einmal zurück in jene Tage, in denen Wien vom Westen Österreichs völlig abgeschnitten war. Damals trat der Vorstand der ÖVP zusammen – Figl, Hurdes, Raab, Weinberger, Bumballa und Graf. Und was besprachen sie? Sie befürchteten die totale Isolation der Volkspartei in Wien. Wenn die Westalliierten erst in einigen Monaten oder vielleicht gar nicht nach Wien kämen, was würde sich bis dahin alles in Westösterreich als bürgerliche politische Kraft formiert haben? Und würden diese Kräfte dann die Volkspartei in Wien als Führungsspitze anerkennen? Es war dem ÖVP-Vorstand sehr wichtig, so bald wie möglich mit bürgerlichen Politikern und politischen Gruppierungen in West- und Südösterreich in Verbindung zu kommen. Aber auf legalem Weg war das nicht möglich: es gab keine Reisebewilligungen, die es Österreichern erlaubt hätten, die Demarkationslinien zu überschreiten. Wenn, dann konnte man diese Verbindung nach dem Westen nur illegal aufnehmen.

Wir wissen, daß die Sozialistische Partei vor dem gleichen Problem stand, aber in der Person des Ernst Lemberger alias Lambert einen Vertrauensmann in alliierter Uniform besaß, der diese Kurierdienste über die Zonengrenzen hinweg für die SPÖ besorgte. Die ÖVP verfügte, jedenfalls zu diesem Zeitpunkt, über keinen Vertrauensmann in alliierter Uniform. Sie konnte nur selbst versuchen, heimlich einen Kurier nach dem Westen zu entsenden. Herbert Braunsteiner, damals Medizinstudent, heute Ordinarius und Klinikchef in Innsbruck, trotz seiner damals 22 Jahre bereits erprobtes Mitglied der Widerstandsbewegung O5 und Mitbegründer der ÖVP, meldete sich freiwillig für diese Aufgabe. Braunsteiner sollte versuchen, die sowjetisch-amerikanische Demarkationslinie illegal zu überschreiten, sollte in Westösterreich nach Parteifreunden der ÖVP suchen, sie darüber informieren, was in Wien vor sich gehe und sie auch zur Unterstützung der Renner-Regierung bewegen. Vor allem sollte er den Westen darüber aufklären, daß die Renner-Regierung keine Marionette der Sowjets sei und daß die Kommunisten in der Regierung trotz ihres hohen Anteils nicht das entscheidende Sagen hätten.

Man stelle sich vor: Eine Regierungspartei, die über einen stellvertretenden Staatskanzler, mehrere Minister und fast ein Dutzend weiterer Regierungsmitglieder verfügt, sieht keine andere Möglichkeit, mit Parteifreunden im Westen Österreichs in Verbindung zu kommen, als einen Kurier illegal über die Zonengrenze zu schicken. Braunsteiner zieht sich ein Schlossergewand an und macht sich auf den Weg. Er kommt zunächst bis Waidhofen an der Ybbs, das liegt noch in der sowjetischen Zone. Herbert Braunsteiner berichtete uns, wie es weiterging: „Ganz zeitig ging ich von Waidhofen nach Weyer. Da lagen die Trümmer der deutschen Armee in der Enns, da war beim Rückzug nach Oberösterreich alles hineingeworfen worfen. Nun versuchte ich, in Weyer über die Enns zu kommen. Ich ging zu der Brücke, doch dort standen russische

Posten. Die Brücke war also für mich unpassierbar. Ich ging ein Stück flußabwärts und kam an eine Stelle, die mir zur Überquerung des Flusses günstig erschien. Ich habe meine Oberkleidung und die Schuhe ausgezogen, ein Paket gemacht und es mir auf den Kopf gebunden. Dann bin ich in die Enns gestiegen. Und das war ein schwerer Schock, denn der Fluß war irrsinnig kalt. Aber ich hab es doch riskiert und bin geschwommen. Aber ich habe nicht mehr geglaubt, daß ich es bis drüben schaffe. Doch dann war die Strömung günstig und hat mich an das andere Ufer mehr hinübergetragen, als ich geschwommen bin."

Braunsteiner zieht sein Schlossergewand wieder an und geht zu Fuß nach Linz. Dort fragt er sich zum früheren (und auch wieder späteren) Landeshauptmann Heinrich Gleißner durch. Es dauert eine Weile, bis Gleißner Braunsteiner auch glaubt, daß er von Parteifreunden aus Wien kommt – der 22jährige Bursch im Schlossergewand. Doch dann hört ihm Gleißner gut zu. Zum erstenmal vernimmt er authentisch, was sich in Wien seit der Stunde der Befreiung alles begeben hat. Und er wird mit den Vorstellungen der ÖVP-Führung, aber auch der Renner-Regierung vertraut gemacht. Gleißner hat bereits Kontakt mit Politikern in Salzburg, und diese wiederum sind in Kontakt mit Karl Gruber in Innsbruck. Braunsteiner wird nun von einem zum anderen gereicht. Und Braunsteiner erkennt, wie berechtigt die Sorge seiner Parteikollegen in Wien ist: Im Westen Österreichs mißtraut man der Renner-Regierung, ja, man mißtraut allen Politikern in Wien, die „dort gemeinsame Sache mit den Kommunisten machen".

Wir haben Karl Gruber befragt, wie das damals aus seiner Sicht und der seiner Tiroler Parteifreunde aussah: „Ich würde sagen, die Ansichten waren nicht einheitlich. Die Ur-Tiroler haben die Wiener für eine kommunistische Bande gehalten, die sich da unter russischer Führung etabliert hat. Also die wollten von den Wienern absolut nichts wissen. Auch die meisten anderen Leute waren froh, daß wir mit denen nichts zu tun haben. Aber meinen Mitarbeitern und mir war sofort klar, daß dies ja alles Österreicher sind und wir mit ihnen irgendwie zusammenarbeiten müssen. Dann kam der

Über die alliierten Demarkationslinien hinweg gibt es keinen österreichischen Zugsverkehr. Und auch innerhalb der einzelnen Zonen verkehren Züge nur selten und unregelmäßig. Wer mitfahren will, muß – wie hier vor dem zerstörten Westbahnhof – warten, bis ein Zug geht. Auch für Abgesandte der Regierung oder der Parteien gab es keine Ausnahme.

Karl Gruber hatte in Tirol seine eigene „Österreichische Staatspartei" gegründet. Viele Politiker im Westen Österreichs mißtrauten nicht nur der Regierung in Wien, sondern auch den Führungen der in Wien wiedererstandenen Parteien, ein Mißtrauen, das von den Westalliierten bestärkt wurde. Oben: Karl Gruber begrüßt die Franzosen in Innsbruck.

Herbert Braunsteiner herübergeschwommen, heroisch durch die eiskalte Enns! Das Wasser hatte zehn Grad! Der war der erste, der gekommen ist, und dann war der Kontakt schon da. Also der hat dann schon gesagt, daß das keineswegs eine reine Linksregierung ist und daß das unsere Leute sind, die da drinnen sind, der Figl, der Raab usw. Das ist eine Dreiparteienregierung, mit der man zwar nicht sehr glücklich ist, aber jedenfalls keine Marionettenregierung." Karl Gruber, der in Innsbruck bereits seine eigene Partei gegründet hat, die „Österreichische Staatspartei", ist bereit, sich der ÖVP anzuschließen.

Der Versuch Braunsteiners, auch in Kärnten bürgerliche Politiker zu überzeugen, bringt keinen Erfolg. Und in Salzburg tut er sich fast so schwer. Doch seine geheime Mission ist dennoch ein voller Erfolg. Dazu Herbert Braunsteiner: „Gleißner und Gruber gaben mir die dezidierte Erklärung mit, daß die Einheit des Landes unter allen Umständen gewahrt bleiben müsse, und zwar durch Anerkennung der Regierung Renner. Sie hatten natürlich Vorbehalte, und sie stellten Bedingungen: Wenn eine gesamtösterreichische Regierung zustande kommen soll, dann müßten in ihr die westlichen Bundesländer adäquat vertreten sein. Zwei Wochen nachdem ich Wien verlassen hatte, am 3. Juni, war ich wieder in Wien zurück und konnte noch am gleichen Tag dem Parteivorstand der ÖVP einen detaillierten Bericht über meine Reise abgeben. Und der erregte ziemliches Aufsehen."

Die SPÖ war in diesen Fragen besser dran als die ÖVP. Die Sozialdemokraten in Wien und die Sozialdemokraten in den Bundesländern kannten einander aus der Zeit vor 1938 bzw. 1934. Karl Renner war für sie natürlich eine überragende politische Persönlichkeit, selbst wenn der eine oder der andere wegen Renners Anschluß-Empfehlung ihm gegenüber Vorbehalte hatte. Aber Körner, Seitz, Speiser und noch ein Dutzend anderer, die nun in Wien in Regierung und Gemeinde prominent tätig wurden, waren in Linz, Salzburg, Graz, Klagenfurt und Innsbruck bekannt, und so waren die Sozialdemokraten im Westen auch bereit, nicht nur ihren Wiener Genossen, sondern auch der Wiener Regierung unter

Renner zu vertrauen. Und war es am Anfang nur Ernst Lemberger, der die Verbindung zwischen den Sozialdemokraten in Wien und in den Bundesländern herstellte, so entsandten bald umgekehrt die Sozialdemokraten aus dem Westen amerikanische Offiziere nach Wien, unter deren Uniform ebenfalls handfeste frühere österreichische Sozialdemokraten steckten.

Die Politik der Nicht-Verbrüderung

Mit der Herstellung der ersten Verbindung zwischen den Parteispitzen in Wien und den Politikern in den Bundesländern war viel gewonnen: Zunehmend konnte die Renner-Regierung hoffen, daß sie auch von den Österreichern in den westlichen Bundesländern als eine Regierung für ganz Österreich anerkannt werden würde. Mit einer derart breiten Basis würde diese Regierung auch den Westalliierten selbstbewußt gegenübertreten können. Dennoch: Die Anerkennung der Renner-Regierung durch die Westalliierten und damit überhaupt die Anerkennung einer einheitlichen Regierung für ganz Österreich hing im wesentlichen davon ab, mit welcher Einstellung die Westmächte den Österreichern gegenübertraten und in welchem Ausmaß bereits die Differenzen zwischen den alliierten Westmächten und der Sowjetunion deren Politik in Österreich beeinflussen würden. Die Angst war groß, daß aus den provisorischen Demarkationslinien, die Österreich nun durchzogen, eine Teilungslinie und eine unüberwindliche Grenze werden könnte.

Während die Sowjets sofort Kontakt mit österreichischen Politikern aufgenommen und diese gleich in einen politischen Prozeß eingeschaltet hatten, lehnten die Amerikaner zunächst einmal jeden näheren Kontakt mit österreichischen Politikern ab. Am 13. Mai 1945 erläßt das anglo-amerikanische Hauptquartier für den Mittelmeerraum – und zu dem gehört der Raum Österreich – einen Befehl, der die Beziehungen zur österreichischen Bevölkerung regeln soll. Die alliierte Politik in Österreich verfolge vier Ziele, heißt es in dem Befehl:

1. Den Nazismus und die Nazi-Hierarchie zu zerschlagen.

2. Gesetz und Ordnung herzustellen und zu erhalten.

3. Soweit möglich, normale Lebensbedingungen auch für die Zivilbevölkerung herzustellen.

4. Bei der Errichtung eines freien und unabhängigen Österreichs zu helfen. Jedoch: „Bis wir uns über die Haltung der Bevölkerung ins klare kommen und bis unsere Ziele dieser Bevölkerung bewußt werden, ist es notwendig, eine strikte Politik der Non-Fraternization [der Nicht-Verbrüderung, also des Verbrüderungsverbots] einzuhalten." Was darunter zu verstehen ist, wird nun im Detail erklärt: „Non-Fraternization heißt, jede Annäherung an die Österreicher zu vermeiden, ihnen gegenüber keine Freundlichkeit oder gar Intimität zu zeigen, einerlei ob es sich um einzelne Personen oder um Gruppen handelt, einerlei ob man ihnen offiziell oder privat begegnet. Jedoch, Non-Fraternization heißt nicht grobes, würdeloses oder aggressives Benehmen und auch nicht Arroganz, wie sie für die Nazi-Führer typisch war."

Non-Fraternization erfordert eine Reihe von Verboten:

a) Offiziere und Soldaten dürfen nie mit Einheimischen in der gleichen Wohnung oder im gleichen Haus untergebracht werden. Müssen Offiziere und Soldaten in privaten Quartieren wohnen, so sind die Einheimischen aus diesen zu entfernen.

b) Heirat „mit Deutschen oder Österreichern oder Angehörigen anderer Feindstaaten ist verboten". In diesem Passus wird Österreich in eine Reihe mit den Feindstaaten gestellt.

Das strikte Verbrüderungsverbot bei Amerikanern und Briten führte zunächst zur weitgehenden Isolierung ihrer Soldaten. Links oben: Auf dem Hafelekar bei Innsbruck spielt eine US-Kapelle zum Tanz, aber es fand sich nur eine einzige Amerikanerin, mit der die Soldaten tanzen durften. Rechts: Das Fronttheater bringt auch nur wenig Abwechslung. Den ersten Durchbruch gab es bei den Gottesdiensten (Bildreihe links Mitte). Für einen Feldgottesdienst in Innsbruck engagierten die Amerikaner einen österreichischen Kinderchor. Edeltraud Lenz (ganz unten) sang damals mit. Als wir sie als Augenzeugin suchten, fanden wir sie im Rollstuhl – kurz nach jenem Feldgottesdienst war sie an Kinderlähmung erkrankt.

c) Gottesdienste werden, wo immer möglich, von alliierten Geistlichen für alliierte Truppen abgehalten. Wo das nicht möglich ist, dürfen Soldaten österreichischen Gottesdiensten beiwohnen, doch muß dafür gesorgt sein, daß sie separate Sitze erhalten.

d) Generell ist verboten: Österreicher in ihren Heimen aufzusuchen, mit Österreichern zu trinken, Österreichern die Hände zu schütteln, mit ihnen Sport zu treiben oder Spiele zu spielen, ihnen Geschenke zu geben oder von ihnen Geschenke anzunehmen, mit ihnen zu tanzen oder an anderen gesellschaftlichen Zusammenkünften teilzunehmen, sie auf der Straße zu begleiten, sie in Theater, Restaurants, Bars, Cafés, Hotels oder irgendwohin auszuführen, es sei denn in amtlicher Funktion. Verboten sind auch Diskussionen und Streit mit Österreichern.

Und nun kommen die Vorschriften, die die Beziehungen der Amerikaner und der Briten mit den offiziellen Vertretern Österreichs regeln sollen:

a) Alliiertes Personal, das mit den Österreichern amtlich zu tun hat, wird dies in gerechter, aber strikter Form tun. Gegenüber den Österreichern kann die Haltung etwas entgegenkommender sein als gegenüber Deutschen.

b) Alle alliierten Befehle haben die Österreicher sofort, vollständig und genau auszuführen, Entschuldigungen und Ausreden werden nicht toleriert.

c) Wenn Angehörige der britischen oder der amerikanischen Streitkräfte sich in Gegenwart von Österreichern befinden, werden sie darauf bestehen, daß diese ihnen jene Höflichkeit und Haltung entgegenbringen, die ihrem Rang entspricht.

d) Briten und Amerikaner dürfen österreichische Offiziere nicht grüßen, es sei denn bei amtlich erforderlichen Zusammenkünften, wo die normalen Regeln internationaler Höflichkeit gelten.

e) Für österreichische Würdenträger werden keine Ehrenformationen aufgezogen.

f) In Befehlen und Anordnungen an die Österreicher „werden sämtliche Höflichkeitsformeln, wie sie in unseren eigenen Streitkräften üblich sind, weggelassen".

Schließlich heißt es in bezug auf die Einsetzung von Österreichern in öffentliche Ämter: „Österreichern in Positionen bei Polizei und Verwaltung ist klarzumachen, daß sie ihr Amt nur mit Zustimmung der alliierten Autoritäten bekleiden und es nur so lange behalten, als sie sich den alliierten Anweisungen und Wünschen fügen."

Das Dokument ist noch viel umfangreicher, doch das sind die wichtigsten Punkte. Ausgegeben ist dieser Befehl von Feldmarschall Alexander in seiner Funktion als alliierter Oberbefehlshaber im Mittelmeerraum. Wir wissen, daß dieses Fraternisierungsverbot dann relativ bald aufgehoben worden ist und es auch schon während der Gültigkeit dieses Verbots stellenweise zu einer recht intensiven Verbrüderung zwischen amerikanischen sowie britischen Soldaten und der einheimischen Bevölkerung gekommen ist. Doch was die Österreicher und insbesondere auch die österreichischen Politiker im Mai und Juni von seiten der Amerikaner und der Briten erfahren, trägt dazu bei, ihre hochgesteckten Hoffnungen auf materielle und politische Hilfe des Westens zunächst zu enttäuschen.

Mit den Soldaten kommen auch die Berichterstatter der amerikanischen Zeitungen nach Österreich. Sie sehen, was sie sehen – und berichten es nach Hause. Am 4. Juni veröffentlicht das amerikanische Nachrichtenmagazin „Time" den Bericht seines Korrespondenten William Walton unter dem Titel „Die Besetzung – Skandal in Salzburg". Darin heißt es: „In Wien haben die Russen längst schon eine nationale Regierung eingesetzt, geführt vom Nichtkommunisten Dr. Karl Renner, bisher ignoriert durch die USA und geächtet von den Engländern. Eine mögliche Folge der schnellen sowjetischen Aktionen könnte es sein, daß die Österreicher neue Achtung für die Sowjetunion gewinnen, während sie ihre Achtung für die USA und Großbritannien verlieren." Weiter heißt es wörtlich: „Wir können nicht stolz sein auf den Kontrast zwischen der amerikanischen und russischen Zone in Österreich. Drei Wochen nach der Besetzung haben die Amerikaner noch keinerlei Regierung eingesetzt oder den Österreichern auch nur angedeutet, welche Pläne wir für sie haben. Was immer man von der Wiener Regierung halten mag, oder von der einseitigen Aktion der Russen – Tatsache ist, daß die Russen entschlossen und schnell gehandelt und den Österreichern ein Angebot gemacht haben. Unser Schaufenster ist zur Zeit nur gefüllt mit Konfusion." Der Korrespondent erklärt, er könne dies am Beispiel Salzburg leicht beweisen: „Seit dem 4. Mai, dem Tag, an dem wir Salzburg erobert haben, ist Salzburg von fünf verschiedenen Garnituren der US-Militärregierung regiert worden. Kaum haben sich die einen halbwegs zurechtgefunden, werden sie schon von den anderen abgelöst. Bis jetzt ist jener Stab, der auf Österreich trainiert worden ist, hier noch nicht eingetroffen. Wann er eintrifft, weiß niemand."

Der Schuß sitzt. Die Macht der amerikanischen Presse kommt zum Tragen. Eilig wird der angesprochene Österreich-Stab der USA herbeigeholt. Er war vor Monaten in England aufgebrochen, kam über Paris und Marseille nach Caserta bei Neapel – wo wir ihm schon begegnet sind –, wurde von Caserta nach Florenz verlegt und befindet sich im Juni 1945 in Verona. Es ist nicht sicher, ob die übergeordneten amerikanischen Stellen den Aufenthaltsort des Österreich-Stabes stets genau kannten. Dem Österreich-Stab zugeteilt ist als Expertin für Finanzen Eleanor Dulles, die Schwester des späteren US-Außenministers John Foster Dulles und des späteren CIA-Chefs Allen Dulles. Sie kommt damals aus Washington und soll sich dem Österreich-Stab anschließen. Als wir Eleanor Dulles danach fragten, wo der Stab war und welche Aufgaben sie innerhalb des Stabes zu erfüllen hatte, berichtete sie uns recht humorvoll von ihren Versuchen, diesen Stab überhaupt zu finden. Nach

Eleanor Dulles: Es war wie ein Ameisenhaufen, nur schlechter organisiert.

Hans Cohrssen: Niemand wußte, wie man das macht; so haben wir angefangen.

In Salzburg machten die Amerikaner ihren eigenen Rundfunksender auf und nannten ihn „Rot-Weiß-Rot". Anfangs wurde er nur von amerikanischen Soldaten betrieben, auch wenn in den Uniformen frühere Österreicher und Deutsche steckten. Bald jedoch wurden auch österreichische Kräfte engagiert, und „Rot-Weiß-Rot" erzielte große Publikumserfolge.

langer Irrfahrt fand sie ihn in Verona. Von dort werden die amerikanischen Österreich-Experten nach Salzburg verlegt.

Eleanor Dulles schilderte uns, welchen Eindruck sie von Salzburg hatte: „Es war chaotisch. Wir waren verwirrt und besorgt, ob noch Nazi aus Deutschland da wären. Wir suchten nach österreichischen Verwaltungsstrukturen und konnten sie kaum finden. Aber auch wir hatten keinen guten Plan, auch bei uns konnten wir niemanden finden, der wußte, was vor sich ging. Es war wie ein Ameisenhaufen, nur schlechter organisiert. Die Leute rannten ziellos hin und her. Erst die Bestellung des Landeshauptmanns war ein erstes Zeichen sich entwickelnder Organisation." Die Militärregierung in Salzburg hatte bis dahin weder die Tätigkeit politischer Parteien erlaubt noch eine Landesregierung eingesetzt. Jetzt wird Adolf Schemel zum amtierenden Landeshauptmann bestellt. Er war vor 1938 Mitglied der Salzburger Landesregierung. Die Urkunde, mit der Schemel zum Landeshauptmann von Salzburg gemacht wird, ist nur in englischer Sprache ausgestellt: Englisch ist die zunächst einzig zugelassene Amtssprache in Salzburg. Und die Ernennung zum Landeshauptmann wird von einem amerikanischen Offizier ausgesprochen: Russell Janzan, Oberstleutnant der Kavallerie.

Doch nun geht es Zug um Zug. Die Amerikaner geben eine eigene Besatzungszeitung in deutscher Sprache heraus. In der ersten Nummer vom 30. Mai 1945 trägt diese Zeitung den Titel „Österreichischer Kurier", aber schon bald heißt sie: „Salzburger Nachrichten". Die „Salzburger Nachrichten" sind zunächst zwar noch ein Organ der Besatzungsmacht, doch sie werden schon von österreichischen Journalisten gemacht. Für sie gilt es, die Bevölkerung im Westen Österreichs von dem zu unterrichten, was inzwischen im Osten Österreichs alles vor sich gegangen ist.

Man merkt die Hand der österreichischen Journalisten. In der Ausgabe vom 7. Juni berichten die „Salzburger Nachrichten" klein, aber fein, daß in Wien eine Regierung unter dem Vorsitz Karl Renners eingesetzt und vereidigt worden sei. Stattgefunden am 27. April, aber doch neu für viele im Westen Österreichs. Auch sonst versucht das Blatt zu berichten, was im sowjetisch besetzten Ostösterreich vor sich geht. Die meisten dieser Meldungen kommen aus Moskau und werden von der sowjetischen Nachrichtenagentur TASS verbreitet. Sie sind auch nicht sehr interessant, aber lassen doch erkennen, daß in Wien nicht alles darniederliegt. Etwa die Meldung mit dem Titel: „Lehrerbildungsanstalten in Wien funktionieren wieder". Auch diese Meldung kommt aus Moskau.

Die Amerikaner machen in Salzburg auch ihren eigenen Rundfunksender auf, sie nennen ihn „Rot-Weiß-Rot". Der Titel ist eigentlich schon ein Programm, ein Programm, das momentan noch im Widerspruch zu stehen scheint mit der Haltung der Amerikaner gegenüber den Österreichern. Doch der Mann, der „Rot-Weiß-Rot" für die Amerikaner aufbaut, hat von vornherein eine andere Einstellung, und er versteht auch etwas vom Programmachen. Denn „Rot-Weiß-Rot" wird bald der populärste Sender in Österreich. Dieser Mann heißt Hans Cohrssen, ist Deutschamerikaner und Major in der Abteilung für psychologische Kriegführung. Cohrssen schilderte uns, wie er seinen Sender in Salzburg aufmachte: „Ich kam nach Salzburg, mit dem Auftrag, ein Radio zu machen, wo keines bestand. Es gab daher kein Studio, wir hatten weder Platz noch Angestellte, noch sonst etwas. Es waren einige amerikanische Techniker da, die zur Armee gehörten. Die sollten die Sendeeinrichtungen machen, die Antenne bauen. Und die sollten auch ein Studio einrichten. Das taten sie im Landestheater. Da wurde ein Garderobenraum für uns zurechtgemacht. Es gab ein

Mikrofon und ein Verstärkergerät. Die Leitung wurde von der Armee gelegt. Das war der Sender Rot-Weiß-Rot."

Cohrssen meint, daß die ersten Sendungen von Rot-Weiß-Rot gewiß nicht populär gewesen sein konnten. Und er erklärt das so: „Wir kamen als Amerikaner. Wir wollten die amerikanische Form der Demokratie hier verkaufen. Das war unser Auftrag. Und dazu gab man mir und unserer Abteilung doch sehr viel Freiheit von amerikanischer Seite her. Wir sollten uns etwas einfallen lassen. Niemand wußte, wie man das macht. So haben wir angefangen. Da waren einige junge Leute und auch einige österreichische sehr gute Literaten, die haben sich eine Sendereihe ausgedacht: ‚Wir lernen denken', am Samstagabend. Das ging das erstemal hinaus, ich hab's nicht gehört. Beim zweitenmal saß ich in meinem Hotelzimmer und hörte das. Und hörte wilde Anklagen gegen die Pfaffen, gegen die Leute, die den Krieg gemacht haben, da blieb kein gutes Haar an irgend jemandem in dieser Art Gesellschaft. Sage ich: So geht das nicht. So können wir unsere Idee nicht verkaufen, indem wir alles, was besteht, beschimpfen und zu zerstören versuchen."

Cohrssen führt nun einige Programmpunkte ein, von denen er weiß, daß sie in Amerika den Erfolg der Radiosender ausmachen: flotte amerikanische Schlagermusik, dazwischen nette Plaudereien. Und dann wagt er, eine amerikanische Radioinstitution nach Österreich zu versetzen: das Stadtparlament, die öffentliche Diskussion der Bürger mit den Politikern und Beamten und Würdenträgern aller Art. Zunächst sind alle der festen Meinung, daß das in Österreich nicht zu machen sei. Die Leute wären das nicht gewohnt, niemand würde wagen, den Mund aufzumachen, die einen würden nicht fragen, die anderen nicht antworten wollen. Und genauso ist es auch. Da läßt Cohrssen ein bißchen Wein und ein bißchen Whisky ausschenken. Und es dauert nicht lange, da sind die schönsten Diskussionen im Gang. Diese Diskussionssendungen werden ein solcher Erfolg, daß sie sich in verschiedenster Form, zuletzt als „Stadtgespräche", in den Medien bis in unsere Tage gehalten haben.

Sprungartig aber steigen die Hörerzahlen bei Rot-Weiß-Rot, als Cohrssen damit beginnt, Suchmeldungen nach vermißten Familienangehörigen auszustrahlen. Die Sendung wird weit über Westösterreich hinaus gehört. Jeder kann jeden suchen lassen. Gesucht werden Männer, Väter und Söhne, die als Soldaten vermißt sind; Frauen und Kinder, die vor den Bomben evakuiert wurden; Verwandte, die in den Kriegswirren auseinandergekommen sind. Und zwischendurch gibt es natürlich immer wieder Erfolgsmeldungen: Wer wen aufgrund der Sendungen gefunden hat und wo und unter welchen Umständen. Diese einfache Sendung, die meist nur Namen wiedergibt, den letzten Aufenthaltsort und den letzten Feldpostbrief, diese Sendung ist voll von Dramatik und wird gehört wie die spannendste Kriminalgeschichte. Vor dem Büro des Senders Rot-Weiß-Rot in Salzburg aber stehen die Menschen in Viererreihen Schlange, um Suchmeldungen aufzugeben.

Wenn wir dies hier berichten, so nicht, weil wir auf eine Erfolgssendung von Radio Rot-Weiß-Rot verweisen wollen, sondern weil der Inhalt dieser Sendung und die Reaktion des Publikums soviel aussagen über die Sorgen und den Seelenzustand der Menschen von damals.

Rot-Weiß-Rot beginnt auch im großen Stil, einheimische Künstler zu engagieren. Viele von ihnen befinden sich in Westösterreich und schlagen sich auf irgendeine Art und Weise durch, denn es gibt im Westen nach Kriegsende kein Theater, in dem sie auftreten können. Susi Nicoletti war eine aus dieser Künstlerschar. Sie berichtet: „Ich habe als Dolmetscherin angefangen, nicht sehr

In Favou:
=======

F r a n

P r o g r a

1.) Peter KREUDER and Theo
2.) Karl FRIEDRICH Singer
3.) Lotte LANG the popular
    At the piano the Co
4.) Eva Maria MEINEKE, Fr
    Eric FREY, Paul KEMP,
    acting short plays.
5.) Tony TANGA the swing

6.) Peter KREUDER and The

7.) Eva Maria MEINEKE, Fr
    Paul KEMP   acting
8.) Loni HEUSER, Star of
9.) Martin LANG.
10.) Johannes HEESTERS
11.) Musical Finale :

    " C A N Y O U

    Peter KREUDER and

    E N

Österreichische und deutsche Künstler durften in der US-Zone anfangs nur vor amerikanischen Soldaten auftreten; sie sangen und spielten in englischer Sprache, darunter die

Susi Nicoletti: Hans Moser auf Englisch.

Bad Ischl's W E L F A R E
========================
ehàr Theater
d Ischl.

_____

KEBEN play Franz LEHAR.
the Viena Opera House.
a Actress.
er Gustav ZELIBOR.
HEIM, Siegfried BREUER,
LINGEN, Jakob TIEDTKE

of the Turkish -
        Broadcasting Co.
EBEN playing their own
        compositions.
HEIM, Siegfried BREUER,
plays.
rlin Scala.

E M B E R ..... ? "

MACKEBEN .

ganze erste Garnitur des damaligen deutschsprachigen Lustspiels. Hier ein Programmzettel von einer Vorstellung im Ischler Lehár-Theater.

Johannes Heesters: Kinder, was ist los?

künstlerisch. Aber dann sind sie draufgekommen, daß ich Schauspielerin bin. Ich habe ein Fahrrad bekommen und einen Curfew-Paß, der es mir erlaubt hat, auch nach acht Uhr abends in der Ausgangssperre nach Hause zu fahren. Und dann habe ich für Lebensmittel in der Mess-Hall [in der Kantine der Soldaten] gesungen, in Tamsweg. Halt Soldaten-Songs und viele komische Sachen."

Susi Nicoletti singt englische Lieder vor Briten und Amerikanern und hat dabei großen Erfolg. Aber es hält sie nicht lange bei den Soldaten: „Ich bin dann nach Bad Ischl. Dort haben wir eine Künstlergemeinschaft gegründet und zum erstenmal wieder Theater gespielt, auch sehr viele Lesungen gemacht. Es war sehr lustig, wer da alles da war: der Siegfried Breuer, der Paul Kemp und der Theo Lingen." In Ischl findet man sich rund um das dortige Lehár-Theater zusammen. Die Filmlieblinge von damals, die Komikergilde des deutschen Theaters und, wie man heute sagen würde, die Entertainer der damaligen Zeit. Sie beschließen, eine Art Tourneetheater auf die Beine zu stellen, und suchen weitere Schauspieler, die das Kriegsende, die Flucht vor den Bomben und vor den Fronten nach Österreich verschlagen hat. Unter vielen anderen finden sie in Bad Aussee auch Johannes Heesters. Er schilderte uns, wie man ihn für die Idee des Tourneetheaters gewinnen wollte: „Ich komme aus dem Wald nach Hause, dort habe ich nämlich Holz geschlagen, und ich komme und schaue auf die Veranda. Und wer sitzt da? Da sitzt der Theo Lingen, da sitzen Kollegen, die alle aus Ischl gekommen waren. Sag ich: Nanu, was machen die plötzlich hier? Ich komm herauf und sag: ‚Kinder, was ist los?‘ Also, wir wollen alle wieder arbeiten, wir wollen im Theater vom Lehár in Ischl Abende machen, und wir wollen dann herumreisen, auf Tournee gehen, weil Ischl allein wird uns bald gesehen haben. Sag ich: ‚Glaubt ihr, daß das schon geht?‘ Doch, es wird schon gehen, wir müssen uns nur vorbereiten. Hab ich gesagt: ‚Ich mache mit.‘"

Schließlich machen viele mit, obwohl sie zunächst nur für die Amerikaner spielen dürfen. Non-Fraternization erlaubt zwar, daß Österreicher und Deutsche Amerikaner unterhalten, aber erlaubt nicht, daß Amerikaner und Österreicher im Zuschauerraum zusammensitzen. Die Unterhaltungsgarnitur, die auf der Bühne steht, kann sich sehen lassen: Peter Kreuder, Theo Mackeben, Lotte Lang, Eva-Maria Meineke, Franz Böheim, Erik Frey und eben Susi Nicoletti, Siegfried Breuer, Paul Kemp, Theo Lingen und Johannes Heesters.

Und noch einer ist mit von der Partie – Hans Moser. Auch er spielt zunächst nur vor Amerikanern. Seine damals beliebteste, aber auch wienerischste Rolle – den „Dienstmann". Susi Nicoletti war dabei: „Der Moser hat den Dienstmann auf englisch gespielt! Das war umwerfend. Und er hatte das Englisch gelernt gehabt wie Chinesisch, denn er konnte nicht Englisch. Und was er auswendiggelernt hatte, war auch nicht sehr verständlich. Und da waren doch Ausdrücke wie ‚Über d' Schreamsn‘ [über die Achse] und ‚Nehma 'n krowodisch‘ [von hinten nehmen] und alle diese Sachen, die ja in dem Sketch vorkommen, und ich weiß gar nicht mehr, wie sie übersetzt wurden. Aber das kam natürlich bei den Amerikanern überhaupt nicht an, wie hätten die das auch verstehen sollen! Doch der Trojan und ich saßen in einer Loge, und wir sind fast rausgefallen vor Lachen. Und dann kam das Beste: der Moser wurde so wütend, weil seine Pointen nicht ankamen, daß er angefangen hat, dazwischen auf österreichisch zu schimpfen. Das war so umwerfend schön, das kann man gar nicht beschreiben."

Inzwischen ist die Vienna Mission in ihr Hauptquartier zurückgekehrt, die Generäle Flory, Winterton und Cherrière. Ihre Berichte wurden an die westalliierten Regierungen weitergeleitet. Auch die Abkommen, die sie mit den Sowjets ausgehandelt haben, die Aufteilung Wiens in vier Besatzungssektoren und den interalliierten Distrikt Innere Stadt sowie die Zuweisung der Flugplätze Schwechat und Tulln-Langenlebarn an die Westmächte. Die Voraussetzung für die endgültige Festlegung der Besatzungszonen in Österreich ist damit geschaffen. Am 9. Juli paraphiert die Europäische Beratende Kommission das Abkommen, in dem die Zonengrenzen in Österreich nun endgültig festgelegt werden. Wir sagten es schon: Burgenland und Niederösterreich sowie das Mühlviertel werden zur sowjetischen, Kärnten und die Steiermark zur britischen, Oberösterreich südlich der Donau und Salzburg zur amerikanischen, Vorarlberg und Tirol zur französischen Zone gehören. Osttirol bleibt aus verwaltungstechnischen Gründen bei der britischen Zone.

Das ist die neue Zoneneinteilung, und nun müssen in Österreich einige Korrekturen vorgenommen werden. Die erste erfolgt in Tirol. Die Amerikaner ziehen ab, und die Franzosen kommen. Der damalige Landeshauptmann von Tirol, Karl Gruber, hatte in einem Telegramm an Präsident Truman noch versucht, sich gegen diesen Zonabtausch zu stemmen: Es funktioniere bereits alles in Tirol, die Zusammenarbeit mit den Amerikanern entwickle sich gut, das Land würde gefährlichen Erschütterungen ausgesetzt sein, wenn nun plötzlich eine andere Besatzungsmacht käme. Aber die Zuteilung der Zonen in Österreich sind Teil der größeren Weltpolitik.

So erlebt Innsbruck den zweiten Einmarsch alliierter Truppen: Am 7. Juli marschieren die Marokkaner ein. Nun staunen auch die Tiroler über die Soldaten mit dem Turban. Und ein bißchen exotisch wirken die Bilder von damals auch heute noch: der Patscherkofel, das Hafelekar – und auf der Maria-Theresien-Straße die Marokkaner mit dem Turban.

Zwei Monate zuvor hatte Karl Gruber im Namen der Tiroler Widerstandsbewegung die Stadt den Amerikanern übergeben. Als die Österreicher Gruber zum Landeshauptmann von Tirol vorschlugen, akzeptierten das die Amerikaner. Und als Landeshauptmann tritt Gruber nun den französischen Offizieren entgegen und legt das Schicksal Tirols in ihre Hände.

Am 22. Juli beginnen die Sowjets aus der Steiermark abzuziehen. Zweieinhalb Monate hatte die sowjetische Besetzung der Steiermark gedauert. In dieser Zeit sind in vielen Industriebetrieben Maschinen demontiert und die Warenlager abtransportiert worden. Sogar das Fernkabel von Graz nach Wien wurde als deutsches militärisches Gut ausgegraben und beschlagnahmt, denn – und das war richtig – es war erst nach dem Anschluß verlegt worden und führte in seiner Fortsetzung von Wien weiter nach Berlin. So hoffen die Steirer auf bessere Zeiten, als es nun für sie Gewißheit wird, daß die Sowjets von den Briten abgelöst werden.

Wir erwähnten schon, daß die Sowjets am Anfang der Besatzungszeit, wie die Franzosen, kein Verbrüderungsverbot kannten. Sie saßen mit den Österreichern in den Gasthäusern, waren in österreichischen Bauernhäusern und Wohnungen untergebracht, verkehrten mit österreichischen Verwaltungsorganen. Doch die russischen Soldaten galten als unberechenbar, sehr freundlich zu Kindern und in nüchternem Zustand oft auch freundlich zu den Erwachsenen, aber nach Alkoholgenuß oder bei ihrer Suche nach Beute konnten sie recht aggressiv werden. So kam es trotz dieser engen Berührung zwischen Besatzung und Bevölkerung nur zu wenigen intimeren Beziehungen. Auch hatten die Sowjetsoldaten wenig zu bieten, sie kamen aus einem armen und zerstörten Land. Und doch gab es einige Steirerinnen, denen sowjetische Offiziere

Eines der ganz seltenen Bilder von der Ablöse der Sowjets durch die Briten in der Steiermark. Hier ist soeben eine britische Vorausabteilung in Fohnsdorf eingefahren und übernimmt die bisherige sowjetische Kommandantur in der Stadt.

Adolf Findeis: Die Bräute blieben zurück.

die Ehe versprochen hatten und die auch willens waren, mit ihrem Bräutigam in die Sowjetunion zu gehen.

Adolf Findeis berichtet von der Abfahrt des vorletzten und des letztes Zuges, die mit sowjetischen Soldaten die Steiermark verließen. Und er hatte dabei ein merkwürdiges Erlebnis: „Der offizielle letzte Zug war mit Fahnen geschmückt, und auf dem Bahnhof fand eine kleine Feier statt, mit Musik, bei der die ideologischen Freunde der Sowjets sich von ihnen verabschiedeten. Aber ein Freund von mir, der bei der Bundesbahn tätig war, sagte mir, es fährt noch ein allerletzter Zug ab. Es wären noch einige Russen da, und in dem Zug würden auch einige Steirerinnen mitfahren, die inzwischen russische Bräute geworden sind und denen die russischen Soldaten die Hochzeit und die Mitnahme in ihre russische Heimat versprochen haben. Und so war es auch. Da stand der Zug, und im letzten Waggon befanden sich die österreichischen Mädchen. Der Zug wurde ohne Feierlichkeit verabschiedet. Auf dem Bahnsteig standen einige Angehörige, vor allem Mütter, die um ihre Töchter weinten, die da ins ferne Rußland fahren sollten. Die Töchter winkten aus dem Zug und weinten auch. In den vorderen Waggons saßen die Sowjets. Dann fuhr der Zug los. Aber zur größten Überraschung von uns allen blieb der letzte Waggon mit den Bräuten auf dem Bahnsteig stehen. Das war eine Überraschung für die Mütter und für die Töchter! Die stiegen aus, waren zunächst sehr betroffen, aber dann schien es mir, als wären alle doch recht glücklich, daß sie dieses Abenteuer auf solche Art überstanden hatten."

Am 24. Juli rollen die ersten britischen Panzerspähwagen in Graz ein. Auf dem Platz vor dem Rathaus hat sich eine große Menschenmenge eingefunden. Man empfängt die Briten mit Applaus. Der britische Stadtkommandant klettert auf einen Panzerspähwagen und verliest seine ersten Befehle an die Bevölkerung. Es sind noch die gleichen strengen Befehle, die für Briten und Amerikaner in ganz Österreich gelten. Aber die Menschen hören kaum hin – sie erwarten von den Briten eine Milderung des Besatzungsregimes, vor allem ein Ende der Demontagen in den steirischen Industriegebieten. Und obwohl die Briten die Bevölkerung laut Befehl auf Distanz zu halten haben, lassen sie auf dem Grazer Hauptplatz ihre schottischen Regimenter mit Dudelsack und Trommelwirbel eine große Show abziehen und wären wohl sehr unglücklich gewesen, wenn ihnen dabei niemand zugesehen und applaudiert hätte.

Die „Grazer Antifaschistische Zeitung" erscheint am nächsten Tag mit ihrem nunmehr fünften Titel: „Neue Steirische Zeitung" und meldet auch die Ursache der neuen Namensgebung: „Vom Grazer Rathaus weht die britische Fahne". Als Herausgeber der Zeitung fungiert ab sofort die britische 8. Armee.

Zur gleichen Zeit räumen die Amerikaner das oberösterreichische Mühlviertel. Sowjetische Truppen rücken ein. Das ist nicht nur ein Wechsel in der Besatzung, das ist gleichzeitig die Teilung Oberösterreichs in zwei verschiedene Besatzungszonen, mit den vielen Komplikationen, die das nun mit sich bringt. Der Einzug der Westalliierten in Wien wird erst im August stattfinden.

Aus den provisorischen Demarkationslinien in Österreich sind fixe Zonengrenzen geworden. Wo bisher nur Wachposten standen, werden jetzt feste Kontrollstellen mit Schlagbäumen und Grenzerhäuschen eingerichtet. In Linz verläuft die Zonengrenze entlang der Donau und damit quer durch die Stadt, auf einer Seite der Brücke stehen russische, auf der anderen amerikanische Posten.

Das Land ist geteilt. Es wird an den Österreichern liegen, sich als Volk nicht teilen zu lassen.

EIN EINIG VOLK

Wer heute die Deutsche Demokratische Republik besucht, wird gerne nach Potsdam geführt zum Schloß Cecilienhof. In diesem Schloß waren im Juli 1945 Josef Stalin, Winston Churchill und Harry Truman zusammengekommen, um in Fortsetzung der Verhandlungen von Jalta darüber zu beraten, was nun aus den befreiten und aus den besiegten Ländern im Nachkriegseuropa werden solle. Die DDR hat aus dem Cecilienhof eine nationale Gedenkstätte gemacht. Denn auf der Konferenz von Potsdam, unter welchem Titel das Zusammentreffen der Großen Drei im Cecilienhof in die Geschichte eingegangen ist, habe Stalin jene Neuordnung in Europa durchgesetzt, die heute den Frieden in Europa garantiere. So kann man es auf den Wandanschlägen in Cecilienhof lesen. Truman und Churchill hätten die Zerstückelung Deutschlands geplant gehabt, und das sei von Stalin verhindert worden. Truman und Churchill hätten einen süddeutschen Staat gründen wollen, der aus Bayern, Österreich und Ungarn hätte bestehen sollen, mit der Absicht, Deutschland zu schwächen und den westlichen Imperialismus im Donauraum zu verankern. Auch das sei von Stalin verhindert worden. Hingegen habe Stalin durchgesetzt, was zum Fundament des Friedens in Europa geworden sei: die neuen Grenzen in Ostmitteleuropa. Und auch die Sicherung eines selbständigen und unabhängigen Österreichs, das eben nicht von einer imperialistisch-kapitalistischen Donauföderation aufgesaugt worden sei.

So die Argumente der jungen Begleiter, die die Besucher durch Cecilienhof führen und ihnen die Bedeutung der ausgestellten Landkarten und Dokumente erklären. Irgendwo steht auch, was Cecilienhof eigentlich war: „Schloß Cecilienhof wurde 1913 bis 1916 auf Befehl Kaiser Wilhelms II. von Professor Schultze-Naumburg mit Stilmerkmalen eines englischen Landhauses errichtet. Der Bau mit seinen 176 Räumen und der reichen Innenausstattung kostete die beträchtliche Summe von acht Millionen Goldmark. Mitten im Ersten Weltkrieg, in einer Zeit von Hunger und Not für das Volk, wurde Cecilienhof im Herbst 1917 als neue Residenz des damaligen Kronprinzen Wilhelm von Hohenzollern eingeweiht und nach der Kronprinzessin Cecilie benannt." Nach 1918 enteignet, dann den Hohenzollern wieder zurückgegeben, 1945 von den Sowjets beschlagnahmt, in der DDR zum Volkseigentum geworden.

Am 17. Juli 1945 nehmen in Cecilienhof Truman und Churchill als Gäste Stalins um einen großen runden Tisch Platz. Diesmal will sich der Westen Zeit nehmen und nicht unter Zeitdruck verhandeln. Aber in Großbritannien finden Wahlen statt, die ersten nach dem Krieg, und mitten in der Konferenz muß Churchill nach Hause, um seine Stimme abzugeben und abzuwarten, ob er weiterhin Englands Premierminister bleibt. Er bleibt es nicht. Der Kriegsheld Winston Churchill wird nicht wiedergewählt. Die Briten feiern Churchill als den Mann, der ihnen den Sieg brachte, doch für die Friedensjahre fordert die Mehrheit der Wähler soziale Reformen, und die erwartet man eher von der Labour Party. Der Führer der Labour Party, Clement Attlee, wird der neue britische Premierminister. Churchill kehrt nicht mehr nach Potsdam zurück. An seiner Statt kommt Attlee, um den Sitz Großbritanniens einzunehmen. In Jalta saß ein todkranker Roosevelt Stalin gegenüber. In Potsdam sind es jetzt gleich zwei weltpolitische Neulinge – Truman, der erst

Noch einmal versuchen sich die Großen Drei über die Neuordnung Europas zu verständigen. Die Konferenz findet in der ehemaligen Residenz des Kronprinzen Wilhelm von Hohenzollern, dem Cecilienhof bei Potsdam, statt (unten). Doch es ist nicht mehr der gleiche Personenkreis, wie er in Jalta getagt hat: Roosevelt ist tot, statt ihm sitzt nun Harry Truman Stalin gegenüber. Churchill muß inmitten der Konferenz abreisen, denn in England wird gewählt; und Churchill wird nicht wiedergewählt. Statt ihm eilt nun der neue britische Premierminister Clement Attlee nach Potsdam. Unsere Bildfolge rechts zeigt von oben nach unten: Stalin trifft ein. Darunter: Umgeben von Molotow, Wyschinsky, Gusew und Gromyko begrüßt er Winston Churchill. Truman, Stalin und Churchill stellen sich noch einmal gemeinsam den Fotografen, rechts hinter Churchill Clement Attlee. Darunter der Tisch, an dem ein guter Teil Nachkriegsgeschichte gemacht worden ist. An einem Punkt der Konferenz teilt Truman Stalin mit, daß die USA über die Atombombe verfügen (rechts unten).

vor drei Monaten amerikanischer Präsident geworden ist, und Attlee, der erst vor ein paar Tagen an die Spitze der britischen Regierung getreten ist. Worum geht es Stalin? In erster Linie darum, daß die Sowjetunion aus dem besiegten Deutschland die Reparationen erhält, um die zerstörten Teile ihres Landes wieder aufzubauen. Stalin schwebt fürs erste eine Summe von 10 Milliarden Dollar vor, die in Form demontierter Industrieanlagen und Warenlieferungen aus allen vier Besatzungszonen Deutschlands geleistet werden solle. Auch soll das im Ausland befindliche Deutsche Eigentum zu Reparationsleistungen herangezogen werden. Stalin geht es weiters um die Zustimmung der Westmächte zu den geplanten neuen Grenzen, um die Aufteilung Ostpreußens zwischen der Sowjetunion und Polen, um die Zuteilung der deutschen Gebiete östlich der Oder und Neiße an Polen als Kompensation für jene polnischen Gebiete, die sich die Sowjetunion schon mit dem Hitler-Stalin-Pakt geholt hatte und die sie weiterhin beansprucht. Und im Zuge dieser Grenzverlegungen soll die deutschsprachige Bevölkerung dieser Gebiete ausgesiedelt werden. Stalin meint dazu, daß es dort gar keine Deutschen mehr gebe, da sie geflohen seien. Und auch der Tschechoslowakei und Ungarn sollte gestattet werden, die deutschsprachige Bevölkerung dieser Länder auszusiedeln.

Bei der Potsdamer Konferenz geht es auch noch um andere Fragen: Wie soll der alliierte Kontrollmechanismus in Deutschland funktionieren? Wie soll man mit den früheren Verbündeten Hitlers verfahren? Was geht in Griechenland vor, was im Libanon und in Syrien? Wann würden die anglo-amerikanischen und die sowjetischen Truppen aus dem von ihnen besetzten Persien abziehen? Und vieles mehr.

Dem Präsidenten Truman geht es, wie auch seinem Vorgänger Roosevelt, darum, die Sowjetunion zum Kriegseintritt gegen Japan zu bewegen. Und Stalin sagt dies Truman am 24. Juli in einer Unterredung unter vier Augen fix zu. Ebenfalls in einer Unterredung unter vier Augen teilt Truman Stalin mit, daß die USA über eine neue Waffe von verheerender Zerstörungskraft verfügten, über die Atombombe.

Einen Tag vor Beginn der Potsdamer Konferenz war in der Wüste von New Mexico die erste Atombombe der Welt gezündet worden, und der Test war ein voller Erfolg. Die von den Wissenschaftlern vorausgesagte gewaltige Explosionskraft hatte sich eingestellt. Truman erhält das verschlüsselte Telegramm, das er erwartet hatte: „Heute morgen operiert. Diagnose übertrifft Erwartungen." Das ist die in medizinische Sprache gekleidete Meldung über den ersten Atombomben-Test der Geschichte. Aber Truman weiß, daß die USA außer dieser einen in New Mexico gezündeten Bombe nur noch über weitere zwei Bomben verfügen werden. Mehr spaltbares Material ist bisher nicht erzeugt worden. Und es ist nicht gewiß, ob sich Japan mit zwei solcher Bomben in die Knie zwingen lassen würde. Wenn nicht, dann stünde den USA noch ein sehr blutiger Waffengang bevor, die Invasion der japanischen Inseln, der Kampf mit Japanern, die sich vermutlich noch heftiger wehren würden, als es die Deutschen in Europa getan hatten. So ist der Kriegseintritt der Sowjetunion gegen Japan für Truman sehr wichtig.

Trumans Problem mit dem Krieg gegen Japan läßt es geraten erscheinen, harten Konfrontationen mit Stalin aus dem Weg zu gehen. Am besten, man verschiebt die Entscheidungen. Über die von Stalin geforderten neuen Grenzen soll erst eine kommende Friedenskonferenz endgültig befinden. Doch man ist damit einverstanden, daß die Sowjets und die Polen die von ihnen beanspruchten Gebiete besetzen – provisorisch. Der Aussiedlung der Deutschen aus Polen und aus der Tschechoslowakei stimmen die westlichen Staatsmänner zu, unter der Voraussetzung, daß sich diese Aussiedlung unter menschenwürdigen Umständen abspielt. Kontrollen oder Sanktionen sind keine vorgesehen für den Fall, daß es dabei etwa nicht menschenwürdig zugehen und aus der Aussiedlung eine Vertreibung würde.

Natürlich ist auch nicht zu übersehen, daß die alliierten Mächte gerade erst einen jahrelangen Krieg geführt haben, um das Hitler-Reich zu bezwingen. Deutschland war ein gefährlicher Feind, und Rücksichtnahme auf deutsche Interessen irgendwelcher Art schien nicht geboten. Daß es dabei bereits um gesamteuropäische Fragen und um geschichtliche Weichenstellungen ging, war den westlichen Staatsmännern zweifellos bewußt, sonst hätten sie nicht versucht, endgültige Entscheidungen aufzuschieben. Aber in Fragen, in denen es zu Konfrontationen mit Stalin hätte kommen können, schien es ihnen ratsam nachzugeben. Das nur zur Charakterisierung der Atmosphäre von Potsdam.

Wiens Versorgung nicht gesichert

Und nun zu jenen Beschlüssen, die in dieser Atmosphäre bei der Potsdamer Konferenz bezüglich Österreich gefaßt wurden. Einen Moment lang wird sogar in Frage gestellt, ob die Westmächte überhaupt Truppen nach Wien entsenden sollten. Auslösendes Element ist ein „Top secret-Telegramm" des Londoner Foreign Office vom 20. Juli an den britischen Außenminister in Potsdam. Der britische Oberbefehlshaber in Österreich, General Richard McCreery, habe soeben festgestellt, daß die Briten, sobald sie ihren Sektor in Wien besetzen, die dort lebende Bevölkerung mit Nahrungsmitteln versorgen müßten. Die Sowjets hätten erklärt, daß mit dem Eintreffen der Westalliierten ihre eigene Verantwortung für die Ernährung der Bevölkerung erlösche. Im britischen Sektor Wiens aber wohnten schätzungsweise 500 000 Menschen. Den Briten in Österreich stünden nicht annähernd genügend Lebensmittel zur Verfügung, um eine Dauerversorgung von so vielen Menschen übernehmen zu können. Wörtlich heißt es dann in dem Telegramm: „Politisch ist es gewiß wichtig, unsere Position in Österreich nicht aufzugeben, aber in Anbetracht der schweren zusätzlichen Verpflichtungen, die wir damit übernehmen müßten, sollten wir es uns noch einmal überlegen, ob wir unseren Sektor in Wien und sogar in der Steiermark tatsächlich besetzen, es sei denn, die Russen erklären sich bereit, die Versorgung dieser Gebiete aus deren natürlichem Umfeld sicherzustellen. Dazu gehört vor allem Niederösterreich, und dazu gehören die anderen Donaustaaten, die sich zur Zeit ebenfalls unter russischer Kontrolle befinden. Ebenso wie Österreich Kohle aus Schlesien und Polen erhalten müßte."

Wir wissen nicht, ob Churchill aufgrund des Telegramms das Einrücken der Briten in die Steiermark und vor allem nach Wien tatsächlich in Frage gestellt hat. Am 23. Juli setzt Churchill das Problem auf die Tagesordnung der Dreierkonferenz. Churchill eröffnet die Debatte: „Wir haben noch die Frage Wien . . . Was die britische Zone betrifft, so stellt es sich heraus, daß in dieser Zone 500 000 Menschen leben, und da die Quellen der Lebensmittelversorgung Wiens östlich der Stadt liegen, sind wir nicht in der Lage, die Ernährung dieser halben Million Menschen zu übernehmen." Churchill schlägt ein Übereinkommen mit den Sowjets vor, wonach die Russen die Bevölkerung Wiens so lange mit Lebensmitteln versorgen, bis ein längerfristiges Abkommen ausgearbeitet werden kann. Der für Österreich zuständige Mittelmeer-Befehlshaber Feldmarschall Alexander wird an den Konferenztisch gebeten und soll

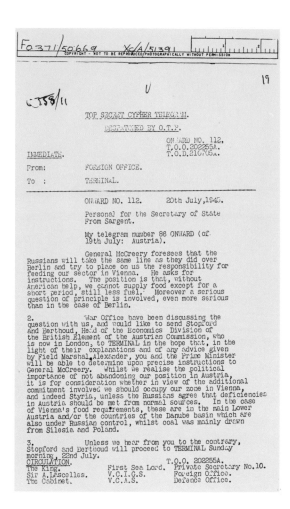

Das Geheimtelegramm aus dem Foreign Office an TERMINAL – das Codewort für die Konferenz von Potsdam. In dem Telegramm wird die Befürchtung ausgesprochen, daß England die Menschen in Wien und in der Steiermark nicht werde ernähren können. Man möge überlegen, ob die Briten unter diesen Umständen in Wien und in der Steiermark überhaupt einrücken sollen (oben). Die Versorgungslage in Wien ist in der Tat katastrophal. Die Menschen drängen sich zu den wenigen Lokalzügen, um auf dem Land oft ihre letzte Habe gegen Lebensmittel einzutauschen (rechts oben). Die Schornsteine sind oft beschädigt; so wird mit den wenigen Holzspänen, über die man verfügt, im Freien gekocht. Auch an Brennmaterial mangelt es (rechts Mitte).

die Lage in Österreich darlegen: „Ich habe in Italien keine Lebensmittel, die ich zur Verfügung stellen könnte. Es gibt kleine Vorräte in Klagenfurt, aber diese Vorräte würden nur für drei Wochen reichen. Deshalb müßte man, wenn wir uns verpflichten, die Bevölkerung zu ernähren, Lebensmittel aus den USA heranschaffen." Präsident Truman: „In unserer Zone [Wiens] beträgt die Bevölkerungszahl 375 000. Unsere Schiffe sind jetzt in Anspruch genommen, Güter für die Kampfhandlungen in Japan, Lebensmittel nach Europa und einiges Material in die Sowjetunion zu befördern. Es fehlen uns Transportmittel, so daß es uns sogar schwerfallen wird, die Bevölkerung unserer Zone zu versorgen." Stalin: „Und wie steht es mit der französischen Zone?" Feldmarschall Alexander: „Das ist mir nicht bekannt." (Alexander und offenbar auch Truman wissen nicht, daß die USA den Franzosen bereits zugesagt haben, den französischen Sektor Wiens voll mitzuversorgen.) Stalin: „Gestatten Sie mir, daß ich mich mit Marschall Konjew in Verbindung setze [mit dem sowjetischen Militärkommissar in Österreich]. Ich denke, daß es möglich wäre, unsere Alliierten etwa einen Monat lang von der Versorgungspflicht zu befreien. Für welche Zeit müßte man diese Versorgung organisieren – bis zur neuen Ernte oder wie?"

Churchill weist nun darauf hin, daß ja die Gesamtbevölkerung Wiens ihre Nahrungsmittel immer aus den östlichen Gebieten des Landes erhalten habe, und will damit sagen, daß es nicht um eine momentane Überbrückungshilfe geht, sondern daß die Wiener Bevölkerung auch in Zukunft aus der Sowjetzone Österreichs und aus den Nachbarländern Ungarn, Jugoslawien und der ČSR versorgt werden müßte. Stalin gibt bekannt, daß die Sowjets bereits ein Abkommen mit der österreichischen Regierung hätten, demzufolge die Österreicher Nahrungsmittel im Austausch gegen spätere Warenlieferungen erhalten. Ob dies ausreichend sei, müsse er mit Marschall Konjew besprechen. Churchill: „Die Lage ist so, daß es Feldmarschall Alexander . . . schwerfällt, in Wien einzuziehen, solange die Frage der Lebensmittelversorgung nicht gelöst ist." Stalin: „Ist die Lebensmittelversorgung in Wien schon so schlimm?" Alexander: „Wenn Sie uns dabei helfen könnten, sind wir natürlich bereit, weiter vorzurücken und unseren Teil Arbeit zu übernehmen." Stalin: „Ich kann das morgen sagen." Churchill: „Wir danken Ihnen." Das ist der Moment, in dem Stalin seine Forderung bezüglich Österreich auf den Tisch legt. Stalin: „Es wäre gut, wenn die englischen und die amerikanischen Behörden bereit wären, die Autorität der Regierung Renner auch auf ihre Zonen auszudehnen. Das würde keine Anerkennung der Regierung Renner bedeuten, aber . . . das würde die Lösung der Frage erleichtern." Truman nimmt den Köder nicht auf: „Wir sind bereit, diese Frage zu erörtern, sobald unsere Truppen in Wien eingezogen sind." Churchill: „Damit sind wir ebenfalls einverstanden."

Doch Truman und Churchill wissen, daß damit ein Junktim hergestellt ist: Wenn die Westalliierten auf sowjetische Lebensmittellieferungen Wert legen, wird man um die Frage der Anerkennung der Regierung Renner vermutlich nicht herumkönnen. Das zeigt sich schon am nächsten Morgen. Stalin eröffnet das Gespräch: „Ich habe heute mit Marschall Konjew in Wien gesprochen. Er wird die Ausgabe von Lebensmittelrationen . . . so lange nicht einstellen, bis die Amerikaner und die Engländer die Möglichkeit finden, etwas zu unternehmen." Truman und Churchill: „Wir sind Ihnen sehr dankbar." Churchill: „Es gab die Frage über die Ausdehnung der Renner-Administration auf die britische und die amerikanische Zone." Stalin: „Es wäre gut, ihre Kompetenz auf alle Zonen auszudehnen." Churchill: „Wir meinen, daß dies eine der ersten Fragen ist, die wir überprüfen müssen, sobald wir in Wien eingerückt sind. Im Prinzip sind wir einverstanden, daß es wünschenswert ist, mit einer einzigen österreichischen Verwaltung zu arbeiten." Stalin: „Natürlich ist das besser." Churchill: „Wir wollen die örtliche Verwaltung nicht behindern." Stalin: „So wird es besser sein."

Das Deutsche Eigentum

Dann reist Churchill ab zu den Wahlen nach England und kehrt nicht wieder. Sein Nachfolger Attlee und Harry Truman einigen sich nun mit Stalin über die Reparationslieferungen, die dem besiegten Deutschland auferlegt werden sollen. Das entsprechende Abkommen enthält zehn Punkte. In zwei dieser Punkte wird auf Österreich Bezug genommen. Hier der Wortlaut: „Paragraph 8: Die Sowjetregierung verzichtet auf alle Anteile an deutschen Unternehmungen, die in den westlichen Zonen Deutschlands liegen und auch auf das deutsche Auslandseigentum in allen Ländern, außer in jenen, die im Paragraph 9 aufgezählt sind." – „Paragraph 9: Die Regierungen des Vereinigten Königreichs und der USA verzichten auf alle Anteile an deutschen Unternehmungen, welche in der östlichen Besatzungszone Deutschlands gelegen sind, und auf das deutsche Auslandseigentum in Bulgarien, Finnland, Ungarn, Rumänien und Ostösterreich."

Das ist es. Durch den verschachtelten Wortlaut dieser beiden Paragraphen haben die Westmächte der Sowjetunion das Recht zugesprochen, das deutsche Auslandseigentum in Ostösterreich als Teil der deutschen Reparationen zu beanspruchen. Später wird man sich darüber streiten, was unter deutschem Auslandseigentum zu verstehen ist – im Englischen „German Foreign Assets". Die Sowjets jedenfalls werden in Hinkunft nur vom „Deutschen Eigentum" in Österreich sprechen. Und zu diesem Deutschen Eigentum werden sie zunächst alles zählen, was bis zum Jahr 1945 als Deutsches Eigentum gegolten hat; und dazu gehört wiederum alles, was nach dem Anschluß 1938 unter den verschiedensten Titeln als Staatseigentum gegolten hat oder im Zuge des sofort einsetzenden wirtschaftlichen Anschlusses mit deutschen Betrieben verflochten worden ist. Aus diesem Titel werden die Sowjets in Ostösterreich fast die gesamten österreichischen Erdölfelder und die Schürfrechte

Karikatur aus dem „Neuen Österreich".

Der Schutthaufen

Der erste: „Der Schutthaufen da ist ein Skandal."
Der zweite: „Eine Schweinerei, daß er noch nicht weg ist."
Der dritte: „Das hätte schon längst gemacht werden müssen."

Alle drei: „Aber von wo soll man die Zeit dazu hernehmen? Herz ist Atout!"

für künftige Erdölfelder, den Großteil der Raffinerien und Öllager, das Erdöl-Vertriebsnetz und die Tankstellen beanspruchen, ebenso die gesamte Donaudampfschiffahrtsgesellschaft mit allen ihren Schiffen von Linz bis zum Schwarzen Meer, mit allen Anlegestellen, Lagerhäusern, Schiffswerften usw. Ferner werden die Sowjets unter dem Titel „Deutsches Eigentum" mehr als 250 Industrie- und viele Gewerbe- und Handelsbetriebe in Ostösterreich in das Eigentum der Sowjetunion übertragen. Dazu noch alle Aktienanteile deutscher Betriebe an österreichischen Betrieben, eine erhebliche Zahl von Bankkonten, ja auch Anteile an den meisten großen Banken, viele Patente und andere Rechtsansprüche.

Mit diesen beiden in Potsdam beschlossenen Paragraphen 8 und 9 entsteht für Österreich eines der größten Probleme seiner Nachkriegsgeschichte, denn es ist die Frage dieses Deutschen Eigentums, woran der Abschluß eines Staatsvertrages und damit der Abzug der Besatzungsmächte immer wieder scheitert. Mit dem Deutschen Eigentum besitzen die Sowjets in Österreich eine ausgedehnte wirtschaftliche Enklave, und diese würden sie zum größten Teil behalten, auch nach Abzug der Besatzungstruppen. Gerade davor aber haben die Westmächte und haben zum Teil auch die Österreicher Angst, denn sie fürchten, daß die Sowjets über diese Enklave wirtschaftlichen und politischen Druck ausüben könnten, mit dem Ziel, die politischen Verhältnisse in Österreich zu ändern. Die Österreicher selbst sind natürlich weder von den Westalliierten noch von den Sowjets in dieser Frage konsultiert worden, als man sie in Potsdam beriet. Ja es dauert viele Wochen, ehe dieser Beschluß der Potsdamer Konferenz der österreichischen Regierung überhaupt zur Kenntnis kommt, und noch weitere Wochen, ehe diese Regierung und mit ihr auch die Westmächte die schwerwiegenden Konsequenzen dieses Beschlusses erkennen.

Was die Lebensmittelversorgung Wiens betrifft, so waren die Alliierten in Potsdam gut informiert. Die Lage der Stadt ist trist; aber die Lage in Niederösterreich und im Burgenland ist noch trister. Die Österreicher haben keine Ahnung, daß die Westalliierten mit Versorgungsproblemen zu kämpfen haben. Sie erwarten den baldigen Einzug der Westalliierten und verbinden damit die Hoffnung, daß nun alles leichter werden, daß es vor allem bald ausreichend Lebensmittel geben wird. Und die Renner-Regierung hofft, bald auch die Anerkennung der Westmächte erringen zu

Die Publikumslieblinge von Film und Theater gehen mit gutem Beispiel voran. Oben: Die Schutträumaktion des Theaters in der Josefstadt, Attila Hörbiger, Christl Mardayn und Hans Holt am Schuttkarren. Rechts oben: Maria Andergast. Richard Eybner (rechts unten) räumte gemeinsam mit Fred Hennings und vielen anderen den Schutt aus dem Stephansdom.

Jane Tilden: Bruder, lebst du noch?

können, somit die Demarkationslinien überwinden und ihren Wirkungsbereich auf ganz Österreich ausdehnen zu können. Beflügelt von dieser Hoffnung, beschließt die Wiener Stadtverwaltung, alles zu mobilisieren, um die Stadt möglichst wieder in Ordnung zu bringen: die immensen Schutthalden wegzuräumen, die Licht- und Wasserleitungen zu reparieren, die Verkehrsmittel in Gang zu setzen. Es soll eine Generalmobilmachung der Wiener stattfinden: Wien hat wieder die Hauptstadt Österreichs zu werden.

Zunächst gibt es einen Aufruf des Staatsamtes (Ministeriums) für soziale Verwaltung an die Bevölkerung: „Männer und Frauen, an die Arbeit!" Jeder, ausnahmslos jeder habe zuzugreifen, habe sich in den Arbeitsprozeß einzugliedern, habe den Schutt wegzuräumen und den Mist wegzuführen, die Ziegel abzuklopfen und aufzuschlichten, die Straßenbahnschienen freizumachen und die Eisenbahngleise zu reparieren. Wörtlich heißt es weiter: „Die abgetretene Naziherrschaft hat uns ein aus Tausenden Wunden blutendes Land, eine zertrümmerte Stadt, eine vollständig darniederliegende Wirtschaft hinterlassen, die nur wir, wir ganz allein aufrichten müssen. Daher haben alle, restlos alle arbeitsfähigen Männer und Frauen, unbeschadet ihrer Vorbildung oder ihres erlernten Berufs mit Hand anzulegen. Wer jetzt nicht mithilft, kennzeichnet sich als Mensch, der weder mit Österreich fühlt noch Österreich helfen will, und scheidet damit selbst aus der Gemeinschaft der Gesitteten aus. Er wird in Zukunft nach dem Grundsatz behandelt werden müssen: ‚Wer nicht arbeitet, soll auch nicht essen.'"

Alle sind aufgerufen, Schutt zu schaufeln. Frühere Nationalsozialisten werden zum Schaufeln gezwungen, Studenten erhalten erst nach zwei Wochen Schuttarbeit eine Studienbewilligung. Und es ist damals nicht anders als heute: Soll die Bevölkerung motiviert werden, muß sie Beispiele sehen. Die Politiker greifen zur Schaufel – aber um diese Zeit sind nur wenige von ihnen der Bevölkerung bekannt. Diese Prominenz zieht noch nicht. Und so müssen die Künstler an die Schuttfront, vor allem die Lieblinge von Film und Bühne. Jane Tilden gehört zu diesen Lieblingen: „Wien war ein Schutthaufen. Und da haben wir gesagt, wir wollen helfen, Wien wieder in Ordnung zu bringen und aufzubauen." Das gesamte Ensemble des Theaters in der Josefstadt meldet sich freiwillig zur Schuttaktion. Im Theater wird „Der Schwierige" von Hugo von Hofmannsthal aufgeführt. Untertags führen die Schauspieler den Schutt von den Straßen weg, am Abend stehen sie oft todmüde auf der Bühne – Jane Tilden, Hans Holt, Attila Hörbiger und andere. Dazu Jane Tilden: „Da haben sich auch so Weissagungen bewahrheitet, wie zum Beispiel, ‚Es wird eine Zeit sein, wo die mit den roten Mützen kommen, und man wird fragen: Bruder, lebst du noch? Und wer ein Brot hat, wird ein reicher Mann sein.' Und so war's denn auch. Keiner hatte was zu essen, und jedem, den man getroffen hat, hat man gesagt: ‚Mein Gott, du bist auch noch da!'"

Man arbeitet mit bloßen Händen, denn Handschuhe werden sorgfältig für den Winter aufbewahrt. Man arbeitet auch mit Löchern in den Schuhsohlen und manchmal mit dem letzten Gewand, das man besitzt. Der anfängliche Schwung läßt bei vielen bald nach. Die Kräfte erlahmen, vor allem weil es an Nahrungsmitteln fehlt. Der Grundsatz: „Wer nicht arbeiten will, bekommt nichts zu essen", beginnt seinen Schrecken zu verlieren, denn auch mit den Lebensmittelkarten steht man oft vergeblich vor dem Bäckerladen, die Lieferungen bleiben einfach aus. Es ist klar, daß in einer solchen Zeit der schwarze Markt blüht. In Wien hat sich dieser schwarze Markt rund um den Resselpark auf dem Karlsplatz etabliert, doch nimmt er bald einen derartigen Umfang an, daß er sich auch über den benachbarten Naschmarkt verbreitet. Gesucht werden Lebensmittel und Zigaretten, geboten werden Schmuck, Uhren, Kleidungsstücke. Die Lebensmittel bringen meist die Soldaten, den Schmuck und die Kleider meist die Österreicher. Geld wird kaum genommen und wenn, dann 900 Reichsmark für ein Kilogramm Butter und 80 Reichsmark für ein Kilo Brot. Ein Goldring, ein Armband sind da schon eine bessere Valuta.

Anny Hoffmann schildert, wie dies damals ein Normalbürger erlebte: „Meine Mutter war krank, sie hatte Paratyphus, und der Arzt hatte empfohlen, Weißbrot zu essen. Doch woher sollte man damals Weißbrot nehmen! Da hat ein Freund von mir vorgeschlagen: ‚Geh doch zum Resselpark, dort sind Russen und Schleichhändler, und dort hast du die Möglichkeit, etwas einzutauschen.‘ Gegen Kleidung, gegen Schmuck, Spielsachen, was es nur gab. Ich hab das dann auch gemacht. Bin zum Resselpark gewandert mit einem Kleid, mit meiner Firmungsuhr und ein paar Spielsachen und hab mein Glück versucht. Schweren Herzens habe ich meine Firmungsuhr geopfert. Was ich dafür gekriegt hab, war lächerlich wenig – ein Kilogramm Mehl. Und für die anderen Sachen ein bißchen Fett, einmal ein paar Eier, aber da hatte ich schon Glück. Und man ist selig damit abgezogen.“

Auf dem schwarzen Markt sind aber bald auch viele Profis tätig. Sie knüpfen dauerhaftere Handelsbeziehungen an, verpflichten russische und später vor allem westliche Soldaten zu konstanten Lieferungen von Zigaretten, Schnaps, Konserven, Schmalz, Butter, Saccharin, Feuersteinen usw. und werden selbst zu verläßlichen Käufern, die in Gold und Valuta zahlen. Zwar gibt es immer wieder Razzien der Polizei und später auch der Alliierten, aber man wagt es im Grunde genommen nicht, den schwarzen Markt zur Gänze zu unterbinden. Er ist oft die einzige und allerletzte Möglichkeit, hungernde Kinder und schwer Erkrankte vor dem Tod zu retten.

Die Banken und die Bank

Man kann verstehen, daß es unter diesen Umständen viele nicht reizt, den ganzen Tag über schwer zu arbeiten, um sich am Abend hungrig in eine Wohnung oder in ein Zimmer zurückzuziehen, in dem die Fensterscheiben fehlen, in dem nur selten das elektrische Licht funktioniert und wo, selbst wenn es einmal etwas zu kochen gäbe, die Gaszufuhr gesperrt ist. Auch ist schwer einzusehen, wie durch das bloße Schuttschaufeln und Abtragen der Ruinen die Wirtschaft als solche wieder in Gang kommen soll. Dazu bedürfte es ganz anderer Maßnahmen auf ganz anderer Ebene: Maschinen würden gebraucht, aber die wenigen vorhandenen werden demontiert, Rohstoffe würden gebraucht, aber niemand liefert welche, und Geld würde gebraucht. Gutes Geld vor allem, das etwas wert ist. Statt dessen werden die Finanzen des kaum erst wiedererstandenen Staats von Tag zu Tag mehr zerrüttet. Auch in den Banken erscheinen sowjetische Requisitionskommandos und beschlagnahmen oft die gesamten Barbestände. Fast alle Banken haben damals Eingaben an die Regierung gemacht und detailliert aufgezählt, was ihnen durch diese Kommandos weggenommen worden ist. Zusammengezählt waren es rund eine Milliarde Reichsmark und die noch vorhandenen Devisenbestände.

Aber auch die Privatsafes der Kunden sollen für die Sowjets geöffnet werden. Hans Ernst Butz war damals Bankangestellter und wurde Zeuge derartiger Aktionen: „Die ersten, die da kamen, wurden von uns abgewiesen. Doch dann erschienen ein Major und zwei Mann mit Maschinenpistolen und einem Befehl der Stadtkommandantur. Sie seien berechtigt, die Safeanlagen zu öffnen. Vorerst

Anny Hoffmann: Selig damit abgezogen.

Hans Ernst Butz: Büstenhalter im Banksafe.

Der schwarze Markt blüht: Die Alliierten bringen Lebensmittel und Zigaretten, die Österreicher Uhren, Ringe, Ketten, Fotoapparate, Teppiche, Kleidung. Aber auch zwischen den Alliierten wird verkauft und getauscht.

versuchten wir, die einzelnen Kunden zu erreichen, damit sie die Safes selbst aufsperren und wir eine totale Zerstörung der Safeanlagen verhindern. Leider gelang uns das nur in geringem Maß. Dann mußte ein Schlosser hergeholt werden, um die Safeanlagen mit Gewalt, durch Aufschweißen, zu öffnen. Der Inhalt der Safeanlagen war uns natürlich nicht bekannt, und nun sahen wir selbst, wie unterschiedlich er war: Da gab es Alben mit Briefmarken, die die Russen nicht interessiert haben; da gab es Uhren, da gab es Gold, da gab es Perlen, und dies alles wurde von den Russen in einem Leinwandsack gesammelt und am Ende des Tages mitgenommen. Das ist volle vier Tage so weitergegangen. Am vierten Tag ist es den Sowjets durch einen merkwürdigen Vorfall zu bunt geworden. Der Major war sehr erschüttert, als in einem der aufgeschweißten Safes ein Büstenhalter gelegen ist. Er hat ihn wutentbrannt in die Ecke geschleudert. Im nächsten Safe fand er ein Paar Damenstrümpfe. Er konnte nicht verstehen, daß solche Dinge in einem Safe aufbewahrt werden, und war der festen Überzeugung, daß wir die Safes geleert hatten und ihn nun zum besten hielten. Und damit war's aus. Er hat die Aktion beendet. Insgesamt wurden zirka 350 bis 400 Safes aufgeschweißt."

Die Safes werden in fast allen Wiener Bankfilialen so geöffnet. So kann man verstehen, daß Staatsregierung und Bevölkerung voll Erwartung dem Tag entgegensehen, an dem mit dem Einzug der Westalliierten in Wien auch ein Alliierter Rat eingerichtet werden soll, in dem die Militärkommissare aller vier Mächte sitzen und gemeinsam auf Recht und Ordnung im Land zu achten haben werden. In Wien tauchen jetzt auch die ersten westlichen Vorkommandos auf, die nun endgültig die Quartiere für die Truppen und die Verwaltungsstäbe requirieren sollen. Das Hauptquartier der Briten stand ja schon fest. Sie hatten sich das Schloß Schönbrunn ausgesucht. Für ihre Quartiermacher ging es nur noch darum, außerhalb des Schlosses nahe gelegene Hotels zu finden, denn eines war ihnen schon klar – sehr bequem war es nicht, im Schloß Schönbrunn auch zu wohnen. Sie fanden das Parkhotel Schönbrunn und forderten den Eigentümer auf, es in weniger als 24 Stunden den Briten zu übergeben.

Die Amerikaner hingegen hatten noch immer kein Gebäude gefunden, das ihnen zur Unterbringung ihres Hauptquartiers geeignet erschien. Dieses Gebäude mußte sich im amerikanischen Sektor befinden, und der bestand vorwiegend aus den Villen in Wahring und Döbling und aus den Gemeindebauten in Hernals und Ottakring. Oberst George von Halban ist einer der amerikanischen Quartiermacher. Es war seine Aufgabe, ein Gebäude für das künftige US-Hauptquartier zu finden. George von Halban berichtete uns: „Keines der Gebäude war groß genug. Doch da fiel mein Blick auf die Oesterreichische Nationalbank, das große Gebäude bei der Alser Straße. Aber es war doch die Oesterreichische Nationalbank! So rief ich meinen Chef in Linz an und fragte ihn, ob es in Ordnung wäre, wenn wir die Nationalbank Österreichs als Hauptquartier beschlagnahmen. Es wäre das einzige Gebäude, das in Frage käme. Er rief mich kurz darauf zurück und sagte: ‚Go ahead' – ‚Tun Sie es.'"

Als Halban das Gebäude inspiziert, findet er nicht nur Tresore und Büros, sondern im obersten Stockwerk auch die Dienstwohnung eines der Direktoren. Halban klingelt den Direktor heraus und erklärt ihm, er müsse die Wohnung räumen. Das komme doch gar nicht in Frage – der Direktor schlägt Halban die Türe vor der Nase zu. Halban begibt sich zu Bürgermeister Körner, erklärt, er müsse das Gebäude der Nationalbank beschlagnahmen und brauche dazu vier Wiener Polizisten. Körner gibt sie ihm schweren Herzens mit, ohne zu wissen, wozu sie gebraucht werden. Halban will mit ihrer Hilfe die Delogierung des Bankdirektors erzwingen. Und das schildert Halban so: „Jetzt ging ich hinein und sagte ihm: ‚Sie haben noch 24 Stunden.' Er warf mir einen wütenden Blick zu und drehte sich weg. Ich gab den Polizisten einen Wink – wir hatten das vorher abgesprochen, was zu tun wäre. Zwei dieser Burschen nahmen das Klavier, das der Direktor da stehen hatte. Es war ein Pianino, kein Flügel. Einer der Polizisten öffnete ein großes Fenster der Wohnung, und die beiden hoben das Klavier auf den Fenstersims. Sie waren im Begriff, das Klavier aus dem Fenster zu werfen. Der Mann sah mit offenem Mund zu, als ob wir verrückt wären. Inzwischen hatten die zwei anderen Polizisten sich bereits an das Sofa herangemacht und es auch an das Fenster geschoben. Jetzt wurde ihm klar, was wir vorhatten, und er sagte: ‚Sie werden doch nicht wirklich?!' Sage ich: ‚Doch, wir werden!' Ich hatte den Polizisten keinen Befehl gegeben, aber aus eigener Initiative, ich glaube, sie wollten einfach diesen Spaß erleben, schoben sie das Klavier beim Fenster hinaus und ließen es hinunterfallen, wo es fünf Stockwerke tiefer mit einem Schlußakkord wie von Strawinskis Sonate sein Leben aushauchte. Und da wurde der Mann lebendig

George von Halban: Das Klavier beim Fenster hinausgeworfen.

Mit einer großen amerikanischen und einer sowjetischen Fahne auf dem Geleitfahrzeug rollt die erste Kolonne amerikanischer Quartiermacher in Wien ein (linke Seite). Auf der Suche nach einem Hauptquartier fällt das Auge des US-Quartiermachers George von Halban auf das Gebäude der Nationalbank (oben), und er fragt bei seinen Vorgesetzten an, ob er die Nationalbank beschlagnahmen dürfe. „Go ahead" ist die Antwort.

Martin Herz: Auf der Suche nach einem Bier auf Leopold Figl getroffen.

und sagte: ‚Also, was wollen Sie? Ich tue, was Sie wünschen, ich kann mich Ihrer Gewalt nicht widersetzen. Zuerst die Russen, jetzt Sie.' Und dann sagten wir ihm, was wir bräuchten, und wir waren ihm sehr behilflich beim Ausziehen und entschädigten ihn später auch für den Verlust des Klaviers. Also das war die Nationalbank."

Eine andere Gruppe amerikanischer Offiziere wird auf der Quartiersuche durstig. Unter ihnen befindet sich der spätere Botschafter Martin Herz. Ein geborener Amerikaner, der als Kind in Wien zur Schule gegangen ist und nicht nur perfekt Deutsch, sondern auch perfekt Wienerisch spricht. Nur wenige Monate vor seinem Tod im Herbst 1983 hat uns Martin Herz viele seiner Erlebnisse in einem ausführlichen Interview geschildert, was er damals und auch noch in den Jahren danach – zuerst als Besatzungsoffizier, dann als Diplomat – in Österreich erlebte. Martin Herz zog also Ende Juli 1945 mit der ersten Gruppe amerikanischer Quartiermacher durch Wien, und eines Tages hatten sie alle Durst:

„Wir hielten einen Passanten an", berichtete Herz, „und haben ihn gefragt: ‚Wissen Sie, wo man ein Glas Bier bekommt?' Und der sagte: ‚Eigentlich nicht, aber vielleicht wenn es die Herren versuchen wollen in der Schenkenstraße. Dort ist der Bauernbund.' Und ich muß leider bekennen, daß ich, als ich das gehört habe, geglaubt habe, daß das ein Schleichhandelsrestaurant ist. Ich wußte nicht, was der Bauernbund ist, und ich wußte auch nicht, wo sich die Schenkenstraße befindet. Doch schließlich haben wir sie gefunden, und da standen in der Straße mehrere Autos, was im damaligen Wien doch sehr ungewöhnlich war. Wir kamen da mit unserem

Jeep an, blieben stehen und fragten den Portier: ‚Gibt's hier irgendwo ein Bier?' Da benahm sich der Mann sehr eigentümlich und sagte: ‚Bitte einen Augenblick, ich komme sofort.' Wir warteten; die Fenster in den oberen Geschoßen gingen auf, und alle Leute haben heruntergeschaut: ‚Amerikaner! Amerikaner!' Und nach einiger Zeit kam der Mann zurück und sagte: ‚Bitte, meine Herren, es gibt kein Bier, aber es gibt Wein. Der Herr Vizekanzler Figl läßt Sie bitten.' Und da habe ich zum erstenmal bemerkt, daß der Bauernbund offenbar kein Schleichhandelslokal ist, sondern vielleicht wirklich ein Bauernbund. Wir gingen hinauf, und es war eigentlich sehr ergreifend und doch auch wieder etwas komisch. Denn wir sind da nicht angekommen als die Repräsentanten der amerikanischen Regierung. Aber wir wurden so empfangen. Die Doppeltür ging auf, und hinter ihr stand der damalige Vizekanzler Figl und neben ihm der [Unterstaatssekretär] Ferdinand Graf und der Hofrat Weber und noch verschiedene andere Honoratioren. Und der Figl hielt uns eine echte Begrüßungsansprache: ‚In diesem historischen Augenblick, wo wir zum erstenmal in Kontakt treten mit der amerikanischen Besatzungsmacht, möchte ich Sie besonders . . .' Er war ja großartig in diesen Dingen. Und da war Wein vorbereitet, und zum Schluß hob er sein Glas, und wir alle mußten trinken auf die Freundschaft zwischen Österreich und Amerika, was wir sehr gern taten."

Damit haben die ersten Amerikaner mit einem hochrangigen Mitglied der Renner-Regierung Kontakt aufgenommen, obwohl ihnen das untersagt ist und es ihnen im ersten Augenblick auch gar nicht bewußt wird. Doch Martin Herz begreift nun die Bedeutung dieser Begegnung und erkennt auch ihre Chance. Am gleichen Tag verfaßt er einen ausführlichen Bericht über alles, was er von Figl, Graf, Weber und anderen gehört hat und leitet den Bericht an das amerikanische Außenministerium weiter. Dort landet er als Memorandum auf dem Schreibtisch des Außenministers. Das Memorandum des Martin Herz ist einer der großen authentischen Augenzeugenberichte jener Tage, mit einer genauen Beschreibung der Zustände in Wien. Ein zentraler Punkt in diesem Bericht ist die katastrophale Lebensmittelversorgung. Die Westalliierten werden ihren Teil zur Besserung der Lage beitragen müssen. Doch die Westalliierten verlassen sich zur Zeit noch darauf, daß die Sowjets die Lebensmittelversorgung der Bevölkerung sicherstellen, aus ihrer Zone und aus den östlichen Nachbarländern. So sind die Westalliierten auch bestrebt, mit den Sowjets auf möglichst gutem Fuß zu stehen.

Weichenstellung Salzburger Festspiele

Alle drei westlichen Militärkommissare für Österreich sind inzwischen im Land eingetroffen und haben ihre provisorischen Hauptquartiere bezogen – der britische General McCreery in Klagenfurt, der französische General Emile-Marie Béthouart in Innsbruck und schließlich der amerikanische General Mark Clark, der nach Salzburg kommt und sich dort das Schloß Kleßheim als Hauptquartier aussucht. Clark läßt sich berichten, wie die amerikanische Besatzungspolitik bisher gehandhabt worden ist. Er ist erstaunt, daß die kommandierenden Offiziere so gut wie gar keinen Kontakt zu den Österreichern haben. Auch hört er, daß es den Österreichern in der US-Zone noch immer verboten ist, rotweißrote Fahnen zu hissen. Zwar ist der Österreich-Stab der Amerikaner aus Caserta schon in Salzburg eingetroffen und versucht, die Dinge zu ändern, aber er ist noch mit der Bestandsaufnahme beschäftigt. Und diese ergibt, daß sich die bisherige Besatzungspolitik der Amerikaner auf Militär-

Mit der amerikanischen Hymne wurden die ersten Salzburger Festspiele nach dem Krieg am 12. August 1945 in der Winterreitschule des Festspielhauses eröffnet. General Mark Clark nahm die Eröffnung zum Anlaß, um seine erste programmatische Rede über die künftige amerikanische Besatzungspolitik in Österreich zu halten. Dabei stellte er auch das Wappen der US-Streitkräfte in Österreich vor: Ein rot-weiß-rotes Schild mit Schwert und Olivenzweig. Schon am nächsten Tag zierte es den Eingang zu Clarks Hauptquartier in Schloß Klesheim (rechts unten).

handbücher gestützt hat, die sie als Gebrauchsanweisung für die Einrichtung einer Militärregierung mitbekommen haben – nur sind es die Militärhandbücher für die Besetzung Deutschlands. Daher das strikte Fahnenverbot, die Nichtzulassung politischer Parteien, die Ablehnung näherer Kontakte mit österreichischen Politikern. Gleichzeitig stellen Clark und der Österreich-Stab fest, daß sich trotz der amerikanischen Verbote die politischen Parteien offenbar schon formiert haben, daß die Österreicher sich untereinander auch schon über eine politische und administrative Struktur geeinigt haben, die die Amerikaner ohne weiteres als Partner akzeptieren könnten.

General Clark entschließt sich, einen neuen Kurs zu steuern. Und es bietet sich ihm die Möglichkeit, dies demonstrativ zu verkünden. Er hört, daß Salzburg wegen seiner Festspiele berühmt ist. Das wußte er bisher nicht, aber er begreift sofort, was es für Salzburg und für die amerikanische Besatzungspolitik in Österreich bedeuten würde, wenn diese Festspiele unter seiner Schirmherrschaft zum erstenmal nach dem Krieg wiedereröffnet würden. Clark läßt sich den verantwortlichen Offizier aus der „Theatre and Music Section" der nun schon funktionierenden US-Militärregierung in Salzburg kommen, einen Mann namens Otto de Pasetti. Pasetti wurde als Otto Freiherr von Pasetti-Friedenburg auf Schloß Pakein in Kärnten geboren, promovierte 1925 in Innsbruck zum Doktor rer. pol., bewarb sich aber als Sänger an der Grazer Oper und erhielt auch kleinere Partien als Tenor. 1937 wanderte er in die USA aus und ist 1945 nun Kulturoffizier der Amerikaner in Salzburg.

Pasetti braucht man nicht zu sagen, was die Salzburger Festspiele sind. Seit seinem Eintreffen in Salzburg trachtet er nach nichts anderem, als diese Festspiele noch in diesem Sommer wieder eröffnen zu können. Und er hat einen mindestens ebenso interessierten österreichischen Partner, Heinrich Puthon, der bis 1937 Präsident der Salzburger Festspiele war und natürlich auch nichts anderes im Sinn hat. Doch beide stoßen sie auf Schwierigkeiten. Puthon, weil die meisten der Musiker und auch einige der Sänger und Schauspieler, mit denen er die Festspiele wieder beginnen will, von den Amerikanern wegen Mitgliedschaft bei der NSDAP oder prominenter Mitwirkung bei Nazi-Veranstaltungen nicht zugelassen werden. Pasetti selbst ist es, der diese Verbote auszusprechen hat. Und Pasetti andererseits kann seinen vorgesetzten amerikanischen Dienststellen nicht verständlich machen, daß sie das Geld amerikanischer Steuerzahler ausgeben sollen, um irgendwelche Leute in Salzburg „fiedeln oder Theater spielen zu lassen". Doch gemeinsam gelingt es Pasetti und Puthon, diese beiden Hindernisse zu überwinden. Sie suchen und finden politisch unbelastete Musiker, begegnen auf der Straße dem früheren Kapellmeister der Deutschen Oper in Prag, Felix Prohaska, der nicht bei der Partei gewesen war, sammeln die in verschiedenen Alpentälern gestrandeten Künstler ein und haben schließlich eine kleine Schar von Musikern, Sängern und Schauspielern beisammen, mit denen sie es wagen können, ein Programm auf die Beine zu stellen.

Aber wer zahlt es? Denn, so weiß Puthon aus Erfahrung, Salzburger Festspiele, wie klein oder groß auch immer, haben sich noch nie selbst bezahlen können. Da wagt Puthon einen Vorschlag: Nach dem Anschluß 1938 hatte Adolf Hitler für die Mozart-Forschung in Salzburg eine mit 350 000 Reichsmark dotierte Stiftung einrichten lassen. Doch es kam der Krieg, und die Stiftung wurde nicht mehr aktiviert. Das Geld dieser Stiftung befand sich auf jenen offiziellen „Nazi-Konten", die die Amerikaner in Salzburg nach ihrem Einmarsch beschlagnahmt hatten. Puthon zu Pasetti:

Hier könnte man Nazi-Gelder sozusagen besseren Zielen zuführen und eigentlich auch für die amerikanische Propaganda arbeiten lassen. Das leuchtet nicht nur Pasetti, das leuchtet auch seinen US-Vorgesetzten ein. Und so kommt es, daß die ersten Salzburger Festspiele nach dem Krieg aus den Geldern einer Hitler-Stiftung finanziert werden.

Am 12. August ist es soweit: Nach siebenjähriger Unterbrechung werden die Salzburger Festspiele in der Winterreitschule des Festspielhauses wieder eröffnet. Aber das ist nicht die Sensation des Tages. Die Sensation des Tages ist das gemeinsame Auftreten des Oberbefehlshabers der amerikanischen Truppen, General Mark Clark, mit dem Salzburger Landeshauptmann Adolf Schemel und dem aus mehrjähriger Haft wieder heimgekehrten früheren Landeshauptmann Josef Rehrl. General Clark hat hier für alle sichtbar das Verbrüderungsverbot durchbrochen, in dem es unter anderem doch ausdrücklich hieß: „Mit Österreichern nicht gemeinsam ins Theater gehen, an keinen gemeinsamen Veranstaltungen teilnehmen, nicht die Hand geben, keine militärische Ehre erweisen." Und hier steht nun General Mark Clark und richtet eine Ansprache an die versammelten österreichischen Honoratioren und an die österreichische Bevölkerung. Und jedes der Worte General Clarks ist eine Verletzung des Verbrüderungsverbots: „Ich danke Ihnen, Herr Landeshauptmann, für die liebenswürdigen Worte des Willkommenheißens. Durch Sie wende ich mich an das österreichische Volk im amerikanisch besetzten Gebiet. Die Salzburger Festspiele, die ich heute mit großer Genugtuung eröffne, nur zweieinhalb Monate nach dem Einzug der amerikanischen Streitkräfte in Salzburg, sind

ein wahres Beispiel des Wiederauflebens der einheimischen österreichischen Traditionen. Es macht mir Freude, daß meine erste öffentliche Ansprache an das österreichische Volk bei einer Feier zur Wiedergeburt der kulturellen Freiheit Österreichs stattfindet."

An diesen Augenblick erinnerte sich General Mark Clark, als wir ihn interviewten: „Ich weiß noch genau, ich stand auf dem Balkon in diesem großen Saal. Und inmitten meiner Ansprache hob ich ein gezeichnetes Wappen hoch und sagte: ‚Das wird das Wappen der amerikanischen Truppen in Österreich sein: Ein Schild in den Farben Rot-Weiß-Rot mit einem Schwert und einem Olivenzweig – zum Symbol dafür, daß wir als Freunde kommen.' Und ich betonte, daß wir nicht als Eroberer gekommen seien in ein besiegtes Land, sondern daß wir unserem Gefühl nach zu Freunden zurückkehren, die eigentlich während des ganzen Krieges auf unserer Seite hätten sein sollen." Mark Clark benützt diese Ansprache zur Eröffnung der Salzburger Festspiele dazu, all die Maßnahmen zu annullieren, mit denen die amerikanische Militärregierung bisher das politische Leben in Österreich geknebelt hatte. Wörtlich erklärte Mark Clark: „Die Landesregierungen sind wiederhergestellt. Die Tätigkeit demokratisch gesinnter politischer Parteien wird erlaubt. Wir werden sie anspornen, öffentliche Versammlungen abzuhalten und den öffentlichen Austausch von Meinungen zu pflegen. Die traditionellen Gewerkschaften, von den Nazis unterdrückt, sollen ihre Arbeit wieder aufnehmen, um für die Rechte der arbeitenden Frauen und Männer einzustehen. Die Gerichtshöfe sollen wieder amtieren aufgrund eines wahren, nicht nationalsozialistischen Rechtsbegriffs und mit österreichischen Richtern als Vorsitzenden. Die alte Fahne Rot-Weiß-Rot, von Hitler verbannt, soll wieder wehen!"

Das war der Moment, in dem Clark das künftige Wappen der amerikanischen Streitkräfte in Österreich hochhob und es der Festspielgemeinde zeigte: Rot-Weiß-Rot mit Schwert und Olivenzweig. Die „Salzburger Nachrichten" berichteten am nächsten Tag über diesen Augenblick: „Das wird von nun an das Kennzeichen der amerikanischen Truppen in Österreich sein (frenetischer, nicht enden wollender Beifall) . . ." Wir wissen nicht mit Sicherheit, ob es für die damalige Eröffnungsvorstellung auch Programmhefte in deutscher Sprache gegeben hat, wir haben keines gefunden. Ein Programmheft in englischer Sprache fanden wir. Auf dem Titelblatt steht: „Opening Night". Es sind Werke der leichten Muse, die man für diesen Abend zusammengestellt hat, vielleicht auch abgestellt auf die vielen amerikanischen Soldaten, die an dieser Opening Night teilnehmen. Man beginnt mit dem Csárdás aus der „Fledermaus" von Johann Strauß, Esther Réthy singt „Liebe, du Himmel auf Erden" aus Lehárs „Paganini". Und der Festakt wird geschlossen mit dem Donauwalzer, der von den Amerikanern, aber auch vom Publikum wie eine österreichische Hymne aufgenommen wird. Das zusammengewürfelte Orchester steht unter der Leitung von Felix Prohaska und wird umjubelt. Für die Österreicher im Saal symbolisiert erst dieser Abend den Neubeginn. Tags darauf kann der Sender Rot-Weiß-Rot von den Salzburger Festspielen schon eine Spitzenaufführung übertragen: Mozarts „Entführung aus dem Serail" mit einer Starbesetzung: Maria Cebotari, Rosl Schwaiger, Julius Patzak, Walter Carnuth und mit Albin Skoda in der Sprechrolle des Selim Bassa. Hans Cohrssen ist es sogar gelungen, eine Reihe von Radiostationen in den USA zu bewegen, die Aufführung vom Sender Rot-Weiß-Rot zu übernehmen. Dazu Cohrssen: „Wir saßen da und hörten gebannt zu und waren erregt vor Freude darüber, daß diese herrlichen Stimmen zur gleichen Zeit nun auch in Amerika gehört werden, aus Salzburg! Viel später erfuhren wir,

Der in Osttirol gestrandete Chor der Wiener Sängerknaben wurde von den Amerikanern nach Salzburg geholt, um an den ersten Salzburger Festspielen mitzuwirken (links). General Mark Clark lud die Oberkommandierenden der drei anderen alliierten Mächte ein, dieser Vorstellung beizuwohnen (oben). Hinter den Generälen in der Ehrenloge standen vier Militärpolizisten während der Vorstellung mit den Fahnen der vier Alliierten habtacht. Unten: Mozarts „Entführung aus dem Serail" hatte bereits eine Starbesetzung – sitzend von links nach rechts: Albin Skoda, Maria Cebotari, Julius Patzak, Rosl Schwaiger, Walter Carnuth. Dirigent Felix Prohaska.

daß die Kollegen drüben in New York nur Störgeräusche hörten, daraufhin die Übertragung abbrachen und irgendwelche Schallplatten spielten. Gott sei Dank hatten wir davon keine Ahnung. Wir feierten die erste Transatlantikübertragung aus Salzburg noch die ganze Nacht!"

Die Westalliierten in Wien

Am 6. August hat ein amerikanisches Bombenflugzeug eine der beiden Atombomben, über die die USA verfügen, auf die japanische Stadt Hiroshima abgeworfen. Ein Feuersturm von ungeahnter Intensität hat den Großteil der Stadt mit einem Schlag vernichtet. Die Welt kann das Ausmaß der Zerstörungen zunächst an der Explosionswolke dieser Atombombe erkennen, die vom Bord des US-Flugzeuges gefilmt worden ist: In Form eines gewaltigen Pilzes reicht sie, wie es scheint, bis in die Stratosphäre. Drei Tage nach Hiroshima werfen die Amerikaner ihre zweite Atombombe auf die japanische Stadt Nagasaki und fordern die japanische Regierung auf, unverzüglich zu kapitulieren. Eine dritte Atombombe besitzen die USA vorderhand nicht. Sollten die Japaner jetzt nicht kapitulieren, so würde der Krieg noch eine gute Weile weitergehen. Aber inzwischen hat die japanische Regierung einen ersten Überblick über die Zerstörungen in Hiroshima gewonnen: von den 343 000 Einwohnern wurden an die 70 000 sofort getötet, weitere 70 000 gelten als verwundet, viele von ihnen liegen im Sterben, viele werden noch sterben. Die Stadt Hiroshima aber ist im wahrsten Sinn des Wortes ausgelöscht, die meisten Häuser sind bis auf die Grundmauern zerstört. Die zweite Bombe vernichtet Nagasaki. Japan ist zur Kapitulation bereit.

Vor diesem Hintergrund des zu Ende gehenden Krieges in Fernost bereiten sich die westlichen Truppen auf den Einzug in Wien vor. Und bereiten sich die Sowjets in Wien auf das Eintreffen der westlichen Truppen vor. Die sich anbahnende Zusammenarbeit zwischen den vier alliierten Mächten trägt die ersten Früchte. In Wien fehlen noch immer fast alle Löschfahrzeuge der Feuerwehr. Wie erinnerlich, waren die Geräte samt den Mannschaften während des Kampfes um Wien nach dem Westen beordert worden. Einer der wenigen Kuriere, die von Oberösterreich nach Wien gelangen, bringt die Nachricht, die Löschfahrzeuge der Wiener Feuerwehr lägen an verschiedenen Stellen Oberösterreichs oft auf freiem Feld herum. Von sich aus habe sich eine oberösterreichische Autoreparaturfirma angetragen, die Geräte zu sammeln, sie zu reparieren und wieder fahrbereit zu machen. Die Staatsregierung in Wien möge nur dafür sorgen, daß die amerikanische Besatzungsmacht dies erlaube. Man wolle der Regierung für das Einsammeln und die Reparatur der Feuerwehrgeräte auch nur die Selbstkosten verrechnen, auf jeden Verdienst soll verzichtet werden, dies als Beitrag zum Wiederaufbau Österreichs.

In Wien braucht man die Feuerlöschgeräte dringendst. Denn in Wien brechen zu dieser Zeit fast täglich Brände aus. Die beschädigten Kamine in halbzerstörten Häusern, die vielfach beschädigten Gasleitungen, das dauernde Ab- und Anschalten der Gaszufuhr, der leichtsinnige Umgang mit Feuer durch die Besatzungssoldaten sind Ursache zahlreicher Großbrände. Viele Brände bleiben oft längere Zeit unbetreut, weil die Kräfte der Feuerwehr nach wie vor nicht ausreichen. Alle Anfragen der Stadtverwaltung an die Sowjetbehörden, wie sie sich zu einer Rückkehr der Feuerwehrgeräte und auch der Polizeiautos aus Oberösterreich stellen würden, lassen noch immer den Schluß zu, daß die Sowjets diese Geräte und Autos als Deutsches Eigentum, daher als Feindbesitz

So kehrten sie wieder – die Gerätewagen der Wiener Feuerwehr. In den letzten Tagen des Krieges wurde der Feuerwehr befohlen, sich samt den Geräten nach dem Westen abzusetzen. Später fand man die Geräte weit über Oberösterreich verstreut. Es war nicht leicht, sie zu sammeln und instand zu setzen. Aber noch schwerer war es, sie über die Demarkationslinie nach Wien zurückzubringen – der neubestellte Branddirektor Wiens, Josef Holaubek, brachte es zustande.

Josef Holaubek: Die Sowjets überzeugt.

und als Beutegut betrachten würden. In dieser Situation ernennt Bürgermeister Körner einen neuen Branddirektor für Wien: Josef Holaubek. Er kommt aus der sozialdemokratischen Jugendbewegung, war im Widerstand, sowohl im Ständestaat als auch gegen Hitler, gilt als besonders energisch und organisationsbegabt. Und so geht Holaubek die Sache auch an: „Für mich als neuer Kommandant der Wiener Feuerwehr war es entscheidend, so rasch wie möglich zu erreichen, daß die verschleppten Feuerwehrfahrzeuge zurückkommen und daß es mir auch gelingt, die Polizeifahrzeuge zurückzuführen. Es war also notwendig, das Vertrauen der russischen Offiziere in der Kommandantur zu erlangen, vor allem die Zustimmung des Stadtkommandanten General Blagodatow. Es kam zu einigen zähen Verhandlungen, in denen ich immer wieder versucht habe, den Sowjets zu erklären: ‚Auch ihr tragt die Verantwortung für diese Stadt, und es geht auch um euer Leben, um das Leben sowjetischer Soldaten. Zuviel liegt in Wien schon in Schutt und Asche, soll auch noch der Rest abbrennen?' Und ich glaube, daß es mir gelungen ist, die Russen davon zu überzeugen, daß es auch ihr Interesse sein muß, ihre Objekte und ihre Unterkünfte und Einrichtungen zu schützen. Es sind damals bei Stürmen die zerbombten Häuser zusammengebrochen, es sind die beschädigten Dächer abgetragen worden, es hat immer wieder Tote gegeben. Es kam zu riesigen Bränden, und zwar auch in Militärkasernen. Und dann habe ich schon bemerkt, daß die Russen ihre Einstellung langsam zu ändern beginnen und von dem Grundsatz, ‚alles, was Feuerwehr und Polizei besessen haben, ist Beutegut', abgehen. Eines schönen Tages werde ich zum General Blagodatow bestellt, und er läßt mir einen Ukas vorlesen: Es wird mir erlaubt, die

Demarkationslinie zu überschreiten und nach Linz zu reisen. Ich darf dort mit den Amerikanern Fühlung nehmen und mich um eine Rückführung der verschleppten Fahrzeuge bemühen."

Mitte August rollen unter der Führung Josef Holaubeks die ersten 50 Feuerwehrfahrzeuge von Oberösterreich nach Wien. Und das heißt: Zum erstenmal heben sich die Schranken an der amerikanisch-sowjetischen Demarkationslinie für einen geschlossenen großen österreichischen Transport. So bedeutet die Überstellung der Feuerwehrfahrzeuge nicht nur eine wesentliche Erhöhung der Sicherheit in Wien, sondern zum ersten Mal haben die Besatzungsmächte auch zugestimmt, die Demarkationslinie für österreichische Belange zu öffnen. Die Kolonne wird von amerikanischen Offizieren begleitet, wird aber nirgendwo angehalten. Auf dem Rathausplatz werden die Fahrzeuge von Bürgermeister Körner in Empfang genommen. Er dankt den amerikanischen Begleitmannschaften, er dankt dem neuen Branddirektor Holaubek, und er dankt allen, die sich in Oberösterreich so sehr eingesetzt hatten, die Fahrzeuge zu finden, zu sammeln, zu reparieren, um sie der Stadt Wien wiederzugeben. In einer Zeit, da es noch so wenige Kontakte zwischen Wien und den Bundesländern gibt, kommt diese Aktion der Oberösterreicher einem Bekenntnis zur österreichischen Gesamtstaatlichkeit gleich.

Die Amerikaner kommen nicht nur als Begleitoffiziere zurückkehrender Feuerwehrautos nach Wien. Ab Mitte August rollen nun auch ihre eigenen Transportkolonnen in Wien ein, gefolgt von den Franzosen und den Briten.

Ein Sowjetdenkmal in Wien

Die Sowjets empfangen die Westalliierten wie gesagt höflich und kameradschaftlich. Aber sie sorgen auch dafür, daß weder Österreicher noch Westalliierte je vergessen mögen, daß es die Rote Armee war, die allein im April 1945 Wien befreit und dafür, nach sowjetischen Angaben, 18 000 Rotarmisten ihr Leben geopfert haben. Zur ständigen Erinnerung an diese Tatsache soll auf dem Schwarzenbergplatz, den die Sowjets bald in Stalinplatz umbenennen, ein entsprechendes Denkmal errichtet werden. Gleich hinter dem Hochstrahlbrunnen, vor dem Palais Schwarzenberg. Das Denkmal steht heute noch dort und gehört inzwischen zu den Wahrzeichen der Stadt, die nur die Fremden als etwas Außerordentliches aufnehmen. Das „Österreich II"-Team fand ein einziges Foto aus der Zeit, da man das Denkmal auf dem Schwarzenbergplatz zu errichten begann: Man sieht das hohe Gerüst, aber man weiß noch nicht, was dahinter entsteht. Und so stellten wir uns die Frage, woher denn das Denkmal damals überhaupt gekommen ist. Brachte man es aus der Sowjetunion? Wurde es in Wien hergestellt? Und wenn, von wem? Anatol Koloschin meldete die erste Spur aus Moskau: Er hatte den damals von den Sowjets eingesetzten Bauleiter für die Errichtung des Denkmals gefunden und interviewt, einen Moskauer Architekten namens Aleksandr Scheinfeld. Nach Scheinfelds Bericht wurden noch während des Kampfs um Wien vom sowjetischen Armeestab fünf Offiziere ausgesucht, die aufgrund ihres Berufs künstlerische und technische Erfahrungen hatten. Sie wurden aufgefordert, innerhalb von 24 Stunden Entwürfe für ein derartiges Siegesdenkmal vorzulegen. Dazu Scheinfeld: „Wir hielten die Frist ein und legten alle unsere Entwürfe vor, es war nicht mehr als je eine Bleistiftzeichnung auf einem Blatt Papier. Die Skizzen wurden überprüft, und es wurde der Entwurf des Offiziers Sergej Jakowlew angenommen, der im zivilen Leben ein prominenter Moskauer Architekt war. Mein Entwurf gehörte zu jenen, die

So sah sie aus, die Statue des Sowjetsoldaten, als sie von den Arbeitern der Wiener Vereinigten Metallwerke – in Rekordzeit – fertiggestellt worden war. 15 Tonnen Bronze wurden aufgewendet, um die Statue zu gießen.

Aleksandr Scheinfeld: Am ganzen Leibe zitternd kroch ich die Leiter hinauf.

Rudolf Birg: Die waren unerhört darauf aus, daß alles schnell geschieht.

verworfen wurden, aber dafür wurde mir am nächsten Tag die
Errichtung des Denkmals übertragen, und zwar nach den Entwürfen von Jakowlew und Mikail Intesarjon, der auch mitgetan hatte.
Als ich gefragt wurde, was ich dazu benötigte, sagte ich: ‚Material
und Arbeitskräfte.' Der dafür zuständige General Schepilow antwortete: ‚Das mußt du dir an Ort und Stelle selbst organisieren'. Es
wurde mir ein Dokument ausgehändigt, auf dem es hieß: Alle
Organisationen, die militärischen und die zivilen, sind verpflichtet,
mir bei diesem Bauwerk Hilfe zu leisten. Das stand auch nur auf
einem Blatt Papier. So nahm ich mir eine Gruppe Soldaten, und wir
zogen durch die Straßen von Wien, noch während dort gekämpft
wurde. Wo immer ich zurückgelassenes Material fand, stellte ich
einen Posten auf, um es für den Bau sicherzustellen."

Scheinfeld ging dann auf die Suche nach einem möglichen
Aufstellungsort für das Denkmal. Er entschied sich für den Platz
vor dem Palais Schwarzenberg. Nach einer gemeinsamen Inspektion wurde dies vom Armeekommando genehmigt. Ob das Armeekommando nur ehrgeizig sein wollte oder ob da auch die Überlegung mitspielte, das Denkmal bei Einzug der Westalliierten in Wien
unbedingt schon fertiggestellt zu haben, jedenfalls erhält Scheinfeld
den Befehl, dieses gar nicht so einfache Denkmal mit der großen
Bronzefigur, dem dreifachen Marmorsockel, dem weiten Triumphbogen mit den kämpfenden Soldaten und die sehr umfangreichen
Inschriften in allerkürzester Zeit fertigzustellen. Dazu Scheinfeld:
„Unter normalen Bedingungen muß man für die Errichtung eines
solchen Denkmals die Baubehörde heranziehen, aber wir hatten
nichts dergleichen, und so mußte unsere kleine Gruppe mit allen
Bauproblemen selbst fertig werden. Die Bauarbeiten dauerten dreieinhalb Monate, von Anfang Mai bis Mitte August. Am 19. August
fand die Enthüllung statt. Ich erinnere mich noch an die österreichischen Zeitungsmeldungen. Der Titel lautete: ‚Statt eines Jahres in
dreieinhalb Monaten'."

Jetzt, da wir eine Spur hatten, fanden wir auch die Hersteller
des Denkmals in Wien: Die Bronzefigur wurde von den Wiener Vereinigten Metallwerken in Erdberg gegossen und zusammengeschweißt. Rudolf Birg war im Ottakringer Werk der WVM beschäftigt und wurde dort von den Sowjets abgeholt, um an dem
Bronzeguß mitzuwirken. Insgesamt, so konnte er uns berichten,
waren rund 40 Personen nur mit der Herstellung der Metallfigur
beschäftigt: „Die Russen hatten es so eilig, daß wir überhaupt nicht
heimgehen durften. In der ersten Zeit, ungefähr sechs, acht
Wochen lang, waren wir praktisch kaserniert, im Betrieb selbst.
Man hatte Feldbetten gebracht, auf denen wir schliefen, und man
brachte uns Verpflegung. Nur ganz selten einmal durften wir nach
Hause gehen. Die waren unerhört darauf aus, daß alles schnell
geschieht und ja niemand versucht, etwas zu verzögern. Die
vorgegebene Zeit mußte erreicht werden. Die russische Mannschaft, die uns bewacht hat, war bewaffnet, und sie haben auch mit
ihren Waffen herumgedroht. Ich glaube nicht, daß man uns ernstlich etwas antun wollte, sie wollten einfach Eindruck schinden und
halt zeigen, daß sie mit aller Macht den Fortgang der Arbeit
betreiben."

Das Denkmal, so berichtet Birg, wurde auf recht ungewöhnliche Art hergestellt. Man hatte keine Zeit, die Figur im sogenannten Kunstguß anzufertigen, in geringer Wandstärke. Darauf konnte
keine Rücksicht genommen werden. Die Figur wurde aus solidem
Metall hergestellt. Insgesamt aus 15 Tonnen Bronze. Rudolf Birg:
„80 Prozent dieser 15 Tonnen lagerten im Werk selbst, das waren
die Bestände für die Wehrmachtsaufträge, die wir im Krieg hatten.
Und wir haben im Werk ja auch Hitler-Büsten gemacht, und die

*Aleksandr Scheinfeld auf seinem Weg über
die Magirusleiter der Wiener Feuerwehr zur
noch verhüllten Statue des Rotarmisten auf
dem Sowjetdenkmal am Wiener Schwarzenbergplatz: Er hatte Angst, daß die Verschlüsse sich nicht öffnen könnten, und wollte sie nochmals überprüfen.*

konnten nicht mehr ausgeliefert werden und waren auch noch da. Und dann noch einige von diesen Riesenfiguren des Münchner Bildhauers Josef Thorak, der auch die Figuren für die Reichskanzlei gemacht hat. Allerdings die noch in Kunstguß, da war nicht soviel Material dran. Aber soweit die nicht schon abtransportiert waren, wurden die alle eingeschmolzen. So hat es keine Schwierigkeiten gegeben, das Material zu beschaffen."

Der riesige Rotarmist aus Bronze wird zeitgerecht fertig. Das war eine Leistung. Die Sowjets lassen die Figur abtransportieren. Rudolf Birg: „Bezahlt wurde nichts. Wir wurden gut verpflegt, aber es gab keinerlei Dankbarkeit. Soviel ich weiß, haben die Wiener Vereinigten Metallwerke nie eine Bezahlung bekommen. Von den Sowjets nicht, und von österreichischer Seite hat man zwar durchblicken lassen, daß es vom Finanzamt irgendeine Form der Refundierung geben wird, aber die Firma hat nichts bekommen. Man hat uns auch nie gelobt, man hat auch nicht gesagt, daß es gut ist. Wir haben immer nur gehört, daß es schlecht ist."

Wir wissen nicht, ob Aleksandr Scheinfeld und seine sowjetischen Helfer bezahlt oder belobigt worden sind. Offenbar standen sie selbst auch unter erheblichem Druck. Es war die Stalin-Zeit mit ihren Stachanow-Prinzipien. Scheinfeld berichtete weiter: „Am Tag vor der Enthüllung des Denkmals kommt mir der Gedanke, was passiert, wenn da alles zur großen Feier versammelt ist und die Hülle von dem Denkmal fallen soll und sich die Verschlüsse plötzlich nicht öffnen. Welch ein unglaublicher Skandal das wäre! Ich war schrecklich beunruhigt. Aber da kam der Herr Nivec, mein Verbindungsmann zu den österreichischen Firmen, und der hatte die Lösung: ‚Rufen wir einen Feuerwehrwagen mit einer ausfahrbaren Leiter.' Und der kam. Am ganzen Leibe zitternd kroch ich auf dieser Leiter hinauf und überprüfte die Befestigungen an der Hülle. Zum Glück war alles in Ordnung." Und irgendein sowjetischer

Die Hülle ist gefallen, hinter dem Denkmal steigen Leuchtraketen auf, die Sowjethymne wird gespielt. Zur Feier haben auch die Westmächte Truppenkontingente entsandt. Mit einer Urkunde übergaben die Sowjets das Denkmal der Obhut des Wiener Bürgermeisters Körner.

Kameramann fand diesen zitternden Aufstieg des Aleksandr Scheinfeld interessant genug, um ihn mit seiner Filmkamera zu verfolgen. Als wir im sowjetischen Zentralarchiv in Krasnogorsk auf einen Film mit der Datumzeile „Wien, 18. August" stießen und eine große Magirusleiter sahen, auf der ein einzelner Mann zu irgend etwas hochstieg, was wie eine schwarz verkleidete riesige Figur aussah, konnten wir uns keinen Reim darauf machen. Nach Scheinfelds Augenzeugenbericht verstanden wir dann alles. Übrigens: Hätte Scheinfeld diese Prüfung zwei Tage früher durchführen wollen, hätte er das nicht gekonnt. Die Magirusleiter der Feuerwehr war nämlich erst zwei Tage zuvor mit den übrigen Feuerwehrgeräten von Linz nach Wien gekommen. Der Einsatz beim verhüllten Sowjetdenkmal dürfte ihr erster gewesen sein.

Nun wird das Denkmal enthüllt, am 19. August, zwei Tage nach dem Einzug der ersten westalliierten Truppen in Wien. Die Bevölkerung ist aufgerufen, an der Feier teilzunehmen. Zusätzlich organisiert die KPÖ in allen Bezirken einen Sternmarsch zum Schwarzenbergplatz. Zu der Feier sind auch Militärkontingente der drei Westmächte eingeladen. Es ist ihr erstes offizielles Auftreten in Wien.

Es ist eine schöne, würdevolle Feier, mit der das Denkmal nun enthüllt wird. Scheinfelds Verschlüsse öffnen sich zeitgerecht, die sowjetische Hymne wird intoniert, die angetretenen sowjetischen, amerikanischen, britischen und französischen Truppenkontingente präsentieren ihre Gewehre, hinter dem Denkmal steigen Leuchtraketen auf. Zu der Feier ist auch die österreichische Regierung, ist der Bürgermeister der Stadt mit allen seinen Stadträten eingeladen. Und das hätte ein geschichtlicher Moment werden können, denn erstmals steht hier die gesamte Renner-Regierung hochrangigen Verteten der westlichen Alliierten gegenüber. Auf den Filmen von dieser Feier läßt sich die Erwartungshaltung in den Gesichtern der österreichischen Politiker richtiggehend ablesen: Spannung und Zweifel. Und die Zweifel erweisen sich als berechtigt. Die Österreicher werden nur von den sowjetischen Generälen begrüßt. Auf der Seite der westlichen Alliierten blickt man geradeaus und bleibt unbeweglich; die einzigen, die etwas Neugier zeigen und die Mitglieder der Renner-Regierung wie fremdartige Geschöpfe betrachten, sind die westlichen Korrespondenten.

Die westalliierten Offiziere dürften sich allerdings auch ein wenig hineingelegt gefühlt haben. Von der Anwesenheit der Renner-Regierung dürften sie nicht verständigt worden sein. Und auch nicht davon, was nun kommt: Die große Festansprache nach dem sowjetischen General hält nämlich Karl Renner. Und nach ihm spricht Leopold Figl. Und dann Ernst Fischer. Zuletzt der Bürgermeister Körner. Und nun übergeben die Sowjets das Denkmal in feierlicher Form der Obhut des Wiener Bürgermeisters. Körner bestätigt dies in einer Urkunde. Und während all der Reden und der gesamten Zeremonie müssen die Abordnungen der Westmächte zuhören und stillstehen.

Zum Gedenken an die gefallenen Sowjetsoldaten werden vor dem Denkmal Kränze niedergelegt. Dann marschieren die alliierten Truppenkontingente vorbei, dicht gefolgt von einem Demonstrationszug der österreichischen Kommunisten. Mit den Fäusten zum Gruß erhoben marschieren nun auch sie an der Ehrentribüne vorbei, und die westalliierten Offiziere haben auch diese Parade abzunehmen. Wir wissen von Augenzeugen, daß dies alles die Bedenken der Westalliierten bezüglich einer möglichen Kommunistenanfälligkeit der Renner-Regierung zunächst nicht zerstreut hat.

Drei Tage nach dieser Feier treffen auch die westlichen Oberbefehlshaber in Wien ein. Sie machen sich ihre Willkommensfeiern

Im Wiener Hotel Imperial, das die Sowjets zu ihrem Hauptquartier auserkoren hatten, traten die vier Oberbefehlshaber der alliierten Truppen in Österreich zu ihrer ersten gemeinsamen Sitzung zusammen. Eine sowjetische Postenkette stand vor dem Hotel Spalier (oben). Gastgeber war der sowjetische Militärkommissar Marschall Konjew, an seiner Seite Politgeneral Scheltow (zweites Bild). Ihm vis-a-vis der französische Militärkommissar Béthouart (drittes Bild). Darunter: General Clark und sein politischer Ratgeber John Erhardt. Unten: Der britische Militärkommissar McCreery.

selbst. Der britische Militärkommissar General McCreery kommt gemeinsam mit seinem politischen Berater William Mack mit einer Sondermaschine auf dem Flugplatz Schwechat an, der inzwischen von den Sowjets an die britische Luftwaffe übergeben worden ist. Von dort fahren McCreery und Mack in das Schloß Schönbrunn, das ihnen künftig als Amtssitz dienen wird. Vom Balkon des Schlosses nimmt McCreery eine Parade seiner Truppen ab. Fast zur gleichen Zeit landet auf dem Flugfeld Langenlebarn bei Tulln der amerikanische Militärkommissar General Mark Clark. Auch Langenlebarn haben die Sowjets bereits an die amerikanische Luftwaffe abgegeben. Clark begibt sich zunächst zu seinen Truppen in die Wiener Stiftskaserne und schreitet dort die Front der Ehrenkompanien ab. Danach fährt er in sein künftiges Hauptquartier, in die beschlagnahmte Nationalbank. Auch hier Ehrenformationen und Musik. Das militärische Gepränge unterstreicht die Tatsache, daß die Alliierten Österreich einer militärischen Verwaltung unterstellt haben. Generäle, nicht Diplomaten oder Politiker üben die oberste Gewalt im Lande aus. Als letzter trifft der französische Militärkommissar, Emile-Marie Béthouart, in Wien ein. Seine Truppen begrüßen ihn mangels eines großen oder würdigen Hauptquartiers auf der Straße vor dem Technischen Museum im 15. Wiener Gemeindebezirk.

Das Ringen um das Erdöl

Am 23. August treten die vier Oberbefehlshaber im Hauptquartier der Sowjets, im Hotel Imperial, zu ihrer ersten gemeinsamen Arbeitssitzung zusammen. Marschall Konjew ist der Gastgeber dieser ersten Zusammenkunft. Die vier Generäle haben ihre politischen Berater mitgebracht. Es geht auch gleich um die Kernfragen der alliierten Politik gegenüber Österreich. Marschall Konjew schlägt vor, schon diese Zusammenkunft als erstes Treffen des Alliierten Rates zu deklarieren. Daher könnten die Militärkommissare auch sofort Beschlüsse über Österreich fassen. Die Sowjets verfolgen damit zwei Ziele: Die umstrittene Lebensmittelversorgung Wiens könnte damit der Verantwortung aller vier Militärkommissare unterstellt werden, und man könnte die Westalliierten auch bewegen, die Renner-Regierung anzuerkennen.

Doch die Briten gehen nicht ab von ihrer bisherigen Linie. General McCreery lehnt den Vorschlag Konjews ab: Kein Alliierter Rat ohne Lebensmittelgarantie der Sowjets. Und es gibt auch keine Anerkennung der Renner-Regierung. General Mark Clark ist, wie wir wissen, eher geneigt, den sowjetischen Vorschlag anzunehmen, auch er möchte, daß der Alliierte Rat so schnell wie möglich zu arbeiten beginnt. Er fühlt sich dennoch verpflichtet, die Briten zu unterstützen, was der anwesende General Scheltow in Erinnerung an den nächtlichen Auftritt im Schloß Kleßheim mit entsprechender Genugtuung registriert. So bleibt diese erste Zusammenkunft der vier Oberbefehlshaber ohne Resultat. Und die Renner-Regierung bleibt weiterhin ohne Anerkennung.

Nach außen aber demonstrieren die Generäle Einigkeit. Die Truppen aller vier Besatzungsmächte sind zu einer gemeinsamen Siegesparade angetreten, denn man feiert nicht nur die gemeinsame Besetzung Wiens, sondern auch das Ende des Zweiten Weltkriegs – im Pazifik schweigen erstmals die Waffen. Was nun auf dem Schwarzenbergplatz alias Stalinplatz vor sich geht, das gibt es nur in Wien: Die Militärmusiken aller vier Garnisonen sind auf dem Platz angetreten und spielen gemeinsam unter dem Taktstock jeweils nur eines Dirigenten, und das ist abwechselnd ein Russe, ein Amerikaner, ein Brite und ein Franzose. Gemeinsam nehmen die vier Militärkommissare nun auch die Parade ab. Auch sie wird angeführt von einem Trommlerzug, der bunt gemischt ist aus Sowjets, Amerikanern, Briten und Franzosen. Danach erfolgt, allerdings getrennt, der Vorbeimarsch der vier Truppenkontingente. Ungeachtet ihrer Differenzen und auch noch ihrer Distanz gegenüber der Renner-Regierung, bedeutet das Auftreten von Amerikanern, Briten und Franzosen in Wien den Beginn einer neuen Ära, nicht nur für die Wiener, sondern für ganz Österreich. Denn damit wird Österreich einer zwar vierfachen, aber doch gemeinsamen Autorität unterstellt, die das ganze Land umfaßt und die in der Lage ist, über die Demarkationslinien hinweg zu wirken. Zum erstenmal haben die Österreicher damit auch einen Partner, den künftigen Alliierten Rat. Und endlich kann auch die Renner-Regierung selbst etwas für ihre Anerkennung durch die Westmächte tun.

Renner läßt keinen Moment ungenützt verstreichen. Er empfängt westliche Korrespondenten und versucht, sie über Form und Zielsetzung seiner Regierung zu informieren. Er wendet sich auch über Presse und Rundfunk direkt an die Regierungen und die Völker der westlichen Demokratien. Eine dieser Ansprachen, die Renner für eine amerikanische Rundfunkanstalt gehalten hat, ist mitgefilmt worden und auf diese Weise in Bild und Ton erhalten geblieben. Renner hielt diese Ansprache in englischer Sprache. Hier die Übersetzung: „Als Kanzler der befreiten und wiedererrichteten Republik Österreich begrüße ich den größten Befreier der Welt, die siegreichen Vereinigten Staaten. In meiner gegenwärtigen Funktion als höchster Vertreter des österreichischen Volkes grüße ich das Volk der Vereinigten Staaten, welches das Beste gegeben hat für Frieden und Freiheit der Welt, für die Befreiung von der faschistischen Sklaverei, und das durch den Genius seiner Erfinder das Ende des Blutvergießens herbeigeführt hat [damit meinte Renner die Atombombe] und dabei ist, einen dauerhaften Frieden auf der Welt zu begründen. Österreich wünscht nichts mehr, als wert befunden zu werden, als bescheidenes Mitglied der internationalen Friedensgemeinschaft aufgenommen zu werden, die von Ihrem verstorbenen Präsidenten Roosevelt gegründet wurde und von seinem Nachfolger Präsident Truman weitergeführt wird." Was Renner nun weiter sagt, zeugt von geradezu seherischen Qualitäten. Denn die von ihm genannte „Internationale Friedensgemeinschaft", die vom „verstorbenen Präsidenten Roosevelt gegründet wurde", ist die UNO. Und dazu sagt Renner nun in seiner Ansprache: „Welche von den großen Städten der Welt die Ehre haben wird, diese Organisation aufzunehmen, wissen wir noch nicht. Vor 130 Jahren, 1815, war unsere alte, schöne Stadt Wien Sitz eines Kongresses, der Europa einen Frieden brachte, der mehr als 30 Jahre gedauert hat! Heute ist Wien zum hart getroffenen Opfer der zwei Weltkriege geworden, und die Vertreter von vier Weltmächten haben sich hier versammelt mit ziemlich verschiedenen Zielen und Absichten, aber Wiens Geist hat uns nicht verlassen."

Welch ein strahlender Optimismus: Die Bombenschäden im Bundeskanzleramt sind erst provisorisch abgedeckt, ein Drittel von Wien liegt in Ruinen, doch Renner bietet der Welt bereits an, die neugegründete UNO in Wien anzusiedeln. Und es ist auch bemerkenswert, worauf er sich beruft: Von dieser Stadt, vom Wiener Kongreß, ging ein Friede aus, der mehr als 30 Jahre gedauert hat! Und das wissen wir aus vielen Leitartikeln und Politikerreden der damaligen Zeit: 30 Jahre Frieden, das war im Jahr 1945 ein unglaubliches, geradezu unvorstellbares Ziel. Jene 30 Jahre Frieden, von denen Renner spricht, waren bis dahin überhaupt die längste Friedensperiode in der europäischen Geschichte. Im Jahre 1945 war

Mit einem Festbankett heißt der sowjetische Marschall Konjew den amerikanischen Oberkommandierenden General Mark Clark in Wien willkommen. Der Fotograf, der dieses Bild schoß, hielt für die Nachwelt auch fest, was es am damaligen Generalstisch zu essen und zu trinken gab (oben). Der österreichische Staatskanzler Karl Renner nutzte das Eintreffen der Westalliierten in Wien dazu, sich über Radio und Presse direkt an die Regierungen und die Völker der Großmächte zu wenden (linke Seite).

noch nicht vorstellbar, daß man am Beginn einer Periode stand, die Europa eine noch längere Friedensperiode bringen würde.

Inzwischen reift ein Problem heran, das ein völlig neues Moment in das Ringen um die Anerkennung der Renner-Regierung bringt: Es geht um Österreichs Erdöl. Die Fördermengen der Erdölfelder im Marchfeld sind beträchtlich, mehr als eine Million Tonnen im Jahr, das ist viel in einer Zeit, die noch keine Motorisierung kennt und in der auch der Ölbedarf der Industrie gering ist. Die Sowjets haben die Ölfelder bereits als Deutsches Eigentum gemäß den Potsdamer Beschlüssen beschlagnahmt. Jetzt bieten sie der Renner-Regierung die Gründung einer gemeinsamen sowjetisch-österreichischen Erdölgesellschaft an. Die Sowjetunion würde 50 Prozent und die Republik Österreich die anderen 50 Prozent dieser Gesellschaft erhalten. Die Sowjetunion würde die beschlagnahmten Ölfelder als ihren Anteil in die Gesellschaft einbringen und dafür 50 Prozent der Anteile erhalten. Die Österreicher müßten für die 50 Prozent der Anteile, die ihnen zustünden, 13 Millionen US-Dollar in bar einzahlen. In Rumänien, Ungarn und Jugoslawien hat die Sowjetunion schon eine große Zahl solcher gemischter Gesellschaften ins Leben gerufen. In Österreich ist es nun der erste derartige sowjetische Vorschlag. Marschall Konjew drängt Renner, den Vertrag unter Dach und Fach zu bringen. Konjew lädt die österreichische Regierung auch ein, eine Delegation nach Moskau

zu entsenden, um einen umfangreichen österreichisch-sowjeti-schen Handelsvertrag zu vereinbaren.

Das alles geschieht zu einer Zeit, in der die Renner-Regierung von den Westmächten noch nicht anerkannt ist und von ihnen auch noch boykottiert wird. Doch nun erfahren die Amerikaner von den sowjetischen Vorschlägen und von den österreichisch-sowjetischen Verhandlungen über diese Vorschläge. Und sie sind alarmiert: Einerseits reklamieren die USA einen Teil der Ölanlagen in Öster-reich für amerikanische Gesellschaften, da diese vor dem Krieg Eigentumsanteile an der Ölproduktion in Österreich innehatten; anderseits fürchtet man in Washington ein endgültiges wirtschaftli-ches Festsetzen der Sowjetunion in Österreich, und zwar in einer Art, wie sie für alle Zukunft nicht mehr wegzubringen sein würde. Renner selbst bringt die Erdölfrage vor den Kabinettsrat. Er sieht in einem derartigen Vertrag mit der Sowjetunion die Chance, zumin-dest 50 Prozent des Erdöls für Österreich sicherzustellen. Doch der damalige geschäftsführende SPÖ-Vorsitzende Schärf und andere Politiker in der SPÖ und später auch in der ÖVP fürchten, daß Österreich mit dem Vertrag in sowjetische Abhängigkeit geraten könnte. Ein Ausweg wird gesucht: Wie könnte man doch noch in den Besitz der wirtschaftlich so wichtigen Erdölfelder und auch in den Besitz der vielen anderen Industrien gelangen, die von den Sowjets beschlagnahmt worden sind? Noch ist es so, daß Gesetze innerhalb der Regierung vorgeschlagen, beschlossen und in Kraft gesetzt werden können – vorausgesetzt, die Alliierten stimmen zu. Und nun überlegt man: In der Sowjetunion ist alles verstaatlicht, das Gesellschafts- und Wirtschaftssystem der Sowjetunion basiert auf Staatseigentum. Die Sowjetunion müßte daher größtes Ver-ständnis und auch Sympathie dafür haben, wenn Österreich seine Bodenschätze und seine Schlüsselindustrien zum Staatseigentum erklärt, sie verstaatlicht.

Und so beschließt die Regierung ein Gesetz über die „Verstaat-lichung von Unternehmungen der Industrie und des Bergbaues".

Die Sowjets hatten gleich nach ihrem Ein-marsch die Erdölfelder rund um Zistersdorf beschlagnahmt (rechts). Danach schlugen sie die Gründung einer gemeinsamen sowje-tisch-österreichischen Ölgesellschaft vor. In-nerhalb des sozialistischen Parteivorstandes gab es entschiedenen Widerstand gegen die-sen Vertrag. Zwischen dem geschäftsführen-den Parteivorsitzenden Adolf Schärf und Karl Renner kam es zur Konfrontation. Das Bild oben zeigt die damalige Führungsspitze der SPÖ: Schärf und Renner, rechts von Renner Karl Seitz und Johann Böhm. Links Andreas Korp.

Edwin Kretzmann: Herr General, wir versäumen hier die Überfuhr.

Mit dem Gesetz werden alle Bodenschätze in Österreich zum Staatseigentum erklärt, darunter auch das Erdöl. Und es wird auch so manche Industrie zum Staatseigentum gemacht, die die Sowjets bereits als Deutsches Eigentum beanspruchen. Der Kabinettsrat verabschiedet das Gesetz. Die Sowjets, die bisher fast alle österreichischen Gesetze ohne Verzögerung und ohne Abänderungen zugelassen haben, legen gegen dieses Gesetz sofort ihr Veto ein. Es darf nicht veröffentlicht werden und tritt folglich nicht in Kraft. Schärf bringt nun den von den Sowjets vorgeschlagenen Ölvertrag vor den Parteivorstand der SPÖ. Es kommt zu einer dramatischen Auseinandersetzung. Denn der Staatskanzler Renner ist nach wie vor dafür, diesen Vertrag mit den Sowjets abzuschließen: 50 Prozent des Erdöls seien wenigstens die Hälfte, ansonsten bleibe Österreichs nichts. Schärf hingegen sieht den Einfluß, den die Sowjetunion durch den Vertrag auf diesen vielleicht künftig wichtigsten Sektor der österreichischen Wirtschaft erhalten würde, und sieht weiter, welche Wirkungsmöglichkeiten den Sowjets damit auch zur Beeinflussung der Politik in Österreich zufielen. Er erklärt im Parteivorstand: „Die Zukunft unseres Landes, die Zukunft unserer Wirtschaftsentwicklung steht auf dem Spiel!" Karl Waldbrunner unterstützt Adolf Schärfs Ablehnung des Ölvertrages. Auf das Argument, wenn man die Sowjets vor den Kopf stoße, könnten auch sie sich von der Renner-Regierung abwenden, womit die Regierung von keiner Seite mehr anerkannt wäre, erklärt Waldbrunner: „Selbst wenn dadurch die Anerkennung der Regierung ausbleibt, kann einem solchen Vertrag nicht zugestimmt werden."

Felix Slavik, der spätere Bürgermeister von Wien, stellt daraufhin den Antrag, der Parteivorstand möge die von Waldbrunner formulierte Ablehnung des Ölvertrags mit der Sowjetunion zum Beschluß erheben. Das ist keine geringe Kraftprobe, denn immerhin wird damit gefordert, daß sich eine Mehrheit des Parteivorstandes gegen Karl Renner stellt. Und es bleibt auch nicht beim Antrag Slaviks. Der damalige Zentralsekretär der SPÖ, Erwin Scharf, stellt einen Gegenantrag: Das Abkommen mit der Sowjetunion möge abgeschlossen werden. Der Parteivorstand führt eine lange, harte Debatte über diese beiden Anträge. Am Ende wird abgestimmt: elf gegen vier Stimmen für den Antrag Slaviks auf Ablehnung des Ölvertrags mit der Sowjetunion.

Das ist eine weitreichende Entscheidung – sowohl für Österreich als auch für die SPÖ. Mit dieser Entscheidung wird der künftige Wirtschaftskurs des Landes und das Verhalten gegenüber der Sowjetunion weitgehend vorgezeichnet. Innerhalb der SPÖ-Führung aber erweitert sich schlagartig die Kluft zwischen der Mehrheit, die sich auf ein westlich-demokratisches Gesellschafts- und Wirtschaftskonzept orientiert, und der von Erwin Scharf geführten Minderheit, die sich für eine Zusammenarbeit mit den Kommunisten zur Errichtung eines sozialistischen Gesellschafts- und Wirtschaftssystems einsetzt.

Kanzler Renner hat nun den Sowjets mitzuteilen, daß ihr Vorschlag auf Errichtung einer gemischten Erdölgesellschaft abgelehnt sei. Und die Sowjets begreifen sofort, was das heißt: Die bereits zur Reise nach Moskau bereitstehende österreichische Handelsdelegation wird von den Sowjets innerhalb von 24 Stunden wieder ausgeladen. Kein Ölvertrag, dann auch kein Handelsvertrag. Prompt unterstellen die Sowjets die Erdölfelder einer rein sowjetischen Verwaltung, und diese wird die österreichischen Erdölvorkommen für die nächsten zehn Jahre auch allein ausbeuten. Die Ablehnung des Ölvertrags mit den Sowjets aber ist auch eine Entscheidung für die Einheit Österreichs. Der Vertrag hätte das Verhältnis der österreichischen Regierung zu den Westalliierten sehr schwierig gestaltet, aber fast mit Sicherheit hätte er zu einem Aufstand der westlichen Bundesländer gegen Wien geführt.

Herr General, wir versäumen die Überfuhr

Im amerikanischen Hauptquartier bringt die Ablehnung einen Stimmungsumschwung. Mark Clarks Verbindungsoffizier zu den Österreichern ist Edwin Kretzmann. Er spricht gut Deutsch und verfolgt die österreichischen Entwicklungen sehr genau. Kretzmann wird nun bei General Clark vorstellig. Was er dem General damals sagte, berichtete er uns: „,Herr General, wir versäumen hier die Überfuhr. Dies ist eine wunderbare Entwicklung, aber wir haben Befehl, die Renner-Regierung nicht anzuerkennen. Das ist ein Fehler, ein schwerer Fehler.' Clark begriff sofort, was ich meinte, und antwortete: ,Man muß nicht immer auf das hören, was Washington sagt.' Das waren seine exakten Worte. Übrigens hielt er sich an diese eigene Weisheit, er hat wichtige Telegramme Freitag nachmittag geschickt, mit der Abschlußformel: ,Wenn ich bis Montag früh nichts höre, werde ich handeln.' Natürlich hat er nie etwas von denen gehört, in Washington arbeitet ja niemand am Wochenende. Aber das war seine Art, die Dinge rasch voranzubringen. Als ich ihm nun von Renner berichtete, sagte er: ,Arrangieren Sie ein Treffen, ich möchte mit ihm sprechen.'"

Der politische Berater der Briten, William Mack, im Gespräch mit Karl Renner.

Die Zusammenkunft wird arrangiert. Der vom Westen nicht anerkannte Karl Renner wird von Mark Clark zu einem vertraulichen Gespräch empfangen. Renner macht auf Clark einen guten Eindruck. Clark ist nun überzeugt, daß Renner keine Marionette der Sowjets ist, sondern ein Patriot und ein Demokrat. Clark informiert seinen britischen Kollegen McCreery. Ein Geheimtelegramm vom britischen Hauptquartier Wien geht nach London ab: „General Clark traf Renner gestern. Renner sagte, die Russen hätten ihm wegen der Zurückweisung des Ölvertrags arg zugesetzt. General Clark wäre nun bereit, die Renner-Regierung anzuerkennen, vorausgesetzt, daß in ihrer Zusammensetzung Änderungen vorgenommen werden."

Zu diesem Zeitpunkt trifft auf dem den Briten zuerkannten Flugplatz Schwechat John Hynd ein, der britische Minister für die besetzten Gebiete in Deutschland und Österreich. Hynd steigt in dem nunmehr von den Briten requirierten Hotel Sacher ab. Hier kommt es zu einer bemerkenswerten Begegnung. Walter Wodak, später einer der Spitzendiplomaten Österreichs, war 1938 nach England emigriert und ist nun mit den britischen Streitkräften nach Wien gekommen. Wodak dient in der Psychological Warfare Branch und will versuchen, die Kluft zwischen den Briten und der Renner-Regierung zu überbrücken. Als Angehöriger der britischen Streitkräfte hat Wodak Zutritt zum Hotel Sacher, meldet sich bei Minister Hynd, unterstreicht nochmals, daß die Politiker der SPÖ und der ÖVP fest auf dem Boden der Demokratie westlicher Prägung stünden und die Westmächte einen Fehler machten, wenn sie der Renner-Regierung nicht zu Hilfe kämen. Ohne westliche Unterstützung könnte Österreich in eine einseitige sowjetische Abhängigkeit geraten. Dieser Gefahr könne man nur begegnen, wenn der Westen bereit sei, Österreich wirtschaftlich rasch zu helfen. Wodaks Vorstoß bei Hynd wird auf die britische Haltung gegenüber den österreichischen Politikern nicht ohne Wirkung bleiben.

Nach General Clark hatte auch der britische Militärkommissar McCreery Renner zu einem Gespräch eingeladen. Und bei diesem hartnäckigen Gegner einer Anerkennung der Renner-Regierung legt Renner einen Vorschlag auf den Tisch: Er bietet an, eine

Konferenz aller maßgebenden Politiker der Bundesländer einzuberufen, um seine Regierung auf eine breitere Basis zu stellen. Er sei bereit, Vertreter der Bundesländer in seine Regierung aufzunehmen. Die Briten erklären rundheraus, daß dies wahrscheinlich nicht genug sein werde, das Wichtigste, was zu geschehen hätte, sei die Absetzung des kommunistischen Innenministers Honner. Solange die Kommunisten über alle Polizeiformationen verfügten, sei die Regierung gefährdet. Renner läßt sich auf keinen Streit ein. Er schlägt eine Länderkonferenz vor und bietet an, Vertreter der Bundesländer in der Regierung mitarbeiten zu lassen. Und er stimmt der britischen Auffassung sofort zu, daß es so bald wie möglich freie und geheime Parlamentswahlen geben müßte.

Das Gespräch mit Renner bringt eine Änderung der britischen Politik. Die Briten geben ihren Boykott des Alliierten Rates auf und sind bereit, in den Fragen der Versorgung Wiens und der Anerkennung der Renner-Regierung mit sich reden zu lassen. Denn umgekehrt wissen auch die Westmächte: Um eine Länderkonferenz einzuberufen, bedarf es der Zustimmung aller vier Alliierten; eine umgebildete Renner-Regierung bedarf erst recht der Anerkennung durch alle vier Alliierten; und die Abhaltung freier Wahlen wird nur möglich sein, wenn der Alliierte Rat bis dahin gedeihlich funktioniert und die Sowjets von einem Veto absehen.

Für den 11. September wird die erste Sitzung des Alliierten Rates einberufen. Auf dieser Sitzung übernehmen die vier Militärkommissare die oberste Regierungsgewalt in Österreich. Wörtlich heißt es in der Proklamation des Alliierten Rates an das österreichische Volk: „Vom 11. September 1945 an haben die Oberstkommandierenden der Sowjetunion, der Vereinigten Staaten von Amerika, des Vereinigten Königreichs und der französischen Republik in Österreich, die als Mitglieder des Alliierten Rates zusammengetreten sind, die oberste Macht in Österreich übernommen, in Dingen, die Österreich als Ganzes betreffen. Kraft dieser Macht übt jeder Oberstkommandierende volle Autorität innerhalb der Zone aus, die von den Truppen seiner Nation besetzt ist." In der Proklamation bekennt sich der Alliierte Rat zur Moskauer Deklaration, derzufolge die Absicht besteht, ein freies, unabhängiges und demokratisches Österreich wiederherzustellen. Weiter heißt es: Die dringendsten Aufgaben seien die Wiedervereinigung und der wirtschaftliche Aufbau des Landes sowie die Beseitigung der Kriegsfolgen, der Hitler-Mißwirtschaft und jedes deutschen Einflusses auf das gesamte Leben Österreichs. Und dann wörtlich: „Die alliierten Behörden werden den demokratischen Parteien völlige Freiheit gewähren, ihren politischen Ansichten durch Presse, im Rundfunk und in öffentlichen Versammlungen Ausdruck zu geben, als notwendige Maßnahme zur Vorbereitung von freien Wahlen." Es sei jedoch unmöglich, die Aufgabe der Wiederherstellung eines freien österreichischen Staates zu erfüllen, ohne tatkräftigen, andauernden und entschlossenen Kampf gegen die Überreste des Nazismus und seine Träger auf allen Gebieten des politischen, kulturellen und wirtschaftlichen Lebens des Landes. Jede Spur von nazistischem und großdeutschem Einfluß und jeder Anschein des deutschen Militarismus müsse ausgemerzt werden. Der Alliierte Rat werde sich dieser Sache annehmen. Abschließend heißt es: „Die Bemühungen von außen allein werden nicht genügen, die vollkommene Wiederherstellung der österreichischen Unabhängigkeit zu erzielen. Die Wiederherstellung des freien, unabhängigen und demokratischen Österreichs muß Sache des österreichischen Volkes selbst werden."

Der Inhalt dieser ersten Proklamation des Alliierten Rates war für die österreichischen Politiker zutiefst enttäuschend. Wurde

ihnen doch hier in sehr komplizierten Sätzen sehr Einfaches mit-geteilt:

1. Die oberste Gewalt im Lande liegt, was ganz Österreich betrifft, beim Alliierten Rat und zusätzlich dazu in jeder Zone beim jeweiligen Oberkommandierenden. Keine österreichische Behörde, auch keine Regierung, hat da irgend etwas zu bestellen.

2. Bevor es ein freies und unabhängiges Österreich gibt, müs-sen erst Nazismus, deutscher Einfluß und jegliches Kriegspotential beseitigt werden. Das werden die Alliierten besorgen, die Österrei-cher sollen nur mithelfen. Und das bedeutet, daß sich die Alliierten offenbar vorgenommen haben, nicht nur selbst zu regieren, son-dern auch lange zu bleiben.

3. Man erlaubt es zwar den politischen Parteien, sich frei zu äußern, um damit Voraussetzungen für Wahlen zu schaffen, aber wann diese stattfinden, ist eine andere Sache.

4. Alle diese Dinge nehmen die Alliierten jetzt in die Hand, jedoch die Wiederherstellung eines freien Österreich müsse Sache des österreichischen Volkes selbst werden – zur Zeit hätten also die Österreicher die Wiederherstellung eines unabhängigen Österreich noch nicht zu ihrer Sache gemacht.

Aufgrund dieser Proklamation hätte die Renner-Regierung sofort ihren Rücktritt erklären können. Und wieder einmal muß man die Zähigkeit und auch die Schlauheit der damaligen Politiker bewundern. Schon am nächsten Tag, dem 12. September, gibt die Provisorische Staatsregierung ungefragt und unaufgefordert eine „Erklärung zur Proklamation des Alliierten Rates" ab. In dieser Erklärung wird geschickt manches anerkannt, manches nicht zur

Die Machtübernahme durch die Alliierten kommt in diesen beiden Bildern symbolhaft zum Ausdruck: Zum erstenmal seit Napo-leons Einzug in Wien ist das Schloß Schön-brunn wieder Hauptquartier einer fremden Macht.

In Wiens Innerer Stadt lösen einander die alliierten Kommandanten Monat für Monat ab. Und mit ihnen wechselt auch die jeweilige Exekutive im 1. Bezirk.

Kenntnis genommen, das meiste aber anders interpretiert, als es von den Alliierten eigentlich gemeint war. Zunächst wird anerkannt: „Die Provisorische Staatsregierung begrüßt den lang erwarteten Zusammentritt und die ersten Beschlüsse des Alliierten Rates, sie erkennt in diesem die Oberste Gewalt, welche in allen Fragen, die Österreich als Ganzes betreffen, über Österreich zu wachen berufen ist, weiß, daß sie den Anordnungen dieser Gewalt Folge zu leisten verpflichtet ist und gelobt, diese Pflicht getreulich zu erfüllen."

Das ist bereits Interpretation: Der Alliierte Rat übt zwar oberste Gewalt aus, doch nur zum Zwecke der Überwachung, nicht des Regierens. Und so kündigt die Staatsregierung gleich im nächsten Absatz ihrer Antwort an, daß sie einen Akt des Regierens zu setzen entschlossen ist: „Die Provisorische Staatsregierung hat am ersten Tag ihrer Amtsführung als ihren Vorsatz verkündet, mit den westlichen Bundesländern, sobald die Verkehrsschranken gefallen sind, in gemeinsame Beratungen über alle politischen, wirtschaftlichen und kulturellen Fragen und insbesondere über die Erweiterung der Regierung einzutreten, um die Einheit der Republik wieder aufzurichten, und stellt mit freudiger Genugtuung fest, daß die Alliierten als ihre dringendste Aufgabe die Wiedervereinigung und den wirtschaftlichen Wiederaufbau des Landes sowie die Beseitigung der Kriegsfolgen und der Hitler-Mißwirtschaft und jedes reichsdeutschen Einflusses auf das gesamte Leben Österreichs bezeichnen. Sie wird alle Anstrengungen auf sich nehmen, um gemäß dem Rate der Alliierten und mit deren Hilfe dieses hohe Ziel ehebaldigst zu erreichen."

Mit diesen Sätzen versucht die Staatsregierung, den Alliierten alles aus der Hand zu nehmen, was diese in ihrer Proklamation ausdrücklich für sich beansprucht haben. Nicht die Alliierten, sondern die Staatsregierung werde die von den Alliierten proklamierten Ziele verwirklichen, lediglich „gemäß dem Rate der Alliierten und mit deren Hilfe". Vor allem aber kündigt die Staatsregierung schon an, daß sie durch Hinzuziehung der westlichen Bundesländer ihre Basis erweitern und damit die Einheit der Republik wiederherzustellen beabsichtige.

Schließlich versucht die Staatsregierung, die Alliierten auch noch festzunageln; sprachen sie doch in ihrer Proklamation davon, den Parteien freie Meinungsäußerung zuzubilligen, damit diese sich auf Wahlen vorbereiten könnten. Das nimmt in der Erklärung der Staatsregierung nun folgende Form an: „Die Regierung hat sich ständig die Pflicht vor Augen gehalten, sobald die Umstände es gestatten, das österreichische Volk zu allgemeinen und freien Wahlen aufzurufen und damit alle Gewalt in die Hände des gesamten Volkes zurückzulegen. Sie begrüßt darum die Erklärung des Rates, die alliierten Behörden würden den demokratischen Parteien völlige Freiheit gewähren, ihren politischen Ansichten durch Presse, im Rundfunk und in öffentlichen Versammlungen Ausdruck zu geben, als eine notwendige Maßnahme zur Vorbereitung von freien Wahlen." Und so geht es weiter, Absatz für Absatz wird die alliierte Erklärung dahingehend interpretiert, daß nicht die Alliierten, sondern die Regierung die Dinge in die Hand zu nehmen hätte. Bis es zum Schluß heißt: „Das österreichische Volk ist von tiefstem Dank erfüllt für die anerkennenden Worte des Aufrufs."

Selbstverständlich konnte mit einer solchen Gegenerklärung der Alliierte Rat nicht entmachtet werden. Die Ausübung der obersten Gewalt blieb in seinen Händen. Aber wie die weiteren Ereignisse zeigen, hat die österreichische Regierung Punkt für Punkt wahrgemacht, was sie in ihrer Gegenerklärung ankündigte, und den Alliierten Rat nicht mehr weiter um Erlaubnis gefragt. Der erste dieser Schritte war die Einberufung einer Länderkonferenz nach Wien.

Die Bundesländer stellen ihre Bedingungen

Die Politiker der westlichen Bundesländer stehen bereits seit Juli 1945 miteinander in Verbindung. Die wichtigste Frage, die sich ihnen stellt, ist die nach ihrem Verhältnis zur Renner-Regierung in Wien. Sollte man, ja müßte man die Regierung anerkennen und sich ihr unterstellen, oder sollte man, ja müßte man auf eine andere Regierung für ganz Österreich hinarbeiten? Dazu kommt, daß die Westalliierten den Politikern in den Bundesländern sehr nachhaltig klarmachen, wie sehr sie der Renner-Regierung mißtrauen und wie sehr sie darauf bestehen, daß die einzelnen Landesregierungen frei von allen Bindungen zur Renner-Regierung bleiben. Bei der traditionellen Abneigung der Bundesländer gegenüber Wien, bei dem vorherrschenden Mißtrauen gegenüber den Sowjets und einer von den Sowjets eingesetzten Regierung, die noch dazu aus einem Drittel Kommunisten besteht, würde man meinen, daß die Renner-Regierung in den Bundesländern ohne Unterstützung hätte bleiben müssen. Das Gegenteil ist der Fall. Die Sozialdemokraten in den Bundesländern stellen sich sofort hinter die Renner-Regierung und trotzen den Pressionen der örtlichen alliierten Befehlshaber. Einigermaßen verständlich: Renner ist ihr Mann, und sie kennen Renner. Für den 29. Juli wird auf Initiative Karl Grubers in Innsbruck, Adolf Schemels in Salzburg und Heinrich Gleißners in Linz eine Konferenz der bürgerlichen Politiker nach Salzburg einberu-

Zum erstenmal nach Kriegsende treffen die Politiker der Bundesländer in Wien ein. Delegation um Delegation wird von Karl Renner willkommen geheißen. Dann tritt man zur ersten Länderkonferenz zusammen und einigt sich in weniger als drei Tagen über alle entscheidenden Fragen.

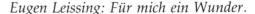

Eugen Leissing: Für mich ein Wunder.

fen. Und auch sie endet mit der prinzipiellen Bereitschaft, die Renner-Regierung anzuerkennen. Allerdings unter zwei Voraussetzungen: Renner müsse, sobald die Zonengrenzen offen seien, auch Politiker der westlichen Bundesländer in seine Regierung aufnehmen, und zumindest der kommunistische Staatssekretär für das Innere, Franz Honner, müsse abgelöst werden. Keine Anerkennung für eine Regierung, in der das Innenressort von einem Kommunisten beherrscht wird.

Leopold Figl und Felix Hurdes, schließlich auch Julius Raab kommen nach Salzburg und versuchen, den bürgerlichen Politikern des Westens klarzumachen, daß man es in Wien nicht nur mit den westlichen Alliierten, sondern vor allem mit dem sowjetischen Oberbefehlshaber zu tun hat. Karl Gruber erinnert sich noch, was Julius Raab dazu den im Salzburger Chiemseehof versammelten Länderpolitikern gesagt hat: „Meine Herren, das könnts ihr alles verlangen, aber ob ihr das auch durchsetzen könnt', ist sehr fraglich. Wahrscheinlich wird der alte Renner das ablehnen, vor allem, weil es die Russen nicht schlucken werden."

Dreimal treten die bürgerlichen Politiker der Bundesländer und einmal die Sozialisten in Salzburg zusammen, ehe sie nun die Einladung Karl Renners erreicht, am 24. September nach Wien zu kommen, um an einer Länderkonferenz unter seinem Vorsitz teilzunehmen. Der österreichische Staatskanzler lädt ein, aber die Alliierten bestimmen darüber, ob die Eingeladenen auch ihre Sonderbewilligungen zum Überschreiten der Demarkationslinie erhalten. Dabei kommt es zu Mißverständnissen, zu Befehlen und Gegenbefehlen. Erteilte Bewilligungen werden wieder abgenommen, neue ausgestellt, aber schließlich schlagen sich doch alle nach Wien eingeladenen Länderpolitiker über die Zonengrenzen in die Hauptstadt durch.

Der spätere Landesrat Eugen Leissing fuhr damals als einer der Vertreter Vorarlbergs nach Wien. Und so schildert er diese Reise: „Wir waren drei Tage unterwegs, bis wir in Wien ankamen. Die Fahrt war mit Hindernissen gespickt. Die Landesregierung hatte ja kein Fahrzeug. Wir mußten uns eines ausleihen, und das ist bei Linz zusammengebrochen. Der Landeshauptmann Gleißner hat uns dann mit einem Ersatzfahrzeug ausgeholfen. Verproviantieren mußten wir uns auch selbst, die ganze Strecke. Dann kamen wir nach Wien. Es blutete einem das Herz, wenn man sah, wie dieses Wien aussah. Damals hätte ich nie geglaubt, nie in meinem Leben, daß es gelänge, in so kurzer Zeit die Bundeshauptstadt wieder aufzubauen, so wie sie sich heute präsentiert. Für mich ist das ein österreichisches Wunder. Es gab ja auch keine Unterkünfte. Ich wurde mit dem Vertreter der Kommunistischen Partei in Vorarlberg, mit Max Haller, in einem Barnabiten-Kloster untergebracht. Man hat uns gemeinsam in eine klösterliche Zelle eingesperrt. Dort lag eine Bibel, und ich machte Haller aufmerksam, er möge sich dieser Literatur zu gegebener Zeit hingeben. Das hat er auch, er hat sehr nett reagiert. Und ich erinnere mich an die erste Sitzung der Länderkonferenz, die im Landhaus, im niederösterreichischen Landtagssaal, stattgefunden hat; wie wir da hineinkamen und wie herzlich wir durch den damaligen Staatskanzler Renner begrüßt wurden. Es war für mich als jungen Menschen überzeugend, mit welcher Entschlossenheit man in Wien bereit war, über alle Parteigrenzen hinweg diese einigende Kraft zu bilden, um das Land wieder hochzubringen."

Alle, die an dieser ersten Länderkonferenz teilgenommen haben, berichten davon: Mit welcher Freude und Herzlichkeit man einander begegnet und wie das Gefühl der Zusammengehörigkeit alle Delegierten ergreift. Dennoch kommt es zu Beginn der Konferenz zunächst zu harten Auseinandersetzungen. Renner eröffnet die Konferenz am Abend des 24. September. Stundenlang hat man auf das Eintreffen noch ausstehender Delegierter gewartet, die Tiroler Delegation schafft es überhaupt erst am nächsten Tag, dem 25. September, nach Wien zu kommen. Als erstes stellt Renner die Mitglieder seiner Regierung vor. Es ist eine Regierung, die seit April im Amt ist, die die Politiker der Bundesländer jedoch erst jetzt zu Gesicht bekommen. Die meisten Mitglieder der Regierung sind ihnen nur dem Namen nach bekannt. Nun beginnt ein Taxieren und Abwägen. Dazu kommt etwas, was damals auch als außerordentlich, als sensationell empfunden wird: Zum erstenmal seit 1933 sitzen Christlichsoziale, Sozialisten und Kommunisten Seite an Seite und sind aufgerufen, Beschlüsse zu fassen, die die Einigkeit aller Österreicher unter Beweis stellen sollen. Gleichzeitig aber wollen die Vertreter der Bundesländer den Einfluß der Kommunisten in der Regierung zurückdrängen. Und das ist auch Ursache für die erste harte Auseinandersetzung bei dieser Konferenz. Karl Gruber schildert sie: „Der Honner, der das Freiheitsbataillon in Jugoslawien geführt hatte, war mir weitaus der Sympathischste von den Kommunisten. Er war ein richtiger Haudegen, ein Mann auch, der auf den Tisch gehaut hat. Aber man hat gesehen, welche Ziele er verfolgt, und hat das Gefühl gehabt, der spinnt keine Ränke. Und der Honner hat gesagt: ‚Meine Herren, ihr werdet schon sehen, wie die Fenster zittern werden, wenn die Arbeitermassen in Wien marschieren.' So ungefähr war seine Sprache. Und da hat der Raab die Bemerkung gemacht: ‚Gar nix wird zittern.' Das hat gewirkt. Und ich hab dem Honner gesagt: ‚Sie, ob das zittert oder nicht, nehmen Sie eines zur Kenntnis – Sie müssen da weg. Das ist sehr einfach, und das ist die Wahrheit der Dinge. Wenn Sie Wert darauf legen, daß wir diese Regierung anerkennen, mit einem kommunistischen Innenminister kommt das überhaupt nicht in Frage.'" So haben es sich zumindest die bürgerlichen Vertreter aus den Bundesländern vorgenommen und sie werden dabei auch von einigen Sozialdemokraten unterstützt. Doch Renner stellt sich hinter Honner. Er weiß, wie schmal der Grat ist, auf dem diese Regierung wandert. Läßt er Honner fallen, ist die Regierung die Anerkennung durch die Sowjetunion los. Scheitert andererseits die Einigung mit den Bundesländern, gibt es keine Anerkennung durch die Westmächte. Renner muß zu Honner halten und dennoch die Zustimmung der Bundesländer erwirken. Er beschwört die Landespolitiker, dies doch einzusehen.

Ein zweiter Konflikt bricht auf, als die Ländervertreter die zentralistischen Konzepte der Renner-Regierung scharf kritisieren. Das beginnt schon mit der Bezeichnung, die sich diese Regierung selbst gegeben hat – Staatsregierung statt Bundesregierung, mit einem Staatskanzler an der Spitze anstelle eines Bundeskanzlers, mit Staatssekretären anstelle von Bundesministern. Und auch die Vorstellungen Karl Renners vom künftigen Aufbau Österreichs folgen dieser Linie – mehr Vollmachten für die Zentralstellen in Wien, als dies in der Ersten Republik der Fall gewesen ist. Die Ländervertreter fordern nun ein Umdenken, und sie fordern Taten: Soll diese Regierung von ihnen anerkannt werden, so müßte eine Reihe von Ländervertretern in die Regierung aufgenommen werden. Dabei geht es ihnen immer wieder um das Innenressort, denn Renner spricht zwar von der möglichst frühen Durchführung freier Wahlen, aber es wäre das Innenministerium mit seinem kommunistischen Chef, das diese Wahlen organisieren, die Wahlregister überwachen und die Wahlresultate auszählen und bekanntmachen müßte. Nach den um diese Zeit bereits bekannten Erfahrungen, die man mit kommunistischen Innenministern in Bulgarien und Rumä-

So tagten sie damals im Landtagssaal des Niederösterreichischen Landhauses: Die Vertreter aller Bundesländer, parlamentarisch gegliedert in Parteifraktionen. Erstmals seit 1933 saßen christliche, sozialistische und kommunistische Mandatare wieder nebeneinander (oben). Die Vertreter aus den Westzonen allerdings forderten den Rücktritt des Kommunisten Franz Honner (sitzend, links). Renner, der eine Protestreaktion der Sowjets fürchtete, lehnte ab. Ein Kompromiß wurde gefunden.

nien gemacht hatte, wollen sich die Ländervertreter auf ein derartiges Risiko nicht einlassen. Schließlich droht die Länderkonferenz an diesen Fragen zu scheitern. Karl Gruber berichtet: „Das hat also nun ganz nach Zusammenbruch ausgesehen. Der Renner hat immer wieder gesagt: ‚Aber, meine Herren, wir müssen uns doch einigen.' Und wir haben gesagt: ‚Natürlich einigen, aber nicht unter dem Diktat der bestehenden Regierung.' Und nun hat Koref, der Bürgermeister von Linz, eine ganz wichtige Schlüsselrolle gespielt. Koref war Sozialist, aber er war auch ein sogenannter ‚Westler', wie wir damals gesagt haben, also einer, der die Linie der westlichen Landespolitiker vertrat. Und der Koref hat dann die Vermittlerrolle übernommen. Der ist hin und her gegangen, von einem Lager zum anderen. Und wir haben uns dann auf folgendes geeinigt: Der kommunistische Innenminister darf zwar bleiben, aber er darf nicht für die Wahlen verantwortlich sein. Für die Durchführung der Wahlen war ein besonderer Staatssekretär einzusetzen. Und das war dann der Staatssekretär Sommer, so wie Koref ein Oberösterreicher, aber von der Volkspartei. Sommer war ein Beamter, und er allein war verantwortlich für die Durchführung von Wahlen."

Es war ein geschickter Kompromiß. Honner konnte bleiben, und die Ländervertreter waren dennoch zufriedengestellt. Die zweite Forderung der Länder war leichter zu erfüllen – die Aufnahme westlicher Vertreter in die Bundesregierung. Als einer der Wortführer der West-Vertreter wird Karl Gruber in die Regierung optiert. Er wird Unterstaatssekretär bei Karl Renner und übernimmt die Leitung des Auswärtigen Amtes. Dieses bisher fast arbeitslose Amt hatte der Staatskanzler selbst mitgeführt. In das Staatsamt für Inneres tritt der schon genannte Josef Sommer als Unterstaatssekretär ein, mit dem Spezialauftrag, die Wahlen vorzubereiten und durchzuführen. In das Staatsamt für Volksernährung wird der Vorarlberger Volksparteiler Ernst Winsauer als Unterstaatssekretär aufgenommen. Vinzenz Schumy, ein früherer Vizekanzler und führender Politiker des Landbundes, geht als Vertreter der ÖVP Kärnten in das Staatsamt für Vermögenssicherung, ebenfalls als Unterstaatssekretär. Der Salzburger Sozialist Franz Rauscher und der steirische Kommunist Alfred Neumann werden dem gleichen Ministerium ebenfalls als Unterstaatssekretäre zugeteilt.

Jedes der sechs westlichen Bundesländer hat nun einen eigenen Vertreter in der Bundesregierung. Parteipolitisch bringt das jedoch eine Verschiebung. Von den sechs neuen Regierungsmitgliedern gehören vier der ÖVP an und nur je eines der SPÖ und der KPÖ. Die Renner-Regierung aber hat damit ihre größte Ausweitung erfahren: Sie besteht nunmehr aus 39 Mitgliedern. Sie ist und bleibt die zahlenmäßig bei weitem größte Regierung, die Österreich je hatte. Aber der Ausgleich ist damit hergestellt. Und so schwierig die Einigung auch ist, so wird sie doch innerhalb von nur drei Tagen erzielt. Dazu faßt die Länderkonferenz auch noch eine ganze Reihe wichtiger Beschlüsse, die durchwegs einstimmig angenommen werden. Der wichtigste: Noch vor Jahresende werden freie Wahlen stattfinden – trotz Besatzung, trotz der Zonengrenzen, ja gerade deshalb, um diese zu überwinden. Die Konferenz endet mit einem Bekenntnis aller Teilnehmer zur Einheit des Landes und zur Einigkeit des Volkes. Renner spricht die Schlußworte der Konferenz: „Das schwöre sich jeder einzelne zu: Arbeiten und arbeiten und wieder arbeiten für unser gemeinsames Vaterland! Es lebe Österreich!"

DIE ZEIT DER GENERÄLE

Als wir die Inhalte für die Folge 11 von „Österreich II" zu bestimmen hatten, analysierten wir zunächst die Situation im Österreich des Herbstes 1945. Wir hielten fest, was damals politische Realität war. Und konnten das Groteske dieser Situation plötzlich kaum fassen. Am 11. September 1945 hatte der Alliierte Rat die Macht in Österreich ergriffen. Von nun an war dieser Rat für alle Fragen zuständig, die ganz Österreich betrafen. Der Rat bestand aus den vier Militärkommissaren – erst später hießen sie Hochkommissare –, die gleichzeitig auch die militärischen Oberbefehlshaber in den einzelnen Besatzungszonen waren. Und als solche hatten sie in diesen Zonen jeder für sich auch noch einmal uneingeschränkte Regierungsgewalt. Österreich wurde also im Herbst 1945 von vier Generälen regiert – auf Bundesebene und auf Landesebene, vier Generäle aus vier verschiedenen Ländern!

Es ist nur schwer vorstellbar, daß diese vier nun eine gemeinsame Regierung bilden, sich auf gemeinsame Beschlüsse einigen und sie dann auch noch gemeinsam durchführen; aber nun war auch noch einer der Generäle ein Amerikaner und ein anderer ein Sowjetrusse! Und doch ist es so im Herbst 1945 in Österreich. Es kommt auch durchaus zu einhelligen Beschlüssen innerhalb dieses Alliierten Rates. Mit einem gewissen Feuereifer gehen die vier Besatzungsmächte daran, ihre Kontrolle über alle Verwaltungs- und Lebensbereiche des Landes auszudehnen. So als würden sie gar nicht daran denken, die Österreicher, ihre Politiker und ihre Beamten mehr sein zu lassen als ausführende Organe und Hilfspersonal der Besatzungskräfte. Es ist die große Zeit der Generäle und ihrer militärischen Stäbe. Die Regierung Renner wird, da sie nun auch den westlichen Bedingungen entsprochen hat, zwar am 20. Oktober vom Alliierten Rat und damit erstmals auch von den Westmächten de facto anerkannt, doch diese Anerkennung bedeutet nicht, daß die Alliierten den Österreichern auch nur eine einzige der Regierungsagenden des Alliierten Rates abtreten. Die Macht in Österreich wird von den Alliierten ausgeübt. Die Renner-Regierung kann nur danach trachten, dies zu unterlaufen, indem sie möglichst viele demokratische Prozesse in Gang setzt, über die, wie man hofft, sich die alliierten Mächte letztlich nicht werden hinwegsetzen können. Der wichtigste dieser Prozesse ist die Ausschreibung von Wahlen. Man will sie bereits im November abhalten. Doch unter welchen Bedingungen würde man in diesen ersten Wahlkampf der Zweiten Republik gehen?

In seiner Proklamation an die Österreicher hatte der Alliierte Rat versprochen, man werde den politischen Parteien die Freiheit einräumen, „durch Presse, im Rundfunk und in öffentlichen Versammlungen Ausdruck zu geben". Doch alle Rundfunkstationen und auch die Zeitungen im Lande unterstehen der Kontrolle der Alliierten. Da ist zunächst die RAVAG, die Rundfunkgesellschaft in Wien. Früher einmal war sie für das Rundfunkwesen in ganz Österreich zuständig, jetzt untersteht ihr nur der Wiener Sender, das Funkhaus in der Argentinierstraße und eine inzwischen etwas besser ausgestattete Hilfsantenne auf dem Dach des Gebäudes. Dennoch: das ist Radio Wien, und Wien hat im Äther Gewicht.

Nicht Politiker, nicht Diplomaten regierten im Rahmen der alliierten Mächte in Österreich – Generäle waren es, die die oberste Regierungsgewalt in Österreich ausübten. Da sie nur gemeinsam regieren konnten,

Rudolf Henz: Ihr müßt parieren.

achteten sie darauf, daß ihr Verhältnis zueinander freundschaftlich blieb. Unser Bild: Marschall Konjew als Gast von General MacCreery bei einem von den Briten veranstalteten Pferderennen in der Freudenau.

Fritz Senger: Kein Echo des Tages.

Das Programm von Radio Wien wird von Österreichern gemacht. Ihre Programmhoheit ist jedoch beschränkt. Alle Wortsendungen unterliegen der sowjetischen Zensur. Rudolf Henz ist der erste Programmdirektor von Radio Wien und berichtet, wie sich das Verhältnis zwischen den österreichischen Rundfunkleuten und den sowjetischen Zensoren gestaltet hat: „Die Sowjets sind nicht direkt im Funkhaus gesessen, sie hatten nicht die Leitung übernommen. Aber sie haben die Zensur ausgeübt. Sie haben erklärt: ‚Ihr seid ein österreichischer Rundfunk. Der einzige richtige österreichische Rundfunk.' Denn, was es da in den Zonen gab, das waren eben ein amerikanischer, ein englischer, ein französischer Rundfunk. Hier in Wien haben wir einen österreichischen Rundfunk. Aber ‚ihr müßt natürlich parieren, und dazu haben wir die Zensur'. Das war am Anfang ziemlich kritisch. Schon weil wir uns rein sprachlich nicht verstanden haben. Ich habe unter Demokratie natürlich ganz etwas anderes verstanden als die Russen."

Der Leiter der sowjetischen Zensurstelle ist der Major und spätere Oberstleutnant Jakov Goldenberg. Rudolf Henz schildert ihn als einen großgewachsenen Mann mit grauem Haar, „die sich, wenn er böse war, sichtbar sträubten, und sie sträubten sich zumeist". Goldenberg spricht perfekt Deutsch, und wenn ihm etwas mißfällt oder wenn er meint, einem seiner Befehle sei nicht nachgekommen worden, zitiert er die zuständigen Mitarbeiter des Rundfunks in seine Dienststelle. Rudolf Henz ist dort öfter vorgeladen als andere: „Man mußte jedesmal warten, oft eine halbe Stunde und länger in einem unangenehmen leeren, häßlichen Raum, und das Beunruhigende war die Tür, die keine Klinke hatte. War man einmal in seinem Büro, gab es regelmäßig ein Gebrüll. Aber wenn man schon glaubte, auf der Reise nach Sibirien zu sein, ließ Goldenberg Wodka und Zigaretten servieren, und manchmal gab es sogar etwas zu essen, zu essen besonders dann, wenn Herr Goldenberg das Verhör beendete mit den Worten: ‚Da habe ich noch eine ganz kleine Bitte.'" Die ganz kleine Bitte stellte sich meistens als ein großer Wunsch heraus, der natürlich ein Befehl war. Diese oder jene Nachricht sei zu bringen, diese oder jene sowjetische Stellungnahme zu zitieren, dieses oder jenes Interview durchzuführen. Alle Nachrichten unterlagen der Zensur, und auch Interviews mußten erst niedergeschrieben und dem Zensor vorgelegt werden. Erst wenn dieser den Text freigab, durften Nachrichten wie Interviews gesendet werden.

Auch das muß man sich konkret vorstellen: Ein österreichischer Reporter interviewt einen Politiker, einen Künstler, einen Sportler. Der Text der Fragen und Antworten wird danach niedergeschrieben und der Zensur eingereicht. Der Zensor streicht und verändert, was er will. Liegt der zensurierte Text vor, ist man bemüht, den Reporter und seinen Interviewpartner nochmals ins Funkhaus zu holen, damit sie dort ihre zensurierten Texte verlesen können. Das gelingt bisweilen nicht. Und erscheint der Reporter oder/und der Interviewpartner nicht, so ist es üblich, daß die diensthabenden Redakteure und Sprecher das Interview nachstellen.

Fritz Senger, einer der ersten und sehr erfolgreichen Reporter von Radio Wien, hatte damals Dienst und wurde gebeten, die Fragen eines Kollegen an einen im Studio erwarteten Interviewpartner nachzustellen. Fritz Senger berichtet, was geschah: „Es war eine Minute vor halb acht. Die Sendung ‚Echo des Tages' sollte beginnen. Der Interviewpartner war nicht da. Der Herr [Johannes] Obentraut war für die Sendung verantwortlich, und so hat er in allerletzter Sekunde den Walter Niesner – schon damals ein bekannter Rundfunksprecher – geholt und hat ihm gesagt: ‚Du mußt jetzt zu dem Senger rein, der soll irgend jemanden interviewen, doch der ist nicht gekommen. Lest doch das miteinander runter.' Niesner hätte gar keine Zeit mehr gehabt, das durchzulesen. Außerdem wäre es auch unter seiner Würde gewesen, ein Manuskript vorher zu lesen. Und so ist also in der letzten Sekunde vor halb acht rechts neben mir der Niesner gesessen, und vor uns lag das Manuskript. Ich lese die etwas längere Einleitung und dann als letzten Satz: ‚Darf ich Sie nun bitten, Frau Doktor . . .' Es war ganz schrecklich, darauf waren wir nicht vorbereitet. Niemand hatte gesagt, daß der Interviewpartner eine Frau wäre. Der Walter Niesner hat sich gedacht, ‚Rette sich, wer kann', und hat versucht, eine Damenstimme nachzumachen. Er hat im höchsten Diskant begonnen und ist mit der Stimme natürlich sofort umgekippt. Und nun konnte er sich selbst nicht halten, er war ohnedies eine Lachwurzen, und hat fürchterlich zu lachen begonnen. Geistesgegenwärtig hat der Techniker noch schnell den Regler zugemacht und das Mikrofon gesperrt. Nun war zunächst einmal Funkstille. Endlich haben sie irgendeine Platte herbeigezaubert, ich glaube, es war das immer wieder gespielte ‚Frühlingsrauschen' von Christian Sinding, das war damals fast immer die Zwischenmusik. Und da wir beide noch immer so gelacht haben und somit nicht mehr verwendbar waren, hat der Herr Obentraut den nächsten noch vorhandenen Sprecher im Funkhaus eingefangen, das war der Herr [Paul] Stockmayer. Der Stockmayer ist also hinein ins Studio, und der Herr Obentraut hat ihm beim Hineinlaufen noch ungefähr gesagt, worum es geht: Hätte eine Frau sein sollen, der Niesner hat's versucht, es ist nicht gegangen usw. Setzt sich der Stockmayer würdevoll vor das Mikrofon und sagt mit tiefer ernster Stimme: ‚Meine Damen und Herren, es tut uns außerordentlich leid, aber wegen plötzlichen Unwohlseins der Frau Doktor . . .' Und damit war's restlos aus. Es hat kein ‚Echo des Tages' mehr gegeben, denn nun hat auch der Stockmayer so gelacht, und die Techniker haben gelacht, und es hat auch keiner mehr eine Schallplatte gefunden. Bis man endlich das damalige Pausenzeichen, das Ticktack des Weckers, eingeschaltet hat. Irgendwann einmal hat man sich dann bei den Hörern entschuldigt. Das war die Zensur. Hätte es keine Zensur gegeben, wäre das alles nicht passiert."

Der viergeteilte Rundfunk

Doch die Sowjets sichern sich auch den direkten Zugang zum Äther. Sie wollen Sendungen haben, deren Inhalt sie allein bestimmen. Die Sendungen werden offen deklariert und heißen „Russische Stunde". Ein neuer Programmstab muß aufgestellt werden, um diese Sendungen zu gestalten. Der Stab untersteht nur den Sowjets, aber seine Mitglieder müssen als reguläre Angestellte von Radio Wien geführt und bezahlt werden. Bei der Zuteilung von Sendezeiten, Studios, Proben- und Aufnahmeterminen hat die „Russische Stunde" Vorrang zu haben. Und so wird auch der damalige Rundfunkdirektor Sigmund Guggenberger von den Sowjets aufgefordert, die „Russische Stunde" den Hörern und den Lesern der von den Sowjets herausgegebenen „Österreichischen Zeitung" vorzustellen.

Es ist beachtenswert, wie sich Guggenberger dieser Aufgabe entledigte. Er schrieb in der „Österreichischen Zeitung": „Es ist unbedingt notwendig, daß sich jeder Radiohörer klar darüber ist, welche Ziele sich diese eigenartige Stunde gestellt hat. Die ‚Russische Stunde' will der Wahrheit über die Sowjetunion dienen, die heute noch für die allermeisten von uns etwas Rätselvolles hat. Die Sowjetunion will uns in dieser Sendung ein Bild geben von den

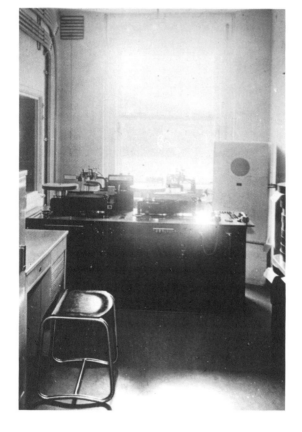

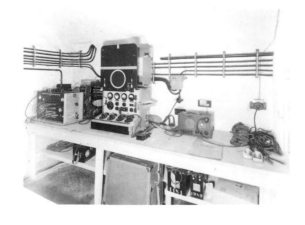

430

Radio Wien sendet wieder: Über eine selbst-gebastelte Antenne auf dem Dach des Funk-hauses (links oben), über einen selbstgeba-stelten Minisender und Notaggregate (rechts oben und links unten). Man besaß noch keine Magnetophonbandgeräte, Tonaufnah-men wurden auf Wachsplatten gepreßt, die nur einmal abspielbar waren. Die Apparatur galt als besonders wertvoll (links Mitte).

politischen Wegen, die sie seit den Tagen der ersten revolutionären Bewegung bis zur gegenwärtigen Stunde gegangen ist. Anfragen der Radiohörerschaft sollen das gesteckte Ziel – Kenntnis und Wahrheit über die Sowjetunion zu fördern – noch besser erreichen helfen."

Doch die Sendungen der „Russischen Stunde" beschäftigen sich bald nicht nur mit der Sowjetunion. Sie bringen auch öster-reichische Nachrichten, und diese dienen der kommunistischen Propaganda. Spezialsendungen für Arbeiter werden eingeführt und solche, die im Namen der Gewerkschaften sprechen, tatsäch-lich aber nur die Meinung der kommunistischen Fraktion wiedergeben. Bald wird auch lebhaft polemisiert, gegen die anderen politi-schen Parteien und – nach den Wahlen – auch gegen die Bundes-regierung. Hier stellt die sowjetische Besatzungsmacht die von ihr beanspruchten Sendezeiten weitgehend in den Dienst einer öster-reichischen Partei, der KPÖ. Das Rundfunkkonzept der Sowjets entspricht ihrem politischen Konzept in Österreich, nämlich die Verantwortung den Österreichern zu übertragen, um diese dann die Wünsche der Besatzungsmacht erfüllen zu lassen, wobei den österreichischen Kommunisten eine Schlüsselrolle zukommt.

Die Rundfunkkonzepte der Westalliierten folgen ebenfalls deren politischen Konzepten für Österreich. Amerikaner und Briten hatten sich vorgenommen, in Österreich zunächst einmal alles in eigene Hände zu nehmen, eine strenge Entnazifizierungspolitik durchzuführen und dann erst langsam und von unten aufbauend auch den Österreichern Verantwortung zu übertragen. Die Gründung des Senders Rot-Weiß-Rot durch die Amerikaner in Salzburg entsprach genau diesem Schema: Alle Verantwortlichen für diesen Sender sind Amerikaner; der erste Leiter des Senders, Hans Cohrssen, wenn auch Deutschamerikaner, ist amerikanischer Offizier und Mitglied der Psychological Warfare Branch, also der Abteilung für psychologische Kriegführung. Jeder Österreicher, den man zur Mitarbeit heranziehen will, wird erst einmal auf seine politische Vergangenheit geprüft; wer bei der NSDAP oder ihren Wehrverbänden war, wird nicht zugelassen. Und Österreicher dürfen überhaupt nur Unterhaltungssendungen bestreiten. Alle Sendungen, die mit Information, Nachrichten, Kommentar, Diskussion zu tun haben, werden von den Amerikanern selbst gestaltet, geschrieben, gesprochen, gesendet.

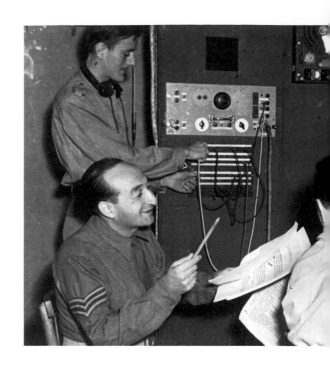

Die Amerikaner verfolgen mit diesen Sendungen ein politisches Ziel. Hans Cohrssen berichtet: „Als ich nach Salzburg versetzt wurde, bekam ich ein Memorandum, in dem stand: Im großen Rahmen versuchen die USA, aus Österreich einen zuverlässigen westlichen Alliierten zu machen. Dazu ist es notwendig, daß in Österreich die Pressefreiheit wiederhergestellt und daß das Radio verwendet wird, um ein Maximum an Meinungsverschiedenheiten sicherzustellen und kulturelle Aufklärung darzubieten." Das ist das Ziel. Um es zu erreichen, sollen die amerikanischen Rundfunkleute die dazu notwendige Erziehungsarbeit leisten. Es geht also nicht darum, zumindest nicht im Rundfunk, verantwortungsvolle Aufgaben österreichischen Demokraten zu übertragen, sondern solche Demokraten erst einmal heranzubilden. Das wird selbst den dafür eingesetzten amerikanischen Offizieren nicht so ohne weiteres zugetraut: Auch alles, was die Amerikaner tun, wird der Zensur unterstellt. So hat also auch jeder amerikanische Rundfunkmann seine Manuskripte der eigenen Militärzensur vorzulegen. Hans Cohrssen zeigte uns eine Reihe von ihm verfaßte Kommentare aus den Anfangstagen des Rot-Weiß-Rot-Senders Salzburg, die Seite für Seite den Freigabestempel der US-Militärzensur tragen.

Aufgabe der Zensur ist es, nichts durchzulassen, was etwa einen Rückfall in den Nazismus bewirken oder in Richtung eines neuen Anschlusses an Deutschland wirken könnte. Dazu Hans Cohrssen: „Die Zensoren waren natürlich völlig überfordert, was unsere Manuskripte und unsere Radioaufnahmen betraf. Und wir haben uns auch sehr bald unabhängig gemacht. Denn man konnte ja Nachrichten, die jede Stunde oder alle zwei Stunden frisch hinausgingen, in der Zeit einfach nicht zensurieren. Also haben wir die Manuskripte der Zensur nachgereicht, mit dem Bemerken: Das sind unsere Nachrichten gewesen. Dann haben die ihren Stempel draufmachen können, und die Manuskripte wurden abgelegt." Das kennzeichnet die amerikanische Militärverwaltung ganz generell in Österreich: Sie kommt mit dicken Handbüchern und Hunderten Vorschriften, die sich die Bürokraten in Washington und in London bis ins letzte Detail ausgedacht haben. Eine Zeitlang versucht man, all die Vorschriften einzuhalten, kommt aber bald darauf, daß das unmöglich ist. So geraten die Handbücher und Vorschriften zu einem guten Teil bald in Vergessenheit. Nur zu einem guten Teil, nicht zur Gänze, denn einzelne Abschnitte dieser Vorschriften werden für einzelne Offiziere oder Abteilungen der US-Militärverwaltung zu regelrechten Glaubensbekenntnissen. Wie etwa die Vorschriften über Entnazifizierung, Entmilitarisierung und Umerziehung zur Demokratie.

Rundfunkleute sind von Natur aus liberal, und so nehmen bei Rot-Weiß-Rot die Sendungen nach Vorschrift rasch ab und die

Rolf Lang: Links der Sprecher, rechts die Ansagerin – das war Radio Klagenfurt.

Das war der Beginn der Sendergruppe Alpenland: Im Luftschutzbunker Kreuzbergl bei Klagenfurt fanden die Briten jenen kleinen Sender vor, über den im Krieg Luftwarnmeldungen durchgegeben worden waren. Aus ihm machten sie nun Radio Klagenfurt. Er bestand aus einem winzigen Regieraum (oben) und einem ebenso kleinen Sprecherraum (rechts oben). Angehörige der Abteilung für psychologische Kriegführung betrieben den Sender gemeinsam mit einer Handvoll österreichischer Radiosprecher und Techniker. Die ersten Schallplatten brachte die Bedienerin von zu Hause mit (unten).

Sendungen, an denen sich Amerikaner wie Österreicher mehr erfreuen, rasch zu. Der Sender Rot-Weiß-Rot wird mit seinen unterhaltsamen Musikprogrammen, mit seinen neuartigen Bürgerdiskussionen, mit seinen Direktübertragungen aus der großen Welt bald zum beliebtesten Radiosender in Österreich. Dem Studio in Salzburg folgt ein Rot-Weiß-Rot-Studio in Linz und schließlich auch ein Rot-Weiß-Rot-Sender in Wien. Die Sendergruppe Rot-Weiß-Rot wird bis zum Ende der Besatzungszeit 1955 existieren. Bis zum Schluß sind die Chefs von Rot-Weiß-Rot auch Amerikaner. Aber sie verstehen es, was Talent zeigt und Kultur produziert, zu fördern und an Rot-Weiß-Rot zu binden. Als Rot-Weiß-Rot eingestellt wird, hinterläßt diese Sendergruppe ein großes Reservoir von Journalisten, Autoren, Künstlern, Regisseuren, Dramaturgen, Technikern usw., die sich bei Rot-Weiß-Rot entfalten und profilieren konnten und von denen viele noch bis zum heutigen Tag im öffentlichen und kulturellen Leben des Landes eine wichtige Rolle spielen. Um Radio Wien nicht unrecht zu tun: Radio Wien konnte nur halten und fördern, was es mit seinen eigenen schwachen Kräften zu finanzieren und zu halten in der Lage war. Wer bei Radio Wien mitarbeitete, mußte sich der sowjetischen Zensur unterwerfen. Förderung, zwar keine sowjetische, aber eine von den Sowjets angeordnete, gab es nur für Künstler, die sich bereit erklärten, in der „Russischen Stunde" mitzuwirken. Und doch blieb Radio Wien in all der Zeit der einzige unter österreichischer Leitung stehende Rundfunkbetrieb in Österreich und leistete, gemessen an den Umständen, unter denen er zu arbeiten hatte, eine beachtliche Aufbauarbeit.

In der britischen Zone ist zunächst alles anders. Die britische Zone in Österreich besteht in den ersten Monaten nach Kriegsende praktisch nur aus Kärnten. Als die Briten nach Klagenfurt kommen, tritt ihnen, wie berichtet, bereits eine provisorische Landesregierung entgegen. Und diese verfügt über eine kleine Sendeanlage. Es handelt sich um den bisherigen Luftwarnsender Klagenfurt, der im Luftschutzbunker Kreuzbergl untergebracht ist. Der Sender hatte nie ein eigenes Programm gemacht. Das Studio bestand aus einem kleinen Sprecherraum, einem Regieplatz und einer Bürokammer. Das alles diente lediglich zur Durchgabe von Luftwarnmeldungen, von Befehlen an die Feuerwehr und in der letzten Phase des Krieges zur Verlautbarung wichtiger amtlicher Bekanntmachungen. So wurde der Sender auch in den Tagen der Machtablöse in Klagenfurt in Betrieb genommen. Gauleiter Rainer meldete sich über den Sender und gab seinen Rücktritt bekannt: „Ich mache daher als Reichsstatthalter Platz, um jenen Kräften, die der Auffassung unserer Feinde besser entsprechen, Gelegenheit zur Bildung einer neuen politischen Plattform zu geben." Sobald die neue Landesregierung Zutritt zur Sendeanlage im Luftschutzstollen des Kreuzbergls hat, führt sie den Sendebetrieb weiter. Am Abend des 8. Mai meldet sich der Sender mit der Ansage: „Hier spricht der freie Kärntner Landessender Klagenfurt." Unmittelbar darauf wird der erste Befehl des britischen Oberkommandierenden an die Kärntner Bevölkerung verlesen. Die Briten werden gefragt, ob sie mit einer Fortführung des Sendebetriebes einverstanden wären. Sie sind es. Doch das Radiokonzept der Briten ist das gleiche wie das der Amerikaner: Die Sender sollen von den Briten selbst betrieben werden, Österreicher sind nur als Hilfskräfte zu engagieren. So setzen sich die Briten in den Luftschutzbunker und benützen den „Sender Klagenfurt" zunächst nur dazu, der Bevölkerung ihre Befehle und Aufrufe mitzuteilen. Etwas später senden sie auch Nachrichten, die von den Mitarbeitern der britischen Psychological Warfare Branch verfaßt werden. Die meisten dieser Mitarbeiter sind geborene Deutsche oder Österreicher und somit auch in der Lage, die Nachrichten selbst zu verlesen.

Doch bald ergeht es den Briten in Klagenfurt ähnlich wie den Amerikanern in Salzburg: Sie möchten eigentlich mehr tun, wollen aus dem kleinen Mitteilungssender ein Radio machen, mit eigenem Programm. Und sie werden darin von einer Handvoll Österreichern bestärkt, die hier auch eine einzigartige Möglichkeit erkennen: Abgeschnitten von allen anderen Besatzungszonen, erscheint es ihnen einerseits notwendig, einen Sender zu betreiben, und andererseits ergibt sich damit für sie die Chance, Klagenfurt erstmals mit einem eigenen Radiosender auszustatten.

Nachdem der Sender vorher nie selbst Programm gemacht hat, befindet sich im Kreuzberglstollen auch keine einzige Schallplatte. Eine Bedienerin offeriert, einige Schallplatten von daheim mitzubringen. Dann schreiben die Briten bei den Klagenfurter Arbeitsämtern Posten aus: Ansager und Ansagerinnen für Radio Klagenfurt werden gesucht. Die ersten Österreicher melden sich, unter ihnen Rolf Lang: „Was wir vorfanden, war eine reine Luftschutzbefehlsstelle im Kreuzberglbunker. Es ist ein Mikrofon dringestanden und ein kleines Tischerl. Da hatten gerade zwei Leute Platz. Links der Sprecher, rechts die Ansagerin. Das war unser Studio."

Doch die Österreicher sind in der Lage, den Briten einiges anzubieten: Im Flüchtlingslager Tessendorf bei Klagenfurt sitzt ein Teil der aus Ungarn geflüchteten Budapester Philharmoniker. Auch eine Gruppe Wiener Philharmoniker, die knapp vor Kriegsende noch in Kroatien gespielt hatte, ist auf dem Heimweg in Kärnten hängengeblieben, unter ihnen der bekannte Dirigent Rudolf Moralt. Moralt gelingt es, aus den Mitgliedern der Budapester und der Wiener Philharmoniker ein Orchester zusammenzustellen. Aus Hinterbichl holt man die dort gestrandeten Wiener Sängerknaben. Auch Schauspieler findet man, unter ihnen Fritz Muliar. Bald kann der Sender Klagenfurt drei Stunden am Tag eigenes Programm machen. Die Briten gestalten alle Informationssendungen, die Österreicher alle Unterhaltungssendungen. Dazu Rolf Lang: „Die Briten waren zufrieden, wenn ihre Nachrichtensendungen draußen waren, sonst haben sie sich um nichts mehr gekümmert. Wir hatten keine besonderen Weisungen. Sie haben sich von unseren Programmen auch keine Texte vorlegen lassen."

Als die Briten dann auch in Graz einrücken, übernehmen sie dort den Sender Graz, der bisher unter sowjetischer Kontrolle

Das Bestreben aller vier Besatzungsmächte, über eigene Rundfunkstationen zu verfügen, bietet österreichischen Künstlern und Musikern eine unerwartete Chance. Jazzbegeisterte Studenten finden sich zu Amateurbands zusammen, die im Rundfunk und in alliierten Offiziersklubs spielen, denn dort gehört zum Honorar täglich auch ein Essen. Einer der Jazz-Enthusiasten ist der spätere Albertina-Direktor Koschatzky, auf unserem Bild links sitzend.

Walter Koschatzky: Auf Rotlicht ging es los.

gestanden ist und „Österreichischer Freiheitssender Graz" geheißen hat. Der Sender Graz konnte bei den Sowjets unter den gleichen Bedingungen arbeiten wie der Sender Wien: Gemacht wurde er von den Österreichern, zensuriert von den Sowjets. Nun kommen die Briten nach Graz, die Sowjets bereiten sich auf den Abzug vor. Den Grazer Sender hätten sie gerne mitgenommen, er ist mit seinen 100 kW der leistungsfähigste Sender auf österreichischem Gebiet, als Sender „Alpen" war er noch von der deutschen Propaganda als wichtigste Radiostation für den gesamten Südosten Europas ausgebaut worden. Der Anspruch der Russen, den Sender als Kriegsbeute zu betrachten, war daher nicht ganz von der Hand zu weisen. Zur gleichen Zeit versuchte aber noch jemand anderer seine Hand auf den Grazer Sender zu legen – der Chef der RAVAG in Wien, Oskar Czeija. Denn Radio Wien muß zu dieser Zeit noch mit einem improvisierten Sender auskommen. So wäre es den Wienern recht, den starken Grazer Sender selbst zu demontieren, ehe die Briten in die Steiermark einziehen. Die Grazer Rundfunkmannschaft wehrt sich gegen die Sowjets ebenso wie gegen die eigenen Leute in Wien. Mit viel Geschick gelingt es ihr, die einen wie die anderen an der Demontage des Grazer Senders zu hindern – bis die Briten da sind. So bleibt der Sender den Grazern erhalten, der Sendebetrieb allerdings nicht, den haben sie sofort an die Briten abzutreten.

Die Briten verfolgen in Graz das gleiche Prinzip wie in Klagenfurt. Sie selbst betreiben von nun an Radio Graz. Der Sender ist zwar sehr leistungsfähig, aber für ein eigenes Programm fehlt es, wie in Klagenfurt, so ziemlich an allem – es gibt keine Schallplatten, auch Tonbandgeräte existieren nicht. Was gesendet werden soll, muß live produziert werden. So erlassen die Briten auch in Graz einen Aufruf: Wer glaubt, zum Rundfunkbetrieb beitragen zu können, möge sich melden. Unter jenen, die sich melden, befindet sich auch Walter Koschatzky, viele Jahre später Direktor der Albertina in Wien; damals war Koschatzky Musiker aus Leidenschaft, ein Pianist, den im Jahr 1945 nichts mehr faszinierte als der Jazz und die moderne Musik, von der man so viele Jahre abgeschnitten war und die nun mit Briten und Amerikanern nach Österreich kam.

Radio Graz sucht eine Live-Jazzband, und Walter Koschatzky meldet sich: „Ich war sehr verschüchtert, denn ich hatte mich noch nie öffentlich produziert gehabt. Doch ich kam sofort in einen Kreis unwahrscheinlich netter junger Leute, aus all denen, wie man so sagt, etwas geworden ist. Da war der Emil Breisach, der heutige Intendant in der Steiermark, der ist dabeigeblieben, dann der Albert Moser, Direktor an der Volksoper, danach Direktor im Musikverein [und ab 1983 Präsident der Salzburger Festspiele], Ulli Baumgartner, der spätere Wiener Festwochenintendant, und Ingenieur [Dietrich] Cordes, der damals Radio Graz unter den Briten leitete und uns allen wunderbar geholfen hat. Alles mußte live gesendet werden. Das heißt, man hat geprobt wie beim Theater, und auf Rotlicht ist es eben losgegangen. Aber wir hatten das bald im Griff und haben uns viel geleistet, viel Improvisation, viel Komisches. Wir waren in einer ungeheuren Aufbruchstimmung, wir hatten, wenn man das so pathetisch sagen kann, doch viele Jahre angesichts des Todes gelebt, und nun war das alles vorbei, und von den Engländern konnten wir zunächst viel lernen, und das war für uns alle eine große Lebenschance."

Nun kommt unter britischer Oberhoheit eine Verschmelzung der Sender Graz und Klagenfurt zustande. Von nun an nennen sie sich „Sendergruppe Alpenland". An sich sollte sie so funktionieren wie die amerikanische Sendergruppe Rot-Weiß-Rot: von der Besatzungsmacht selbst betrieben, von britischen Offizieren gemacht und die Österreicher nur für einzelne Programmpunkte engagiert. Zwischen der amerikanischen und der britischen Einstellung gibt es jedoch einen entscheidenden Unterschied: In allem, was die Amerikaner machen, sehen sie vor allem eine Erziehungsaufgabe, eine Mission, für die sie sich auch voll engagieren. Die Briten hingegen sind schon zufrieden, wenn alles klaglos läuft. Die Sendergruppe Alpenland wird daher nicht zu dem Feuerwerk wie die Sendergruppe Rot-Weiß-Rot, sie macht ein gediegenes Programm, an dem man jedoch erkennt, daß die Briten in der Sendergruppe den Ton angeben.

Die französische Besatzungszone besteht bis zum Sommer 1945 auch nur aus einem Bundesland – aus Vorarlberg. Dort allerdings finden die Franzosen eine gut ausgestattete Radiostation vor, den Sender Dornbirn. Wir haben schon geschildert, wie die Anlage von einigen beherzten Österreichern vor der Zerstörung gerettet und den Franzosen übergeben wurde. Dornbirn ist dann eine Zeitlang französischer Soldatensender und sendet in französischer Sprache. Doch bald sehen auch die Franzosen ein, daß sie in ihrer Zone ein Instrument benötigen, mit dem sie sich direkt an die österreichische Bevölkerung wenden können. Sie gehen dabei einen ähnlichen Weg wie die Briten: Sie holen sich zunächst einmal österreichische Hilfskräfte.

Den ersten Redakteur und Radiosprecher für den Sender Dornbirn finden die Franzosen in einem ihrer Kriegsgefangenenlager. Hans Huebmer meldet sich, als in dem Lager nach einem Mann mit entsprechenden Fähigkeiten gefragt wird. Tags darauf steht Huebmer bereits vor dem Mikrofon. Doch er soll nicht nur sprechen, er soll das Nachrichtenprogramm auch selbst machen – aber natürlich unter französischer Kontrolle. Hans Huebmer schildert, wie er diese Sendung zustande brachte: „Meine erste Quelle war eine ‚Neue Zürcher Zeitung', also das Wort ‚neu' war ein Euphemismus; die Zeitung war nicht vom letzten Tag, aber man denke, daß es damals außerhalb der Schweiz und Luxemburgs überhaupt keine Nachrichten in deutscher Sprache im europäischen Äther gegeben hat, außer natürlich Verlautbarungen der Besatzungsmächte. Und ich habe die ersten Tage schon sehr gut bestanden, denn man konnte auch mit einer Meldung, die eine Woche alt war, noch sehr viel anfangen, sie war geradezu eine Sensation."

In der ersten Zeit werden diese Nachrichtensendungen von den Franzosen zensuriert. Später sind die Franzosen die ersten, die in ihren Radiosendern die Österreicher weitgehend selbständig arbeiten lassen. Hans Huebmer berichtet darüber: „Also das dauerte bis zum neuen Kontrollabkommen im Jahr 1946. Bis dahin mußte man sagen: Kann man das bringen, darf man das nicht bringen? Aber es gab da immer Möglichkeiten. Etwa wenn man Nachrichten aus Wien und über die sowjetische Zone bringen wollte. Die sowjetische Nachrichtenagentur TASS sandte ihre Meldungen aus Wien nach Moskau. Der Korrespondent der französischen Nachrichtenagentur Agence France Press in Moskau leitete sie dann nach Paris weiter. In Paris wurde die Nachricht schließlich veröffentlicht. Und eines stand immer fest: Etwas, das aus Paris kam, konnte über Radio Dornbirn gesendet werden. Da stimmte mir der Zensor stets zu: Was aus Paris kommt, ist ja schon französisch zensiert."

Als die Franzosen schließlich die Amerikaner in Tirol ablösen, nehmen sie auch den Sender Innsbruck in Betrieb und nennen die unter ihrer Patronanz vereinigten Radiostationen Vorarlbergs und Tirols bald „Sendergruppe West". Die Amerikaner hatten den Sender Innsbruck stillgelegt.

Beherzte Österreicher hatten den Sender Dornbirn vor der Zerstörung gerettet und den einmarschierenden Franzosen intakt übergeben. Die Franzosen führten ihn zunächst als Soldatensender in französischer Sprache. So mancher Soldat holte sich daraufhin ein Empfangsgerät aus dem Besitzstand der Zivilbevölkerung. Bildfolge rechts: Der Sender Dornbirn, dessen Sprengung verhindert worden ist. Französische Wachposten vor dem Tor; der erste französische Rundfunksprecher; der Regieraum und – ein im Vorbeigehen requiriertes Radio.

Hans Huebmer: Das war eine Sensation.

Die Föderalisierung von Presse und Rundfunk

Die alliierten Streitkräfte haben nicht nur alle Rundfunkstationen des Landes besetzt, auch die großen Druckereien stehen unter ihrer Kontrolle. So werden auch sehr bald Zeitungen unter der Patronanz der Alliierten herausgegeben. Die erste ist das Organ der sowjetischen Besatzungsmacht, die „Österreichische Zeitung", die schon Mitte April in Wien erscheint. Kurz danach gefolgt vom „Neuen Österreich", das von einem österreichischen Redaktionsstab gemacht wird, Angehörigen aller drei Parteien unter der Chefredaktion des Kommunisten Ernst Fischer. Die Amerikaner bringen bald nach ihrem Einmarsch die „Salzburger Nachrichten" und in Linz die „Oberösterreichischen Nachrichten" heraus. In Innsbruck, Klagenfurt und Graz werden wie schon erwähnt die bestehenden Zeitungen unter neuem Titel weitergeführt. Anfang August wird nun auch in Wien den drei politischen Parteien gestattet, eigene Zentralorgane herauszugeben. Für die Sozialistische Partei ist es keine Frage – ihr Zentralorgan wird wieder „Arbeiter-Zeitung" heißen, die Zeitung mit der großen sozialdemokratischen Tradition. Am 5. August erscheint die Nummer 1 der neuen „Arbeiter-Zeitung" mit dem stolzen Vermerk: „47. Jahrgang". Auf Seite 1 eine Zeichnung, die zwei von Handschellen befreite Hände zeigt, die rechte eine Feder haltend. Die Volkspartei schließt auch an einen traditionellen Blattyp der Vorkriegszeit an, an das Kleinformat der damaligen Massenblätter „Illustrierte Kronen-Zeitung" und „Kleines Blatt". So erscheint das Zentralorgan der ÖVP im Kleinformat und nennt sich „Das kleine Volksblatt". Der Generalsekretär der ÖVP, Felix Hurdes, schreibt den Begrüßungsartikel und stellt ihn unter den Titel: „Österreich den Österreichern". Die Kommunisten nennen ihr Zentralorgan „Österreichische Volksstimme". Es ist bezeichnend, daß die erste Nummer, ebenfalls vom 5. August, zwar einen Leitartikel des Parteivorsitzenden Johann Koplenig wiedergibt, Aufmacher und Schlagzeile aber widmet die „Volksstimme" einer Rede des Staatskanzlers Karl Renner. Der Titel lautet: „Staatskanzler Dr. Renner: Zusammenarbeit – richtunggebende Parole", und der Untertitel: „Dank an Stalin für den Schutz des einheitlichen Österreich". Die „Volksstimme" allein druckt auch ab, was die Generalsekretäre der drei Parteien und deren „Pressevertrauensmänner" als Richtlinie für die nun wieder erscheinende Parteipresse vereinbart haben. In etwas geschraubtem Deutsch heißt es da wörtlich: „Grundsätzlich wurde vereinbart: 1. Die politische Grundhaltung und Tendenz der von ihnen [den Parteien] herausgegebenen Tageszeitungen auf die positive Zusammenarbeit, Schicksalsverbundenheit und das gemeinsame Aufbauprogramm abzustellen. 2. In allen Fällen, wo sich in grundsätzlichen, sachlichen oder taktischen Fragen Verschiedenheiten in der Auffassung zwischen den Parteien ergeben, die Stellungnahme unter Voranstellung des gemeinsamen Aufbauwillens bei aller Eindeutigkeit notwendiger Klarstellung rein sachlich zu führen und die sich daraus ergebende Polemik in Inhalt und Ton auf diesem Niveau zu halten. 3. Jede persönliche Polemik, vor allem aber eine solche, die ins Privatleben eingreift, so weit ihr nicht strafbare kriminelle Handlungen zugrunde liegen, zu vermeiden." Das Abkommen hat nur bis zu Beginn des Wahlkampfes im Oktober gehalten. Im übrigen unterstehen auch die drei neuen Parteizeitungen der alliierten Zensur. Im August 1945 ist das bei allen drei Zeitungen noch die sowjetische Zensur, denn die Westmächte rücken erst in der zweiten Hälfte August in Wien ein, und auch dann dauert es eine Weile, ehe sie sich zurechtfinden. Alois Piperger, der spätere Generaldirektor des „Vorwärts"-Verlages, ist Redakteur bei der wiedergegründeten „Arbeiter-Zeitung", deren Chefredaktion recht bald von dem aus der britischen Emigration heimgekehrten letzten Chefredakteur der „Arbeiter-Zeitung" vor 1934, Oscar Pollak, übernommen wird. Piperger schildert, wie sich Papiermangel und Zensur auf die Zeitung auswirkten: „Am Abend, wenn die kargen vier Seiten gesetzt und umbrochen waren, erschien ein Hauptmann der Sowjetarmee und nahm die Zensur des Blattes vor. Seine Aufgabe war es, dafür zu sorgen, daß nichts in der Zeitung stand, was den Besatzungsmächten unangenehm sein könnte." An einem dieser Abende findet der sowjetische Zensor eine Meldung in der „Arbeiter-Zeitung", die er für eine Provokation hält: „Sowjetarmee beschlagnahmt Getreide in Rumänien." Er verbietet die Veröffentlichung dieser Nachricht. Und nun kommt es zur ersten Kraftprobe zwischen dem Zensor und dem Chefredakteur Oscar Pollak. Alois Piperger: „Ich teilte Oscar Pollak die Entscheidung des Zensur-Hauptmannes mit, und Pollak sagte mir in seinem schönen Wienerisch: ‚Sog eahm, mir lassen's weg, aber im Blatt bleibt ein weißer Fleck.' Das war nun für den Sowjethauptmann unerträglich, denn auf diese Weise hätte ja die Öffentlichkeit die Hand der Zensur bemerkt. Der Sowjethauptmann verlegte sich zunächst aufs Drohen: Die ‚Arbeiter-Zeitung' würde eingestellt, ihre Redakteure würden verhaftet werden. Ich hielt an der Entscheidung Oscar Pollaks fest – es bleibt ein weißer Fleck. Schließlich bat mich der Zensur-Offizier, ihn allein zu lassen. Er telefonierte mit seinen vorgesetzten Stellen im Hauptquartier der Sowjetarmee, im Hotel Imperial. Dann rief er mich wieder und verlegte sich aufs Bitten: Er ersuche uns, auf diese Meldung zu verzichten. Ich ging zu Oscar Pollak und unterrichtete ihn. Lächelnd erwiderte er: ‚Siehst, damit hab i g'rechnet. Sog eahm, heute geben wir nach, aber wir rechnen damit, daß das nächste Mal er nachgeben wird.' Unserem Hauptmann fiel ein Stein vom Herzen, aber damit war ein erster entscheidender Schritt getan."

Nun rücken Amerikaner, Briten und Franzosen in Wien ein, und sie sind mit dem, was sie hier auf dem Zeitungsmarkt vorfinden, nicht zufrieden. Das „Neue Österreich" wird zwar von allen drei Parteien gemeinsam herausgegeben, aber sein Chefredakteur ist eben der Kommunist und Unterrichtsminister Ernst Fischer. Die drei Parteizeitungen sind vom ersten Tag ihres Erscheinens an wieder streng weltanschaulich ausgerichtet und spiegeln in ihrer Nachrichtengebung und in ihren Leitartikeln weitgehend die parteipolitischen Ziele ihrer Herausgeber wider. Da die Alliierten erwarten, noch auf lange Zeit selbst die oberste Regierungsgewalt in Österreich auszuüben, erscheint es ihnen notwendig, sich mit eigenen Presseorganen an die österreichische Bevölkerung wenden zu können. Die Sowjets haben dies ja schon mit der Herausgabe der „Österreichischen Zeitung" getan. Nun gründen auch Amerikaner und Briten in Wien ihre eigenen Besatzungsorgane in deutscher Sprache. Am 27. August 1945 erscheint die erste Nummer des „Wiener Kurier" mit der Unterzeile „Herausgegeben von den amerikanischen Streitkräften für die Wiener Bevölkerung". Auf der ersten Seite das Bild des Oberkommandierenden dieser amerikanischen Streitkräfte, General Mark Clark, daneben sein Grußwort. „Mit der Herausgabe des ‚Wiener Kurier' wird ein neuerlicher Beweis für den guten Willen der Alliierten erbracht, dem österreichischen Volk in der Übergangsperiode jede Hilfe angedeihen zu lassen. Diese Hilfe ist nötig, um den Weg zur Schaffung einer freien und demokratischen Nation, an die sich keinerlei nazistische Bedrohung mehr heranwagen kann, zu bahnen", heißt es in dieser Grußadresse. Daneben ein Leitartikel aus der Feder eines Österreichers, Oskar Maurus Fontana. Er schreibt: „In seiner herrlichen

Die ersten Ausgaben der neuen Zeitungen, rechts die Zentralorgane der drei politischen Parteien. Oben die beiden neuen Besatzungsorgane „Wiener Kurier" und „Weltpresse".

Alois Piperger: Mit weißem Fleck gedroht.

438

Hymne ‚Salut au monde' ruft Walt Whitman, der große Dichter Amerikas und seiner Demokratie, die Völker der Erde auf, um sie alle, wer immer sie seien, im Namen des freien Amerika zu grüßen und sie in die Gemeinschaft des Humanen aufzunehmen . . . Den Österreicher würdigt Whitman eines Beiworts, und er ruft ihn: ‚Du standhafter Österreicher!' Da fühlen wir beglückt den Gruß Amerikas an uns und auch sein Vertrauen zu uns. Und da fühlen wir auch erkennend, was unsere beste Kraft ausmacht: die Standhaftigkeit."

Der „Wiener Kurier" untersteht, so wie die Sendergruppe Rot-Weiß-Rot, der direkten amerikanischen Leitung. Der erste österreichische Chefredakteur, Oskar Maurus Fontana, wird bald durch einen Amerikaner ersetzt. So besteht das leitende Personal aus Amerikanern, zunächst Offizieren der Armee, später Angestellten des State Department. Die meisten von ihnen sind allerdings geborene Deutsche, Österreicher oder Ungarn. Die Redaktion setzt sich aus Österreichern zusammen. Hier bedarf es keiner formalen Zensur, da ja alle Aufträge von der amerikanisch geführten Chefredaktion kommen und alle Manuskripte durch die Hand der amerikanischen Vorgesetzten gehen. Dennoch wird der „Wiener Kurier" eine beliebte Zeitung werden, da die Redaktion eine Grundregel des amerikanischen Journalismus einhält, nämlich in den Meldungen möglichst objektiv zu berichten, auch die andere Seite zu Wort kommen zu lassen und in den Kommentaren Kritik zu üben, auch an sich selbst. Das ist in der damaligen Zeit für die meisten etwas Neues, Ungewohntes, Befreiendes.

Auch die Briten gründen ihr eigenes Organ in Wien. Sie nennen es „Weltpresse", mit dem Untertitel „Herausgegeben vom britischen Weltnachrichtendienst", was immer darunter zu verstehen war. Auch hier prangt auf der ersten Seite der Nummer 1 das Bild des Oberkommandierenden – Generalleutnant Sir Richard McCreery. McCreery richtet wie Mark Clark anläßlich des Erscheinens dieser Zeitung eine Botschaft an das österreichische Volk.

Hier wird ein Unterschied deutlich. Wir sagten es schon: Die Amerikaner betrachten ihr Wirken in Österreich als Erziehungsaufgabe, als Mission; bei den britischen Militärs kommen die Traditionen einer Kolonialmacht zum Vorschein. Sie befanden sich bis jetzt auf einer Strafexpedition und schalten nun auf Befriedungsaktion um. Und so heißt es in der Botschaft General McCreerys an die Österreicher wörtlich:

„Die unter meinem Befehl stehenden britischen Streitkräfte sind nach Österreich als Sieger und auch als Befreier gekommen. Seitdem wir hier sind, ist es mir vollkommen klargeworden, wieweit die Nazi es versucht haben, die Völker, die sie beherrschten, zu verblenden. Ich betrachte es als eine unserer wichtigsten Aufgaben, Euren Geist [man bedachte die Du-Form; Anm. d. Verfassers] vom tödlichen Druck der siebenjährigen ‚totalen Propaganda' zu erlösen und Euch die Möglichkeit zu geben, Eure eigene Meinung zu bilden. Ich weiß, daß die Österreicher fähig sind, selbständig zu denken und vernünftig zu urteilen."

Die wichtigste Aufgabe der „Weltpresse" werde es sein, schreibt McCreery weiter, „Ereignisse, Meinungen und Tatsachen aus aller Welt Eurem Urteil und Eurer Prüfung vorzulegen. Sie wird Berichte von allen Stellen klar und objektiv erstatten. Sie wird nicht nur die politischen Erklärungen der großen und kleinen Mächte bringen, sondern auch Berichte, die Kritik enthalten. In ihren Artikeln wird sie trachten, zu erklären, nicht zu überzeugen. Sie wird keinerlei Propaganda treiben, außer in einem Sinn: Sie wird sich zu den demokratischen Grundsätzen und deren praktischen Ausübung bekennen, für die das britische Volk gekämpft hat und die, wie ich überzeugt bin, das neue Österreich anfeuern werden."

Auch die Franzosen gründeten ihr eigenes Besatzungsorgan, eine Zeitung mit dem Titel „Welt am Abend", doch erschien sie erst ab dem Jahr 1946. Sie schloß in Tradition und Stil an die Pariser Boulevardblätter an und hatte sich offenbar den „France Soir" zum Vorbild genommen. Geführt wurde auch diese Zeitung von Franzosen, gemacht wurde sie von Österreichern. Bei den alliierten Besatzungszeitungen waren zum Teil hervorragende Journalisten tätig, andere lernten dort das journalistische Handwerk, und ähnlich wie bei den alliierten Radiostationen entwickelten sich auch bei den Besatzungszeitungen viele Talente, deren Fähigkeiten dem österreichischen Pressewesen zugute kamen.

Das gilt vor allem für die Zeitungen, die Amerikaner und Briten zunächst in ihren westlichen Zonen gegründet hatten. Da sie nun ihre eigenen Zentralorgane in Wien besaßen, waren Amerikaner und Briten bereit, ihre Besatzungsorgane in Salzburg, Linz, Innsbruck, Graz und Klagenfurt in österreichische Hände zu legen. Auch dabei gingen Amerikaner und Briten verschiedene Wege. Die Amerikaner waren darauf bedacht, daß die von ihnen gegründeten Zeitungen möglichst als überparteiliche, der Objektivität verpflichtete Organe weitergeführt würden. Die Briten waren bereit, ihre Besatzungsorgane zugunsten neu zu gründender oder wieder zu gründender Parteizeitungen einzustellen. Diese Vorgangsweise hat das Pressewesen in den Bundesländern bis zum heutigen Tag geprägt.

In Salzburg und in Linz hielten die Amerikaner Ausschau nach Persönlichkeiten, denen sie die Lizenz zur weiteren Herausgabe der „Salzburger Nachrichten" und der „Oberösterreichischen Nachrichten" erteilen könnten. Es gab dafür nicht wenige Bewerber. In Salzburg fiel die Wahl der Amerikaner auf Gustav Canaval als Chefredakteur und Max Dasch als Herausgeber und Verleger. Ihnen wurde am 20. Oktober das „Permit No. S-1" der amerikanischen Militärregierung übergeben, das sie zu folgender Tätigkeit autorisierte: „Publish the independent daily newspaper ‚Salzburger Nachrichten'." Canaval und Dasch hatten sich gegenüber den Amerikanern verpflichtet, das Blatt überparteilich, objektiv, weltoffen und der Festigung der Demokratie dienend zu führen. Auch das war ein Novum in Österreich. Vor dem Krieg waren so gut wie alle Zeitungen irgend jemandes Diener, meist die Diener der politischen Parteien, auch militanter Gruppierungen, und manche dienten auch den Interessen ausländischer Mächte. Objektivität und sachliche Kritik waren nicht die Stärke des österreichischen Pressewesens in der Ersten Republik. Hier hatten die Anglo-Amerikaner mit ihrer Art des Journalismus ein neues Element in die österreichische Publizistik getragen.

In der ersten nunmehr österreichischen Ausgabe der „Salzburger Nachrichten" kam dies zum Ausdruck. Viktor Reimann verfaßte in dieser Ausgabe den Leitartikel. Unter dem Titel „Demokratische Presse" schrieb er: „Wie für die Philosophie der Zweifel, so ist für das Staatswesen die Kritik notwendig. Nicht Kritik um der Kritik willen, sondern Kritik um der Sache willen. Sachliche Kritik greift Mißstände an, betrachtet Fragen von verschiedenen Gesichtspunkten und gibt, soweit dies möglich ist, positive Lösungen. Sachliche Kritik wahrt auch stets den Ton und verletzt nicht, was anderen heilig."

Das war ein neues Credo, um das sich bald eine stattliche Zahl hervorragender Journalisten sammelte. Die „Salzburger Nachrichten" wurden ein vielbeachtetes und die österreichische Bundespolitik mitbestimmendes Organ. Eine ähnliche Entwicklung gab es bei den „Oberösterreichischen Nachrichten". Auch diese Zeitung war zunächst als Organ der amerikanischen Besatzungsmacht gegrün-

Die allgewaltigen Befehlshaber im Raum Oberösterreich, General Stanley Reinhart und Oberst Russell Snook, bei der ersten Befehlsausgabe an die österreichischen Politiker in Linz. An der Haltung der Österreicher erkennt man den Respekt vor der noch unbekannten Macht. Rechts: Wenige Monate später legen die Amerikaner die von ihnen gegründeten Zeitungen „Oberösterreichische Nachrichten" in österreichische Hände und erlauben den Parteien in Linz und in Salzburg, eigene Zeitungen zu publizieren. Rechts oben: Lizenzübergabe in Linz; unter den Lizenzträgern Alfred Maleta (links) und Ernst Koref (rechts). Unten rechts: Mit diesem Permit wurden Max Dasch und Gustav Canaval die „Salzburger Nachrichten" übergeben. Canaval dankte und legte die künftigen österreichischen Richtlinien für das Blatt dar (links unten).

det worden und wurde im Oktober 1945 von den Amerikanern in österreichische Hände gelegt. In Linz wählt man für die Leitung der Zeitung eine andere Konzeption als in Salzburg. Hier übernimmt eine „Demokratische Druck- und Verlagsgesellschaft" die Herausgabe des Blattes, die zum Teil aus prominenten politischen Persönlichkeiten besteht, unter ihnen der Linzer SP-Bürgermeister Ernst Koref, der spätere Generalsekretär der ÖVP, Alfred Maleta, sowie der KPÖ-Landesobmann Franz Haider. Doch auch die „Oberösterreichischen Nachrichten" bekennen sich zu Überparteilichkeit und Objektivität: „Das Blatt steht über den Parteien, will nicht öffentliche Meinung machen, sondern Tatsachen festhalten und will an der Erziehung des österreichischen Volkes in der Weise mitwirken, daß politische und weltanschauliche Gegensätze in sachlicher, objektiver und sauberer Art mit Argumenten des Geistes im Sinne gegenseitiger Duldung und Achtung ausgetragen werden."

In Salzburg wie in Linz erteilen die Amerikaner nun auch Permits für die Herausgabe von Parteizeitungen. ÖVP, SPÖ und KPÖ gründen in Salzburg und in Oberösterreich jeweils ihre eigenen Parteiorgane (Salzburg: „Demokratisches Volksblatt", SPÖ, „Salzburger Volkszeitung", ÖVP, „Salzburger Tagblatt", KPÖ; Linz: „Linzer Volksblatt", ÖVP, „Tagblatt", SPÖ, „Neue Zeit", KPÖ), die zum Teil auch heute noch erscheinen und aus denen eine Reihe prominenter österreichischer Journalisten hervorging. Dennoch wird die Parteipresse in der amerikanischen Zone durch die „Salzburger Nachrichten" und die „Oberösterreichischen Nachrichten" überschattet, die als Erstgründungen der Amerikaner und gerade durch ihre Verpflichtung zur Überparteilichkeit einen wesentlichen Startvorteil hatten.

Die Briten gehen wie gesagt in ihrer Zone einen anderen Weg. In Klagenfurt wie in Graz hatten sie die bestehenden Zeitungen übernommen und als Organe der besetzenden britischen 8. Armee weitergeführt. Das Übernommen-und-Weitergeführt-Werden war schon seit geraumer Zeit das Schicksal dieser Blätter: Das erstemal wurden sie 1938 übernommen und weitergeführt, dann am 8. Mai 1945 jeweils für zwei Tage von einer Handvoll demokratischer Redakteure übernommen und weitergeführt, dann kamen in Klagenfurt die Briten und in Graz die Sowjets. In Klagenfurt übernahmen die Briten die Zeitung und führten sie weiter, in Graz durften – dem sowjetischen Besatzungsmuster folgend – die Österreicher die

Zeitung weiterführen, allerdings nur nach den Wünschen der Sowjets. Nach Ankunft der Briten in Graz erhält die Zeitung, so wie ihr Klagenfurter Gegenstück, die 8. britische Armee als Herausgeber.

Als sich nun auch die Briten im Oktober 1945 entschließen, in ihrer Zone ein eigenständiges österreichisches Pressewesen zuzulassen, geben sie die von ihnen bisher geführten Zeitungen nicht weiter, sondern stellen sie ein, und zwar zugunsten der nun in der Steiermark wie in Kärnten neu erscheinenden Zeitungen der drei politischen Parteien. Der lange Weg des Übernehmens, Weiterführens und erneut Übernehmens spiegelt sich am besten in der Titelgebung jener Grazer Zeitung, die von 1938 bis Ende 1945 dieses Schicksal erleiden mußte. Es ist die ursprüngliche „Tagespost". „Tagespost" heißt sie auch noch als Organ der steirischen Gauleitung bis zum 8. Mai 1945. Am 10. Mai erscheint sie als „Grazer Volkszeitung". Vom 11. bis 24. Mai als „Grazer Antifaschistische Volkszeitung". Vom 25. Mai bis 24. Juli ähnlich wie das „Neue Österreich" in Wien als Gemeinschaftsorgan der drei politischen Parteien unter dem Titel „Neue Steirische Zeitung". Am 25. Juli ändert die „Neue Steirische Zeitung" nur ihren Untertitel: „Herausgegeben vom P.W.B. 8. Armee". Ab 26. Oktober wird nun die „Neue Steirische Zeitung" von den Briten eingestellt, und an ihre Stelle treten die Blätter der drei politischen Parteien: „Das Steirerblatt" (ÖVP), „Neue Zeit" (SPÖ), „Die Wahrheit" (KPÖ).

In Klagenfurt werden die „Kärntner Nachrichten" ebenfalls zugunsten der neuen Parteiblätter eingestellt. Diese Kärntner Zeitungen heißen: „Neue Zeit" (SPÖ), „Volkszeitung" (ÖVP), „Volkswille" (KPÖ).

Für die Gründung neuer, unabhängiger Zeitungen gibt es zunächst einmal weder Lizenzen noch Druckpapier. Das ist auch in Wien nicht anders. Und so werden sich unabhängige Zeitungen im Raum Wien–Niederösterreich sowie in der Steiermark und in Kärnten erst ein paar Jahre später durchsetzen können – in Wien „Die Presse", in der Steiermark und in Kärnten „Die Kleine Zeitung".

In Innsbruck wird die vorhandene Zeitung zuerst von den Amerikanern, dann von den Franzosen übernommen und weitergeführt. Aber der Titel ändert sich. Aus den „Innsbrucker Nachrichten" werden die „Tiroler Nachrichten". Als sich die Besatzungsmacht aus dem Pressewesen zurückzieht, wird daraus die „Tiroler Tageszeitung", während unter dem Titel „Tiroler Nachrichten" eines der drei neuen Parteiblätter wiederaufersteht. Die drei Parteiblätter sind die „Tiroler Nachrichten" für die ÖVP, die „Volkszeitung" für die SPÖ, die „Tiroler Neue Zeitung" für die KPÖ. In Vorarlberg werden die „Vorarlberger Nachrichten" ab September 1945 als unabhängige Zeitung herausgegeben, neben der ebenfalls drei Parteiblätter erscheinen: „Vorarlberger Volksblatt" (ÖVP), „Vorarlberger Volkswille" (SPÖ), „Tageszeitung" (KPÖ).

An all dem kann man erkennen, in welch hohem Maß die Besatzungsmächte, insbesondere die westlichen, das Pressewesen der Zweiten Republik geformt und mitbestimmt haben. Zuerst sind es ihre eigenen Zeitungsgründungen, danach die Bevorzugung der Parteizeitungen, die eine Wiederkehr der bekannten Zeitungen aus der Ersten Republik weitgehend verhindern. Für unabhängige Wieder- oder Neugründungen gibt es zunächst keine alliierten Lizenzen und lange Zeit keine Papierzuteilung. Das unter dem Chefredakteur Ernst Fischer herausgegebene „Neue Österreich" wird später von Rudolf Kalmar übernommen und wird zu einer maßgebenden Dreiparteienzeitung. In Wien gelingt es dem Verleger Ernst Molden erst 1946 und nur mit großer Mühe, „Die Presse"

Das große Druckereigebäude in der Wiener Seidengasse hatte ein wechselvolles Schicksal hinter sich, als es von den Amerikanern zur Herausgabe des „Wiener Kurier" übernommen wurde: Vor 1938 gehörte es dem bekannten Ullstein-Verlag, nach 1938 wurde es „arisiert" und hier bis Kriegsende der „Völkische Beobachter" gedruckt. Dann kamen die Sowjets und druckten die ersten Nummern ihrer „Österreichischen Zeitung" in diesem Haus. Wenige Tage später wurde hier die erste tatsächlich österreichische Zei-

als Nachfolgeblatt der renommierten „Neuen Freien Presse" gegen den Widerstand der Alliierten und der Parteien, vorerst allerdings nur als Wochenzeitung, erscheinen zu lassen; und erst gegen Ende der Besatzungszeit gibt es die österreichische Neugründung „Bild-telegraf" mit Hans Behrmann als Verleger und Gerd Bacher als Chefredakteur.

Und fast bis zur letzten Stunde ihres Besatzungsdaseins halten die alliierten Mächte an ihren eigenen Zeitungsgründungen fest: Erst im Oktober 1954 stellen die Amerikaner das tägliche Erscheinen des „Wiener Kurier" ein, was – gegen ihren Willen – zur Gründung des Nachfolgeblattes „Neuer Kurier" durch die Verleger Ludwig Polsterer, Fritz Molden und Franz Karmel führt, und zwar unter der Chefredaktion von Hans Dichand. Die Franzosen legen ihre „Welt am Abend" in sozialistische Hände, und die Briten folgen diesem Beispiel mit ihrer „Weltpresse". Als Parteiblätter halten sich beide Zeitungen nicht sehr lange. „Expreß" und „Kronen-Zeitung" sind erst Kinder des Zeitungskriegs 1958, drei Jahre nach Beendigung der Besetzung.

Obwohl es also schwer war, gegen die Zeitungsgründungen der Besatzungsmächte und die dominierende Stellung der Partei-zeitungen unabhängige Neugründungen durchzusetzen, so wird Österreich gemessen an der Kopfzahl der Bevölkerung im Vergleich zur Zahl seiner Tageszeitungen das Land mit der größten Anzahl täglich erscheinender Zeitungen in Europa. Denn die in der Zeit der Generäle gegründeten Zeitungen bleiben ja alle bestehen – die Besatzungsorgane in den Bundesländern, die in österreichische Hände gelegt werden, die jeweils drei Parteiorgane in jeder Landes-hauptstadt (ausgenommen Niederösterreich und Burgenland), die Zentralorgane der vier Besatzungsmächte in Wien und nach und nach nun auch die ersten österreichischen Zeitungsneugründun-gen. Diese „Zeitungsschwemme" wird sich noch viele Jahre über das Ende der Besetzung hinaus halten. Nicht zuletzt, weil sie den Konsumenten entgegenkam.

Für eine Bevölkerung, die sieben Jahre lang von einem Großteil der Welt abgeschnitten war, deckt die Vielfalt an Radiostationen und Zeitungen einen großen Nachholbedarf, und dazu trägt auch bei, daß die Besatzungsmächte ihre Kultur und ihre Literatur nach Österreich projizieren. Und eines hat die Rundfunk- und Pressepoli-tik der Besatzungsmächte bis zum heutigen Tag bewirkt: Die kräftige Entwicklung der Rundfunkstudios und der Zeitungen in den einzelnen Zonen hat wesentlich zur Föderalisierung des Rund-funk- und Pressewesens der Zweiten Republik beigetragen. Bestand doch in Wien gleich nach Kriegsende bei den Politikern und bei den von ihnen beauftragten Rundfunk- und Presseleuten die Tendenz zu noch größerem Zentralismus, als es ihn schon in der Ersten Republik gegeben hatte. Es waren die Besatzungszonen, die Demarkationslinien, das eifersüchtige Beharren der vier Besat-zungsmächte auf ihren Kontrollrechten und auf der Eigenart ihrer eigenen Zonen, die den zentralen Zugriff aus Wien zehn Jahre lang verhindert bzw. wesentlich erschwert haben. Als man nach Abzug der Besatzungsmächte das Rundfunkwesen neu ordnete, konnten zwar die einzelnen Sendergruppen der Besatzungsmächte aufge-sogen werden, doch die Zentralisten konnten die Eigenständigkeit der Landesstudios nicht mehr brechen; wie sich auch die eigenstän-dige Presse in den Bundesländern zum guten Teil gegen den Konkurrenzdruck der großen Zeitungshäuser in Wien halten konnte. So haben die alliierten Generäle in der Zeit, in der sie allein in Österreich das Sagen hatten, auch Taten gesetzt, die den Charakter des öffentlichen Lebens verändert haben und die bis zum heutigen Tag wirksam geblieben sind.

tung geboren, das „Neue Österreich". Dann wurde das Druck- und Verlagsgebäude von den Sowjets den Amerikanern übergeben; diese legten es später in österreichische Hände zurück. Unser Bild: Verladung der ersten Ausgaben des „Wiener Kurier" in Vertriebs-fahrzeuge mit amerikanischen Militärkenn-zeichen. Apropos: Das LSK mit Pfeil ist ein Überbleibsel aus dem Krieg und zeigt an, wo sich die Notausgänge der Luftschutzkeller befanden, für den Fall, daß Verschüttete geborgen werden mußten.

Die Brief- und Telefonzensur

Eine andere Einrichtung, die damals ebenfalls von den Generälen ins Leben gerufen wurde, war die von den Alliierten eingeführte Telefon- und Briefzensur. Wobei es Leute gibt, die meinen, zumindest die Telefonzensur sei gar nicht so vorübergehend gewesen, es hätte auch nach Abzug der Besatzungsmächte noch Stellen gegeben, die sich der Abhörmöglichkeiten bedient hätten. 1945 jedenfalls führen die Generäle als weiteres Instrument ihrer totalen Kontrolle die Telefon- und die Briefzensur ein. Kaum ist der Alliierte Rat in Wien etabliert, einigen sich die vier Militärkommissare über die Einrichtung einer gemeinsamen Zensurstelle in der Telefonzentrale am Wiener Schillerplatz. Der Telefonfernverkehr ist wieder zugelassen, doch in der Telefonvermittlung wird nun eine Abhörstelle eingerichtet. Die Vermittlung von Telefongesprächen erfolgt noch händisch. Jedes Telefongespräch von Ort zu Ort und erst recht ins Ausland ist bei dieser zentralen Telefonvermittlung anzumelden. Nur von dieser Stelle aus können die Gespräche vermittelt werden. Wer eine Nummer im Ausland anzurufen wünscht, muß dazu die Namen und die Adressen der Teilnehmer auf beiden Seiten bekanntgeben und auch die Sprache, deren man sich beim Telefongespräch bedienen wird. Nur die Sprachen der Besatzungsmächte und Deutsch sind zugelassen. Bevor die Telefonistinnen das Gespräch vermitteln dürfen, müssen sie die Anmeldungen den alliierten Zensuroffizieren vorlegen. Diese entscheiden darüber, welche Gespräche vermittelt werden dürfen und welche der vermittelten Gespräche von den Zensurbeamtinnen abgehört und mitgeschrieben werden müssen. Die Beistellung dieser Beamtinnen fordern die Alliierten von der österreichischen Post an. Die Post muß auch die Gehälter der Beamtinnen bezahlen. Gleichzeitig werden von den Alliierten sehr hohe Ansprüche gestellt, denn die Beamtinnen müssen die Sprachen, die sie abhören sollen, perfekt in Wort und Schrift und möglichst auch im Stenogramm beherrschen.

Anna Mayer war Postangestellte und wurde aufgrund ihrer guten Sprachkenntnisse der alliierten Telefonzensur auf dem Schillerplatz zugeteilt. Sie berichtete uns, nach welchen Gesichtspunkten die Alliierten die Telefonzensur handhaben. Am Anfang ging es ihnen vor allem darum, eine Wiederbetätigung im Sinne des Nationalsozialismus rechtzeitig zu entdecken und zu unterbinden. Alles, was in dieser Hinsicht verdächtig war, mußte beachtet und gemeldet werden. Bald wurde die Telefonzensur aber auch dazu benützt, den schwarzen Markt zu bekämpfen. Wer über Telefon Waren anbot oder bestellte, die es normalerweise nicht gab, wer andere Waren dafür bot bzw. Zigaretten, Saccharin, Penicillin oder gar ausländische Zahlungsmittel, der war ebenfalls abzuhören und zu melden. Viel dehnbarer wurde der Begriff, wenn es darum ging, ob sich gewisse Aktivitäten gegen die eine oder die andere Besatzungsmacht richteten oder richten könnten. Und bald kamen die Zensuroffiziere mit Namenslisten von Personen, die sie abzuhören wünschten – wobei die Motive der Alliierten oft nicht durchschaubar waren. Anna Mayer berichtet: „Die alliierten Offiziere richteten ihr besonderes Augenmerk auf gewisse Personen oder Firmen und gaben den Turnusleitern Listen, die mit den einzelnen telefonischen Anmeldungen zu vergleichen waren. Solche Anmeldungen mußte der Turnusleiter überprüfen, und dann wies er uns an, da besonders achtzugeben. Wir mußten mithören und mitschreiben, und wenn das Gespräch beendet war, einen Bericht verfassen, zumindest das Mitgeschriebene vorlesen und auf Wunsch reinschreiben und abgeben, oft auch sehr rasch zu dem betreffenden Offizier hinbringen, der sich dafür interessierte."

In den zentralen Postämtern und in den Telefonzentralen richteten die alliierten Mächte ihre Zensurstellen ein. Jedes Telefongespräch mit dem Ausland wurde abgehört, und jeder Brief, auch wenn er nur von Bezirk zu Bezirk zu befördern war, wurde geöffnet und gelesen. Unser Bild zeigt die damalige Salzburger Telefonzentrale.

Anna Mayer: Das war immer ein bißchen unheimlich.

Es liegt im System, daß die alliierten Offiziere auch den österreichischen Beamtinnen mißtrauen. Dazu Anna Mayer: „Der sowjetische Offizier und der Amerikaner sind jeden Tag durch unsere Räume gegangen, haben geschaut und kontrolliert, gesprochen haben sie selten. Das war immer ein bißchen unheimlich, da wir doch gewußt haben, daß wir selbst überprüft werden. Und man war nie ganz sicher, ob die Arbeit, die man tut, deren Vorstellungen entspricht, ob man vielleicht etwas ausgelassen hat, was einem selbst unwichtig erschien, und wo die plötzlich kommen und einem das zum Vorwurf machen." Doch dieser harte, unangenehme und nicht ungefährliche Dienst hatte für die dort verpflichteten Beamtinnen doch auch seine Vorteile. Etwa wenn die Gespräche von Journalisten abgehört werden und man auf diese Weise stets als erster das Neueste erfährt; einmal ist es ein Fußballergebnis aus Budapest oder aus Paris, ein andermal eine bevorstehende alliierte Maßnahme oder Entwicklungen in der Weltpolitik. Die Beamtinnen haben auch ihre Lieblinge unter den Kunden: bekannte Schauspielerinnen, berühmte Opernsänger, Filmgrößen und auch manchmal sogenannte ganz gewöhnliche Leute mit interessantem Privatleben.

Parallel zur Telefonzensur richten die Alliierten auch eine Brief- und Telegrammzensur ein. Zunächst einmal in den eigenen Besatzungszonen, doch bald wird auch die Briefzensur in Wien zentralisiert. Es wird zwar nur im Auftrag der Alliierten zensuriert, und doch befehlen diese, daß die Zensurzentrale den Namen „Österreichische Zensurstelle" zu tragen hat. Und so steht es dann auch auf den Stempeln, mit denen jeder der zensurierten Briefe abgestempelt werden muß. Aufgemacht und zensuriert werden sämtliche Briefe, selbst wenn sie nur von Bezirk zu Bezirk adressiert sind. Die Kuverts werden aufgeschnitten, die Briefe gelesen. Was verdächtig ist oder nicht mitgeteilt werden soll, wird entweder mit schwarzer Tusche unleserlich gemacht oder mit der Schere herausgeschnitten. Handelt es sich um Mitteilungen, hinter denen die Alliierten Widerstand gegen die Besatzungsmächte, neonazistische Betätigung, Schwarzmarktgeschäfte und ähnliches vermuten, wird der Brief beschlagnahmt und nach Absender und Adressat gefahndet. Die übrigen Schreiben werden wieder in die Kuverts zurückgesteckt, diese mit Klebstreifen verschlossen und mit dem Zensurstempel versehen. Kein Brief kommt unzensuriert an den Adressaten.

Die Brief- und die Telefonzensur werden von den Alliierten bis in die fünfziger Jahre aufrechterhalten, obwohl sie, wenn überhaupt, sicherlich nur kurze Zeit ihren Zweck erfüllt haben können. Denn lange konnte es nicht gedauert haben, bis alle jene, die eventuell etwas gegen die Besatzungsmächte im Schilde führten oder sich neonazistisch betätigen wollten oder große Geschäfte auf dem Schwarzmarkt planten, genau wußten, daß man seine Partner weder schriftlich noch telefonisch kontaktieren durfte. Umgekehrt verstanden es einige Österreicher, dieses Wissen um die alliierte Zensur auch für österreichische Zwecke zu nützen. Josef Kaut, der spätere Präsident der Salzburger Festspiele, war damals Chefredakteur des „Demokratischen Volksblattes" in Salzburg, und die Zeitungsredaktionen standen natürlich an oberster Stelle der abzuhörenden Telefonteilnehmer. Das wußte man in den Redaktionen, und das wußte auch der damalige Chefredakteur Kaut: „Die Amerikaner in Salzburg haben über die Inhalte der von ihnen abgehörten Gespräche genau Protokoll geführt. Und dann haben sie die wesentlichen Erkenntnisse, die sie aus den Inhalten gewonnen haben, in geheimen Wochenberichten zusammengestellt. Das waren mehrseitige Kommuniqués, die sie an die Kommandostellen der Besatzungsmacht nach Wien und an andere Stellen geleitet

Josef Kaut: Wir haben dann abgesprochene Telefongespräche geführt.

haben. Sie haben dabei nur einen Fehler gemacht: Österreicher mußten diese Berichte vervielfältigen. Und es hat nicht lange gedauert, so haben wir regelmäßig diese Abzüge bekommen. Wir konnten also feststellen, was an unseren Gesprächen den Amerikanern aufgefallen ist, was ihr Mißfallen oder ihr Wohlgefallen erregt hat. Und so haben wir dann abgesprochene Telefongespräche geführt, um den Amerikanern gewisse Dinge zur Kenntnis zu bringen, die wir auf offiziellem Weg nicht gut an sie herantragen konnten."

Das „Österreich II"-Team hat eine Reihe jener amerikanischen und auch britischen Geheimberichte gefunden, die aus den Abhörberichten der Telefonzensur und aus den Analysen der Briefzensur ein Bild vom Denken und Handeln der Österreicher zu entwerfen versuchten. Diese Berichte zeigen die Kluft, die noch zwischen den Besatzungsmächten einerseits und der Bevölkerung andererseits besteht. Die Österreicher werden als fremde Lebewesen betrachtet, zu denen man keinen anderen Zugang hat, als sie zu belauschen und heimlich zu beobachten. Und wie aus diesen Berichten hervorgeht, ist die Einstellung der Österreicher gegenüber den Besatzungsmächten genau spiegelverkehrt: Man weiß sehr wenig von den fremden Soldaten. Was sie tun und wie sie sich benehmen, wird zwar neugierig beobachtet, aber der Reim, den man sich darauf macht, hat mit den tatsächlichen Eigenschaften der Besatzer oft wenig zu tun.

Das Ende des Verbrüderungsverbots

Die Barriere allerdings, die durch das strenge Verbrüderungsverbot bei Amerikanern und Briten errichtet worden ist und die sich bei den Sowjets durch anhaltendes gegenseitiges Nichtverstehen bzw. Mißtrauen aufgeworfen hat, aber auch zwischen Österreichern und Franzosen trotz Fehlen eines Verbrüderungsverbots existiert, diese Barriere hält nicht lange. Schließlich lebt man an demselben Ort unmittelbar nebeneinander, und die beiden Welten, die der Zivilbevölkerung und die der Besatzungssoldaten, können nicht auf Dauer voneinander isoliert bleiben. Das widerspricht der menschlichen Natur. Die Soldaten, die nun für längere Zeit im Land stationiert sind, wollen außerhalb der Kasernen am normalen Leben der Menschen teilnehmen. Und für die Österreicher können persönliche Kontakte mit alliierten Soldaten eine Reihe Vorteile mit sich bringen – man erfährt Neues, man lernt die Sprache, vor allem aber fällt auch etwas vom gutgedeckten Tisch der Besatzer ab. In Zeiten echter Hungersnot nimmt bei manchen der Stolz in dem Maße ab, in dem der Hunger zunimmt. Und je besser die einen die anderen kennenlernen, desto freundschaftlicher wird auch das Verhältnis zueinander.

Das Verbrüderungsverbot ist unter diesen Umständen nicht mehr aufrechtzuerhalten – die Militärpolizei käme sonst mit der Ahndung der Übertretungen nicht mehr nach. General Mark Clark erläßt folgenden Befehl an seine Truppen: „Im Hinblick auf die fortschreitende Loslösung Österreichs von der deutschen Herrschaft und dem nationalsozialistischen Einfluß werden die Bestimmungen betreffend das Verbot des Fraternisierens mit der österreichischen Bevölkerung hiermit außer Kraft gesetzt. Das Fraternisieren mit noch vorhandenen nazistischen oder faschistischen Elementen ist weiterhin verboten." Wie die Soldaten das wohl auseinanderzuhalten wußten? Im Befehl des britischen Militärkommissars McCreery heißt es eindeutiger, daß die Aufhebung des Fraternisierungsverbots „die Beschränkungen bezüglich der Gastfreundschaft zwischen Österreichern und britischen Soldaten betrifft".

Den britischen und den amerikanischen Soldaten war der private Umgang mit Österreichern zunächst streng verboten. Doch das „Verbrüderungsverbot" wurde nicht lange durchgehalten.

Edith Farniok: Truthahn für den General.

Die Kameraleute der Alliierten stürzten sich auf das neue Sujet: Wie sieht die nun erlaubte Verbrüderung aus? Wir haben eine Reihe derartiger Filmstreifen in den USA und in Großbritannien gefunden. Eindrucksvoll die Aufnahmen, die ein amerikanischer Kameramann auf der Terrasse des Restaurants auf dem Wiener Kahlenberg gemacht hat. Die Kamera schwenkt von Tisch zu Tisch und zeigt einen sehr deutlichen Unterschied: Nichtverbrüderte Menschen sind Österreicher, an deren Tischen keine alliierten Soldaten sitzen und die der Oberkellner mit Sodawasser oder einer Ersatzlimonade bedient. Verbrüderte Menschen sitzen mit alliierten Soldaten an den Tischen, die für damalige Verhältnisse üppig gedeckt sind. Nichtverbrüderte Menschen sehen nicht nur abgehärmt aus, sie haben auch einen traurigen Blick – meist in Richtung der Tische mit den verbrüderten Menschen. Verbrüderte Menschen sind zwar nicht besser angezogen, aber sie versuchen, mit einer Masche oder einem Hütchen kokett zu sein, vor allem strahlen sie. Und sobald sie die auf sie gerichtete Kamera wahrnehmen, haben sie offenbar das Bedürfnis, ihre Wohlhabenheit zu demonstrieren: Ohne jede Andacht, die in jenen Tagen einer solchen Prozedur normalerweise vorausging, stecken sie sich mit Schwung eine Zigarette zwischen die Lippen, zünden sie an und blasen den Rauch in Richtung Kamera, gefolgt von einem fast triumphierenden Lächeln. Wer hat, der hat.

Das schafft zwei Kategorien von Österreichern: solche mit und solche ohne Beziehungen zu den Alliierten. Diese Beziehungen müssen nicht intimer Art sein. Der Umgang mit Alliierten nimmt mannigfache Formen an. Edith Farniok war damals in der Leitung des Restaurants auf dem Kahlenberg beschäftigt. Sie schildert die ganze Spanne der indirekten und direkten Berührungspunkte mit den Besatzungsmächten: „Den Russen haben wir eine Kuh gestohlen. Die zogen mit irgendwelchen Viehherden über den Kahlenberg. Es gab doch keine Milch. Da haben wir halt eine Kuh abgezweigt und für die Kuh ein Platzerl hinter der Kirche gefunden. Wir hatten natürlich Angst, daß das Biest zu muhen anfängt. Aber es ist gutgegangen. Wir hatten eine Mehlspeisköchin, die Mehlspeis-Resi, die hat sich aufs Melken verstanden. So kamen wir zu Milch. Wir haben auch oft für die Russen gekocht; die haben das Rohmaterial mitgebracht. Aber manchmal mußten wir die Gerichte vorkosten, damit die Russen sicher waren, daß wir kein Gift hineingetan haben. Dann kamen die Amerikaner und haben auch dieses schöne Platzl entdeckt. Und wir wurden auserkoren, am Thanksgiving Day [amerikanisches Erntedankfest, das als nationaler Feiertag gilt] das berühmte Thanksgiving-Essen zuzubereiten – für den General Clark. Ich kann mich noch gut erinnern, das war ein sehr fescher großer Offizier mit einem sehr markanten Gesicht. Die Amerikaner haben Berge von Lebensmitteln angeschleppt. Lauter Dinge, die wir jahrelang nicht gesehen hatten. Am Thanksgiving Day ißt ja der Amerikaner den berühmten Truthahn und seinen Pumpkin Pie [Kürbiskuchen]. Der Sergeant hat mich gebeten, ich möchte das Personal darauf aufmerksam machen, daß nichts verschwinden darf. Ich hab halt die Leute darum gebeten; und sie waren wirklich sehr brav. Er hat gesagt, er würde uns belohnen. Und das tat er auch. Das Bankett war ein voller Erfolg, und zum Schluß sagte er dann: ‚Alles, was nicht verzehrt wurde, bleibt hier.‘ Wir haben alle gestrahlt, aber ehrlich gesagt, seit der Zeit kann ich keinen Truthahn mehr sehen."

Die Briten eröffnen die Verbrüderungssaison im Stil der Londoner Promenadenkonzerte. Im Kursalon im Wiener Stadtpark spielt eine britische Militärkapelle auf, sowohl zum Tanz als auch für die vielen Spaziergänger im Park. So wird der Kursalon bald zum beliebten Treffpunkt der britischen Soldaten mit verbrüderungswilligen Wienerinnen. Für die einen ist es Flucht aus der Not des Alltags – und dafür werden sie nicht selten scheel angesehen –, für andere aber doch auch manchmal die große Liebe. Viele Frauen werden alliierte Soldaten heiraten und ihnen in deren Heimat folgen.

So ist die unmittelbare Folge der Aufhebung des Verbrüderungsverbots der Sturm der Soldaten auf die Tanzcafés, die Bars, die Nachtklubs. Die entsprechenden Lokale schießen wie Pilze aus dem Boden. Hier ist rasch Geld zu machen, oder richtiger gesagt: Hier gibt es was zu verdienen, denn Geld, wenigstens das einheimische, ist nicht gefragt. Zigaretten, Wein, Schnaps, Konserven und vielleicht sogar einmal ein Dollar oder ein Pfund Sterling ist die Währung dieser Lokale. Geboten werden Musik, Tanz, Revuen. Angelockt aber werden nicht nur alliierte Soldaten, sondern auch die einheimischen Jugendlichen. Für sie ist das eine neue, faszinierende Welt, bei Musik und Tanz kann man dem Ruinenalltag entfliehen und die Arbeitspflicht vergessen. In den Tanzcafés stoßen zwei Welten aufeinander: die eine, heimische, zunächst noch im Foxtrottstil der Vergangenheit, und die andere, sich nun wieder öffnende Welt des Jazz und der von den Soldaten mitgebrachten heißen Rhythmen des Boogie-Woogie.

Der Kulturschock wirkt sich aus. Empörung bei einem Teil der Bevölkerung, die sich bemüht, die Schutthalden abzubauen, das Leben wieder in Gang zu bringen und mit kargen Lebensmittelrationen und mit einem staatlich verordneten Höchstverdienst von maximal 150 Reichsmark pro Monat durchzukommen. Auf der anderen Seite Jugendliche, die durch ihre Freundschaft mit alliier-

Von Österreichern fotografiert: Alliierte in Österreich: Ein Bild zum Nachhauseschicken (oben links) und ein Bild, auf den Kamin zu stellen (oben).

ten Soldaten an einem Tag mehr zu essen heimholen, als andere in einem Monat zugeteilt bekommen, für die eine Zigarette kein außerordentlicher Luxus, sondern höchstens Währung auf dem schwarzen Markt ist und die sich, um einen Normalbürger auch einmal zu ärgern, eine Zigarette mit einem 2-Schilling-Schein anzünden. Leitartikel um Leitartikel beschäftigt sich in den Zeitungen von damals mit diesem Problem – der angeblich so arbeitsscheuen Jugend, den Nichtstuern in den Tanzcafés und Bars, den Kinogehern und – entsprechend vorsichtig ausgedrückt – auch mit den Freundinnen und Freunden der Soldaten. Sie bleiben nicht nur Gegenstand von Leitartikeln. In der Wiener Leopoldstadt wird ein Plakat mit folgendem Inhalt angeschlagen: „Mieter! Wenn Ihr durch Eure Hausvertrauensmänner zur Arbeit gerufen werdet, folgt der Aufforderung und zeigt durch Eure praktische Mitarbeit, daß Ihr es ernst meint mit dem Wiederaufbau Wiens. Nur Feinde des Volkes werden versuchen, sich mit den dümmsten Ausreden von dieser wichtigen Arbeit zu drücken. Stellt die Drückeberger fest! Meldet uns ihre Namen! Leopoldstädter! Unterstützt Eure Hausvertrauensmänner bei dieser Arbeit! Zeigt der Welt, daß wir Wiener nicht faul sind und daß wir volles Verständnis für die dringendsten Arbeiten der Gegenwart haben! Gezeichnet: Österreichische Volkspartei, Sozialistische Partei Österreichs, Kommunistische Partei Österreichs."

Bürgermeister Körner schreibt an den Polizeipräsidenten von Wien, Ignaz Pamer: „Die Beschwerden über das Treiben in den Tanzcafés werden immer zahlreicher . . . Es ist unleugbar, daß in der Zeit des dringenden Wiederaufbaus, für den die wichtigsten Kräfte nicht vorhanden sind, in den Tanzcafés sich bereits in den frühen Nachmittagsstunden Personen beiderlei Geschlechts unterhalten und daß dieses Treiben in hohem Maß öffentliches Ärgernis erregt. Der Bezirksvorsteher für den VIII. Bezirk hatte vor, die Schließung der Tanzcafés zu verfügen. Ich habe vorläufig diese Maßnahme, die nicht in den Zuständigkeitsbereich des Bezirksvorstehers fällt, inhibiert, bin aber der gleichen Auffassung wie der Bezirksvorsteher für den VIII. Bezirk, daß Tanzcafés, solange die gegenwärtigen Verhältnisse andauern, in keiner Weise irgendeinem Bedürfnis entsprechen und daher im Interesse der Ruhe und Ordnung zu schließen wären. Ich schlage vor, daß Sie, sehr geehrter Herr Polizeipräsident, in dieser Angelegenheit, die in den Zuständigkeitsbereich der Staatspolizei fällt, eine Besprechung einberufen, zu welcher auch die Vertreter des Gewerbes und der Stadt Wien einzuladen wären."

Der Polizeipräsident antwortet dem Bürgermeister mit einem langen Schreiben: „Betreffend Einschreiten gegen den Unfug in den Tanzcafés". Im wesentlichen führt er an: Die bestehenden gesetzlichen Vorschriften seien auf Friedensverhältnisse abgestellt und bieten „für die Bekämpfung der Mißstände in den gegenwärtigen außerordentlichen Zeiten keine genügende Handhabe". Eine Sperre der Tanzlokale bzw. ein Verbot des Publikumstanzes im Freien sei nach bestehenden gesetzlichen Bestimmungen nicht möglich. Dann heißt es wörtlich: „Für die Aufrechterhaltung dieser Vergnügungsstätten sprechen die folgenden Gründe: a) Diese Tanzlokale sind gegenwärtig sozusagen die einzigen Stellen, welche ansehnliche Steuerbeträge abliefern. b) In vielen dieser Lokale bilden den Hauptteil der Besucher Militärpersonen der Besatzungsmächte, und es ist zu erwarten, daß sich das fremde Militär dieses Vergnügen nicht rauben lassen will." Der Brief endet mit der Zusicherung, die Polizeidirektion werde „den Auswüchsen, die mit dem Publikumstanz verbunden sind, wie Förderung der Arbeitsunlust und leichtfertigen Lebenswandel, ein scharfes Augenmerk

zuwenden und nötigenfalls energisch eingreifen, die Müßiggänger beiderlei Geschlechts dem Arbeitsamte zuzuführen". Jedoch „muß dabei festgehalten werden, daß die Polizeidirektion derzeit noch über völlig unzureichende Fachkräfte verfügt".

Das fremde Militär verlangt nach noch mehr Vergnügen. Mädchen werden gesucht, Revuen zusammengestellt, Tänzerinnen für die Nachtlokale aufgenommen. Und in dieser Zeit der Not stellen sich Hunderte junge Frauen vor, um einen Job als Tänzerin zu bekommen. Die Nachtlokale werden zu den großen Treffpunkten der Militärs aller vier Besatzungsmächte. Und während das Programm bescheiden bleibt, werden auf musikalischem Gebiet Spitzenleistungen geboten. Denn die Musiker haben eine große Zeit: Sie können aufholen, was sie in den letzten Jahren versäumt haben, über die Besatzung bekommen sie Zugang zu Instrumenten, Schallplatten und Noten, vor allem werden sie von den Besatzungssoldaten verwöhnt.

Ein Opfer des schwarzen Marktes

Helene Landl war die Frau eines bekannten Jazzpianisten. „Bei den Musikern hat's an sich keine Unterbrechung gegeben", berichtet sie, „bei den Deutschen haben sie aufgehört zu spielen, und in den nächsten Tagen waren die Russen da, und es ist weitergegangen. Und dann sind sie gependelt – sie waren bei den Russen, bei den Amerikanern und auch bei den Franzosen. Musiker waren damals ungeheuer gefragt." Landl-Miteis-Kombo heißt eine der großen

Nach Aufheben des Verbrüderungsverbots schießen unzählige Tanz- und Nachtlokale aus dem Boden und werden von den alliierten Soldaten überlaufen. Der Kontakt mit den Soldaten erschließt neue Quellen für den schwarzen Markt.

Helene Landl: Alles hatte seinen Preis.

Tanzkapellen jener Tage. Ludwig Babinski, Walter Heidrich, Jeff Palme und viele andere sehen das Leben von einer ganz anderen Seite als der Bezirksvorsteher des VIII. Bezirks und die drei Parteien in der Leopoldstadt. Allerdings haben diese auch nicht ganz unrecht – die Tanzlokale werden mehr und mehr Zentren des Schleichhandels. Dazu Helene Landl: „Es hat gewisse Lokale gegeben, da war der Ober interessiert, seine Ware anzubringen, und der hat den Leuten alles verschafft – Zigaretten, Schnaps, auch Lebensmittel. Aber die Zigaretten waren das Wichtigste für die Leute, die Chesterfield, die Camel, die Lucky Strike und auch immer wieder die bulgarischen. Wodka hat's gegeben, Whisky, Slibowitz, Schnäpse waren sehr gefragt. Aber alles hat seinen Preis gehabt, und ich kann nicht sagen, daß das so wenig war, denn für eine Flasche Schnaps hat man 500 Mark bezahlen müssen und für ein Packerl Zigaretten 40 bis 100 Mark."

Der schwarze Markt wird härter. Waren es bisher Tauschgeschäfte kleiner Soldaten mit kleinen Leuten, so werden mit der zunehmend friedensmäßigen Versorgung der Besatzungstruppen in Österreich Zugänge zu großen Depots geschaffen. Die Tauschgeschäfte nehmen ab, was verlangt wird, ist harte Valuta. Der Schwarzmarkt wird zum Großhandel. Besatzungssoldaten bringen das gestohlene Gut, Zwischenhändler leiten es weiter, oft sind es schon Mitglieder von Schwarzmarkt-Syndikaten.

Im salzburgischen Mittersill wird einer der großen Komponisten dieses Jahrhunderts indirekt Opfer des schwarzen Markts: Anton von Webern. Auf dem Ortsfriedhof von Mittersill haben wir seine Grabstätte besucht. Der Grabstein nennt das Todesjahr 1945. Anton von Webern, 1883 in Wien geboren, ist neben Arnold Schönberg und Alban Berg einer der Schöpfer der modernen Musik und einer der bedeutendsten neuzeitlichen österreichischen Komponisten. In einem Haus in Mittersill lebt 1945 der Schwiegersohn Weberns. Er hat sich auf Schwarzmarktgeschäfte mit amerikanischen Soldaten eingelassen. Anton von Webern und seine Frau sind am 15. September Gäste bei ihrem Schwiegersohn. Die Weberns, die das Kriegsende nach Mittersill verschlagen hat, wohnen dort in ärmlichen und beengten Verhältnissen – 17 Personen in einem kleinen Haus. Um so mehr freuen sich die Weberns auf diesen Abend, für den ihnen ihr Schwiegersohn ein ordentliches Essen und dem Schwiegervater, als besondere Kostbarkeit, eine amerikanische Zigarre versprochen hat.

Die amerikanischen Schwarzmarktpartner des Schwiegersohns haben es inzwischen mit der Angst zu tun bekommen. Die Geschäfte sind ihnen zu umfangreich geworden. Weberns Schwiegersohn zahlt mit amerikanischen Dollars, und selbst US-Soldaten ist zu dieser Zeit der Besitz von normalen Dollarscheinen verboten. Sie haben Selbstanzeige erstattet, und die Militärpolizei hat beschlossen, dem Schwiegersohn Weberns eine Falle zu stellen. Ausgerechnet an diesem Abend.

Als das Ehepaar Webern mit Tochter und Schwiegersohn beim ersehnten Abendessen sitzt, erscheinen zwei amerikanische Soldaten, einer davon ein bisheriger Schwarzmarktpartner. Sie geben vor, ein größeres Geschäft abschließen zu wollen. Der Schwiegersohn schickt seine Schwiegereltern in ein Nebenzimmer, in dem zwei Kinder schlafen. In der Küche werden nun die vermeintlichen Schwarzmarktgeschäfte besprochen und zum Abschluß gebracht. Kaum aber liegen die Dollarbeträge auf dem Tisch, ziehen die Amerikaner ihre Pistolen. Der eine von ihnen hält den Schwiegersohn in Schach, der andere eilt in den Hausflur, um jeden Fluchtweg abzuschneiden. Im Hausflur steht Anton von Webern, der das Schlafzimmer der Kinder verlassen hat, um sich die vom Schwiegersohn gestiftete Schwarzmarktzigarre anzuzünden. Im Finstern läuft der Amerikaner mit gezogener Pistole gegen Webern, erschrickt, glaubt, einen Komplizen des Verhafteten vor sich zu haben, und schießt.

Maria Halbich-Webern, die andere Tochter der Weberns, berichtet über jenen Abend: „Die Amerikaner sind gekommen, und die Eltern sind dann hinübergegangen ins Zimmer. Der Vater hat sich auf seine Zigarre gefreut, und um die Kinder nicht zu stören mit dem Rauch, hat er zu uns gesagt: ‚Ich geh jetzt einmal hinaus und rauch draußen und komm dann wieder.' Und kaum war mein Vater draußen, sind nach ganz kurzer Zeit drei Schüsse gefallen in unmittelbarer Nähe. Aber meine Mutter hat das gar nicht mit ihm in Zusammenhang gebracht. Auf diese Idee ist niemand gekommen. Da geht die Tür auf, und mein Vater kommt herein und sagt: ‚Jetzt bin ich erschossen worden.' Meine Schwester und meine Mutter haben ihn auf eine Matratze gelegt – das war ja damals sehr primitiv, man war schon froh, daß man eine Matratze gehabt hat zum Schlafen –, und meine Mutter hat ihm die Kleider aufgemacht und hat dann gesehen, daß er zwei Wunden hat. Sie ist sofort hinaus, über den Gang und hinauf in den ersten Stock, wo die anderen waren, und hat um Hilfe gebeten, man soll einen Arzt holen. Wie sie wieder heruntergekommen ist, war die Küchentür offen, und meine Schwester und mein Schwager sind mit erhobenen Händen in der Küche gestanden mit etlichen Amerikanern. Die Mutter ist dann hin zu einem Amerikaner und hat gebeten, man möge einen Arzt holen. Und der hat gesagt, es ist bereits jemand

Anton von Webern und seine Frau kurz vor den tragischen Ereignissen in Mittersill. Einer der bedeutendsten neuzeitlichen Komponisten wurde bei einer Schwarzmarktrazzia irrtümlich erschossen.

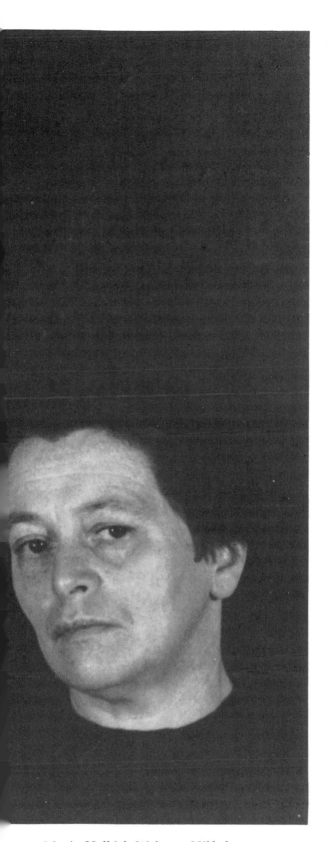

Maria Halbich-Webern: Hilfe kam zu spät.

unterwegs. Sie ist dann zu meinem Vater und hat gesehen, daß nichts mehr zu machen ist, er hatte bereits die Besinnung verloren."

Jede Hilfe kommt zu spät. Webern stirbt, noch ehe der Arzt eintrifft. Der Schwiegersohn wird von den Amerikanern verhaftet. Der Fall Webern kommt vor ein amerikanisches Militärgericht. Der Schwiegersohn wird wegen Schwarzhandels angeklagt und zu einem Jahr Gefängnis verurteilt. Raymond Bell heißt der amerikanische Soldat, der auf Webern geschossen und ihn erschossen hat. Er ist Koch und hatte in dieser seiner Eigenschaft Zugang zu den Lebensmitteln für den schwarzen Markt. Raymond Bell wird zugebilligt, daß er in vermeintlicher Notwehr gehandelt hat, als er die Schüsse auf Webern abgab. Auf eine Anklage gegen Raymond Bell wird daher verzichtet. Aber Raymond Bell kommt über die Sache nicht mehr hinweg. Nach einigen Monaten kehrt er nach Amerika zurück zu seiner Frau. Der Gedanke an jene Nacht in Mittersill, an die Schüsse, an den Toten läßt ihn nicht mehr los. Vom Gewissen geplagt, wird Raymond Bell Alkoholiker und geht im Alter von 40 Jahren am Alkoholismus zugrunde. Eine andere Seite des schwarzen Marktes, eine andere Seite der Besatzung, aber auch ein Stück österreichische Wirklichkeit in jenen Tagen.

Der Anspruch auf Südtirol wird angemeldet

Am 11. September waren die Militärkommissare der vier Besatzungsmächte zum erstenmal als Alliierter Rat zusammengetreten. Unmißverständlich hatten sie der österreichischen Regierung mitgeteilt, daß von nun an dieser Alliierte Rat die oberste Gewalt in Österreich ausüben werde. Am 20. Oktober beschloß der Alliierte Rat, die Regierung Renner zur Kenntnis zu nehmen, ihre Existenz anzuerkennen. Aber auch nicht mehr. Zu einer formellen Anerkennung konnten sich die Westmächte noch immer nicht entschließen. Sie schien ihnen auch nicht mehr notwendig: Nach der Länderkonferenz und der Erweiterung der Regierung durch Aufnahme von Politikern aus den Bundesländern steuerte die Regierung Renner auf rasche Neuwahlen zu. Die aus diesen Wahlen hervorgehende Regierung wollten die Westmächte dann als legale Regierung für ganz Österreich anerkennen. Mit diesem Vorsatz hatten sie ohnedies schon Abstriche von ihren ursprünglichen Österreich-Konzepten gemacht – die ja keineswegs einen so raschen politischen Aufbau in Österreich vorgesehen hatten.

Kein Wunder also, daß sich die Regierung Renner noch nicht auf sicherem Boden fühlt. So versucht diese Regierung, zumindest ihre österreichische Basis möglichst zu festigen und sicherzustellen, daß die Bundesländer zu dieser Regierung halten werden. Wir wissen aus Aussagen mehrerer Zeugen der damaligen Zeit, daß die Politiker aus den Bundesländern diese Autorität der Renner-Regierung nicht von Anfang an als selbstverständlich hingenommen haben. Doch es gibt einige Anliegen der Bundesländer, die nur von einer starken österreichischen Zentralregierung verfochten werden können. Vor allem, wenn es demnächst eine Friedenskonferenz geben werde, und eine solche müsse ja kommen. Bei dieser werden neben den Fragen der Mitschuld am Krieg und möglichen Reparationen auch die der Grenzen und Gebietsansprüche zur Diskussion stehen. Kärnten fürchtet die Gebietsansprüche Jugoslawiens. In Tirol wiederum setzt man große Hoffnungen darauf, daß eine neue Friedenskonferenz die ungerechte Grenzziehung von 1918/19 revidieren werde, und daß es möglich sein werde, Südtirol wieder mit Nordtirol zu vereinen.

Renner und die Spitzenpolitiker der drei Parteien erkennen sofort, daß sie die Abwehr der jugoslawischen Gebietsansprüche

Die Rückkehr Südtirols ist eines der Haupt-anliegen der Regierung. Noch hofft man, die neue Nachkriegsordnung werde die Irrtümer und Ungerechtigkeiten der Friedensordnung nach dem Ersten Weltkrieg korrigieren. Links: Die erste Südtirol-Kundgebung der Regierung und der drei Parteien findet bereits im Sommer 1945 im Wiener Konzerthaus statt. Zur gleichen Zeit appelliert der damalige Landeshauptmann von Tirol, Karl Gruber, an den amerikanischen Außenminister James Byrnes, eine Volksabstimmung in Südtirol zuzulassen (unten).

und die Anmeldung eigener Gebietsansprüche zu einem zentralen Anliegen der Bundesregierung machen müssen, schon weil davon die künftige Lebensfähigkeit Österreichs abhängen werde, aber auch weil ein entschlossener Einsatz der Staatsregierung in Wien für die Anliegen der Bundesländer den Zusammenhalt dieses innerlich noch so zerrissenen Österreichs sofort festigen wird. Die Regierung Renner ruft die Politiker der Bundesländer zu einer zweiten und etwas später zu einer dritten Länderkonferenz nach Wien. Bei der zweiten Länderkonferenz werden die ersten freien Wahlen nun endgültig für den 25. November angesetzt und nach heftigen Auseinandersetzungen zwischen ÖVP einerseits und SPÖ und KPÖ andererseits die bisherigen Nationalsozialisten von der Wahl ausgeschlossen. Die zweite Länderkonferenz wird aber auch dazu benützt, trotz der bestehenden Bevormundung durch die alliierten Generäle die Ansichten und Ansprüche Österreichs gegenüber den Alliierten anzumelden. Regierung und Länderkonferenz weisen die jugoslawischen Gebietsansprüche zurück und erheben die Forderung auf Rückgabe Südtirols.

Schon im September hatte in Innsbruck eine machtvolle Kundgebung stattgefunden, auf der die Wiedervereinigung Tirols gefordert worden war. Die Franzosen hatten den Massenaufmarsch erstaunlicherweise bewilligt und zeigten Sympathie für das Anliegen der Tiroler. Und darauf zielen nun die Tiroler Kundgebungen ab. Die Alliierten sollen beeindruckt werden. Die Forderung nach Rückgabe Südtirols wird auf französisch und englisch auf Transparenten und Plakaten, in Petitionen und Protestschriften den Alliierten zur Kenntnis gebracht. Der damals noch als Landeshauptmann von Tirol amtierende Karl Gruber wendet sich mit einem Telegramm an Präsident Truman: „Exzellenz! Im Moment, da die Grenzen Italiens festgelegt werden, erlaubt sich die Landesregierung von Tirol an den Präsidenten der großen, freiheitsliebenden amerikanischen Nation zu appellieren, Südtirol die Freiheit wiederzugeben. Am besten durch eine freie Volksabstimmung."

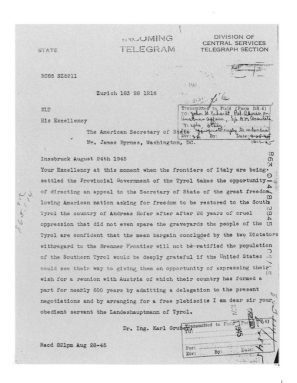

Da sich die Bundesregierung schwungvoll hinter diese Forderung stellt – im Wiener Konzerthaussaal und auf dem Rathausplatz kommt es zu machtvollen Kundgebungen aller drei Parteien für die Rückgliederung Südtirols –, werden in den Bundesländern auch andere Gebietsforderungen laut. Die Kärntner Landesregierung erhebt Anspruch auf das ebenfalls 1918/19 an Italien abgetretene Kanaltal. In Salzburg tritt der künftige Landeshauptmann Josef Rehrl für eine Angliederung des Berchtesgadener Landes an Österreich ein, wodurch man einen besseren Zugang nach Tirol gewinnen würde. Im Burgenland schließlich wird die vierte Gebietsforderung gestellt: Die Ungarn sollen Ödenburg an Österreich abtreten.

Das Ringen der Bundesländer

Das ist den Wiener Politikern nun doch zuviel. Renner holt die Forderer auf den Boden der Realität zurück. Österreich sei kein Siegerstaat. Wenn überhaupt, werde man nur gegenüber Italien in den Fragen Südtirol und Kanaltal weiterkommen. Vorderhand wäre schon etwas gewonnen, wenn man die noch ungelösten „territorialen Probleme" im eigenen Land bewältigen könnte. Die Gaugrenzen der NS-Zeit sind aufzulösen: Das nach 1938 auf Niederdonau und die Steiermark aufgeteilte Burgenland fordert seine Wiederherstellung; Osttirol, noch bei Kärnten, will zurück zu Tirol; das Ausseer Land wieder zur Steiermark; Vorarlberg, verschmolzen mit Tirol, ist dabei, erneut selbständiges Bundesland zu werden. Der Vorarlberger Landesrat Herbert Stohs berichtet: „Wir hatten noch keine Landesregierung. Vorläufig galten noch die Bestimmungen für einen Gau Tirol–Vorarlberg. So haben wir mit allem Nachdruck verlangt, daß Vorarlberg wieder die Selbständigkeit erhält. Die Franzosen haben dafür das entsprechende Verständnis gezeigt. Ich erinnere mich sehr genau, daß ich an einem frühen Morgen beim ehemaligen Staatssekretär Ulrich Ilg im Stall war, als er seine Kühe molk, und ihm dort im Namen der Widerstandsbewegung zugeredet habe, er möge sich doch an die Spitze dieses Landesausschusses stellen, um Vorarlbergs Unabhängigkeit durchzusetzen. Alle, gleichgültig welcher politischer Richtung sie angehörten, würden ihm das Vertrauen schenken. Und auch Oberst Henri Jung, das war der oberste Chef der französischen Besatzung in Bregenz, ist diesem Landesausschuß sehr wohlwollend gegenübergestanden. Allerdings durfte der Landesausschuß nichts selbständig unternehmen. Man mußte vorher immer die Zustimmung der französischen Besatzungsmacht einholen. Das war die Schwierigkeit, die wir bei der Wiedererlangung der Freiheit auf uns nehmen mußten."

Vorarlberg hatte wenigstens noch den Namen. Das Burgenland war völlig verschwunden, aufgeteilt auf Niederösterreich und die Steiermark. Das frühere Landhaus in Eisenstadt war zerstört und Eisenstadt selbst eine Garnisonsstadt der Sowjets geworden. So treten in Mattersburg beherzte Männer der drei politischen Parteien zusammen und beschließen die Wiederherstellung des Burgenlandes. Als Provisorischer Landesausschuß wenden sie sich an die Renner-Regierung und fordern von ihr die Wiedererrichtung des Burgenlandes. Doch die Eingabe der Burgenländer stößt auf taube Ohren. Die Landespolitiker in Niederösterreich und in der Steiermark wollen ihre burgenländischen Gebietsteile behalten. Und diese Landespolitiker haben in Wien erheblichen Einfluß, standen sie doch der Renner-Regierung in all der Zeit, da diese Regierung nur in der sowjetischen Besatzungszone agieren konnte, tapfer zur Seite. So wird die Eingabe der Burgenländer auf Wiedererrichtung ihres Bundeslandes in der Staatskanzlei abgelegt, und

Herbert Stohs: Mit Nachdruck verlangt, daß Vorarlberg wieder selbstständig wird.

den Burgenländern wird mitgeteilt, daß sogar schon die Bildung eines Landesausschusses für das Burgenland der gültigen provisorischen Verfassung widerspreche.

Doch die Burgenländer geben nicht nach. Sie verlangen Verhandlungen. Der spätere Landeshauptmann Josef Lentsch berichtet über dieses Tauziehen mit den Zentralstellen in Wien: „Die Verhandlungen waren sehr hart, weil die Zentralen aller Parteien in Wien absolut nicht wollten, daß das Burgenland wiedererrichtet wird. Das Hauptargument war eigentlich das: Man erspart sich eine Landesregierung und einen Landtag. Ich darf der historischen Wahrheit die Ehre geben – geholfen haben uns eigentlich die Russen. Weil sie ja dieses Bundesland als Besatzungszone haben wollten, bestanden sie auf der Herstellung des Burgenlandes. Und so ist das Burgenland mit ihrer Hilfe wieder errichtet worden."

Den Sowjets war das Burgenland im Zonenplan der Alliierten zugesagt worden. Mit dem Burgenland können die Sowjets die ganze Länge der ungarischen Grenze besetzt halten. Und die Renner-Regierung muß folgen. Die provisorische Verfassung, die man gegen die Wiedererrichtung des Burgenlandes ins Treffen geführt hatte, wird ergänzt: „Das Burgenland wird wieder als selbständiges Land der Republik errichtet." Als erster provisorischer Landeshauptmann wird der Sozialist Ludwig Leser gewählt, und das beschlagnahmte Schloß Esterházy wird zum ersten Regierungssitz der neuen provisorischen Landesregierung für das Burgenland.

In der heikelsten Lage aller Bundesländer aber befindet sich Oberösterreich: Südlich der Donau ist das Land amerikanisch besetzt, in das Mühlviertel nördlich der Donau sind die Sowjets eingezogen. Dem Land droht die Zerreißung. Die Österreicher sind entschlossen, dies zu verhindern. Dabei kommt ihnen ein Mißgeschick der Amerikaner zugute. In Linz führen der amerikanische General Stanley E. Reinhart und seine rechte Hand, Oberst Russell Snook, als Spitzen der amerikanischen Militärregierung ein straffes Regiment. Von allen Bundesländern wird in Oberösterreich den österreichischen Politikern von seiten der Generäle der geringste Spielraum gewährt. Aus Angst, einen Fehlgriff zu tun, wenn sie einen Politiker zum Landeshauptmann machen, hatten die Amerikaner in Linz eine Beamtenregierung bestellt und auch einen Beamten, Adolf Eigl, zum Landeshauptmann gemacht. Nun erleiden die Amerikaner einen Rückschlag. Landeshauptmann Eigl wird nazistischer Vergangenheit beschuldigt und von den Amerikanern selbst abgesetzt und festgenommen.

Um ihr angeschlagenes Prestige wieder aufzubauen, greifen die Amerikaner nun doch auf die anfangs von ihnen verschmähten Parteipolitiker zurück. Sie ersuchen den letzten Landeshauptmann von Oberösterreich vor 1938, Heinrich Gleißner, den Posten wieder einzunehmen. Den Sowjets ist es natürlich nicht recht, daß Landeshauptleute, die auch für das sowjetisch besetzte Mühlviertel zuständig sind, von den Amerikanern eingesetzt, verhaftet und wieder bestellt werden können, ohne Mitsprache der Sowjetbehörden. So fordern die Sowjets für das von ihnen besetzte Mühlviertel eine eigene österreichische Verwaltung. Das Mühlviertel soll verwaltungsmäßig ihrer Zone angeschlossen werden und nicht mehr der in Linz unter amerikanischer Oberhoheit stehenden oberösterreichischen Landesregierung unterstehen. In Linz und in Wien befürchtet man die Zerreißung Oberösterreichs und damit vielleicht sogar schon den Beginn einer Zerreißung Österreichs.

Dennoch weiß man in Wien ebenso wie in Linz, daß man der sowjetischen Forderung nach einer eigenen Zivilverwaltung im Mühlviertel wird entgegenkommen müssen. Täte man es nicht,

Gemeinsam sorgten sie dafür, daß Oberösterreich, wenn auch geteilt, doch ein Ganzes blieb: Landeshauptmann Heinrich Gleißner – obwohl in der US-Zone zu Hause, auf ein gutes Auskommen mit den Sowjets bedacht (oben) – und Johann Blöchl, Staatsbeauftragter für das sowjetisch besetzte Mühlviertel (rechts Mitte).

Josef Lentsch: Ringen um das Burgenland.

Johann Blöchl: Ringen um Oberösterreich.

könnten die Sowjets auf die Idee kommen, die Verwaltung einem ihnen genehmen Österreicher zu übertragen, und das würde höchstwahrscheinlich ein Kommunist sein, mit dem weder die Regierung in Wien noch die Landesregierung in Linz große Freude hätten. In Wien wie in Linz sucht man nach einem Ausweg: Wie ist der Forderung der Sowjets zu entsprechen und die Einheit Oberösterreichs dennoch zu bewahren? Und in Wien wie in Linz kommt man auf die gleiche Idee – an die Spitze des Mühlviertels müßte ein Mann gestellt werden, der zwar von der Staatsregierung in Wien ernannt und ihr auch nominell unterstellt würde, der aber bereit ist, das Mühlviertel als integralen Bestandteil Oberösterreichs zu regieren.

Heinrich Gleißner kennt jemanden, dem er diese Aufgabe zutraut, den Bauern Johann Blöchl aus Lasberg bei Freistadt. Blöchl ist politisch engagiert, verbindlich im Umgang mit Freunden und Gegnern, aber mutig und mit genau der Portion Starrsinn ausgestattet, die man brauchen würde, um eine so schwere Aufgabe durchstehen zu können. Johann Blöchl aber lehnt ab. Zweimal. Dann meldet sich Leopold Figl bei ihm an. Blöchl erinnert sich: „Der Ingenieur Figl ist nach Perg gekommen und wünschte dringend mit mir zu sprechen. Also fuhr ich hinunter. Und jetzt eröffnete er mir, daß er meinetwegen nach Perg heraufgekommen ist, und er hat mir recht zugeredet, ich soll annehmen, und er hat gesagt: ‚Hans, wenn wir Österreicher eine Zukunft haben wollen, dann müssen wir unser Schicksal selbst in die Hand nehmen. Wir dürfen uns nicht allein auf die Alliierten verlassen. Da haben wir keine Zukunft mehr.‘ Mit diesen Worten reichte er mir die Hand. Der Mensch, der so lange in Dachau war und der so viel für Österreich leiden mußte, er hat mich besiegt. Ich habe ihm die Hand gegeben und gesagt: ‚Ich werde annehmen.‘ Und so bin ich Staatsbeauftragter für das Mühlviertel geworden."

Die Idee mit dem Staatsbeauftragten ist ein Geniestreich: Das Mühlviertel bleibt bei Oberösterreich. Blöchl untersteht der Regierung in Wien und damit einer den Sowjets genehmen Zentralstelle; gleichzeitig aber wird Blöchl Mitglied der oberösterreichischen Landesregierung in Linz. Gleißner im amerikanisch besetzten Linz und Blöchl im sowjetisch besetzten Freistadt werden Oberösterreich zehn Jahre lang zusammenhalten wie eine Klammer.

Schwierigkeiten mit der Besatzung gibt es auch im Grazer Landhaus. Hier amtiert die von den Sowjets im zweiten Anlauf anerkannte Landesregierung aller drei Parteien unter der Führung von Reinhard Machold. Karl Renner war selbst nach Graz gereist und hatte die Regierung Machold im Namen der Wiener Regierung auch noch von österreichischer Seite ausdrücklich bestätigt. Aber dann wechselte die Besatzung, die Sowjets zogen ab, und die Briten kamen nach Graz. Und mißtrauten der Landesregierung gleich aus zwei Gründen – sie war von den Sowjets eingesetzt, und sie war auch noch von der ebenfalls von den Sowjets eingesetzten Renner-Regierung anerkannt und bestätigt worden.

Für die Briten kam diese vermutete Abhängigkeit von den Sowjets in der Drittelbeteiligung der Kommunisten an der Landesregierung klar zum Ausdruck. Der damalige Oberst Alexander Wilkinson war für die britische Militärverwaltung in der Steiermark verantwortlich. Wir fragten ihn, mit welcher Einstellung er der steirischen Landesregierung gegenübertrat, als die Briten nach Graz kamen. „Es gab höllisch viel zu tun", erinnerte sich Wilkinson, „und ich brauchte eine Landesregierung. Machold war ein guter Mann, das erkannten wir sehr rasch. Aber es gab zu viele Kommunisten in seiner Regierung. Das entsprach nicht der politischen Realität. So haben wir die Zusammensetzung der Landesregierung

in Frage gestellt und damit natürlich die Landesregierung selbst auch. Wir nannten auch die Gründe. Und so mußte Machold die Zahl der Kommunisten in seiner Regierung reduzieren. Nachdem er das getan hatte, ging alles bestens. Wir kamen mit ihm und seiner Regierung gut aus. Wir hatten auch die gleichen Ziele: Graz mußte aufgeräumt und wieder ein bewohnbarer Ort werden. Die steirische Industrie mußte wieder in Gang gesetzt werden. Die Versorgung war sicherzustellen. Wie gesagt, es gab höllisch viel zu tun. Und wenn man mich fragt, ob ich mit den Steirern gut ausgekommen bin, kann ich nur sagen: Ja, das bin ich."

In Kärnten hatten die Briten die demokratische Landesregierung unter der Führung von Hans Piesch zunächst voll akzeptiert, denn da waren noch die Jugoslawen in Klagenfurt, und die Briten waren froh, in den Österreichern Kenner der Verhältnisse als Verbündete zu haben, ebenso wie diese Österreicher froh waren, die Briten als Verbündete zu haben. Aber nun hatte man die Jugoslawen aus dem Land gedrängt, und die Briten waren unangefochtene Herrscher in ihrer Zone geworden. Und jetzt schalteten sie auf ihre ursprünglichen Besatzungskonzepte zurück: Die Verwaltung sollte zunächst zur Gänze in britische Hände gelegt werden. Nach einer gründlichen Entnazifizierung würde man dann geeignete Österreicher mit unteren Verwaltungsaufgaben betrauen, später ihnen auch höhere Aufgaben übergeben. Die Parallele zu entsprechenden Kolonialverwaltungen der Briten lag auf der Hand.

So belassen die Briten die zunächst akzeptierte Landesregierung nicht in ihrer Funktion. Sie akzeptieren sie nur noch als einen beratenden Landesausschuß. Als die Briten aber die Verwaltung in ihre eigenen Hände nehmen wollen, stoßen sie unentwegt auf Hindernisse. Hans Herke, Mitglied der Landesregierung bzw. des nun „beratenden Landesausschusses", berichtet: „Sie konnten die Probleme des Kärntner Volkes nicht wissen und auch nicht lösen. Da hat es Reibereien und Unstimmigkeiten gegeben. Man hat uns als Provisorische Landesregierung abgesetzt und als beratendes Organ genehmigt, aber nach kurzer Zeit sind die Engländer draufgekommen, daß sie mit den Problemen nicht fertig werden können. So kamen sie wieder zu uns zurück, und wir wurden erneut als Provisorische Landesregierung eingesetzt, bis zu den Wahlen, die ja im Spätherbst stattfinden sollten."

Im Imperial War Museum in London fanden wir einen Filmstreifen, der in jenen Tagen aufgenommen worden ist: Die Regierungsgewalt liegt beim Alliierten Rat in Wien, doch die Zuständigkeit der Regierung Renner für ganz Österreich ist zumindest de facto schon anerkannt. Das gibt dem Staatskanzler Renner zum erstenmal Gelegenheit, sich selbst über eine Zonengrenze zu begeben. Und er reist über Graz nach Klagenfurt. Auf der Grazer Burg werden Renner und Machold von Oberst Wilkinson empfangen, und auch das ist schon ein Durchbruch, wenn man das Mißtrauen der Briten gerade diesen beiden Politikern gegenüber bedenkt. Danach trifft Renner in Klagenfurt ein. Der britische Kameramann hat diesen Moment festgehalten, und wir haben uns die Bilder sehr genau angesehen, die er damals mit seiner Kamera festhielt.

Der Eisenbahnwaggon, dem Renner auf dem Klagenfurter Bahnhof entsteigt, ist ein Waggon III. Klasse; in dem Waggon fehlen, wie damals bei fast allen Eisenbahnwaggons, die Fensterscheiben, denn sie alle waren irgendwann einmal von Fliegern beschossen oder bombardiert worden. Und was an Scheiben übriggeblieben war, hatte in den ersten Nachkriegstagen gewiß noch jemand herausgeholt, um ein Fenster seiner Wohnung zu verglasen. So sind die Fenster des III.-Klasse-Waggons mit Holz verschalt und nur mit einem schmalen Sehschlitz versehen. Auf dem Bahn-

Alexander Wilkinson:
Mit den Steirern gut ausgekommen.

Karl Renners Reise nach Klagenfurt: Der Staatskanzler trifft in einem Waggon mit holzverschalten Fenstern ein (links oben). Doch er wird bereits von einem britischen Offizier empfangen (Mitte) und schreitet die vor dem Bahnhof angetretene britische Formation ab. Die Renner-Regierung ist von den Briten de facto, aber noch nicht de jure anerkannt. Der feine Unterschied kommt hier zum Ausdruck: Die Soldaten sind zwar vor Renner angetreten, aber sie präsentieren vor Renner nicht das Gewehr (unten). Rechts oben: Die österreichische Gendarmerie untersteht in Kärnten und in der Steiermark britischem Befehl. Das kommt in den Armbinden deutlich zum Ausdruck.

steig wird Renner vom Landeshauptmann und von einigen Mitgliedern der Kärntner Landesregierung empfangen und aus dem Bahnhofsgebäude geleitet. Man sieht es dem alten Herrn am Gesicht an, wie überrascht und erfreut er ist, als ihm vor dem Bahnhof ein britischer Offizier entgegentritt und dem Staatskanzler eine regelrechte Meldung erstattet. In der Tat: Auf dem Platz vor dem Bahnhof hat eine kleine Ehrenformation britischer Soldaten Aufstellung genommen vor dem so lange nicht anerkannten Kanzler. Renner zieht den Hut und schreitet nun die Front der Soldaten ab, wobei er fast jedem einzelnen von ihnen mit seinem Hut zuwinkt, so, als hätte er spätestens jetzt die Gewißheit gewonnen, von nun an würden die Österreicher als Partner angesehen werden.

Neben der britischen Militärformation hat auch eine Abteilung der von den Briten bereits wieder eingesetzten Kärntner Gendarmerie Aufstellung genommen. Die Männer tragen weiße Armbinden mit der Aufschrift: „Military Government – Civil Police". Sie jedenfalls sind noch keine Partner, sondern Untergebene der Generäle.

ENTSCHEIDUNG FÜR ÖSTERREICH

Zum drittenmal ruft die Regierung Renner die Politiker der Bundesländer nach Wien. Am 25. Oktober treten sie im Sitzungssaal des Niederösterreichischen Landhauses zu einer weiteren Länderkonferenz zusammen. Ein Monat später, am 25. November, soll in Österreich erstmals wieder frei und geheim gewählt werden. Bei dieser Wahl wird sich viel entscheiden: Welchen Weg soll Österreich nach dem Willen des Wählers einschlagen? Und wer soll das Land auf diesen Weg führen? Es gilt Österreichs künftiges Gesellschafts- und Wirtschaftssystem zu bestimmen. Und damit auch schon eine Wahl zu treffen zwischen Ost und West. So ist man in jeder der drei Parteileitungen entschlossen, einen harten Wahlkampf zu führen, wohl wissend, wieviel Sieg oder Niederlage in dieser ersten Wahl für die eigene Partei und auch für das Land bedeuten werden.

Doch als sich am 25. Oktober Bundes- und Landespolitiker zur dritten Länderkonferenz zusammensetzen, tritt der bevorstehende Wahlkampf für sie alle in den Hintergrund. Aus Niederösterreich und aus dem Burgenland, aus der Steiermark und aus Kärnten, aus dem Mühlviertel, aber auch aus Tirol bringen die Ländervertreter alarmierende Nachrichten nach Wien: Die Ernte dieses Jahres war schlecht, die sowjetischen Besatzungstruppen leben vom Land, und das trifft zum Teil auch auf die Franzosen zu. Der amtlich vorgeschriebenen Ablieferung von Getreide, Fleisch, Gemüse, Milch kann die Landbevölkerung nur ungenügend nachkommen. Kurz: Die Vorräte werden kaum bis zum Winter, gewiß nicht über den Winter reichen. Zugleich fehlt es an Holz und Kohle, an Öl und Benzin, sowohl für die Industrien wie für die Bevölkerung. Es wird daher auch kaum möglich sein, in den nicht demontierten Fabriken einen regelmäßigen Betrieb aufzunehmen. Das bedeutet Arbeitslosigkeit in großem Umfang.

Schwere Sorgen bereiten auch die hygienischen Verhältnisse. In den Städten sind die Schäden an Wasserleitungen, Abwässerkanälen, Sanitätseinrichtungen immer noch groß. In den Krankenhäusern fehlt es an Medikamenten und selbst an Seife. Die Zahl der Typhus-Erkrankungen nimmt wieder zu. In Wien, in Niederösterreich, im Burgenland, aber auch in Kärnten werden Ansätze zu einer Ruhr-Epidemie gemeldet.

Und als hätte es noch einer zusätzlichen Mahnung bedurft, kommt es just in diesen Tagen auch noch zu einem Kälteeinbruch, wie man ihn um diese Jahreszeit seit vielen Jahrzehnten nicht mehr registriert hat. Man schreibt Oktober, aber das Thermometer fällt schon unter null Grad, es schneit bis in die Täler herab. So ist der einzige Gegenstand der Beratungen der Länderkonferenz nur die Sorge vor der Katastrophe, die über das Land hereinzubrechen droht.

Die Länderkonferenz verabschiedet eine Resolution, die in Wirklichkeit ein Hilferuf ist. Er richtet sich an die vier Besatzungsmächte. Sein Wortlaut: „Die Länderkonferenz sieht voraus, daß bei der weitgehenden Verwüstung unserer Fluren und Reduzierung

In der Stunde der größten Not helfen die Nachbarn: Die Schweiz und Ungarn sind bereit, österreichische Kinder aufzunehmen. Und die Eltern sind bereit, ihre Kinder ziehen zu lassen – für sechs Monate, um über den Winter zu kommen.

unseres Viehbestandes, bei der Zerstörung so vieler Wohn- und Arbeitsstätten und bei der Erschöpfung unserer ganzen Bevölkerung in einem Zeitpunkt, da von unserer männlichen Bevölkerung der größere und tatkräftigere Teil noch in Kriegsgefangenschaft weilt und ein beträchtlicher Teil von Kriegsleistungen erschöpft und von Kriegsverletzungen noch nicht geheilt ist, unser Land im bevorstehenden Winter durch die dreifache Katastrophe des Hungers, des Frostes und der Seuchen bedroht ist. In der schmerzlichen Erkenntnis, daß unser Volk bei den größten Anstrengungen aller, der Regierung wie der Massen, auf sich allein gestellt, der drohenden Gefahr nicht Herr werden kann, richtet die Staatsregierung und die Länderkonferenz an die Regierungen der alliierten Mächte wie an den Alliierten Rat den Appell, leitend und helfend an dem Rettungswerk mitzuwirken und mit der Provisorischen Staatsregierung eine ständige Kooperation der militärischen und zivilen Organe zur Abwehr des Unheils einverständlich zu organisieren."

Dringend, so heißt es in dem Appell weiter, werde auch Kohle benötigt, Kohle fehle der Industrie, Kohle fehle für die Gas- und Elektrizitätserzeugung, Kohle werde für die Beheizung von Wohnungen, Schulen, Amtsräumen, Krankenhäusern fehlen. Alle vor-

461

geschlagenen Maßnahmen würden jedoch nicht verhindern, daß infolge von Kälte und Unterernährung und infolge des gewaltigen Flüchtlingszustroms aus Nord, Ost und Süd sich die Erkrankungen mehren und Epidemien drohen. Viele der Ärzte befänden sich noch in Kriegsgefangenschaft, Krankenhäuser und Heilanstalten seien von den Alliierten für militärische Zwecke beschlagnahmt. Die Alliierten mögen dafür sorgen, den Ärzten die Heimkehr zu ermöglichen und Österreich auch mit Medikamenten zu versorgen. Auch sollte der große Flüchtlingsstrom nach Österreich unterbunden werden. Die Flüchtlinge, die in Wirklichkeit Vertriebene sind, kämen unzulänglich gekleidet, unterernährt und auch krank nach Österreich. Nur wenn es gelänge, diese Probleme zu lösen, werde es möglich sein, „das österreichische Volk vor dem drohenden Unheil einer wirtschaftlichen, sozialen und letzten Endes auch politischen Katastrophe zu bewahren".

Abschließend appelliert die Länderkonferenz auch an die Welt: „Die Republik Österreich richtet an alle Hilfseinrichtungen jener Völker, welche durch diesen Krieg weniger oder gar nicht getroffen sind, den Appell, durch freiwillige Zuwendungen dem österreichischen Volke zu Hilfe zu kommen!"

Die Briten, die so lange zögerten, ihren Besatzungssektor in Wien zu übernehmen, weil ihre Lebensmittelvorräte für die zusätzliche Ernährung einer halben Million Wiener nicht ausreichen würden, öffnen nun ihre Militärdepots in Italien und schicken Lebensmittel nach Wien. Das wird den Wienern auf großen Plakaten mitgeteilt: „Im Hinblick auf die kritische Ernährungslage in Wien, und da Kärnten und Steiermark aus ihren eigenen knappen Vorräten nichts abgeben können, hat die britische Militärregierung angeordnet, daß Lebensmittelsendungen aus den britischen Militärdepots in Italien nach Wien abgehen. Diese Lebensmittel, die aus England für die Verpflegung britischer Truppen geliefert wurden, werden dringend benötigt, um die Wiener Bevölkerung vor dem Verhungern zu bewahren." Und weiter heißt es in der Botschaft des britischen Hauptquartiers an alle Wiener: „Großbritannien kann seinen Beitrag zu dieser Hilfe nur durch eigene Opfer ermöglichen. Die Ernährungslage Wiens stellt nur einen kleinen Teil der ungeheuren europäischen Lebensmittelkrise dar, der wir gegenüberstehen. Das britische Volk, das im Jahre 1940 ganz allein den Achsenmächten gegenüberstand, um die Freiheit – Eure Freiheit – für die Zukunft zu sichern, ist weit davon entfernt, die Früchte seines Sieges zu genießen. Die englischen Rationen sind klein und sind seit Ende des Krieges in Europa nicht erhöht, sondern sogar noch weiter herabgesetzt worden."

Sowjetempfang in der Hofburg

Am 7. November wird der Wiener Heldenplatz von sowjetischem Militär abgeriegelt. Auf den Zufahrtsstraßen zur Hofburg bilden Sowjetsoldaten Spalier mit Gewehr und aufgepflanztem Bajonett. Der sowjetische Militärkommissar und Oberbefehlshaber der Sowjettruppen in Österreich, Marschall Iwan Konjew, bittet zur Feier des Jahrestags der russischen Oktoberrevolution in die Wiener Hofburg. Es ist das bisher glanzvollste Fest, das eine der vier alliierten Mächte in Österreich gegeben hat. Die Sowjets haben eine Reihe der besten russischen Künstler nach Wien kommen lassen, unter ihnen die Primaballerina des Bolschoitheaters, Galina Ulanowa, den Violinvirtuosen David Oistrach, die Sängerin der Moskauer Oper Natalja Spiller und andere mehr. Dazu ein über 100 Personen starker Chor. Sie werden zur Feier der Revolution im großen Festsaal der Wiener Hofburg auftreten.

Marschall Konjew hat alles geladen, was in jenen Tagen Rang und Namen hat: seine drei westlichen Kollegen aus dem Alliierten Rat, den amerikanischen, den britischen und den französischen Militärkommissar für Österreich, ihre politischen Berater und alle hohen Offiziere der alliierten Stäbe. Konjew hat aber auch die gesamte österreichische Staatsregierung in die Hofburg geladen und die Spitzen der Wiener Stadtverwaltung. Für die gerade erst von allen vier Alliierten de facto anerkannte Renner-Regierung ist das die erste Gelegenheit, mit der Generalität und den politischen Beratern aller vier Mächte gesellschaftlich zusammenzukommen.

Sowjetische Kameraleute haben diesen Empfang in der Hofburg ausführlich gefilmt, und wir haben ihre Filmberichte im Krasnogorsker Archiv gefunden. Auf den Filmen erkennen wir, mit welchem Stolz die Sowjets als Hausherren der Wiener Hofburg auftreten; und in den Gesichtern etwa General Clarks und General McCreerys ist auch Bewunderung für dieses in der damaligen Zeit geradezu überschwengliche Fest zu lesen. Die sowjetischen Bildberichterstatter folgen mit ihren Kameras auch dem österreichischen Staatskanzler Karl Renner und zeigen ihn im lebhaften Gespräch mit den alliierten Militärkommissaren und deren Beratern. Sichtlich beeindruckt von der Geste nimmt Renner schließlich auf Einladung Konjews neben den vier Militärkommissaren in der ersten Reihe des als Zuschauerraum hergerichteten Festsaals der Hofburg Platz. Die Vertreter der vier Besatzungsmächte und der österreichische Staatskanzler – für die Österreicher ist das ein Durchbruch; man sitzt schon bei den Generälen, wenn auch noch neben ihnen.

Auch der Festsaal der Burg bietet einen ungewöhnlichen Anblick. Auf dem Podium der aus Moskau herangebrachte Chor, der nun – und auch diese Verbeugung gegenüber Wien und Österreich ist nicht zu übersehen – Beethovens „Freude, schöner Götterfunken" anstimmt, übrigens in russischer Sprache. Links und rechts vom Podium zieren große Porträts von Lenin und Stalin den Saal. Im Public Record Office in London fanden wir den Bericht, den der politische Berater des britischen Militärkommissars, William Mack, unter der Klassifizierung „ganz besonders vertraulich" an das Foreign Office in London gerichtet hat. Eingangs erklärt Mack, daß er Renner beim Sowjetempfang in der Wiener Hofburg ausführlich gesprochen habe. Dann folgt eine Aufzählung der Punkte, die Renner in diesem Gespräch als besonders wichtig hervorgehoben hatte: Es sei unerträglich, wie viele alliierte Soldaten sich auf österreichischem Boden befänden. Die Sowjettruppen allein schätzt Renner auf über 200 000 Soldaten. Österreich sei jetzt schon in schlechtester finanzieller Verfassung und werde für diese Truppen auf die Dauer nicht zahlen können. Renner habe den Verdacht, daß die Russen und die Franzosen überhaupt auf unbestimmte Zeit in Österreich bleiben wollten. Man verfüge aber auch nicht über genügend Unterbringungsmöglichkeiten. Für die Österreicher fehle der Wohnraum, während sich die alliierten Truppen breitmachten. Es könnte auch nicht ohne Folgen bleiben, wenn die Österreicher hören, daß etwa „die amerikanischen Truppen zweimal am Tag Fleisch zu essen bekommen, während es für Österreicher nur einmal in 14 Tagen Fleisch gäbe". Die Besatzungstruppen benähmen sich auch nicht gut, am schlechtesten, so habe Renner erklärt, die Russen. Erst vor zwei Tagen sei ein Sowjetsoldat in Uniform in eine Konferenz von zwölf sozialdemokratischen Politikern eingedrungen und hätte mit gezogener Pistole sämtliche Mäntel und Hüte der Anwesenden konfisziert. Aber auch die Amerikaner seien gewalttätig, und die Franzosen neigten zu Sexualverbrechen.

Renner äußerte größte Besorgnis bezüglich der Tendenz der Sowjets, mit der österreichischen Regierung direkt zu verhandeln, unter Ausschaltung des Alliierten Rats. Mack schließt daraus: Offenbar sehe Renner im Alliierten Rat, in dem auch die Westmächte sitzen, den wichtigsten Schutz für die österreichische Regierung. Das größte und schlimmste Problem aber sei die Ernährungslage, besonders in Niederösterreich. Sie wäre geradezu hoffnungslos. Mack stellt in seinem Geheimbericht fest, er habe Renner nachdrücklich darauf hingewiesen, daß die Verantwortung für die Ernährung der Bevölkerung in Niederösterreich beim sowjetischen Oberkommandierenden liege.

Am 15. November, acht Tage nach der Begegnung William Macks mit Staatskanzler Renner beim Sowjetempfang in der Hofburg, werden Richard McCreery und William Mack nach London zitiert, wo sie dem britischen Außenminister Ernest Bevin über die kritische Ernährungslage in Österreich, insbesondere in Niederösterreich, persönlich Bericht erstatten. Auch das Protokoll über diese Vorsprache McCreerys und Macks bei Bevin liegt uns vor. Zunächst bestätigen die beiden die Einschätzung Renners über die Stärke der alliierten Truppen in Österreich. Gemäß den Zahlen, die den Briten vorliegen, unterhalten die Sowjets 180 000, die Briten 75 000, die Amerikaner 70 000 und die Franzosen 40 000 Soldaten auf österreichischem Boden. Man müßte versuchen, die Sowjets zu einer Reduzierung zu bewegen. An eine Verminderung der britischen Truppen könne erst gedacht werden, wenn man zu einem verbindlichen Arrangement mit Jugoslawien komme und damit der Drohung eines neuerlichen jugoslawischen Einmarsches in Kärnten ein Ende setze.

Die österreichische Forderung auf Rückgabe Südtirols wird in diesem Gespräch im Londoner Außenministerium durchaus ernst genommen. Man müßte nur darauf achten, daß den Italienern eine langfristige Kompensation für ihre in Südtirol getätigten Investitionen zugesichert werde, insbesondere für die dort errichteten Wasserkraftwerke. Wenn diese Frage gelöst sei, so meint Außenminister Bevin, gebe es von ihm aus „keinen Einwand gegen eine Rückgabe Südtirols an Österreich". Renners Sorge um den Alliierten Rat aufgreifend, stellt Bevin fest, daß es nicht ratsam wäre, den Alliierten Rat in seiner gegenwärtigen Verfassung und Machtausübung in irgendeiner Form einzuschränken, bevor die Besatzungstruppen wesentlich reduziert und die Probleme Südtirol und Jugoslawiens Ansprüche geregelt seien. Schließlich bespricht man auch

Der Hunger regiert: 80 Prozent aller Kinder sind unterernährt. Oben: Zaungäste bei einer amerikanischen Feldküche. Darunter:

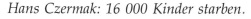

Hans Czermak: 16 000 Kinder starben.

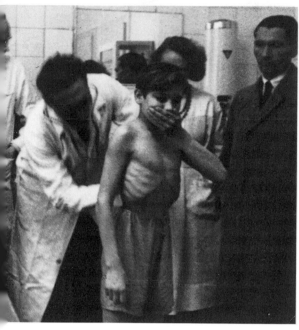

Erschreckende Unterernährung stellen die alliierten Ärzte in den österreichischen Schulen fest.

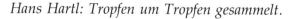

Hans Hartl: Tropfen um Tropfen gesammelt.

die Ernährungssituation. General McCreery berichtet, wie kritisch die Lage in Niederösterreich bereits sei. Das Protokoll zitiert Bevins Antwort: „Der Außenminister sagte, daß er diesbezüglich von zwei widerspruchsvollen Gefühlen geleitet werde. Einerseits sollte das Möglichste getan werden, um die Hungernden zu ernähren. Andererseits sei er davon überzeugt, daß, falls wir Lebensmittel in das von den Russen besetzte Gebiet entsenden, dies die Russen nur dazu bewegen würde, keine Truppen abzuziehen. Es wäre daher wohl notwendig, unsere Herzen zu verschließen und uns darauf zu konzentrieren, unsere eigene Zone so gut wie möglich zu versorgen." Bevin unterrichtet das Parlament über die Lage in Österreich. In seiner Ansprache nennt er Österreich „das unglückliche Land".

Der Auszug der Kinder

Das unglückliche Land muß dem Hunger so gut es geht selbst trotzen. Und obwohl fast alle hungern, gibt es doch noch essentielle Unterschiede. In Wien wird ein Plakat affichiert, das zu einer Hilfsaktion aufruft: „Täglich sterben in Wiener Neustadt Kinder an Hunger!" Die Bevölkerung wird dringend gebeten, irgend etwas von ihren eigenen kargen Lebensmitteln abzugeben, um den Kindern in Wiener Neustadt zu helfen.

Der Hunger setzt fast allen Kindern zu. Darminfektionen treten epidemieartig auf und raffen Säuglinge und geschwächte Kleinkinder dahin. Den Ärzten fehlt es an wirksamen Medikamenten. Penicillin, das die westliche Welt schon kennt, ist zu dieser Zeit noch Mangelware, und nur die Militärspitäler werden mit Penicillin vesorgt. Der Pionier im Kampf gegen die Säuglingssterblichkeit, Hans Czermak, war damals im Spitalsdienst tätig und berichtet: „Es gab eine Sterblichkeit von 16 Prozent, und das bedeutete, daß im Jahr etwa 16 000 Kinder starben. Das ist leicht auszurechnen, weil wir in Österreich immer ungefähr 100 000 Neugeborene pro Jahr haben. Der Anstieg der Säuglingssterblichkeit in dieser Zeit, den man wohl dramatisch nennen muß, ist in allererster Linie auf die mangelhafte Ernährung zurückzuführen gewesen. Es waren wirklich keine Nahrungsmittel da. Es war vor allem keine gute Milch da. Und durchgekommen sind damals praktisch nur Kinder, die relativ lang von ihren Müttern gestillt wurden."

Hans Hartl wurde damals von Leopold Figl gebeten, die Milchbeschaffung in die Hand zu nehmen. Er berichtet: „Für die Wiener Kinder gab es fast keine Milch, denn es gab keine Anlieferung, und auch die Molkereien waren größtenteils betriebsunfähig. Die niederösterreichische Molkerei hatte 63 Granattreffer, der Schornstein war zur Hälfte abgeschossen. In der Wiener Molkerei gab es ein abgebranntes Kesselhaus. Wir hatten nur noch Milch von den Wiener Milchmeiereien. Das waren im Tag etwa 4 000 Liter Milch. Heute braucht der Wiener Milchmarkt 700 000 Liter im Winter und eine Million Liter im Sommer – und wir hatten damals 4 000 Liter Milch! Das hieß, daß pro Kind bestenfalls ein Achtel Liter Milch zur Verfügung stand. Nun bekamen wir Russenfahrzeuge vermittelt und fuhren aufs Land hinaus. Zwei österreichische Begleiter, zwei Russen. Und es gelang mühevoll, Tropfen um Tropfen, Milch von den Bauern einzusammeln. Wie es draußen aussah, das berichteten unsere Milchfahrer: Hainfeld war ein Trümmerhaufen, Atzenbrugg und Judenau waren gänzlich ohne Vieh und so weiter. Aber nach und nach haben wir 1 500 Liter mit den russischen Fahrzeugen zusammenbekommen. Das war natürlich viel zuwenig. Jetzt hat uns der Unterstaatssekretär im Heeresamt, General Winterer, die Bewilligung gegeben, ‚jedes Wehrmachtsfahrzeug, das euch in die Hände kommt, könnt ihr beschlagnahmen für die Milchwirtschaft'. Da fuhren wir bis ins Mühlviertel, denn dort war die ‚Führer-Grenadier-Division' aufgelöst worden, und die haben ihre Fahrzeuge in die Schluchten geschmissen. Die haben wir mit Hilfe der Bauern mit Ochsen herausgezogen aus den Schluchten. Das war oft lebensgefährlich, denn da lag ja noch die ganze Munition, die Tellerminen, alles durcheinander."

Nach und nach schaffen sich die Molkereien einen kleinen eigenen Fuhrpark. Es gelingt auch, aus der Steiermark Bleche heranzuschaffen und aus den Blechen neue Milchkannen herzustellen. Hans Hartl berichtet weiter: „Doch wir hatten auch keine Kohle. Die Milch sollte ja pasteurisiert werden, dazu muß man sie erhitzen. Ja womit denn? Die ersten Milchmengen von den Wiener Milchmeiern mußten roh geliefert werden und wurden in den Spitälern abgekocht. Grünbach, das heute noch von sich reden macht, dieses Grünbacher Bergwerk hat uns die erste Kohle geliefert, die wir dann heraufzubringen versuchten. Wenn die Waggons aus verkehrstechnischen Gründen stehenbleiben mußten, wurden oft auch diese Waggons noch beraubt. Und später die wenigen Milchtanks mit je 3 000 oder 5 000 Liter Inhalt. Die haben wir mit russischen und deutschen Aufschriften versehen, daß diese Milch für die Wiener Kinder bestimmt sei. Es hat trotzdem nichts genützt. Da sind die Tankdeckel aufgebrochen worden. Es war ein dornenvoller Weg, aber der Mut hat uns nie verlassen."

Ein dornenvoller Weg. Die Gräber der damals gestorbenen Kleinkinder findet man auf fast allen Friedhöfen Österreichs. An den Daten auf den Grabsteinen läßt sich das Alter ablesen – es reicht von wenigen Tagen bis zu drei Jahren. Gestorben sind sie 1945 und 1946, und unter den Todesanzeigen in den Zeitungen jener Tage dominieren die Todesanzeigen von Kleinkindern.

Der damals im Londoner Exil lebende österreichische Maler Oskar Kokoschka, der von dieser Not erfährt – und sie ist keineswegs auf Österreich allein beschränkt –, zeichnet ein Plakat, mit dem er an das Gewissen der Welt appelliert: Christus steigt vom Kreuz, um den hungernden Kindern Europas zu helfen. Darüber schreibt Kokoschka: „Im Gedenken an die Kinder Europas, die diese Weihnachten an Kälte und Hunger werden sterben müssen."

Der Hilferuf wird in der Schweiz und in Schweden aufgegriffen und mit Plakaten an die Bevölkerung appelliert. Die Plakate zeigen Kinder mit Hungeraugen inmitten von Ruinen. Die realistischen Zeichnungen wirken in diesen Ländern wie ein Schock. „Helft Österreichs Kindern!" heißt es auf schwedischen Plakaten.

In Zürich wird eine Aktion gestartet unter dem Motto: „Wien hungert, wir helfen". Josef Rissler war einer der Organisatoren dieser Aktion und berichtet: „Der Appell ‚Wien hungert, wir helfen' wurde zum Slogan der ganzen Aktion, und er hat außerordentlich stark eingeschlagen. Wir hatten natürlich von dem Elend aus den Zeitungsberichten vernommen, und wir haben dann später auch unsere eigenen Eindrücke immer wieder in den Zeitungen publiziert. Da haben alle Schweizer Presseorgane mitgemacht. Wir haben schon mit dem ersten Aufruf einen großen Erfolg gehabt. Wir rechneten, es würden etwa zwei bis drei Waggons Kartoffeln zusammenkommen in Zürich. Kartoffeln waren bei uns bezugsscheinfrei. Wir hatten in der Schweiz immer genug davon. Wir haben also mit dem Sammeln begonnen und sind geradezu überlaufen worden. Nicht nur in Zürich, es haben sich dann später auch andere Städte angeschlossen. Und so haben wir schon fürs erste 1 500 Tonnen Kartoffeln sammeln können. Die sind in 115 Eisenbahnwaggons nach Wien geschickt worden."

Die Schweizer sind die ersten, die dem hungernden Ostösterreich zu Hilfe kommen. Nicht nur mit Kartoffeln. In langen Kolon-

„Helft Österreichs Kindern" heißt es auf dem eindrucksvollen schwedischen Plakat (ganz oben). Oskar Kokoschka läßt Christus vom Kreuz steigen „im Gedenken an die Kinder Europas, die diese Weihnachten an Kälte und Hunger werden sterben müssen" (oben). Rechts: Die Schweiz hilft, und die Hilfe erreicht Österreichs Kinder.

Josef Rissler: Wir wurden überlaufen.

nen fahren die schweren Lastwagen mit dem Schweizer Kreuz in Wien ein. Sie bringen Kindernahrung und dringend benötigte Medikamente.

Die Hilfsaktionen der Schweizer, denen auch bald Lebensmittellieferungen aus Schweden folgen, erlauben es, den Küchen der Großgaststätten in Wien und Niederösterreich zusätzliche Nahrungsmittel zuzuführen. Damit können sie zumindest einmal am Tag eine warme Mahlzeit abgeben. Denn die Anlieferung von Lebensmitteln bleibt fast überall in Österreich hinter den offiziell verkündeten Rationen zurück. Die öffentlichen Ausspeisungen sollen die Nahrungslücke etwas schließen helfen. Was immer gerade angeliefert wird – meist sind es Erdäpfel, Graupen oder Trockengemüse –, wird zur Eintopfsuppe verarbeitet. Wer in diesen Küchen essen will, muß nachweisen, daß er in Arbeit steht. Wer diesen Nachweis nicht erbringen kann, wird an diesen Mittagstisch nicht zugelassen.

Die alliierten Mächte entschließen sich zu einer Rettungsaktion für die Kinder. Für alle Kinder im Alter bis zu zwölf Jahren soll eine Schulausspeisung stattfinden. Alle vier Besatzungsmächte legen Lebensmittel für diesen Zweck zusammen. Diese Aktion gibt es in allen Besatzungszonen, doch offenbar wurde sie nur in Wien von Kameraleuten festgehalten. Diese Filmdokumente sind einer genauen Betrachtung wert: Die alliierten Lebensmittel werden in zentralen Großküchen für die Schulausspeisung zubereitet: insgesamt 120 000 Portionen täglich. Die Kessel werden von Armeefahrzeugen der Alliierten von den Küchen abgeholt und in bestimmte Schulen gebracht, die als zentrale Ausspeisungsstellen dienen. Die Kinder aus den benachbarten Schulen werden in Zweierreihen zu diesen Ausspeisungsstellen geführt. Der Filmbericht hält diesen Vorgang fest: Hunderte Kinder, die in endlos erscheinenden Kolonnen über die noch immer mit Ruinen und Schutthalden gesäumten Straßen ziehen, um einmal am Tag einen Teller Suppe zu erhalten. Vor der Schule mit der zentralen Ausspeisungsstelle stehen viele Eltern, die das Eintreffen des ersten Essenstransportes für ihre Kinder mit lebhaftem Applaus begrüßen – ihr Jubel gilt drei Behältern mit Graupensuppe. Und mit größter Vorsicht tragen die abgehärmten Kinder ihren Teller Suppe zum Tisch. Nicht ausschütten bedeutet für sie den Unterschied zwischen satt werden und hungrig bleiben. Im Herbst 1945 wird statistisch festgehalten: Rund 50 Prozent der Kinder sind unterernährt, 30 Prozent gelten als schwer unterernährt. Nur 11 Prozent der Kinder können als normal ernährt gelten. Und so kommt es zum Appell der dritten österreichischen Länderkonferenz an die Welt: „Die Republik Österreich richtet an alle Hilfseinrichtungen jener Völker, welche durch diesen Krieg weniger oder gar nicht betroffen sind, den Appell, durch freiwillige Zuwendungen dem österreichischen Volk zu Hilfe zu kommen!" Ein harter Winter steht bevor.

Wieder ist es die Schweiz, die sich als erste bereit erklärt, gefährdete Kinder aufzunehmen. Es geht nicht um einen Ferienaufenthalt; zu dieser Jahreszeit gibt es keine Ferien. Es geht schlicht und einfach darum, die Kinder vor Hunger und Kälte zu retten. Die Kinder werden für einen Zeitraum von drei bis sechs Monaten zu Zieheltern in die Schweiz eingeladen. Die österreichischen Fürsorgestellen wenden sich an die Eltern: Wer bereit ist, sich bis zu sechs Monate von seinem Kind zu trennen, möge es anmelden. Zuerst wurden Hunderte, dann Tausende Kinder angemeldet. Nach der Schweiz erklären sich auch Belgien, Irland, Dänemark, die Niederlande, Schweden, Norwegen, Spanien, Portugal und Ungarn bereit, österreichische Kinder aufzunehmen.

Wieder verblassen Worte im Vergleich zu den Bildern. Es gibt einige Filmberichte von diesem Auszug der Kinder aus Wien und aus Niederösterreich. Die Eltern haben die Kinder an bestimmten Sammelstellen abzugeben, man will nicht, daß die Eltern bis auf den Bahnsteig kommen. Abschiedsszenen sollen vermieden werden. In den Sammelstellen erhalten die Kinder Kenntafeln des Roten Kreuzes, die ihnen um den Hals gehängt werden. Dann werden sie von freiwilligen Helfern zum Franz-Josefs-Bahnhof geführt. Der Bahnhof liegt im amerikanischen Sektor, und die Amerikaner stellen die Zugsgarnituren zur Verfügung. Die Waggons tragen die Aufschrift „US-Zone Österreich". Sie sind unter militärischer Bewachung nach Wien gebracht worden und fahren nun auch unter militärischer Begleitung nach dem Westen ab.

Die Kinder wissen nicht, welchen Familien sie in der Schweiz zugeleitet werden, für sie ist es eine Fahrt ins Ungewisse. Und an Bord der Züge bricht nun das große Heimweh aus. Das Begleitpersonal versucht so gut es geht, Trost zu spenden. Nach 36 Stunden erreichen die Transporte den Schweizer Grenzbahnhof Buchs. Hier müssen alle aussteigen. Die österreichischen Begleitpersonen dürfen Schweizer Boden nicht betreten, denn Erwachsene könnten versuchen, in der Schweiz zu bleiben. Die Kinder aber müssen ihr Gepäck und ihre Kleider ablegen. Sie werden in Duschräume gebracht und gebadet, denn sie sollen die Schweiz in garantiert sauberem Zustand betreten. Dem Bad folgt eine ärztliche Kontrolle. Dann werden die Kinder von Kopf bis Fuß neu eingekleidet. Schließlich werden sie alle in ein Quarantäne-Quartier gebracht und noch eine Zeitlang beobachtet. Doch die Verpflegung für die Kinder ist einfach paradiesisch.

Gretl Kellermann hat damals viele der Kindertransporte begleitet und berichtet: „Wir fuhren in Zügen ohne Fenster, nur mit Holz verschalt. In den meisten Waggons gab es auch kein Klosett. Wir haben Topferln mitgehabt für die Kinder. Aber wir waren selig, daß wir die Kinder irgendwo unterbringen konnten, wo sie zu essen bekamen. Bei uns hat es ja nichts gegeben. Unterernährt waren sie alle, und schlecht ausgesehen haben sie alle. Hunger haben sie gehabt, Angst haben sie gehabt. Es waren auch sehr, sehr arme Kinder darunter. Von der Fürsorge sind natürlich die ärmsten Kinder ausgesucht worden oder Kinder aus kinderreichen Familien. Die hatten auch alle nichts anzuziehen. Und die Schweizer

Den Transport der Kinder in die Schweiz besorgen die Amerikaner. Um Eltern und Kinder den Abschied zu erleichtern, spielt eine Militärkapelle auf. Bürgermeister Körner bedankt sich bei Columba Murray, der sich um die Kindertransporte wie auch um die Ernährung Wiens in jener Zeit große Verdienste erwarb (rechts). Abschiedstränen gab es trotzdem (oben).

Gretl Kellermann: Hunger hatten sie alle.

haben sie dann angezogen, die Belgier und die Iren haben sie von Kopf bis Fuß angezogen. Und wie sie zurückgekommen sind, da hatte jeder von ihnen einen Seesack mit Fressereien mit. Bis dahin hatten sie Süßigkeiten kaum gekannt. Als man ihnen die erste Orange oder die erste Banane gab, haben sie hineingebissen in die Schale. Das kann man heute gar nicht mehr verstehen."

Die in Österreich zurückgebliebenen Kinder haben schnell heraus, an welche Zäune man sich stellen muß, um alliierte Herzen zu erweichen: Sie betteln die Soldaten an. Meist mit Erfolg. Genaugenommen holen sich die Kinder nur einen winzigen Teil der von Österreich getragenen Besatzungskosten zurück. Nicht ganz dieser Ansicht ist ein britischer General, der in Hietzing logiert und sich beim Leiter des zuständigen österreichischen Polizeikommissariats darüber beschwert, daß Kinder die britischen Soldaten vor deren Quartieren anbetteln. Im diesbezüglichen Bericht des Polizeikommissariats heißt es: „Der General wünscht, daß ein Polizist Posten bezieht, um die Kinder zu verscheuchen." Alliierter Wunsch ist damals Befehl: „Die Beistellung eines Postens wurde zugesagt. Jarosek, Polizeibezirksinspektor", schließt der Bericht.

Doch man kann auch um englische Generale und deren Wachposten herumkommen. Am besten mit Musik, wie wir wissen. Walter Koschatzky, den wir schon als Musiker in den Anfangstagen von Radio Graz kennengelernt haben, spielt, wie fast alle Musiker der damaligen Zeit – und alle aus den gleichen Gründen –, mit seiner Band auch für die Alliierten. Bei den Briten in Graz.

„Es durften keine Nahrungsmittel aus den englischen Bereichen herausgenommen werden, sei das nun aus einem Hotel oder aus einem von den Briten bewohnten privaten Haus", berichtet uns Koschatzky. „Am liebsten habe ich in dem schönen Palais Benedikt in der [Grazer] Beethovenstraße gespielt. Dort war ein britischer Offiziersklub. Und da haben wir Musiker, meine Freunde und ich, darüber nachgedacht, was wir denn da nur tun könnten. Da meinte unser Baßgeiger, der Jimmy Flaschka – Doktor Flaschka, Arzt, später einmal: ‚Kinder, das ist ganz einfach. Wir haben den Baßgeigenkasten, und da werden wir Fächer hinein machen. Und dann werden wir die Baßgeige extra tragen, und wir werden die britischen Sandwiches alle in diesen Baßgeigenkasten hineinschlichten.' Das haben wir auch gemacht, mit größtem Erfolg. Wir haben immer wieder ganze Transporte von Brötchen herausgeholt aus dem Offiziersklub. Die haben wir daheim noch im Haustor verteilt. Da hat man doch einigen Familien damit helfen können. Aber es war originell, wie wir die Sandwiches im Kasten der Baßgeige an den britischen Posten vorbeigeschleust haben."

Ein harter Wahlkampf

In eine solche Zeit fällt nun der Wahlkampf, der erste Wahlkampf im neuen Österreich. Man könnte meinen, die gemeinsame Not und die ungeheuren Aufgaben, die dem Land bevorstehen, hätten diesen Wahlkampf auf ein Minimum an Werbung und Auseinandersetzung reduziert. Nichts dergleichen. Es war eine kurze, aber ungemein heftige Auseinandersetzung. Denn noch wußte niemand, welche der Parteien eine Mehrheit des Volkes hinter sich haben würde. Und das alte Mißtrauen war immer noch da: Könnte es nicht zu einem Rückfall kommen in die Zeit von 1934? Könnte nicht die eine Partei versuchen, die andere zu unterdrücken? Würde nicht bei dieser Wahl entschieden werden, welche Gesellschaftsordnung Österreich in Zukunft haben soll? Und für welche Gesellschaftsordnung standen nun die einzelnen Parteien? Da hatte jeder Verdacht gegen den anderen: bei den Sozialisten mißtraute man den Versicherungen der ÖVP, daß man mit der alten Christlichsozialen Partei nichts mehr zu tun habe, nichts mit dem Ständestaat, nichts mit den Heimwehren, nichts mit dem Austrofaschismus. Und in der ÖVP mißtraute man den Versicherungen der Sozialisten, daß ihr Bekenntnis zum Marxismus sie keineswegs in die Nähe der Kommunisten brächte, daß in Österreich nicht mit dem zu rechnen sei, was sich in östlichen Staaten bereits abzuzeichnen begann, nämlich ein Zusammengehen kollaborationswilliger Sozialdemokraten mit den Kommunisten. Der eine wie der andere Verdacht wurde genährt durch so manche Äußerung des einen oder anderen Politikers, der eben tatsächlich noch in den Kategorien früherer Zeiten dachte. Es gab nicht wenige solcher Politiker sowohl bei der ÖVP wie bei der SPÖ, und so mußten sich die Parteien zunächst einmal selbst ins klare darüber kommen, wofür sie stehen und wohin der Weg gehen soll.

In der SPÖ nahm dies die Form einer zum Teil öffentlich und recht demonstrativ geführten Auseinandersetzung an. Denn die Partei bestand noch aus zwei Flügeln: aus Sozialdemokraten und aus Revolutionären Sozialisten. Die einen mehr pragmatisch, die anderen mehr revolutionär ausgerichtet. Wie demokratisch, wie revolutionär hatte die Partei zu sein? Und war sie noch immer Trägerin des Austromarxismus? Wenn sie das aber war, wie marxistisch hatte sie dann zu sein? Es fehlte nicht an Einladungen an die Sozialisten, gemeinsam mit den Kommunisten eine sozialistische Einheitsfront zu bilden. Und mehrmals versuchten die Kommunisten, diese Einheitsfront praktisch herbeizuführen, riefen zu gemeinsamen Aktionen auf, mit dem Hinweis, daß es gelte, die Arbeiterschaft gegen die drohende Restaurierung einer bürgerlich-kapitalistischen Gesellschaft abzusichern.

Den Gedanken versuchen die Kommunisten vor allem auch in die Jugend zu tragen. Wie die Kommunisten erklären, sollte es in Zukunft eine gemeinsame große österreichische Jugendorganisation geben, keine gegeneinander gerichteten parteilichen Jugendverbände mehr. Unter kommunistischer Führung wird die sogenannte „Freie Österreichische Jugend" gegründet, die sich für überparteilich erklärt und mit rotweißroten Fahnen aufmarschiert. Der für die Jugenderziehung und für „Volksaufklärung", sprich Propaganda, zuständige Unterrichtsminister und Kommunist Ernst Fischer ruft zu einem „Tag der Jugend" auf, der mit einer großen Kundgebung aller Jugendverbände vor dem Wiener Rathaus gefeiert werden soll. Und es machen zunächst auch alle mit, sowohl auf der Ehrentribüne wie unten auf dem Platz. Auf der Ehrentribüne Bürgermeister Körner, Vizebürgermeister Kunschak, Unterrichtsminister Fischer, auch die Offiziere der alliierten Mächte. Die „Freie

Hubert Pfoch: Keine Gemeinsamkeiten.

*Zu einer entscheidenden politischen Wei-
chenstellung kommt es bei der ersten großen
Jugendkundgebung vor dem Wiener Rathaus. Der kommunistische Staatssekretär
für Unterricht und Volksaufklärung, Ernst
Fischer, setzt sich für einen einheitlichen
Jugendverband, die „Freie Österreichische
Jugend" ein, die bereits unter kommunistischer Führung steht. Der Führer der sozialistischen Jugend, Peter Strasser, lehnt ein
Zusammengehen mit den Kommunisten ab.
Bildfolge links: FÖJ-Fahnen prägen das Bild
der Kundgebung (oben). Darunter: Ernst
Fischer ruft zur Einheit, und die FÖJ ant-
wortet „Einheit macht stark!". Doch Peter
Strasser lehnt ab – die Abgrenzung ist er-
folgt (oben).*

Österreichische Jugend" marschiert als erste auf – mit vielen Dutzend rotweißroten Fahnen und mit Transparenten mit der Parole
„Einheit macht stark". Die FÖJ beherrscht zunächst den Rathausplatz. Dann kommen die Formationen der Sozialistischen Jugend
anmarschiert. Sie kommen aus Favoriten, aus Ottakring, aus Hernals, aus der Brigittenau, aus Floridsdorf. Auf dem Transparent, das
sie vorantragen, steht: „Wir sind die junge Garde des Proletariats".
So marschieren sie auf dem Rathausplatz ein. Sie tragen ihre
eigenen Fahnen: rot mit drei Pfeilen. Nirgendwo ein Transparent,
das die Einheit fordert. Hier wird ein Anspruch angemeldet: Die
Arbeiterjugend, „die junge Garde des Proletariats", habe hinter den
roten Fahnen der Sozialistischen Jugend zu marschieren. Die rotweißroten Fahnen der Kommunisten werden solcherart als Täuschungsmanöver hingestellt.

Die Sozialistische Jugend hat die Herausforderung angenom-
men und die Kundgebung umfunktioniert. Ernst Fischer ruft den
versammelten Jugendlichen zu: „Wenn ihr auch verschiedenen
Jugendorganisationen angehört, so könnt ihr euch doch in vielen
Fragen zu einer einigen Jugendbewegung zusammenfinden!"
Zustimmung bei der „Freien Österreichischen Jugend". Dann
ergreift der Obmann der Sozialistischen Jugend, Peter Strasser, das
Wort. Seine Rede ist eine klare Absage an eine gemeinsame
Jugendbewegung mit den Kommunisten. Während Strasser
spricht, wird vom Rathaus eine sozialistische Fahne entrollt. Jubel
bei der Sozialistischen Jugend.

Eine wichtige Weichenstellung für die Zweite Republik ist an
diesem Tag manifest geworden, die strikte Abgrenzung zwischen
Sozialisten und Kommunisten. Die Entscheidung war jedoch schon
früher gefallen. Der spätere Stadtrat und Landtagspräsident Hubert
Pfoch war damals stellvertretender Obmann der Sozialistischen
Jugend in Wien und berichtet: „Wir hatten im Juli eine sogenannte
Kaderschulung der Jungen Generation vorgenommen, draußen in
Kritzendorf, und zwar vier 14-Tage-Kurse. Da ist sehr eindeutig –
und die Programme liegen noch vor – die Linie vertreten worden:
‚Achtung, keine Gemeinsamkeiten mit Kommunisten. Wir haben
vom Ständestaat und von der noch schrecklicheren Diktatur, der
Nazizeit, genug. Wir wollen keine dritte Diktatur. Wir möchten
nicht die allgemein seligmachenden guten Ideen haben, die wir den
anderen aufzwingen, sondern das muß sich in einer freien demokratischen Wahl entscheiden.' Eine Linie, die sich als sehr richtig
erwiesen hat." Hubert Pfoch zeigte uns ein Schreiben des Jugend-
referats der SPÖ, mit dem er damals zum Heimleiter des Schu-
lungskurses in Kritzendorf bestellt worden war. Bemerkenswert auf
diesem Schreiben ist die abschließende Grußformel. Im Sommer
1945 grüßt das Jugendreferat der Sozialistischen Partei nicht mit
„Freundschaft", sondern mit „Freiheit".

Diese Abgrenzung gegenüber den Kommunisten ist keine
Selbstverständlichkeit. Erwin Scharf ist damals Zentralsekretär der
SPÖ, hat also eine Schlüsselstellung inne. Scharf, der schon bei den
Freiheitsbataillonen in Jugoslawien mit den Kommunisten eng
zusammengearbeitet hat, mit Fürnberg und mit Honner, tritt innerhalb der SPÖ für eine Aktionseinheit mit den Kommunisten ein.
Dazu erklärte uns Erwin Scharf: „Ich habe den Standpunkt vertreten, daß man im Parteivorstand nicht immer Einzelfragen behandeln soll, sondern daß man das Problem unseres Verhältnisses zur
Kommunistischen Partei grundsätzlich behandeln müßte. Und so
ist dann beschlossen worden, das Thema auf die Tagesordnung
einer Parteivorstandssitzung zu setzen, und ich sollte dazu die
Einleitung sprechen. Schlußfolgerung meiner Einleitung war, daß
wir die Kommunisten bei ihren eigenen Tendenzen fassen und

ihnen einen Antrag auf Aktionseinheit stellen sollten. Nach einer ausführlichen Diskussion ist dann mehrheitlich beschlossen worden, daß ich einen solchen Antrag formulieren sollte. Den hab ich dann der nächsten Sitzung des Parteivorstandes vorgelegt, und der ist dann auch so beschlossen worden."

Im Zentralorgan der KPÖ, der „Volksstimme", und auf kommunistischen Plakaten wird für diese Aktionseinheit mit den Sozialisten geworben: „Einheit macht stark", heißt es da, und „Sozialisten und Kommunisten kämpft für die Einheit!". Adolf Schärf und viele andere erfüllt der Kontakt zur KPÖ jedoch mit ernster Sorge. Schärfs Tochter, Martha Kyrle, erinnert sich an die damaligen Überlegungen ihres Vaters: „Man hat bis zu einem gewissen Grad schon gesehen, was sich in den sowjetisch besetzten Ländern abspielt. Und es war für meinen Vater ganz klar, daß man einen selbständigen, eigenen Weg gehen muß und daß die Verbindung einer sozialdemokratischen Partei mit einer kommunistischen Partei absolut nicht im Sinne jener sein konnte, die die Sozialistische Partei wieder aufgerichtet hatten. Zunächst hat diese Diskussion keine besondere Rolle gespielt. Aber als man nicht mehr ganz sicher war, inwieweit verschiedene Kreise innerhalb der Partei sich an die Kommunistische Partei anzulehnen begannen, da hat mein Vater eine ganz starke Trennung durchgeführt, eben gegenüber Erwin Scharf. Und dazu möchte ich sagen, daß es innerhalb der Partei verschiedene Leute gab, die gemeint haben, das sei nun ein sehr gefährlicher Schritt, und wer weiß, was daraus resultieren würde. Mein Vater war der Meinung, entweder man hat die alte sozialistische Partei oder man würde dann genau wie später in den Satellitenländern hinter dem Eisernen Vorhang den Russen unterstehen."

Zu jenen, die sich hinter Schärf stellen, zählen Oscar Pollak und Karl Czernetz, die aus der englischen Emigration nach Wien zurückgekehrt sind. Sie haben erlebt, wie unter dem Titel „Aktionseinheit" Verbände geschaffen wurden, deren Führung schließlich die Kommunisten allein in Händen hielten. Oscar Pollak, nunmehr Mitglied des SPÖ-Parteivorstandes, stellt zu Beginn des Wahlkampfs den Antrag, die von Erwin Scharf geführten Gespräche mit der KPÖ abzubrechen. Dazu Erwin Scharf: „Ich und andere Freunde hatten die Vorstellung, daß man eben nach den Wahlen diese Gespräche mit den Kommunisten wieder aufnehmen wird, während tatsächlich mit diesem Beschluß das Ende dieser Aktionsgemeinschaft besiegelt worden war. Dazu möchte ich sagen, daß das besonders von mir als schicksalhaft empfunden wurde, weil ja gleichzeitig die Gespräche der SPÖ mit der Österreichischen Volkspartei, ohne daß das unter Aktionsgemeinschaft oder irgendeinem anderen Namen gegangen wäre, fortgesetzt worden waren und es auch über die Regierungspolitik zwischen der ÖVP und den SPÖ-Ministern immer wieder solche Diskussionen und Vereinbarungen gegeben hat, die faktisch hinter verschlossenen Türen zustande kamen. Daraus empfand ich die einseitige Orientierung der maßgeblichen Führer, daß sie sich eben auf die Zusammenarbeit mit der Volkspartei orientierten, was für mich soviel bedeutete wie Orientierung auf die Wiederherstellung eines kapitalistischen Systems."

Hier muß man der Entwicklung etwas vorgreifen: Der Konflikt zwischen Adolf Schärf und Erwin Scharf – wobei Schärf für die große Mehrheit des Parteivorstandes und der Partei steht, Scharf für eine immer kleiner werdende Minderheit – erreicht 1948 seinen Höhepunkt und endet mit dem Ausschluß Erwin Scharfs aus der SPÖ. Scharf bildet mit der KPÖ eine Aktionseinheit, die bei den Wahlen 1949 auch eine gemeinsame Liste aufstellt. Der innerparteiliche Konflikt in der SPÖ hat also fast drei Jahre angehalten. Dennoch sind die entscheidenden Weichen bereits im Wahlkampf

Martha Kyrle: Für meinen Vater gab es nur ein Entweder-Oder.

Paul Blau: Die errungene Freiheit nicht wieder zum Teufel gehen lassen.

Auch in der Führungsspitze der SPÖ stellt sich die Frage der Abgrenzung gegenüber der KPÖ. Eine Minderheit, geführt vom damaligen SP-Zentralsekretär Erwin Scharf, tritt für eine Aktionseinheit mit den Kommunisten ein. Die überwiegende Mehrheit, geführt von Adolf Schärf, lehnt dies kategorisch ab. Nach längeren harten Auseinandersetzungen kommt es zum Bruch. Scharf geht schließlich zu den Kommunisten. Unsere Bilder oben zeigen die beiden Widersacher noch auf der gemeinsamen Mai-Tribüne vor dem Rathaus: links Scharf, rechts Schärf.

1945 gestellt worden. Paul Blau war damals Sekretär der Sozialistischen Jugend und erlebte den Konflikt aus nächster Nähe. „Vielleicht sollte ich etwas sagen, was die damalige Linke in der Partei anbelangt", erklärte uns Paul Blau. „Diese Linke hatte einen relativ starken Flügel, der aus den Revolutionären Sozialisten hervorgegangen ist, sehr stark natürlich von jungen Leuten getragen wurde, und der trotzdem – oder eben deswegen – scharf antikommunistisch war. Und zwar war das durch zwei Dinge erklärlich: Erstens haben natürlich alle das Trauma der russischen Besetzung erlitten, die war ja kein Honiglecken. Wir wissen ja, daß sich bei dieser Besetzung sehr dramatische und zum Teil sehr traurige Dinge abgespielt haben. Zweitens ist natürlich bekanntgeworden, daß die Schutzbündler, die nach der Niederlage im Februar 1934 in die Sowjetunion geflüchtet sind, praktisch samt und sonders, mit ganz wenigen Ausnahmen, liquidiert wurden, in der Sowjetunion verschollen waren. Dann erfuhr man natürlich sehr bald von den grauenhaften Schauprozessen, von der großen Tschistka [„Säuberungswelle"] unter Stalin. Von all diesen schrecklichen Dingen erfuhren wir. Für uns war damals die Gefahr einer Zerreißung und Teilung Österreichs noch real, so wie es ja in Deutschland passiert ist, wenn auch etwas später. Aber die Gefahr war auch für Österreich da, daß dann etwa Ostösterreich mit Wien als Volksdemokratie in den Bereich der Sowjetunion gelangen könnte. Das war für uns ein Alptraum. Wir haben gefürchtet, daß damit die soeben mühsam errungene politische Freiheit wieder beim Teufel sein würde, und wir sind wieder mundtot und wieder verfolgt und wieder gehaßt, und alle unsere Hoffnungen sind aus. Deshalb waren wir damals unerhört stark antisowjetisch."

Im Wahlkampf marschieren die Kommunisten zu einigen machtvollen Kundgebungen auf. Trotz rotweißroter Fahnen sind ihre Symbole die gleichen wie die der Sowjetmacht: Hammer und Sichel, Sowjetstern, Bilder von Lenin und Stalin. Die Kommunisten genießen auch, so scheint es, die Sympathien und die aktive Unterstützung der sowjetischen Besatzungsbehörden. Und auf den Triumph der Sowjetmacht berufen sich die Kommunisten auch. So wie sie es darstellen, hätte die Sowjetunion allein Hitler-Deutschland niedergerungen, den Nationalsozialismus zerschlagen und Österreich befreit. Folgerichtig habe nun der Sozialismus in seiner kommunistischen Form zu triumphieren: in Europa und natürlich auch in Österreich. Der Vorsitzende der KPÖ, Koplenig, der Staatssekretär Fischer, sein Kollege Honner – sie sprechen auf gut besuchten Kundgebungen. Der starke Zulauf beunruhigt die anderen Parteien: Kommen die Menschen aus Neugier oder aus Überzeugung? Die Stärke der Kommunisten ist nicht abzuschätzen. Wie stark die Kommunisten jedoch aus der kommenden Wahl hervorgehen, davon kann der künftige Weg Österreichs entscheidend abhängen.

In der Wahlproganda dominiert die KPÖ. Sie bringt bedeutend mehr Plakate als die anderen Parteien heraus, denn die Sowjets stellen Papier, Druckereien und Geld zur Verfügung. Sie versorgen die KPÖ auch mit Autos und Benzin – ein damals unschätzbarer Organisationsvorteil. Und im Zusammenwirken mit den Sowjets scheinen die Kommunisten eine beträchtliche Macht darzustellen. Die Gattin des KPÖ-Parteivorsitzenden, Hilde Koplenig, berichtet allerdings von den schweren Spannungen, die es zwischen der KPÖ und den Sowjets damals gab. Hilde Koplenig, die mit ihrem Mann gemeinsam in der Moskauer Emigration war, kehrt erst einige Wochen nach ihrem Mann von Moskau nach Wien zurück. Sie landet gemeinsam mit der Frau Ernst Fischers, Ruth Fischer-Mayenburg, mit einem Sowjetflugzeug auf dem russischen Militärflughafen Vöslau. Koplenig und Fischer haben ihren Frauen einen Wagen geschickt, der sie nun in das Zentralkomitee der KPÖ bringt. „Das Zentralkomitee war damals in der Schule in der Wasagasse", berichtet Hilde Koplenig über jenen Tag, „und das war ein Eindruck, den ich in meinem ganzen Leben nie vergessen werde: Mein Mann ist die Stiege heruntergekommen, und wie ich ihn gesehen hab, hab ich gewußt, es ist alles schiefgegangen. Er war um zehn Jahre älter geworden. Er hat völlig anders ausgeschaut. Und ich war einfach weg. Er hat nichts gesagt. Es war ihm vielleicht auch nicht so bewußt, aber ich hab es natürlich sofort gesehen. Und erst viel später hat er dann oft darüber gesprochen, wie enttäuscht er war, wie die Russen die Partei vollkommen beiseite geschoben haben, wie sie sich überhaupt nicht gekümmert haben um das, was die Partei wollte; daß sie die Verhandlungen mit dem Renner geführt haben, ohne daß mein Mann oder der Ernst Fischer überhaupt eine Ahnung davon gehabt haben, und das hat ihn natürlich furchtbar gekränkt. Aber man hat sich dann langsam an diesen Zustand gewöhnt, weil man diszipliniert war und weil man immer für die Partei gemacht hat, was verlangt worden ist. Doch die Hoffnungen, die wir gehabt haben, wie wir nach Österreich zurückkehrten, die waren vorbei."

Es geht auch nicht nur darum, daß die Sowjets die Kommunistische Partei übergehen oder als bloße Befehlsempfänger ansehen. Das wäre nur eine Seite, mit der die Kommunisten fertig zu werden hätten. Die andere ist für sie fast noch schmerzlicher: Denn alles, was man in der Bevölkerung und insbesondere auch in der Arbeiterschaft gegen die Sowjets vorzubringen und einzuwenden hat, wird natürlich auch gegen die Kommunisten gehalten. Dazu gehören die schon erwähnten Exzesse in den ersten Besatzungstagen und -wochen, dazu gehört die ständige Angst vor der Unberechenbarkeit sowjetischer Kommandanten und sowjetischer Posten, die sich um nichts scheren, wenn sie einmal da ein Arbeitskommando brauchen oder dort zu Requirierungen schreiten. Und dazu gehören die anfangs in so großem Umfang vorgenommenen Demontagen in den Betrieben. Denn das sind die Arbeitsstätten jener Menschen, um die die Kommunistische Partei in erster Linie wirbt. Die KPÖ bekommt das unmittelbar zu spüren, denn es sind ihre Vertrauensleute, die nun alarmiert in die Parteiführung kommen und sich beklagen und sofortige Interventionen bei den Sowjets fordern. Verschärfend in ihren Augen ist, daß die Sowjets die Maschinen in einer Weise demontieren, daß sie dabei unbrauchbar und ruiniert werden. Auf der einen Seite werden die Maschinen österreichischen Arbeitern entzogen, auf der anderen Seite ist es diesen Arbeitern klar, daß die Maschinen dem Wiederaufbau der zerstörten Sowjetunion nie werden dienen können. Koplenig, Fischer und andere versuchen, bei den Sowjets zu intervenieren, fast in allen Fällen vergeblich. Obwohl die Kundgebungen der KPÖ gut besucht werden, was die anderen Parteien alarmiert, weiß man in der KP-Führung um die Wirksamkeit dieser Stimmung in der Bevölkerung. Das alles kommt zu Beginn des Wahlkampfes in den ersten Wahlplakaten zum Ausdruck. Eines der wirksamsten dieser Plakate bringt die ÖVP heraus. Es ist ein kleines Plakat und enthält nur einen Satz: „Wer die Russen liebt, wählt kommunistisch". Wirksam ist auch ein anderes ÖVP-Plakat: „Urwiener und Wiener ohne Uhr wählen ÖVP", und in der Steiermark „Ursteirer und Steirer ohne Uhr wählen ÖVP".

Die KPÖ wehrt sich, ebenfalls mit Plakaten. Wobei sie sich allerdings weiterhin mit der Roten Armee und der Sowjetunion identifiziert. So heißt es auf einem der kommunistischen Plakate: „Das kannst Du der Frau Blaschke erzählen: Daß laut angeblicher

Alle drei politischen Parteien wandten sich gegen ein Wiederaufleben des Nationalsozialismus. In der Frage der Behandlung früherer Mitglieder der NSDAP nahmen sie jedoch im Wahlkampf eine unterschiedliche Haltung ein. SPÖ und KPÖ traten für den Ausschluß ehemaliger Nationalsozialisten von diesem ersten demokratischen Wahlgang ein, die ÖVP wollte ihnen das Wahlrecht zuerkennen. Diese Frage spielte eine wichtige Rolle und kam auch in vielen Plakaten zum Ausdruck. Rechts: Auch das gab es im Wahlkampf 1945.

Durchsage von Radio Wien in den nächsten Tagen große Kontingente mongolischer Truppen in Wien eintreffen werden und demnach die Haustore wieder geschlossen zu halten sind. Daß die Registrierung von Arbeitern nur zu dem Zweck stattfindet, um Arbeitskräfte für Rußland zu gewinnen. Bist auch Du so dumm, auf diesen blöden Nazischwindel hereinzufallen?" Oder: „Mit Lug und Trug, mit falschen Gerüchten versuchen die getarnten Nazi Euer Vertrauen zur Roten Armee zu untergraben. Glaubt ihnen nicht! Reißt dem Feind die Maske ab!"

Für heutige Begriffe ist es erstaunlich, in welch hohem Maß sich ÖVP und SPÖ damals mit den Kommunisten auseinandergesetzt haben. Die Kommunisten treten, wo immer es geht, mit rotweißroten Farben auf, betonen das Österreichertum, den Patriotismus, ihr Bekenntnis zur Demokratie. In ihrer Wahlpropaganda kommt auch das Wort „Verstaatlichung" selten vor. Die Kommunisten ziehen das Wort „Sozialisierung" vor. Die ÖVP nimmt dazu mit einem Plakat Stellung, auf dem es heißt:

„Sozialisierung? Wenn Du von Sozialisierung sprichst, dann frage ich Dich: Meinst du Mein oder Dein Eigentum? Wenn Du Dein Eigentum meinst, dann nehme ich den Hut ab und du wirst als Heros in die Geschichte eingehen. Meinst Du aber Mein Eigentum, dann werde ich mich zu wehren wissen und Du giltst als Dieb. Für uns ist Eigentum nicht Diebstahl, sondern das Zeichen von Fleiß und Arbeit."

Die KPÖ antwortet prompt ebenfalls mit einem Plakat: „Sozialisierung. Wenn wir von Verstaatlichung sprechen, dann meinen wir weder Mein noch Dein Eigentum. Wir meinen das Großkapital und den Riesengrundbesitz. Wir meinen die Leute, die Tausende Arbeiter zu ihrem Nutzen ausbeuten. Wir meinen jene Leute, die Tausende Joch Grund den Händen der Bauern entrissen haben (Fürst Liechtenstein, Meyr-Melnhof und Esterházy). Auch für uns ist Eigentum nicht Diebstahl, sondern heilig, wenn es durch eigene Arbeit erworben wurde."

Darauf gibt es wieder ein ÖVP-Plakat. Diesmal wieder nur mit einer Zeile: „Mein und Dein sind Rechtsbegriffe." In einer Zeit, da die Erinnerung an Plünderungen, Demontagen und willkürliche Beschlagnahmen noch sehr frisch ist, ein sehr wirksames Plakat.

Gegen so manches dieser Plakate und auch gegen so manchen Leitartikel in den Parteizeitungen könnte der Alliierte Rat oder könnte eine der Besatzungsmächte mit Beschlagnahmen, Verboten, Anklagen und vielleicht sogar Verhaftungen vorgehen. Denn eines der von den Alliierten gemeinsam erlassenen Gesetze verbietet strikt jede Aktivität und Argumentation, die sich gegen irgendeine der Besatzungsmächte richten. Doch die Besatzungsmächte mischen sich in die Wahlauseinandersetzungen der österreichischen Parteien nicht ein. Das gilt auch für die Sowjets, obwohl sich viele Spitzen in diesem Wahlkampf gegen sie richten, weil man durch sie die KPÖ treffen will. Offenbar gibt es auch keine Weisung an die sowjetischen Ortskommandanten, etwa die Kommunisten zu bevorzugen oder andere Parteien zu behindern. Die ÖVP schickt den Tiroler Karl Gruber vorzugsweise in die sowjetische Besatzungszone, um dort Wahlkundgebungen abzuhalten. Sie will damit ihre westliche und antikommunistische Linie besonders betonen. Karl Gruber erinnert sich, daß er in der niederösterreichischen Stadt Gmünd eine solche Kundgebung bestritten hat, bei der er recht heftig gegen die Kommunisten und das kommunistische System argumentiert hatte. Der sowjetische Stadtkommandant saß in der ersten Reihe. Als Gruber geschlossen hatte, begab sich der sowjetische Offizier auf das Rednerpult, und alle hielten den Atem an, denn nun erwartete man eine scharfe Distanzierung, wenn nicht gar Drohungen und Angriffe. Dann kam die Überraschung. Der sowjetische Ortskommandant forderte alle Anwesenden auf, genau das zu tun, was sie der Herr Unterstaatssekretär soeben zu tun geheißen hatte. Das sei die Pflicht jedes guten Staatsbürgers. Es lebe die Partei! Offenbar war er es so von zu Hause gewohnt: Wenn schon ein Regierungsmitglied in die kleine Stadt kam und bei einer Wahlkundgebung sprach, so konnte das nur mit rechten Dingen zugehen.

Die Alliierten als Wahlhelfer

Im sowjetischen Hauptquartier verfolgte man den Wahlkampf, wie wir von einem damals unmittelbar Beteiligten wissen, sehr genau. Es war den Sowjetbehörden nicht einerlei, wie gut oder wie schlecht die Kommunistische Partei abschnitt, und erst recht war man auf die Wahrung des eigenen sowjetischen Prestiges bedacht. Schon vom Tag des Einmarsches in Österreich an hatte das sowjetische Oberkommando Wert darauf gelegt, die öffentliche Meinung in Österreich für die Sowjetunion zu gewinnen. Davon zeugen die vielen Plakate, mit denen die Sowjets um die Sympathien der Österreicher warben, und davon zeugt auch die Linie, die sie in ihrer „Österreichischen Zeitung" eingeschlagen haben. Daß jedoch die Übergriffe und Exzesse ihrer eigenen Truppen diese Anstrengungen zu einem großen Teil zunichte machten, war eine ganz andere Sache.

Im Herbst 1945 gibt es für das sowjetische Oberkommando einen weiteren Grund, die propagandistischen Anstrengungen zu verstärken: Die Westalliierten sind in Wien eingetroffen und beginnen nun auch um die Gunst der Österreicher zu werben. Das wird im sowjetischen Oberkommando als Herausforderung angesehen. Im Konkurrenzkampf mit den Westalliierten und im Ringen um erhöhtes sowjetisches Prestige setzen die Sowjets einige bemerkenswerte Taten.

Die Donaubrücke bei Krems lag bei Kriegsende gesprengt im Wasser. Sowjetische Pioniere haben die Brücke wieder aufgebaut. Das liegt auch im Interesse der Sowjets, denn ihre Truppen sind auf beiden Seiten der Donau stationiert. Aber die Sowjets haben mit dem Brückenbau auch einen wertvollen Beitrag zum österreichischen Wiederaufbau geleistet. Es ist die erste der gesprengten Donaubrücken, die nun wiederhergestellt ist. Das bedeutet sehr viel. Sämtliche österreichischen Zeitungen berichten darüber in Schlagzeilen und Bildreportagen.

Sowjetische Pioniere haben die Donaubrücke bei Krems wiederhergestellt. General Kurassow und Kanzler Renner nehmen gemeinsam die Eröffnung vor und – unter dem Porträt Stalins – die Parade der nun über die Brücke rollenden Sowjettruppen ab.

Nun wird die Brücke feierlich eröffnet. Sowjetische Militärkapellen spielen auf, zur Belastungsprobe rollen schwere Sowjetpanzer über die Brücke. Auf der Kremser Seite durchschneidet der sowjetische General Wladimir Kurassow das Brückenband. Die Sowjets haben auch Vertreter der drei westlichen Alliierten zu der Feier eingeladen. Ihr wichtigster Gast aber ist der österreichische Staatskanzler Karl Renner, der nun gemeinsam mit General Kurassow über die Brücke schreitet und dann das Brückenband auf dem anderen Ufer durchschneidet. In einem Staatsakt wird die Brücke von den Sowjets dem österreichischen Kanzler übergeben. Es folgt eine Parade der Sowjettruppen, die der österreichische Staatskanzler gemeinsam mit den sowjetischen Offizieren abnimmt. Die Ehrentribüne ziert ein Riesenporträt von Josef Stalin. Die Sowjets wollen den Brückenbau als ihre Leistung für Österreich gewürdigt wissen. Mit aufmarschiert sind Formationen der Kommunistischen Partei, die diese Leistung auch für sich in Anspruch nehmen. Voran tragen sie ein Transparent mit der Aufschrift: „Wir sind die Partei des Aufbaus".

Besondere Aufmerksamkeit widmen die Sowjets auch der Ruine des Wiener Staatsoperngebäudes. Hier haben die Österreicher mit den Aufräumungsarbeiten begonnen. Doch der Aufbau selbst geht über ihre Kräfte. Es fehlt an Geld und Baumaterialien. Die Sowjets wissen, welchen Stellenwert die Oper bei den Österreichern einnimmt. Operntradition bedeutet den Sowjets selbst auch sehr viel. Immer wieder erscheinen ihre Generäle in der Opernruine und lassen sich über die Wiederaufbaupläne unterrichten. Die Ruine müßte rasch überdacht werden, will man die noch stehenden Mauern schützen. Die Oper soll nicht das Schicksal des gegenüberliegenden Heinrichhofs erfahren, dessen Ruine nur noch gesprengt werden kann. Am 16. Oktober wird dem Staatsoperndirektor Franz Salmhofer im Beisein des Dirigenten Josef Krips von einer sowjetischen Offiziersdelegation eine Million Militär-Schilling für den Wiederaufbau der Oper übergeben. In dicken Geldpaketen, die die sowjetischen Offiziere eigenhändig mitgebracht haben. Das Geld wird dankbar angenommen, ebenso die sowjetische Zusage auf Beistellung von Baumaterialien und Transportmitteln und das Versprechen, demnächst eine zweite Schillingmillion zu spendieren.

Auch die Amerikaner leisten ihren Teil zur Wiederherstellung des österreichischen Kulturerbes. Die bedeutendsten Bilder des Kunsthistorischen Museums in Wien waren, wie berichtet, während des Krieges in die Salzbergwerke von Bad Ischl und Altaussee gebracht worden. Knapp vor Kriegsende wurde auf Befehl des Wiener Gauleiters Baldur von Schirach ein Teil der Bilder noch aus dem Ischler Bergwerk geholt und weiter nach dem Westen verlagert, Schirach wollte sie auf seiner Flucht mitnehmen.

Die Amerikaner fanden diesen Teil der Bilder in St. Johann im Pongau. Jetzt verfügt General Mark Clark die Rückführung der Bilder nach Wien, darunter befinden sich die bekanntesten Gemälde der weltberühmten Wiener Sammlung: die „Bauernhochzeit" von Breughel, „Jesus, Johannes und zwei Engel" von Rubens, die Infanten „Maria Theresia" und „Philip IV." von Velazquez, Raffaels „Madonna im Grünen", Vermeers „Der Maler in seinem Atelier", Rembrandts „Selbstbildnis", Geertgen tot Sint Jans' „Die Beweinung Christi" und viele andere. Die Übergabe dieser Bilder durch General Mark Clark erfolgt – zufällig oder auch nicht – während des österreichischen Wahlkampfes.

Auch die Briten haben sich mit einem großzügigen Geschenk eingefunden: Lastkraftwagen, nicht weniger als 1 000 Stück, lassen sie aus Kärnten nach Wien rollen, wo sie dringend benötigt werden, denn wie schon berichtet, ist nahezu der gesamte Fuhrpark der Stadt verschleppt, gestohlen, beschlagnahmt. Die geschenkten Lkws sind Beutestücke. Sie fielen mit den Resten der deutschen Armee in britische Hände. Und so sind es bunt zusammengewürfelte Modelle und Marken: Mercedes, Opel-Blitz, Hanomag usw. Ein Geschenk sind sie trotzdem. Zu je 200 werden sie nach Wien gefahren, und der letzte Konvoi wird auf dem Höhepunkt der Wahlkampfzeit übergeben.

Wiens Bürgermeister Theodor Körner kommt in diesen Tagen mit dem Dank an die Alliierten kaum nach. Die Sowjets stellen die Brücken über den Donaukanal wieder her, die Amerikaner bringen Kunstschätze zurück, die Briten liefern Lastkraftwagen, keiner der Alliierten versäumt es, auf seinen Beitrag zur Normalisierung des österreichischen Lebens entsprechend hinzuweisen.

Nur die Franzosen haben nichts nach Wien mitgebracht, dafür aber gleich nach ihrem Eintreffen in der Stadt etwas abgeholt: In der ohnedies schon reichlich geplünderten Sammlung des Heeresgeschichtlichen Museums finden die Franzosen jene Kanonen, die die Deutschen noch 1940 aus Pariser Museen geholt hatten, weil sie ursprünglich österreichische Kanonen waren. Nun werden diese Kanonen zum drittenmal Beutestücke und wieder nach Paris gebracht. In Innsbruck jedoch ziehen die französischen Militärbehörden mit den anderen Alliierten gleich. Hier war Frankreichs Militärkommissar General Béthouart vom Tiroler Landeshauptmann Alfons Weissgatterer und dem Innsbrucker Bürgermeister Anton Melzer gebeten worden, bei der Wiederherstellung des Grabmals Kaiser Maximilians in der Innsbrucker Hofkirche mitzuhelfen. Dieses Grabmal war im Krieg mit einem Ziegelmantel zugemauert worden, um es vor Bombensplittern zu schützen. Maximilians Grab ist von 28 großen Bronzestatuen umgeben, Kulturdenkmäler von Weltrang, Statuen von Herrschern und Helden, hergestellt im 15. und 16. Jahrhundert von großen Künstlern wie Albrecht Dürer und den besten Handwerkern jener Zeit. Um sie vor Bomben zu schützen, wurden sie von den damaligen Landeskonservatoren Oswald Trapp und Johanna Gritsch nach Kundl in einen bombensicheren Brauereistollen verbracht. Nun geht es den Tirolern vor allem darum, daß die Statuen nicht als Kriegsbeute beschlagnahmt werden, also nicht das Schicksal der Kanonen in Wien teilen. General Béthouart sagt den Schutz und die Hilfe der französischen Militärbehörden zu. Als erstes setzen die Franzosen deutsche Kriegsgefangene unter französischer Bewachung ein, die in der Hofkirche die Schutzmauern rund um das Maximilian-Grab abzutragen haben. Danach werden mit französischer Hilfe und französischen Transportmitteln die Riesenfiguren, die „schwarzen Mander", wie sie die Innsbrucker nennen, von Kundl abgeholt und nach Innsbruck gebracht. Am 11. November, 14 Tage vor dem Wahltag, kommen die letzten. Oswald Trapp erlebte, wie die Figuren, die er selbst in Sicherheit gebracht hatte, wieder zurückkehren, und schildert uns diese Heimkehr der „schwarzen Mander": „Auf der Hofburg wehten österreichische, französische und Tiroler Fahnen. Dann sind französische Truppen aufmarschiert, in Paradeuniform mit weißen Gamaschen, unter Fanfarengeschmetter. Und dann sind die letzten beiden Figuren auf einem Planwagen eingebracht worden, feierlich geschmückt und gezogen von je fünf Paar Rössern. Sie sind frei gestanden, und das war sehr eindrucksvoll. Der General Béthouart, der Generaladministrator Pierre Voizard und mehrere andere Herren der französischen Militärregierung sind die Front abgeschritten, dann sind sie auf den Balkon hinaufgegangen und haben von dort zugeschaut. Schließlich sind wir alle zum Portal der Hofkirche gegangen, wo uns Bischof Paulus Rusch empfangen und hineingeleitet hat. Die Ehrengäste haben links und rechts im Chorgestühl Platz genommen. Die übrigen Statuen waren schon aufgestellt, und das war ungeheuer eindrucksvoll, denn die Figuren hielten in ihren Händen Fackeln, es war schon dämmrig, und das Licht der Fackeln erhellte die Kirche. Es war ungemein feierlich. Wer es erlebt hat, wird es sein Leben lang nicht vergessen."

Je mehr man sich dem Wahltag nähert, desto eindeutiger werden die Gesten der alliierten Mächte. General Clark empfängt die in Wien akkreditierten amerikanischen Korrespondenten und gibt eine Erklärung ab, die bei den anderen alliierten Mächten mit Erstaunen, von den Österreichern aber mit freudiger Überraschung aufgenommen wird: Wenn die österreichischen Wahlen zu einer Festigung der Demokratie führen, erklärt der General, werde man die Besatzungstruppen in Österreich verringern können. Derartiges ist bisher noch nicht gesagt worden. Die Meldung macht Schlagzeilen: „Verringerung der Besatzungstruppen hängt von der Wahl ab". SPÖ und ÖVP sehen in der Erklärung General Clarks eine Aufforderung an die Österreicher, sich zu den demokratischen

Oswald Trapp: Es war ungemein feierlich.

Die „schwarzen Mander" am Grabe Maximilians in Innsbruck. Oben: Verpackt zum Abtransport in den Luftschutzstollen. Linke Seite: Ihre Heimkehr aus dem Stollen beginnt.

Parteien zu bekennen, ein Bekenntnis, das mit einer Verringerung der Besatzungstruppen belohnt werden würde. Das ist eine willkommene Wahlhilfe.

Der erste Heimkehrer-Transport

Die Sowjets hätten mehr zu bieten, und die österreichischen Kommunisten wissen es: Über 100 000 Österreicher befinden sich als Kriegsgefangene noch in sowjetischer Hand, eine großzügige Rückführung könnte nicht nur dem Ansehen der Sowjetunion, sondern auch der Kommunistischen Partei im Wahlkampf entscheidend helfen. Die Kommunisten werden bei den Sowjetbehörden vorstellig und erwirken von ihnen die Zusage, daß zunächst 10 000 kriegsgefangene Österreicher umgehend in die Heimat entlassen würden.

Leo Hölzl erhält wieder einmal eine Spezialaufgabe – wir kennen ihn schon, er war der Mann, der mit dem Sowjetoberst Jakow Startschewski auf die Suche nach Karl Renner geschickt worden war. Jetzt soll Hölzl, der gut Russisch spricht und sich in

479

der Sowjetunion und mit Sowjetbehörden auskennt, dabei helfen, diese ersten 10 000 kriegsgefangenen Österreicher in den Sowjetlagern ausfindig zu machen und ihren Rücktransport zu bewerkstelligen. „Der erste Transport ist noch vor den Wahlen in Österreich eingetroffen", berichtet Leo Hölzl, „denn diese Rückführung der ersten 10 000 Kriegsgefangenen sollte ja eine gewisse Unterstützung für die wahlwerbende Kommunistische Partei sein. Also das gebe ich ohne weiteres zu, daß das damals der hauptsächliche Zweck war. Und ich hatte den Auftrag, Verwundete und Familienväter mitzunehmen. Aber junge Burschen, die keinen Anhang hatten, die wollten ja auch mit nach Hause. Und die hätten wir normal nicht mitnehmen dürfen. Es ist mir trotzdem gelungen, damals ein paar, die weder verwundet waren noch eine Familie hatten, mit in diese Transporte zu nehmen."

Als die ersten Züge mit den Heimkehrern in Wiener Neustadt einfahren, sind die Waggons mit Stalin-Bildern und politischen Parolen geschmückt: „Weg mit den Faschisten!", „Wir fordern Bodenreform!", „Wir danken Generalissimus Stalin!" Zunächst scheint es, als kämen hier nur politisch hochmotivierte Ex-Gefangene zurück. Doch als die müden Gestalten aus den Waggons klettern, begreifen die Hunderte Menschen, die hierhergeeilt waren, in der Hoffnung, auch ihre Männer, Väter oder Söhne in den Transporten zu finden, daß es von Krieg und Gefangenschaft Geschlagene sind, die da heimkehren. Nicht fröhlich, sondern ängstlich betreten sie heimatlichen Boden: Leben die Angehörigen noch? Hat die Frau gewartet? Steht das Haus, gibt es die Wohnung noch? Angst steht auch in den Gesichtern der Wartenden: Wird er dabeisein, der Sohn, der Mann, der Vater? Eine Namensliste war nicht vorausgeschickt worden, die Angehörigen konnten daher nicht verständigt werden. „Sie kommen", hatte es geheißen. Auf dem Platz vor dem Wiener Neustädter Bahnhof drängen sich Tausende Menschen. Ungewißheit in den Gesichtern, Hoffnung und Angst, vergeblich gekommen zu sein. Sowjetische Begleitoffiziere übergeben den Transport offiziell in österreichische Hände. Einige tausend von über 100 000 sind heimgekehrt und werden nun von Ernst Fischer begrüßt, im Namen der Regierung und der KPÖ.

Die KPÖ erwirkte die Freilassung dieser Männer. Den anderen Parteien ist der propagandistische Wert der Aktion bewußt. In schnell gedruckten Plakaten wenden sie sich an die Heimkehrer: „Ihr wart an den Fronten in Polen, am Balkan sowie in Rußland. Liebst Du Deine Heimat? Deine Stimme der ÖVP." Die SPÖ fordert die Heimkehrer auf, dafür zu sorgen, daß es nie wieder Faschismus gebe. Der Wahlsieg der SPÖ würde dies sicherstellen.

Hoffnung und Ungewißheit in den Gesichtern der Wartenden, dann ein Schrei des Erkennens. Andere warten vergeblich. Und fragen die Heimgekehrten: Kennt ihr ihn, habt ihr ihn gesehen?

Der Standort der Parteien

Für die SPÖ gibt es nur einen Faschismus, und der hat elf Jahre gedauert: Er begann mit der Errichtung des Ständestaates, mit der Auflösung des Parlaments, mit dem Bürgerkrieg 1934. Im Jahr 1938 wurde der Faschismus von Hitler nur fortgesetzt, in noch ärgerer Form, mit Millionen Toten. Das kommt auch auf den Wahlplakaten der SPÖ so zum Ausdruck. Diese Gleichsetzung von 1934 und 1938 drängt die ÖVP zunächst in die Defensive. Sie plakatiert ihre Antwort: „Die ÖVP ist nicht die Nachfolgerin der Christlichsozialen Partei. Sie ist entstanden als geistige Erhebung gegen alle Ideologien, die Freiheit und Würde des Menschen vergewaltigen."

Die SPÖ bleibt bei ihrer Wahlkampflinie. Ein großes buntes SPÖ-Plakat zeigt einen Zylinder, als Symbol für den Kapitalismus, darunter eine Heimwehrmütze mit dem Hahnenschwanz und darunter eine Uniformkappe der SA. Der Text zu diesem Plakat lautet: „Schluß mit den Hüten, wir brauchen Köpfe! Darum wählt die Sozialistische Partei".

Die ÖVP, die zunächst jede politische Nähe zur seinerzeitigen Christlichsozialen Partei von sich gewiesen hat, ändert nun ihre Taktik und geht von der Defensive in die Offensive. Am kräftigsten in Tirol. Dort heißt es auf einem ÖVP-Wahlplakat: „Wir fordern eine starke Regierung. Wer hat 1927 den Justizpalast angezündet? Wer hat im Februar 1934 Unzählige zum Putsch aufgehetzt? Die österreichische Regierung hat den roten Putsch 1927 niedergeschlagen, sie ist mit den roten Aufständischen 1934 fertiggeworden, sie hat aber ebenso den Heimwehr-Putsch 1932 niedergeschlagen, und sie wurde auch im Juli 1934 mit den Braunen fertig! Sie hat nicht nur den roten Putsch, sondern auch jeden anderen niedergeschlagen, der sich gegen die Staatsmacht gerichtet hat. Wir hoffen, daß die neue österreichische Regierung nicht wieder zu solchen Maßnahmen gezwungen ist. Daher wählt geschlossen die ÖVP." Diese Identifizierung der ÖVP mit der Regierung von 1934 wird von der SPÖ mit einem einfachen, aber sehr wirkungsvollen Plakat beantwortet. Es zeigt einen Totenkopf mit Zylinder. Daneben die Inschrift: „Wählt Volkspartei!"

Der Wahlkampf wird nicht nur zusehends schärfer, er geht auch in die falsche Richtung, nämlich in die Vergangenheit, statt sich mit den enormen Problemen der Gegenwart und der Zukunft zu beschäftigen. Wer damals an den Plakatwänden vorbeiging, konnte den Eindruck gewinnen, der Wahlkampf werde nicht 1945, nach einem schrecklichen Krieg in einer Zeit der Ruinen, des Hungers und der vierfachen Besetzung geführt, sondern setze nahtlos dort fort, wo man 1933/34 aufgehört hatte.

Oder 1938. Denn die ÖVP antwortet auf den Totenkopf mit Zylinder mit einem Plakat, das sich mit dem Jahr 1938 beschäftigt. Es ist ein Wortplakat und hat folgenden Inhalt: „Der ANSCHLUSS, das Steckenpferd der Sozialdemokraten und ihr wunder Punkt!" Danach folgen Zitate von Otto Bauer, Karl Seitz und Karl Renner. Alle drei hatten sich in der Ersten Republik zum Anschluß an Deutschland bekannt, Karl Renner noch im April 1938 und Otto Bauer sogar noch danach. Der Anschlußgedanke war bei Teilen der Christlichsozialen und selbst bei einem Teil der Heimwehren wenigstens bis 1933 ebenso populär, aber mit der historischen Wahrheit wird es in diesem immer schärfer geführten Wahlkampf 1945 von keiner Seite mehr sehr genau genommen. Auf dem ÖVP-Plakat wird nach den Zitaten von Bauer, Seitz und Renner folgender Schluß gezogen: „Diesen von den österreichischen Sozialdemokraten heiß erwünschten Anschluß haben wir kennengelernt! Wir wollen davon nie mehr etwas wissen! Ebensowenig aber auch von

Im Wahlkampf 1945 kommen die politischen Gegensätze aus der Zeit der Ersten Republik noch voll zum Ausdruck. Für die SPÖ ist der Faschismus von 1934 der gleiche wie von 1938 (oben). Die ÖVP wirft den sozialdemokratischen Führern vor, den Anschluß an Deutschland gewünscht zu haben (rechts oben). „Innitzer für Hitler!" antwortet die Arbeiter-Zeitung.

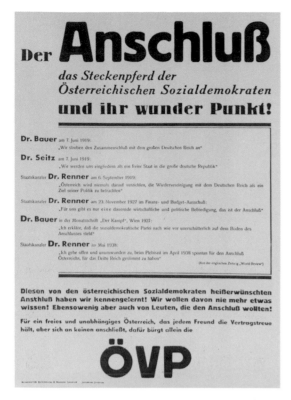

Leuten, die den Anschluß wollten! Für ein freies und unabhängiges Österreich, das jedem Freund die Vertragstreue hält, aber sich an keinen anschließt, dafür bürgt allein die ÖVP."

Prompt antwortet die „Arbeiter-Zeitung" unter dem Titel: „Innitzer für Hitler!" Im Faksimile abgedruckt wird Innitzers Begleitbrief zum Schreiben der österreichischen Bischöfe vom März 1938 an den Wiener Gauleiter Bürckel, in dem sie feststellen, sie erachteten es „für ihre selbstverständliche nationale Pflicht, uns als Deutsche zum Deutschen Reich zu bekennen". Dann fragt die „Arbeiter-Zeitung": „Wird die Österreichische Volkspartei die Bischöfe Österreichs deswegen anprangern und besudeln wollen?" Obwohl es in den Plakaten nicht so sehr zum Ausdruck kommt, ist die Nazi-Frage ein, wenn nicht sogar *das* zentrale Thema des Wahlkampfs. Bei der zweiten Länderkonferenz Anfang Oktober war die Frage zur Debatte gestanden, ob bei der bevorstehenden Wahl den früheren Anwärtern und gewöhnlichen Mitgliedern der NSDAP, den sogenannten Mitläufern, das Wahlrecht zugestanden werden soll oder nicht. Die SPÖ und die KPÖ lehnten eine Wahlbeteiligung früherer Nationalsozialisten ab. Man könne nicht jene die Politik mitbestimmen lassen, die am Untergang Österreichs, am Krieg und an den Verbrechen des Nationalsozialismus, wie immer direkt oder indirekt, mitgewirkt hätten. Auf sozialistischer Seite gab es auch ein staatspolitisches Argument: Man dürfe nicht riskieren, daß die alliierten Mächte oder auch nur eine alliierte Macht die Gültigkeit des Wahlresultats in Frage stellt, weil dieses Resultat unter der Mitwirkung früherer Nationalsozialisten zustande gekommen ist. Die ÖVP sprach sich dafür aus, den gewöhnlichen Mitläufern das Wahlrecht einzuräumen. Man weiß zu dem Zeitpunkt schon, daß es sich dabei um rund 500 000 Personen handeln wird. Nach Meinung der ÖVP dürfe es sich die Demokratie nicht leisten, eine so große Zahl von Bürgern aus dem politischen Prozeß auszuschließen und zu Menschen zweiter Klasse zu stempeln. In der Frage steht es 2 : 1, Sozialisten und Kommunisten gegen die ÖVP, und damit ist die Sache entschieden. Den bisherigen Nationalsozialisten wird das Wahlrecht für diese erste Wahl im neuen Österreich aberkannt.

Diese Grundhaltung der Parteien kommt im Wahlkampf deutlich zum Ausdruck. In der SPÖ wird die Anti-Nazi-Strömung vor allem von den bisherigen Revolutionären Sozialisten und den Jungsozialisten getragen. Sie verfassen einen Plakattext, den man später als wahlentscheidend bezeichnen wird. Denn für viele Wähler, auch für Nicht-Nazi, kommt dieses Plakat als Schock; sein Wortlaut: „Zehntausende Österreicher befinden sich fern der Heimat in Kriegsgefangenenlagern und werden zum Aufbau Österreichs benötigt. Zehntausende Nazi befinden sich in der Heimat und sabotieren den Wiederaufbau Österreichs. Wir fordern den Austausch."

Prompt erklärt die ÖVP unter dem Titel: „Wir und die Nazi-Frage": Man dürfe nicht alle Nazi in einen Topf werfen. Nur die wirklich Schuldigen seien zur Rechenschaft zu ziehen. Allen anderen sei wieder die Hand zu reichen zu gemeinsamer Arbeit. Und der Kernsatz: „Die ÖVP lehnt es ab, Haß mit Haß zu vergelten." Die früheren Nationalsozialisten dürfen zwar nicht wählen, aber ihre Angehörigen werden wählen. Die versöhnliche Linie der ÖVP wird bei ihnen nicht ohne Wirkung bleiben.

Die Kommunisten zeigen auf einem Plakat Fotos mit den in den Konzentrationslagern vorgefundenen Leichenbergen und schreiben darüber: „Wir klagen an! Wir fordern Sühne!" Und die Art der Sühne wird in Wahlkampfreden und Wahlkampfartikeln immer wieder formuliert: „Ausnahmslose Beseitigung aller Nazi aus allen öffentlichen Ämtern!" „Unterbringung der Wohnungslosen in den Wohnungen der Nazi!" „Heranziehung der Nazi zur Sühnearbeit!" Auf einem KP-Plakat heißt es: „Woran erkennt man die Nazi? Sie schimpfen über die Kommunisten!" Auf SPÖ-Plakaten heißt es: „Arbeiter! Wir sagten Dir immer: Hitler bedeutet Krieg! Es wurde grausame Wahrheit. Weißt Du jetzt, wo Du hingehörst?" Und an die Frauen gewendet: „Werdet ihr wieder wählen: Kanonen statt Butter? Aus Hunger und seelischem Leid muß die Erkenntnis siegreich sein: Wir Frauen wählen Frieden und Aufbau!"

Die SPÖ führt einen mühsamen Zweifrontenkampf. Der ÖVP hält sie das Jahr 1934 und den Austrofaschismus vor und beschuldigt die damaligen Christlichsozialen, durch ihre Haltung die Annexion Österreichs durch Hitler vorbereitet und ermöglicht zu haben. Gleichzeitig muß sich die SPÖ von den Kommunisten, deren Wahlpropaganda in die gleiche Richtung schlägt, klar distanzieren. Die Kommunisten machen es der SPÖ-Führung nicht leicht. Bei ihren Kundgebungen betonen sie den gemeinsamen Kampf gegen Faschismus und Nazismus und fordern das Zusammengehen der beiden Arbeiterparteien, die Einheit der Linken. Auf einem kommunistischen Plakat heißt es: „In der Einheit liegt die Zukunft! Wer die Spaltung der Arbeiterschaft nicht verewigen will, wer für die Einheit der Arbeiterschaft ist, der wählt kommunistisch! Die Kommunisten erklären, daß sie mit all ihren Kräften dafür kämpfen, den heißen Wunsch der Arbeiter zu erfüllen, sich wieder in einer einheitlichen Arbeiterpartei zusammenzuschließen."

Hier hakt die ÖVP ein. Sie bezichtigt die SPÖ, diese Einheit auch zu wollen. Nach den Wahlen könnten SPÖ und KPÖ gemeinsam versuchen, in Österreich die Diktatur des Proletariats zu errichten. Die kommunistische Propaganda und die Verdächtigungen von seiten der ÖVP alarmieren den SPÖ-Parteivorstand. Das nächste sozialistische Plakat hat folgenden Wortlaut: „Jeder Wähler muß es wissen! Die Österreichische Volkspartei (ÖVP) behauptet in diesem Wahlkampf, die Sozialistische Partei (SPÖ) werde sich nach der Wahl mit der Kommunistischen Partei (KPÖ) vereinigen. DAS IST UNWAHR! Parteiamtlich wird erklärt: Die Sozialistische Partei denkt nicht daran, vor oder nach den Wahlen die Selbständigkeit der Partei in irgendeiner Weise durch eine Vereinigung mit der Kommunistischen Partei Österreichs aufzugeben."

Es ist erstaunlich, wie rasch die Wahlkampfleitungen der einzelnen Parteien auf die Argumente des politischen Gegners reagieren. Auf Plakate mit Vorwürfen und Angriffen antwortet man oft schon nach 24 Stunden mit Gegenplakaten. Dabei ist Papier Mangelware und wird ausschließlich von den alliierten Besatzungsmächten zugeteilt. Die Kommunisten sind bevorzugt, mit Hilfe der Sowjets erhalten sie das meiste Papier und bringen nicht weniger als 107 verschiedene Wahlplakate heraus. Die Sozialisten, mit ein wenig Nachhilfe der britischen Labour-Regierung und deren Besatzungstruppen in Österreich, bringen es immerhin auch noch auf 93 Plakate. Die ÖVP, der anscheinend keiner der Alliierten hilft, kommt auf 72 Plakate und gibt zum Schluß ein 73. heraus, auf dem sie aus der Not eine Tugend macht: „Die einen haben mehr Papier und mehr Plakate, die anderen aber ein besseres Programm und mehr Stimmen."

Der enorme Propagandaaufwand der Kommunisten täuscht über ihre wahre Stärke hinweg. Wir haben in amerikanischen und britischen Archiven jene Berichte gefunden, die die politischen Abteilungen der Amerikaner und der Briten in Österreich über den Wahlkampf verfaßt haben. Sie machen ihre eigenen Voraussagen über den Wahlausgang. Die Stärke der KPÖ schätzen sie auf etwa 15 Prozent ein. Das liegt noch immer unter der Selbsteinschätzung

Der sozialistische Parteivorstand erklärte, daß er nicht daran denkt, einer Vereinigung der Arbeiterbewegung zuzustimmen

In de
liegt d

Wer die Spaltung der Arbei

wer für die Einheit
der wählt k

Jeder Wähler muß es wissen!

Die Österreichische Volkspartei (ÖVP) behauptet in diesem Wahlkampf, die Sozialistische Partei (SPÖ) werde sich nach der Wahl mit der Kommunistischen Partei (KPÖ) vereinigen.

Das ist unwahr!

Parteiamtlich wird erklärt:

„Die Sozialistische Partei denkt nicht daran, vor oder nach den Wahlen die Selbständigkeit der Partei in irgend einer Weise durch eine Vereinigung mit der Kommunistischen Partei Österreichs aufzugeben."

Der Reichsparteivorstand der Sozialistischen Partei Österreichs

Wir fordern eine starke Regierung!

Wer hat 1927 den Justizpalast in Wien angezündet?
Wer hat im Februar 1934 Unzählige zum Putsch aufgehetzt?

Die österreichische Regierung hat den roten Putsch 1927 niedergeschlagen, sie ist mit den roten Aufständischen 1934 fertig geworden, sie hat aber ebenso den Heimwehrputsch 1932 niedergeschlagen und sie wurde auch im Juli 1934 mit den Braunen fertig.

Sie hat nicht nur den roten Putsch, sondern auch jeden anderen niedergeschlagen, der sich gegen die Staatsmacht gerichtet hat!

Wir hoffen, daß die neue österreichische Regierung nicht wieder zu solchen Maßnahmen gezwungen wird.

Daher wählt geschlossen Ö.V.P.

inheit
ukunft!

Die Kommunisten erklären, daß sie mit all ihren Kräften dafür kämpfen, den heißen Wunsch der Arbeiter zu erfüllen, sich wieder in einer einheitlichen Arbeiterpartei zusammenzuschließen

schaft nicht verewigen will,

r Arbeiterschaft ist,
mmunistisch!

Die Mundpropaganda war in diesem ersten Wahlkampf sehr aktiv. Die SPÖ hatte alle Mühe, sich gegen den Verdacht zu wehren, nach den Wahlen jene Aktionseinheit mit den Kommunisten einzugehen, die ihr Zentralsekretär Scharf tatsächlich befürwortete. Das kategorische Nein der SPÖ-Führung wurde andererseits von der KPÖ zu einem Appell an den linken Flügel der Sozialisten benützt. Die Tiroler Volkspartei knüpfte wieder beim Jahr 1934 an. Die Antwort kam prompt mit Totenkopf und Zylinder.

der Kommunisten. Der damalige KP-Unterstaatssekretär Franz David erinnert sich an die Erwartungen der hohen KP-Führer: „Nur ein kleines Beispiel über die Kräfteverhältnisse, wie wir sie uns vorgestellt haben. Das war noch in Jugoslawien beim Österreichischen Freiheitsbataillon, da sind wir spazierengegangen, der Honner, der Fürnberg, der Scharf und ich. Wie stark schätzen wir uns ein, wenn es zu Wahlen kommt? Der Honner hat gesagt: 25 Prozent, der Friedl Fürnberg 40 Prozent, und ich glaube, der Scharf hat gesagt 15 Prozent [Scharf war damals noch nicht bei den Kommunisten]. Ich habe gesagt höchstens ein Achtel. Also ich war der Pessimistischste." Aber auch der Pessimistischste unter den KP-Führern gibt der Partei noch mehr als 12 Prozent.

Erst in den letzten Tagen des Wahlkampfs wird den Kommunisten klar, daß ihnen ihre Nähe zur Sowjetmacht offenbar sehr schadet. Drei Tage vor der Wahl, am 22. November, erscheint das Zentralorgan der KPÖ, „Volksstimme", mit der Schlagzeile „Österreich und die Sowjetunion. Ein ernstes und offenes Wort". Der fast die ganze Seite 1 füllende Artikel klagt die ÖVP und die SPÖ an, eine „unterirdische Hetzpropaganda gegen die Rote Armee und die Sowjetunion zu führen und damit das ganze Land in Gefahr zu bringen".

„In der Hetze gegen die Rote Armee und gegen die Sowjetunion werden die verwerflichsten Mittel angewandt, und es wird gegen besseres Wissen den Russen alles in die Schuhe geschoben, was in Österreich schlecht ist", heißt es in dem Artikel. Es werde alles getan, „um unser Verhältnis zu den Nachbarn und zur Sowjetunion zu vergiften. Es kommt vor, daß Redner der anderen Parteien die Tschechoslowakei und Jugoslawien auf das schlimmste verleumden und beleidigen, und es ist eine tägliche Erscheinung, daß sie die schlimmsten Verleumdungen gegen die Rote Armee und die Sowjetunion mit Behagen verbreiten, während sie gleichzeitig nach außen hin das scheinheilige Gesicht der Freundschaft zeigen. Das alles geschieht aus parteipolitischen Erwägungen in der Hoffnung, die Kommunisten zu treffen und einige zehntausend Stimmen zu gewinnen. Das Volk aber muß sich fragen, ist das österreichischer Patriotismus?" Daran schließt die „Volksstimme" die Drohung: „Diese Art Politik lehnen wir Kommunisten ab. Sie ist eine schwere Schädigung Österreichs, ja direkt eine Gefahr für die Zukunft Österreichs."

Die SPÖ setzt in ihrem letzten Aufruf vor dem Wahltag auf das, was man heute den Kanzlerbonus nennt: Karl Renner hat dieses neue Österreich wiedergegründet, die Zweite Republik. Wer sonst als Karl Renner könnte in dieser Zeit die Geschicke des Landes meistern? „Schart Euch um den Volkskanzler!" ruft die SPÖ den Wählern zu.

Das Zentralorgan der ÖVP, „Das Kleine Volksblatt", veröffentlicht zwei Tage vor der Wahl über die ganze Seite 1 eine Karikatur mit einem für heutige Begriffe höchst ungewöhnlichen Sujet: Aus einer Wolke, auf der das Wahldatum „25. November 1945" steht, fällt eine riesige Bombe mit der Aufschrift „ÖVP". Unten auf der Erde haben sich Sozialisten und Kommunisten in je einen Luftschutzbunker verschanzt, aus dem einen Bunker blicken Renner, Körner und Seitz, aus dem anderen Koplenig, Honner und Fischer heraus, hoffnungslos in Anbetracht der riesigen ÖVP-Bombe, die da auf sie zufliegt. Darunter die Unterschrift: „Der Wahltag muß ein (Atom)Bombenerfolg für ÖVP werden."

Der Wahlkampf geht zu Ende. Die alliierten Mächte haben sich zwar mit Wahlgeschenken eingestellt, aber sie haben nirgendwo direkt eingegriffen. Der Alliierte Rat hat sein Versprechen gehalten, den Parteien jede Möglichkeit der freien Meinungsäußerung einzuräumen, um auch eine freie und demokratische Wahl sicherzustellen. Dennoch sind die Österreicher bis zum letzten Moment mißtrauisch. Immer wieder gibt es Gerüchte, die Alliierten könnten noch eine vierte Partei zulassen, um diese als Rammbock gegen die bestehenden Parteien einzusetzen. Oder um damit die Wahlen für ungültig erklären zu können. Der Gedankengang dahinter: Wenn eine der alliierten Mächte, gemeint ist die Sowjetunion, mit dem sich abzeichnenden Wahlausgang nicht einverstanden sei, könnte sie eine vierte Partei ins Spiel bringen, die sich zwar noch rechtzeitig anmeldet, für die es aber keine Stimmzettel geben werde. So ließe sich das Wahlergebnis für ungültig erklären, weil eine gesetzlich zugelassene Partei nicht habe gewählt werden können.

Weil man diese Befürchtung allen Ernstes hegt, werden von der unter der Leitung des ÖVP-Unterstaatssekretärs Josef Sommer stehenden Wahlbehörde still und leise auch Stimmzettel bereitgelegt, mit dem schlichten Aufdruck „4. Partei". Man hätte sie auch noch im letzten Moment einsetzen können. So angriffslustig und anscheinend selbstsicher der Wahlkampf geführt worden war, immer hatte man Angst, der Traum von einer wirklich freien und demokratischen Wahl könnte noch im letzten Moment platzen.

Die Entscheidung der Wähler

25. November. Der Wahltag ist angebrochen. In Österreich finden die ersten freien Parlamentswahlen seit 15 Jahren statt. Niemand weiß, wie die Wähler sich entscheiden werden. Es gibt noch keine Meinungsumfragen, keine Computer, keine Hochrechnungen. Nur eines merkt man gleich: Es gibt eine sehr hohe Wahlbeteiligung. Und das kann nur bedeuten, daß die Wähler sich zu der neuen Demokratie bekennen. Und wahrscheinlich auch, daß sie Gefahren für diese Demokratie sehen und mit dem Stimmzettel abwenden wollen. Es werden vor allem die Frauen sein, die diese geschichtliche Tat setzen. Denn Hunderttausende Männer sind gefallen, viele noch in Kriegsgefangenschaft.

Die Nationalsozialisten sind von der Wahl ausgeschlossen, zwei Drittel von ihnen sind Männer. So ist die erste Wahl in Österreich mit Abstand eine Frauen-Wahl: 2 216 259 wahlberechtigten Frauen stehen nur 1 233 346 wahlberechtigte Männer gegenüber. Es sind also die Frauen, die in dieser ersten so entscheidenden Wahl Österreichs weiteres Schicksal bestimmen.

Es gibt schon eine Hauptwahlbehörde. Und sie amtiert schon damals im großen Sitzungssaal des Innenministeriums in der Wiener Herrengasse. Dort, wo heute an Wahltagen Scheinwerfer und Fernsehkameras den Saal beherrschen, hat in der Nacht vom 25. auf den 26. November 1945 ein einziger Fotograf Aufnahmen gemacht; eine ist erhalten, und sie ist mangels Licht einigermaßen verwackelt: Um einen langgestreckten Tisch sitzen die Mitglieder der Hauptwahlbehörde. Der Saal ist ungeheizt, man amtiert im Wintermantel. Die Wahlergebnisse werden telegraphisch und telefonisch gemeldet. Die Vertreter der Parteien kontrollieren die Zahlen gegenseitig.

Es dauert bis zum Abend des nächsten Tages, bis alle Wahlresultate vorliegen. Dann steht es fest: Die Wähler haben den Kommunisten eine eindeutige Absage erteilt, haben die ÖVP mit der absoluten Mehrheit ausgestattet, während sich die SPÖ mit nur 5 Prozent Abstand als zweitstärkste Partei des Landes etabliert.

In absoluten Ziffern und Prozentzahlen sah das so aus: Wahlberechtigt waren 3 449 605 Österreicher, davon gingen 3 251 129 zur Wahl, und das entsprach einer Wahlbeteiligung von 94 Prozent! Von 3 217 354 gültigen Stimmen erhielt die ÖVP 1 602 227 Stimmen

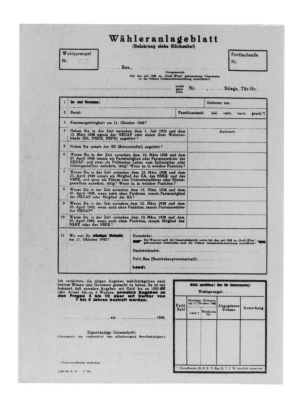

Frühere Mitglieder der NSDAP durften an der Wahl nicht teilnehmen. Jeder Wähler hatte eine diesbezügliche Erklärung auszufüllen (oben). Alliierte Beobachter inspizierten die Wahllokale, um festzustellen, ob die Wahl auch frei und geheim durchgeführt werde. 94 Prozent beträgt die Wahlbeteiligung, für damals eine Rekordziffer. Kranke lassen sich zum Wahllokal tragen. Unten: Die Hauptwahlbehörde amtierte im Wintermantel. Stehend der Leiter der Wahlbehörde Josef Sommer.

oder 49,8 Prozent; die SPÖ 1 434 898 Stimmen oder 44,6 Prozent; die KPÖ 174 257 Stimmen oder 5,42 Prozent. Es hat bei diesen Wahlen auch eine weitere Partei gegeben. Sie war von den Briten in Kärnten zugelassen worden und nannte sich „Demokratische Partei Österreichs". Diese Partei hatte jedoch nur lokale Bedeutung und spielte weder im gesamtösterreichischen Wahlkampf noch im Wahlresultat eine Rolle. Auf sie entfielen lediglich 0,18 Prozent der Stimmen.

Martin Herz war vom US-Hauptquartier in die Hauptwahlbehörde entsandt worden, um die Wahlresultate aus erster Hand zu erfahren. Er berichtete uns, welch ungläubiges Staunen die ersten ganz niedrigen Stimmanteile der Kommunisten bei den Amerikanern hervorriefen, wie aber dann im Laufe der Nacht im amerikanischen Hauptquartier die Nervosität stieg: Denn die Kommunisten, so schien es, würden in keinem der Wahlkreise genügend Stimmen erhalten, um ein Grundmandant zu machen. Blieben sie aber ohne Grundmandat, würden sie keinen einzigen Abgeordneten ins Parlament bringen. Dies, so schloß man im US-Hauptquartier, würden die Sowjets nicht zulassen. Sollten die Kommunisten kein Mandat erhalten, müßte damit gerechnet werden, daß die Sowjetunion die Wahlen in Österreich nicht anerkennen würde. Dazu erklärte uns Martin Herz: „Ich sag es offen – wir zitterten und hofften, daß die Kommunisten ein Grundmandat machen würden. Hier war es, das herrliche Ergebnis. Und zum Schluß würde es vielleicht nicht anerkannt! Es fiel uns ein großer Stein vom Herzen, als dann endlich das Wahlresultat von Wiener Neustadt kam und der kommunistische Stimmanteil dort für ein Grundmandat ausreichte."

Eine sowjetische Reaktion auf das Wahlergebnis erfuhr der damalige Programmdirektor von Radio Wien, Rudolf Henz, aus erster Hand. Am Morgen nach der Wahl erschien der sowjetische Zensuroffizier Goldenberg im Funkhaus und erkundigte sich nach den bereits vorliegenden Wahlresultaten. Rudolf Henz erinnert sich: „Das war eines meiner schönsten Erlebnisse. Der gefürchtete Oberstleutnant Goldenberg ist am Morgen nach der Wahl ins Funkhaus in mein Büro gekommen und hat gesagt: ‚Also, wie steht's?' Und ich hab gesagt: ‚Naja, wir haben noch nicht alle Resultate da, denn die Telefone funktionieren ja nicht so gut. Aber wir wissen schon, die ÖVP hat bis jetzt 35 Mandate, die SPÖ 25 und die Kommunisten 3.' Worauf der seinen Chef, einen General im Hotel Imperial, anruft und übers Telefon lange auf den einschreit: ‚Tri kommunisti, njet trizat, tri kommunisti, njet trizat!' Also, es sind nur drei Kommunisten und nicht 30, und der am anderen Ende, der wollte offenbar immer 30 hören. Dann haut der Goldenberg das Telefon hin, daß es auf den Boden gefallen ist, setzt die Kappe auf, rast hinaus, haut die Tür zu. Und wir, die wir im Zimmer waren, schauen uns an, dann fallen wir uns um den Hals, und dann haben wir getanzt und haben gesagt: ‚Österreich ist gerettet.'"

Die zweite große Überraschung dieses Wahlergebnisses ist die absolute Mehrheit der ÖVP. Das hatten die ÖVP-Politiker selbst nicht erwartet und schon gar nicht die Sozialisten. Sie waren in ihrer Einschätzung von Wiener Verhältnissen ausgegangen, und in Wien hatte sich schon während des Wahlkampfes eine klare Mehrheit der SPÖ abgezeichnet. Das schien der SPÖ-Führung auch nur logisch: Die Christlichsozialen hätten sich durch ihre Unterstützung des Ständesstaats und des Austrofaschismus disqualifiziert, die Kommunisten seien immer schon indiskutabel gewesen und durch ihre Sowjetnähe nun erst recht, folglich müßten die Wähler diesmal der Sozialistischen Partei die Führungsrolle zusprechen.

Karl Mark erlebte die Wahlreaktion der Sozialisten im Wiener Vorstand der SPÖ: „Das Resultat ist in der Partei begreiflicherweise nicht mit großer Begeisterung aufgenommen worden, denn alle haben damals gehofft, daß wir nach den Ereignissen der elf hinter uns liegenden Jahre endlich die stärkste Partei werden und die Regierung möglichst allein stellen oder zumindest führend in dieser Regierung sein können. Nun ist das nicht der Fall gewesen, und natürlich waren wir deprimiert. Das Ergebnis war auf so manches zurückzuführen, auch zum Beispiel auf das Plakat, das im Sommer herausgegeben worden war: ‚Nazi nach Sibirien, Kriegsgefangene nach Hause'. Die Nazi waren zwar nicht wahlberechtigt, aber die Angehörigen der Nazi waren wahlberechtigt. Und es ist begreiflich, daß diese Schichten, die vielfach gar nicht so weit entfernt von der SPÖ gestanden sind, nun verbittert waren. Entweder nicht wählen gegangen sind oder die ÖVP gewählt haben."

Die ÖVP hat die absolute Mehrheit, und sie könnte allein regieren. Doch daran denkt in diesen Zeiten der Not und der Besatzung niemand. Alfred Maleta war dabei, als dem Bundespräsidium der ÖVP, wie die ÖVP-Parteileitung damals hieß, das Wahlresultat bekannt wurde; er berichtet: „Das Ausmaß des Erfolges, die absolute Mehrheit, haben selbst wir damals in der Volkspartei nicht erwartet, ja nicht einmal erhofft, wir waren darüber nur sehr glücklich. Aber ich möchte mit aller Deutlichkeit sagen, es war ein derartiges Verantwortungsbewußtsein vorhanden, daß man nicht leichtfertig und größenwahnsinnig wurde, sondern sich bewußt war, daß es ein schwerer Fehler wäre, eine Alleinregierung zu bilden und daß es für das Schicksal Österreichs von entscheidender Bedeutung ist, daß man die Sozialisten einbindet. Daher haben damals die führenden Männer beider Großparteien den Weg zueinander gefunden. Das war ja eine hochinteressante Situation, wenn man bedenkt, daß diese führenden Männer elf Jahre vorher noch in feindlichen Bürgerkriegslagern gestanden sind. Wir haben also alle gelernt, und uns war vollkommen klar, daß sich diese Ereignisse nicht wiederholen durften, weil das der Anfang vom Ende Österreichs gewesen wäre."

Figl wird Bundeskanzler

Die bisherige Regierung Renner erklärt ihren Rücktritt. Nach der Verfassung müßte jetzt der Bundespräsident die stärkste Partei auffordern, einen Kanzlerkandidaten vorzuschlagen. Aber es gibt noch keinen Bundespräsidenten. So fordert der Kabinettsrat der scheidenden Renner-Regierung die ÖVP auf, einen Kandidaten für das Amt des Bundeskanzlers zu nominieren. Das ÖVP-Präsidium schlägt Leopold Figl vor, und der Kabinettsrat beauftragt Figl mit der Bildung der Bundesregierung.

Leopold Figl ist 43 Jahre alt, Agraringenieur und Bauer aus Rust im Tullnerfeld. Vor dem Krieg war er Direktor des Bauernbunds und Landesführer der „Ostmärkischen Sturmscharen in Niederösterreich", des überwiegend bäuerlichen Wehrverbands der Christlichsozialen. Von den Nationalsozialisten mit dem ersten Prominententransport nach Dachau geschickt, verbrachte Figl über fünf Jahre in diesem Konzentrationslager, wurde für kurze Zeit freigelassen, im Oktober 1944 wieder verhaftet, nach Mauthausen gebracht, später in den Todestrakt des Grauen Hauses nach Wien verlegt, und gehörte zu jenen politischen Gefangenen, die beim Zusammenbruch der NS-Herrschaft in Wien überraschend aus dem Landesgericht entlassen wurden. Doch bis zum Kriegsende, ja sogar bis zum Zusammentritt der ersten Länderkonferenz in Wien, war Leopold Figl außerhalb von Niederösterreich weitgehend unbe-

Leopold Figl wird der erste frei gewählte Bundeskanzler der Zweiten Republik. Wie eingeschränkt die Souveränität auch noch seiner Regierung ist, geht aus dem Wortlaut seines ersten Dienstausweises hervor: Die Dienststellen der alliierten Kommission wer-

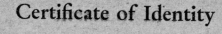

Certificate of Identity

Name Ing. Leopold F i g l
born October 2nd, 1902
address Wien XIX. Peter Jordan-
           strasse 62
is Federal
      Chancellor.

It is requested that all officials of the Allied Commission for Austria and members of the Allied Forces should give him (her) all necessary assistance and allow him (her) to pass freely.

The Austrian police are bound to give aid where necessary.

Issued April 2nd, 1946
Valid until further notice.

By order of the
Federal Chancellor:

Dienstausweis

Name Ing. Leopold **Figl**

geb. 2. Oktober 1902

wohnhaft Wien, XIX., Peter Jordanstr 62

ist **Bundeskanzler**

Die Dienststellen der Alliierten Kommission für Österreich werden gebeten, dem (der) Genannten ihre Unterstützung angedeihen und ihn (sie) überall ungehindert passieren zu lassen.

Die Organe der Österreichischen Polizei sind im Falle der Inanspruchnahme zur Hilfeleistung verpflichtet.

Ausgestellt am 2. April 1946.

Gültig bis auf Widerruf.

Für den Bundeskanzler:

den gebeten, den Bundeskanzler ungehindert passieren zu lassen. Die österreichische Polizei wird darauf aufmerksam gemacht, daß sie zur Hilfeleistung an den Bundeskanzler verpflichtet ist – offenbar noch keine Selbstverständlichkeit bei den Organen dieser Polizei.

Удостоверение

Имя и фамилия Инженер ЛЕОПОЛЬД ФИГЛ

рожд. 2. октября 1902

проживающий Вена 19, Петер Иордан=штрассе 62,

состоит Союзным Канцлером

Просим службы Союзнической Комиссии по Австрии, оказать названному лицу содействие и пропускать везде свободно.

Чины австрийской полиции обязаны оказать помощь в случае таковая потребуется.

Выдано 2. апреля 1946

Удостоверение действительно впредь до отмены.

За Федеративного Канцлера:

kannt. Nun wird er der erste frei gewählte Bundeskanzler der Zweiten Republik.

Das Wahlresultat ist von allen vier Besatzungsbehörden ihren jeweiligen Regierungen berichtet worden. Und diese reagieren. Aus Washington trifft eine Frage und eine Weisung im US-Hauptquartier in Wien ein. Die Frage: „Wer ist Figl?" Die Weisung: Man möge Figl und Schärf nahelegen, die Kommunisten weiterhin an der Regierung zu beteiligen, um das gute Verhältnis mit den Sowjets nicht aufs Spiel zu setzen. Es ist wieder einmal Martin Herz, der mit dieser heiklen Aufgabe betraut wird. Wie er uns berichtete, hatte er sehr genau überlegt, auf welche Weise man diesen merkwürdigen Wunsch Washingtons an die Führer der Volkspartei und der Sozialisten herantragen könnte. Als es dann zum ersten Gespräch zwischen Herz und den Politikern kommt, hatten diese sich längst auch schon für die Aufnahme eines Kommunisten in die Bundesregierung entschieden. „Die wußten ebensogut wie wir, wenn nicht besser, was in der Lage zu machen war", kommentierte Martin Herz. Obwohl man in den Führungsgremien der beiden Großparteien keinerlei Ängstlichkeit zeigt: Die Kommunisten sind abgeschlagen, die neugewonnene Demokratie damit nicht mehr in Gefahr. So zumindest glauben es die Österreicher im Moment. Die Amerikaner sind da nicht so sicher. General Clark besucht Marschall Konjew in dessen Hauptquartier in Baden. Die Amerikaner befürchten, daß die Sowjets aufgrund des schlechten Abschneidens der Kommunisten und der absoluten Mehrheit der ÖVP doch noch Bedenken gegen die neue Regierung vorbringen könnten. Und was geschieht, wenn die Sowjets gegen die geplante Regierungsbildung ihr Veto einlegen? Jedenfalls konnte es zu einer harten Konfrontation kommen.

Daher fühlt General Clark bei Marschall Konjew vor, wie er über das Wahlresultat und die geplante neue Regierung denke. Das Protokoll dieser Unterredung Clark — Konjew läßt Clarks Erleichterung erkennen, als er von Konjew erfährt, daß die Sowjets die Wahlen als einen regulären demokratischen Prozeß ansehen und das Wahlresultat respektieren. Clark klopft nun auch bezüglich Leopold Figls auf den sowjetischen Busch: Er, Clark, wisse von Figl nichts und könne ihn daher noch gar nicht abschätzen, was wüßten denn die Sowjets, und wie würden sie sich gegenüber Figl verhalten? Konjew gibt auch diesbezüglich eine beruhigende Antwort: Auch er wisse wenig über Figl, doch da Figl der Wunschkandidat des österreichischen Volkes sei, so sollten die Alliierten alles tun, um diese Regierung zu konsolidieren, und mit ihr zusammenarbeiten. Allerdings sind sich beide Militärkommissare auch sofort einig, daß die oberste Autorität in Österreich weiter beim Alliierten Rat verbleiben müsse.

Danach läßt Marschall Konjew zum erstenmal durchblicken, daß die Sowjets mit einigen Politikern, die in der österreichischen Regierungsliste aufscheinen dürften, nicht einverstanden sein würden. Vor allem in der Volkspartei gebe es einige Männer, die antisowjetisch eingestellt seien und Erklärungen abgegeben hätten, durch die die Harmonie im Verhältnis der Alliierten untereinander gestört werden sollte und die sich im besonderen Maß gegen die Sowjetunion richteten. Solche Leute, erklärt Marschall Konjew, sollten aus der Regierung ausgeschlossen werden. Das findet die Zustimmung General Clarks. Auch er erklärt mit Nachdruck, daß Leute mit „faschistischen oder nazistischen Tendenzen an der neu zu formenden österreichischen Regierung nicht beteiligt" werden dürften.

Es sind nicht nur die Sowjets, die Vorbehalte gegenüber einzelnen österreichischen Politikern anmelden. Die Briten, die schon das Kabinett Karl Renners unter ihre Lupe genommen hatten, klassifizierten in ihren geheimen Berichten an das Foreign Office in London einige der Minister mit recht unflätigen Worten. So bezeichneten sie den Handelsminister Eduard Heinl, den Landwirtschaftsminister Rudolf Buchinger und den Wiederaufbauminister Julius Raab schlicht als „crooks", als Gauner, „die in keine Regierung gehörten". Begründet wird diese Beschuldigung allerdings nicht.

Leopold Figl weiß aus verschiedenen Bemerkungen der Alliierten, daß es Vorbehalte und Bedenken gegenüber einigen österreichischen Politikern gibt. Er weiß auch, daß diese Bedenken von sowjetischer und von britischer Seite kommen. So scheinen ihm die Amerikaner geeignet, zwischen den Österreichern und den anderen Alliierten zu vermitteln. Unangemeldet erscheint Leopold Figl bei General Mark Clark.

Figl hat die Ministerliste mitgebracht, die er dem Alliierten Rat zur Genehmigung vorlegen will. Figl will sich der amerikanischen Unterstützung seiner Regierungsliste bei den Beratungen des Alliierten Rats versichern. Mark Clark erklärt Figl, daß die Sowjets gegen einige Namen Einwände erheben werden. Er geht mit Figl die Ministerliste durch. Gegen die meisten vorgeschlagenen Politiker gibt es keine Bedenken. Mit sowjetischen Einsprüchen ist jedoch zu rechnen gegen Julius Raab, Andreas Korp und Vinzenz Schumy. Allen dreien wird eine antisowjetische Haltung vorgeworfen. Raab und Schumy sind in den Augen der Sowjets frühere Proponenten des Austrofaschismus gewesen, Raab als Heimwehrmann, Schumy als Landbundführer.

Die Gespräche zwischen Figl und Clark werden von Edwin Kretzmann gedolmetscht, dem amerikanischen Verbindungsmann zu den Österreichern. „Das war ein entscheidender Moment in der Besatzungsgeschichte Österreichs", erinnert sich Kretzmann. „Clark begriff, wenn es jetzt keine Regierung gibt, die von allen vier Mächten anerkannt ist, dann wird man Jahre verhandeln und keine Regierung mehr bekommen. Und Clark wußte, wir werden Minister akzeptieren, die nicht so gut sind, und wir werden auf welche verzichten müssen, die sehr gut sind, das ist nicht wichtig, solange sich nur alle vier Mächte auf eine Kabinettsliste einigen können. Clark drängte daher darauf, daß es rasch eine Regierung geben müßte und daß man wegen einzelner Personen keinen Streit anfangen dürfe. So sagte er Figl: ‚Sie müssen Raab fallenlassen, denn die Russen lehnen ihn ab.' Figl antwortete: ‚Das kann ich nicht tun. Raab ist mein engster Freund, und ich kann das einem Freund nicht antun. Er war es auch, der mich sofort aufnahm, als ich aus dem Konzentrationslager kam.' Da war Figl absolut starrhalsig, im Fall Raab wollte er nicht nachgeben. Und als wir ihm nachdrücklich klarmachten, daß davon mehr als das Schicksal der österreichischen Regierung abhängen könnte, da meinte Figl, dann sollten eben wir das Problem lösen."

Julius Raab selbst löst das Problem. Als er hört, daß die Anerkennung der Regierung an der Frage seiner Person scheitern könnte, verzichtet er von sich aus auf einen Ministerposten. Die damalige strikte Ablehnung Raabs durch die Sowjets entbehrt nicht einer gewissen Ironie, denn schon zwei Jahre später wäre Raab den Sowjets und den Kommunisten ein wünschenswerter Bundeskanzler gewesen, und in den fünfziger Jahren ist es dann auch Raab, dem die Sowjets mit besonderem Vertrauen entgegenkommen und unter dessen Kanzlerschaft sie den Staatsvertrag aushandeln und abschließen.

Die neue Regierung

Leopold Figl bildet Anfang Dezember nun seine neue Regierung. Es ist eine Konzentrationsregierung aller drei Parteien, aber sie folgt nicht mehr dem Proporzschema der Renner-Regierung, in der jede der drei Parteien anfangs die gleiche Zahl von Staatsämtern innehatte und in der jeder Staatssekretär (Minister) von Unterstaatssekretären der beiden anderen Parteien kontrolliert wurde. Die Zusammensetzung der Regierung Figl entspricht dem Wahlresultat. Sie hat 17 Mitglieder, davon gehören acht der ÖVP an, sechs der SPÖ, eines der KPÖ und zwei sind parteilos. Leopold Figl ist Bundeskanzler, Adolf Schärf Vizekanzler. An die Spitze des wichtigen Innenministeriums wird statt des Kommunisten Honner der Sozialist Oskar Helmer gestellt und ihm zur Seite, als Staatssekretär, der ÖVP-Politiker Ferdinand Graf. Es gibt nur zwei Ministerien, die mit Ministern sowie Staatssekretären besetzt sind, das erwähnte Innenministerium und das Ministerium für Vermögenssicherung und Wirtschaftsplanung. Dort ist es umgekehrt: der Minister Peter Krauland ist ein ÖVP-Mann und der Staatssekretär Karl Waldbrunner ein Sozialist. In den anderen Ministerien gibt es keine Staatssekretäre neben den Ministern. Karl Gruber (ÖVP) leitet die Auswärtigen Angelegenheiten, Felix Hurdes (ÖVP) das Unterrichtsministerium, Josef Gerö (parteilos) das Justizministerium, Georg Zimmermann (parteilos) das Finanzministerium, Josef Kraus (ÖVP) das Landwirtschaftsministerium, Eugen Fleischhacker (ÖVP) anstelle von Julius Raab das Ministerium für Handel und Wiederaufbau, Vinzenz Übeleis (SPÖ) das Verkehrsministerium, Hans Frenzel (SPÖ) das Ernährungsministerium und Karl Maisel (SPÖ) das Sozialministerium. Ursprünglich sollte Johann Böhm weiterhin das Sozialministerium leiten, doch übernimmt Böhm nun vollamtlich das Präsidium des Gewerkschaftsbundes. Den Kommunisten ist in dieser Regierung nur noch ein Posten angeboten worden und auch dieser nicht in einem Schlüsselministerium. Lediglich das neugeschaffene Ministerium für Energiewirtschaft kann die KPÖ besetzen. Es war zu erwarten, daß die Kommunisten in ein derartiges nebensächliches Ministerium nicht einen ihrer bisherigen Spitzenpolitiker entsenden würden und daß man auf diese Weise sowohl Franz Honner als auch Ernst Fischer nicht im Kabinett sitzen haben würde. Die KPÖ nominiert Karl Altmann für den Posten des Energieministers. Er war bisher Unterstaatssekretär im Justizministerium.

Am 18. Dezember wird der österreichischen Staatsregierung mitgeteilt, daß die personelle Zusammensetzung der neuen Regierung Figl die Zustimmung des Alliierten Rats gefunden hat. Die volle Anerkennung dieser Regierung durch die vier Besatzungsmächte erfolgt erst Anfang Jänner 1946. Doch der Alliierte Rat übt die oberste Gewalt in Österreich aus, und so genügt seine Zustimmung, um diese Regierung nun endlich auch ihr Amt antreten zu lassen.

Abrechnung im Parlament

Am 19. Dezember tritt im Parlamentsgebäude der neugewählte Nationalrat zu seiner ersten Sitzung zusammen. Natürlich in Anwesenheit der alliierten Befehlshaber, die, begleitet von einer imposanten Militäreskorte, vor dem Parlament vorfahren. Die Militärkommissare und ihre politischen Berater nehmen in der Mittelloge Platz, der ehemaligen Kaiserloge.

Dann erfolgt der Einzug der Abgeordneten. Als erste betreten die Abgeordneten der Volkspartei den Saal, jeder ein Edelweiß im

Als der neue Bundeskanzler Leopold Figl seine Regierung zusammenstellen will, erheben die Sowjets Einwände gegen einige Ministerkandidaten, darunter auch gegen Julius Raab. Raab ist Figls persönlicher Freund, im Krieg gewährte er ihm Unterschlupf, als Figl zwischenzeitlich aus dem KZ entlassen wurde (links). Figl begibt sich zu General Mark Clark und bittet um amerikanische Vermittlung bei den Sowjets. Clark winkt ab, man müsse froh sein, daß die Sowjets nach der großen Wahlniederlage der Kommunisten die neue österreichische Regierung überhaupt anerkennen. Oben: Figl mit General Clark und dessen Verbindungsoffizier Kretzmann.

Knopfloch; gefolgt von den Abgeordneten der SPÖ, die die traditionelle rote Nelke der Sozialdemokraten tragen. Zu den vier reservierten Sitzen der Kommunisten begibt sich nur der steirische Kommunist Viktor Elser, denn die weiteren drei KPÖ-Abgeordneten sind Mitglieder der noch im Amt befindlichen Renner-Regierung.

Geführt von Karl Renner, betreten nun auch die Mitglieder dieser Regierung den Saal. Die Abgeordneten erheben sich von ihren Sitzen und bringen der Regierung Renner stehend eine Ovation dar. Acht Monate war diese Regierung im Amt und hat in dieser kurzen Zeit doch schon alle Fundamente der neuen Republik legen können bis zur Durchführung der Wahlen, aus denen dieser Nationalrat hervorgegangen ist. Der lang anhaltende Applaus gilt dieser außerordentlichen Leistung.

Die Mitglieder des Renner-Kabinetts nehmen auf der Regierungsbank Platz. Es gibt noch keinen Präsidenten des Nationalrats, dieser muß ja erst von den Abgeordneten gewählt werden. So schlägt Renner vor, den ältesten unter den Abgeordneten, den früheren Wiener Bürgermeister Karl Seitz, mit dem Vorsitz und der Leitung der Tagung zu betrauen. Seitz eröffnet die Sitzung und ersucht nach einer kurzen Ansprache Karl Renner, den Rechenschaftsbericht seiner Regierung vorzulegen. Renner hält sich nicht lange mit der Schilderung der Tätigkeit seiner Regierung auf. Er nützt die Anwesenheit der vier alliierten Militärkommissare und deren politischen Berater, um in aller Öffentlichkeit auf jene Vorwürfe einzugehen, die von alliierter Seite immer wieder gegenüber Österreich erhoben wurden und die von den Alliierten auch als Begründung für die noch andauernde Besatzung angeführt werden. Der erste Vorwurf: Österreich habe selbst nicht ausreichend zu seiner Befreiung beigetragen, auch trage es Mitschuld am Hitler-Krieg.

Dazu erklärt Renner jetzt in seiner Rede: „Wie konnte ein physisch geknechtetes, moralisch durch die Propagandamethoden des Dritten Reiches beinahe überwältigtes, des eigenen Staates vollständig beraubtes und in die zusammenhanglose, unorganisier-

In der ersten Sitzung des neugewählten Parlaments legt der scheidende Staatskanzler Karl Renner den Rechenschaftsbericht über die sieben Monate seiner Kanzlerschaft, über die ersten sieben Monate der Zweiten Republik, ab. Die Souveränität dieses Parlaments bleibt eingeschränkt. Auf dem Bild oben ist in der unteren rechten Ecke jener amerikanische Soldat deutlich zu erkennen, der im Namen des Alliierten Rates alles, was die Österreicher an diesem Tag in ihrem Parlament sprechen, zur Kontrolle auf Tonband aufnimmt. In den Ehrenlogen sitzen die vier Militärkommissare, die als Mitglieder des Alliierten Rates weiterhin die oberste Gewalt in Österreich ausüben (rechts oben). Die Bilder rechts zeigen das Eintreffen Marschall Konjews und eines der sowjetischen Geleitfahrzeuge.

bare Summe einzelner Individuen aufgespaltenes Volk auf seinem schmalen Boden die Zertrümmerung des Faschismus bewerkstelligen und das vollbringen, was die vereinigten Weltmächte durch ihr gesamtes Waffenaufgebot erst in einem Kriege von fünf Jahren zu bewerkstelligen vermochten?" Die Abgeordneten spenden stürmischen Beifall. Renner setzt fort: „Ohne das Instrument des Staates hat bei der Wucht der heutigen Herrschaftsmittel jedes, auch manches große Volk sich hilflos erwiesen."

Renner geht nun auf das Argument ein, Österreich müsse erst vom Nationalsozialismus gesäubert und sein demokratisches Fundament aufgebaut werden, ehe es der vollen Freiheit würdig sei. Dazu Renner: „Unser ganzes Volk hat sich [seit der Befreiung] sofort in den überlieferten Einrichtungen heimisch gefühlt, alles Fremdtum begeistert von sich geworfen, freudig sich zum wiedererstandenen Österreich bekannt und hinab bis zum letzten Dorf mitgetan an der Aufrichtung der Zweiten Republik. So hat das österreichische Volk den zweifachen Beweis erbracht: Erstens, daß es selbst und allein den Willen und die Kraft besitzt, das Land von allem Nazitum restlos zu säubern." (Stürmische Zustimmung der Abgeordneten.) Renner weiter: „Zweitens, daß es reif und gewillt ist, in seinem wiederaufgebauten freien Staatswesen sich selbst so klaglos zu regieren und zu verwalten, wie es dies in den freien Jahren der Ersten Republik vermocht hat, solang und soweit es nicht von außen her durch faschistischen Einfluß gestört und irregeführt worden war." Daran schließt Renner die Frage, die er an die vier Militärkommissare richtet: „Können wir da nicht früher, ja ehebaldigst von einem befreiten zu einem wirklich freien Volk werden?"

Damit nicht genug, richtet Renner gleich eine Reihe handfester Forderungen an die Alliierten: „Über Österreichs Volkswirtschaft schwebt eine schwere Bedrohung, die umso niederdrückender wirkt, weil ihre Art und ihr Umfang noch unbekannt und gänzlich unberechenbar sind." Renner meint das Deutsche Eigentum, das die Alliierten auf der Potsdamer Konferenz einander zugesprochen haben. Aber das Hitler-Reich habe nach der Annexion die wichtigsten Güter, die Schlüsselindustrien, den Goldschatz und vieles andere „in das titulare Eigentum des Reiches oder von Reichsangehörigen zu bringen verstanden". Sollte dies alles nun den Siegermächten zufallen? Dazu Renner wörtlich: „Findet eine solche Bestimmung auf uns Anwendung, so ist des Österreichers Volksgut, sein nationales Erbe, die Lebensbürgschaft der jetzigen und der kommenden Geschlechter in Frage gestellt." Und dann ruft Renner, schon ahnend, daß die Frage des Deutschen Eigentums geradezu zur Schicksalsfrage der Zweiten Republik werden wird, den Abgeordneten zu: „Es wird die Aufgabe der Volksvertretung und der kommenden Regierung sein, in den Rechtsstreit um unser Erbgut einzutreten, und es steht uns nicht zu, ihnen vorzugreifen. Aber erwähnt muß diese Frage schon jetzt werden, auch im Hinblick auf das fundamentale Problem unserer Republik!"

Dann geht Renner noch um einen Schritt weiter: „Das kleine schwache Österreich soll gleich dem heiligen Christophorus auf seinen Schultern die Bürde einer europäischen, ja einer Weltmission nehmen . . . Man mache uns stark genug, die Bürde zu tragen: Man gebe uns ein gesichertes und ausreichendes Staatsgebiet! Man gebe uns Südtirol zurück, das vor Gott und der Welt uns gehört!" Alle Abgeordneten erheben sich und spenden dieser Forderung des Kanzlers minutenlang stürmischen Beifall. Dann setzt Renner fort: „Und man lasse nicht zu, daß die durch Volksabstimmungen vor einem Vierteljahrhundert festgesetzte Südgrenze der Republik neuerlich bestritten wird!" Wieder erheben sich die Abgeordneten und spenden stürmischen Beifall. Dann Renner weiter: „Man sichere unser wirtschaftliches Erbgut, gebe uns das Geraubte wieder und lasse uns in unseren Fabriken unser Brot verdienen, damit wir nicht bei den reicheren Nachbarn bittlich werden müssen!" Renner schließt: „Die Staatsmaschine ist wiederhergestellt, aber in ihrem inneren Räderwerk gehemmt und nach außen nicht wirksam. Ihre ökonomischen und sozialen Ergebnisse können nicht befriedigen, und die Provisorische Staatsregierung ist sich dieser bescheidenen Erfolge ihrer Bemühungen wohl bewußt. Was wir erbitten, ist das Zugeständnis des Hohen Hauses, daß wir das Richtige gewollt und mit Ernst und Eifer betrieben haben. Möge man uns den Trost zubilligen, der in den Worten liegt: In großen Dingen genügt es, gewollt zu haben. Das erste Stadium des wiedererstandenen Österreich tritt in die Vergangenheit und geht mit unserem Rücktritt ein in die Geschichte unseres Volkes. Zu neuen Zielen führt ein neuer Tag, und bald möge erscheinen der Tag unserer vollen Freiheit!" Erneut und zum letzten Mal spenden die Abgeordneten der scheidenden Renner-Regierung lang anhaltenden Beifall.

Dann stellt Renner den Antrag, die frei gewählte Volksvertretung möge nun jene Gesetze bestätigen und erneut zum Beschluß erheben, die die Provisorische Regierung Renner ohne Deckung durch frei gewählte Volksvertreter erlassen hatte. Allen voran die Unabhängigkeitserklärung vom 27. April 1945, gefolgt von jenem Überleitungsgesetz, mit dem die Verfassung 1920/1929 als Grundlage der Zweiten Republik in Kraft gesetzt worden war.

Der neue Bundespräsident, der neue Kanzler

Die rotweißroten Fahnen vor dem Parlamentsgebäude werden am 20. Dezember erneut gehißt. Im Parlament treten Nationalrat und Bundesrat zu einer gemeinsamen Sitzung, zur ersten Bundesversammlung der neuen Republik, zusammen. Auf der Tagesordnung steht die Wahl des Bundespräsidenten. Einziger Kandidat ist der bisherige Staatskanzler Karl Renner. Erst Renners Nachfolger Theodor Körner wird 1951 durch Volkswahl in dieses hohe Amt berufen

Symbolisch für alles, was Renner und Figl in ihren Regierungserklärungen an Freiheitseinschränkungen und Belastung durch die Besatzungstruppen aufzählt: Die Personenkontrolle an den Zonengrenzen.

werden. So hat nun die Bundesversammlung über den Antrag abzustimmen, Karl Renner zum ersten Bundespräsidenten der Zweiten Republik zu wählen. Nach der Abstimmung gibt Nationalratspräsident Kunschak das Ergebnis bekannt: Renner ist ohne Gegenstimme gewählt. Die Abgeordneten erheben sich von ihren Sitzen und begrüßen den neuen Bundespräsidenten mit einem dreifachen Hoch. In seiner Dankesrede fordert Renner die Mitglieder der Bundesversammlung auf, die Gegensätze aus den Jahren der Ersten Republik zu begraben und an ihre Stelle die Verständigung zu setzen. „Alles, was wir tun", ruft Renner, „möge zum Segen gereichen unserem geliebten Österreich!"

Am nächsten Tag, dem 21. Dezember, werden die rotweißroten Fahnen vor dem Parlament ein drittesmal gehißt. In Anwesenheit des Bundespräsidenten Renner und eingeführt vom Nationalratspräsidenten Kunschak soll der neue Bundeskanzler Leopold Figl die erste frei gewählte Regierung der Zweiten Republik vorstellen.

Was zu diesem Zeitpunkt die Bevölkerung nicht weiß und worüber auch nur wenige Abgeordnete informiert sind: Die von allen drei Parteien erarbeitete Regierungserklärung mußte dem Alliierten Rat zur Genehmigung vorgelegt werden, und sie hat die alliierte Zensur nicht ohne Streichungen passiert. Jeder Abgeordnete im Saal bemerkt sehr wohl den Tisch neben den Parlamentsstenografen, auf dem ein amerikanischer Unteroffizier einen Tonaufnahmeapparat installiert hat. Techniker der US-Armee haben vor dem Sitz des Bundeskanzlers ein Mikrofon aufgestellt und dieses mit dem Aufnahmeapparat verbunden. Nun hat der US-Sergeant Kopfhörer aufgesetzt, seine Maschine gestartet und nimmt die Rede des Bundeskanzlers auf, jedoch nicht, um sie der Geschichte zu bewahren, sondern im Auftrag des Alliierten Rates, der den Wortlaut der gehaltenen Rede mit dem der zensurierten Rede vergleichen will. Die inmitten des Sitzungssaales installierte und von einem alliierten Soldaten gesteuerte Aufnahmemaschine sagt in diesem Augenblick alles aus über den Grad der Souveränität, die diesem Parlament und dieser neuen Regierung zukommt.

Bundeskanzler Figl läßt sich dies nicht anmerken, als er mit seiner Rede beginnt: „In einem geschichtlichen Augenblick trete ich heute vor Sie, als die vom Vertrauen des gesamten österreichischen Volkes gewählte erste Nationalversammlung unseres Landes." Als erstes dankt Figl den alliierten Mächten für die Befreiung Österreichs. An dieser Stelle erheben sich die Abgeordneten von ihren Sitzen, wenden sich zu den in der Ehrenloge befindlichen alliierten Vertretern und unterstreichen ihren Dank mit lang anhaltendem Applaus. Nach dieser Verneigung vor den Alliierten nennt Figl die Vorbedingungen, die erfüllt werden müßten, damit seine Regierung überhaupt mit einiger Aussicht auf Erfolg arbeiten könnte.

Figl formuliert diese Vorbedingungen als Forderungen an die alliierten Mächte: „Die Öffnung der Demarkationslinien ist unerläßlich. Ich wende mich mit dem dringenden Appell an die alliierten Mächte, sich bereits in nächster Zeit mit der Frage der Wiederherstellung der verwaltungstechnischen, wirtschaftlichen und politischen Einheit Österreichs zu befassen und diese Frage im Interesse Österreichs zu lösen." Geschickt geht Figl im nächsten Punkt auf die von den alliierten Mächten immer wieder erhobene Forderung nach gründlicher Entnazifizierung in Österreich ein. Man werde die Verwaltung von Nationalsozialisten und nazistischem Geist gründlich säubern. Dabei gehe es nicht um die kleinen, einfachen Mitläufer, sondern „mit doppelter und dreifacher Strenge um die Verführer selbst". Und vor allem gehe es darum, „den Geist des Faschismus rücksichtslos zu bekämpfen und auszurotten".

Diese Zusicherung an die Alliierten verbindet Figl mit der Ankündigung einer geplanten Regierungsmaßnahme, von der anzunehmen ist, daß sie zumindest bei den Sowjets auf keine Begeisterung stoßen wird. Figl wörtlich: „Zu diesem Behufe [rücksichtslose Bekämpfung des Faschismus] ist auch eine weitgehende Reorganisation des Sicherheitswesens notwendig. Der Sicherheitsapparat muß Diener des Staates und restlos gegen alle Versuche und Bestrebungen, die demokratische Entwicklung Österreichs zu gefährden, einsatzbereit sein. Alle drei Parteien Österreichs haben das gleiche Interesse daran: Recht muß wieder Recht werden in diesem Österreich, und zwar ein Recht, wie es im demokratischen Europa oberstes Gesetz ist." Damit kündigt die Regierung schon an, daß sie das Nebeneinander verschiedener, vorwiegend von Kommunisten beherrschter Polizeiorganisationen nicht dulden werde. Danach wieder eine Forderung an die Alliierten: „Ungeheuer schwere Aufgaben, die zum Teil ohne die Hilfe der alliierten Mächte unlösbar bleiben müssen, erwachsen der neuen Regierung auf dem Gebiete des Wiederaufbaus der Wirtschaft. Im Sofortprogramm der Regierung wird die dringlichste Aufgabe die Sicherung der Ernährung in diesem Winter sein . . . Neben der Ernährung ist es die Frage der Beheizung, die uns große Sorgen bereitet. Die größte und heiligste Aufgabe aber für uns wird es sein, unsere Kinder über diesen Winter zu bringen!"

Nun geht auch Figl auf die Frage des wirtschaftlichen Überlebens Österreichs ein: „Während der Nazizeit ist schlimmster Raubbau an der Wirtschaftssubstanz in Österreich getrieben worden, wobei ich gar nicht von der direkten Verschleppung österreichischer Güter ins Nazireich sprechen möchte." Unvermittelt setzt Figl

Bis Dezember 1945 ist die deutsche Reichsmark die in Österreich gültige Währung. Die Alliierten haben Militärschillinge mitgebracht, sie gelten neben der Reichsmark. Nun wird die österreichische Schillingwährung wieder eingeführt; gleichzeitig versucht man, wenigstens einen Teil der durch den Krieg aufgeblähten Geldmenge abzuschöpfen, aber das scheitert weitgehend an der Forderung der Alliierten nach einem 1 : 1-Umtausch der in ihren Händen befindlichen Geldmenge. Es wird einer zweiten Währungsreform und einer echten Abwertung bedürfen, um den Schilling auf den Weg zu einer harten Währung zu bringen. Rechts: Ein alliierter Militärschilling und die neuen Schillingscheine.

hier hinzu: „Die Entgüterung der Wirtschaft hat in den letzten Monaten einen Höhepunkt erreicht. Wir sind Bettler geworden und müssen von Grund auf neu anfangen." Und noch einmal wendet sich Figl an die Adresse der Alliierten: „Die Voraussetzung jedes Wirtschaftsaufbaus ist der Abbau der wirtschaftsfremden, unorganischen Belastungen der Wirtschaft und die Sicherung der Währung. In diesem Zusammenhang muß ich wieder an die alliierten Mächte appellieren und um eheste Herabsetzung der Besatzungstruppen auf ein für unsere Wirtschaft erträgliches Maß bitten."

Danach wendet sich Figl an die Volksvertreter und an das österreichische Volk: „Ich bin überzeugt, daß es bei ehrlichem Willen, dank der Stärke der aufbauwilligen Kräfte und der Bereitschaft, zu einer Arbeitsgemeinschaft zwischen Arbeitgebern und Arbeitnehmern in ganz Österreich zu kommen, wobei ich besonders an die unerläßliche Mitarbeit des Gewerkschaftsbundes appelliere, gelingen wird, viele Fragen, die uns heute noch unlösbar erscheinen, zu klären." Mit diesen Sätzen visiert die Regierung bereits etwas an, was später einmal als österreichisches Wunder gelten wird – die Zusammenarbeit der Sozialpartner. Schon in dieser ersten Regierungserklärung wird sie als Voraussetzung für eine Bewältigung der fast unbewältigbar erscheinenden Probleme des Wiederaufbaus genannt.

Und ebenfalls in dieser ersten Regierungserklärung wird schon der Rahmen gezogen für die Art des Wirtschaftssystems, wie es in der Zweiten Republik eingerichtet werden soll. Figl umfaßt das in vier schlichten Sätzen: „Die überwiegende Mehrheit der Bevölkerung hat sich für die Beibehaltung der Privatinitiative, des Eigentumsbegriffes und des Leistungsprinzips in diesem Staat entschieden. Dies ist ein eindeutiger demokratischer Willensentschluß. Er hindert aber nicht, dort, wo die Privatinitiative wirtschafts- und sozialpolitisch versagt, entsprechende Maßnahmen zu ergreifen. Dies wird für die neue Regierung Richtschnur sein." An anderer Stelle ergänzt Figl: „Wir werden bei einer Reihe von Schlüsselunternehmungen, deren Vergesellschaftung im Interesse des gesamten Staates gelegen ist, in Anlehnung an das von der Provisorischen Staatsregierung beschlossene Verstaatlichungsgesetz, zur Verstaatlichung oder Kommunalisierung schreiten."

Den letzten Teil der Regierungserklärung widmet Figl der Außenpolitik. In wenigen Sätzen wird die künftige Außenpolitik Österreichs bereits grundsätzlich bestimmt. Figl erklärt: „Österreich, das in seiner ganzen jahrhundertealten Kultur westlich orientiert, immer das aufgeschlossene Tor war für die großen wertvollen Beiträge des Ostens, für die gesamte Kultur der Welt, hat eine Schlüsselstellung für Europa." Diese Stelle gehört zu den zensurierten Passagen der Figl-Rede. Figl macht dennoch verständlich, was die Regierung meint. Denn da ist ein ganzes Programm drin: „Westlich orientiert", ein „aufgeschlossenes Tor für die wertvollen Beiträge des Ostens", damit siedelt die Regierung Österreich eindeutig im Lager der westlichen Demokratien an, jedoch mit der Absicht, sich gegenüber dem Osten offen und freundschaftlich zu verhalten.

Abschließend wiederholt Figl die auch schon von Renner vorgebrachten Forderungen der neuen Republik: „Die Rückkehr Südtirols nach Österreich ist ein Gebet jedes Österreichers. Als zweites unabdingliches Gesetz unserer Außenpolitik muß ich die Unteilbarkeit unseres Kärntner Landes in seinen alten Grenzen bezeichnen!" Auch Figl wird immer wieder von lang anhaltendem Applaus aller Abgeordneten unterbrochen.

Er hält sich während der Regierungserklärung an das vom Alliierten Rat zensurierte Manuskript, wendet sich jedoch danach in freier Rede den alliierten Militärkommissaren zu und sagt, was ihm die Zensoren aus dem Manuskript seiner Ansprache herausgestrichen haben. Es ist nichts Außergewöhnliches und nichts, was in diesem Haus nicht schon mit anderen Worten gesagt worden wäre. Aber der Bundeskanzler gibt damit kund, daß sich die Österreicher gegen alliierte Bevormundung zur Wehr setzen werden. Figl erhebt nochmals die Forderung, die Alliierten mögen raschestens ihre Truppen reduzieren und Österreich so bald wie möglich die Freiheit wiedergeben. Das Hohe Haus spielt mit. Die extemporierten Sätze Figls werden vom Applaus der Abgeordneten begleitet: Die Alliierten haben das Abgehen Figls von der zensurierten Rede mit keinem Wort je mehr erwähnt.

Kein Glück mit dem Geld

Wie schwer es die neue Regierung haben wird, das hatte sich schon eine Woche vorher gezeigt. Am 13. Dezember tritt das in Kraft, was nach dem Wunsch der Österreicher eine gründliche Währungsreform hätte sein sollen. Denn bis jetzt gilt in Österreich ja noch die deutsche Währung, die Reichsmark. In allen Ländern, die von deutschen Truppen besetzt waren, sind große Reichsmarkbestände zurückgeblieben. Die meisten dieser Länder wurden von alliierten Truppen befreit und besetzt. Die dort liegenden Reichsmarkbestände wurden als Kriegsbeute beschlagnahmt. Und in Wien hat man guten Grund zu der Annahme, daß ein erheblicher Teil dieser Reichsmarkbestände nun nach Österreich einfließt und hier zu einer erheblichen Steigerung der inflationären Entwicklung beiträgt. Es ist daher wichtig, diesen Zufluß zu stoppen und eine Übersicht über die auf österreichischem Gebiet überhaupt vorhandene Geldmenge zu gewinnen. Gleichzeitig aber wäre es auch notwendig, diese sicherlich gewaltige Geldmenge abzuschöpfen, also beim Umtausch der alten Reichsmark gegen neue Schilling auch eine Neubewertung durchzuführen.

Der Alliierte Rat stimmt zwar der ersten Phase einer solchen Währungsreform zu, dem Umtausch der Reichsmark in neue Schillingnoten, nicht aber der zweiten, nämlich der gleichzeitigen Geld-Neubewertung und damit der Herstellung einer kaufkräftigen neuen Schillingwährung. Ursache dieses Einspruchs: Die Sowjets haben, wie wir wissen, hohe Reichsmarkbestände in den österreichischen Banken konfisziert, rund eine Milliarde, und sie wünschen, daß diese Beträge 1:1 umgetauscht werden bzw. daß jene Beträge, die sie inzwischen den Österreichern aus diesem Bestand geborgt haben, 1:1 gutgeschrieben werden. Die westlichen Militärkommissare sind nicht minder darauf bedacht, die von ihnen und von den Sowjets ins Land gebrachten Militärschillinge ebenfalls im Wert 1:1 umgetauscht zu erhalten.

So muß sich die österreichische Regierung mit einer halben Maßnahme begnügen. Die Reichsmarknoten und -münzen werden eingezogen und 1:1 gegen neue Schilling eingetauscht. Doch die Regierung versucht, zumindest den österreichischen Geldumlauf einzuschränken: Pro Person dürfen nur 150 Reichsmark gegen 150 Schilling gewechselt werden. Alle darüberliegenden Reichsmarkbeträge müssen auf Sperrkonten gelegt werden. Das geht an die Ersparnisse und ist für viele ein großes Opfer. Denn von den Sperrkonten können nur noch ganz bestimmte Zahlungen vorgenommen werden: Steuern kann man vom Sperrkonto auf ein Staatskonto überweisen, Begräbniskosten begleichen, und die den Nationalsozialisten vorgeschriebenen Sühneabgaben lassen sich ebenfalls vom Sperrkonto abbuchen. Für fast alle anderen Zahlungen bleibt das Konto gesperrt.

Das Hochamt, das Kardinal Innitzer im Stephansdom zelebriert, gilt Österreichs erstem Schritt in die Freiheit.

Während die Österreicher sich also mit je 150 Schilling begnügen müssen, beanspruchen die alliierten Mächte vom Fleck weg 1,5 Milliarden von den insgesamt 4 Milliarden neuen Schilling, die die Bundesregierung aufgelegt hat, als Besatzungskosten, also mehr als ein Drittel!

Trotz dieses an und für sich rigorosen Eingriffs bleibt die Währung weitgehend wertlos. Natürlich, alles, was man auf Karten bezieht, und alles, was zu offiziellen Preisen angeboten wird, ist billig. Aber das ist ein unechter Markt, er setzt weiterhin die strenge Bewirtschaftung und Rationierung voraus. Was man für Geld sonst erhält, ist kärglich.

Die erste Friedensweihnacht

Am 21. Dezember hat die neue Regierung Figl-Schärf ihr Amt angetreten. Drei Tage später ist Weihnachten. Einen Christkindlmarkt gibt es nicht, nur da und dort einen ärmlichen Verkaufsstand, wo ein wenig Tannengrün und Papiergirlanden angeboten werden. Die Schaufenster der Geschäfte bleiben leer oder sind mit wertlosen Nebensächlichkeiten gefüllt.

Um so mehr wird nach irgend etwas, was sich zu Weihnachten schenken ließe, gesucht, meist mit Zettelchen auf improvisierten Anzeigenwänden. Tausch wird angeboten, es dominiert die Not des Tages: „Suche Heizmaterial. Gebe meine Zigarettenration." Der harte Winter ist hereingebrochen, und nur in wenigen Stuben ist es warm. In der Bassena auf dem Gang friert das Wasser. Aus Kohlenmangel bleiben auch die Züge stehen. Auf dem Wiener Westbahnhof, dessen Gebäude noch zerstört ist, wird das Zugangsportal geschlossen. Unverdrossene suchen ihr Glück auf der Straße, und Erfinderische haben bereits einen alten Lastkraftwagen zum Omnibus umfunktioniert. Der Stehplatz oder auch der Sitzplatz auf einer Holzbank auf dem Lkw kostet ein paar neue Schilling. So fährt man Weihnachten 1945 nach Hause. Da wie dort gibt es für die meisten ohnedies nur den Eintopf mit einem Stück Brot. Doch es gibt Frieden. Zum erstenmal seit sechs Jahren. In den Wärmestuben prostet man einander mit einem Häferl Ersatzkaffee zu: Österreich gibt es wieder und eine frei gewählte Regierung!

Am Abend des 24. Dezember spricht Bundeskanzler Figl zu seinem Volk. Diese Rede ist als Tondokument seinerzeit nicht aufgezeichnet worden. In den gerade erst zusammengeflickten Sendestudios gab es noch keine Tonaufzeichnungsmaschinen. Aber der Wortlaut der Rede war niedergeschrieben worden. Knapp vor seinem Tod wurde Leopold Figl von Ernst Wolfram Marboe gebeten, die Kernsätze dieser Weihnachtsansprache 1945 nochmals zu sprechen. Es ist diese Tonaufzeichnung, die erhalten geblieben ist. Wer die Ansprache 1945 gehört hatte, in Zeiten bitterster Not, der kann in Wortfall und Betonung keinen Unterschied merken zu der Rede, die der sterbende Altkanzler nachgesprochen hat.

Figl rief an jenem Dezembertag 1945 seinen Landsleuten zu: „Ich kann Euch zu Weihnachten nichts geben. Ich kann Euch für den Christbaum, wenn Ihr überhaupt einen habt, keine Kerzen geben. Kein Stück Brot, keine Kohle zum Heizen, kein Glas zum Einschneiden. Wir haben nichts. Ich kann Euch nur bitten: Glaubt an dieses Österreich!"

Die Ruinen des Krieges sind im ganzen Land noch weithin sichtbar. Doch in weniger als neun Monaten ist das neue Österreich wiedererstanden, sind seine politischen Parteien wieder gegründet und alle wesentlichen Institutionen der Zweiten Republik geschaffen worden. Das Land hat sich seine demokratische Verfassung wiedergegeben, und seine Bürger haben in der ersten freien Wahl eine grundsätzliche Entscheidung getroffen: Österreich wird auf der Basis einer freien, demokratischen Gesellschaftsordnung wiedererrichtet. Das Ringen um diese Freiheit hat begonnen.

„ÖSTERREICH II" IN KARTEN

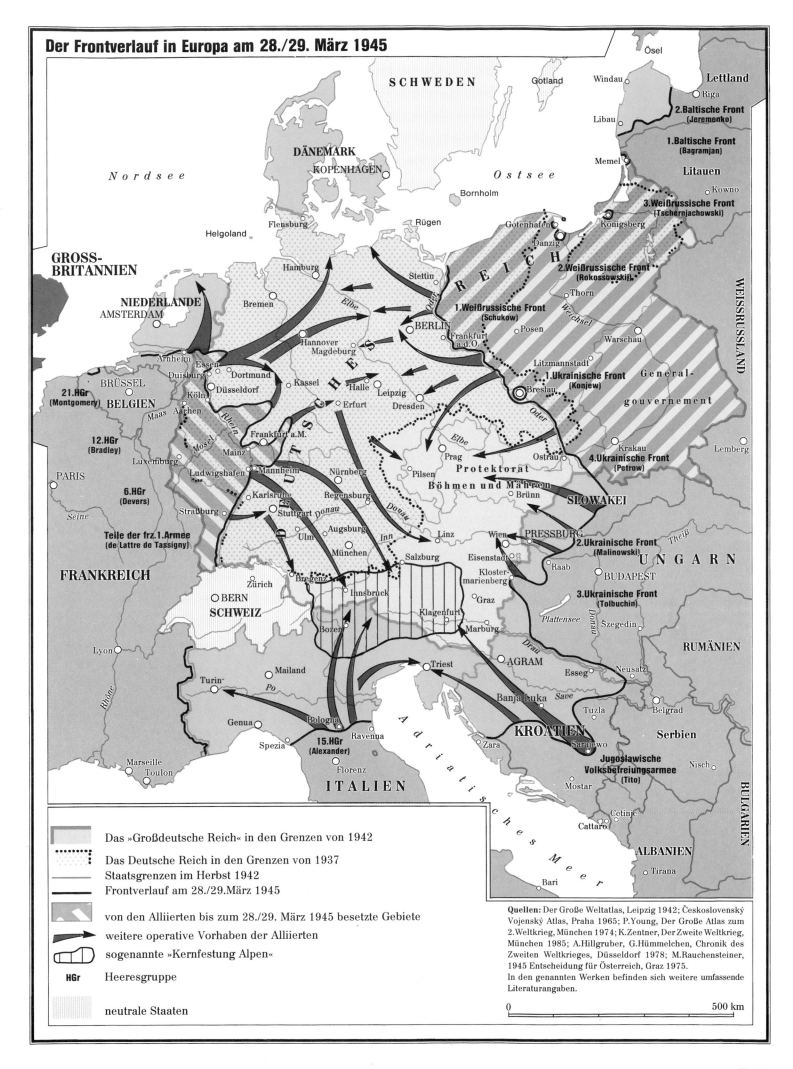

Der Frontverlauf in Europa am 28./29. März 1945

SCHWEDEN
Ösel
Gotland
Windau
Lettland
Riga
Libau
2.Baltische Front
(Jeremenko)
DÄNEMARK
KOPENHAGEN
Bornholm
Memel
1.Baltische Front
(Bagramjan)
Litauen
Nordsee
Ostsee
Helgoland
Flensburg
Rügen
Kowno
3.Weißrussische Front
(Tschernjachowski)
Königsberg
Gotenhafen
Danzig
**GROSS-
BRITANNIEN**
Hamburg
Stettin
R E I C H
2.Weißrussische Front
(Rokossowskij)
Bremen
Elbe
Oder
Thorn
NIEDERLANDE
AMSTERDAM
Hannover
Magdeburg
BERLIN
Frankfurt a.d.O.
Posen
Warschau
1.Weißrussische Front
(Schukow)
Weichsel
WEISSRUSSLAND
Arnheim
Essen
Dortmund
Kassel
Halle
Leipzig
Dresden
Litzmannstadt
1.Ukrainische Front
(Konjew)
**General-
gouvernement**
Duisburg
Düsseldorf
Köln
Aachen
Erfurt
Breslau
21.HGr
(Montgomery)
BRÜSSEL
BELGIEN
Maas
Rhein
Oder
Krakau
Lemberg
12.HGr
(Bradley)
Mosel
Frankfurt a.M.
Mainz
Elbe
Prag
Ostrau
4.Ukrainische Front
(Petrow)
Luxemburg
Ludwigshafen
Mannheim
Nürnberg
Pilsen
**Protektorat
Böhmen und Mähren**
D E U T S C H E S
6.HGr
(Devers)
PARIS
Seine
Karlsruhe
Regensburg
Brünn
SLOWAKEI
Straßburg
Stuttgart
Donau
Donau
Linz
Wien
PRESSBURG
2.Ukrainische Front
(Malinowski)
Theiß
Teile der frz.1.Armee
(de Lattre de Tassigny)
Ulm
Augsburg
Inn
Salzburg
Eisenstadt
Kloster-
marienberg
Raab
UNGARN
FRANKREICH
München
Bregenz
Innsbruck
Graz
BUDAPEST
Zürich
BERN
SCHWEIZ
Bozen
Klagenfurt
Marburg
Plattensee
3.Ukrainische Front
(Tolbuchin)
Donau
Szegedin
Lyon
Mailand
Po
Drau
AGRAM
Neusatz
RUMÄNIEN
Turin
Triest
Esseg
Save
Belgrad
Genua
Bologna
Ravenna
Banja Luka
KROATIEN
Tuzla
Rhône
Spezia
15.HGr
(Alexander)
Zara
Sarajewo
Serbien
Marseille
Toulon
Florenz
A d r i a t i s c h e s
**Jugoslawische
Volksbefreiungsarmee**
(Tito)
Nisch
Mostar
BULGARIEN
ITALIEN
M e e r
Cetinje
Cattaro
ALBANIEN
Tirana
Bari

Legende

	Das »Großdeutsche Reich« in den Grenzen von 1942
··········	Das Deutsche Reich in den Grenzen von 1937
——	Staatsgrenzen im Herbst 1942
▬▬	Frontverlauf am 28./29.März 1945
	von den Alliierten bis zum 28./29. März 1945 besetzte Gebiete
➤	weitere operative Vorhaben der Alliierten
	sogenannte »Kernfestung Alpen«
HGr	Heeresgruppe
	neutrale Staaten

Quellen: Der Große Weltatlas, Leipzig 1942; Československý Vojenský Atlas, Praha 1965; P.Young, Der Große Atlas zum 2.Weltkrieg, München 1974; K.Zentner, Der Zweite Weltkrieg, München 1985; A.Hillgruber, G.Hümmelchen, Chronik des Zweiten Weltkrieges, Düsseldorf 1978; M.Rauchensteiner, 1945 Entscheidung für Österreich, Graz 1975.
In den genannten Werken befinden sich weitere umfassende Literaturangaben.

0   500 km

Luftkrieg über Österreich

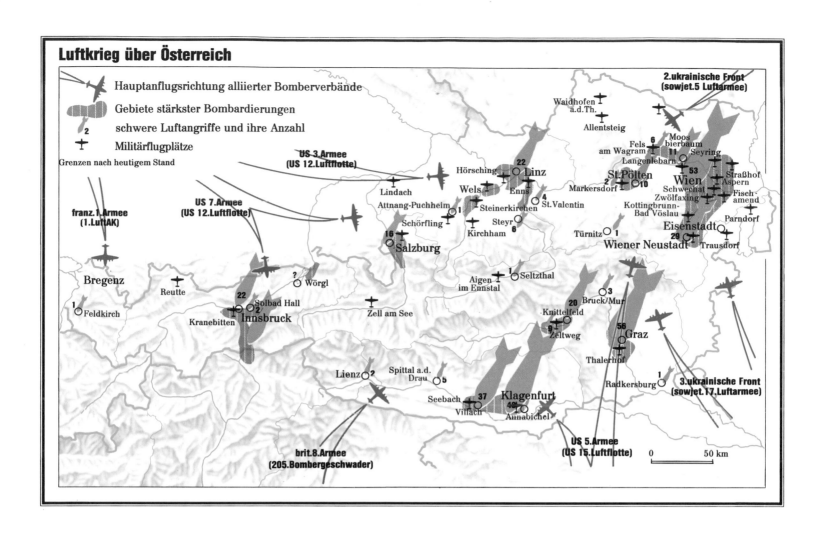

Legende:
- Hauptanflugsrichtung alliierter Bomberverbände
- Gebiete stärkster Bombardierungen
- schwere Luftangriffe und ihre Anzahl
- Militärflugplätze

Grenzen nach heutigem Stand

Die Donau- und Alpengaue (»Ostmark«)

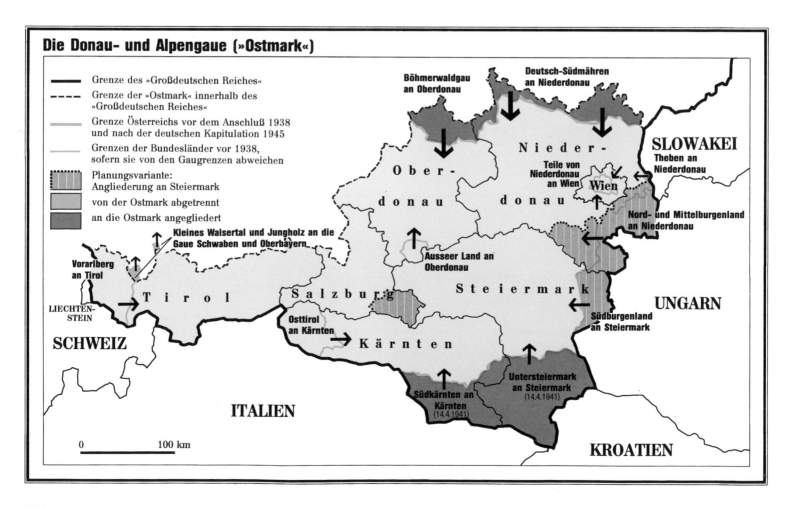

Legende:
- Grenze des »Großdeutschen Reiches«
- Grenze der »Ostmark« innerhalb des »Großdeutschen Reiches«
- Grenze Österreichs vor dem Anschluß 1938 und nach der deutschen Kapitulation 1945
- Grenzen der Bundesländer vor 1938, sofern sie von den Gaugrenzen abweichen
- Planungsvariante: Angliederung an Steiermark
- von der Ostmark abgetrennt
- an die Ostmark angegliedert

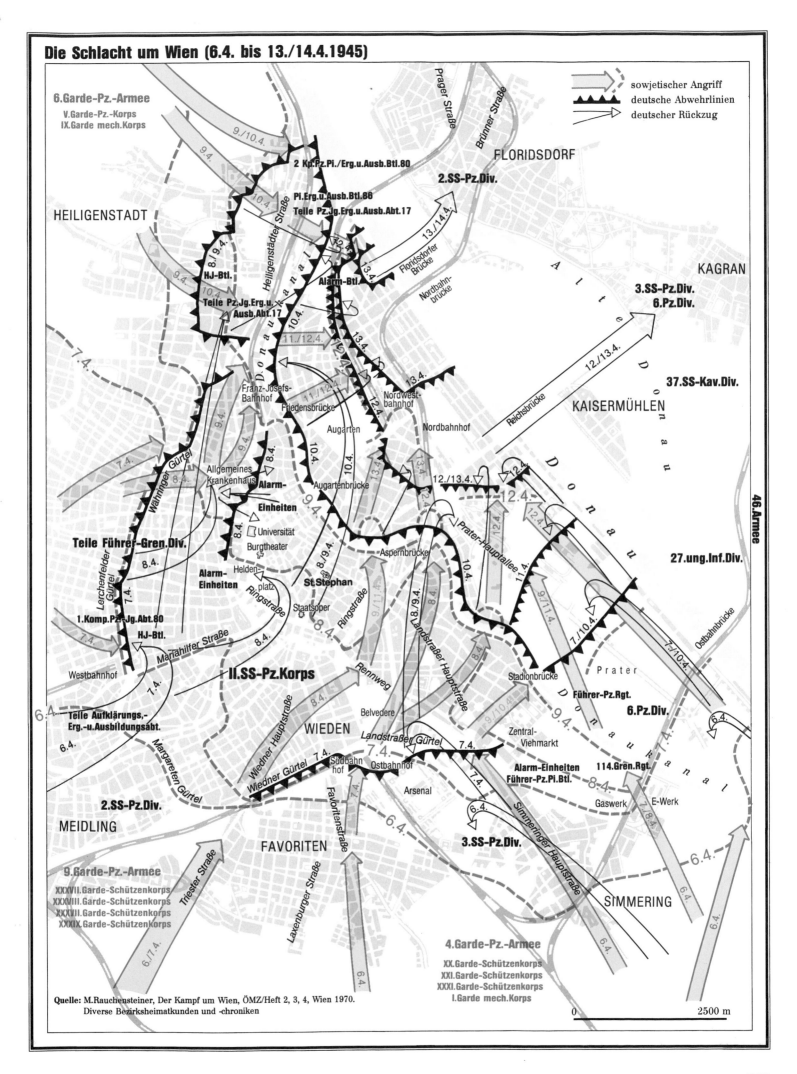

Die Schlacht um Wien (6.4. bis 13./14.4.1945)

6.Garde-Pz.-Armee
V.Garde-Pz.-Korps
IX.Garde mech.Korps

sowjetischer Angriff
deutsche Abwehrlinien
deutscher Rückzug

HEILIGENSTADT

FLORIDSDORF

2 Kp.Pz.Pi./Erg.u.Ausb.Btl.80
Pi.Erg.u.Ausb.Btl.86
Teile Pz.Jg.Erg.u.Ausb.Abt.17

2.SS-Pz.Div.

KAGRAN

HJ-Btl.

Alarm-Btl.

3.SS-Pz.Div.
6.Pz.Div.

Teile Pz.Jg.Erg.u.
Ausb.Abt.17

Floridsdorfer Brücke
Nordbahn-brücke

37.SS-Kav.Div.

Franz-Josefs-Bahnhof
Friedensbrücke

Nordwest-bahnhof

KAISERMÜHLEN

Reichsbrücke

Augarten

Nordbahnhof

Allgemeines Krankenhaus

Alarm-Einheiten

Augartenbrücke

Teile Führer-Gren.Div.

Universität
Burgtheater

Alarm-Einheiten

Aspernbrücke

Prater-Hauptallee

27.ung.Inf.Div.

Helden-platz
Ringstraße

St.Stephan

Staatsoper

1.Komp.Pz.-Jg.Abt.80
HJ-Btl.

Mariahilfer Straße

Ringstraße

Stadionbrücke

Führer-Pz.Rgt.
6.Pz.Div.

Westbahnhof

II.SS-Pz.Korps

Rennweg

Prater

**Teile Aufklärungs-,
Erg.-u.Ausbildungsabt.**

WIEDEN

Belvedere

Landstraßer Gürtel

Zentral-Viehmarkt

Alarm-Einheiten
Führer-Pz.Pi.Btl.

114.Gren.Rgt.

2.SS-Pz.Div.

Wiedner Hauptstraße

Süd-bahn-hof

Ostbahnhof

Arsenal

Gaswerk

E-Werk

MEIDLING

Wiedner Gürtel

3.SS-Pz.Div.

FAVORITEN

Favoritenstraße

Lakenburger Straße

SIMMERING

9.Garde-Pz.-Armee
XXXVII.Garde-Schützenkorps
XXXVIII.Garde-Schützenkorps
XXXVII.Garde-Schützenkorps
XXXIX.Garde-Schützenkorps

Triester Straße

Margareten Gürtel

4.Garde-Pz.-Armee
XX.Garde-Schützenkorps
XXI.Garde-Schützenkorps
XXXI.Garde-Schützenkorps
I.Garde mech.Korps

Quelle: M.Rauchensteiner, Der Kampf um Wien, ÖMZ/Heft 2, 3, 4, Wien 1970.
Diverse Bezirksheimatkunden und -chroniken

0   2500 m

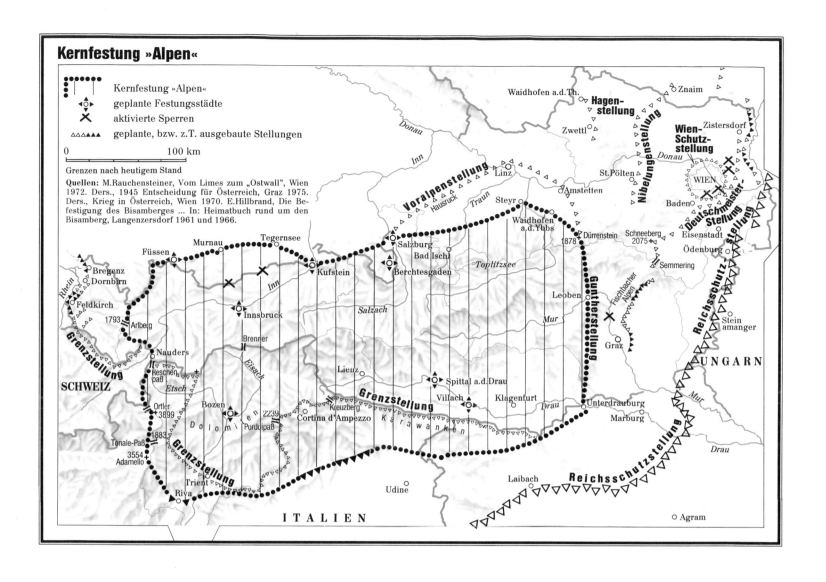

Kernfestung »Alpen«

Legend:
- Kernfestung »Alpen«
- geplante Festungsstädte
- aktivierte Sperren
- geplante, bzw. z.T. ausgebaute Stellungen

0 ___ 100 km

Grenzen nach heutigem Stand

Quellen: M.Rauchensteiner, Vom Limes zum "Ostwall", Wien 1972. Ders., 1945 Entscheidung für Österreich, Graz 1975. Ders., Krieg in Österreich, Wien 1970. E.Hillbrand, Die Befestigung des Bisamberges ... In: Heimatbuch rund um den Bisamberg, Langenzersdorf 1961 und 1966.

Konzentrationslager und Nebenlager

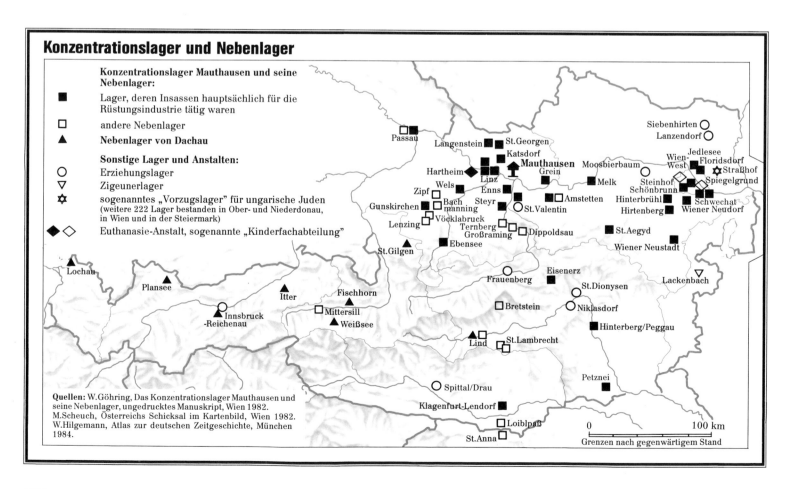

Konzentrationslager Mauthausen und seine Nebenlager:
- ■ Lager, deren Insassen hauptsächlich für die Rüstungsindustrie tätig waren
- □ andere Nebenlager
- ▲ Nebenlager von Dachau

Sonstige Lager und Anstalten:
- ○ Erziehungslager
- ▽ Zigeunerlager
- ✡ sogenanntes "Vorzugslager" für ungarische Juden (weitere 222 Lager bestanden in Ober- und Niederdonau, in Wien und in der Steiermark)
- ◆◇ Euthanasie-Anstalt, sogenannte "Kinderfachabteilung"

Quellen: W.Göhring, Das Konzentrationslager Mauthausen und seine Nebenlager, ungedrucktes Manuskript, Wien 1982. M.Scheuch, Österreichs Schicksal im Kartenbild, Wien 1982. W.Hilgemann, Atlas zur deutschen Zeitgeschichte, München 1984.

0 ___ 100 km

Grenzen nach gegenwärtigem Stand

Der Frontverlauf in Europa am 27. April 1945

SCHWEDEN

Ösel
Gotland
Windau
Riga **Lettland**

DÄNEMARK
KOPENHAGEN
Libau

N o r d s e e
O s t s e e
Memel **Litauen**

Bornholm
Kowno

Helgoland
Flensburg
Rügen
Gotenhafen
Königsberg

**GROSS-
BRITANNIEN**
Hamburg
Stettin
Danzig
Thorn

Bremen
Oder
R E I C H
Weichsel

NIEDERLANDE
AMSTERDAM
Hannover
Magdeburg
BERLIN
Frankfurt a.d.O.
Posen
Warschau

Arnheim
Essen
Dortmund
Kassel
Halle
Leipzig
Torgau 25.4.
Litzmannstadt
**General-
gouvernement**

BRÜSSEL
Duisburg
Düsseldorf
Erfurt
Dresden
Breslau

BELGIEN
Köln
Maas
Aachen
Frankfurt a.M.
Elbe
Prag
Oder
Ostrau
Krakau
Lemberg

Luxemburg
Mosel
Mainz
Pilsen
**Protektorat
Böhmen und Mähren**

PARIS
Rhein
Ludwigshafen
Mannheim
Nürnberg
Brünn
SLOWAKEI

Seine
Karlsruhe
Regensburg
Donau

Straßburg
Stuttgart
Donau
Linz
Wien
PRESSBURG
Theiß

Ulm
Augsburg
Inn
Salzburg
Eisenstadt
Raab
U N G A R N

München
Kloster-
marienberg
BUDAPEST

FRANKREICH
Zürich
Bregenz
Innsbruck
Graz
Plattensee
Donau
Szegedin
RUMÄNIEN

BERN
SCHWEIZ
Bozen
Klagenfurt
Marburg
Drau
Neusatz

Lyon
Adriatisches Meer
Triest
AGRAM
Esseg

Turin
Mailand
Po
Banja Luka
Save
Tuzla
Belgrad

Genua
Bologna
Ravenna
KROATIEN
Zara
Sarajewo
Serbien
Nisch

Marseille
Toulon
Spezia
Florenz
Mostar

ITALIEN
Cetinje
Cattaro
ALBANIEN
Bari
Tirana

WEISSRUSSLAND

BULGARIEN

Quellen: Der Große Weltatlas, Leipzig 1942; Československý Vojenský Atlas, Praha 1965; P.Young, Der Große Atlas zum 2.Weltkrieg, München 1974; K.Zentner, Der Zweite Weltkrieg, München 1985; A.Hillgruber, G.Hümmelchen, Chronik des Zweiten Weltkrieges, Düsseldorf 1978; M.Rauchensteiner, 1945 Entscheidung für Österreich, Graz 1975.
In den genannten Werken befinden sich weitere umfassende Literaturangaben.

0   500 km

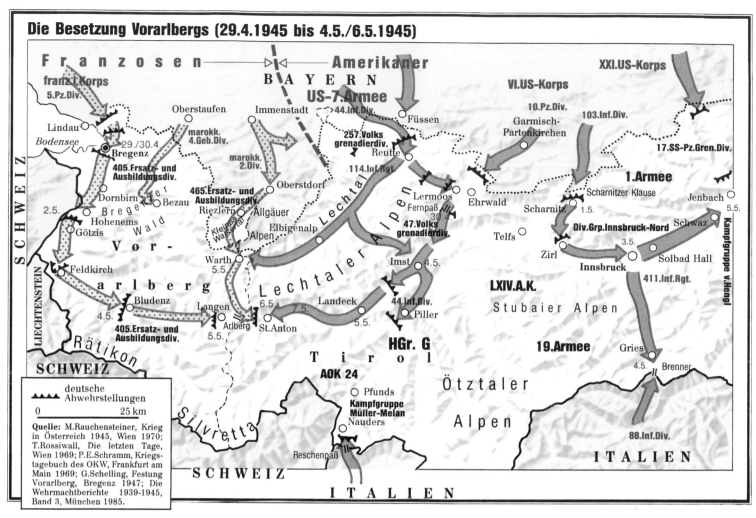

Die Besetzung Vorarlbergs (29.4.1945 bis 4.5./6.5.1945)

Franzosen ⊳⊲ **Amerikaner**

franz.l.Korps
5.Pz.Div.

B A Y E R N
US-7.Armee

XXI.US-Korps

VI.US-Korps
10.Pz.Div.

Oberstaufen
Immenstadt
44.Inf.Div.
Füssen

103.Inf.Div.

Lindau
Bodensee
29./30.4.
Bregenz

marokk.
4.Geb.Div.

257.Volks
grenadierdiv.

Garmisch-
Partenkirchen

17.SS-Pz.Gren.Div.

405.Ersatz- und
Ausbildungsdiv.

marokk.
2.Div.

114.Inf.Rgt.

1.Armee

Dornbirn
Bezau
Oberstdorf

465.Ersatz- und
Ausbildungsdiv.

Lermoos
Fernpaß
30.4.

Ehrwald

Scharnitzer Klause

Jenbach
5.5.

2.5.
Hohenems
Götzis

Riezlern
Allgäuer
Kleines Walsertal
Alpen

Elbigenalp

Scharnitz
1.5.

Telfs

Schwaz

S C H W E I Z

Warth
5.5.

47.Volks
grenadierdiv.

Div.Grp.Innsbruck-Nord

Zirl
3.5.

Solbad Hall

Kampfgruppe v.Hengl

Feldkirch

Imst
4.5.

Innsbruck

411.Inf.Rgt.

LIECHTENSTEIN

Bludenz
4.5.

Langen

6.5.
7.5.

Landeck

44.Inf.Div.
Piller
5.5.

LXIV.A.K.

Stubaier Alpen

19.Armee

405.Ersatz- und
Ausbildungsdiv.

Arlberg
5.5.

St.Anton

HGr. G

Gries

4.5.
Brenner

Rätikon

SCHWEIZ

T i r o l

AOK 24

Pfunds

Kampfgruppe
Müller-Melan
Nauders

Ötztaler

Alpen

88.Inf.Div.

I T A L I E N

▲▲▲ deutsche
Abwehrstellungen

0   25 km

Silvretta

Reschenpaß

S C H W E I Z

I T A L I E N

Quelle: M.Rauchensteiner, Krieg
in Österreich 1945, Wien 1970;
T.Rossiwall, Die letzten Tage,
Wien 1969; P.E.Schramm, Kriegs-
tagebuch des OKW, Frankfurt am
Main 1969; G.Schelling, Festung
Vorarlberg, Bregenz 1947; Die
Wehrmachtberichte 1939-1945,
Band 3, München 1985.

Die „zerrissene" Steiermark (9.5.1945 bis 24.7.1945)

Wels
St.Pölten
Steyr
Waidhofen/Ybbs

Ober-
Nieder-

Gmunden
österreich
österreich

Wiener Neustadt
Grünbach

Bad Ischl

Mariazell

Bad Aussee
Hieflau
Mürzzuschlag

Liezen
Stainach
Selzthal
Eisenerz
Kindberg

Gröbming
Vordernberg

Salzburg

Schladming

Bruck/Mur
Kapfenberg
Friedberg

Leoben
Birkfeld

Fohnsdorf
Hartberg

Tamsweg
Murau

Judenburg
Knittelfeld
Weiz

Obdach
Köflach
Graz
Fürstenfeld

Voitsberg

Wildon
Feldbach

Kärnten

Deutschlandsberg
Bad Gleichenberg

Leibnitz
Mureck

Eibiswald
Spielfeld

Klagenfurt
Lavamünd
Radkersburg

Unterdrauburg
Marburg

JUGOSLAWIEN

Burgenland

	sowjetisch
	britisch
	amerikanisch
	jugoslawisch/bulgarisch

0   50 km

508

Der Frontverlauf in Europa am 8./9. Mai 1945 (Waffenstillstand)

SCHWEDEN

Ösel

Windau
Lettland

Gotland

HGr Kurland
(Hilpert)
10.5.

Riga

Nordsee

Ostsee

DÄNEMARK
4.5.
KOPENHAGEN

Bornholm
11.5.

Libau

2.Baltische Front
(Jeremenko)

Memel

1.Baltische Front
(Bagramjan)
Litauen

Kowno

Flensburg

Rügen

Gotenhafen

Armee Ostpreußen
(v.Saucken)
10.5./14.5.

3.Weißrussische Front
(Tschernjachowski)

Helgoland

GROSS-
BRITANNIEN

HGr H
(Blaskowitz)
4.5.

Hamburg

HGr Weichsel
(Student)
4.5.

Stettin

Danzig

Königsberg

2.Weißrussische Front
(Rokossowskij)

Thorn

NIEDERLANDE
AMSTERDAM

Bremen

21.HGr
(Montgomery)

Hannover
Magdeburg

Oder

1.Weißrussische Front
(Schukow)

2.5. BERLIN
Karlshorst

Frankfurt
a.d.O.

Posen

Weichsel

Warschau

G e n e r a l -

Dünkirchen
11.5.

Arnheim

Essen

Dortmund

Kassel

Halle

Leipzig

Dresden

1.Ukrainische Front
(Konjew)
8.5.

Litzmannstadt

Breslau
6.5.

g o u v e r n e m e n t

BRÜSSEL

BELGIEN

Köln
Aachen

Düsseldorf
Duisburg

Maas

Erfurt

12.HGr
(Bradley)

Oder

4.Ukrainische Front
(Petrow)

Krakau

Lemberg

Rhein

Frankfurt a.M.

HGr Mitte
(Schörner)
11.5.
10.5. Prag

Ostrau

PARIS

Mosel

Luxemburg

Mainz

Nürnberg

Elbe

Brünn

SLOWAKEI

Reims
7.5./9.5.
(Eisenhower/Jodl)

Ludwigshafen

Mannheim

Pilsen

Protektorat
Böhmen und Mähren

2.Ukrainische Front
(Malinowski)

PRESSBURG

Theiß

Seine

Straßburg

Karlsruhe

Regensburg

Donau

6.HGr
(Devers)

Donau

HGr Ostmark
(Rendulic)

Wien
13.4.

U N G A R N

Stuttgart

Augsburg
30.4.

Ulm

Inn

München

Linz
5.5.

Eisenstadt

Klostermarienberg

Raab

BUDAPEST

Szegedin

FRANKREICH

Teile der frz.1.Armee
(de Lattre de Tassigny)

Zürich

Bregenz

Salzburg

Graz

HGr E
(Löhr)

3.Ukrainische Front
(Tolbuchin)

3.5.

Innsbruck

HGr G
(Schulz)
4.5./6.5.

Klagenfurt

Marburg

Plattensee

Donau

BERN
SCHWEIZ

4.5. H
Brenner

Bozen

HGr C
(v.Vietinghoff)
29.4./2.5.

15.HGr
(Clark)

Laibach

Triest

RUMÄNIEN

Neusatz

Lyon

Jugoslawische
Volksbefreiungsarmee
(Tito)

AGRAM

Banja Luka

Save

Belgrad

Esseg

Turin

Po

Genua

Mailand

Bologna

Spezia

Ravenna

Zara

KROATIEN

Tuzla

Sarajewo

Serbien

Nisch

Marseille
Toulon

Florenz

A d r i a t i s c h e s

Mostar

I T A L I E N

Cattaro

Cetinje

Bari

M e e r

ALBANIEN

Tirana

DEUTSCHES REICH

WEISSRUSSLAND

BULGARIEN

Legende

	Das »Großdeutsche Reich« in den Grenzen von 1942
	Das Deutsche Reich in den Grenzen von 1937
	Staatsgrenzen im Herbst 1942
	Frontverlauf am 8./9. Mai 1945
	von den alliierten Truppen bis zum Waffenstillstand (8./9. Mai 1945) besetzte Gebiete
4.5.	Datum der deutschen Übergabe bzw. Kapitulation
	sogenannte »Kernfestung Alpen«
HGr	Heeresgruppe
	neutrale Staaten

Quellen: Der Große Weltatlas, Leipzig 1942; Československý Vojenský Atlas, Praha 1965; P.Young, Der Große Atlas zum 2.Weltkrieg, München 1974; K.Zentner, Der Zweite Weltkrieg, München 1985; A.Hillgruber, G.Hümmelchen, Chronik des Zweiten Weltkrieges, Düsseldorf 1978; M.Rauchensteiner, 1945 Entscheidung für Österreich, Graz 1975.
In den genannten Werken befinden sich weitere umfassende Literaturangaben.

0   500 km

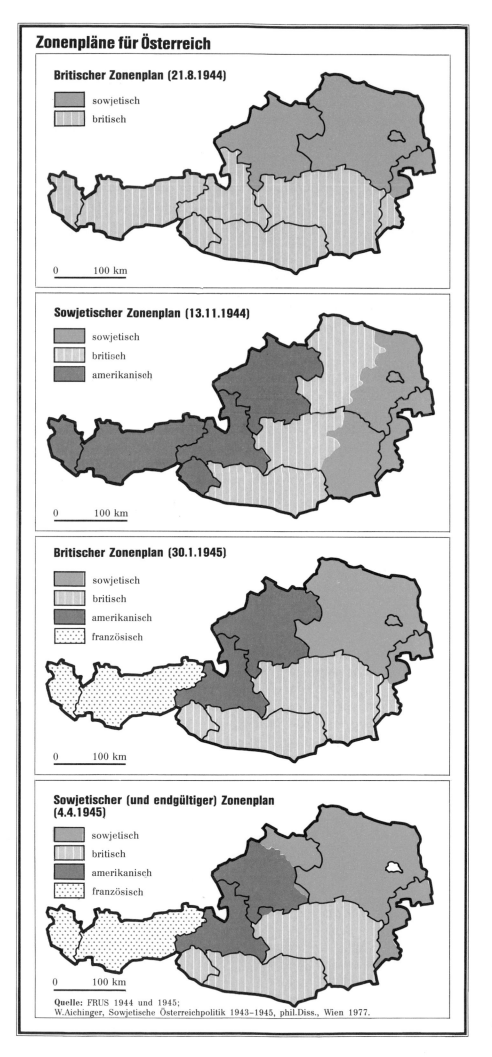

Zonenpläne für Österreich

Britischer Zonenplan (21.8.1944)

- sowjetisch
- britisch

0   100 km

Sowjetischer Zonenplan (13.11.1944)

- sowjetisch
- britisch
- amerikanisch

0   100 km

Britischer Zonenplan (30.1.1945)

- sowjetisch
- britisch
- amerikanisch
- französisch

0   100 km

Sowjetischer (und endgültiger) Zonenplan (4.4.1945)

- sowjetisch
- britisch
- amerikanisch
- französisch

0   100 km

Quelle: FRUS 1944 und 1945;
W.Aichinger, Sowjetische Österreichpolitik 1943–1945, phil.Diss., Wien 1977.

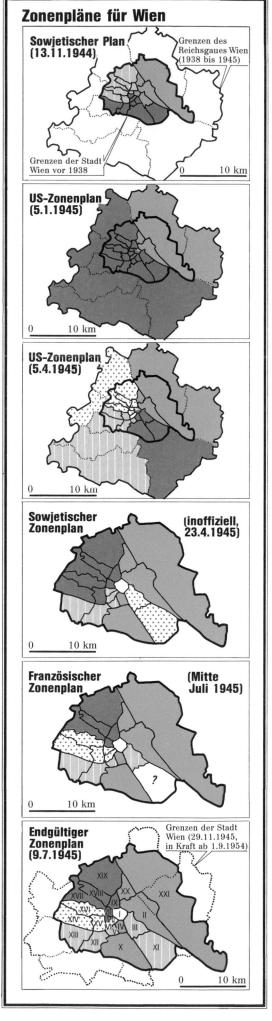

Zonenpläne für Wien

Sowjetischer Plan (13.11.1944)

Grenzen des Reichsgaues Wien (1938 bis 1945)

Grenzen der Stadt Wien vor 1938

0   10 km

US-Zonenplan (5.1.1945)

0   10 km

US-Zonenplan (5.4.1945)

0   10 km

Sowjetischer Zonenplan (inoffiziell, 23.4.1945)

0   10 km

Französischer Zonenplan (Mitte Juli 1945)

0   10 km

Endgültiger Zonenplan (9.7.1945)

Grenzen der Stadt Wien (29.11.1945, in Kraft ab 1.9.1954)

0   10 km

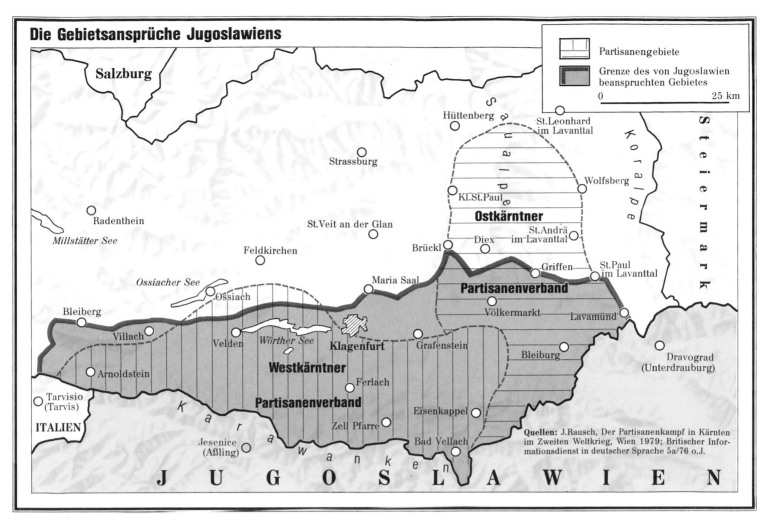

Die Gebietsansprüche Jugoslawiens

Salzburg

Partisanengebiete

Grenze des von Jugoslawien beanspruchten Gebietes

0   25 km

Hüttenberg
St.Leonhard im Lavanttal

Strassburg

Wolfsberg

Kl.St.Paul

Ostkärntner

Radenthein

Millstätter See

St.Veit an der Glan

St.Andrä im Lavanttal

Diex

Feldkirchen

Brückl

Griffen
St.Paul im Lavanttal

Ossiacher See

Maria Saal

Partisanenverband

Ossiach

Bleiberg

Völkermarkt

Lavamünd

Villach

Velden

Wörther See

Klagenfurt

Grafenstein

Bleiburg

Dravograd (Unterdrauburg)

Arnoldstein

Westkärntner

Ferlach

Tarvisio (Tarvis)

Partisanenverband

Zell Pfarre

Eisenkappel

ITALIEN

Jesenice (Aßling)

Bad Vellach

Quellen: J.Rausch, Der Partisanenkampf in Kärnten im Zweiten Weltkrieg, Wien 1979; Britischer Informationsdienst in deutscher Sprache 5a/76 o.J.

J U G O S L A W I E N

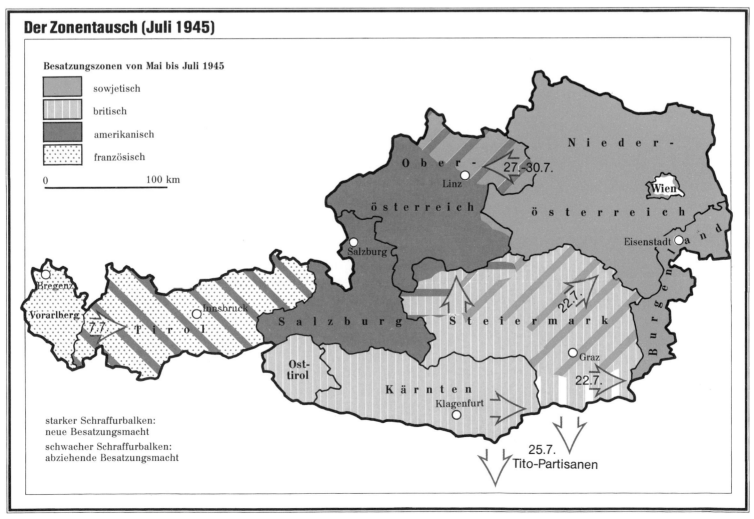

Der Zonentausch (Juli 1945)

Besatzungszonen von Mai bis Juli 1945

sowjetisch

britisch

amerikanisch

französisch

0   100 km

N i e d e r -

O b e r -

Linz

27.-30.7.

Wien

ö s t e r r e i c h

ö s t e r r e i c h

Salzburg

Eisenstadt

22.7.

Bregenz

S a l z b u r g

S t e i e r m a r k

Vorarlberg

Innsbruck

7.7.

T i r o l

Burgenland

Graz

22.7.

Ost- tirol

22.7.

K ä r n t e n

Klagenfurt

starker Schraffurbalken:
neue Besatzungsmacht

25.7.
Tito-Partisanen

schwacher Schraffurbalken:
abziehende Besatzungsmacht

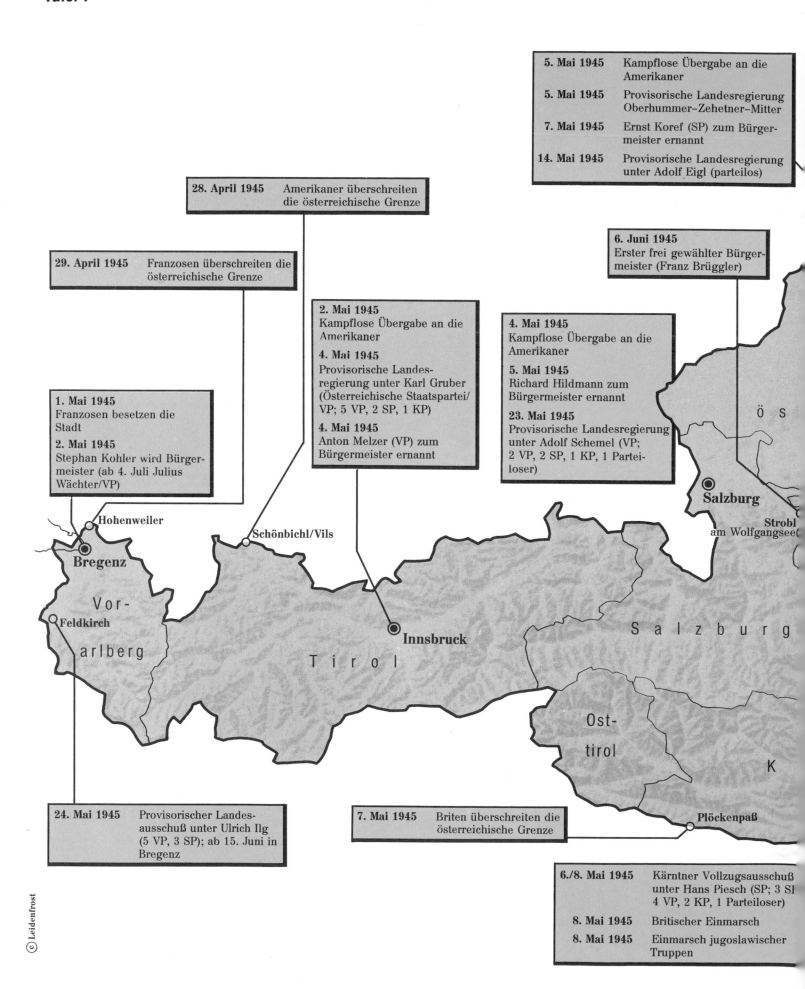

5. Mai 1945	Kampflose Übergabe an die Amerikaner
5. Mai 1945	Provisorische Landesregierung Oberhummer–Zehetner–Mitter
7. Mai 1945	Ernst Koref (SP) zum Bürgermeister ernannt
14. Mai 1945	Provisorische Landesregierung unter Adolf Eigl (parteilos)

28. April 1945 — Amerikaner überschreiten die österreichische Grenze

29. April 1945 — Franzosen überschreiten die österreichische Grenze

6. Juni 1945
Erster frei gewählter Bürgermeister (Franz Brüggler)

2. Mai 1945
Kampflose Übergabe an die Amerikaner
4. Mai 1945
Provisorische Landesregierung unter Karl Gruber (Österreichische Staatspartei/VP; 5 VP, 2 SP, 1 KP)
4. Mai 1945
Anton Melzer (VP) zum Bürgermeister ernannt

4. Mai 1945
Kampflose Übergabe an die Amerikaner
5. Mai 1945
Richard Hildmann zum Bürgermeister ernannt
23. Mai 1945
Provisorische Landesregierung unter Adolf Schemel (VP; 2 VP, 2 SP, 1 KP, 1 Parteiloser)

1. Mai 1945
Franzosen besetzen die Stadt
2. Mai 1945
Stephan Kohler wird Bürgermeister (ab 4. Juli Julius Wächter/VP)

Hohenweiler

Schönbichl/Vils

Ö s

Salzburg

Strobl am Wolfgangsee

Bregenz

Vor-

Feldkirch

arlberg

S a l z b u r g

T i r o l

Innsbruck

Ost-tirol

K

24. Mai 1945 — Provisorischer Landesausschuß unter Ulrich Ilg (5 VP, 3 SP); ab 15. Juni in Bregenz

7. Mai 1945 — Briten überschreiten die österreichische Grenze

Plöckenpaß

6./8. Mai 1945	Kärntner Vollzugsausschuß unter Hans Piesch (SP; 3 SP, 4 VP, 2 KP, 1 Parteiloser)
8. Mai 1945	Britischer Einmarsch
8. Mai 1945	Einmarsch jugoslawischer Truppen

© Leidenfrost

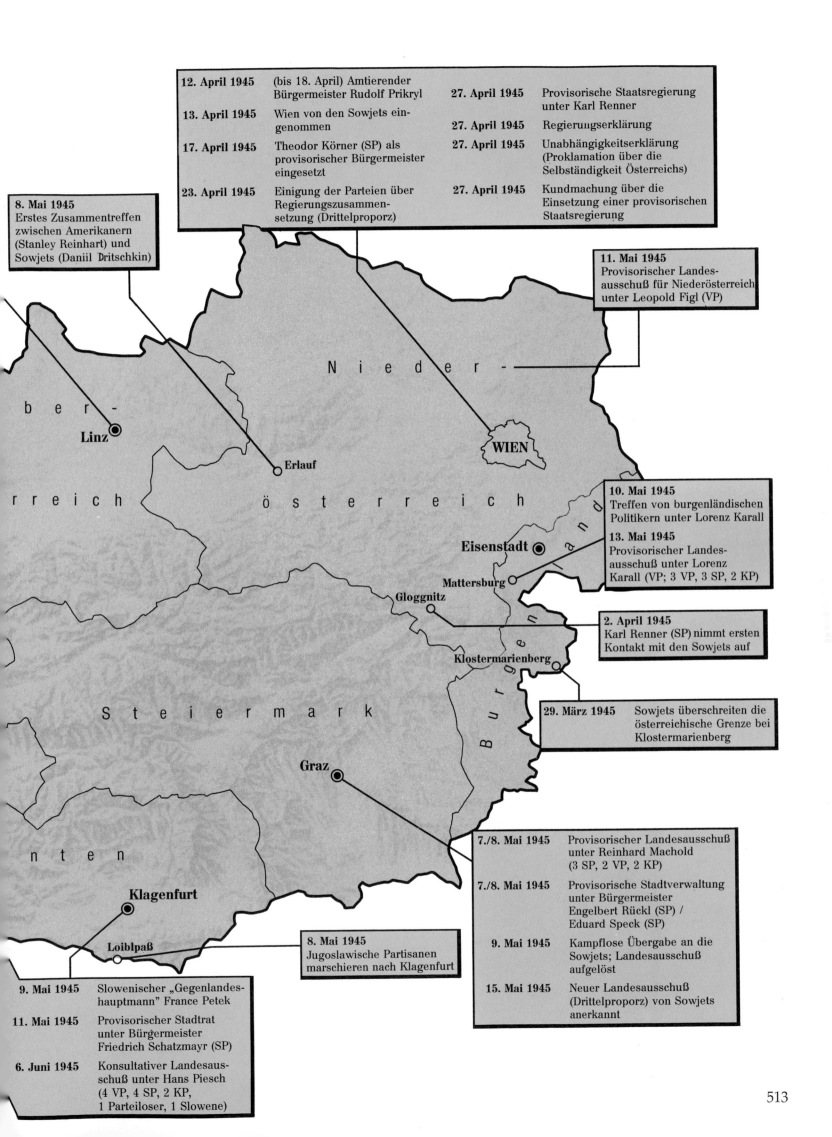

12. April 1945 (bis 18. April) Amtierender Bürgermeister Rudolf Prikryl

13. April 1945 Wien von den Sowjets eingenommen

17. April 1945 Theodor Körner (SP) als provisorischer Bürgermeister eingesetzt

23. April 1945 Einigung der Parteien über Regierungszusammensetzung (Drittelproporz)

27. April 1945 Provisorische Staatsregierung unter Karl Renner

27. April 1945 Regierungserklärung

27. April 1945 Unabhängigkeitserklärung (Proklamation über die Selbständigkeit Österreichs)

27. April 1945 Kundmachung über die Einsetzung einer provisorischen Staatsregierung

8. Mai 1945 Erstes Zusammentreffen zwischen Amerikanern (Stanley Reinhart) und Sowjets (Daniil Dritschkin)

11. Mai 1945 Provisorischer Landesausschuß für Niederösterreich unter Leopold Figl (VP)

N i e d e r -

ö s t e r r e i c h

WIEN

b e r -

Linz

Erlauf

r r e i c h

Eisenstadt

10. Mai 1945 Treffen von burgenländischen Politikern unter Lorenz Karall

13. Mai 1945 Provisorischer Landesausschuß unter Lorenz Karall (VP; 3 VP, 3 SP, 2 KP)

Mattersburg

Gloggnitz

2. April 1945 Karl Renner (SP) nimmt ersten Kontakt mit den Sowjets auf

Klostermarienberg

B u r g e n l a n d

S t e i e r m a r k

29. März 1945 Sowjets überschreiten die österreichische Grenze bei Klostermarienberg

Graz

7./8. Mai 1945 Provisorischer Landesausschuß unter Reinhard Machold (3 SP, 2 VP, 2 KP)

7./8. Mai 1945 Provisorische Stadtverwaltung unter Bürgermeister Engelbert Rückl (SP) / Eduard Speck (SP)

9. Mai 1945 Kampflose Übergabe an die Sowjets; Landesausschuß aufgelöst

15. Mai 1945 Neuer Landesausschuß (Drittelproporz) von Sowjets anerkannt

n t e n

Klagenfurt

Loiblpaß

8. Mai 1945 Jugoslawische Partisanen marschieren nach Klagenfurt

9. Mai 1945 Slowenischer „Gegenlandeshauptmann" France Petek

11. Mai 1945 Provisorischer Stadtrat unter Bürgermeister Friedrich Schatzmayr (SP)

6. Juni 1945 Konsultativer Landesausschuß unter Hans Piesch (4 VP, 4 SP, 2 KP, 1 Parteiloser, 1 Slowene)

Vom Kriegsende bis zur ersten frei gewählten Regierung
Tafel 2

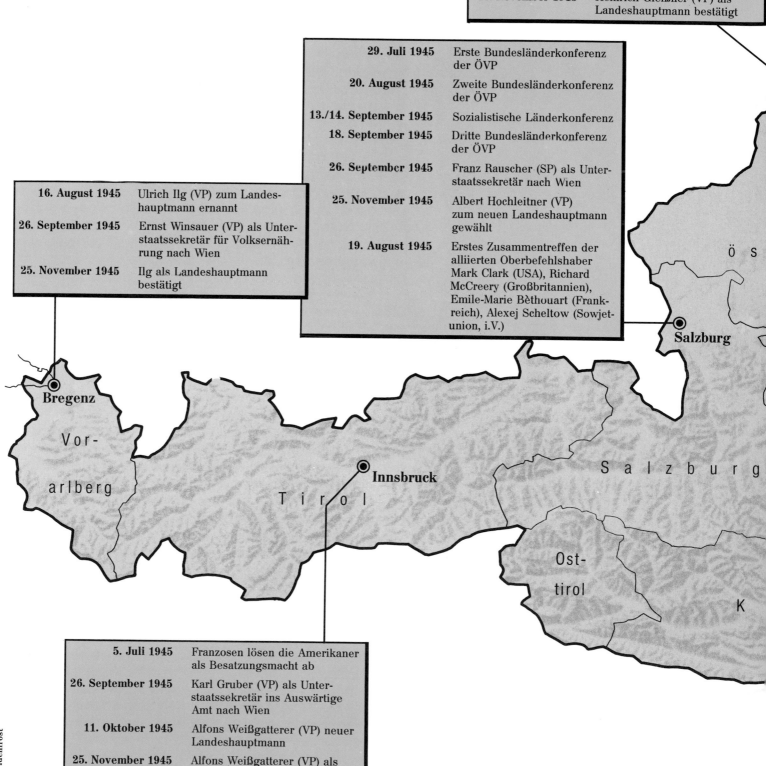

24. Juli 1945	Das Mühlviertel wird russisch
1. August 1945	Zivilverwaltung für das Mühlviertel (Johann Blöchl, VP)
22. August 1945	Verhaftung Adolf Eigls durch die Amerikaner
12. September 1945	Dreiköpfiger Vollzugsausschuß unter Heinrich Gleißner (VP)
26. September 1945	Josef Sommer (VP) als Unterstaatssekretär nach Wien
26. Oktober 1945	Heinrich Gleißner (VP) provisorischer Landeshauptmann von Oberösterreich
25. November 1945	Heinrich Gleißner (VP) als Landeshauptmann bestätigt

29. Juli 1945	Erste Bundesländerkonferenz der ÖVP
20. August 1945	Zweite Bundesländerkonferenz der ÖVP
13./14. September 1945	Sozialistische Länderkonferenz
18. September 1945	Dritte Bundesländerkonferenz der ÖVP
26. September 1945	Franz Rauscher (SP) als Unterstaatssekretär nach Wien
25. November 1945	Albert Hochleitner (VP) zum neuen Landeshauptmann gewählt
19. August 1945	Erstes Zusammentreffen der alliierten Oberbefehlshaber Mark Clark (USA), Richard McCreery (Großbritannien), Emile-Marie Bèthouart (Frankreich), Alexej Scheltow (Sowjetunion, i.V.)

16. August 1945	Ulrich Ilg (VP) zum Landeshauptmann ernannt
26. September 1945	Ernst Winsauer (VP) als Unterstaatssekretär für Volksernährung nach Wien
25. November 1945	Ilg als Landeshauptmann bestätigt

5. Juli 1945	Franzosen lösen die Amerikaner als Besatzungsmacht ab
26. September 1945	Karl Gruber (VP) als Unterstaatssekretär ins Auswärtige Amt nach Wien
11. Oktober 1945	Alfons Weißgatterer (VP) neuer Landeshauptmann
25. November 1945	Alfons Weißgatterer (VP) als Landeshauptmann bestätigt

Bregenz

Vor-
arlberg

Innsbruck

Tirol

Salzburg

Salzburg

Ost-
tirol

ös

K

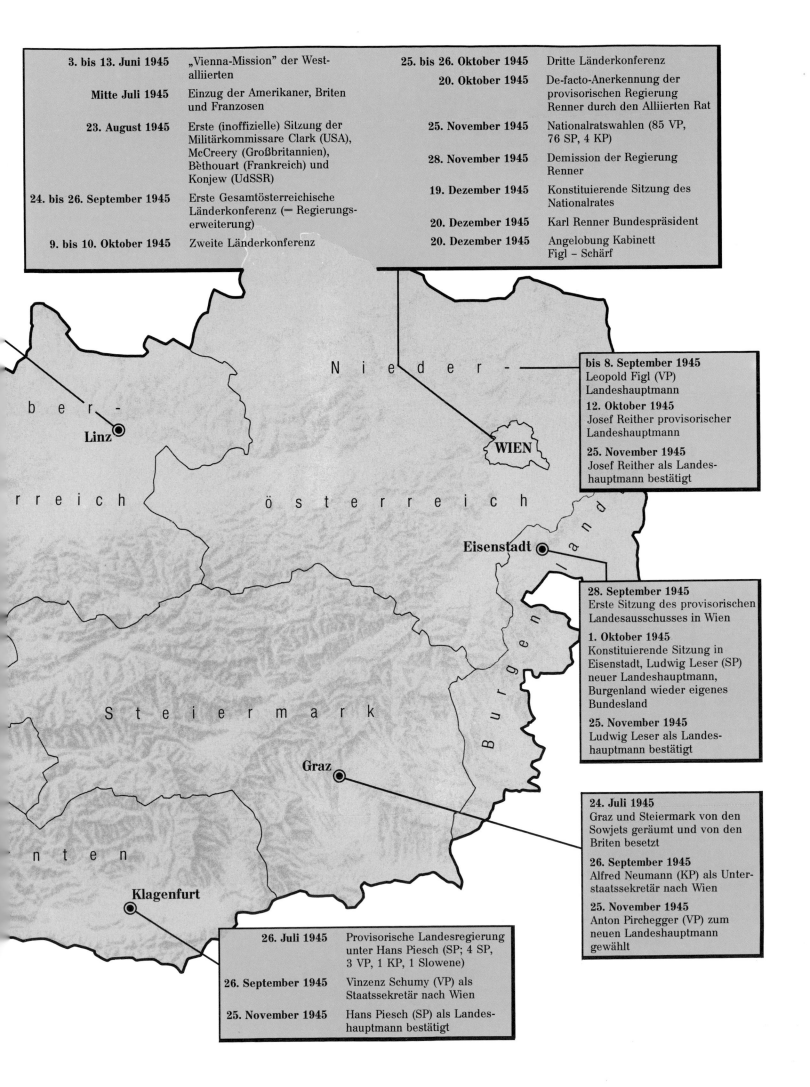

3. bis 13. Juni 1945	„Vienna-Mission" der West-alliierten
Mitte Juli 1945	Einzug der Amerikaner, Briten und Franzosen
23. August 1945	Erste (inoffizielle) Sitzung der Militärkommissare Clark (USA), McCreery (Großbritannien), Bèthouart (Frankreich) und Konjew (UdSSR)
24. bis 26. September 1945	Erste Gesamtösterreichische Länderkonferenz (= Regierungs-erweiterung)
9. bis 10. Oktober 1945	Zweite Länderkonferenz
25. bis 26. Oktober 1945	Dritte Länderkonferenz
20. Oktober 1945	De-facto-Anerkennung der provisorischen Regierung Renner durch den Alliierten Rat
25. November 1945	Nationalratswahlen (85 VP, 76 SP, 4 KP)
28. November 1945	Demission der Regierung Renner
19. Dezember 1945	Konstituierende Sitzung des Nationalrates
20. Dezember 1945	Karl Renner Bundespräsident
20. Dezember 1945	Angelobung Kabinett Figl – Schärf

Linz

WIEN

N i e d e r -

ö s t e r r e i c h

bis 8. September 1945
Leopold Figl (VP) Landeshauptmann

12. Oktober 1945
Josef Reither provisorischer Landeshauptmann

25. November 1945
Josef Reither als Landes-hauptmann bestätigt

Eisenstadt

Burgenland

28. September 1945
Erste Sitzung des provisorischen Landesausschusses in Wien

1. Oktober 1945
Konstituierende Sitzung in Eisenstadt, Ludwig Leser (SP) neuer Landeshauptmann, Burgenland wieder eigenes Bundesland

25. November 1945
Ludwig Leser als Landes-hauptmann bestätigt

S t e i e r m a r k

Graz

24. Juli 1945
Graz und Steiermark von den Sowjets geräumt und von den Briten besetzt

26. September 1945
Alfred Neumann (KP) als Unter-staatssekretär nach Wien

25. November 1945
Anton Pirchegger (VP) zum neuen Landeshauptmann gewählt

Klagenfurt

n t e n

26. Juli 1945	Provisorische Landesregierung unter Hans Piesch (SP; 4 SP, 3 VP, 1 KP, 1 Slowene)
26. September 1945	Vinzenz Schumy (VP) als Staatssekretär nach Wien
25. November 1945	Hans Piesch (SP) als Landes-hauptmann bestätigt

Das Projekt und seine Helfer

An dieser Stelle wollen wir jenen danken, die mitgewirkt haben, „Österreich II" zu dem zu machen, was es geworden ist. Das waren die vielen hundert Menschen, die sich uns als Augenzeugen zur Verfügung gestellt und uns mit Hinweisen und Informationen weitergeholfen haben. Und das waren jene, die dieses Projekt erdacht, es betreut und an ihm mitgearbeitet haben:

Beim Österreichischen Rundfunk

Generalintendant Gerd Bacher
auf dessen Idee das Gesamtprojekt „Österreich II" beruht und der an diesem Projekt in allen seinen Phasen mit Rat und Tat mitgewirkt hat.

Fernsehintendant Ernst Wolfram Marboe
der „Österreich II" in „seinem Kanal", dem FS 2, eine Heimstatt bot und uns in jeder Hinsicht förderte.

Fernsehintendant Franz Kreuzer
der uns als ORF-Chefredakteur jede kollegiale Hilfe leistete, sein reiches historisches Wissen zur Verfügung stellte und uns als Intendant jede Unterstützung gewährte.

Alfred Payrleitner
als Abteilungsleiter für die Gesamtplanung von „Österreich II" zuständig; es konnte keinen umsichtigeren, fachlich beschlageneren Betreuer und besseren Kollegen geben.

Direktor Dr. Walter Skala
der dem Projekt „Österreich II" nicht nur als oberster Finanzchef vorstand, sondern uns auch mit seiner großen fachlichen Erfahrung wertvolle Hilfe leistete.

Generalsekretär Dr. Peter Radel
an den wir uns stets um Rat wenden konnten und der uns half, viele Probleme zu lösen.

Gerhard Weis
zuständig für Koordination und Kommunikation, war für „Österreich II" genau das und viel mehr und uns ein wertvoller Ratgeber.

Wolfgang Lorenz
der „Österreich II" von der Programmseite her mit großem Verständnis und präziser Planung fürsorgend begleitete.

Eva Waschitschek
Christa Neukomm
Peter Michael Pfannenstiel
die als Produktionswirtschaftliche Leiter mit ihrer Erfahrung, ihrem Rat und ihrer Vorsorge die vierjährige reibungslose Durchführung des Projekts ermöglichten.

Dkfm. Heinz Donnenberg
der uns half, die Archive der Welt zu öffnen und viele einzigartige Dokumente heranzuschaffen.

Dr. Peter Dusek
der als Leiter des Historischen Archivs des ORF dem Projekt viele der historischen Materialien zuführte und sein Wissen als erfahrener Zeitgeschichtler zur Verfügung stellte.

Dr. Andreas Dahm
und alle anderen im Historischen Archiv des ORF tätigen Kolleginnen und Kollegen, die für Aufarbeitung, elektronische Erfassung und ständige Erreichbarkeit der Bild- und Filmdokumente sorgten.

Erich Sokol
der durch die Gestaltung der „Österreich II"-Signation zur Durchschlagskraft dieser Sendung beitrug und dem Projekt die stilistische Linie vorgab.

Wilhelm J. Wagner
der in „Österreich II" und in diesem Buch Geschichte in Karten umsetzte und in dieses kartographische Werk sein eigenes reiches geschichtliches Wissen einbrachte.

Erika Wöss
die für reibungslose Zusammenarbeit mit den zuständigen ORF-Abteilungen sorgte,
sowie allen Kolleginnen und Kollegen im ORF, die dieses Projekt auf vielfältige Art betreut und gefördert haben: in der Programmvorschau, bei „2 × 7", beim Kundendienst, in den Länderstudios und – immer wieder – bei „Autofahrer unterwegs".

Wissenschaftliche Beratung

Unser Dank gilt an dieser Stelle auch noch einmal den Wissenschaftlern, die uns mit ihrem Rat, ihrer Erfahrung, ihren eigenen Forschungsergebnissen und historischen Publikationen zur Seite gestanden sind:

ao. Univ.-Prof. Dr. Gerhard Jagschitz
Institut für Zeitgeschichte, Universität Wien.

Univ.-Dozent Dr. Manfried Rauchensteiner
Historiker, Wien.

o. Univ.-Prof. Mag. Dr. Norbert Schausberger
Vorstand des Instituts für Zeitgeschichte, Universität für Bildungswissenschaften, Klagenfurt.

Univ.-Dozent Dr. Herbert Steiner
Gründer und langjähriger Leiter des Dokumentationsarchivs des österreichischen Widerstandes, Wien.

o. Univ.-Prof. Dr. Gerald Stourzh
Institut für Geschichte, Universität Wien; Wirkliches Mitglied der Österreichischen Akademie der Wissenschaften.

o. Univ.-Prof. Dr. Erika Weinzierl
Institut für Zeitgeschichte, Universität Wien.

Sie haben uns beraten; sollten wir dennoch da oder dort geirrt oder uns zu einer eigenwilligen Interpretation bekannt haben, so liegt die Verantwortung dafür allein bei uns.

Wissenschaftliche Mitarbeit

Außer den schon Genannten hat auch eine Reihe von Wissenschaftlern und angehenden Wissenschaftlern gemeinsam mit uns spezielle Inhalte von „Österreich II" erarbeitet und uns ihre eigenen Forschungsergebnisse zugänglich gemacht:

Dr. Eva-Marie Csáky
Institut für Geschichte, Universität Wien.

Univ.-Ass. Dr. Lothar Höbelt
Institut für Geschichte, Universität Wien.

Univ.-Dozent Dr. Stefan Karner
Institut für Geschichte und Institut für Wirtschafts- und Sozialgeschichte, Universität Graz.

Dr. Dietlinde Löffler
Historikerin, Salzburg.

Mag. Martina Maschke
Institut für Geschichte, Universität Wien.

Dr. Margit Sandner
Historikerin, Wien.

Univ.-Ass. DDr. Dieter Stiefel
Institut für Wirtschafts- und Sozialgeschichte, Wirtschaftsuniversität Wien.

Die Spezialisten

Dr. Walter Göhring
Leiter des Österreichischen Instituts für Politische Bildung, Mattersburg, der uns seine reiche Erfahrung als Erwachsenenbildner, seine eigenen umfassenden historischen Arbeiten und die Hilfe des von ihm geleiteten Instituts zur Verfügung stellte.

Dr. Gottfried Heindl
stellte uns sein Wissen als Historiker, seine Erfahrungen als Innenpolitiker und wertvolle Unterlagen aus den von ihm betreuten Archiven zur Verfügung.

Norbert Hochmayr
suchte und fand wichtige Filmdokumente und stellte sie für „Österreich II" sicher.

Präsident Josef Holaubek
der in das Projekt „Österreich II" vier Jahrzehnte an Erfahrung als Branddirektor und Polizeipräsident von Wien einbrachte, er selbst ein bedeutendes Stück österreichische Geschichte.

Dr. Manfred Jochum
selbst Historiker und Redakteur Wissenschaft-Bildung im ORF, erstellte für „Österreich II" die chronologische Infrastruktur.

Prof. Paul Lendvai
war uns ein wertvoller Ratgeber in ostpolitischen Fragen.

Dr. Horst Friedrich Mayer
stand uns als Spezialist für eine Reihe besonderer Zeitabschnitte der österreichischen Geschichte zur Seite.

Fritz Molden
teilte mit uns seine reiche Erfahrung im Widerstand und in der österreichischen Nachkriegsentwicklung.

Dr. Siegfried Nasko
Leiter des Dr.-Karl-Renner-Museums Gloggnitz und Archivdirektor im Magistrat der Stadt St. Pölten, brachte sein historisches Wissen, seine Erfahrungen im Umgang mit Bildern und Dokumenten und viele wertvolle Unterlagen in das Projekt ein.

Dr. Wolfgang Neugebauer
Leiter des Dokumentationsarchivs des österreichischen Widerstandes, erstellte wichtige Expertisen zu Fragen des österreichischen Widerstands.

DDr. Oliver Rathkolb
ist uns mit seinen wertvollen Spezialkenntnissen über die amerikanische Besatzungspolitik und mit vielen von ihm entdeckten Dokumenten und Hinweisen auf Augenzeugen zur Seite gestanden.

Prof. György Sebestyén
stand uns mit seinem historischen Wissen, seiner Erfahrung als eminenter Schriftsteller und im besonderen bei der dramaturgischen Gestaltung jeder der Folgen von „Österreich II" zur Seite.

Sekt.-Chef Dr. Kurt Skalnik
unterstützte das Projekt mit seinem reichen historischen Wissen, insbesondere auch auf dem Gebiet der Hochschulpolitik.

Ludwig Stecewicz
half uns als Experte für Sport und die Geschichte des Sports, diesen wichtigen Sektor gesellschaftlichen Lebens zu erfassen.

Franz Traintinger
Leiter des „Kurier"-Archivs, teilte seine reichen archivarischen Kenntnisse und Erfahrungen mit uns.

Dr. Stephan Verosta
teilte sein spezielles Wissen und seine persönlichen Erfahrungen im Ringen um den Staatsvertrag mit uns.

Die Mitarbeiter im Ausland

„Österreich II" wäre nicht zu erstellen gewesen, hätten wir nicht Zugang gefunden zu den Filmen, Fotos, Dokumenten und Augenzeugen in den Ländern der früheren vier alliierten Mächte und in Österreichs Nachbarstaaten. Diesen Zugang öffneten uns mit ihrem experten Wissen und in harter Arbeit eine Reihe von Kolleginnen und Kollegen:

Die Chefs der ORF-Büros in diesen Ländern halfen mit ihrer Landeskenntnis, ihren Verbindungen, ihrem geschichtlichen Wissen; sie stellten viele Kontakte her, suchten und fanden Augenzeugen und interviewten sie. Und sie stellten ihre Büros als Stützpunkte zur Verfügung:

Alfons Dalma in Rom
Klaus Emmerich in Washington
Thomas Fuhrmann in Paris
Otto Hörmann in Moskau
Gustav Chalupa in Belgrad

Max Eissler in Wien koordinierte die Zusammenarbeit mit den ORF-Büros.

Patricia Meehan
durchforschte in Großbritannien die Film-, Bild- und Staatsarchive mit großem Erfolg; sie interviewte auch eine große Anzahl wichtiger Augenzeugen.

Tony Green
stand ihr dabei als Kameramann und technischer Berater zur Seite.

Karen Wyatt
vollbrachte eine Leistung besonderer Art: Sie suchte, fand, sichtete, bewertete viele tausend Filmberichte, Fotos, Staatsdokumente, Zeitungsberichte in den großen Archiven und Bibliotheken der USA und stellte damit entscheidende Materialien für „Österreich II" und einen erheblichen Fundus für das Historische Archiv des ORF sicher.

Peter Bregman
in New York stand Karen Wyatt bei dieser Arbeit zur Seite.

Marion Mayer-Hohdahl
in Washington führte für „Österreich II" viele Basisrecherchen durch, half bei der Durchleuchtung geschichtlicher Hintergründe und Zusammenhänge, suchte, fand und interviewte wichtige Augenzeugen.

Monika Scott
koordinierte und expedierte die Arbeitsergebnisse unserer Mitarbeiter in den USA.

Alan Perry
stand ihnen als Kameramann, Tonmeister und technischer Berater zur Seite.

Prof. Anatol Koloschin
in diesem Buch schon mehrfach erwähnt, gewährte uns entscheidende Hilfe bei der Sichtung der in Moskau und Krasnogorsk liegenden Film- und Bildberichte, er suchte, fand und interviewte wichtige Augenzeugen in der Sowjetunion, drehte eine Reihe von Filmberichten selbst und stand uns auch mit seinen historischen und politischen Kenntnissen zur Seite. Daß wir manchen seiner politischen Vorbehalte unsere eigene Auffassung entgegensetzten, lag in der Natur der Sache.

Irina Koloschin
leistete uns wertvolle Hilfe nicht nur im Übersetzen der russischen Sprache, sondern auch im Verstehen dessen, was in ihr zum Ausdruck kam.

Inge Bacher-Dalma
erschloß uns den Zugang bisher in Österreich unbekannter Film-, Bild- und Staatsdokumente in Italien und im Vatikan, führte Basisrecherchen über die österreichisch-italienischen Beziehungen durch; suchte, fand und interviewte wichtige Augenzeugen.

Dr. Astrid Aufschnaiter
erschloß uns auf gleiche Weise Südtirol; suchte, fand und interviewte wichtige Augenzeugen, ging den Zusammenhängen und Hintergründen der mit Österreich so eng verknüpften Politik in und um Südtirol nach.

Doris Fuhrmann
führte für uns in Frankreich Basisrecherchen durch und suchte, fand und interviewte wichtige Augenzeugen.

Unser Stab

Eines darf an dieser Stelle vermerkt werden: Die Fernsehdokumentation „Österreich II" wurde in knapp vier Jahren hergestellt. Sie umfaßt 24 Folgen à 90 Minuten. Das bedeutet, daß dem „Österreich II"-Team zur Erstellung je einer Folge im Schnitt zwei Monate zur Verfügung standen. Tatsächlich wurde an jeder Folge zwischen einem und eineinhalb Jahren gearbeitet. Und das bedeutete, daß das Team in all der Zeit an sechs bis neun Folgen gleichzeitig arbeitete. Dergleichen war auch in der internationalen Fernsehgeschichte noch nicht da. Das war nur möglich, weil jedes Mitglied dieses Teams im Sinn des Wortes Tag und Nacht an der Arbeit war, in diesen vier Jahren weder Wochenenden noch Feiertage und kaum einen Urlaub kannte und in dieses Projekt mehr investierte als Arbeit, nämlich Begeisterung für die Zielsetzung des Projekts und den Enthusiasmus, eine Pionieraufgabe gelingen zu lassen. Dieses Team hat geschichtliche Ereignisse nachrecherchiert und dabei viel Unbekanntes und Überraschendes entdeckt, hat nicht wenige Filme, Bilder und Dokumente aufgespürt, von deren Existenz niemand mehr wußte, hat Augenzeugen gesucht und gefunden, die manches in einem neuen Licht erscheinen ließen. Als redaktioneller Leiter des Projekts bedanke ich mich bei diesen hervorragenden Kolleginnen und Kollegen:

Gundrid Danzinger – Ressort Produktion
Christine Graf – Chefin des Büros
Herbert Hacker – Ressort Wirtschaft
Josef Leidenfrost – Ressort Wissenschaft und Dokumentation
Thea Leitner – Ressort Basisrecherche
Christine Maxa – Ressort Film- und Videoarchiv
René Michler – Bild- und Zeitungsrecherche
Claudia Russ – redaktionelle Film- und Videobearbeitung
Gerd Schilddorfer – Chefreporter und Ressort Film- und Bildbeschaffung
Marielis Starlinger – Ressort Organisation und Koordination
Eberhard Strohal – Ressort Politik
Monika van Loo – Reception
Christina Wesemann – Ressort Kultur und Gesellschaftspolitik
Gertrude Zelinka – Sekretariat
Berta Loidolt – Bürobetreuung

Ein gutes Stück des Weges begleiteten uns mit dem gleichen Arbeitseinsatz und Enthusiasmus die Kolleginnen und Kollegen:

Walter Irlvek – Ressort Film- und Videoarchiv
Wolfgang Röhr – Recherche und Interview
Marina Vrchoticky – Ressort Film- und Videoarchiv
Dr. Elisabeth Wiesmayr – Kultur und kulturelles Interview

Die Finanz- und Wirtschaftsgebarung gestalteten und kontrollierten Mag. Karl Scholik und KR Dkfm. Emanuel Divischek. Kurt Oppenauer – setzte in vielen Tag- und Nachtschichten Verbales in Schriftliches um.

Das technische Team

„Österreich II" wäre als Fernsehdokumentation nicht zu erstellen gewesen ohne die besonderen Fähigkeiten und die unermüdliche Arbeit von Sepp Riff. Er sorgte für die filmische und videotechnische Ausrüstung des Projekts, setzte dafür die modernste Videotechnik ein und paßte sie den besonderen Erfordernissen dieser Dokumentation an. Und das hieß: Spezialbetreuung von Filmen und Bildern, deren ursprüngliche Qualität oft zu wünschen übrigließ oder die durch Alter und schlechte Lagerung kaum noch verwendbar waren. Sepp Riff ließ sie als aussagekräftige Dokumente wiedererstehen, gab ihnen technisch neues Leben, verbunden mit einer Bildregie, die Riffs besondere Handschrift ist. Unter seiner Leitung und ihm zur Seite standen die Kolleginnen und Kollegen:

Mag. Gerlinde Repl – Ressort Technische Produktion
Martin Blahovsky – Tonmeister
Heinz Dvorak – Kameramann
Josef Francois-Petr – Kameramann
Herbert Lehmann – Kameramann
Thaddäus Podgorski jun. – Tonmeister
Regina Steininger – Cutterin
Attila Szabo – Kameramann
Gerhard P. Winter – Kameramann

Ing. Kurt Schwarz und Karl Schlifelner
sorgten im Studio der „Wien-Film" für die tontechnische Fertigstellung von „Österreich II"; das Studio Houdek & Kurek für die Videoüberspielung.

Otto Clemens
lieh allen Folgen von „Österreich II" seine Stimme; er sprach die Texte dieser Dokumentation, gab ihnen Eindringlichkeit, Zurückhaltung, Freude und Traurigkeit.

Unser besonderer Dank gilt den vielen Zuschauern von „Österreich II" im Lande selbst und den Freunden dieser Sendung in unseren Nachbarstaaten. Er gilt auch den Kolleginnen und Kollegen von der Presse, die das Projekt mit ihren Reportagen, Analysen und Kritiken in hohem Maß gefördert und uns die Erwartungen und die Kritik des Publikums zur Kenntnis gebracht haben.

Personen und Institutionen

Drei Unterrichtsminister halfen dem Projekt vom Anfang bis zur Fertigstellung in vielfacher Weise und setzten sich für die Verwendung von „Österreich II" an den Schulen ein: Dr. Fred Sinowatz, Dr. Helmut Zilk, Dr. Herbert Moritz. Mit Rat und Tat stand uns auch Wissenschaftsminister Dr. Heinz Fischer zur Seite. Die Bundesregierung als solche war zuständig für die außerordentliche Freigabe von Dokumenten aus den Staatsarchiven, wobei wir stets auf die hilfreiche Unterstützung des Sektionschefs Mag. Kurt Zeleny und des Generaldirektors des Haus-, Hof- und Staatsarchivs, Hofrat Dr. Rudolf Neck, zählen konnten. Die Verteidigungsminister Otto Rösch und Dr. Friedhelm Frischenschlager gaben uns Zugang zu den Archiven des Bundesheeres sowie die Film- und Rechercheerlaubnis im Heeresbereich. Die Innenminister Erwin Lanc und Karl Blecha halfen uns im wichtigen Polizei- und Gendarmeriebereich, die Außenminister Dr. Willibald Pahr und Mag. Leopold Gratz sowie der Generalsekretär im Außenministerium, Dr. Gerald Hinteregger, im Bereich des österreichischen diplomatischen Dienstes.

Viele Informationen, Hinweise und Dokumente verdanken wir dem früheren Vizekanzler Dr. Fritz Bock, dem früheren Bundesminister Dr. Karl Gruber, den früheren Staatssekretären Dr. Hans Igler und Dr. Ludwig Steiner sowie im besonderen den früheren Kanzler-Sekretären Dr. Hans Dorrek und Dr. Franz Karasek, der uns darüber hinaus auch mit seinen Erfahrungen als Diplomat und als Generalsekretär des Europarates zur Seite stand.

„Österreich II" gab viele tausend Bilder, Dokumente, Akten, interne Korrespondenz, Plakate und Zeitungsberichte wieder und stützte sich in seinen Texten auf viele hundert Informationen. Dies war nur möglich, weil uns ein großer Kreis von Experten persönlich und mit den Institutionen, denen sie vorstehen, geholfen hat. Unser Dank dafür ergeht sowohl an die Personen als auch an ihre Institutionen:

Prof. Dr. Ludwig Adamovich, Präsident des Verfassungsgerichtshofes, Wien

Dr. Wilfried Aichinger, Wien

Prof. Dr. Johann Andritsch, Museumsverein Judenburg

Dr. Günther Anger, Amerika-Haus Bibliothek, Wien

Mag. Gunda Barth, Salzburg

Doris Bauer, Bibliothek des Österreichischen Instituts für Politische Bildung, Mattersburg

HR Dr. Ferdinand Baumgartner, Universitätsbibliothek Wien

Prof. Dr. Alois Beck, Privatsammlung

HR Dr. Anna Benna, Haus-, Hof- und Staatsarchiv, Wien

Walther Brauneis, Bundesdenkmalamt, Wien

Dr. Horst Brettner-Messler, Haus-, Hof- und Staatsarchiv, Wien

Prof. Dr. Richard Brunner, Technische Universität, Wien

DDr. Karl-Heinz Burmeister, Vorarlberger Landesarchiv, Bregenz

Dr. Andreas Cornaro, Allgemeines Verwaltungsarchiv, Wien

Univ.-Doz. Dr. Peter Csendes, Wiener Stadt- und Landesarchiv, Wien

Prof. Dr. Felix Czeike, Wiener Stadt- und Landesarchiv, Wien

Mag. Dr. Bernhard Denscher, Wiener Stadt- und Landesbibliothek, Plakatsammlung

Dr. Gerhard Dienes, Grazer Stadtmuseum

Dr. Wolfgang Etschmann, Militärwissenschaftliches Institut, Wien

Dr. Annemarie Fenzel, Diözesanarchiv, Wien

Prof. Karl Flanner, Stadtarchiv Wiener Neustadt

Dr. Roland Floimair, Amt der Salzburger Landesregierung

Herbert Friedlmeier, Österreichische Nationalbibliothek, Porträtsammlung und Bildarchiv, Wien

Dr. Walter Fritz, Österreichisches Filmarchiv, Wien

Dr. Hermann Frodl, Österreichische Nationalbibliothek, Wien

Rudolf Fuchs, Oesterreichische Nationalbank, Dokumentation, Wien

Mag. Wolfram Gangl, Institut für Englische Sprache, Wirtschaftsuniversität, Wien

Dr. Siegwald Ganglmair, Dokumentationsarchiv des österreichischen Widerstandes, Wien

Peter Glanninger, Lichtbildstelle der Polizeidirektion Wien

Emmerich Gmeiner, Stadtarchiv der Landeshauptstadt Bregenz

Karl Goldmann, Österreichische Nationalbibliothek, Flugschriftensammlung, Wien

Elfriede Gösenbauer, Universitätsbibliothek, Wien

Dr. Peter Gosztony, Schweizerische Osteuropa-Bibliothek, Bern

Dr. Fritz-Peter Habel, München

Dr. Roswitha Haller, Amerika-Haus Bibliothek, Wien

Elfriede Hirschberg, Verein der Freunde der Wiener Staatsoper, Wien

Otto Hitzinger, Parlamentsbibliothek, Wien

Dr. Eduard Hochenpichler, Polizeidirektion Wien, Pressestelle

Rosa Hock, Archiv der Polizeidirektion Wien

Dr. Brigitte Holl, Archiv des Heeresgeschichtlichen Museums, Wien

HR Dr. Hubert Holler, Sicherheitsdirektion für das Bundesland Steiermark

RR Heinrich Hrad, Archiv der Polizeidirektion Wien

Dr. Günter Jontes, Museum der Stadt Leoben

HR Dipl.-Ing. Siegfried Jung, Österreichischer Bundestheaterverband, Gebäudeverwaltung, Wien

Helene Kabesch, Magistrat der Stadt Salzburg, Dokumentation

Dr. Christine Kainz, Generalpostdirektion Wien, Abteilung für Information und Dokumentation

HR Felix Kempter, Parlamentsarchiv, Wien

Dr. Elisabeth Klamper, Dokumentationsarchiv des österreichischen Widerstandes, Wien

Richard Klucsarits, Karl-Renner-Institut, Wien

HR Dr. Robert Köck, Interpol, Polizeidirektion Wien

Doz. Dr. Werner Köfler, Archiv der Tiroler Landesregierung, Innsbruck

Dr. Peter Konlechner, Österreichisches Filmmuseum, Wien

Dr. Therese Kraus, Niederösterreichischer Bauernbund, Wien

Dr. Georg Kugler, Kunsthistorisches Museum, Archiv, Wien

Dr. Helmut Lang, Österreichische Nationalbibliothek, Wien

Dr. Wolfram Lenotti, Wien

Dr. Kurt Liepold, Verein für Geschichte der Arbeiterbewegung, Wien

Prof. Max Lotteraner, Oberösterreichische Arbeiterkammer, Linz

Dr. Wolfgang Maderthaner, Verein für Geschichte der Arbeiterbewegung, Wien

Dr. Wilfried Mähr, Wien

Dr. Peter Malina, Institut für Zeitgeschichte, Bibliothek, Wien

Dr. Augustin Malle, Slowenisches wissenschaftliches Institut, Klagenfurt

Alois Mayrhuber, Heimatmuseum und -archiv, Altaussee

Ing. Robert Medek, Wiener Stadtwerke

Dr. Klaus-Dieter Mulley, Österreichisches Gesellschafts- und Wirtschaftsmuseum, Wien

Josef Navratil, Österreichisches Filmarchiv, Laxenburg

Gen.-Dir. HR Dr. Rudolf Neck, Haus-, Hof- und Staatsarchiv, Wien

Dr. Ludwig Netsch, Magistrat der Stadt Salzburg, Dokumention

Franz Neubauer, Österreichische Nationalbibliothek, Reprostelle, Wien

Dr. Wolfgang Neugebauer, Dokumentationsarchiv des österreichischen Widerstandes, Wien

Dipl.-Ing. Rolf Niederhuemer, Technisches Museum für Industrie und Gewerbe, Wien

HR Dr. Alfred Ogris, Kärntner Landesarchiv, Klagenfurt

Dr. Max Ostermayer, Amt der Steiermärkischen Landesregierung, Graz

Hans E. Parzer, Wien

HR Mag. Dr. Franz Patzer, Wiener Stadt- und Landesbibliothek, Wien

HR Dr. Kurt Peball, Österreichisches Staatsarchiv, Archiv der Republik, Wien

Helmut Pflügl, Österreichisches Filmarchiv, Wien

Dir. Herbert Podhrasky, Bundeswirtschaftskammer, Filmstelle, Wien

Felix Rameder, Privatsammlung Bombenkrieg in Österreich

Dr. Günther Ramhardter, Österreichische Nationalbibliothek, Zeitschriftenabteilung, Wien

Egon Reiner, Dorotheum, Wien

Prof. Anton Resch, Stadtarchiv Retz

Michael Roithner, Geschichtsverein Bad Aussee

Friedrich Rollinger, ÖBB-Presseabteilung

Dr. Gerhard Sailer, Bundesdenkmalamt, Wien

Ing. Friedrich Schieferdecker, Wiener Stadtwerke – Verkehrsbetriebe

Dr. Robert Schilk, Amt der NÖ. Landesregierung, Wien

Dr. Liselotte Schlager, Archiv der Stadt Linz

Dr. Erwin Schmidl, Militärwissenschaftliches Institut, Wien

Ferdinand Schmied, Institut für Geschichte, Bibliothek, Wien

Ingrid Schmutzenhofer, Österreichische Nationalbibliothek, Wien

Dr. Walter Schubert, Polizeidirektion Wien, Pressestelle

Dr. Josef Schuchnig, Österreichisches Filmarchiv, Wien

Walter Seidl, Österreichische Nationalbibliothek, Flugschriftensammlung, Wien

Prof. Dr. Harry Slapnicka, Oberösterreichisches Landesarchiv, Linz

Dr. Gustav Spann, Institut für Zeitgeschichte, Bibliothek, Wien

o. Univ.-Prof. Dr. Karl R. Stadler, Linz

HR Eduard Stanek, Wien

Dr. Josef Stark, Staatspolizei, Polizeidirektion Linz

Werner Steindl, Österreichische Nationalbibliothek, Wien

Mag. Rainer Stepan, Karl-von-Vogelsang-Institut, Wien

Dr. Leopold Steurer, Meran

Herbert Stocker, Gendarmerie Grundlsee

HR Dr. Theodor Stöhr, Parlamentsbibliothek, Wien

HR Dr. Magda Strebl, Österreichische Nationalbibliothek, Wien

Gisela Stuber, Archiv der Polizeidirektion Wien

HR Dr. Franz Stundner, Niederösterreichisches Landesarchiv, Wien

Dr. Marjan Sturm, Slowenisches wissenschaftliches Institut, Klagenfurt

Dr. Christiane Thomas, Haus-, Hof- und Staatsarchiv, Wien

Pepi Treitl, Privatarchiv Film und Filmgeschichte

Dr. Herbert Vodicka, Stadtarchiv Innsbruck

HR Dr. Berthold Waldstein-Wartenberg, Allgemeines Verwaltungsarchiv, Wien

Dr. Heinz Wasserbauer, Parlamentsdirektion, Wien

Dr. Willi Weinert, Globus-Archiv, Wien

Wolfgang Wieland, Schwarzenbergische Archive, Schloß Murau, Steiermark

Ing. Simon Wiesenthal, Dokumentationszentrum des Bundes Jüdischer Verfolgter des Nazi-Regimes, Wien

HR Dr. Walter Wieser, Österreichische Nationalbibliothek, Porträtsammlung und Bildarchiv, Wien

HR Dr. Günther Winkler, ÖBB-Presseabteilung

Franz Wolter, privates Bild- und Zeitungsarchiv, Wien

Dr. Klaus Wundsam, Österreichische Akademie der Wissenschaften, Bibliothek, Wien

Stefanie Zabusch, Bezirksmuseum Wien-Hernals

HR Dr. Friederike Zaisberger, Salzburger Landesarchiv, Salzburg

HR Dr. Alois Zauner, Oberösterreichisches Landesarchiv, Linz

Dr. Dina Zickler, Dokumentationsarchiv des österreichischen Widerstandes, Wien

alle Dienststellen der Gendarmerie und der Polizei, des Bundesheeres und der Feuerwehr sowie alle Gemeinde- und Pfarrämter, die uns hilfsbereit und unbürokratisch Einblick in ihre Chroniken gewährt haben.

Literatur

Acheson, Dean, Present At The Creation. My Years In The State Department, New York 1970

Aichinger, Wilfried, Sowjetische Österreichpolitik 1943–1945, Wien 1977

Andics, Hellmut, 50 Jahre unseres Lebens, Wien 1968

Bachinger, Karl – Matis, Herbert, Der österreichische Schilling. Geschichte einer Währung, Graz – Wien – Köln 1974

Banny, Leopold, Krieg im Burgenland. Bd. I: „Warten auf den Feuersturm". Vom Beginn des Luftkrieges 1943 bis zum Beginn der Kampfhandlungen Ende März 1945, Eisenstadt 1983

Barker, Thomas M., The Slovene Minority of Carinthia, New York 1984

Berchtold, Klaus (Hg.), Österreichische Parteiprogramme 1866–1966, Wien 1967

Berthold, Eva, Kriegsgefangene im Osten. Bilder – Briefe – Berichte, Königstein im Taunus 1981

Bethell, Nicholas, Das letzte Geheimnis. Die Auslieferung russischer Flüchtlinge an die Sowjets durch die Alliierten 1944–47, Frankfurt am Main 1974

Béthouart, Emile-Marie, Die Schlacht um Österreich, Wien 1967

Bezemek, Ernst, Die Nationalratswahlen vom 25. November 1945, phil. Diss., Wien 1977

Blöchl, Johann, Meine Lebenserinnerungen, Linz 1975

Blumenson, Martin, Mark Clark, London 1985

Böhme, Kurt W., Zur Geschichte der deutschen Kriegsgefangenen des Zweiten Weltkrieges. Bd. III: Die deutschen Kriegsgefangenen in sowjetischer Hand. Bielefeld 1966

Botz, Gerhard, Die Eingliederung Österreichs in das Deutsche Reich. Planung und Verwirklichung des politisch-administrativen Anschlusses 1938–1940, Wien 1977

Botz, Gerhard, Wien vom „Anschluß" zum Krieg. Nationalsozialistische Machtübernahme und politisch-soziale Umgestaltung am Beispiel der Stadt Wien 1938/39, Wien 1978

Brunner, Waltraud, Das deutsche Eigentum und das Ringen um den österreichischen Staatsvertrag 1945–1955, phil. Diss., Wien 1976

Buchinger, Josef, Das Ende des 1000jährigen Reiches. Dokumentationen über das Kriegsgeschehen in der Heimat. 2 Bände, Wien 1972

Bulletin d'Information et de Documentation. Haut Commissariat de la République Française en Autriche. Mission Française pour les Provinces du Tyrol et du Vorarlberg, Innsbruck 1945 ff.

Byrnes, James F., Speaking Frankly, New York 1947

Churchill, Winston S., Der Zweite Weltkrieg. Bd. 5 und 6, Bern 1953/54

Clark, Mark W., Von Algier nach Wien, Wien – Velden am Wörthersee 1954

Csáky, Eva-Marie, Der Weg zu Freiheit und Neutralität. Dokumentation zur österreichischen Außenpolitik 1945–1955, Wien 1980

Denkschrift der Provisorischen Staatsregierung der Republik Österreich über die Organisation der Zusammenarbeit der militärischen und zivilen Behörden, Wien 1945

Deutsch, Renate, Die Kontroverse zwischen ÖVP und SPÖ in der Verstaatlichungsfrage 1945–1949, phil. Diss., Salzburg 1977

Drei Monate Aufbauarbeit der provisorischen Staatsregierung der Republik Österreich, Wien 1945

Dulles, Allen – Schulze-Gevernitz, Gero von, Unternehmen „Sunrise". Die geheime Geschichte des Kriegsendes in Italien, Düsseldorf 1967

Dulles, Eleanor L., Chances Of A Lifetime, Englewood Cliffs, N. J., 1980

Dusek, Peter – Pelinka, Anton – Weinzierl, Erika, Zeitgeschichte im Aufriß. Österreich von 1918 bis in die achtziger Jahre, Wien 1981

Ergert, Viktor, 50 Jahre Rundfunk in Österreich. Bd. II: 1945–1955, Salzburg 1975

Feichtinger, Franz J., Die Länderkonferenzen 1945. Die Wiedererrichtung der Republik Österreich, phil. Diss., Wien 1965

Feis, Herbert, Between War and Peace – the Potsdam Conference, Princeton, N. J., 1960

Fischer, Ernst, Das Ende einer Illusion. Erinnerungen 1945–1955, Wien – München – Zürich 1973

Flieder, Viktor – Loidl, Franz, Stephansdom – Zerstörung und Wiederaufbau, Wien 1967

Flüchtlingsland Österreich, Salzburg 1957

Foreign Relations of the United States 1943 ff., Washington, D. C., 1963 ff.

Fritz, Walter, Kino in Österreich 1945–1983, Wien 1984

Ganglmair, Siegwald, Amerikanische Kriegspropaganda gegen das Deutsche Reich in den Jahren 1944/1945. 2 Bände, phil. Diss., Wien 1978

Gärtner, Heinz, Zwischen Moskau und Österreich. Die KPÖ – Analyse einer sowjetabhängigen Partei, Wien 1979

Gazette of the Allied Commission for Austria. Viersprachig, Wien 1945 ff.

Geschichte der KPÖ. 1918–1955. Kurzer Abriß, Wien 1977

Geschichte der sowjetischen Außenpolitik 1917–1945, Moskau 1969

Geschichte des großen Vaterländischen Krieges der Sowjetunion. Bd. 5: Die siegreiche Beendigung des Krieges mit dem faschistischen Deutschland, Ostberlin 1967

Goebbels, Joseph, Tagebücher 1945. Die letzten Aufzeichnungen, Hamburg 1977

Göhring, Walter, 1000 Daten SPÖ, Eisenstadt 1985

Göhring, Walter – Pfeifenberger, Werner (Hg.), 60 Jahre Burgenland. Eine Dokumentation, Wien – Mattersburg 1981

Gosztony, Peter, Endkampf an der Donau, Wien 1969

Grayson, Cary T., Austria's International Position 1938–1953, Genf 1953

Gruber, Karl, Zwischen Befreiung und Freiheit. Der Sonderfall Österreich, Wien 1953

Gruber, Karl, Ein politisches Leben, Wien 1976

Grünwald, Leopold (Hg.), Sudetendeutsche – Opfer und Täter. Verletzungen des Selbstbestimmungsrechtes und ihre Folgen 1918–1982, Wien 1983

Haas, Hanns – Stuhlpfarrer, Karl, Österreich und seine Slowenen, Wien 1977

Habel, Fritz P., Dokumente zur Sudetenfrage, München – Wien 1984

Hannak, Jacques, Karl Renner und seine Zeit. Versuch einer Biographie, Wien 1965

Helmer, Oskar, 50 Jahre erlebte Geschichte, Wien 1957

Helperstorfer, Irmgard, Die Geschichte des zweisprachigen Schulwesens im Bundesland Kärnten 1945 bis 1983, phil. Diss., Wien 1985

Henz, Rudolf, Fügung und Widerstand. Eine Autobiographie, Graz – Wien – Köln 1981

Hindinger, Gabriele, Das Kriegsende und der Wiederaufbau demokratischer Verhältnisse in Oberösterreich im Jahre 1945, Wien 1968

Holaubek, Josef, Die österreichische Feuerwehr. Ihre Geschichte und ihre Helden, Wien – Heidelberg 1979

Holzer, Willibald Ingo, Die österreichischen Bataillone im Verbande der NOV i POJ. Die Kampfgruppe Avantgarde, Steiermark. Die Partisanengruppe Leoben-Donawitz, phil. Diss., Wien 1971

Hölzl, Norbert, Propagandaschlachten. Die österreichischen Wahlkämpfe 1945–1971, Wien 1974

Hundert Jahre Wiener Sicherheitswache 1869–1969, Wien 1969

Jagschitz, Gerhard, Zeitaufnahmen. Österreich im Bild von 1945 bis heute, Wien 1982

Jochum, Manfred, Die Zweite Republik in Dokumenten und Bildern, Wien 1982

Karner, Stefan, Kärntens Wirtschaft 1938–1945 unter besonderer Berücksichtigung der Rüstungsindustrie, Klagenfurt 1976

Karner, Stefan (Hg.), Das Burgenland im Jahr 1945, Eisenstadt 1985

Käs, Ferdinand, Wien im Schicksalsjahr 1945, Wien – Frankfurt am Main – Zürich 1965

Kaut, Josef, Der steinige Weg. Geschichte der sozialistischen Arbeiterbewegung im Lande Salzburg, Wien 1961

Keesing's Archiv der Gegenwart 1945 ff.

Kennan, George F., Memoirs 1925–1950. 2 Bände, Boston 1967

Klambauer, Otto, Die USIA-Betriebe, phil. Diss., Wien 1979

Kleindel, Walter, Chronik Österreichs, Dortmund 1984

Kleindel, Walter, Österreich. Daten zur Geschichte und Kultur, Wien – Heidelberg 1978

Klenner, Fritz, Die österreichischen Gewerkschaften. Eine Monographie, Wien 1967

Klostermann, Ferdinand – Kriegl, Hans – Mauer, Otto – Weinzierl, Erika (Hg.), Kirche in Österreich 1918–1965. 2 Bände, Wien – München 1966

Kocensky, Josef (Hg.), Dokumentation zur österreichischen Zeitgeschichte. 1945 bis 1955, Wien – München 1975

Kollmann, Eric C., Theodor Körner. Militär und Politik, Wien 1972

Koref, Ernst, Die Gezeiten meines Lebens, Wien – München 1980

Krammer, Arnold, PW – Gefangen in Amerika. Die umfassende Darstellung über die US-Kriegsgefangenschaft von 400 000 deutschen Soldaten, Stuttgart 1982

Kriechbaumer, Robert, Von der Illegalität zur Legalität. Gründungsgeschichte der ÖVP, Wien 1985

Kusnezow, P. G., Marschall Tolbuchin, Moskau 1966 (in russischer Sprache)

La tragedia de Bleiburg. Documentos sobre las matanzas en masa de los Croatas en Jugoslavia comunista en 1945, Buenos Aires 1963

Lackerbauer, Ilse, Das Kriegsende in der Stadt Salzburg im Mai 1945, Wien 1977

Leidenfrost, Josef, Die amerikanische Besatzungsmacht und der Wiederbeginn des politischen Lebens in Österreich 1944–1947, phil. Diss. in Vorbereitung, Wien 1985

Leitner, Thea, Körner aus der Nähe, Wien 1952

Leitner, Thea, Das Buch vom Doktor Schärf, Wien 1957

Lettner, Lydia, Die französische Österreichpolitik von 1943 bis 1946, phil. Diss., Salzburg 1980

Löffler-Bolka, Dietlinde, Vorarlberg 1945. Das Kriegsende und der Wiederaufbau demokratischer Verhältnisse in Vorarlberg im Jahre 1945, Bregenz 1975

Loth, Wilfried, Die Teilung der Welt. Die Geschichte des Kalten Krieges 1941–1945, München 1980

Luger, Johann, Parlament und alliierte Besatzung 1945–1955, phil. Diss., Wien 1976

Luža, Radomír, Der Widerstand in Österreich 1938–1945, Wien 1985

Machunze, Erwin, Vom Rechtlosen zum Gleichberechtigten. Die Flüchtlings- und Vertriebenenfrage im Wiener Parlament. Band 1: Die V. Gesetzgebungsperiode 1945–1949, Salzburg 1974

Mähr, Wilfried, Von der UNRRA zum Marshallplan. Die amerikanische Finanz- und Wirtschaftshilfe der Jahre 1945–1950 an Österreich, phil. Diss., Wien 1985

Maimann, Helene, Politik im Wartesaal. Österreichs Exilpolitik in Großbritannien 1938 bis 1945, Wien 1975

Maimann, Helene – Mattl, Siegfried, Die Kälte des Februar. Österreich 1933–1938, Wien 1984

Mair, John, Four Power Control in Austria 1945–1946, London – New York – Toronto 1956

Malinowski, Rodion, Budapest–Wien–Prag, Moskau 1965 (in russischer Sprache)

Marsalek, Hans, Die Geschichte des Konzentrationslagers Mauthausen, Wien 1974

Massiczek, Albert (Hg.), Zeit an der Wand. Österreichs Vergangenheit 1848–1965 in den wichtigsten Anschlägen und Plakaten, Wien – Frankfurt am Main – Zürich 1967

Matejka, Viktor, Widerstand ist alles. Notizen eines Unorthodoxen, Wien 1983

Mauk, Karl, Österreich und die UNO 1945–1955, phil. Diss., Wien 1981

Mayenburg, Ruth von, Hotel Lux, München 1978

Merl, Edmund, Die Besatzungszeit im Mühlviertel. Anhand der Entwicklung im politischen Bezirk Freistadt (1945–1955), Linz 1981

Molden, Fritz, Fepolinski und Waschlapski auf dem berstenden Stern, Wien 1976

Molden, Fritz, Besetzer, Toren, Biedermänner. Ein Bericht aus Österreich 1945–1962, Wien 1980

Molden, Otto, Der Ruf des Gewissens. Der österreichische Freiheitskampf 1938–1945, Wien 1958

Moser, Jonny, Die Judenverfolgung in Österreich 1938–1945, Wien – Frankfurt am Main – Zürich 1966

Nasko, Siegfried, Dr. Karl Renner – Vom Bauernsohn zum Bundespräsidenten, Wien – Gloggnitz 1979

Nasko, Siegfried, Karl Renner in Dokumenten und Erinnerungen, Wien 1982

Nemschak, Franz, Zehn Jahre österreichische Wirtschaft 1945–1955, Wien 1955

Neugebauer, Wolfgang, Politische Justiz in Österreich 1934–1945, Wien 1977; in: Justiz und Zeitgeschichte

Oberleitner, Wolfgang, Politisches Handbuch Österreichs 1945–1980, Wien 1981

Olschewski, Malte, Die psychologische Kriegsführung und Propaganda der Titopartisanen in Kärnten und Slowenien, phil. Diss., Wien 1966

Österreichisches Jahrbuch 1945 ff.

Pauley, Bruce F., Hitler And The Forgotten Nazis. A History Of Austrian National Socialism, Chapel Hill, N. C., 1981

Paupié, Kurt, Handbuch der österreichischen Pressegeschichte 1848–1959. 2 Bände, Wien – Stuttgart 1960

Persico, Joseph E., Geheime Reichssache. Der US-Geheimdienst im Untergrundkampf gegen die deutsche Kriegsführung, Wien – München – Zürich – Innsbruck 1979

Pollak, Walter, Sozialismus in Österreich. Von der Donaumonarchie bis zur Ära Kreisky, Wien – Düsseldorf 1979

Prcela, John – Guldescu, Stanko, Operation Slaughterhouse. Eyewitness Accounts Of Postwar Massacres In Yugoslavia, Philadelphia 1970

Provisional Handbook for Military Government in Austria, London 1945

Pust, Ingomar, Titostern über Kärnten 1942–1945. Totgeschwiegene Tragödien, Klagenfurt 1984

Rathkolb, Oliver, Politische Propaganda der amerikanischen Besatzungsmacht in Österreich 1945 bis 1950. Ein Beitrag zur Geschichte des Kalten Krieges in der Presse-, Kultur- und Rundfunkpolitik. 2 Bände, phil. Diss., Wien 1981

Rathkolb, Oliver (Hg.), Gesellschaft und Politik am Beginn der Zweiten Republik. Vertrauliche Berichte der US-Besatzungsadministration aus Österreich 1945, Graz – Wien – Köln 1985

Rauchensteiner, Manfried, 1945. Entscheidung für Österreich, Graz 1975

Rauchensteiner, Manfried, Der Sonderfall. Die Besatzungszeit in Österreich 1945 bis 1955, Graz – Wien – Köln 1979

Rauchensteiner, Manfried, Der Krieg in Österreich, Wien 1984

Rausch, Josef, Der Partisanenkampf in Kärnten im Zweiten Weltkrieg, Wien 1979

Reichhold, Ludwig, Geschichte der ÖVP, Graz – Wien – Köln 1975

Renner, Karl, Denkschrift über die Geschichte der Unabhängigkeitserklärung Österreichs und die Einsetzung der provisorischen Regierung der Republik, Wien 1945

Renner, Karl, Österreich von der Ersten zur Zweiten Republik, Wien 1953

Riemer, Hans, Wien baut auf. Zwei Jahre Wiederaufbau, Wien 1947

Ritschel, Karl-Heinz, Diplomatie um Südtirol. Politische Hintergründe eines europäischen Versagens, Stuttgart 1966

Ritschel, Karl-Heinz, Österreich ist frei. Der Weg zum Staatsvertrag 1945–1955, Wien 1980

Rönnefarth, Helmuth K. – Euler, Heinrich (Hg.), Konferenzen und Verträge. Vertrags-Ploetz. Bd. 4A: 1914–1959, Freiburg – Würzburg 1959

Rossiwall, Theo, Die letzten Tage. Die militärische Besetzung Österreichs 1945, Wien 1969

Rot-Weiß-Rot-Buch. Gerechtigkeit für Österreich! Darstellungen, Dokumente und Nachweise zur Vorgeschichte und Geschichte der Okkupation Österreichs. Erster Teil, Wien 1946

Salzburg und das Werden der Zweiten Republik, Salzburg 1985

Sandner, Margit, Die französisch-österreichischen Beziehungen während der Besatzungszeit 1947 bis 1955, Wien 1983

Schärf, Adolf, Zwischen Demokratie und Volksdemokratie. Österreichs Einigung und Wiederaufrichtung im Jahre 1945, Wien 1950

Schärf, Adolf, Österreichs Erneuerung 1945–1955, Wien 1955

Schärf, Adolf, Österreichs Wiederaufrichtung 1945, Wien 1960

Scharf, Erwin, Ich darf nicht schweigen, Wien 1948

Schausberger, Norbert, Rüstung in Österreich 1938–1945, Wien 1970

Schelling, Georg, Festung Vorarlberg. Ein Bericht über das Kriegsgeschehen 1945 in unserem Lande, Bregenz 1947

Scheltow, Alexej, Die politische Arbeit während der Wiener Angriffsoperation, Moskau 1966 (in russischer Sprache)

Scheuringer, Brunhilde, 30 Jahre danach. Die Eingliederung der volksdeutschen Flüchtlinge und Vertriebenen in Österreich, Wien 1983

Schilcher, Alfons, Österreich und die Großmächte. Dokumente zur österreichischen Außenpolitik 1945–1955, Wien – Salzburg 1980

Schilcher, Alfons, Die Politik der Provisorischen Regierung und der Alliierten Großmächte bei der Wiedererrichtung der Republik Österreich, phil. Diss., Wien 1985

Schmidt, Gerhard, Patrioten, Pläne und Parteien. Das Werden der ÖVP und ihrer Bünde im Bundesland Salzburg, Salzburg 1971

Schtemenko, Sergej, Im Generalstab. 2 Bände, Ostberlin 1975

Sieder, Elfriede, Die alliierten Zensurmaßnahmen zwischen 1945 und 1955 unter besonderer Berücksichtigung der Medienzensur, phil. Diss., Wien 1983

Simontsits, Attila L., The Last Battle for St. Stephen's Crown. A Documentary Presentation of the Holy Crown of Hungary, Cleveland, Ohio, 1983

Stadler, Karl R., Adolf Schärf. Mensch – Politiker – Staatsmann, Wien – München – Zürich 1982

Stanek, Eduard, Verfolgt – verjagt – vertrieben. Flüchtlinge in Österreich von 1945 bis 1984, Wien – München – Zürich 1985

Stearman, William L., Die Sowjetunion und Österreich 1945–1955. Ein Beispiel für die Sowjetpolitik gegenüber dem Westen, Bonn – Wien – Zürich 1962

Steiner, Herbert, Zum Tode verurteilt. Österreicher gegen Hitler. Eine Dokumentation, Wien 1964

Steirische Bewährung. Zehn Jahre Aufbau in der Steiermark, Graz 1955

Stiefbold, Rodney – Leupold-Löwenthal, Arlette – Ress, Georg – Lichem, Walter (Hg.), Wahlen und Parteien in Österreich. Österreichisches Wahlhandbuch. 4 Bände, Wien 1966 ff.

Stiefel, Dieter, Entnazifizierung in Österreich, Wien – München – Zürich 1981

Stourzh, Gerald, Geschichte des österreichischen Staatsvertrages 1945–1955. Österreichs Weg zur Neutralität. Studienausgabe, Wien 1985

Stourzh, Gerald, Die Regierung Renner, die Anfänge der Regierung Figl und die Alliierte Kommission für Österreich September 1945 bis April 1946 (Sonderdruck), Wien 1966

Sulzberger, Charles L., The American Heritage. Picture History of World War II, New York 1966

Tagebuch der Straße. Geschichte in Plakaten, Wien 1981

Teheran – Jalta – Potsdam, Moskau 1978

Tolstoj, Nikolaj, Die Verratenen von Jalta. Englands Schuld vor der Geschichte, München 1978

Trost, Ernst, Figl von Österreich, Wien – München 1985

Truman, Harry S., Memoirs. 2 Bände, London 1955 f.

Tschögl, Rudolf, Tagespresse, Parteien und alliierte Besatzung. Grundzüge der Presseentwicklung in der unmittelbaren Nachkriegszeit 1945–1947, phil. Diss., Wien 1979

UdSSR–Österreich. 1938–1979. Dokumente und Materialien, Moskau 1980

Die UdSSR im Kampf um die Unabhängigkeit Österreichs, Moskau 1965 (in russischer Sprache)

Unkart, Ralf – Glantschnig, Gerold – Ogris, Alfred, Zur Lage der Slowenen in Kärnten, Klagenfurt 1984

Die USIA-Betriebe in Niederösterreich. Geschichte, Organisation, Dokumentation, Wien 1983

Verosta, Stephan, Die internationale Stellung Österreichs. Eine Sammlung von Erklärungen und Verträgen aus den Jahren 1938–1947, Wien 1947

Vocelka, Karl, Trümmerjahre Wien 1945–1949, Wien 1985

Volks-Gerichtsbarkeit und Verfolgung von nationalsozialistischen Gewaltverbrechen in Österreich 1945 bis 1972. Eine Dokumentation, Wien 1977

Vom Reich zu Österreich. Kriegsende und Nachkriegszeit in Österreich, Wien – Salzburg 1983

Wadl, Wilhelm, Das Jahr 1945 in Kärnten. Ein Überblick, Klagenfurt 1985

Waechter-Böhm, Liesbeth (Hg.), Wien 1945 – davor/danach, Wien 1985

Wagnleitner, Reinhold, Großbritannien und die Wiedererrichtung der Republik Österreich, phil. Diss., Salzburg 1975

Wagnleitner, Reinhold (Hg.), Diplomatie zwischen Parteiproporz und Weltpolitik. Briefe, Dokumente und Memoranden aus dem Nachlaß Walter Wodaks 1945–1950, Salzburg 1980

Wagnleitner, Reinhold (Hg.), Understanding Austria – The Political Reports And Analyses Of Martin F. Herz, Political Officer Of The U.S. Legation In Vienna 1945–1948, Salzburg 1984

Wandruszka, Adam, Geschichte einer Zeitung. Das Schicksal der „Presse" von 1848 bis zur Zweiten Republik, Wien 1958

Weibel-Altmeyer, Heinz, Alpenfestung. Ein Dokumentarbericht, Wien – München 1966

Weinberger, Lois, Tatsachen, Begegnungen und Gespräche, Wien 1948

Weinzierl, Erika – Skalnik, Kurt (Hg.), Österreich. Die Zweite Republik, Graz – Wien 1972

Weinzierl, Erika – Hofrichter, Peter, Österreich. Zeitgeschichte in Bildern 1918–1975, Innsbruck – Wien – München 1975

Weissensteiner, Friedrich – Weinzierl, Erika (Hg.), Die österreichischen Bundeskanzler. Leben und Werk, Wien 1983

Weissensteiner, Friedrich (Hg.), Die österreichischen Bundespräsidenten. Leben und Werk, Wien 1982

Wetz, Ulrike, Geschichte der Wiener Polizeidirektion vom Jahre 1945 bis zum Jahre 1955, 2 Bände, phil. Diss., Wien 1970

Widerstand und Verfolgung im Burgenland 1934–1945, Wien 1979

Widerstand und Verfolgung in Oberösterreich 1934–1945. 2 Bände, Wien 1982

Widerstand und Verfolgung in Tirol 1934–1945. 2 Bände, Wien 1984

Widerstand und Verfolgung in Wien 1934–1945. 3 Bände, Wien 1975

Wien dankt seinen Helfern. Eine Darstellung der Auslandshilfe im ersten Jahre ihrer Wirksamkeit, Wien 1946

Wodak, Walter, Diplomatie zwischen Ost und West, Graz 1976

de Zayas, Alfred M., Die Anglo-Amerikaner und die Vertreibung der Deutschen. Vorgeschichte, Verlauf, Folgen, München 1977

Personenregister

Die kursiven Seitenangaben beziehen sich auf die Bildlegenden.

Bildnachweis

Archiv der Landeshauptstadt Bregenz 223, 225, 226, 227, 229, 231, 234, 235

Archiv der Max Reinhardt-Forschungs- und Gedenkstätte, Salzburg 490, 491

Archiv des Wiener Burgtheaters 322

Archiv der Wiener Verkehrsbetriebe 159

Arbeiter-Zeitung – Bildarchiv, Wien 409, 472, 473

Professor Dr. Alois Beck, Privatbesitz, Wien 498, 499

Bestattungsmuseum der Stadt Wien 308, 309

Bildarchiv der Feuerwehr der Stadt Wien 20

Bundesarchiv Koblenz 41

Bundesdenkmalamt, Landeskonservatorat für Tirol, Innsbruck 478, 479

Bundesdenkmalamt, Wien 41, 199, 200, 201, 202

Peter Breckner, Privatbesitz, Mattighofen 63, 65

Peter Croy, Pressefotos, Maria Enzersdorf 67, 75, 116, 117, 118, 119, 122, 125, 127, 131, 156, 157, 165, 292, 293, 304, 308, 309, 321, 356, 370, 371, 423, 430, 451

Dokumentationsarchiv des österreichischen Widerstandes, Wien 126, 133, 147, 183, 186, 203, 232, 233, 238, 240, 244, 245, 246, 247, 248, 249, 280, 281, 352, 353, 378, 379, 466

Viktor Ergert, Privatbesitz, Wien 302, 430, 431

Ferdinand Fendt, Privatbesitz, Wien 110

General Lester D. Flory, Privatbesitz, Washington, D. C. 360, 361, 366, 367

Otto Fodrek, Privatbesitz, Wien 82, 83

Andreas Froschauer, Privatbesitz, Graz 272

Globus-Verlag, Wien 28, 29, 73, 88, 89, 109, 136, 148, 149

Maria Halbich-Webern, Privatbesitz, Mittersill 452, 453

Ida Hardinka, Privatbesitz, Klagenfurt 251, 253

Heeresgeschichtliches Museum, Wien 22, 23, 27, 50, 51, 54, 70, 76, 77, 110, 153, 181, 185, 191, 192, 193, 196, 197, 232, 233, 250, 261, 270, 338, 339, 340, 341, 342, 343, 354, 355, 368, 369, 373

Hans Herke, Privatbesitz, Krumpendorf 252

Historisches Archiv des ORF, Wien 53, 57, 58, 59, 269, 295, 416

Imperial War Museum, London 150, 151, 240, 255, 336, 362, 363, 459

Internationales Rotes Kreuz, Schweiz 6

Sena Jurinac, Privatbesitz, Wien 324, 325

Walter Klomfar, Bilderdienst, Wien 419

Max Koren, Privatbesitz, Voitsberg 62, 63

Walter Koschatzky, Privatbesitz, Wien 434, 435

Clemens Krauss Archiv, Wien 323

Künstlergemeinde Bad Ischl 388, 389

Landesmuseum Joanneum, Graz 57, 260, 262, 263, 271, 273, 274, 346, 347

Josef Leidenfrost, Privatbesitz, Wien 392

Magistrat der Stadt St. Pölten, Stadtarchiv 177, 179

Muzej Ljudske Revolucije Slovenije, Laibach 242, 243

Museum und Archiv Wiener Neustadt – Städtische Sammlungen 46, 47

Museum der Stadt Leoben 448

National Archives, Washington, D. C. 187, 194, 205, 209, 210, 211, 218, 219, 239, 256, 257, 283, 284, 285, 288, 326, 327, 328, 329, 330, 348, 349, 354, 355, 358, 359, 385, 386, 387, 395, 403, 405, 406, 417, 422, 424, 425, 432, 433, 447, 450, 454, 461, 464, 465, 467, 468, 469, 481, 494, 495

Ing. Franz Netroufal, Privatbesitz, Wien 449

Oberösterreichisches Landesarchiv, Linz 457

Österreichisches Filmarchiv, Wien 42, 43

Österreichischer Gewerkschaftsbund, Wien 133, 142, 464, 465

Österreichisches Institut für Zeitgeschichte, Wien 21, 38, 39, 44, 45, 52, 69, 70, 80, 90, 91, 121, 125, 136, 138, 145, 156, 166, 167, 171, 172, 174, 175, 291, 297, 303, 305, 307, 313, 316, 317, 368, 369, 382, 398, 399, 418, 426, 427, 454, 462, 463, 492, 496, 501

Österreichische Nationalbibliothek – Bildarchiv, Wien 19, 397, 401, 406, 407, 413, 428, 429, 440, 441, 486, 487

Österreichische Nationalbibliothek – Flugschriftensammlung, Wien 71, 86, 140, 144, 146

Hans Piesch, Privatbesitz, Klagenfurt 250

Polizeiarchiv der Stadt Wien 136, 144, 146, 155, 312

Public Record Office, London 294, 334, 335, 336, 337, 394

DDr. Oliver Rathkolb, Privatbesitz, Wien 441

Salzburger Nachrichten, Bildarchiv, Salzburg 440

Franz Sams, Privatbesitz, Strobl 236, 237

Ernst Schindelegger, Privatbesitz, Amstetten 287

Karl Schopper, Privatbesitz, Wien 310, 311

Schwarzenbergische Archive, Schloß Murau 276, 277

Signal Corps Photo, Washington, D. C. 469, 493

Siemens Archiv, Wien 93

Christian R. Skrein, Privatbesitz, Wien 138, 139

Stadtarchiv Innsbruck 383, 385

Johann Sternhart, Privatbesitz, Wien 147

Günther Theuring, Privatbesitz, Wien 266, 267

USIS-Foto, Wien 127, 158, 397, 442, 443, 492

Karl-von-Vogelsang-Institut, Wien 490

Votava Pressefoto, Wien 135, 376, 377

Walter Wachs, Privatbesitz, Wien 278, 279

Direktor Ing. Franz Walch, Privatbesitz, Kapfenberg 374

Wiener Stadt- und Landesbibliothek – Plakatsammlung 37, 134, 474, 475, 482, 483, 484, 485

Zentralarchiv der UdSSR, Moskau 18, 24, 26, 30, 31, 34, 35, 81, 84, 85, 96, 97, 99, 100, 101, 103, 107, 111, 112, 113, 114, 115, 120, 134, 163, 168, 169, 170, 172, 173, 364, 365, 375, 390, 391, 411, 413, 456, 457, 476, 477

Gertrude Zvacek, Wien 55